O ARCO-ÍRIS DA GRAVIDADE

THOMAS PYNCHON

O arco-íris da gravidade

Tradução
Paulo Henriques Britto

2ª edição
2ª reimpressão

COMPANHIA DAS LETRAS

Grafia atualizada segundo o Acordo Ortográfico da Língua Portuguesa de 1990, que entrou em vigor no Brasil em 2009.

Título original
Gravity's Rainbow

Capa
Hélio de Almeida

Preparação
Cristina Penz

Revisão
Ana Maria Barbosa
Carmen S. da Costa
Cláudia Cantarin
Carlos Alberto Inada
Maria Prado
Pedro J. Ribeiro

Coordenação editorial
Página Viva

Dados Internacionais de Catalogação na Publicação (CIP)
(Câmara Brasileira do Livro, SP, Brasil)

Pynchon, Thomas
O arco-íris da gravidade / Thomas Pynchon ; tradução Paulo Henriques Britto. — 2ª ed. — São Paulo : Companhia das Letras, 2017.

Título original: Gravity's Rainbow.
ISBN 978-85-7164-799-2

1. Romance norte-americano I. Título.

17-2834 CDD-813.5

Índices para catálogo sistemático:
1. Romances : Século 20 : Literatura norte-americana 813.5
2. Século 20 : Romances : Literatura norte-americana 813.5

EDITORA SCHWARCZ S.A.
Rua Bandeira Paulista, 702, cj. 32
04532-002 — São Paulo — SP
Telefone: (11) 3707-3500
www.companhiadasletras.com.br
www.blogdacompanhia.com.br
facebook.com/companhiadasletras
instagram.com/companhiadasletras
twitter.com/cialetras

Para Richard Fariña

1. ALÉM DO ZERO

A natureza não conhece a extinção, só a transformação. Tudo o que a ciência me ensinou, e continua a me ensinar, reforça minha crença na continuidade de nossa experiência espiritual após a morte.

Wernher von Braun

Um grito atravessa o céu. Já aconteceu antes, mas nada que se compare com esta vez.

É tarde demais. A Evacuação ainda continua, mas é tudo teatro. Não há luzes dentro dos vagões. Não há luz em lugar nenhum. Acima de sua cabeça elevam-se vigas velhas como uma rainha de aço, e em algum lugar lá no alto vidro que deixaria entrar a luz do dia. Mas é noite. Ele tem medo do modo como o vidro vai cair — em breve —, vai ser um espetáculo: o desabamento de um palácio de cristal. Porém caindo na escuridão total, sem nenhum lampejo de luz, só um grande estrondo invisível.

Sentado dentro do vagão, que tem vários níveis, imerso numa escuridão de veludo, sem nada para fumar, ele sente metal mais perto e mais longe rangendo e estalando, baforadas de vapor escapulindo, uma vibração na carroceria do vagão, uma expectativa, uma inquietação, todos os outros comprimindo-se a sua volta, os fracos, carneiros da segunda leva, todos desprovidos de sorte e tempo: bêbados, velhos ex-combatentes ainda em estado de choque por efeito de tiros de canhões obsoletos há 20 anos, vigaristas com trajes de cidade, vagabundos, mulheres exaustas com mais filhos do que parece possível uma pessoa ter, empilhados junto com as outras coisas a ser conduzidas à salvação. Só os rostos mais próximos são visíveis, e mesmo assim como imagens vagas num visor, rostos esverdeados de VIPS entrevistos por detrás de janelas à prova de bala disparando pela rua...

Começaram a andar. Vão em fila, saindo da estação principal, do centro da cidade, rumo aos bairros mais velhos e desolados. É por aqui que se sai? Rostos voltam-se para as janelas, mas ninguém ousa perguntar, não em voz alta. Chove. Não, não se trata de um desvencilhar, e sim de um *emaranhamento* — passam por baixo de arcos, entradas secretas de concreto podre que apenas pareciam ser o trevo de um viaduto... uns cavaletes de madeira escurecida deslizam lentamente por cima deles, e já começaram os cheiros de carvão de um passado distante, cheiros de nafta no inverno, em domingos em que não havia tráfego algum, das formações feito coral, de uma vitalidade misteriosa, em torno das curvas cegas e desvios desertos, um cheiro azedo de vagões ausentes, de ferrugem velha, a crescer naqueles dias cada vez mais vazios, luminosos e profundos, especialmente ao amanhecer, com sombras azuis selando sua passagem, tentando reduzir os acontecimentos ao Zero Absoluto... e quanto mais avançam mais pobre é tudo a sua volta... cidades secretas e decrépitas dos pobres, lugares com *nomes que ele nunca ouviu antes*... paredes destruídas, cada vez menos telhados, cada vez menos possibilidades de luz. A estrada, que devia abrir-se numa outra mais larga, em vez disso é cada vez mais estreita, mais quebrada, com esquinas cada vez mais fechadas, até que de repente, cedo demais, eles se veem debaixo do arco final: uma freada e um sacolejo terrível. É um juízo que não permite recurso.

A caravana parou. É o fim da linha. Todos os evacuados recebem ordem de saltar. Andam devagar, mas sem opor resistência. Aqueles que os conduzem têm na cabeça rosetas cor de chumbo, e não falam. É algum hotel enorme, velhíssimo, escuríssimo, uma extensão de ferro dos trilhos e chaves que os trouxeram até aqui... Luminárias globulares, pintadas de verde-escuro, que há séculos não são acesas, pendem dos beirais de ferro trabalhado... a multidão avança sem murmúrios nem tosses por corredores retos e funcionais como os de um depósito... superfícies de um negro aveludado envolvem esta movimentação: um cheiro de madeira velha, de alas remotas há anos abandonadas recém-reabertas para armazenar este amontoado de almas, de reboco frio onde todos os ratos morreram, só restam seus fantasmas, imóveis como pinturas rupestres, teimosos e luminosos nas paredes... os evacuados são levados em grupos, num elevador — um andaime móvel de madeira, aberto em todos os lados, suspenso por cordas velhas sujas de breu e roldanas de ferro fundido com raios em forma de S. Em cada andar pardacento, saltam e entram passageiros... milhares de cômodos silenciosos sem luz...

Alguns aguardam a sós, alguns dividem os quartos invisíveis com outros. Invisíveis, sim, pois que importa a mobília nesta etapa dos acontecimentos? Os sapatos pisam a sujeira mais velha da cidade, as últimas cristalizações de tudo que a cidade negara, ameaçara, mentira a seus filhos. Cada um ouve uma voz, que lhe dá a impressão de falar só para ele, dizendo: "No fundo você não acreditava que ia ser salvo. Ora, a esta altura todos nós já sabemos quem somos. Ninguém jamais iria se dar ao trabalho de salvar *você*, meu caro...".

Não há saída. É deitar-se e esperar, em silêncio. O grito se sustenta no céu. Quando vier, virá na escuridão ou trará sua própria luz? A luz virá antes ou depois?

Mas já é dia. Há quanto tempo estará claro? Esse tempo todo a luz estava entrando, filtrada, juntamente com o ar frio da manhã que agora roça seus mamilos: começa a revelar um amontoado de vagabundos bêbados, uns de uniforme, outros à paisana, agarrados a garrafas vazias ou quase vazias, um jogado sobre uma cadeira, outro encolhido dentro de uma lareira fria, outros esparramados em diversos divãs, tapetes empoeirados e chaises-longues, nos diferentes níveis da sala enorme, roncando e ofegando em diversos ritmos, num coro incessante, enquanto a luz londrina, luz hibernal e elástica, cresce entre as faces das janelas de caixilhos, cresce entre as camadas da fumaça da noite passada que ainda paira, a dissipar-se, entre as vigas enceradas do teto. Todos esses supinos, esses companheiros de luta, têm rostos rosados de camponeses holandeses sonhando com a ressurreição certeira nos próximos minutos.

O nome dele é capitão Geoffrey ("Pirata") Prentice. Está embrulhado num cobertor espesso, um padrão axadrezado escocês laranja, vermelho-ferrugem e escarlate. Tem a sensação de que seu crânio é de metal.

Exatamente acima dele, a quatro metros de altura, Teddy Bloat está prestes a cair do balcão, tendo resolvido apagar no lugar exato onde alguém, num acesso grandioso, semanas antes, havia arrancado a pontapés dois dos balaústres de ébano. Agora Bloat, num estupor, está saindo por esta abertura, cabeça, braços, torso, até que a única coisa que o mantém lá no alto é uma meia-garrafa vazia de champanhe, no bolso da calça, que se enganchou em algo —

A esta altura, o Pirata conseguiu semierguer o corpo em sua estreita cama de solteiro e olhar à volta, piscando. Que merda. Que merda desgraçada... Ouve pano rasgando sobre sua cabeça. A Seção de Operações Especiais o ensinou a reagir rápido. Ele se levanta de um salto e chuta a cama, que vai rolando sobre os rodízios em direção a Bloat. Bloat despenca e acerta bem no meio da cama, com um grande estrondo de molas. Uma das pernas se quebra. "Bom dia", observa o Pirata. Bloat responde com um rápido sorriso e adormece de novo, aconchegando-se no cobertor do Pirata.

Bloat é um dos moradores deste lugar, uma casinha construída no início do século, não muito longe da Chelsea Embankment, por Corydon Throsp, um conhecido dos Rossetti que usava batas de crina e gostava de cultivar plantas medicinais no telhado (uma tradição recentemente retomada pelo jovem Osbie Feel), algumas delas resistentes o bastante para sobreviver a nevoeiros e geadas, porém a maioria tendo retornado, em forma de fragmentos de alcaloides peculiares, à terra do telhado, juntamente com o estrume de três porcas de raça ali guardadas pelo sucessor de Throsp, e folhas mortas das muitas árvores decorativas transplantadas para o telhado por moradores subsequentes, e mais uma ou outra refeição indigesta ali jogada ou vomitada por este ou aquele epicurista sensível — tudo misturado, com o passar do tempo, pelas facas das estações, até reduzir-se a um empaste, com muitos centímetros de profundidade, de um húmus inacreditavelmente negro no qual em se plantando tudo dá, inclusive bananeiras. O Pirata, desesperado com a escassez de bananas causada pela guerra, resolveu construir uma estufa de vidro no telhado, e convenceu um amigo que percorria a rota Rio—Ascensão—Fort-Lamy a lhe trazer uma ou duas mudas de bananeira, em troca de uma câmara fotográfica alemã, se o Pirata conseguisse arranjar uma em sua próxima missão de paraquedismo.

O Pirata tornou-se famoso por seus Cafés com Bananas. De toda a Inglaterra vêm comensais, até mesmo uns que têm alergia ou nutrem ódio à banana, só para assistir — pois a política das bactérias, a arte do solo de combinar anéis e cadeias em redes que só Deus entende, já permitiu a produção de frutas de até quarenta e cinco centímetros de comprimento, por mais inacreditável que possa parecer.

No banheiro, o Pirata mija, sem nenhum pensamento na cabeça. Então embrulha-se numa túnica de lã que ele usa do avesso para manter oculto o bolso dos cigarros, se bem que isso não adianta muito, e contornando os corpos cálidos de seus amigos vai até a porta de vidro, sai no frio, geme quando as obturações dos dentes se enregelam, sobe uma escada espiral até o jardim no telhado e fica parado algum tempo, contemplando o rio. O sol ainda está abaixo do horizonte. Parece que vai chover, mas por ora o ar está anormalmente límpido. A grande central elétrica e o gasômetro ao longe destacam-se com precisão: cristais formados no bécher da manhã, chaminés, respiradouros, torres, canos, emissões tortuosas de vapor e fumaça...

"Hhahh", um grito surdo e o Pirata fica vendo seu hálito dissipar-se sobre os parapeitos, "hhaahhh!" Telhados dançam na manhã. Suas bananas gigantescas pendem em cachos de um amarelo radiante ou verde úmido. Lá embaixo seus companheiros sonham babando com um Café com Bananas. Este dia bem esfregado não vai ser pior que os outros —

Será mesmo? Ao longe, ao leste, onde o céu está rosado, acaba de surgir um lampejo muito forte. Uma estrela nova, no mínimo. O Pirata debruça-se sobre o parapeito para ver. O ponto brilhante já se transformou numa linha vertical branca. Deve estar acima do mar do Norte... pelo menos... sobre extensões de gelo e um sol que é um mero borrão frio...

O que será? Coisas assim nunca acontecem. Mas o Pirata sabe o que é, pensando bem. Ele já viu num filme, há umas duas semanas... é uma esteira de vapor. Já subiu mais um dedo. Mas não é um avião. Avião não sobe na vertical. Esta é a nova bomba-foguete, ainda secretíssima, dos alemães.

"Tem correspondência chegando." Terá cochichado a frase ou apenas pensado? Aperta o cinto esfarrapado do roupão. Bem, dizem que esses foguetes têm uns 300 quilômetros de raio de ação. Não se pode ver uma esteira de vapor a 300 quilômetros, não é?

Ah. Ah, sim: além da curvatura da Terra, mais ao leste, o sol, que acaba de nascer na Holanda, está atingindo a descarga do foguete, gotas e cristais, dando-lhes um brilho que se vê do outro lado do mar...

A linha branca, abruptamente, parou de subir. Deve ser o combustível que acabou, o fim da combustão, como é mesmo que eles dizem... Brennschluss. Nós não temos um termo para isso. Ou então é secreto. A extremidade da linha, a estrela vista de início, já começa a sumir no vermelho do amanhecer. Mas o foguete vai chegar aqui antes que o Pirata veja o sol nascer.

A esteira, borrada, ligeiramente dividida em duas ou três direções, paira no céu. O foguete, agora movido por pura balística, já subiu mais. Porém invisível agora.

Não deveria ele fazer alguma coisa?... ir à sala de operações em Stanmore, eles devem estar vendo nos radares da Mancha — não: não dá tempo, na verdade. Menos de cinco minutos de Haia até aqui (o tempo que se leva para ir à casa de chá na esquina... que o sol leva para atingir o planeta do amor... quase instantâneo). Correr para o meio da rua? Avisar os outros?

Colher bananas. Ele atravessa a terra negra adubada em direção à estufa. Sente que está prestes a cagar. O míssil, a uma altitude de cem quilômetros, deve estar chegando no ápice da trajetória... começando a cair... *agora*...

Treliças perfuradas pela luz do dia, vidraças leitosas brilham benévolas. Como poderia haver um inverno — até mesmo este — tão cinzento que pudesse envelhecer esse ferro capaz de cantar no vento, ou nublar essas janelas que dão para uma outra estação, embora preservada do modo mais artificial?

O Pirata olha para o relógio. Não registra nada. Os poros de seu rosto espetam. Esvaziando a mente — tal como aprendeu no Comando — penetra o clima úmido da estufa, começa a colher as bananas melhores e mais maduras, levantando as pontas da túnica e acolhendo-as lá. Dando-se o direito de contar só bananas, caminhando de pernas nuas entre os cachos pendentes, em meio àqueles lustres amarelos, naquele lusco-fusco tropical...

Depois, volta para o inverno lá fora. A esteira de vapor desapareceu totalmente do céu. O suor no rosto do Pirata é quase tão frio quanto gelo.

Ele leva algum tempo para acender um cigarro. Não vai ouvir o barulho da coisa chegando. Ela é mais rápida que a velocidade do som. Primeiro a gente sente a concussão. Depois, se não tiver morrido, ouve o barulho.

E se ela atingisse *exatamente* — ahh, não — por uma fração de segundo daria para sentir a ponta, seguida de uma massa terrível, atingindo o topo do crânio...

O Pirata curva os ombros e desce a escada-espiral com as bananas.

Atravessar um pátio de azulejos azuis, abrir uma porta e entrar na cozinha. Rotina: ligar na tomada o liquidificador ganho de um americano no verão passado, bela partida de pôquer, valendo apostar tudo, um alojamento de oficiais solteiros lá para os lados do norte, não lembra mais onde agora... Cortar algumas bananas em rodelas. Fazer café na cafeteira. Pegar lata de leite na geladeira. Purê de bananas com leite.

Maravilha. *Eu forraria todos os estômagos da Inglaterra corroídos pelo álcool...* Um pouco de margarina, o cheiro ainda está bom, derreter na frigideira. Descascar mais bananas, fatiar agora longitudinalmente. Margarina fervendo, jogar as longas fatias na frigideira. Acender forno *vuuff* um dia ainda vai explodir e a gente vai junto, ah, ah, ah. Colocar bananas descascadas inteiras na grelha assim que esquentar. Procurar marshmallows...

Trôpego, Teddy Bloat entra com o cobertor do Pirata na cabeça, escorrega numa casca de banana e cai de bunda. "Me matar", resmunga.

"Deixe que os alemães fazem isso por você. Adivinha o que eu acabo de ver."

"Aquele V-2 a caminho?"

"A4, sim."

"Eu vi pela janela. Uns dez minutos atrás. Esquisito, não é? Não ouvi nada depois, você ouviu? Deve ter caído antes. No mar, sei lá."

"Dez minutos?" Tentando ver a hora no relógio de pulso.

"No mínimo." Bloat está sentado no chão, enfiando a casca de banana na lapela do pijama como se fosse uma flor.

O Pirata vai ao telefone e resolve ligar para Stanmore, afinal. Tem que passar por toda aquela rotina interminável de sempre, mas sabe que já não acredita no foguete que viu. Deus colheu-o daquele céu sem ar, para ele, como se fosse uma banana de aço. "É o Prentice, vocês pegaram alguma coisa vinda da Holanda ainda há pouco? Ah-ah. Ah-ah. É, nós *vimos* daqui." Com essas e outras, a gente perde a vontade de ver o dia nascer. Desliga o telefone. "Perderam de vista antes da costa. Estão dizendo que é Brennschluss prematuro."

"Não desanime", disse Teddy, voltando para a cama arrebentada. "Outros virão."

Bloat velho de guerra, sempre otimista. Por uns segundos, o Pirata, esperando a conexão com Stanmore, estava pensando: Passou o perigo, o Café com Bananas está salvo. Mas é só um adiamento. Não é? Sem dúvida, outros virão, todos com a mesma probabilidade de cair em cima dele. Ninguém, nem deste lado do front nem do outro, sabe quantos mais virão exatamente. Será que vamos ter que parar de olhar para o céu?

Osbie Feel está no balcão, segurando uma das maiores bananas do Pirata de tal modo que ela sai da braguilha de seu pijama listrado — acariciando com a outra mão a grande curva amarela em ritmo de tresquiálteras enquanto em $^{4}/_{4}$, virado para o teto, saúda o amanhecer assim:

Levanta essa bunda do chão,
(come uma banana)
Escova os dentes e vai matar alemão.
Diz adeus pro João Pestana,
Chega de sonho por hoje,
Pede a Betty Grable pra esperar

Até essa guerrinha acabar,
Depois vai ser bacana
Andar à paisana
(come uma banana)
Tomar champanhe e beijar madame
Mas enquanto os alemães não criam juízo
O jeito é abrir um belo sorriso,
E, como dissemos em outra ocasião,
Levanta logo essa bunda do chão!

Há uma segunda estrofe, mas, antes que tenha tempo de começá-la, o saltitante Osbie é agarrado e espancado, entre outras coisas com sua própria bananona, por Bartley Gobbitch, DeCoverley Pox e Maurice Reed (vulgo "Saxofone"), entre outros. Na cozinha, marshmallows comprados no mercado negro deslizam lânguidos para dentro da calda na panela do Pirata, e logo começam a ferver, grossos. O café está quase pronto. Em cima de uma placa de madeira roubada de um pub, numa ousada operação à luz do dia, por Bartley Gobbitch em pleno porre, na qual ainda se leem entalhadas as palavras BICO E SETA, Teddy Bloat está amassando bananas com um facão isósceles, e com uma das mãos o Pirata retira a pasta amarelada debaixo dessa lâmina nervosa e a joga dentro da massa de waffle recendente a ovos frescos, que Osbie Feel trocou por um número igual de bolas de golfe, as quais neste inverno são ainda mais raras do que ovos de verdade, com a outra mão batendo a mistura, sem vigor excessivo, com um batedor de arame, enquanto Osbie, emburrado, levando à boca a toda hora uma garrafinha de leite cheia de Vat 69 com água, cuida das bananas na frigideira. Perto da saída que dá no pátio azul, DeCoverley Pox e Joaquin Stick estão parados junto a um modelo em escala do monte Jungfrau, em concreto, que algum entusiasta na década de 20 passou um ano inteiro pacientemente modelando, preparando o molde, para por fim descobrir que era grande demais para passar por qualquer porta, batendo nas encostas da famosa montanha com sacos de água quente de borracha vermelha cheios de cubos de gelo, com a intenção de fazer gelo picado para os frappés de banana do Pirata. Com barba da véspera, cabelo emaranhado, olhos vermelhos e mau hálito miasmático, DeCoverley e Joaquin são deuses depauperados tentando impulsionar uma geleira retardatária.

Em outros cômodos da casa, outros companheiros de bebedeira desvencilham-se de cobertores (um deles tentando evitar que o vento o enfune, sonhando com paraquedas), mijam nas pias dos banheiros, miram-se com desânimo em espelhos de barbear côncavos, jogam água a esmo nas cabeças onde já rareiam os cabelos, encolhem as barrigas para pôr seus talins, lustram sapatos para protegê-los da chuva mais tarde com mãos já cansadas do movimento, cantarolam trechos de canções populares cujas melodias nem sempre conhecem direito, deitam-se, acreditando deste modo se aquecer, nas raras poças de sol que entram por entre as fasquias dos caixilhos, começam sem muito ânimo a falar sobre o trabalho que deverão estar fazendo dentro de menos de uma hora na tentativa de suavizar a transição do repouso para a atividade, lambuzam os rostos e os pescoços de creme de barbear, bocejam, tiram ouro do nariz, vasculham armários ou estantes em busca do pelo do cachorro que, não sem alguma provocação e muito condicionamento prévio, os mordeu na véspera.

Agora espalha-se pela casa, substituindo o cheiro noturno de fumaça velha, álcool e suor, o odor frágil e musáceo do Café com Bananas: perfumado, penetrante, surpreendente, mais do que a cor do sol hibernal, avassalador menos por pungência bruta ou volume do que pela alta complexidade do entrelaçamento de suas moléculas, compartilhando o segredo de prestidigitação por meio do qual — embora seja raro a Morte ser mandada à merda de modo tão explícito — as cadeias genéticas vivas revelam-se labirínticas o bastante para preservar algum rosto humano por dez ou vinte gerações... assim, a mesma afirmação-via-estrutura permite que a fragrância bananosa desta manhã se espraie, reafirme-se, predomine. Por que não escancarar todas as janelas e deixar que este olor benéfico envolva toda Chelsea? Como um sortilégio contra corpos cadentes...

Com um grande estrépito de cadeiras, caixotes de munição na vertical, bancos e divãs, a turba do Pirata reúne-se às margens da grande mesa do rancho, uma ilha meridional a alguns trópicos de distância das frias fantasias medievas de Corydon Throsp, as volutas escuras de seus veios de nogueira cobertas agora com omeletes de banana, sanduíches de banana, tortas de banana, bananas amassadas moldadas em forma de um leão rampante como o do brasão da Inglaterra, banana com ovos como massa de rabanada, esguichada de uma bisnaga de modo a escrever, sobre a trêmula e cremosa superfície de um manjar de banana, as palavras *C'est magnifique, mais ce n'est pas la guerre* (atribuídas a um observador francês durante a carga da Brigada Ligeira), que o Pirata adotou como seu lema... galhetas altas de pálido xarope de banana para ser despejado sobre waffles de banana, um gigantesco jarro vitrificado onde rodelas de bananas estão fermentando desde o verão, misturadas com mel bruto e uvas moscatel em passa, do qual se pode agora retirar, nesta manhã de inverno, conchas de hidromel de banana... croissants de banana e kreplach de banana, aveia com banana e geleia de banana e pão de banana, e bananas flambadas no conhaque envelhecido que o Pirata trouxe ano passado de um porão nos Pireneus onde havia também um transmissor de rádio clandestino...

O telefone, quando por fim toca, rasga com facilidade a sala de um lado a outro, as ressacas, as brincadeiras bestas, o barulho dos pratos, a conversa fiada, as risadas sardônicas, como um grosseiro peido duplo metálico, e o Pirata sabe que só pode ser para ele. Bloat, o que está mais próximo, atende, com uma garfada de bananas glacês elegantemente suspensa no ar. O Pirata toma um último gole de hidromel, sente-o descendo pela garganta, fechando-a como uma válvula, como se fosse tempo, o tempo em sua tranquilidade estival, e engole.

"Seu patrão."

"Não pode", geme o Pirata. "Eu ainda nem fiz minhas flexões matinais."

A voz, que ele só ouviu uma vez antes — no ano passado, quando foi receber instruções, mãos e rosto enegrecidos, anônimo entre dezenas de outros ouvintes —, diz a Pirata que há uma mensagem dirigida a ele, aguardando em Greenwich.

"Veio de uma maneira muito interessante", diz a voz aguda e ranzinza. "Não tenho nenhum amigo inteligente assim. A *minha* correspondência vem pelo correio. Venha aqui pegar, Prentice." O fone bate no gancho com violência, a conexão é interrompida, e agora o Pirata sabe onde foi cair o foguete daquela manhã, e por que não houve explosão. Correspondência chegando, sim. Seu olhar atravessa os arcobotantes de sol, pousa nos companheiros no refeitório, chafurdando na abundância de bananas, as espessas palatais da fome alheia perdidas em algum ponto da estirada de manhã entre eles e ele. Uns cem quilômetros, de repente. A solidão, mesmo em meio às malhas desta guerra, quando quer consegue agarrá-lo pelas tripas cegas com um toque possessivo, tal como agora. De novo Pirata está do outro lado de uma janela, vendo desconhecidos tomando o café da manhã.

Quem o leva, dirigindo o Lagonda verde amassado, passando pela ponte Vauxhall, rumo ao leste, é seu ordenança, um tal cabo Wayne. A manhã parece esfriar à medida que o sol sobe no céu. Nuvens começam a juntar-se, afinal. Uma tropa de engenharia do exército americano espalha-se pela rua, rumo a alguma ruína próxima, cantando:

> Tá...
> Mais frio que o nariz de um anãozinho de jardim!
> Mais frio que um balde de titica de pinguim!
> Mais frio que pentelho do cu de urso polar!
> Mais frio que mamilo de uma bruxa má!

Não, eles fazem de conta que são narodniki, mas *eu* sei que são de Iasi, de Codreanu, são gente *dele*, homens da Liga, eles... matam para ele — fazem *juramento*! Eles tentam me matar... magiares da Transilvânia, que conhecem *sortilégios*... à noite eles cochicham... Bem, hm, ha, ha, não é que o Mal do Pirata o está atacando outra vez, quando ele menos espera, como sempre — vale a pena explicar aqui que boa parte do que os dossiês chamam de Pirata Prentice é um estranho talento para — é, para penetrar nas fantasias dos outros: saber arcar com o fardo de *administrar* tais fantasias, no caso as de um monarquista romeno exilado que talvez possa vir a se tornar muito necessário num futuro muito próximo. É um dom que a Firma acha extremamente útil: neste momento, líderes e outras figuras históricas mentalmente sãs são indispensáveis. Não poderia haver uma maneira melhor de drenar-lhes o excesso de ansiedade do que fazer uma outra pessoa assumir seus pequenos devaneios cansativos por eles... e viver nas suaves luzes verdes de seus refúgios tropicais, nas brisas que atravessam suas cabanas, beber seus drinques, mudar de lugar para ficar de frente para as entradas dos lugares públicos que eles frequentam, impedindo que sua inocência sofra mais do que já sofreu... ter ereções por eles, por efeito de pensamentos que os médicos consideram impróprios... temer tudo, tudo que eles não podem se dar ao luxo de temer... lembrar as palavras de P. M. S. Blackett: "Não se pode administrar uma guerra ao sabor das emoções". É só cantarolar a musiquinha idiota que eles ensinaram, e tentar não fazer merda:

Sou — eu — o —
Sujeito que sonha as fantasias dos outros,
Sofre o que eles tinham que sofrer —
Não importa essa menina no meu colo —
E daí se o Kruppingham-Jones se atrasar para o chá...
Eu nem pergunto por quem o sino...

[Agora com uma porrada de tubas e trombones a várias vozes]

Não importa, desde que haja periiiiigo,
Que o Perigo é um telhado de onde eu já caí —
Um dia desses eu vou e não volto mais, gente,
Esquece do drinque que um dia eu paguei pra ti,
É só mijar na minha cova e tocar pra frente!

Então ele dá pulinhos de um lado para o outro, levantando bem os joelhos e rodopiando uma bengala que tem no castão a cabeça, o nariz, a cartola e tudo o mais de W. C. Fields, uma bengala certamente mágica, enquanto a banda toca a segunda parte. Ao mesmo tempo, tem-se uma fantasmagoria, de verdade, correndo em direção à tela, por cima das cabeças dos espectadores, pelos trilhos de uma elegante seção transversal vitoriana que lembra o perfil de um cavalo de xadrez concebido de modo floreado, mas não vulgar — depois afastando-se da tela, indo e vindo, as imagens mudando de escala tão depressa, de modo tão imprevisível que de vez em quando vem um pouco de verde-lima junto com a rosa, como se diz. As cenas são momentos representativos da carreira do Pirata como fantasista substituto, e remontam ao tempo em que ele levava, aonde quer que fosse, a marca da Insensatez da Juventude crescendo de uma mancha mongólica inconfundível bem no meio de sua cabeça. Por algum tempo, ele tinha consciência de que certos episódios que sonhava não poderiam ser seus. Não com base em nenhuma rigorosa análise diurna do conteúdo, mas simplesmente porque ele *sabia*. Até que um dia conheceu, pela primeira vez, o verdadeiro dono de um sonho que ele, o Pirata, tinha sonhado: foi junto a um bebedouro num parque, uma fileira muito longa e regular de bancos, uma sensação de mar logo além de uma beira ornada com ciprestes pequenos, passeios de cascalho cinzento que parecem tão macios para se dormir deitado neles como a aba de um chapéu de feltro, e eis que surge um marginal babão e esfarrapado, esse que todo mundo tem medo de encontrar, e para para ficar vendo duas bandeirantes tentando ajustar a pressão do bebedouro. Elas se debruçam, sem se dar conta, as gracinhas petulantes, da visão fatal de calcinhas de algodão branco que exibem, as curvas inferiores de bundinhas tenras que abalam o Cérebro Genital, por mais alcoolizado que esteja. O vagabundo riu e apontou, olhou para o Pirata e então disse uma coisa extraordinária: "Hein? Bandeirantes bombeando água... *teu som será a noite sibilante*... hein?", olhando diretamente para o Pirata e mais ninguém, sem nenhum fingimento... Pois bem, o Pirata havia sonhado com aquelas exatas palavras duas madrugadas atrás, pouco antes de despertar, elas faziam parte da lista comum de prêmios conferidos num Concurso que se tornava cada vez mais concorrido e perigoso, brotado de alguma invasão do breu das ruas... ele não lembrava direito... em pânico, replicou: "Vá embora senão eu chamo a polícia".

Isso resolveu o problema imediato. Porém mais cedo ou mais tarde alguém descobriria seu dom, alguém para quem esse dom tivesse importância — o Pirata tinha uma antiga fantasia, esta sua mesmo, uma espécie de melodrama à Eugène Sue, em que ele era sequestrado por uma organização de bandoleiros hindus ou mafiosos sicilianos, e utilizado para fins indizíveis.

Em 1935 teve seu primeiro episódio sem estar imerso em qualquer estado de sono convencional — foi durante sua Fase Kipling, ferozes carapinhas até onde o olhar alcança, filarioses e leishmanioses dizimando os soldados, um mês sem cerveja, rádio sofrendo interferência de outras Potências interessadas em se tornar senhores desses negros horrendos, sabe Deus por quê, todo o folclore acabou, não tem mais Cary Grant gozador a pôr remédio de elefante dentro do ponche... nem mesmo um Árabe Com Narigão Seboso para virar alvo de imitações, como naquele clássico nostálgico que todo soldado inglês conhece... não admira que numa tarde mosquenta, às quatro horas, de olhos bem abertos, em meio ao cheiro de cascas de melão putrefacientes, ao som da septuagésima-sétima-milionésima repetição do único disco do posto, Sandy MacPherson interpretando ao órgão "The changing of the guard", o Pirata se visse bem no meio de um suntuoso episódio oriental: pulando a cerca e escapulindo para a cidade, para o Bairro Proibido. E ali adentrando por acaso uma orgia presidida por um Messias que ninguém ainda reconheceu, e percebendo, ao olhar nos olhos dele, que ele é seu João Batista, seu Natão de Gaza, que cabe a ele convencê-lo de sua divindade, proclamá-lo aos outros, amá-lo tanto de amor profano como em Nome do que ele é... uma fantasia que não poderia pertencer a outro que não H. A. Loaf. Há pelo menos um Loaf em toda unidade, Loaf é o que sempre se esquece de que os seguidores do Islã não gostam que tirem instantâneos deles na rua... Loaf é o que pede emprestada a sua camisa e aí, tendo consumido os cigarros dele, encontra o cigarro ilegal no seu bolso e o acende na cantina em pleno meio-dia, e logo está cambaleando de um lado para o outro com um sorriso pateta no rosto, chamando pelo primeiro nome o sargento comandante da seção de polícia. Assim, é claro que, quando o Pirata faz a bobagem de confirmar a fantasia com Loaf, não demora para que todos os altos escalões fiquem sabendo de tudo. E tudo é registrado no dossiê, e por fim a Firma, em sua incansável busca por habilidades negociáveis, o convoca a Whitehall, para observá-lo em transe do outro lado dos campos azuis de feltro da terrível jogatina de papel, os olhos dele revirados para dentro, lendo velhos grafites gravados nas grutas de suas próprias órbitas...

Nas primeiras vezes não aconteceu muita coisa. As fantasias eram interessantes mas não pertenciam a ninguém importante. Mas a Firma é paciente, tem planos a Longo Prazo. Por fim, numa noite londrina bem sherlock-holmesiana, o cheiro inconfundível de gás chegou às narinas do Pirata vindo de um lampião de rua apagado, e à sua frente brotou do fog uma gigantesca forma orgânica. Cuidadosamente, com seus sapatos pretos, pé ante pé o Pirata aproximou-se da coisa. Ela começou a avançar, deslizante, em sua direção, lerda como uma lesma sobre as pedras do calçamento, deixando um rastro luminoso de um muco que não podia ser nevoeiro. No espaço entre eles havia um desvio entre linhas de bonde que o Pirata, por ser um pouco mais rápido, foi o primeiro a atingir. Horrorizado, recuou tão logo o fez — porém uma identificação como aquela não é reversível. *Era uma Adenoide gigantesca.* Pelo menos do tamanho da catedral de S. Paulo, e crescendo cada vez mais. Londres, talvez toda a Inglaterra, corria um risco mortal!

Este monstro linfático outrora bloqueara a distinta faringe de lorde Blatherard Osmo, que na época era responsável pela seção de Novi Pazar no Ministério de Relações Exteriores, uma penitência obscura por cem anos de política britânica referente à Questão Oriental, pois deste sanjak obscuro outrora dependera todo o destino da Europa:

Ninguém nem sabe onde fica no mapa,
E no entanto deu a maior confusão!
Montenegrinos e sérvios também
Todos querendo alguma solução —
Meu bem, meu amor, me faz minha mala,
Escova meu terno que eu vou viajar
Imediatamente
No Expresso do Oriente
Rumo ao sanjak de Novi Pazar!

Uma fileira de coristas jovens, perfeitamente núbeis, com um traje provocante de barretinas e botas de cano alto, dançam um pouco neste trecho, enquanto alhures lorde Blatherard Osmo é *assimilado* por sua própria Adenoide crescente, uma transformação horrível de plasma celular muito além da capacidade explicativa da medicina do início do século... em pouco tempo cartolas cobrem as praças de Mayfair, perfume barato paira sem dono no East End iluminado pelos pubs enquanto a Adenoide procede em sua sanha, não engolindo vítimas a esmo, não senhor, a diabólica criatura tem um *plano geral*, só escolhe certas personalidades que lhe são úteis — há uma nova eleição, uma nova preterição à solta na Inglaterra que faz com que o Ministério do Interior se entregue a acessos histéricos e dolorosos de indecisão... ninguém sabe o que fazer... tenta-se sem muita convicção evacuar Londres, faetontes negros numa disparada de formigas atravessam as pontes de treliça, balões de observação posicionam-se no céu. "Está lá em Hampstead Heath, parada, *respirando*, que nem... entrando e saindo..." "Algum tipo de *som*?" "Sim, uma coisa horrível... parece um nariz *enorme* cheio de muco, fungando... espere aí, agora está... começando a... ah, *não*... ah, meu Deus, não dá para descrever, é tão mons..." o fio se parte, a ligação cai, o balão eleva-se no azul-esverdeado do amanhecer. Vêm equipes do Cavendish Laboratory e instalam no Heath ímãs imensos, terminais de arco voltaico, negros painéis de controle de ferro cheios de mostradores e manivelas, o exército aparece, todo equipado para o combate, munido de bombas do mais recente gás mortífero — a Adenoide é bombardeada, eletrizada, envenenada, ela muda de cor e forma aqui e ali, nódulos amarelos de gordura aparecem no topo das árvores... diante do pipocar dos flashes das câmaras da Imprensa, um horrendo pseudópode verde estende-se em direção ao cordão de isolamento formado pelos soldados e de repente *chlop!* dizima todo um posto de observação com um dilúvio de um asqueroso muco alaranjado que *digere* os infelizes — os quais morrem não gritando, e sim rindo, se divertindo à grande...

A missão do Pirata/Osmo é estabelecer contato com a Adenoide. A situação estabilizou-se, a Adenoide ocupa todo o St. James's Park, os prédios históricos desapareceram, órgãos do governo foram transferidos para outros lugares, porém estão de tal modo dispersos que a comunicação entre eles é muito incerta — carteiros em ação são arrancados da rua por tentáculos de um bege fluorescente, cobertos de protuberâncias duras, fios de telégrafo são derrubados pelos movimentos imprevisíveis da Adenoide. Todos os dias, pela manhã, lorde Blatherard Osmo põe seu chapéu-coco, pega sua pasta e vai ter com a Adenoide, para fazer sua *démarche* diária. A coisa está tomando seu tempo de tal modo que ele já começa a descuidar de Novi Pazar, e o Ministério preocupa-se. Nos anos 30, ainda tinha muita força a teoria do equilíbrio das potências, os diplomatas todos sofriam de balcaníase, espiões com nomes estrangeiros híbridos ocultavam-se em todos os postos instalados no que restava do Império Otomano, mensagens em código em uma dúzia de línguas eslavas eram tatuadas em lábios superiores onde depois os agentes deixavam bigodes crescer, a ser raspados apenas por oficiais criptógrafos autorizados, e em seguida os cirurgiões plásticos da Firma colocavam implantes de pele sobre as mensagens... seus lábios eram palimpsestos de carne secreta, cheia de cicatrizes, de uma alvura artificial, e era assim que todos se reconheciam.

De qualquer modo, Novi Pazar ainda era uma *croix mystique* na palma da mão da Europa, e o Ministério finalmente decidiu pedir ajuda à Firma. A Firma sabia exatamente a quem recorrer.

Durante dois anos e meio, o Pirata ia diariamente visitar a Adenoide de St. James's Park. Quase enlouqueceu. Embora tivesse conseguido elaborar um pidgin através do qual ele e a Adenoide se comunicavam, infelizmente faltavam-lhe os recursos nasais necessários para produzir os sons da maneira correta, de modo que a coisa lhe dava muito trabalho. Enquanto os dois zanzavam para cá e para lá, alienistas de paletós negros com sete botões, admiradores do dr. Freud, claramente inúteis quando se tratava de lidar com a Adenoide, subiam em escadas encostadas nos asquerosos flancos cinzentos da criatura, despejando a nova droga maravilhosa, a cocaína, *baldes* cheios da substância branca, revezando-se, do alto da escada, para lambuzar aquele ser glandular e latejante, cheios de toxinas a fervilhar malignas dentro de suas criptas, sem obter qualquer efeito visível (mas sabe-se lá como a *Adenoide* se sentia, hein?).

Porém lorde Blatherard Osmo finalmente conseguiu dedicar todo o seu tempo a Novi Pazar. No início de 1939, foi encontrado misteriosamente asfixiado numa banheira cheia de pudim de tapioca, na casa de uma Certa Viscondessa. Alguns viram nisso a mão da Firma. Meses passaram-se, a Segunda Guerra Mundial começou, anos se passaram, não vinha notícia alguma de Novi Pazar. O Pirata Prentice salvara a Europa do Apocalipse Balcânico com que sonhavam os velhos, estremecendo de espanto em suas camas — mas não da Segunda Guerra Mundial, é claro. Mas a essa altura a Firma só permitia ao Pirata pequeníssimas doses homeopáticas de paz, apenas o suficiente para manter suas defesas em estado de alerta, mas não o bastante para envenená-lo.

□□□□□□□

Está na hora do almoço de Teddy Bloat, mas hoje o almoço vai ser, *eca!*, um sanduíche de banana molenga embrulhado em papel encerado, o qual ele está colocando dentro de seu elegante bornal de couro de canguru, acomodando-o entre diversos artigos necessários — microcâmara de espionagem, pote de cera para bigodes, lata de Meloídeos para uma Voz Melodiosa de alcaçuz, mentol e pimenta, óculos escuros de grau de aros de ouro à general MacArthur, duas escovas de cabelo de prata imitando a espada flamejante do Supreme Headquarters Allied Expeditionary Force, que sua mãe mandou fazer na Garrard's e que ele considera uma gracinha.

Nesta tarde úmida de inverno, sua meta é uma casa de pedra cinza, nem grande nem histórica o bastante para constar de qualquer guia de Londres, na Grosvenor Square, suficientemente recuada para se tornar invisível da rua, um pouco deslocada do corredor de órgãos governamentais ligados à guerra. Quando as máquinas de escrever fazem uma pausa (às 8h20 e outras horas míticas) e não há aviões de bombardeio americanos sobrevoando a cidade, e o trânsito não está muito pesado na Oxford Street, dá para ouvir pássaros hibernais chilreando lá fora, comendo nos porta-alpistes instalados pelas moças.

As lajes do pavimento estão escorregadias de neblina. Estamos no meio do dia, esta hora dura e escura, hora de fome de fumo, dor de cabeça e dor de estômago, em que um milhão de burocratas diligentemente planejam a morte, alguns deles até mesmo de modo consciente, muitos já tomando a segunda ou terceira cerveja ou drinque, o que gera uma certa aura de desespero aqui. Porém Bloat, usando a entrada protegida por sacos de areia (pirâmides provisórias construídas para agradar a filhos de deuses curiosos), não sente essa aura: está passando em revista seu repertório de desculpas plausíveis se por acaso ele for pego, não que isso vá acontecer, é claro...

Moça da recepção, de óculos, simpática, estourando uma bola de chiclete, com um gesto indica-lhe a escada. Úmidos lanosos ajudantes de ordens a caminho de reuniões, banheiros, uma ou duas horas de bebericação determinada, cumprimentam com a cabeça sem vê-lo direito, a cara é conhecida, amigo do Comemesmo Onomidele, ex-colegas de Oxford, o tenente trabalha logo ali na ACHTUNG...

A velha casa foi subdividida com a favelização causada pela guerra. ACHTUNG é Allied Clearing House, Technical Units, Northern Germany [Central de Informações dos Aliados, Unidades Técnicas, Norte da Alemanha]. É um depósito de papéis que fede a fumaça velha, no momento quase deserto, com máquinas de escrever pretas e altas como lápides. O chão é de linóleo imundo, não há janelas: a luz elétrica é amarela, barata, implacável. Bloat enfia a cabeça na sala de seu ex-colega do Jesus College, o tenente Oliver ("Tantivy") Mucker-Maffick. Ninguém. Tantivy e o americano foram os dois almoçar. Bom. Então é pegar a velha câmara, acender a luminária, colocar o refletor exatamente neste ângulo...

Deve haver cubículos iguais a este por todo o Teatro de Operações Europeu: só três divisórias de fibra compensada creme, e nem mesmo um teto. Tantivy divide o seu com um colega americano, o tenente Tyrone Slothrop. As mesas dos dois formam um ângulo reto, de modo que um só pode olhar para o outro se rodar 90°. A mesa de Tantivy é bem-arrumada, a de Slothrop é uma bagunça dos diabos. Sua superfície de madeira original não é inteiramente exposta desde 1942. As coisas nela estão dispostas em camadas mais ou menos uniformes, sobre uma base de esmegma burocrático que vai até o fundo, composta de milhões de pequenos fiapos avermelhados de borracha de apagar, aparas de lápis, manchas de chá e café, restos de açúcar e leite, muita cinza de cigarro, pequeninos detritos negros arrancados das fitas das máquinas de escrever, cola em decomposição, cacos de aspirina reduzidos a pó. Depois, um amontoado de clipes, pedras de isqueiro Zippo, elásticos, grampos, pontas de cigarro e maços amassados, fósforos soltos, alfinetes, restos de penas, tocos de lápis de todas as cores, inclusive cores raras como violeta-claro e castanho-amarelado, colheres de café de madeira, pastilhas para a garganta de bálsamo de olmo Thayer's enviadas de Massachusetts pela mãe de Slothrop, Nalline, pedaços de fita, barbante, giz... logo acima, uma camada de memorandos esquecidos, carnês de rações vazios, números de telefones, cartas irrespondíveis, folhas de papel-carbono rasgadas, cifras para cavaquinho de uma dúzia de canções, inclusive "Johnny Doughboy found a rose in Ireland" ("Ele até que tem uns arranjos legais", relata Tantivy, "é uma espécie de

George Formby americano, se dá para imaginar tal coisa", mas Bloat prefere nem tentar), um vidro vazio de tônico capilar Kreml, peças perdidas de vários quebra-cabeças diferentes, exibindo partes do olho esquerdo amarelado de um cão weimaraner, as dobras verdes de um vestido de veludo, as formas azuladas de uma nuvem distante, o halo alaranjado de uma explosão (talvez um pôr do sol), rebites no corpo de um avião de bombardeio, a rosada face interior da coxa de uma pin-up girl... uns poucos Resumos Semanais de Informações do G-2, uma corda de cavaquinho partida e enrodilhada, caixas de estrelinhas de papel de muitas cores com cola no verso, pedaços de uma lanterna, a tampa de uma lata de graxa de sapato Nugget que Slothrop usa de vez em quando para contemplar o reflexo turvo de seu próprio rosto, diversos livros de referência da biblioteca da ACHTUNG — um dicionário de alemão técnico, um *Manual especial* ou *Mapa da cidade* publicado pelo Ministério — e, no mais das vezes, a menos que tenha sido afanado ou jogado fora, um exemplar de *News of the World* também — tabloide que Slothrop lê regularmente.

Na parede atrás da mesa de Slothrop há um mapa de Londres, o qual Bloat está agora fotografando com sua minicâmara. Seu bornal está aberto, e começa a espalhar-se pelo cubículo um cheiro de bananas maduras. Seria o caso de acender um cigarro para disfarçar este cheiro? porque o ar aqui não circula muito, eles vão saber que alguém entrou. Bastam quatro fotos, clique zip clique, como ele está bom nisso! — e se alguém entrar é só largar a câmara dentro do bornal, onde o sanduíche de banana amortece a queda e abafa o ruído e o impacto da gravidade.

Pena que quem está financiando esta pequena travessura não está disposto a arcar com as despesas de filme colorido. Bloat se pergunta se isso não vai fazer diferença, embora não conheça ninguém a quem possa fazer a pergunta. As estrelas coladas no mapa de Slothrop cobrem todo o espectro conhecido, começando com prateado (com a legenda "Darlene") formando uma constelação com Gladys, verde, e Katharine, dourado, e, à medida que o olhar desliza, Alice, Delores, Shirley, duas Sallys — até aqui é mais vermelho e azul — um aglomerado perto de Tower Hill, uma densidade violeta em torno de Covent Garden, uma nebulosa comprida espraiando-se por Mayfair, Soho e Wembley, chegando a Hampstead Heath — em todas as direções segue este firmamento luzidio, multicolorido, aqui e ali já descolando, de Carolines, Marias, Annes, Susans, Elizabeths.

Mas talvez as cores sejam puramente aleatórias, e não haja código algum. Talvez as garotas nem mesmo existam. De Tantivy, após semanas de perguntas feitas assim como quem não quer nada (*a gente sabe que ele é ex-colega seu mas é muito arriscado contar pra ele*), tudo que Bloat conseguiu extrair é que Slothrop começou a trabalhar neste mapa no outono passado, mais ou menos na época em que começou a sair procurando desastres provocados por bombas-foguetes para a ACHTUNG — certamente achando tempo, nestas incursões por lugares de morte, para dedicar à caça de garotas. Se há uma razão para colar aquelas estrelas de papel periodicamente, o homem nunca explicou — não parece ser para fins de publicidade, Tantivy é o único que sequer olha de relance para o mapa, e mais num espírito de antropologia amistosa — "Uma espécie de passatempo americano inofensivo", diz ele a seu amigo Bloat. "Talvez seja para não se enrolar. Ele realmente tem uma vida social complicada", e começa a contar a história de Lorraine e Judy, Charlie, o policial homossexual, e o piano no depósito de móveis, ou a estranha confusão envolvendo Gloria e sua mãe casadoura, uma aposta de uma libra no jogo Blackpool-Preston North End, uma versão obscena de "Noite feliz" e um nevoeiro providencial. Mas nenhum desses casos, para os fins daqueles a quem Bloat apresenta seus relatórios, é muito esclarecedor, no final das contas...

Bem. Ele terminou. Fecha o zíper do bornal, apaga a luminária e a recoloca no lugar. Talvez dê tempo de pegar Tantivy lá no Bico e Seta, tempo de tomar uma cervejinha de confraternização. Ele retorna pelo labirinto de divisórias, à luz fraca e amarelada, na contramão de uma maré de moças que chegam de galochas, Bloat distante não sorri, não tem tempo de dar tapinhas e fazer cócegas, ainda falta fazer a entrega do dia...

O vento virou para o sudoeste, o barômetro está caindo. A tarde ainda recém-começada já está escura como noite, sob as nuvens de chuva que se acumulam. E Tyrone Slothrop vai pegar aquela chuva na rua. Hoje fez uma viagem longa e idiota até a longitude zero, e como sempre voltou de mãos abanando. Dessa vez teria sido mais uma explosão prematura em pleno ar, pedaços de foguete em chamas espalhando-se por uma vasta área, principalmente dentro do rio, apenas um pedaço razoavelmente inteiro, e esse, quando Slothrop chegou, já estava cercado pelo cordão de isolamento mais fechado e mais antipático que ele jamais viu. Boinas moles, esmaecidas, contra as nuvens arroxeadas, Mark III Stens em posição automática, bigodões cobrindo enormes lábios superiores, muito sérios — nenhuma possibilidade de um tenente americano conseguir dar uma olhadinha, hoje não.

De qualquer modo, a ACHTUNG é a prima pobre do sistema de informações dos Aliados. Pelo menos desta vez Slothrop não está sozinho, ele tem o triste consolo de ver seu equivalente da T.I. britânica, e pouco depois até mesmo o chefe da seção do dito-cujo, chegando afobados num Wolseley Wasp 1937, e em seguida sendo também impedidos de passar. Ha! Nenhum dos dois retribuiu o simpático aceno de cabeça de Slothrop. Que chato, não é, pessoal? Porém Tyrone, muito vivo, não vai embora, distribuindo Lucky Strikes, o tempo suficiente para saber o que aconteceu.

Trata-se de um cilindro de grafite, cerca de quinze centímetros de comprimento e cinco de diâmetro, a tinta verde-oliva quase toda queimada. Único pedaço que sobreviveu à explosão. Sem dúvida, feito para isso. Parece ter uns papéis dentro. Subtenente queimou a mão quando o pegou, gritou *Puta merda*, provocando risadas entre a arraia-miúda. Todo mundo estava esperando um tal de capitão Prentice da Executiva de Operações Especiais, a S.O.E. (esses sacanas nunca têm pressa), que acaba chegando. Slothrop o vê de relance — rosto queimado de vento, sujeito grandalhão e mal-encarado. Prentice pega o cilindro, volta para o carro e vai-se embora, pronto.

Neste caso, pensa Slothrop, a ACHTUNG pode, um pouco cansada, fazer sua quinquagésima milionésima requisição interdepartamental à S.O.E., pedindo algum relatório a respeito do conteúdo do cilindro, para, como sempre, ser ignorada. Tudo bem, ele não guarda rancor. A S.O.E. ignora todo mundo, e todo mundo ignora a ACHTUNG. E-e, pensando bem, o que importa? É o último foguete que ele vai ter que investigar por um bom tempo. Quem sabe para sempre.

Hoje de manhã ele encontrou em sua correspondência uma ordem de ir servir temporariamente num hospital lá no East End. A única explicação era uma cópia em carbono de um memorando enviado à ACHTUNG pedindo sua transferência como parte do "Programa de Testes P. W. E.". Testes? P. W. E. é Political Warfare Executive [Executiva de Guerra Política], conforme ele verificou. Mais testes de personalidade M. M. P. I., sem dúvida. Quanta bobagem. Pelo menos vai dar para sair dessa rotina de correr atrás de foguete, que já está começando a enjoar.

Houve um tempo em que Slothrop levava as coisas a sério. É, sim. Pelo menos é o que ele pensa. Muitas coisas que aconteceram antes de 1944 agora estão começando a ficar nebulosas. Do primeiro bombardeio ele só se lembra agora da sorte que teve. Tudo que a Luftwaffe jogava caía longe dele. Mas agora no último verão eles começaram a usar bombas voadoras. Você está andando na rua, ou está na cama se espreguiçando, e de repente ouve uma espécie de peido sobrevoando os telhados — se o barulho continua, aumentando cada vez mais e depois indo embora, tudo bem, os outros que se preocupem... mas se o ronco para de repente, cuidado, meu irmão — ela começou a cair, lançando o combustível para trás, para longe do motor, e aí você tem alguns segundos para se enfiar embaixo de alguma coisa. Bom, até que não era nada muito sério. Depois de algum tempo a pessoa se adaptava — e quando via estava fazendo pequenas apostas, um ou dois xelins, com o Tantivy Mucker-Maffick da mesa ao lado, a respeito do lugar onde a próxima bomba ia cair...

Porém em setembro começaram os foguetes. Os filhos da puta dos foguetes. Não havia como se adaptar a eles. Não tinha jeito. Pela primeira vez, Slothrop se deu conta, surpreso, de que estava com medo, de verdade. Começou a beber mais, dormir menos, fumar um cigarro depois do outro, com a vaga impressão de que o tinham feito de otário. Porra, não era para a coisa continuar desse jeito...

"Olhe, Slothrop, você já está com um na boca..."

"É nervoso", Slothrop acende o segundo assim mesmo.

"Ah, os *meus*, não", pediu Tantivy.

"Dois ao mesmo tempo, está vendo?" fazendo os cigarros apontarem para baixo como dentes de vampiro de história em quadrinhos. Os tenentes se entreolham naquela penumbra encervejada, o dia afundando do lado de fora das janelas altas e frias do Bico e Seta, e Tantivy prestes a rir ou bufar ah meu Deus do outro lado do Atlântico de madeira da mesa.

Não têm faltado Atlânticos nos últimos três dias, muitos deles mais tempestuosos que aquele que foi cruzado por William, o primeiro Slothrop transatlântico, muitos ancestrais atrás. Barbaridades de vestimenta e fala, comportamentos censuráveis — numa noite horrível, Slothrop de porre, convidado de Tantivy no Junior Athenaeum, tantas fez que os dois acabaram expulsos, ele fingindo que atacava a jugular de DeCoverley Pox com o bico de uma coruja empalhada enquanto Pox, acuado numa mesa de bilhar, tentava enfiar uma bola na garganta de Slothrop. Esse tipo de coisa se repete com uma frequência desanimadora: no entanto a bondade é um navio resistente o bastante para estes oceanos, Tantivy sempre fica parado olhando, sorrindo ou corando de vergonha, e Slothrop surpreso de constatar que, nas situações realmente sérias, Tantivy jamais o abandonou.

Ele sabe que pode se abrir. O que o preocupa não tem muito a ver com o relatório amoroso de hoje a respeito de Norma (pernas de menina de Cedar Rapids com covinhas), Marjorie (alta, elegante, físico de corista do Windmill) e os estranhos acontecimentos da noite de sábado no Frick Frack Club no Soho, um lugar mal-afamado com spots móveis de vários tons pastel, placas de PROIBIDA A ENTRADA DE MILITARES e PROIBIDO DANÇAR JITTERBUG para tranquilizar os diversos tipos de polícia, militar e civil, se é que "civil" ainda quer dizer alguma coisa hoje em dia, que vêm dar uma olhada de vez em quando, e onde, contra todas as leis da probabilidade, Slothrop, que vinha para encontrar-se com uma, entra e vê *as duas*, em fila, num ângulo justamente destinado a ele, por sobre o ombro forrado de lã azul de um cabo, sob a linda axila nua de uma garota dançando o lindy hop, fazendo pose, a pele tingida de violeta pelo spot errante naquele exato momento, e então, num pique de paranoia, os dois rostos começaram a virar-se em sua direção...

As duas jovens são estrelas prateadas no mapa de Slothrop. Provavelmente nessas duas ocasiões ele teve uma sensação argêntea, brilhante, retininte. As estrelas que ele cola são coloridas apenas para exprimir o modo como ele se sente no dia, subindo desde azul até dourado. De modo algum, não se trata de avaliá-las... como poderia ele fazer tal coisa? Ninguém vê o mapa, só Tantivy, e meu Deus elas são *todas* bonitas... em folha ou flor nesta cidade hibernal, nas casas de chá, nas filas embrulhadas em lenços e casacões, suspirando, espirrando, pernas com meias de algodão nos meios-fios, pedindo carona, datilografando ou arquivando, lápis amarelos brotando dos penteados, ele as encontra — matronas, putinhas, peitudas —, é, é uma coisa meio obsessiva, sim, mas... "Sei que há muitos amores e deleites agrestes no mundo", pregava Thomas Hooker, "tal como há tomilho agreste, e também outras ervas; porém queremos amor cultivado, e deleite cultivado, plantados no jardim por Deus." Como cresce o jardim de Slothrop. Abundam amores-de-moça e não-te-esqueças-de-mim e choronas — e por toda parte, roxos e amarelos como chupões, uma abundância de amores-perfeitos.

Ele gosta de falar com elas sobre os vagalumes. As garotas inglesas nunca viram um vagalume, o que é praticamente a única coisa que Slothrop sabe com certeza a respeito das garotas inglesas.

O mapa deixa Tantivy intrigado. Não dá para explicá-lo em termos de típico comportamento de americano conquistador contador de vantagem, a menos que seja um reflexo de universitário no vazio, um reflexo que Slothrop não consegue controlar, continuando a latir num laboratório vazio, num labirinto de corredores cheios de ecos, muito depois de passada a vontade e de terem os colegas ido arriscar a pele na Segunda Guerra Mundial. Slothrop na verdade não gosta muito de falar sobre suas garotas; mesmo depois de tanto tempo Tantivy precisa de uma certa diplomacia para fazê-lo embarcar no assunto. De início Slothrop, com um curioso cavalheirismo, não dizia nada, até que percebeu o quanto Tantivy era tímido. Deu-se conta então de que Tantivy queria que lhe arranjassem mulher. Mais ou menos na mesma época, Tantivy começou a entender como Slothrop estava isolado. Pelo visto, não tinha mais ninguém em Londres, além de uma multidão de garotas que ele raramente via mais de uma vez, com quem pudesse conversar.

Assim mesmo, Slothrop atualiza seu mapa todos os dias, tolamente consciencioso. Na melhor das hipóteses, é a celebração de um fluxo, um fluir do qual — em meio às súbitas demolições que vêm do céu, ordens misteriosas que chegam de negras noites parturientes que para ele são apenas vazias — ele colhe um momento aqui e ali, os dias mais uma vez esfriando, geada nas manhãs, o contato com os seios de Jennifer dentro da lã fria da suéter, agarrados para aquecer um pouco num corredor cheio de fumaça de carvão cujo desalento diurno ele jamais há de conhecer... xícara de caldo de carne uma fração de grau abaixo do ponto de fervura queimando seu joelho quando Irene, nua como ele, num cubo de sol filtrado por vidro, levanta preciosas meias de náilon uma por uma tentando formar um par que não esteja desfiado, todas recebendo de chofre a luz que atravessa a treliça hibernal lá fora... vozes nasaladas e animadas e americanas de moças arrancadas dos sulcos de um disco pela agulha de espinho de cacto da radioeletrola da mãe de Allison... aconchegando-se para aquecer-se, cortinas de blecaute em todas as janelas, nenhuma luz além das brasas do último cigarro, um vagalume inglês, que nos dedos caprichosos da moça traça em letra cursiva, descrevendo uma trilha efêmera no ar, palavras que ele não consegue ler...

"O que aconteceu?" Slothrop silencia. "Suas duas marinheiras... quando viram você..." e então percebe que Slothrop, em vez de prosseguir com sua narrativa, entregou-se aos calafrios. Aliás está estremecendo há algum tempo. Está frio aqui dentro, mas não tão frio assim. "Slothrop..."

"Não sei. Meu Deus." É interessante, porém. Uma sensação tão esquisita. Ele não consegue parar. Vira para cima o colarinho da túnica, enfia as mãos dentro das mangas e fica parado assim, sentado, por algum tempo.

Depois de uma pausa, cigarro em movimento: "A gente não ouve quando eles chegam".

Tantivy sabe quem "eles" são. Desvia a vista. Há um breve silêncio.

"Claro que não, eles voam mais depressa que o som."

"É, mas... não é isso", palavras espocando por entre os arrepios, "os do outro tipo, os V-1, a gente ouve. Certo? Pode até conseguir cair fora. Mas esses explodem primeiro, e... e só *depois* é que a gente ouve eles chegando. Só que, se a gente morre, não ouve nada."

"É a mesma coisa na infantaria. Você sabe. A gente nunca ouve o tiro que acerta a gente."

"É, mas..."

"Faz de conta que é uma bala enorme, Slothrop. Com aletas."

"Meu Deus", batendo queixo, "como você me tranquiliza."

Tantivy, ansioso, debruçado para a frente na escuridão pardacenta recendente a lúpulo, mais preocupado agora com a tremedeira de Slothrop do que com qualquer espectro seu, não pode senão recorrer aos canais estabelecidos que conhece para tentar exorcizar aquele medo. "Talvez se a gente pudesse levar você pra ver os lugares onde elas caíram..."

"Pra quê? Ora, Tantivy, fica tudo completamente destruído. É ou não é?"

"Não sei. Acho que nem os alemães sabem. Mas é a melhor oportunidade que a gente tem de conseguir passar pra trás o pessoal da T. I. É ou não é?"

E foi assim que Slothrop passou a investigar os "incidentes" com bombas alemães. Toda manhã — de início — alguém na Defesa Civil entregava à ACHTUNG uma lista das ocorrências da véspera. A lista terminava nas mãos de Slothrop, que arrancava o papelzinho rabiscado a lápis com os Des e os Paras, ia pegar o mesmo Humber velho no depósito de veículos e fazia sua ronda, um são Jorge retrospectivo a remexer a bosta da Besta, fragmentos de ferragens germânicas que não existiam, escrevendo resumos vazios em seus cadernos — terapia ocupacional. Como as listas começaram a bater mais depressa na ACHTUNG, muitas vezes Slothrop chegava a tempo de ajudar as equipes de salvamento — seguindo cães de músculos irrequietos em direção ao cheiro de gesso, o vazamento de gás, as longas lascas de madeira e telas amassadas, cariátides caídas e desnarigadas, ferrugem já roendo pregos e roscas expostas, o pó deixado pela mão do Nada no papel de parede em que sussurravam pavões espalmando caudas em gramados profundos de casas com mais de cem anos, arvoredos protegidos de azinheiras... em meio a pedidos de silêncio quando os aguardava alguma mão ou alvor de pele exposta, sobrevivente ou vítima. Quando podia, mantinha distância, rezando, de início, a Deus de modo convencional, primeira vez desde o bombardeio anterior, pedindo que a vida vencesse. Mas era gente demais morrendo, e com o tempo, não vendo sentido, parou.

Ontem foi até um dia bom. Acharam uma criança, viva, uma menininha, semissufocada sob um abrigo antiaéreo portátil. Aguardando a padiola, Slothrop segurou-lhe a mãozinha, arroxeada de frio. Cães latiam na rua. Quando ela abriu os olhos e o viu, suas primeiras palavras foram: "Tem chiclete, moço?". Presa ali dois dias, sem chiclete — e ele só tinha para lhe dar uma pastilha Thayer's. Sentiu-se um idiota. Antes que a levassem, a menina pegou a mão dele para beijá-la assim mesmo, a boca e as faces à luz das pistolas sinalizadoras frias como gelo, a cidade em volta uma grande geladeira desolada, que cheirava a bolor e nunca mais conteria surpresa alguma. Neste momento ela sorriu, bem de leve, e Slothrop entendeu que era isso que ele estava esperando, puxa, um sorriso de Shirley Temple, como se isso anulasse tudo aquilo que haviam encontrado em torno da menina. Coisa mais imbecil. Slothrop se agarra no fundo da avalanche de seu próprio sangue, 300 anos de ancestralidade nos pântanos do oeste, e o máximo que consegue é um armistício nervoso com a Providência dos americanos. Uma *détente*. As ruínas que ele vai olhar todos os dias são sermões sobre a vaidade. O fato de que ele jamais encontra, por mais que se acumulem semanas, nem o mais mínimo fragmento de foguete é uma afirmação da indivisibilidade do ato da morte... A peregrinação de Slothrop: Londres, cidade secular, o ensina: é só virar uma esquina que ele se vê no meio de uma parábola.

Está obcecado com a ideia de um foguete que traz seu nome escrito — se eles realmente estão decididos a pegá-lo (onde "eles" abrange possibilidades que transcendem em muito a Alemanha nazista), esta é a maneira mais segura, não lhes custa nada escrever o nome dele *em todos*, é ou não é?

"É, sabe, talvez ajude", Tantivy olhando-o de um jeito gozado, "especialmente em combate, sabe, *fingir* alguma coisa assim. Ajuda muito. Pode até dizer que é 'paranoia ocupacional' ou lá o que seja. Mas..."

"Fingir coisa nenhuma", acendendo um cigarro, sacudindo o topete em meio à fumaça, "poxa, Tantivy, me escute, não quero preocupar você não, mas... quer dizer, estou é sobrevivendo há quatro anos, a coisa pode acontecer *a qualquer momento*, no próximo instante, de repente... porra... reduzido a zero, coisa nenhuma... e..."

Não é nada visível nem palpável — gases repentinos, uma violência sobre o ar que não deixa vestígios depois... um Verbo, pronunciado sem aviso prévio em seu ouvido, e depois silêncio para sempre. Além da invisibilidade, do golpe do martelo e do irromper do Apocalipse, este é o verdadeiro horror da coisa, o deboche, a promessa da morte com uma confiança germânica e precisa, rindo de todos os pequenos escrúpulos de Tantivy... não, nada de bala com aletas... não o Verbo, o Verbo único que arrebenta o dia...

Foi num final de tarde de sexta, em setembro passado, saindo do trabalho, indo em direção à estação Bond Street do metrô, pensando no fim de semana e suas duas marinheiras, Norma e Marjorie, uma das quais não podia saber da existência da outra, no momento exato em que estava enfiando o dedo no nariz, de repente no céu, atrás dele, a quilômetros dali rio acima *memento-mori* um estalo seco e uma explosão forte, ribombando depois, quase como um trovão. Mas não exatamente. Segundos depois, desta vez a sua frente, aconteceu de novo: alto e bom som, por toda a cidade. Um parêntese. Não uma bomba voadora, não a Luftwaffe. "Também não é trovão", exclamou perplexo, em voz alta.

"Um gasômetro qualquer", uma senhora munida de marmita, olhos inchados de cansaço, acotovelando-lhe as costas ao passar.

"Não, são os alemães", a amiga dela de franjas louras enrodilhadas sob um lenço xadrez cumprindo alguma rotina monstruosa, levantando as mãos para Slothrop, "querendo pegar *ele*, os alemães *adoram* americanos gorduchos" — só falta agora ela pegar sua bochecha e ficar apertando-a.

"Olá belezoca", disse Slothrop. O nome dela era Cynthia. Ele conseguiu arrancar-lhe o telefone antes que a mulher desse tchauzinho e fosse reabsorvida pela multidão da hora do rush.

Era uma daquelas grandes tardes férreas londrinas: o sol amarelento estava sendo cortejado por mil chaminés a bafejar, num vertical e desavergonhado puxa-saquismo. Esta fumaça é mais que o hálito do dia, mais que uma força escura — é uma presença imperial que vive e anda. Gente atravessava as ruas e praças, indo para todos os lados. Ônibus roncavam, centenas deles, pelos longos viadutos de concreto, manchados por anos de uso implacável e austero, reduzidos a tons de cinza-névoa, preto-graxa, vermelho-chumbo e alumínio pálido, em meio a montes de entulho do tamanho de prédios, fazendo curvas estreitas e entrando em ruas engasgadas de comboios militares, outros ônibus altos e caminhões forrados de lona, bicicletas e carros, cada um com origem e destino diversos, tudo fluindo, de vez em quando emperrando, e acima de tudo a imensa ruína gasosa do sol em meio às chaminés, os balões de barragem, linhas de força e chaminés pardas como madeiramento velho, um tom cada vez mais escuro, aproximando-se do negro em um instante — talvez o verdadeiro momento crucial do pôr do sol — que é vinho para você, vinho e refrigério.

O Momento era 6h43min16, horário de verão: o céu, golpeado como o tambor da Morte, ainda vibrava, e o pau de Slothrop — o quê? É sim, olhe dentro de sua cueca militar que verá o pau dele começando a endurecer furtivamente, prestes a dar o bote — Deus meu, de *onde* saiu isso?

Há no passado de Slothrop, e provavelmente, que Deus tenha pena dele, no seu dossiê, uma curiosa sensibilidade para o que é revelado no céu. (Mas *pau duro*?)

Numa velha lápide de xisto no cemitério congregacional na sua cidade natal, Mingeborough, Massachusetts, a mão de Deus emerge de uma nuvem, as margens da figura já um pouco erodidas aqui e ali por 200 anos de exposição aos cinzéis de fogo e gelo das estações, juntamente com a seguinte inscrição:

Em memória de Constant
Slothrop, o qual faleceu
a quatro de março de 1776,
aos vinte e nove anos de idade.

A morte é uma conta à natureza devida.
Eu a paguei, tu o farás ao fim da tua vida.

Constant viu, e não só com o coração, aquela mão de pedra emergindo nas nuvens seculares, apontando diretamente para ele, contornos traçados numa luz insuportável, acima dos sussurros do rio e do relevo longo e azulado dos montes Berkshire, tal como o faria seu filho Variable Slothrop, tal como toda a linhagem dos Slothrop para cima e para baixo, as nove ou dez gerações que se amontoavam no passado, ramificando para dentro: todos, menos William, o primeiro, enterrado sob folhas mortas, menta e salgueirinha roxa, frias sombras de olmos e salgueiros no cemitério cercado de pântano numa longa gradação de apodrecimento, lixiviação, assimilação à terra, pedras gravadas com anjos de faces redondas e narizes compridos como focinhos de cães, caveiras cheias de dentes e órbitas profundas, emblemas maçônicos, vasos de flores, salgueiros fartos eretos e derrubados, ampulhetas com a areia toda embaixo, sóis prestes a nascer ou se pôr no horizonte, e versos *in memoriam*, desde os mais secos e diretos, como os de Constant Slothrop, até os de ritmo mais saltitante, como estes dedicados a dona Elizabeth, esposa do tenente Isaiah Slothrop († 1812):

Adeus meus amigos, me guardem na memória
A Morte lançou-me nesta sepultura.
Até que o Cristo retorne em Sua glória
Cá hei de ficar, como diz a Escritura.
Ouve bem o que diz quem aqui jaz,
Ó passante: um dia, também morrerás.
No tear do Infinito, Deus Nosso Senhor
Tece nossa existência com fios de Amor.

Até chegar ao avô do Slothrop atual, Frederick († 1933), que com seu sarcasmo e perfídia habituais roubou seu epitáfio de Emily Dickinson, sem lhe dar o crédito:

Como não pude parar para a Morte
Ela parou, gentil, para mim

Cada um a sua vez saldando sua dívida para com a natureza e deixando o excesso para o próximo elo da cadeia do nome. Começaram como comerciantes de peles, sapateiros, defumadores de toucinho, depois tornaram-se vidraceiros, conselheiros municipais, construtores de curtumes, cavouqueiros em pedreiras de mármore. Toda a região virou uma grande necrópole, cinzenta de pó de mármore, pó a que se reduziram os hálitos, os fantasmas, de todos aqueles monumentos pseudoatenienses sendo construídos por toda a república. Mas nunca aqui. O dinheiro saindo através de carteiras de ações mais complicadas que qualquer genealogia: o que ficava em Berkshire era aplicado nas florestas, cujas verdes expansões cada vez mais reduzidas eram transformadas a toque de caixa em papel — papel higiênico, papel-moeda, papel de jornal — meio ou base para merda, dinheiro e o Verbo. Não eram aristocratas, nenhum Slothrop jamais conseguiu entrar no guia social nem no Somerset Club — trabalhavam em silêncio, assimilados em vida à dinâmica que os cercava por completo, tal como na morte os cercaria a terra dos cemitérios. Merda, dinheiro e o Verbo, as três verdades americanas, combustíveis da mobilidade americana, atrelavam os Slothrop para todo o sempre ao destino da nação.

Porém não prosperavam... no máximo persistiam — embora tudo começasse a piorar para eles mais ou menos na época em que Emily Dickinson, não muito longe dali, escrevia

> Ruína é obra do diabo,
> Lenta e consecutiva —
> Homem algum cai de súbito:
> Toda queda é gradativa,

ainda assim eles tocavam para a frente. A tradição, para outros, era clara, todos sabiam — explorar a mina até o fim, arrancar tudo o que há até esgotar e depois seguir para o Oeste, onde tem muito mais. Mas alguma inércia calculada imobilizou os Slothrop em Berkshire, teimosos — perto das pedreiras inundadas e encostas desmatadas que haviam deixado como confissões escritas por toda aquela terra putrefaciente de bruxas, pardacenta de colmo. Os lucros diminuindo, a família sempre se multiplicando. Os juros de diversos fundos de fideicomisso numerados continuavam sendo convertidos, pelos bancos da família em Boston a cada duas ou três gerações, em outros fundos, num longo ralentando, numa série infinita, quase imperceptivelmente, pouco a pouco, morrendo... porém nunca se reduzindo a zero...

Quando veio a Depressão, ratificou-se o que já estava acontecendo. Slothrop cresceu num morro desolado, cercado de firmas falindo, cercas vivas cercando propriedades de ricaços, casas de campo semimíticas de nova-iorquinos revertendo ao mato vicejante ou à palha da morte, todas as janelas de cristal quebradas, todas sem exceção, os Harriman e os Whitney já tinham ido embora, gramados viravam feno, o outono não era mais tempo de foxtrotes ao longe, limusines e lustres, mas apenas os grilos de sempre, maçãs outra vez, geadas prematuras afugentando os beija-flores, vento leste, chuva de outubro: só as certezas do inverno.

Em 1931, ano do grande incêndio do Aspinwall Hotel, o jovem Tyrone estava visitando seus tios em Lenox. Era abril, mas por um ou dois segundos, enquanto despertava naquele quarto estranho ouvindo passos de primos grandes e pequenos descendo a escada, ele pensou no inverno, porque muitas vezes fora despertado assim, em pleno sono, pelo pai, ou Hogan, envolto em agasalhos, os olhos ainda piscando para livrar-se de uma última camada de sonhos, e levado para o frio lá fora para ver a aurora boreal.

Seu cu piscava de tanto medo. Aquelas cortinas radiantes estariam prestes a se abrir? O que teriam a lhe mostrar os fantasmas do Norte, com seus trajes de gala?

Mas era uma noite de primavera, e o céu era vermelho vivo, laranja cálido, as sirenes gritavam nos vales de Pittsfield, Lenox e Lee — os vizinhos nas varandas olhavam a chuva de faíscas que caía sobre a encosta... "Como uma chuva de meteoros", diziam, "como cinzas de fogos do Dia da Independência...", era 1931, e eram essas as comparações. As cinzas caíram sem parar durante cinco horas, enquanto as crianças cochilavam e os adultos tomavam café e trocavam histórias de incêndios de outros tempos.

Mas que Luzes seriam essas? Que fantasmas as governavam? E se no instante seguinte a noite inteira, toda ela, se insurgisse e cortinas se abrissem revelando um inverno que ninguém jamais sequer sonhou...

6h43min16 horário de verão — *no céu neste exato instante* o mesmo desdobramento, algo prestes a irromper, seu rosto aprofundando nesta luz, tudo prestes a disparar e ele a perder-se, tal como sua terra sempre proclamou... esguias torres de igreja a equilibrar-se por todas aquelas encostas outonais, foguetes brancos em vias de ser lançados, a contagem regressiva já perto do fim, rosáceas admitindo a luz dominical, elevando e lavando os rostos que nos púlpitos definem a graça, jurando que *é assim que acontece — sim, a grande mão luminosa emergindo da nuvem...*

Na parede, cercado por complexos ornamentos de bronze já escurecido, um bico de gás arde, fino, balouçando-se de leve — ajustado de tal modo a formar o que os cientistas do século passado denominavam uma "chama sensível": invisível na base, quando emerge do orifício, transformando-se gradualmente na luz azul uniforme que paira alguns centímetros acima, um pequeno cone tremeluzente que reage às mais sutis variações na pressão do ar do recinto. Ela acusa a entrada e a saída de cada pessoa, todas curiosas e respeitosas, como se sobre a mesa redonda houvesse algum jogo de azar. As pessoas sentadas ao seu redor não estão em absoluto distraídas ou impedidas. Aqui não há mãos alvas nem trombetas luminosas, não senhor.

Oficiais de infantaria escoceses com seus uniformes de parada, perneiras azuis e kilts de gala, conversando com recrutas americanos... clérigos, homens da Força Territorial ou do Corpo de Bombeiros recém-saídos do trabalho, dobras de lã com forte cheiro de fumaça, todo mundo com cara de quem queria ter dormido mais uma hora... dignas anciãs de crêpe de Chine, antilhanos suavemente trançando vogais ao redor de cadeias menos flexíveis de consoantes judeu-russas... A maioria deles só tangenciam o círculo sagrado, uns ficam, outros saem para outras salas, tudo sem interromper o médium magro, sentado junto à chama sensível, de costas para a parede, cachos de cabelo avermelhado rente ao crânio como um solidéu, testa alta e lisa, lábios escuros mexendo-se ora sem esforço, ora dolorosamente:

"Uma vez transmudado para o reino de Dominus Blicero, Roland constatou que todos os sinais voltaram-se contra ele... Luzes que ele estudara tão bem quando era um de vocês, posição e movimento, agora ajuntaram-se na extremidade oposta, tudo dançando... dança irrelevante. Nada do progresso tradicional de Blicero, nada de novo... estranho... Roland também percebeu o vento, o que sua mortalidade jamais permitira antes. E era tão... tão jubiloso, que a seta tinha que se inclinar em sua direção. O vento sempre soprou, o ano todo, ano após ano, mas Roland antes só sentia o vento secular... quer dizer, só seu vento pessoal. No entanto... Selena, o vento, o vento está em toda parte..."

Neste ponto o médium para, cala-se por um tempo... um gemido... um momento silencioso, desesperado. "Selena. Selena. Então você se foi?"

"Não, meu querido", as faces úmidas de lágrimas anteriores, "estou ouvindo."

"É o controle. Todas essas coisas decorrem de uma única dificuldade: o controle. Pela primeira vez ele foi para *dentro*, entende? O controle vai para dentro. Não precisa mais sofrer passivamente as 'forças externas' — dobrar-se ao sabor de todos os ventos. Como se...

"... um mercado não fosse mais comandado pela Mão Invisível, porém pudesse agora *criar-se a si próprio* — sua própria lógica, seu ímpeto, seu estilo, a partir de *dentro*. Colocar o controle dentro era ratificar o que havia acontecido de fato — que você havia dispensado Deus. Só que assumiu uma ilusão maior e mais daninha. A ilusão do controle. Que A podia fazer B. Mas isso era falso. Completamente. Ninguém pode *fazer*. As coisas simplesmente acontecem, A e B são irreais, nomes de peças que deviam ser inseparáveis..."

"Mais bobagens à Ouspensky", sussurra uma senhora que passa de braços dados com um estivador. Cheiros de óleo diesel e Sous le Vent misturam-se quando eles passam. Jessica Swanlake, uma mocinha rubicunda com uniforme do ATS, farejando o perfume do pré-guerra, levanta a vista, humm, o vestido que ela imagina custar uns 15 guinéus e sabe-se lá quantos cupons, provavelmente da Harrods *e faria mais por mim*, disso ela também tem certeza. A senhora, subitamente olhando para trás por cima do ombro, sorri, ah, é? Meu Deus, será que ela ouviu? *Aqui* neste lugar, certamente.

Jessica está parada perto da mesa da sessão espírita com um punhado de dardos que retirou à toa do alvo na parede, cabeça baixa, palidez da nuca e das vértebras superiores visível acima do colarinho de lã marrom e por entre alguns fios mais claros do cabelo castanho, caídos sobre os dois lados do rosto. Pontas e hastes de bronze aquecem-se com o calor de seu sangue, estremecem na palma de sua mão. Ela própria parece, acariciando as penas dos dardos com as pontas dos dedos, ter afundado num transe não muito profundo...

Lá fora, ribombando do leste, vem o estrondo abafado de outra bomba-foguete. Estremecem as janelas, sacode-se o chão. A chama sensível mergulha para proteger-se, sombras dançam do outro lado da mesa, escurecendo aquela extremidade da sala — depois salta para cima outra vez, ereta, e as sombras recolhem-se outra vez, atingindo mais de meio metro, e some por completo. O gás silva na sala semiescura. Milton Gloaming, que se formou com notas máximas em Cambridge dez anos atrás, abandona sua taquigrafia e levanta-se para desligar o gás.

Parece o momento adequado para Jessica lançar um dardo: um só. Cabelos balançam, peitos pendem maravilhosamente sob as pesadas lapelas de lã. Um sibilo no ar, pof: afunda nas fibras grudentas, bem no meio do alvo. Milton Gloaming levanta uma sobrancelha. Sua mente, sempre à cata de correspondências, crê ter encontrado mais uma.

O médium, agora irritado, começa a emergir de seu transe. Ninguém faz ideia do que está acontecendo do outro lado. Esta sessão, como qualquer outra, precisa não apenas de um círculo de pessoas dispostas mas também uma quádrupla *entente* que não pode ser interrompida em nenhum de seus elos: Roland Feldspath (o espírito), Peter Sachsa (o comunicante), Carroll Eventyr (o médium), Selena (a esposa e sobrevivente). Em algum ponto, por conta de exaustão, redirecionamento, lufadas de ruído branco oriundo do éter, esta estrutura está começando a dissolver-se. Relaxamento, cadeiras rangendo, suspiros, pigarros... Milton Gloaming dedilha seu caderno, fecha-o abruptamente.

Por fim Jessica aproxima-se. Nenhum sinal de Roger e ela nem sabe se quer mesmo que ele venha atrás dela, e Gloaming, embora tímido, não é tão insuportável como alguns dos outros amigos do Roger...

"O Roger diz que agora você vai contar todas as palavras que você copiou e depois fazer um gráfico, sei lá", voz animada para bloquear qualquer comentário sobre o incidente do dardo, que ela prefere evitar. "Você faz isso só em sessões espíritas?"

"Textos de escrita automática", Gloaming, nervoso como uma virgem, franze a testa, concorda com a cabeça, "uma ou outra sessão de copo, sim... n-nós estamos tentando elaborar um vocabulário de curvas — certas patologias, certas formas características, você entende..."

"Acho que eu não..."

"Pois bem. Lembre-se do Princípio do Menor Esforço de Zipf: se plotamos a frequência de uma palavra P índice *n* em relação a sua ordem *n* em eixos logarítmicos", enchendo de palavras o silêncio da moça, até a perplexidade dela é graciosa, "é claro que vamos obter algo semelhante a uma linha reta... porém temos dados que indicam que as curvas referentes a certos... estados, bem, na verdade são bem diferentes — por exemplo, os esquizofrênicos costumam dar uma curva um pouco mais achatada na parte de cima e depois cada vez mais íngreme — uma forma que lembra um arco... Acho que esse sujeito, o tal de Roland, é um caso clássico de paranoia..."

"Hã." Está aí uma palavra que ela conhece, sim. "Achei que você gostou quando ele falou em 'voltar-se contra'."

"'Contra', 'oposição', é, você não imagina a frequência desses termos."

"Qual a palavra mais frequente?", pergunta Jessica. "A número um."

"A mesma de sempre nesse tipo de situação", responde o estatístico, como se todo mundo soubesse: "morte".

Um supervisor de alarme antiaéreo, um velho rígido e frágil como organdi, fica na ponta dos pés para reacender a chama sensível.

"A propósito, ah, onde está o seu amigo maluco?"

"O Roger está com o capitão Prentice." Um gesto vago. "O misterioso Treino do Microfilme de sempre." Sendo realizado em algum cômodo distante, durante uma partida de dados em que o acaso quase não entra, nuvens de fumaça e conversa fiada, Falkman and His Apache Band tocando baixinho na BBC, bojudas garrafinhas de cervejas e esguios copos de xerez, chuva gelada nas janelas. Hora de ficar em casa, aquecedor ligado, xales protegendo o pescoço do frio da noite, abraçado à namorada ou à patroa, ou então, aqui no Snoxall, em boa companhia. Eis um abrigo — talvez um verdadeiro núcleo de tranquilidade entre vários espalhados ao longo deste conflito interminável, onde pessoas se reúnem para fins que não são totalmente voltados para o esforço de guerra.

O Pirata Prentice sente algo disso, indiretamente, via tensão de classe: ostenta seu sorriso entre essa gente como uma falange. Aprendeu-o no cinema — é o exato sorriso malicioso irlandês que Dennis Morgan ostenta diante da fumacinha preta vomitada de cada verme amarelo dentuço que ele mata a tiros.

Ele usa esse sorriso tal como a Firma o usa — a Firma, a qual, como todos sabem, é capaz de usar qualquer um, traidores, assassinos, tarados, negros, até mulheres, para conseguir o que quer. Ainda que de início não tivessem certeza quanto à utilidade do Pirata, agora Eles não têm mais dúvida alguma quanto a isso.

"General, o senhor não pode estar defendendo uma coisa dessas."

"Ele está sob observação constante. Com certeza ele não sai do local fisicamente."

"Então ele tem um cúmplice. De algum modo — hipnose, drogas, sei lá — eles estão tendo contato com esse homem e o acalmando. Pelo amor de Deus, só falta agora o senhor consultar o horóscopo."

"É o que faz o Hitler."

"O Hitler é um ser inspirado. Mas nós dois somos funcionários, não esqueça disso..."

Depois da primeira onda de interesse, o número de clientes aos cuidados do Pirata foi diminuindo. No momento, ele está com uma carga de trabalho que lhe parece razoável. Mas não é isso que ele realmente quer. Eles não compreendem, aqueles malucos bem-nascidos da Special Operations Executive *ah, muito bem, capitão* lendo relatórios, esfregando as botas, ecos de óculos oficiais *que ótimo, e você podia muito bem fazer isso para nós lá no clube...*

O Pirata quer a confiança d'Eles, o cheiro de Seu amor áspero, cheiro de uísque bom e fumo turco. Quer ser compreendido por gente do nível *dele*, não por aqueles ratos de biblioteca cheios de racionalizações aqui no Snoxall, tão dedicados à Ciência, tão tolerantes que este (ele lamenta do fundo do coração) seja talvez o único lugar em todo o império de guerra em que ele se sente menos que um desconhecido...

"Não está nada claro", está dizendo Roger Mexico, "o que eles têm em mente, nem um pouco claro, a Lei da Bruxaria tem mais de 200 anos, é uma relíquia de uma época totalmente diferente, outra maneira de pensar. De repente estamos em 1944, golpeados por convicções à direita e à esquerda. O senhor Eventyr", indicando com um gesto o médium que conversa com o jovem Gavin Trefoil do outro lado da sala, "pode ser atacado a qualquer momento — eles entram de repente e arrastam o perigoso Eventyr para a cadeia por 'fingir praticar ou usar uma espécie de encantamento para fazer com que as almas de pessoas falecidas estejam de fato presentes no lugar onde ele estava no momento e que esses espíritos estavam se comunicando com pessoas vivas ali presentes', meu Deus, quanta imbecilidade fascista..."

"Cuidado, Mexico, você está perdendo a objetividade outra vez — um cientista não pode fazer isso, não é? Não é nada científico."

"Asneira. Você está do lado *deles*. Será que não deu para sentir hoje, entrando pela porta? É um verdadeiro mar de paranoia."

"É justamente esse o meu talento", o Pirata ao falar percebe que é abrupto demais, tenta suavizar o corte com: "Não sei se consigo é fazer a coisa *múltipla*...".

"Ah, Prentice." Todas as sobrancelhas e lábios no lugar. Tolerância. Ah.

"Você devia vir também dessa vez e pedir ao doutor Groast que ele verifique no eletrocardiógrafo."

"Ah, se eu estiver em Londres", vagamente. Problema de segurança aqui. Tem gente demais sabendo, e ele não põe a mão no fogo nem mesmo por Mexico. Há círculos demais nesta operação, internos e externos. Listas de distribuição cada vez mais estreitas à medida que se vai chegando mais perto, anel por anel, do alvo no meio, e as instruções de Destrua após a Leitura aos poucos vão abrangendo todo rascunho, todo memorando trivial, até as fitas de máquina de escrever.

O mais provável é que Mexico só trabalhe de vez em quando na última mania da Firma, denominada Operação Asa Negra, como estatístico — analisando os dados sobre o moral dos estrangeiros à medida que vão sendo levantados, por exemplo — porém em algum lugar nas fímbrias do empreendimento, como aliás o Pirata sente-se aqui agora, agindo como mensageiro para Mexico e seu próprio companheiro de quarto, Teddy Bloat.

Ele sabe que Bloat vai a algum lugar e microfilma alguma coisa, depois a entrega, via Pirata, ao jovem Mexico. E de lá, imagina ele, vai para "A Aparição Branca", onde fica uma agência guarda-chuva denominada PISCES — Psicologia e Informação Sociológica para a Capitulação Executada com Sucesso. Só não está claro de quem é a capitulação em questão.

O Pirata imagina que talvez Mexico faça parte de um dos mil misteriosos esquemas de vigilância intra-Aliados que vêm pipocando em Londres desde a chegada dos americanos, juntamente com uma dúzia de governos no exílio. Os quais, curiosamente, tornam os alemães irrelevantes. Todo mundo olhando por cima do ombro, Franceses Livres tramando vinganças contra os traidores de Vichy, comunistas de Lublin mirando armas em ministros paralelos de Varsóvia, gregos do ELAS preparando golpes contra monarquistas, sonhadores irrepatriáveis de todos os idiomas tentando, via força de vontade, murros e preces, restaurar reis, repúblicas, pretendentes, anarquismos de verão que pereceram antes mesmo das primeiras colheitas do outono... uns morrendo mortes miseráveis, anônimos, cobertos de gelo e neve em crateras de bombas no East End, só descobertos ao chegar a primavera, uns constantemente bêbados ou dopados de ópio para conseguir aguentar os reveses do dia, a maioria de algum modo perdendo, perdendo as almas que tinham, cada vez mais incapazes de confiar, presos na falação incessante do jogo, a autocrítica cotidiana, as exigências de atenção total... e qual o estrangeiro exato que Pirata tem em mente senão aquele soldado apátrida que vê, esparramado em seu próprio espelho, o mais miserável dos exilados...

Bem: o Pirata imagina que Eles passaram a perna em Mexico e o envolveram em alguma dessas tramas bizantinas, uma talvez que tenha a ver com os americanos. Possivelmente os russos. "A Aparição Branca", dedicada à guerra psicológica, contém um pouco de cada, um behaviorista aqui, um pavloviano ali. Isso não é da sua conta. O Pirata observa, porém, que cada vez que um filme é entregue cresce o entusiasmo de Roger. Mórbido, mórbido: tem a impressão de testemunhar um caso de toxicomania. Sente que seu amigo, este amigo provisório de tempo de guerra, está sendo usado para fins não inteiramente decentes.

Que fazer? Se Mexico quisesse falar sobre o assunto, daria um jeito de fazê-lo, com ou sem medidas de segurança. Sua relutância não é como a que o Pirata sente em relação à Operação Asa Negra. Parece mais uma espécie de vergonha. Pois hoje, quando recebeu o envelope, Mexico não desviou a vista? olhos socando os cantos da sala a toda velocidade, reflexo de consumidor de pornografia... humm. Conhecendo Bloat como ele conhece, talvez seja isso mesmo, mocinha chupando rapaz bem-dotado, diversas poses — menos mórbido que tudo que já foi fotografado nesta guerra... pelo menos é vida...

Lá está a garota de Mexico, acaba de entrar na sala. Ele a percebe de imediato, a claridade a sua volta, a ausência de fumaça e barulho... estará vendo auras agora? A moça vê Roger e sorri, olhões enormes... cílios negros, cara levada, pelo menos ao que parece, cabelos presos ondulados caídos nos ombros — que diabo ela está fazendo numa bateria mista de defesa antiaérea? Ela devia mas era estar numa cantina das Forças Armadas, enchendo xícaras de café. De repente, trêmulo e estúpido, o Pirata é tomado por uma dor na pele, um amor simples pelos dois que só pede proteção para eles, e que ele sempre poderá chamar por outro nome — "preocupação", pois é, "simpatia...".

Em 1936, o Pirata ("um abril de T. S. Eliot", disse ela, embora fosse uma época mais fria do ano) estava apaixonado pela mulher de um executivo. Era uma moça alta, magra e elétrica chamada Scorpia Mossmoon. Seu marido, Clive, era perito em plásticos, e trabalhava em Cambridge para a Imperial Chemicals. O Pirata, soldado de carreira, estava passando por um interlúdio de vida civil de um ou dois anos.

Ele tivera a sensação, transferido para postos a leste de Suez, em lugares como Barein, bebendo cerveja aguada por gotas de seu próprio suor, sentindo o fedor perpétuo de petróleo cru que vinha de Muharrak, sem poder sair do alojamento após o pôr do sol — também, a taxa de doença venérea era 98% — uma unidade queimada de sol, suja, protegendo o xeque e o dinheiro do petróleo de qualquer ameaça que surgisse a leste do canal da Mancha, seco por mulher, cheio de coceiras de piolhos e brotoejas (masturbar-se em circunstâncias tais é uma tortura terrível), bêbado e irritado o tempo todo — mesmo assim, o Pirata tivera a sensação de que a vida o estava deixando de lado.

Scorpia, incrível, em preto e branco, confirmava muitas das fantasias que o Pirata nutria sobre o glamouroso mundo real inglês, mundo de mulheres de meias de seda, de que ele se sentia tão isolado. Encontraram-se quando Clive tinha ido, a serviço da ICI, precisamente a Barein. A simetria desse fato ajudou o Pirata a relaxar um pouco. Iam a festas como se não se conhecessem, embora ela jamais conseguisse aprender a preparar-se para encontros inesperados com ele numa mesma sala (tentando sentir-se à vontade, como se não fosse empregado de ninguém). Ela ficava enternecida ao ver a ignorância do Pirata em relação a tudo — festas, amor, dinheiro —, sentia-se vivida e sentia uma ternura desesperada por este momento de meninice entre os hábitos já cristalizados dele (que estava com 33 anos), sua pré-Austeridade, em que Scorpia figurava como sua Última Aventura — se bem que ela era jovem demais para saber o que era *isso*, para saber, como o Pirata sabia, o *verdadeiro* significado da letra de "Dancing in the dark"...

Por escrúpulo, ele jamais dirá a ela. Mas há momentos em que é uma verdadeira agonia não poder cair a seus pés, sabendo que ela não vai largar Clive, exclamando *você é minha última oportunidade... se não pode ser com você, então não há mais tempo...* Como ele deseja, sabendo que é impossível, poder abandonar o pobre cronograma do homem ocidental... mas como é que se pode... como poderia começar, aos 33 anos... "Mas é justamente *isso*", ela diria rindo, menos aborrecida (é claro que riria) do que titilada pela irrealidade do problema — ela própria fascinada pelo seu lado maníaco, sempre em combate, tão fascinante, penetrando-a (pois mais do que quando esporrava dentro de uma flanela do exército no golfo Pérsico, um colar de urtigas de amor estava agora em torno dele, de sua pica), insaciável demais para que ela não cedesse àquela loucura, porém louco demais para poder ser encarado como uma traição séria a Clive...

Seja como for, para ela era muito conveniente. Roger Mexico está agora passando por uma situação bem parecida com Jessica, o Outro nesse caso sendo um sujeito conhecido como o Castor. O Pirata está sabendo mas nunca tocou no assunto com Mexico. Sim, ele está esperando, para ver se a coisa com Roger vai acabar do mesmo jeito, um lado seu, que aprecia mais do que qualquer outro espetáculo o sofrimento alheio, torcendo pelo Castor e por tudo aquilo que ele, tal como Clive, representa. Mas um outro lado — um eu alternativo? — um lado que ele não deve se precipitar a rotular de "decente" — *parece* desejar para Roger o que ele próprio, o Pirata, perdeu...

"Você é mesmo um pirata", cochichou ela no último dia — nenhum dos dois sabia que era o último dia —, "você veio e me levou no seu navio pirata. Uma moça de boa família, com todas as repressões tradicionais. Você me currou. E eu virei a Puta Vermelha do Alto-Mar..." Um jogo delicioso. Pena, pensa o Pirata, ela não ter pensado nisso antes. Fodendo na última (já era a última) hora de luz do dia até a noite descer, fodendo durante horas, apaixonados demais pela foda para desacoplar-se, eles perceberam que o quarto emprestado jogava de leve, o teto descia uns trinta centímetros só para eles, as luminárias balançavam-se, uma fração do tráfico beira-Tâmisa contribuía com gritos marítimos e apitos náuticos...

Mas ao longe, sob um ameaçador céu marítimo, os sabujos do governo vêm em seu encalço — cada vez mais perto, os barcos estão chegando, os barcos e os sutis hermafroditas da lei, agentes que, sendo putas velhas, vão se contentar se ela for devolvida sã e salva, não vão exigir que ele seja capturado nem executado. Baseiam-se numa lógica razoável: é só feri-lo, uma ferida razoavelmente grave, para que ele volte atrás, volte aos caminhos duros de seu velho mundo de cronogramas, a repetir-se e transigir de noite a noite...

Ele a deixou na Waterloo Station. Lá havia uma grande multidão em trajes de gala, para ver os Anões Maravilhosos de Fred Roper embarcar para uma exposição imperial em Johannesburgo, África do Sul. Anões com roupas de inverno escuras, lindos vestidinhos e sobretudos de cintura estreita, corriam por toda a estação, devorando chocolates de despedida e posando para os fotógrafos dos jornais. O rosto de Scorpia, branco de talco, na última janela, no último portão, doeu-lhe no coração. Uma revoada de risadinhas e boas-sortes desprendeu-se dos Anões Maravilhosos e seus fãs. É, pensou o Pirata, o jeito é voltar para o exército...

□□□□□□□

Estão indo para o leste agora, Roger apertando a vista sobre o volante, curvado como Drácula com sua capa de chuva, Jessica com milhões de gotículas luzentes ainda formando uma suave rede em seus ombros e mangas de lã pardacenta. Os dois têm vontade de ficar juntos, na cama, em repouso, no amor, e em vez disso estão indo rumo ao leste, ao sul do Tâmisa, para encontrar-se com um certo vivisseccionista de alto nível antes que o relógio da igreja de S. Félix dê uma hora. E quando acabarem os ratos, quem sabe se essa noite eles não estarão fugindo para sempre?

O rosto dela contra a janela embaçada tornou-se mais um vulto vago, mais uma ilusão de óptica do inverno. Atrás de seu rosto passa a fratura branca da chuva. "Por que é que ele mesmo não vai pegar cachorros? Ele é administrador, não é? Não dá para ele contratar um garoto, sei lá?"

"Não diz 'um garoto' e sim 'pessoal'", responde Roger, "e não entendo nada do que o Pointsman faz; ele é pavloviano, meu amor. É membro da Royal Society. Como é que eu posso entender essa gente? Eles são tão difíceis quanto o pessoal lá do Snoxall."

Os dois estão mal-humorados hoje, frágeis como vidraças mal temperadas, prestes a despedaçar-se ao menor contato indefinido numa matriz delicada de tensões —

"Tadinho do Roger, que guerra horrível ele está tendo que aturar."

"Está bem", sacudindo a cabeça, um bê ou pê que se recusa a explodir, "ahh, você é muito esperta, não é?" Roger, raivoso, retira as mãos do volante para ajudar a encaminhar as palavras, os limpadores de para-brisa estalam, "já deu seus tirinhos numa ou outra bomba voadora, você e seu amiguinho, o tal do Nútria..."

"*Castor.*"

"Ou isso, e todo aquele esprit de corps que dá fama a vocês, aliás merecida, mas quantos *foguetes* vocês derrubaram, hein? me diga? Ha!" apertando um sorriso de despeito contra o nariz e os olhos franzidos, "nenhum, nem você nem eu, nem Pointsman, pois bem, nesse caso quem é que é mais puro que quem, hein, meu amor?" quicando no banco de couro.

A essa altura a mão dela já está estendida, prestes a tocar-lhe o ombro. Ela encosta a face em seu próprio braço, cabelos caindo, sonolenta, observando o homem. Roger não consegue entabular uma discussão direito com ela. Não por falta de tentativa. Ela usa seus silêncios como carícias que o distraem e tranquilizam os cantos de salas, cobertas, toalhas de mesa — espaços acidentais que eles ocupam... Até no cinema, vendo aquele filme horrível, *O bom pastor*, no dia em que se conheceram, ele via todo movimento indiscreto das mãos dela, nuas de luvas, sentia na pele cada relance de seus olhos azeitonados, e âmbar, e cor de café. Roger já gastou litros e litros de thinner acendendo seu fiel Zippo, com pavio queimado, virilidade dando lugar a economia, racionado a um simples toco, chama azul com faíscas ao redor no escuro, os muito tipos de escuridão, só para ver o que está acontecendo com o rosto dela. A cada chama nova, um rosto novo.

E tem havido momentos, cada vez mais — momentos em que, cara a cara, não há como distinguir um do outro. Os dois ao mesmo tempo sentindo a mesma confusão misteriosa... um pouco como olhar-se num espelho inesperadamente mas... mais que isso, a sensação de se fundir... quando depois de — quem sabe? dois minutos, uma semana? eles se dão conta, separados de novo, do que estava acontecendo, que Roger e Jessica haviam formado uma única criatura desprovida de autoconsciência... Numa vida que ele já amaldiçoou tantas vezes por sua necessidade de acreditar no que é transobservável, eis a primeira, a primeira e única mágica de verdade: dados contra os quais ele não tem argumentos.

Era o que Hollywood chama de um "encontro romântico", no belo centro setecentista de Tunbridge Wells, Roger indo a Londres em seu clássico Jaguar, Jessica à beira-estrada pedalando furiosa e graciosamente numa bicicleta arrebentada, saia de lã escura do ATS levantada e presa no guidom, anágua preta totalmente contrária ao regulamento e coxas lisas como pérolas acima das meias cáqui, pois é —

"Venha cá, meu bem", freios guincham alto. "Isso aqui não é o camarim do velho Windmill, não, você sabe."

Ela sabia. "Hum", um cacho caído roçando-lhe o nariz, com um pouco mais do que a acidez normal em sua resposta, "não sabia que agora deixavam garotinhos entrar nesses lugares."

"É", já acostumado a conviver com comentários sobre sua aparência, "mas as bandeirantes também ainda não foram convocadas, não é?"

"Tenho vinte anos."

"Oba, então você já pode andar neste Jaguar, até Londres."

"Mas eu estou indo para o outro lado. Quase até Battle."

"Ah, ida e volta, é claro."

Sacudindo a cabeça para tirar cabelo do rosto. "Sua mãe sabe que você saiu de carro?"

"Minha mãe é a guerra", declara Roger Mexico, debruçando-se para abrir a porta.

"Comentário mais estranho", um sapatinho enlameado hesitando no estribo.

"Venha, meu bem, você está interrompendo a missão, largue o seu veículo onde está, cuidado com a saia quando entrar, não quero cometer um ato indizível aqui nas ruas de Tunbridge Wells..."

Neste momento o foguete cai. Lindo, lindo. Um baque, um rufar surdo de tambores. Longe da cidade o bastante para não haver perigo, mas perto e ruidoso o bastante para anular as centenas de quilômetros que a separam daquele estranho: as nádegas maravilhosamente arredondadas descrevem um longo arco, qual balé, para instalar-se no banco do carona, cabelo em leque por um instante, mão ajeitando a saia do uniforme embaixo graciosa como uma asa, tudo isso enquanto a explosão ainda reverbera.

Ele imagina que vê algo de sério e retorcido, mais profundo ou mudando mais rápido que as nuvens, elevando-se para os lados do norte. Será que agora a moça vai se aconchegar junto a ele, pedindo-lhe proteção? Roger nem acreditava que ela ia entrar no carro, com foguete ou sem, agora sem querer engata a ré em vez da primeira no Jaguar de Pointsman, isso, dá a ré em cima da bicicleta, reduzindo-a com um estalo forte a metal inútil.

"Estou em seu poder", exclama ela. "*Totalmente.*"

"Humm", Roger finalmente encontra a primeira, dançando entre os pedais, rrnn, vupt, rumo a Londres. Mas Jessica não está em seu poder.

E a guerra, bem, a guerra é mesmo a mãe de Roger, ela lixiviou todos os componentes vulneráveis de esperança e louvor espalhados, sob a camada reluzente de mica, pelo ser mineral e tumular de Roger, levou tudo embora em sua maré cinzenta, a gemer. Seis anos, sempre à vista, bem onde ele pode vê-la sempre. Ele já esqueceu de seu primeiro cadáver, já não lembra quando viu pela primeira vez uma pessoa viva morrer. De tanto tempo que está durando a guerra. A maior parte de sua vida, é a impressão que tem. A cidade que ele visita agora é a antessala da morte: onde se processa toda a papelada, os contratos são assinados, os dias são numerados. Nada a ver com a grandiosa capital, cheia de jardins e aventuras, que ele conheceu na infância. Roger virou o Rapaz Sisudo da "Aparição Branca", a aranha que amarra sua teia de números. É um segredo de polichinelo que ele não se dá bem com ninguém de sua seção. Mas como poderia ser diferente? Todos têm talentos alucinados — são videntes e mágicos loucos, telecinéticos, viajantes astrais, coletores de luz. Roger é só um estatístico. Nunca teve um sonho profético, nunca enviou nem recebeu nenhuma mensagem profética, nunca tocou diretamente no Outro Mundo. Se existir mesmo alguma coisa lá, ela há de aparecer nos dados experimentais, nas cifras... porém mais perto do que isso ele nunca vai chegar. Não admira que ele seja um pouco seco com o pessoal da Seção Psi, toda a turma 3-sigma quando passa por eles naquele corredor de subsolo. Meu Deus, quem não faria o mesmo?

Aquela única necessidade definida deles, tão patente, o exaspera... Necessidade *dele* também, certo. Mas como é que se pode colocar algo de "paranormal" sobre bases científicas se a sua mortalidade está sempre a espicaçá-lo, logo além dos limites dos cálculos de qui quadrado, entre o desvirar de uma outra carta do baralho Zener e os silêncios que separam os proferimentos engrolados e sofridos do médium? Em seus momentos mais resignados, Roger pensa que de tanto insistir em tentar ele se torna corajoso. Porém passa a maior parte do tempo se maldizendo por não trabalhar no controle de incêndios, nem traçando gráficos de Índices Padronizados de Baixas por Tonelada para os grupos de bombardeiros... *qualquer* coisa que não seja essa futricagem infrutífera nos assuntos da Morte invulnerável...

Eles se aproximaram de um ponto onde o céu brilha acima dos telhados. Veículos do Serviço de Bombeiros passam roncando, indo na mesma direção. É um bairro opressivo de ruas de tijolo e muros silenciosos.

Roger freia para dar passagem a uma multidão de encarregados de trabalho de sapa, bombeiros, vizinhos com casacos escuros jogados por cima de camisolas brancas, velhinhas que reservam um lugar todo especial em seus pensamentos noturnos para os bombeiros *ah não vocês não vão usar essa Mangueira enorme aqui... ah não... não vão nem tirar essas botas de borracha horríveis... sim, sim é —*

Soldados espalhados a intervalos de poucos metros, um cordão frouxo, imóvel, um pouco sobrenatural. Nem a Batalha da Inglaterra era tão formal assim. Mas essas novas bombas voadoras trazem em seu bojo possibilidades inimagináveis de terror público. Jessica vê um Packard negro numa transversal, cheio de civis de terno escuro. Colarinhos brancos rígidos na sombra.

"Quem são eles?"

Roger dá de ombros: "eles" já diz tudo. "Não são muito simpáticos."

"Olhe só quem está falando." Porém o sorriso deles é antigo, habitual. Houve época em que o trabalho dele a intrigava: caderninhos lindos sobre as bombas voadoras, que gracinha... E o sorriso irritado de Roger: Jess, não fale como se eu fosse um cientista frio e fanático...

O calor atinge-lhes os rostos, um amarelo que fere a vista onde os jatos atingem o fogo. Uma escada enganchada na beira do telhado oscila ao sabor da violência das correntes de ar. No alto, contra o céu, vultos de capa equilibram-se, agitam os braços, deslocam-se juntos para transmitir ordens. Meio quarteirão adiante, luzes iluminam o trabalho dos bombeiros em meio a destroços carbonizados e encharcados. Mangueiras de lona saem de bombas em trailers e pesados carros de bombeiros, gordas de pressão, jatos finos de estrelas frias e gélidas espirrando dos encaixes apressados, estrelas que brilham amarelas por um instante quando as labaredas saltam. De um rádio em algum lugar vem uma voz de mulher, uma moça tranquila de Yorkshire, despachando outras unidades para outras partes da cidade.

Outrora Roger e Jessica talvez tivessem parado. Mas ambos foram escolados na Batalha da Inglaterra, ambos foram convocados para as madrugadas escuras cheias de pedidos de piedade, a inércia muda de pedras e vigas, a profunda escassez de piedade daqueles dias... Depois que se arranca a enésima vítima ou membro de vítima da enésima pilha de escombros, Roger disse a ela uma vez, irritado, exaurido, a coisa não é mais muito pessoal... o valor de *n* pode variar de uma pessoa para outra, mas me desculpe: mais cedo ou mais tarde...

E além da exaustão tem mais uma coisa. Se eles não chegaram exatamente a romper com o estado de guerra, pelo menos conseguiram encontrar o prenúncio de uma retirada gradual... jamais tiveram espaço nem tempo para falar sobre isso, e talvez tampouco necessidade — mas ambos sabem, com certeza, que é melhor juntos, aconchegados, do que lá fora no papel, no fogo, no cáqui, no aço da Frente Interna. Mais ainda, que a Frente Interna é uma espécie de ficção e mentira, cujo objetivo é, de modo nada sutil, separá-los, subverter o amor em nome do trabalho, da abstração, da dor necessária, da morte amarga.

Encontraram uma casa na zona interditada, sob os balões de barragem ao sul de Londres. A cidadezinha, evacuada em 1940, ainda é "regulada" — ainda consta da lista do Ministério. Roger e Jessica ocupam a casa ilegalmente, um gesto de desafio que jamais poderão avaliar a menos que venham a ser apanhados. Jessica levou para lá uma boneca velha, conchas, a mala da tia cheia de calcinhas e meias de seda. Roger conseguiu arrebanhar umas galinhas e instalou-as na garagem vazia. Sempre que se encontram lá, um dos dois se lembra de trazer uma ou duas flores. As noites são cheias de explosões e caminhões, e vento que lhes traz uns laivos de maresia do outro lado do planalto. O dia começa com um chá e um cigarro em torno de uma mesinha de perna bamba, que Roger consertou precariamente com barbante. Nunca se fala muito, são mais toques e olhares, sorrisos a dois, imprecações de despedida. É uma coisa marginal, famélica, fria — na maioria das vezes a paranoia os impede de acender a lareira — mas dela não querem abrir mão, tanto que para preservá-la assumem mais do que lhes pede a propaganda oficial. Estão apaixonados. Foda-se a guerra.

□□□□□□□

A presa de hoje, que se chamará Vladimir (ou Ilia, Serguei, Nicolai, conforme a veneta do médico), recua sorrateira em direção à entrada do porão. Aquela abertura rasgada deve levar a alguma coisa profunda e protetora. O animal é movido por uma lembrança, ou um reflexo, de fugir para uma escuridão semelhante uma vez que foi ameaçado por um setter irlandês que cheirava a fumaça de carvão e atacava tudo o que via... outra vez por um bando de crianças, recentemente por uma súbita explosão de luzbarulho, um pedaço de entulho que lhe atingiu o traseiro (ainda dói, ainda pede umas lambidas). Porém a ameaça de agora é coisa nova: menos violenta, mais furtiva, sistemática, nada a que ele esteja habituado. A vida aqui é mais direta.

Chove. O vento é mera perturbação do ar. Traz um cheiro que o cão não conhece, jamais tendo passado perto de um laboratório em sua vida.

O cheiro é de éter, e vem do senhor Edward W. A. Pointsman, do Real Colégio de Cirurgiões. Quando o animal desaparece atrás dos restos de uma parede, no momento exato em que a ponta da cauda some, o médico enfia o pé dentro da boca escancarada de uma privada que ele, de tão atento à sua presa, não viu. O médico se abaixa, desajeitado, arrancando o vaso do entulho que o cerca, murmurando xingamentos dirigidos a todos os descuidados, referindo-se não a si próprio, e sim, em particular, aos donos deste apartamento em ruínas (se não morreram na explosão) ou seja lá quem foi que esqueceu de levar aquela privada, que aliás não solta sua perna de modo algum...

O senhor Pointsman arrasta a perna até uma escada arrebentada, levanta-a e a bate devagar, para não assustar o cachorro, na parte de baixo de um balaústre de carvalho defumado. A privada limita-se a vibrar, e a madeira estremece. Rindo dele — está bem. Senta-se nos degraus que sobem em direção ao céu aberto e tenta arrancar aquela joça do pé. Não sai. Ele ouve o cão invisível, as unhas estalando discretas no chão, alcançar o refúgio do porão. Não consegue sequer alcançar o cadarço da bota dentro da porra do vaso para desamarrá-lo...

Ajustando a abertura de seu capuz de lã logo abaixo do nariz, decidido a não entrar em pânico, o senhor Pointsman levanta-se, é obrigado a esperar até que o sangue desça da perna, se espalhe por seus milhões de ramificações na noite garoenta, goteje por igual em ambos os membros inferiores — depois, mancando ruidosamente, volta em direção ao carro para pedir ajuda ao jovem Mexico, o qual ele espera que tenha se lembrado de trazer a lanterna...

Roger e Jessica o encontraram um pouco antes, meio que à espreita, no final de uma rua toda de casas iguais. A bomba cuja mutilação ele estava investigando derrubou quatro casas no outro dia, quatro precisamente, como numa cirurgia. Há um cheiro suave de madeiramento prematuramente derrubado, de cinzas transformadas em pasta pela chuva. Há cordas estendidas, uma sentinela silenciosa recostada na porta de uma casa intata ao lado do ponto onde começam os destroços. Se o soldado e o médico conversaram antes, nenhum dos dois dá sinal de que o fez. Jessica vê dois olhos sem nenhuma cor em particular olhando pela abertura de um gorro de lã, e pensa num cavaleiro medieval com um elmo. Que criatura estará ele naquela noite disposto a combater em nome d'el-rei? O entulho o aguarda, formando junto às paredes de fundos destruídas uma encosta inútil, uma estrutura aberta de ripas em V — assoalho, mobília, vidro, blocos de reboco, longas tiras de papel de parede, vigas partidas e despedaçadas: um ninho que alguma mulher levou anos para formar, agora reduzido a palhas separadas, lançadas de volta ao vento e à escuridão. No meio dos destroços, pisca o balaústre de bronze de uma cama; enrolado nele, o sutiã de alguém, uma peça branca, de renda e cetim, confeccionada antes da guerra, largada ali, maçarocada... Por um momento, numa vertigem que ela não consegue controlar, toda a piedade armazenada em seu coração acorre àquele sutiã, como se fosse algum animalzinho perdido e esquecido. Roger abriu a mala do carro. Os dois homens remexem lá dentro, retiram um saco grande de lona, um vidro de éter, uma rede, um assobio de chamar cães. Ela sabe que não deve chorar: que os olhos vagos na abertura do capuz não vão buscar sua Besta com mais afinco por causa de suas lágrimas. Porém aquele pobre objeto frágil... esperando sua dona na noite e na chuva, esperando que seu quarto se reconstrua a sua volta...

A noite, cheia de chuva fina, cheira a cachorro molhado. Pointsman parece ter sumido por um tempo. "Eu enlouqueci. Eu devia mas era estar agarradinha com o Castor, vendo ele acender seu Cachimbo, em vez de estar aqui com esse menino, esse espírita, estatístico, afinal que diabo que você faz..."

"Agarradinha?" Roger tem uma tendência a gritar. "*Agarradinha?*"

"Mexico." É o médico, suspirando, vaso sanitário preso ao pé, gorro de lã torto na cabeça.

"Puxa, mas isso aí não atrapalha na hora de andar? É o que parece... entre aqui, primeiro passe pela porta, por aqui, isso, ah, bom", depois fechando a porta contornando o calcanhar de Pointsman, agora a privada ocupa o lugar de Roger, Roger semirrecostado no colo de Jessica, "agora puxe, com toda a sua força."

Pensando *garoto metido a besta* e *sacana debochado*, o médico joga o peso para trás sobre sua perna livre, gemendo, enquanto a privada rola para um lado e para o outro. Roger segura a porta e olha atentamente para o lugar onde o pé desaparece. "Se a gente tivesse um pouco de vaselina, a gente podia... alguma coisa lubrificante. Espere! Fique aí, Pointsman, não se mexa, que a gente vai dar um jeito..." Debaixo do carro, rapaz impulsivo, já está procurando o protetor do cárter quando Pointsman consegue dizer: "Não dá tempo, Mexico, ele vai fugir, vai fugir."

"Sem dúvida." Reaparece tirando uma lanterna do bolso do paletó. "Eu tiro ele lá de dentro, você espera com a rede. Tem certeza de que dá para você andar assim? Chato se você cair de repente na hora exata em que ele tentar fugir."

"Pelo amor de Deus", Pointsman mancando atrás dele, voltando para as ruínas. "Não o assuste, Mexico, nós não estamos no Quênia nem nada, quero ele o mais próximo do normativo que for possível."

Normativo? *Normativo?*

"*Roger*", exclama Roger, fazendo ti-táá-ti com a lanterna.

"Jessica", murmura Jessica, indo atrás deles na ponta dos pés.

"Vem cá, bichinho", Roger sedutor. "Tem um vidrinho de éter aqui para você", abrindo o frasco, brandindo-o na entrada do porão, depois acendendo a lanterna. O cachorro, metido dentro de um carrinho de bebê enferrujado, põe a cabeça para fora, fazendo sombras negras dançar, língua de fora, expressão de ceticismo radical no rosto. "Ora, é a senhora Nussbaum!" grita Roger, tal como faz Fred Allen na BBC nas noites de quarta.

"Quem que você queria que fosse, a *Lassie*?" retruca o cachorro.

Roger sente o cheiro de éter com toda a força quando começa a descer cautelosamente. "Venha cá, rapaz, você não vai nem sentir nada. O Pointsman só quer contar umas gotas de saliva. Vai fazer um cortezinho no seu queixo, enfiar um tubinho de vidro, nada de sério, não é? De vez em quando tocar uma campainha. O mundo da ciência é fascinante, você vai adorar o laboratório." O éter parece o estar afetando. Tenta tampar o vidro: dá um passo, o pé mergulha num buraco. Dá uma guinada para o lado, tenta agarrar-se em algo. A rolha cai do vidro e perde-se para sempre em meio ao entulho no chão da casa destruída. Lá em cima Pointsman grita: "A esponja, Mexico, você esqueceu da *esponja*!" e cai um pálido amontoado de furos, entrando e saindo do feixe de luz da lanterna. "Bichinho brincalhão", Roger tenta agarrá-la com as duas mãos, espirrando éter para todos os lados. Por fim localiza a esponja com a lanterna, enquanto o cachorro no carrinho assiste à cena um tanto perplexo. "Ha!" derramando éter na esponja, encharcando-a até ela ficar gelada em sua mão e o frasco esvaziar-se. Segurando a esponja molhada com a ponta dos dedos Roger cambaleia em direção ao cachorro, iluminando o próprio rosto por baixo com a lanterna para acentuar o efeito vampiresco que julga estar conseguindo. "A hora... da verdade!" Dá o bote. O cão salta de viés, escapa feito uma bala rente a Roger em direção à porta, enquanto Roger continua em frente com a esponja e cai de cabeça no carrinho, que desaba sob seu peso. Ouve vagamente o médico lá em cima, numa lamúria: "Ele está fugindo. Depressa, Mexico".

"Depressa." Roger, agarrando a esponja, desvencilha-se do carrinho, despindo-o como se fosse uma camisa, um gesto que lhe parece de certo modo atlético.

"Mexico-o-o", um lamento.

"Já já", Roger avançando aos trancos e barrancos pelo entulho do porão até chegar lá fora, onde encontra o médico encurralando o cão, rede desdobrada suspensa acima do animal. A chuva cai com persistência sobre esta cena. Roger se aproxima pelo outro lado, e o cachorro, agora cercado, crava as patas no chão e arreganha os dentes junto a um dos pedaços de parede que ainda estão em pé. Jessica, um pouco afastada, assiste, mãos enfiadas nos bolsos, fumando.

"Ei", grita a sentinela. "Seus idiotas. Saiam de perto dessa parede, ela está sem apoio."

"Você tem cigarro?" pergunta Jessica.

"Ele vai fugir", grita Roger.

"Pelo amor de Deus, Mexico, vá devagar." Testando cada passo, os dois vão subindo na ruína, um equilíbrio delicado. É um sistema de braços de alavancas que pode despencar perigosamente a qualquer momento. Agora estão próximos da presa, que olha ora para o médico, ora para Roger, com movimentos bruscos de cabeça. Rosna sem muita convicção, batendo com o rabo ritmicamente contra os dois lados do canto onde a encurralaram.

Quando Roger, com a luz na mão, anda em direção à traseira do cão, o animal, algum circuito dentro dele, lembra-se daquela outra luz que veio de trás no outro dia — a luz que veio após a grande explosão depois permeada de dor e frio. Luz que vem de trás indica morte / homens com redes prestes a saltar podem ser evitados —

"Esponja", grita o médico. Roger salta sobre o cachorro, que dispara para o lado de Pointsman em direção à rua enquanto Pointsman, gemendo, balança o pé-privada desesperadamente, erra o alvo; o momentum o obriga a dar uma volta completa, a rede para o alto como uma antena de radar. Roger, cheio de éter, não consegue deter seu próprio bote — quando o médico se aproxima na próxima volta Roger vai direto em cima dele, e a privada acerta sua perna dolorosamente. Os dois homens desabam, envoltos pela rede que agora os cobre. Vigas quebradas rangem, blocos de reboco encharcados de chuva desabam. A parede sem apoio começa a oscilar.

"Saiam daí", grita a sentinela. Mas as tentativas dos dois, presos na rede, de se afastar fazem com que a parede estremeça com mais violência ainda.

"Estamos ferrados", estremece o médico. Roger procura seus olhos para ver se ele está mesmo falando sério, mas na abertura do capuz agora só se vê uma orelha branca e uma fímbria de cabelos.

"Rolando", sugere Roger. Rolam alguns metros em direção à rua, enquanto uma parte da parede desaba, para o outro lado. Conseguem voltar a Jessica sem causar mais nenhum desastre.

"Ele fugiu pra lá", diz ela, ajudando-os a sair da rede.

"Não faz mal", suspira o médico. "Não faz muita diferença."

"Ah, mas a noite é uma *criança*", Roger.

"Não, não. Chega."

"Então como é que você vai arranjar um cachorro?"

Já estão a caminho outra vez, Roger guiando, Jessica entre eles, a privada para fora pela porta entreaberta, quando vem a resposta. "Talvez seja um sinal. Talvez seja melhor eu diversificar minhas atividades."

Roger olha-o de relance. Silêncio, Mexico. Nem tente pensar no que ele quer dizer com isso. Ele não é seu superior, afinal; os dois se reportam ao velho general lá na "Aparição Branca" em pé de igualdade, ao que parece. Mas às vezes — Roger dá outro olhar de relance para o capuz de tricô, o nariz e os olhos nus, atrás do busto de Jessica protegido por lã escura — ele fica achando que o médico quer mais do que sua boa vontade, que sua colaboração. Quer *ele*. Como se fosse um belo espécime de cão...

Então por que ele está aqui, participando de mais um sequestro canídeo? Que desconhecido louco existirá no seu interior que...

"Você vai voltar pra lá hoje? Porque tenho que levar a moça."

"Não, eu vou ficar. Mas depois você me traz o carro de volta, por favor. Preciso falar com o doutor Spectro."

Agora aproximam-se de um comprido improviso de tijolo, uma paráfrase vitoriana do que, em tempos idos, resultava em catedrais góticas — mas que, numa era diversa, provinha não de uma necessidade de elevar-se, passando pela elaboração de confusões adequadas, até um Deus no topo de tudo, e sim mais de um desarranjo de propósitos, da dúvida quanto à exata localização de Deus (ou, para alguns, quanto à sua própria existência), a partir de uma rede cruel de momentos materiais que eram impossíveis de transcender e assim dirigiam as intenções dos construtores não a um zênite, e sim ao medo, à fuga pura e simples, em qualquer direção, fugindo do que a fumaça das fábricas, a bosta nas ruas, as espeluncas sem janelas, as florestas de correias de transmissão, reinos pacientes e sombrios dos ratos e moscas, diziam sobre as possibilidades de piedade naquele ano. Este mostrengo de tijolos encardidos é o Hospital Sta. Verônica da Vera Imagem para Doenças do Intestino e do Aparelho Respiratório, e um de seus residentes é um certo doutor Kevin Spectro, neurologista e pavloviano moderado.

Spectro é um dos sete proprietários originais d'O Livro, e se você perguntar ao senhor Pointsman que Livro é esse ele lhe dará um sorriso irônico por resposta. O Livro misterioso passa de mão em mão, de um para outro de seus coproprietários, toda semana, e a semana atual, Roger conclui, é aquela em que todos vão visitar Spectro a qualquer hora do dia ou da noite. Quando a semana é de Pointsman, outros vêm do mesmo modo até a "Aparição Branca" no meio da noite, Roger ouve-os cochichando, muito sérios, feito conspiradores, nos corredores, seus passos decididos, como sapatilhas sobre mármore, perturbando o silêncio, recusando-se a morrer ao longe, a voz e o passo de Pointsman sempre inconfundíveis. Como é que vai ser agora, com a privada?

Roger e Jessica deixam o médico numa entrada lateral, onde ele desaparece, deixando apenas a chuva escorrendo das curvas e serifas de uma legenda ilegível no lintel.

Vão rumo ao sul. As luzes do painel ardem cálidas. Holofotes riscam o céu nublado. O carro esguio estremece na estrada. Jessica cabeceia, cochila, o banco de couro range quando ela se acomoda, fetal. Os limpadores de para-brisa traçam uma urdidura rítmica e alegre na chuva. Já passa das duas, hora de ir para casa.

No interior do Hospital Sta. Verônica, os dois se reúnem, bem junto à enfermaria dos neuróticos de guerra, nessas noites costumeiras. A autoclave ferve sua estrutura fina de ossos de aço. O vapor penetra no espaço iluminado pela luminária de pé, por vezes ficando muito claro, e as sombras dos gestos dos homens o atravessam, aguçadas como facas, rapidíssimas. Os dois rostos, porém, estão mais reservados do que de costume, recuados, nos anéis da noite.

Da escuridão da enfermaria, um arquivo de dor entreaberto onde cada cama é uma pasta, vêm gritos, gritos como que arrancados de metal frio. Nesta noite, Kevin Spectro vai pegar sua seringa e dar uma dúzia de agulhadas, na escuridão, para sedar uma Raposa (o nome genérico que dá a qualquer paciente — quem correr três vezes em volta do prédio sem pensar numa raposa consegue curar qualquer mal). Em cada uma dessas ocasiões, Pointsman permanece sentado, esperando que a conversa recomece, gozando estes momentos de repouso na penumbra, as letras de ouro desbotadas brilhando nas lombadas de livros, a cantina sitiada pelas baratas recendendo a café, a chuva hibernal jorrando da biqueira junto à janela...

"*Você* também não está lá essas coisas."

"Ah, é aquele velho sacana de novo, ele me derruba. Essa luta, Spectro, todo santo dia, eu já nem..." olhando melancólico para os óculos que limpa na camisa, "não consigo entender o desgraçado do Pudding, sempre me pregando essas... peças de velho gagá..."

"É a idade dele. Sério."

"Ah, *isso* é o de menos. Mas ele é tão... *filho da puta, nunca* dorme, vive tramando..."

"Não, não a senilidade, não, eu digo a posição que ele tem. Pointsman? Você ainda não tem a antiguidade que ele tem, não é? Não pode correr os riscos que ele corre. Você já teve pacientes dessa idade, você sabe muito bem essa... *presunção* estranha..."

A Raposa de Pointsman o aguarda, solta na cidade, espólio de guerra. Aqui dentro, o escritoriozinho apertado é a gruta de um oráculo: vapor pairando no ar, gritos sibilinos saindo da escuridão... Ab-reações do Senhor da Noite...

"Não, Pointsman. Já que você perguntou."

"Por que não?" Silêncio. "Não é ético?"

"Pelo amor de Deus, e *isso* aqui é ético?" levantando um braço e apontando em direção à enfermaria, quase uma saudação fascista. "Não, estou só tentando pensar em maneiras de justificar a coisa de modo experimental. Não consigo. É apenas um homem."

"É o Slothrop. Você sabe o que ele é. Até o Mexico acha que... ah, o óbvio. Precognição. Psicocinesia. Eles têm lá seus problemas também, essa gente... Mas imagine se *você* tivesse uma oportunidade de estudar um caso clássico de... alguma patologia, um mecanismo perfeito..."

Uma noite Spectro perguntou: "Se ele não fosse um dos sujeitos de Laszlo Jamf, você estaria assim tão entusiasmado por ele?".

"Claro que sim."

"Hum."

Imagine-se um míssil cuja aproximação só se pudesse ouvir *depois* que ele explodisse. O contrário! Uma fatia de tempo cuidadosamente recortada... uns poucos metros de filme projetados de trás para a frente... a explosão do foguete, vindo mais depressa que o som — e depois, saindo deste som, o rugido da queda, alcançando o som do que já é morte e incêndio... um fantasma no céu...

Pavlov era fascinado com as "ideias do oposto". Digamos que é um aglomerado de células em algum lugar do córtex. Que ajudasse a distinguir o prazer da dor, a luz do escuro, o domínio da submissão... Mas quando de algum modo — fazendo-se o sujeito passar fome, traumatizando-o, dando-lhe choques, castrando-o, colocando-o numa fase transmarginal, além das fronteiras do eu de vigília, além das fases "equivalente" e "paradoxal" — você enfraquece esta ideia do oposto, temos de repente o paciente paranoico que seria o dominador, e no entanto se sentiria um escravo... que seria amado, porém sofreria a indiferença de seu mundo, e "a meu ver", escreve Pavlov a Janet, "é precisamente a *fase ultraparadoxal* que é a base do enfraquecimento da ideia do oposto em nossos pacientes". Nossos loucos, nossos paranoicos, maníacos, esquizoides, seres moralmente imbecis...

Spectro faz que não com a cabeça. "Você está colocando a resposta à frente do estímulo."

"De modo algum. Pense só. Ele está lá fora, e consegue *sentir a aproximação* deles, dias antes. Mas é um reflexo. Um reflexo provocado por algo que está no ar *agora*. Alguma coisa que nossa sensibilidade é grosseira demais para captar — mas *o Slothrop consegue*."

"Mas então é extrassensorial."

"Por que não dizer que é uma pista sensorial que nós simplesmente ignoramos? Uma coisa que sempre existiu, que a gente podia estar vendo, só que não vê. Muitas vezes, nas nossas experiências... creio que M. K. Petrova foi a primeira a observar... uma das mulheres, ainda bem no início das pesquisas... o simples ato de levar o cachorro *para dentro do laboratório* — especialmente na nossa pesquisa experimental sobre neurose... só de ver os equipamentos, o técnico, uma sombra qualquer, uma pequena corrente de ar, alguma pista que talvez a gente nunca conseguisse descobrir, talvez isso bastasse para que ele entrasse na fase transmarginal.

"Então, o Slothrop. É possível. Em algum lugar da cidade, basta a atmosfera — imagine que a guerra é ela própria um *laboratório*? Quando caem os V-2s, primeiro a explosão, depois o som da queda... a ordem normal dos estímulos invertida desse modo... assim, ele poderia virar numa esquina em particular, entrar numa certa rua, e sem nenhum motivo perceptível sentir de repente..."

O silêncio adentra, esculpido por sonhos falados, pelas vozes de dor das vítimas de bombas na enfermaria ao lado, filhos do Senhor da Noite, vozes pairando no ar estagnado e medicinal. Rezando para seu Senhor: mais cedo ou mais tarde uma ab-reação, um por um, por toda esta cidade gélida e torturada...

... e mais uma vez o chão é um elevador gigantesco subindo sem mais nem menos em direção ao teto — repetindo-se agora que as paredes são lançadas para fora, cai uma chuva de tijolos e argamassa sobre você, a paralisia súbita quando vem a morte embrulhar e entorpecer *não sei não senhor acho que eu apaguei aí quando eu voltei ela tinha sumido estava tudo pegando fogo minha cabeça estava cheia de fumaça*... e a visão do seu próprio sangue esguichando do toco flácido de artéria, as telhas cobertas de neve caídas sobre a sua cama, o beijo na tela jamais concluído, você ficou imobilizado olhando para um maço de cigarros amassado durante duas horas de dor, ouvindo gente gritando nas fileiras de um lado e do outro, mas não conseguia se mexer... a luz súbita enchendo a sala, o silêncio terrível, mais claro que qualquer manhã entrevista entre lençóis transformados em gaze, ausência de sombras, apenas uma luz indizível de duas da tarde ao amanhecer... e...

... este salto transmarginal, esta entrega. No qual ideias opostas se fundem e perdem sua oposição. (E será mesmo a explosão do foguete que Slothrop capta, ou será precisamente *esta despolarização*, esta "confusão neurótica" que permeia as enfermarias agora?) Quantas vezes antes que se desgaste, essas iterações que jorram, revivendo a explosão, com medo de se soltar porque soltar-se seria definitivo *como é que eu posso saber doutor se eu vou voltar um dia?* e a resposta *confie em nós*, depois do foguete, é tão falsa, tão hipócrita — confiar em você? — e os dois sabem disso... Spectro sente que é um farsante mas toca em frente... só porque a dor continua a ser real...

E os que terminam se soltando: de cada catarse surgem novas crianças, livres da dor, desprovidas de ego, por um pulsar do Entre... lousa lavada, novo texto prestes a ser escrito, mão e giz aguardando na escuridão do inverno enquanto aqueles pobres palimpsestos humanos estremecem debaixo dos cobertores, drogados, afogados em lágrimas e muco de uma dor tão real, arrancados tão do fundo, que chega a surpreender, a parecer que a dor não é só deles...

Pointsman as deseja com volúpia, aquelas criancinhas tão belas. Suas cuecas sem cor mal conseguem conter a necessidade de usar, sem humor, de modo puramente prático, a inocência delas, escrever nelas palavras de sua própria lavra, seus sonhos negros de Realpolitik, espécie de próstata psíquica sempre ardendo de um amor prometido, ah, sugerido, porém até agora... tão sedutoras, enfileiradas em suas camas de ferro, lençóis virginais, tão espontaneamente eróticas...

A Estação de Ônibus Central de Sta. Verônica, a encruzilhada delas (pisando recém-chegadas o falso parquê negro, chiclete pisado negro como carvão, manchas de vômito noturno, amarelo-claro, límpido como fluidos de deuses, jornais velhos ou folhetos de propaganda que ninguém jamais leu rasgados em pedaços falciformes, melecas velhas, a sujeira escura que o vento fraco sopra para dentro cada vez que as portas se abrem...).

Você já aguardou nesses lugares, sincronizou-se ao acender de luzes do interior, você conhece o horário dos desembarques de cor e salteado, coração de salteador. E sabe de onde essas crianças fugiram, e sabe que, nesta cidade, não há ninguém à espera delas. Você as impressiona com sua delicadeza. Nunca conseguiu descobrir com certeza se elas percebem seu vácuo interior. Elas ainda não olham nos seus olhos, suas pernas não param de se mexer, as meias caem sobre os pés (todos os elásticos foram para a guerra), porém de modo encantador: os pequenos calcanhares chutam as sacolas de lona, as valises velhas debaixo do banco de madeira. Alto-falantes no teto anunciam embarques e desembarques em inglês, depois em outras línguas, línguas exiladas. A criança de hoje fez uma longa viagem até aqui, não dormiu. Seus olhos estão vermelhos, o vestidinho amassado. Seu casaco serviu de travesseiro. Dá para sentir sua exaustão, a imensidão das paragens adormecidas por onde ela passou, e por um momento você é de fato desprovido de qualquer interesse, de desejo sexual... só pensa em como protegê-la, você é a Sociedade de Auxílio ao Viajante.

Atrás de você, filas longas, filas que duram a noite toda, de homens fardados que avançam devagar, empurrando com pé as sacolas, a maioria deles em silêncio, em direção a saídas pintadas de bege, mas com as bordas sujas de marrom-escuro, marcas arredondadas de gerações de mãos dando adeus. Portas que só de vez em quando deixam entrar o ar gelado, deixam sair uma leva de homens, depois fecham-se outra vez. Um motorista, ou funcionário, parado junto à porta, verifica as passagens, os passes, os comprovantes de licença. Um por um, os homens saem por esse retângulo de noite perfeitamente negro e desaparecem. Saem, levados pela guerra, e o homem que vem depois já apresenta sua passagem. Lá fora rugem os motores, porém menos meios de transporte do que uma espécie de máquina estacionária, entram frequências baixíssimas de terremoto misturadas com o frio — dando a entender que lá fora a sua cegueira, depois da luz forte do interior, será uma espécie de golpe súbito... Soldados, marinheiros, fuzileiros, aeronautas. Um por um desaparecem. Os que estão fumando na hora duram mais um instante, uma brasinha fraca descrevendo um arco amarelado uma vez, duas — não mais. Você está sentado meio virado para a porta para vê-los, e sua queridinha suja e sonolenta já começa a reclamar, e não adianta — como podem caber seus desejos lascivos dentro desta mesma moldura branca junto com tantas partidas infinitas? Mil crianças estão saindo dessas portas hoje, mas é rara a noite em que chega uma só, chega e se deita no seu colchão de molas sujo de sêmen, o vento sobre o gasômetro, cheiros mais próximos do mofo sobre a borra de café úmida, cocô de gato, suéteres pálidas fedorentas amontoadas num canto, num gesto acidental, furtivo, um abraço. Esta fila muda e mecânica... milhares partindo... só uma ou outra partícula desgarrada, por acidente, indo no sentido contrário do fluxo...

No entanto, apesar de tanta agonia, tudo que Pointsman vai conseguir no momento é um polvo — isso mesmo, um polvo gigantesco, de filme de horror, chamado Grigori: cinzento, viscoso, inquieto, estremecendo em câmara lenta em sua jaula improvisada no cais de Ick Regis... venta terrivelmente neste dia na costa da Mancha, Pointsman com seu gorro de lã, os olhos congelando, o doutor Porkievitch com o colarinho do sobretudo virado para cima e o chapéu de pele enfiado por cima das orelhas, um fedor de peixe pescado há horas, e que diabo o Pointsman pode fazer com esse bicho?

Por si só, a resposta já se configura, primeiro uma blástula disforme, depois, na próxima dobra, começa a diferenciar-se...

Uma das coisas que Spectro disse naquela noite — certamente foi naquela noite — foi isto: "Eu só me pergunto se você se sentiria do mesmo modo se não fossem todos esses cachorros. Se o tempo todo os seus sujeitos fossem seres humanos".

"Você devia era estar me oferecendo um ou dois, então, em vez de — você está falando sério? — um polvo gigante." Os dois médicos se entreolham de perto.

"Não consigo imaginar o que você vai fazer."

"Nem eu."

"Leve o polvo." Será que ele quer dizer "esqueça o Slothrop"? Um momento carregado.

Mas neste momento Pointsman ri seu riso bem conhecido, que tanto já lhe valeu numa profissão onde muitas vezes quem não disfarça se destroça. "Tem sempre alguém me dizendo para eu ficar com um bicho." É porque anos atrás um colega — que já se foi — lhe disse que ele seria mais humano, mais afetuoso, se tivesse um cachorro, seu, mesmo, fora do laboratório. Pointsman bem que tentou — Deus sabe o quanto ele tentou —, era um springer spaniel chamado Gloucester, um bicho até simpático, parecia-lhe, mas a tentativa não chegou a emplacar um mês. O que terminou esgotando sua tolerância foi o fato de que o cão não sabia desfazer o que havia feito. Sabia abrir portas para que entrassem a chuva e os insetos da primavera, mas não sabia fechá-las... derrubar o lixo e vomitar no chão, mas não limpar a sujeira depois — como é que *alguém* conseguia viver com uma criatura dessas?

"Os polvos", insiste Spectro, "são dóceis na mesa de operação. Eles sobrevivem à retirada de grande parte do tecido cerebral. A resposta não condicionada deles a uma presa é *muito* confiável — é só mostrar um caranguejo para eles que NHECT! o tentáculo dá um bote, e aí o pobre entra no veneno e vira janta. Além disso, Pointsman, eles não latem."

"É, mas. Não... tanques, bombas de ar, filtros, comida especial... lá em Cambridge imagino que não tenha problema, mas aqui todo mundo é tão pão-duro, é a porcaria da ofensiva do Rundstedt, só pode ser... a P. W. E. não financia mais nada se não der ganhos táticos imediatamente — tem que ser pra ontem, se não antes. Não, um polvo é muito complicado, nem mesmo o Pudding ia aceitar, nem mesmo o velho megalomaníaco."

"Eles aprendem uma infinidade de coisas."

"Spectro, você não é o demônio." Olhando mais de perto: "Será que é? Você sabe que nós estamos equipados para estudar estímulos sonoros, todo esse negócio do Slothrop *tem* que ser auditivo, a *inversão* é auditiva... Já vi um ou dois cérebros de polvo na minha vida, meu caro, e não vá pensar que não reparei na presença daqueles dois lóbulos ópticos cavalares. Não é? Você está tentando me empurrar uma criatura visual. O que é que tem para se *ver* quando as desgraçadas das bombas descem?".

"O brilho."

"Hein?"

"Uma bola de fogo vermelha. Caindo feito um meteoro."

"Conversa."

"O Gwenhidwy viu uma noite dessas, lá em Deptford."

"O que eu queria", disse Pointsman, debruçando-se de modo a colocar-se no brilho central da luminária, o rosto branco mais vulnerável que a voz, cochichando por cima da agulha resplandecente de uma seringa em pé sobre a mesa, "o que eu precisava mesmo, não era de um cachorro, nem de um polvo, mas uma das suas Raposas. *Droga*. Só uma Raposinha!"

□□□□□□□

Alguma coisa caminha ameaçadora pelas ruas da cidade da Fumaça — recolhendo meninas esguias, de tez clara e lisa como bonecas, às mancheias. *Seus gritos lastimáveis... seus gritos dolorosos e lastimáveis...* o rosto de uma delas de repente está muito próximo, e *súbito!* descem sobre os olhos arregalados pálpebras pálidas de cílios rígidos, fechando-se ruidosamente, a prolongada reverberação de contrapesos de chumbo ribomba dentro da cabeça de Jessica quando suas pálpebras abrem-se de repente. Ela chega à tona a tempo de ouvir os derradeiros ecos morrendo na esteira da explosão, austera e penetrante, um som hibernal... Roger também acorda por um instante, murmura algo semelhante a "Porra, que loucura", e adormece de novo.

Ela estende o braço, a mãozinha cega roça o relógio a tiquetaquear, a barriga já gasta de Michael, seu panda de pelúcia, uma garrafa de leite vazia contendo flores carmesim colhidas num jardim a pouco mais de um quilômetro dali: chega até onde seus cigarros deveriam estar mas não estão. Já quase saindo debaixo das cobertas, ela paira entre dois mundos, uma tensão alva e atlética neste quarto frio. Ah, paciência... abandona Roger na toca quente que os dois criaram e atravessa, estremecendo, vuvuvu, a escuridão arenosa, pisando as tábuas tensas, lisas e frias como gelo sob seus pés descalços.

Os cigarros estão no chão da sala, largados em meio às almofadas em frente à lareira. As roupas de Roger estão espalhadas por toda parte. Fumando, apertando um dos olhos por causa da fumaça, ela arruma a sala, dobrando as calças de Roger, pendurando sua camisa. Depois vai até a janela, levanta a cortina de blecaute, tenta enxergar através da camada de gelo que cobre as vidraças, ver a neve marcada por passos de raposas, coelhos, cães perdidos há muito, aves hibernais, mas não passos humanos. Canais de neve vazios perdem-se no meio das árvores e uma cidade cujo nome até agora desconhecem. Fecha o cigarro entre as mãos, com medo de mostrar uma luz pela janela, embora o blecaute tenha sido suspenso há muitas semanas, já fazendo parte de uma outra época, um outro mundo. Caminhões tardios riscam a noite rumo ao norte e ao sul, e aviões enchem o céu para depois esvaziá-lo, afastando-se para o leste, deixando um rasto de silêncio relativo.

Não poderiam ter optado por hotéis, preencher formulários AR-E, submeter-se a revistas para ver se levavam máquinas fotográficas e binóculos? Esta casa, esta cidade, os arcos cruzados de Roger e Jessica são tão vulneráveis, às armas alemãs e às leis britânicas... aqui não se *sente* o perigo, mas ela gostaria de ver outras pessoas por ali, gostaria que aquilo fosse uma cidadezinha de verdade, a cidade dela. Os holofotes poderiam ficar, para iluminar a noite, e os balões de barragem também, para povoar a madrugada, gordos e bonachões — tudo, até mesmo as explosões longínquas, tudo poderia ficar, desde que não tivesse nenhum propósito... desde que ninguém tivesse que morrer... não poderia ser assim? só luzes e sons emocionantes, uma tempestade se aproximando no verão (viver num mundo em que *isso* fosse a coisa mais emocionante do dia...), apenas um trovão benigno?

Jessica saiu de seu próprio corpo, flutua lá no alto, observa-se a si própria observando a noite, pairando com roupas brancas de pernas largas, ombreiras macias, lisa como cetim sobre as superfícies noturnas. Enquanto não cair nada aqui, nada tão perto que crie problemas, estarão seguros: seus matagais de caules azul-prateado que após o anoitecer roçam e varrem as nuvens, as massas uniformizadas, de um verde pardacento, no final da tarde, pedra, olhares voltados para a distância, em comboios rumo à frente de batalha, destinos elevados que, curiosamente, têm muito pouco a ver com eles dois ali... você não sabe que o país está em guerra, sua imbecil? sei sim, mas — e eis Jessica com o pijama que foi de sua irmã e Roger dormindo nu em pelo, mas onde está a tal guerra?

Até ela atingi-los. Até alguma coisa cair. Uma bomba voadora dá tempo para procurar um abrigo; um foguete atinge o alvo antes mesmo que eles tenham tempo de ouvi-lo chegar. Uma coisa bíblica, talvez, assustadora como um velho conto de fadas germânico, mas não é A Guerra, não é a grande luta entre o bem e o mal que o rádio noticia todos os dias. E não é motivo para que, bem, a vida não continue...

Roger já tentou lhe explicar as estatísticas sobre os bombardeios alemães: a diferença entre a distribuição por todo o mapa da Inglaterra, do ponto de vista dos anjos, e a probabilidade de que eles sejam atingidos, do ponto de vista de quem está aqui embaixo. Ela quase conseguiu entender: quase pegou a equação de Poisson, porém não consegue juntar as duas coisas — a calma que ela consegue manter no dia a dia e as cifras puras, as duas coisas ao mesmo tempo. Tem sempre uma peça que sai do lugar.

"Por que é que a sua equação só serve para os anjos, Roger? Por que é que *nós* não podemos fazer nada aqui embaixo? Não pode ter uma equação para nós também, que nos ajude a encontrar um lugar mais seguro?"

"Por que é que vivo cercado", é o seu lado cotidiano, compreensivo, que fala hoje, "por analfabetos em estatística? Não tem como, meu amor, enquanto a densidade média de explosões permanecer constante. O Pointsman não entende nem mesmo isso."

Os foguetes estão de fato se distribuindo pela extensão de Londres conforme prevê a equação de Poisson nos livros. À medida que os dados vão chegando, Roger cada vez mais parece um profeta. As pessoas da Seção Psi ficam olhando para ele quando o veem nos corredores. Não se trata de precognição, ele tem vontade de anunciar no refeitório, ou em algum lugar... eu alguma vez me fiz passar pelo que não sou? só estou fazendo colocar números numa equação manjadíssima, quem quiser pode consultar um livro e verificar por conta própria...

Sua saleta agora é dominada por um mapa reluzente, uma janela que dá para uma paisagem diferente de Sussex no inverno, nomes escritos e ruas como patas de aranhas, uma Londres espectral em papel, dividida em 576 quadrados, cada um com um quarto de quilômetro quadrado de área. A equação de Poisson prevê, para um número total de bombas escolhido arbitrariamente, quantos quadrados não serão atingidos, quantos serão atingidos por uma, por duas, por três, e assim por diante.

Um bécher ferve no fogão. Uma luz azulada lampeja, dá voltas por entre as bolhas-bolinhas dentro do frasco. Livros velhos e gastos e artigos sobre matemática espalhados pela mesa e pelo chão. Uma foto de Jessica quase coberta pelo velho exemplar de Whittaker e Watson de Roger. O pavloviano grisalho, caminhando com seu passo tenso, magro feito uma agulha, rumo a seu escritório de manhã, onde cães o aguardam com as faces abertas, gotas prateadas emergindo das fístulas em carne viva, cortadas com precisão, e escorrendo para dentro de um recipiente de cera ou tubo graduado, para junto à porta aberta de Mexico. Lá dentro o ar está azulado de cigarros fumados e guimbas refumadas mais tarde, no frio intenso dos turnos da madrugada, uma atmosfera viciada e fétida. Mas ele tem que entrar, tem que enfrentar a xícara costumeira de todas as manhãs.

Os dois sabem como deve parecer estranha aquela dupla. Se existe um Anti-Pointsman no mundo, é Roger Mexico. Nem tanto, o médico admite, por causa da pesquisa paranormal. O jovem estatístico é dedicado aos números e ao método, e não a coisas como telecinesia e pensamento mágico. Mas no mundo do zero ao um, de não-alguma coisa ou alguma coisa, Pointsman só consegue possuir o zero e o um. Não consegue, ao contrário de Mexico, sobreviver em qualquer ponto entre esses dois extremos. Tal como seu mestre I. P. Pavlov, ele imagina o córtex cerebral como um mosaico de pequenos elementos ou ligados ou desligados. Alguns estão sempre em estado de excitação luminosa, outros na treva da inibição. Os contornos, claros e escuros, estão sempre mudando. Mas cada ponto só pode ficar em um de dois estados: vigília ou sono. Um ou zero. "Somação", "transição", "irradiação", "concentração", "indução recíproca" — elementos da mecânica cerebral de Pavlov — pressupõem a presença destes pontos biestáveis. Mas é a Mexico que pertence o domínio do *entre* o zero e o um — o meio que Pointsman exclui de suas crenças —, as probabilidades. Uma possibilidade de 0,37 de que, quando ele terminar a contagem, um dado quadrado em seu mapa terá sofrido apenas uma explosão, 0,17 de que terá sofrido duas...

"Você não pode... prever", Pointsman oferecendo a Mexico um de seus Kyprinos Orients, que ele guarda em bolsos secretos costurados dentro de todos os seus jalecos, "com base nesse seu mapa aqui, quais os lugares em que seria mais seguro ficar, mais protegido de ataques?"

"Não."

"Mas tem que..."

"Cada quadrado tem a mesma possibilidade de ser atingido. Os bombardeios não se aglomeram. A densidade média é constante."

Nada no mapa indica o contrário. Apenas uma clássica distribuição de Poisson, tranquila e discretamente selecionando os quadrados exatamente tal como devia... assumindo a forma prevista...

"Mas os quadrados que já foram acertados várias vezes..."

"Desculpe. Isso é a falácia de Monte Carlo. Por mais ou menos bombas que tenham caído dentro de um quadrado específico, a possibilidade permanece a mesma de sempre. Cada bomba é independente de todas as outras. Uma bomba não é um cachorro. Não há ligação. Não há memória. Não há condicionamento."

Bom argumento para usar com um pavloviano. Será só a insensibilidade típica de Mexico ou ele sabe mesmo o que está dizendo? Se não há nada ligando os bombardeios — não há arco reflexo, não há lei de indução negativa... Ele recorre a Mexico todas as manhãs como se a uma cirurgia dolorosa. Cada vez mais incomodado pelo rosto de menino, pelas brincadeiras de estudante. Mas é uma visita que ele tem que fazer. Como é que Mexico consegue jogar, tão à vontade, com estes símbolos de aleatoriedade e medo? Inocente como uma criança, talvez inconsciente — talvez — de que com este jogo ele destrói os elegantes salões da história, ameaça o próprio conceito de causalidade. E se *toda* a geração de Mexico estiver assim? Será que o pós-guerra vai se reduzir a uma sucessão de "eventos", surgidos do nada de uma hora para a outra? Nenhuma ligação? Será o fim da história?

"Os romanos", Roger e o reverendo doutor Paul de la Nuit tomaram um porre juntos uma noite, pelo menos o reverendo ficou de porre, "os antigos sacerdotes romanos colocavam uma peneira na estrada, e depois esperavam para ver quais as folhas de capim que iam sair pelos furos."

Roger entendeu a relação imediatamente. "Será", enfiando a mão em um bolso depois do outro, por que será que nunca tem nenhum — ah, está aqui, "que também seguem uma distribuição de Poisson?... deixe eu ver..."

"Mexico." Debruça-se para a frente, claramente hostil. "Eles usavam as folhas que atravessavam os furos para curar os doentes. A peneira era um objeto sagrado para eles. O que você vai fazer com a peneira que você colocou em cima de Londres? Como vai usar as coisas que crescem na sua rede de morte?"

"Não estou entendendo." É só uma equação...

Roger realmente quer que as outras pessoas entendam o que ele está dizendo. Jessica compreende isso. Quando elas não conseguem entender, o rosto dele fica esbranquiçado e nebuloso, como se visto por trás da janela suja de um vagão de trem onde se superpõem várias barreiras translúcidas, espaços que o separam mais e mais, tornando ainda mais rala sua solidão. Jessica percebeu isso logo no primeiro dia, quando ele se esticou para abrir a porta do Jaguar certo de que ela não ia entrar. A moça viu a solidão: em seu rosto, entre suas mãos vermelhas de unhas mordidas...

"Mas isso não é justo."

"É perfeitamente justo", Roger agora muito cínico, com uma cara muito jovem, pensa ela. "Todos são iguais. Mesma probabilidade de ser atingidos. Iguais perante os olhos do foguete."

E Jessica faz sua carinha de Fay Wray, olhos redondos como dois pires, boca vermelha prestes a escancarar-se num grito, até que ele é obrigado a rir.

"Ah, pare."

"Às vezes..." mas o que ela quer dizer? Que ele tem de ser sempre adorável, sempre precisar dela e não ser nunca, como agora, o querubim estatístico a pairar no ar, que nunca esteve no inferno mas fala como se fosse o mais caído dos anjos...

"Niilismo barato" é o termo com que o capitão Prentice designa essa posição. Foi um dia à margem da lagoa congelada perto da "Aparição Branca", Roger perto dali chupando sincelos de gelo, deitado no chão e agitando os braços para desenhar anjos na neve, brincando.

"Então você acha que para ele é muito fácil...", levantando a vista, mais e mais, o rosto do Pirata, queimado de vento, parece terminar no céu, até que os cabelos dela terminam tapando os olhos dele, cinzentos e reservados. Ele era amigo de Roger, não estava brincando nem atacando, não sabia nada, ela imaginava, sobre esse tipo de guerra de salão — e aliás nem precisava, porque ela já estava, assanhada como ela só... não, era um flerte inconsequente apenas, mas aqueles olhos que ela nunca conseguia encarar direito eram tão fascinantes, tão completamente sedutores...

"Quanto mais V-2s lá aguardando a hora de serem lançados para cá", disse o capitão Prentice, "é claro que é maior a possibilidade de ele ser atingido. Claro que também ele paga um preço mínimo. Mas quem não paga?"

"Ora", Roger concordando com a cabeça quando ela lhe relatou essa conversa depois, olhar fora de foco, pensando, "é aquela maluquice calvinista outra vez. Pagar. Por que é que eles colocam tudo em termos de troca? O que é que o Prentice queria, uma espécie de proposta de Beveridge, o quê? Cada um com o seu Quociente de Agravo! que beleza — diante da Comissão de Avaliação, tantos pontos ganhos por ser judeu, ter passado por um campo de concentração, perdido um membro ou um órgão vital, uma esposa, uma amante, um amigo próximo..."

"Eu sabia que você ia ficar zangado", murmurou ela.

"Não estou zangado não. Ele tem razão. É barato sim. Está bem, mas o que é que ele queria...", andando de um lado para o outro naquela saleta abarrotada e escura, com retratos rígidos de cães prediletos em posição de caça em campos que nunca existiram a não ser em certas fantasias sobre a morte, prados mais e mais dourados quanto mais velho o óleo de linhaça, ainda mais outonais, necropolíticos, que as esperanças do pré-guerra — esperanças do fim de toda e qualquer mudança, de uma tarde longa e estática com vagas perdizes eternamente alçando voo, alças de mira abrangendo colinas arroxeadas e céu pálido, o bom sabujo farejando o eterno rasto, a explosão sobre sua cabeça sempre prestes a acontecer — essas esperanças presentes de modo tão patente, tão patético, que nem mesmo em seus momentos de niilismo mais barato Roger tinha coragem de retirar aqueles quadros, virá-los de face para o papel de parede — "o que vocês queriam, afinal eu trabalho todo santo dia no meio de um bando de loucos varridos", Jessica suspirando *ah, meu Deus*, dobrando as pernas bonitas sobre a cadeira, "eles acreditam na sobrevivência após a morte, na comunicação telepática, profecia, vidência, telecinesia — eles *acreditam*, Jess! e... e..." alguma coisa bloqueia sua fala. Jessica esquece que está aborrecida, levanta-se da poltrona gorda para abraçá-lo, e *como é que ela sabe*, cálidas coxas e monte de Vênus já perto do estro a excitar-lhe o pau, perdendo os últimos vestígios do batom sobre a camisa dele, músculos, toques, peles confundidas, intensidade, sangue — sabe tão exatamente o que Roger queria dizer?

Telepatia, tarde da noite à janela enquanto ele dorme, acendendo mais um precioso cigarro na brasa do anterior, crescendo uma vontade de chorar por ela ver com tanta clareza seus próprios limites, saber que jamais poderá protegê-lo tanto quanto precisa — do que pode cair do céu, do que ele não pôde confessar naquele dia (caminhos tortos na neve, alamedas de árvores recurvas com barbas de gelo... o vento derrubava cristais de neve: criaturas roxas e alaranjadas brotando nos longos cílios dela), e do senhor Pointsman, e do... da... a sensação de desolação que ela sente toda vez que o encontra. Neutralidade científica. Mãos que — Jessica estremece. Há oportunidades agora para formas inimigas emergirem da neve e do silêncio. Ela solta a cortina de blecaute. Mãos que podiam muito bem torturar pessoas em vez de cachorros sem nunca sentir a dor que elas sentem...

Um bando de raposas, uma covardia de cães é o tráfego de hoje sussurrando pelas ruas. Uma motocicleta lá na estrada principal, rosnando atrevida como um bombardeiro, passa pela cidadezinha, rumo a Londres. Os grandes balões pairam no céu, pérolas inchadas, e o ar está tão imóvel que a neve rápida que caiu esta manhã ainda se equilibra nos cabos de aço, uma espiral branca descendo milhares de metros de noite. E as pessoas que poderiam estar dormindo nas casas vazias daqui, pessoas levadas por explosões, algumas para sempre... estarão sonhando com cidades iluminadas por milhares de lâmpadas à noite, com natais vistos novamente com olhos de crianças e não de carneiros vulneráveis amontoados numa encosta nua, esbranquiçados pelo brilho tremendo da Estrela? ou com canções tão engraçadas, tão bonitas ou verdadeiras que é impossível lembrar-se delas ao despertar... sonhando com os tempos de paz...

"Como é que era? Antes da guerra?" Ela sabe que já era viva naquele tempo, criança, mas não é o que ela quer dizer. Rádio cheio de estática, *Variações sobre um tema de Frank Bridge*, uma escova de cabelo para o cérebro emaranhado transmitida pela BBC, garrafa de Montrachet, presente do Pirata, gelando na janela da cozinha.

"Ora, ora", com sua voz de velho ranzinza, mão semiparalítica apertando o seio dela da maneira mais desagradável possível, "menina, depende de *qual* guerra você está falando", e pronto, já vai ele, eca, argh, baba acumulando no canto do lábio e escorrendo num fio prateado, ele é tão engraçado, ele pratica essas imitaçõezinhas horríveis...

"Não seja ridículo, estou falando sério, Roger. Não me lembro." Vê covinhas se formando nas duas extremidades de sua boca enquanto ele pensa, sorrindo dela de um jeito gozado. *Vai ser assim quando eu tiver trinta anos*... imagem súbita de várias crianças, um jardim, uma janela, vozes, *Mamãe, o que é*... pepinos e cebolas numa tábua, flores de cenoura silvestre salpicando de amarelo vivo uma extensão de grama de um verde muito profundo, e a voz dele —

"Eu só lembro que era tudo muito bobo. Muito bobo mesmo. Não acontecia nada. Ah, o Eduardo III abdicou. Ele se apaixonou por...

"Isso eu sei, eu leio nas revistas. Mas *como* que era?"

"Era... tudo muito bobo, só isso. As pessoas se preocupando com coisas que não... Jess, você realmente não lembra?"

Jogos, aventais, amiguinhas, um gatinho vira-lata preto com patinhas brancas, férias com a família toda à beira-mar, maresia, peixe frito, passeios de burro, tafetá de cor pêssego, um menino chamado Robin...

"Nada que esteja mesmo perdido, que eu nunca mais consiga recuperar."

"Ah. Já as *minhas* lembranças..."

"Sim?" Os dois sorriem.

"A gente tomava muita aspirina. Bebia e ficava bêbado a maior parte do tempo. Se preocupava com o corte do terno. Desprezava as classes dominantes e tentava desesperadamente se comportar como elas..."

"E choramingava, ih, ih, ih, o tempo todo..." Jessica não resiste e começa a rir quando o vê levar a mão ao ponto exato de sua ilharga, sob a suéter, onde, como ele bem sabe, ela não suporta que lhe façam cócegas. A moça se enrosca, esperneando, quando ele se aproxima, fazendo-o bater no encosto do sofá, mas logo Roger volta à carga, e agora ela já sente cócegas no corpo todo, ele pode agarrar um tornozelo, um cotovelo —

Porém um foguete explode de repente. Um barulho terrível bem perto da cidadezinha: toda a tessitura do ar, do tempo, se altera — o caixilho da janela é lançado para dentro, a madeira rangendo, e fecha-se outra vez com força, toda a casa estremecendo ainda.

Os corações batem forte. Os tímpanos tensionados pela pressão excessiva zumbem dolorosamente. O trem invisível passa por perto, acima do telhado...

Agora os dois estão tão imóveis quanto os cães dos quadros, silenciosos, e por algum motivo não conseguem tocar-se. A morte entrou pela porta dos fundos: parada, olha para eles, férrea e paciente, com um olhar que desafia: *tentem fazer cócegas em mim.*

□□□□□□□□

(1)

Enfermaria de Ab-reação
Hospital Sta. Verônica.
Bonechapel Gate, E1
Londres, Inglaterra
Inverno de 1944

O Garoto Kenosha
Posta-restante
Kenosha, Wisconsin, EUA

Prezado senhor:
Eu alguma vez na sua vida já dancei com o senhor e pisei nos seus calos?

Atenciosamente,
Ten. Tyrone Slothrop

Posta-restante
Kenosha, Wisc., EUA
alguns dias depois

Sr. Tyrone Slothrop
Enfermaria de Ab-reação
Hospital Sta. Verônica
Bonechapel Gate, E1
Londres, Inglaterra

Caro Tyrone Slothrop:
Você nunca dançou.

O Garoto Kenosha

(2) Garoto malandrinho: Ah, eu dançava todas essas danças antigas, o charleston, e... e a Big Apple, também!

Dançarino veterano: Mas aposto que você nunca dançou o — garoto — "kenosha"!

(2.1) G.M.: Ah, eu dançava tudo que era dança, o castle walk, o lindy hop também!

D.V.: Mas você nunca dançou o "garoto Kenosha".

(3) Funcionário subalterno: Bem, ele anda me evitando, e eu fiquei achando que era por causa do caso Slothrop. Logo eu, que nunca dancei! Se ele por algum motivo acha que eu sou responsável...

Superior (desdenhoso): Você? Nunca dançou? O garoto Kenosha...

(3.1) Superior (atônito): *Você?* Nunca! Dançou o garoto Kenosha!

(4) E no final do dia tremendo em que ele nos deu, em letras de fogo esparramadas no céu, todas as palavras de que jamais precisaremos, palavras que hoje desfrutamos, que hoje enchem nossos dicionários, a vozinha delicada do pequeno Tyrone Slothrop, que viria a ser para sempre celebrada no folclore e na música, ousou elevar-se em direção aos ouvidos do Garoto: "Você nunca dançou, ô Garoto Kenosha!".

Estas variações em torno de "Você nunca dançou o Garoto Kenosha" ocupam a consciência de Slothrop quando o médico se debruça sobre ele para acordá-lo e dar início à sessão. Indolor, a agulha penetra a veia junto à dobra do cotovelo: 10% amitol sódico, um cm^3 de cada vez, conforme o necessário.

(5) Você pode ser muita coisa, Dan, mas *isso*, não! Você? Nunca, Dan. Sou o Garoto Kenosha!

(6) (O dia da Ascensão e do sacrifício. Observado em toda a nação. Gordura chiando, sangue escorrendo, assando até ficar pardacento...) Você já assou o porquinho, já bebeu o potrinho, (Escurecendo aos poucos...) cantou o cordeiro... dançou o... Mas espere aí. Epa. O que é isso? Você nunca dançou o garoto, Kenosha! Vá lá, Slothrop.

Tô querendo é rosetar,
Mas eu vou
Realistar —
Vá... lá... Slothrop!

Sem poder ir pra gandaia
Vou atrás de uma medáia!
Vá... lá... Slothrop!

Onde eu estou ninguém me quer aqui,
Eles querem mais é me transferir,

Liguem em mim o eletrodo,
Podem me espetar todo,
Vá... lá... Slothrop!

PISCES: A gente gostaria de falar um pouco mais sobre Boston hoje, Slothrop. Como você deve estar lembrado, da última vez nós conversamos sobre os negros lá de Roxbury. A gente sabe que para você não é muito agradável, não, mas você vai tentar, não vai? Bem... onde é que você está agora, Slothrop? Dá pra ver alguma coisa?

Slothrop: Bem, *ver*, mesmo, não...

Passa estrepitosamente pelo metrô elevado, só mesmo em Boston, aço e uma mortalha de carvão sobre os velhos prédios de tijolo —

Esse balanço é demais,
Mas é demais, ele é demais!
Esse balanço é bom, rapaz,
Parece até que todo mundo sabe cantar,
E nunca ouvi ninguém cantar bonito assim,
Mesmo na rua, ou em qualquer botequim,
E agora que o balanço me pegou,
Vamos lá, moçada,
Vamos dançar... dançar... dançar!

Rostos negros, toalhas de mesa brancas, *facas afiadíssimas* a reluzir alinhadas junto aos pires... fumaça de cigarro e de jererê ricamente combinadas, avermelhando os olhos, rascante como vinho, tu qué dá um tapinha aqui nessa coisa danada diboa que bate lá em cima e disinrola até os miolo dagente, sô!

PISCES: A expressão é "sô", Slothrop?

Slothrop: Pô, vocês... também não precisa...

Universitários brancos, gritando pedidos para a jazz-band no palco. Vozes de garotos de escolas particulares exclusivas, pronunciam *cu* formando uma espécie de esfíncter com os lábios... eles gritam, aprontam. Aspidistras, filodendros gigantescos, largas folhas verdes e palmeiras tropicais na penumbra... dois barmen, um antilhano muito claro, pequeno, com bigode, e seu companheiro mais preto que uma mão dentro de uma luva preta, andam incessantemente diante do espelho profundo, oceânico, que inunda a maior parte do recinto em sombras metálicas... as centenas de garrafas só conseguem conter sua luz por um instante, antes de ela ser tragada para dentro do espelho... até mesmo quando alguém se debruça para acender um cigarro a chama se reflete nele apenas como um tom escuro de alaranjado, cor de pôr do sol. Slothrop não consegue sequer ver seu próprio rosto branco. Uma mulher vira-se para olhar para ele de sua mesa. Os olhos dela lhe dizem, num instante, o que ele é. A gaita em seu bolso volta a ser um pedaço inerte de metal. Um peso. Um acessório de músico de jazz. Mas ele a leva onde quer que vá.

No andar de cima, no banheiro masculino do salão de dança Roseland, ele desmaia ajoelhado diante de uma privada, vomitando cerveja, hambúrgueres, batatas fritas, salada com ovos, queijo e carne e molho francês, meia garrafa de Moxie, balas de hortelã, uma barra de chocolate, meio quilo de amendoim salgado e a cereja do coquetel de uma aluna de Radcliffe. Sem mais nem menos, enquanto jorram lágrimas de seus olhos, PLOP e a gaita mergulha na, *aaghh*, asquerosa *privada!*. Imediatamente surgem bolhinhas junto a sua superfície lustrosa, à madeira escura, com trechos envernizados, outros gastos pelo contato com os lábios, perolinhas prateadas que vão subindo enquanto a harpa afunda em direção ao cérvice branco e pétreo, rumo às profundezas noturnas... Algum dia o exército americano vai lhe fornecer camisas cujos bolsos ele poderá abotoar. Mas nestes dias de pré-guerra ele é obrigado a confiar em que a goma de sua camisa Arrow alva como a neve manterá o bolso fechado o suficiente para impedir que seu conteúdo... Mas não, não, sua besta, a gaita caiu sim, lembra? as palhetas mais graves cantam momentaneamente ao baterem contra a porcelana (em algum lugar a chuva fustiga uma janela, e também o respiradouro de metal laminado no telhado: fria chuva de Boston), depois emudecem na água riscada pelas últimas espirais pardacentas de bílis de seu vômito. Não há como chamá-la de volta. Ou bem ele abandona sua gaita, sua reluzente oportunidade de canto, ou então tem que ir atrás dela.

Ir atrás? O Ruço, o negrinho engraxate, aguarda junto a seu poeirento assento de couro. Todos os negros de Roxbury aguardam. Ir atrás? Da pista de dança no andar de baixo vêm os acordes plangentes de "Cherokee", passando pelos pratos, pelo baixo, pelos milhares de pares de pés, onde as luzes rosadas a piscar dão a impressão de que os pálidos rapazes de Harvard e suas namoradas são um bando de peles-vermelhas embonecados. A música que se ouve é mais uma mentira sobre os crimes do homem branco. Porém mais músicos já soçobraram no canal de "Cherokee" do que conseguiram atravessá-lo incólumes de costa a costa. Todas aquelas notas compridas, compridas... afinal, o que é que elas estão tramando, tanto tempo para se fazer algo? será um complô de índios? Lá em Nova York, se pisar na tábua dá para chegar lá a tempo de ouvir o finalzinho do show — na 7th Avenue, entre a 139th e a 140th Streets, nessa mesma noite, "Yardbird" Parker está descobrindo como usar as notas mais altas desses mesmos acordes de modo a decompor a melodia em *puta que o pariu* o que é que é isso uma metralhadora esse cara é um louco são fusas semifusas semissemifusas tenta falar isso bem depressa (em semissemifusas) com voz de criança saca só *isso* saindo da Chili House de Dan Wall e pela rua — porra, em tudo que é rua (em 1939 a viagem dele já estava mais que começada: no fundo de seus solos mais afirmativos já se ouve o larilá descontraído irônico da filhadaputíssima Dona Morte ela própria), pelas ondas hertzianas, em todas as reuniões sociais com músicos ao vivo, algum dia até mesmo pelos alto-falantes ocultos nos elevadores e mercados da cidade a destilar música, o canto de seu pássaro, para contradizer os acalantos dos brancos, para subverter a lavagem sonolenta de cordas frouxas num playback incessante... Assim essa profecia, até mesmo aqui na Massachusetts Avenue, nessa chuva, já está começando a insinuar-se em "Cherokee", os saxofones lá embaixo começam a tirar uns sons muito estranhos, pode crer...

Se Slothrop for atrás daquela gaita privada adentro vai ter que mergulhar de cabeça, o que não é boa ideia, porque nesse caso sua bunda vai ficar espetada no ar indefesa, e num lugar cheio de crioulo isso é o tipo de coisa que não se faz, sua cabeça enfiada numa treva fétida e inexplorada enquanto dedos negros, fortes e decididos, imediatamente desatam seu cinto, desabotoam sua braguilha, mãos fortes abrem suas pernas — e ele sente aquele ar frio de desinfetante em suas coxas enquanto descem suas cuecas, com o estampado colorido de iscas de pesca. Ele tenta mergulhar ainda mais fundo na privada enquanto ouve vagamente, o som atravessando a água fedorenta, toda uma multidão de negros terríveis entrando no banheiro dos homens aos gritos, alegres, todos convergindo sobre o pobre Slothrop a rebolar dentro da privada, cantando e exclamando: "Me passa o talco, Malcolm!" E a voz que responde é justamente a do Ruço, o engraxatezinho que tantas vezes já lustrou os sapatos pretos de verniz de Slothrop, batendo a escova num compasso sincopado... agora o Ruço, o engraxate negro altíssimo, magrinho, de cabelos extravagantemente alisados, que todo o pessoal lá de Harvard sempre chamou só de "Ruço" — "Escute, Ruço, você tem um Jontex aí na gaveta?" "Você tem mais algum desses números de telefone que mudam a sorte da gente, Ruço?" — este negro cujo nome verdadeiro Slothrop, semissubmerso na privada, finalmente fica sabendo — no momento em que um dedo gordo untado de alguma geleia ou creme muito gorduroso vai descendo ao longo de seu rego em direção ao cu, levantando os pelos para os lados como linhas topográficas ao longo do vale de um rio — *o nome verdadeiro é Malcolm*, e todos os caralhos negros conhecem o Malcolm há muito tempo — Malcolm, o Ruço (ou Russo?), o Niilista Impensável, diz: "Puxa vida, não é que o cara tem um *tremendo* cuzão?" Slothrop, rapaz, que merda de posição você foi arranjar, hein? Muito embora ele tenha conseguido afundar tanto que agora só as pernas estão de fora e as nádegas balouçam imediatamente abaixo do nível da água, como pálidas cúpulas de gelo. A água, fria como a chuva lá fora, espirra nas paredes do vaso branco. "Pega ele antes que ele fuja!" "Vamulááá!" Mãos remotas agarram-lhe as canelas e tornozelos, arrancam-lhe as ligas e puxam as meias com padrão de losangos que a mamãe tricotou para ele usar em Harvard, mas as meias protegem tão bem seus pés, ou então ele já mergulhou tão fundo no vaso, que quase não consegue sentir essas mãos...

Por fim ele escapa, conseguiu escapar da última mão negra a apalpar-lhe as nádegas, e está livre, liso como um peixe, tendo preservado a virgindade de seu cu. Tem gente que vai dizer puxa, graças a Deus, e tem gente que vai fazer muxoxo e exclamar que pena, mas o Slothrop não diz nada não, por causa que ele não sentiu quase que nada não. E-e além disso ainda não viu nem *sombra* da gaita dele. Já há algum tempo que sua consciência está dominada pela presença da merda, a qual forma crostas complexas nas paredes deste túnel de cerâmica (ou ferro, a essa altura ou fundura) em que ele se encontra: merda que não há descarga que carregue, merda misturada com minerais contidos em água dura e transformada em cracas marrons que vão indicando seu caminho formando configurações grávidas de significado, placas de sinalização do mundo latrinário, nojentas e grudentas, crípticas e glípticas, formas que avultam ao longe e passam devagar enquanto ele continua descendo pela turva água de esgoto, ouvindo ainda muito ao longe o pulsar de "Cherokee", acompanhando-o rumo ao mar. Slothrop constata que é possível perceber certas características da merda que a identificam, fora de qualquer dúvida, como pertencentes a este ou aquele seu colega de Harvard. É claro que há também cocôs de negros, mas esses são todos iguais. Olhe lá o "Gobbler" Biddle, deve ter sido aquela noite em que nós todos comemos chop suey lá no Fu's Folly em Cambridge porque ainda tem uns restos de broto de feijão, até mesmo um pouco daquele molho de ameixa... e não é que certos sentidos ficam mesmo mais aguçados?... que coisa... Fu's Folly, caramba, isso foi há meses. E-e aqui está o Dumpster Villard, ele estava com prisão de ventre aquela noite, não estava? — é uma merda preta, dura feito resina, que algum dia vai clarear e virar âmbar escuro para todo o sempre. Em seus contatos brutos e relutantes com as paredes (que afirmam o inverso de sua própria coesão), ele consegue perceber, com sua nova e incrível sensibilidade merdal, antigas agonias íntimas do pobre Dumpster, que havia tentado o suicídio no semestre anterior: as equações diferenciais que se recusavam a assumir para ele formas elegantes, a mãe de chapéu chato e saia de seda debruçando-se sobre a mesa de Slothrop no Sidney's Great Yellow Grille para tomar o último gole de cerveja canadense em seu copo, as garotas de Radcliffe que fugiam dele, as profissionais negras que Malcolm arranjava para ele que lhe impingiam crueldades eróticas, tantas quanto ele podia suportar — ou, quando a mesada da mãe atrasava, quanto ele podia pagar. O baixo-relevo de Dumpster já se perde correnteza acima e Slothrop vê-se passando pela placa de Will Stonybloke, de J. Peter Pitt, de Jack Kennedy, o filho do embaixador — é mesmo, onde estará o Jack hoje? Se tem uma pessoa que seria capaz de salvar aquela gaita é o Jack. Slothrop o admira à distância — é atlético, e simpático, e um dos caras mais populares da turma de Slothrop. Louco por história, o Jack. Quem sabe o Jack não teria conseguido impedir que ela caísse, dar um jeito de violar a lei da gravidade? Aqui, seguindo rumo ao Atlântico, cheiros de sal, algas, podridão, chegando tênues até ele como o bramir de ondas, parece-lhe que sim, talvez o Jack conseguisse. Por todas as músicas que poderiam ser tocadas nela, as milhões de melodias de *blues*, notas a ser desviadas das frequências oficiais, notas que na verdade Slothrop não tem fôlego bastante para produzir... não ainda, mas algum dia... bem, pelo menos se (quando...) ele encontrar o instrumento ele vai estar bem encharcado, bem mais fácil de tocar. Um pensamento positivo para acompanhá-lo pela latrina adentro.

Olh'eu aqui, pessoal,
Viajando na privada.
Vamos torcer pra ninguém
Cismar de dar uma mijada.

Justamente neste instante ouve-se uma tremenda explosão do outro lado do encanamento, um barulho que vai crescendo cada vez mais como uma onda, uma onda compacta de merda, vômito, papel higiênico e badalhocas num mosaico avassalador, vindo em direção a Slothrop, em pânico, como um trem do metrô avançando sobre uma vítima indefesa. Não há para onde fugir. Paralisado, ele olha para trás por cima dos ombros, com olhar fixo. Uma imensa muralha arrastando longas gavinhas de papel amerdalhado, a onda de choque o atinge — *GAAHHH!* Ele tenta em vão dar um salto no último instante, mas já o cilindro de esgoto o derrubou, o papel se espatifando, enroscando-se em torno de seus lábios, suas narinas, tudo desaparece, tudo agora fede a merda, ele tem que piscar o tempo todo para livrar os cílios dos microtoletes, é pior que ser torpedeado pelos japoneses! o líquido pardo jorra e o leva junto... ele parece que rola aos trambolhões como um bule de chá — se bem que não se pode ter certeza no meio daquele merdamoto escuro, sem referências visuais... de vez em quando ele roça contra arbustos, ou talvez arvorezinhas macias. Ocorre-lhe que ainda não encostou em nenhuma parede dura desde que começou a rolar, se é isso mesmo que está acontecendo.

A uma certa altura a treva marrom a seu redor começa a clarear. Como a madrugada. Pouco a pouco a vertigem vai passando. Os últimos frangalhos de papel amerdalhado, já quase transformados numa pasta, desaparecem... tristemente, dissolvendo-se. Uma luz sinistra vai crescendo, uma luz aquosa e marmorizada que ele espera não vá durar muito tempo, considerando-se o que ela parece prometer. Porém há "contatos" vivos nessas regiões dejetórias. Gente que ele conhece. Dentro de ruínas antigas, que parecem ser de alvenaria, celas e mais celas gastas pelo tempo, muitas delas sem teto. Em lareiras negras ardem toras de madeira, água ferve em latas enferrujadas de ração de feijão-de-lima, e o vapor sobe pelas chaminés furadas. E as pessoas reúnem-se em torno de lajes gastas, numa espécie de transação... ele não consegue distinguir exatamente... uma coisa vagamente religiosa... Os quartos são bem mobiliados, com luzes que se acendem, cortinados de veludo pendendo das paredes e tetos. A complexidade dessas moradias, até a última conta azul coberta de poeira debaixo da radiovitrola Capehart, a última aranha seca, o último amassado nos pelos do tapete, o deixa atônito. É um lugar para proteger-se do desastre. Não necessariamente das descargas da privada — que aqui são meras perturbações inferidas, por trás deste céu antiquíssimo, de um tom corroído e uniforme —, porém alguma coisa atormentou terrivelmente esta terra, algo que o pobre Slothrop, encharcado como um pinto, não consegue ver nem ouvir... como se houvesse um Pearl Harbor todas as manhãs, uma devastação vinda do céu... Ele está com os cabelos cheios de papel higiênico e uma badalhoca espessa enfiada na narina direita. Eca, eca. O declínio e a queda atuam silenciosamente nesta paisagem. Nem sol nem lua, só uma senoide sinuosa de luz. É uma badalhoca de negro, ele percebe — teimosa como meleca congelada, ele constata ao tentar arrancá-la. Suas unhas tiram sangue do nariz. Ele está do lado de fora de todos os cômodos e lugares da comunidade, lá fora na manhã deserta só sua, um gavião avermelhado, dois, ascendendo numa corrente de ar para ver o horizonte. Faz frio. Venta. Ele só sente seu próprio isolamento. Querem que ele vá para dentro, mas não há como juntar-se aos outros. Algo o impede: se entrasse, seria assim como fazer uma espécie de pacto de sangue. Eles jamais o deixariam sair. Nada garante que não lhe exigissem alguma coisa... alguma coisa tão...

Agora cada pedra solta, cada pedaço de papel laminado, graveto ou pano está sendo agitado para cima e para baixo: subindo três metros, depois caindo de novo no calçamento com um baque nítido. A luz é espessa, verde-água. Por todas as ruas, os detritos sobem e descem em uníssono, como se à mercê de alguma onda profunda, regular. É difícil enxergar ao longe com essa dança vertical. As batidas no chão continuam durante onze compassos, pulam o décimo segundo, e o ciclo recomeça... é o ritmo de uma música americana tradicional... As ruas estão vazias de gente. É a hora do amanhecer ou do cair da tarde. Os detritos que são de metal brilham com uma persistência dura, quase azul.

Você lembra do Malcolm, o Ruço, o carinha
Que punha pasta alisante na carapinha...

Eis agora Crutchfield ou Crouchfield, o homem do Oeste. Não o "arquétipo" do homem do oeste, mas *o único*. Veja bem, só houve um. Apenas um índio lutou com ele. Uma única luta, uma vitória, uma derrota. E um único presidente, e um assassino, e uma eleição. Verdade. Um de cada. Você pensou em solipsismo, e imaginava uma estrutura povoada — no seu nível — por um, terrivelmente um. Não se conta nada nos outros níveis todos. Mas até que a solidão não é tanta. População esparsa, sim, mas bem melhor que a solidão. Um de cada um até que não é tão mau assim. Meia Arca é melhor do que nada. Este Crutchfield tem a tez escura de sol, vento e sujeira — contra um fundo de ripas marrons da parede de um celeiro ou estábulo, ele é madeira de uma textura e um acabamento diferentes. É bem-humorado, sólido contra a encosta roxa, e olha meio que para o sol. Sua sombra é grosseiramente projetada e filtrada para trás através das estruturas de madeira que há dentro do estábulo — vigas, postes, pilares, cavaletes, caibros, ripas no teto por entre as quais entra sol: empíreo ofuscante mesmo a esta hora da tarde. Alguém toca uma gaita atrás de um prédio secundário — algum glutão de música, gigante a arrancar acordes de cinco notas por trás da melodia de

VALE DO RIO VERMELHO

Já que tu tá descendo esse esgoto
Sem eira nem beira, à toa,
Para um pouco e acende um cigarro,
Porque a merda daqui é da boa.

Ah, esse rio é o Vermelho mesmo, na dúvida é só perguntar ao tal do "Ruço", onde ele estiver (vou explicar o que é ser ruço, vermelho ou russo, os amiguinhos do peito do Roosevelt querem levar tudo, as mulheres todas têm pelos nas pernas, é melhor dar para elas senão elas explodem tudo no meio da noite, sofrendo pelos poloneses de boné cinzento e flagelados retirantes e crioulos ah é especialmente crioulos...)

Mas sim, voltando aqui, o amiguinho de Crutchfield acaba de sair do celeiro. O amiguinho do momento, ao menos. Crutchfield deixou uma fileira de amiguinhos de corações partidos por esta vasta planície alcalina. Um debiloidezinho na Dakota do Sul,

Uma putinha em San Bernardi-nu,
Um chinesinho da estrada de ferro,
De bunda amarela feito Fu Manchu!
Uma tem gonorreia, a outra papeira,
O outro é leproso em fase terminal,
Uma tem defeito no pé direito,
A outra defeito no pé esquerdo,
E outro é manco dos dois por igual!
Tem um crioulinho, uma judiazinha,
Um que é veado, uma sapatão,
Um pele-vermelha com búfalo e tudo,
E também um caçador de bisão...

E por aí vai, um de cada um, ele é o Grande Pica-Doce Branco da *terre mauvais*, esse Crouchfield, papando mulher e homem e todos os animais, menos as cascavéis (mais propriamente, "a cascavel", já que só tem uma), mas de uns tempos para cá ele anda tendo umas fantasias sobre a tal *cascavel* também! Aquelas presas roçando de leve o prepúcio... a boca pálida escancarada, e o prazer horrendo nos olhos em crescente... O amiguinho do momento é Whappo, um garoto mulato norueguês, que tem uma tara por parafernália equina, gosta de levar surra de rebenque nos estábulos recendentes a suor e couro onde eles pernoitam em suas vagamundagens, que já duram três semanas, o que é muito tempo para um amiguinho durar. Whappo está usando perneiras de couro de gazela importado que Crutchfield comprou para ele em Eagle Pass de um jogador de faraó viciado em láudano que estava atravessando o Rio Grande para não voltar nunca mais, penetrando o escaldante deserto do México. Whappo tem também um lenço na cabeça, magenta e verde como manda o regulamento (dizem que Crutchfield tem um armário cheio desses lenços de seda em sua casa, o "Rancho Peligroso", e que ele nunca sai em seu cavalo por essas paragens de pedras e trilhas à beira-rio sem uns dez ou vinte lenços enfiados nos alforjes. Isso deve querer dizer que a regra do Um de Cada só se aplica aos seres vivos, como os amiguinhos, e não aos objetos inertes, como os lenços). E por cima do lenço Whappo ostenta uma cartola alta e reluzente de seda japonesa. Aliás hoje Whappo está um verdadeiro dândi, saindo todo serelepe do celeiro.

"Ah, Crutchfield", desmunhecando, "que bom que você veio."

"Você sabia que eu vinha, sua pestinha", a merda é que o Whappo é tão sapeca. Sempre provocando seu senhor na esperança de ganhar um ou dois vergões em suas morenas nádegas afro-escandinavas, em que se combinam a esfericidade calipígia característica das raças que habitam o Continente Negro e a tesa e nobre musculatura do vigoroso Olaf, nosso louro primo nórdico. Porém desta vez Crutchfield limita-se a voltar-lhe as costas e contemplar as montanhas longínquas. Whappo emburra. Sua cartola reflete o holocausto que se aproxima. O que o homem branco sequer precisa dizer, ainda que da maneira mais indiferente, é que "Toro Rojo vai chegar hoje à noite". Os dois amigos sabem disso muito bem. Pois o vento já lhes traz aquele cheiro agreste de bugre. Ah meu Deus, vai ser um tiroteio dos bons, com sangue para todos os lados. O vento será tão forte que o sangue vai cobrir o lado das árvores voltado para o norte. O pele-vermelha virá com um cachorro, o único cão índio de todas estas pradarias lívidas — o vira-lata vai se embolar com o pequeno Whappo e terminar pendurado no gancho do açougue ao ar livre da feira de Los Madres, olhos escancarados, o pelo sarnento ainda intato, pulgas negras saltitando contra a pedra e argamassa ensolaradas da igreja do outro lado da praça, o sangue enegrecido e coagulado na altura da lesão em seu pescoço onde os dentes de Whappo partiram-lhe a jugular (e talvez alguns tendões, pois a cabeça pende para o lado). O gancho entra pelas costas, entre duas vértebras. Senhoras mexicanas cutucam o cachorro morto, que se balouça relutante na manhã entre cheiros de bananas-da-terra fritas, cenourinhas do vale do rio Vermelho, verduras amassadas de muitos tipos, coentro com um odor almiscarado, cebolas brancas fortes, abacaxis fermentando no sol, prestes a explodir, grandes pilhas sarapintadas de cogumelos da serra. Slothrop caminha entre os caixotes e panos pendurados, invisível, entre cavalos e cães, porcos, milicianos de uniformes pardos, índias com bebês pendurados em xales, criados das casas de cores pastel na encosta — a praça fervilha de vida, e Slothrop está intrigado. Não era para haver só um de cada?

R. Isso mesmo.

P. Então uma índia...

R. Uma índia *pura*. Uma mestiça. Uma branca. Depois: uma ianque. Uma navajo. Uma apache...

P. Espere aí! No começo só havia um índio, o tal que o Crutchfield matou.

R. Isso mesmo.

Encare a coisa como um problema de otimização. Para o país, é mais fácil manter apenas um de cada tipo.

P. E o que acontece com todos os outros? Boston. Londres. Os que moram em cidades. Essas pessoas são de verdade, ou então o quê?

R. Umas são, outras não são.

P. As que são de verdade são necessárias? ou desnecessárias?

R. Depende do que você tem em mente.

P. Eu não tenho porra nenhuma em mente.

R. *Nós* temos.

Por um momento, dez mil defuntos enterrados sob a neve em Ardennes assumem uma expressão disneyana de bebês numerados sob cobertores brancos de lã, aguardando a hora de ser enviados para pais abençoados em lugares como Newton Upper Falls. Isso dura só um instante. Depois, por um outro instante, é como se todos os sinos natalinos da Criação estivessem prestes a bater em uníssono — como se seu dobrar aleatório, por uma única vez, fosse coordenar-se, em harmonia, cheio de promessas de conforto explícito e júbilo praticável.

Mas direto para as ladeiras de Roxbury. A neve acumula-se nos frisos das solas de suas botas pretas de borracha. As galochas estalam com cada passo que ele dá. A neve nesta escuridão de cortiço dá a impressão de fuligem em negativo... ela entra e sai da noite... As superfícies de tijolo à luz do dia (ele só as vê ao primeiro clarão da aurora, os pés doídos dentro das galochas, procurando táxis que sobem e descem a ladeira) são corroídas de fogo, densas, profundas, mordidas vez após vez pela geada: têm uma história, coisa que ele jamais percebera na Beacon Street...

Nas sombras, preto e branco formando um padrão de panda em seu rosto, cada região uma massa de cicatrizes, aguarda o contato que ele veio até aqui para encontrar. O rosto é débil, como o de um cachorro doméstico, e o dono do rosto dá de ombros a toda hora.

Slothrop: Cadê ele? Por que ele não veio? Quem é você?

Voz: O Garoto foi preso. E você me conhece, Slothrop. Não se lembra? Eu sou o Nunca.

Slothrop (olhando fixamente): *Você*, Nunca? (Pausa.) Dançou o Garoto Kenosha?

□□□□□□□

"Kryptosam" é marca registrada de uma forma de tirosina estabilizada, desenvolvida pela IG Farben como parte de um contrato de pesquisa com o Oberkommando der Wehrmacht. A fórmula contém um agente ativante o qual, na presença de algum componente de fluido seminal que até agora [1934] não foi identificado, promove a conversão da tirosina em melanina, ou pigmento. Na ausência de fluido seminal, "Kryptosam" permanece invisível. Nenhum outro reagente conhecido transforma "Kryptosam" em melanina visível. Sugere-se, em aplicações criptográficas, que seja incluído com a mensagem um estímulo apropriado que produza de modo confiável a intumescência e a ejaculação. Para tal, seria de valor inestimável um conhecimento exaustivo do perfil psicossexual do destinatário.

— PROF. DR. LASZLO JAMF
"Kryptosam" (brochura publicitária), Agfa, Berlim, 1934

O desenho, feito num papel pesado, cor creme, encimado por uma inscrição em letras góticas, GEHEIME KOMMANDOSACHE, é em bico de pena, com uma textura muito fina, num estilo que lembra von Bayros ou Beardsley. A mulher é Scorpia Mossmoon escrita e escarrada. A sala é aquela sobre a qual eles falaram porém jamais viram, uma sala onde gostariam de vir a morar algum dia, com uma piscina rebaixada, uma tenda de seda caindo do teto — um cenário de De Mille, criadas esguias e untadas de óleo, laivos de luz do meio-dia vindo do alto, Scorpia esparramada sobre gordas almofadas, usando exatamente o corselete de renda belga, as meias pretas e os sapatos com que ele vivia tendo fantasias mas sem nunca —

Não, é claro que ele nunca disse a ela. Nunca disse a ninguém. Como todo jovem criado na Inglaterra, ele fora condicionado a ficar de pau duro na presença de certos fetiches, e depois condicionado a sentir vergonha de seus novos reflexos. Haveria em algum lugar um dossiê? Poderiam Eles (Eles?) ter dado um jeito de monitorar tudo o que ele jamais vira e lera desde a puberdade... porque senão, *como* é que Eles sabiam?

"Xxxx", ela o silencia. Os dedos dela roçam de leve nas coxas longas e azeitonadas, os peitos nus transbordam do decote. Seu rosto está virado para o teto, mas seus olhos estão fixos nos do Pirata, olhos compridos, apertados de volúpia, dois pontinhos de luz a brilhar por entre os cílios espessos... "Eu largo meu marido. A gente vem para cá para viver. Nunca vamos parar de fazer amor. Eu sou tua, disso já sei há muito tempo..." Sua língua corre sobre os dentinhos afiados. Sua vulva orlada de pelos encontra-se no centro de toda luz, e o Pirata tem na boca um gosto que ele gostaria de provar de novo...

Pois bem, o Pirata por um triz que não consegue, mal põe o pau para fora da calça e já está esporrando para todos os lados. Porém consegue colher esperma suficiente para esfregar no papel em branco que veio junto com o desenho. Então, lentamente, através da camada nacarina de seu sêmen, revela-se sua mensagem em letras escuras, cor de pele de negro: vem numa transposição niilista simples cujas palavras-chave ele quase consegue adivinhar. A maior parte ele consegue fazer de cabeça. Aparecem uma hora, um lugar, um pedido de ajuda. Ele queima a mensagem, que caiu em suas mãos vinda de um lugar mais elevado que a atmosfera da Terra, que foi resgatada do meridiano zero da Terra, guarda o desenho, hum, e lava as mãos. Sua próstata dói. Há coisas aqui que ele desconhece. Ele não tem recurso, não pode apelar para ninguém: tem que ir lá buscar a agente outra vez. A mensagem equivale a uma ordem oriunda dos mais altos escalões.

Ao longe, misturada à chuva, vem a explosão de mais um foguete alemão. O terceiro de hoje. Eles vasculham o céu como Wuotan e seu exército enlouquecido.

As mãos de robô do Pirata começam a vasculhar as gavetas e pastas em busca dos comprovantes e formulários necessários. Hoje não vai dormir. Provavelmente nem vai conseguir tomar um café ou fumar um cigarro no caminho. Por quê?

Na Alemanha, à medida que o fim se aproxima, nas paredes incessantes lê-se WAS TUST DU FÜR DIE FRONT, FÜR DEN SIEG? WAS HAST DU HEUTE FÜR DEUTSCHLAND GETAN? Na "Aparição Branca", nas paredes lê-se gelo. Grafitagem de gelo o dia sem sol, dourando os tijolos e a terracota cor de sangue cada vez mais escuro como se para preservar a casa fora das intempéries, numa espécie de pele de plástico transparente, como num museu, um documento arquitetônico, um aparelho antiquado que não se sabe mais para que serve. Gelo de espessuras variadas, ondulado, translúcido, uma lenda a ser decifrada pelos senhores do inverno, os gelistas da região, e discutida nos periódicos. Morro acima, em direção ao mar, a neve se ajunta feito luz em todas as quinas da antiga abadia que ficam a barlavento, a abadia cujo telhado foi há muitos anos retirado, por um capricho maluco de Henrique VIII, ficando só as paredes, com janelas ocas sem santos, para mitigar o vento salgado, a soprar enquanto as estações lambem com suas grandes línguas de vaca a grama, ora verde, ora loura, ora branca de neve. Da casa em estilo renascentista, no fundo de seu vale escuro e ressentido, esta é a única vista que se tem: a abadia, ou então o planalto de relevo suave, eivado de grandes manchas de luz e sombra. Não dá para ver o mar, se bem que em certos dias e marés pode-se sentir seu cheiro, o cheiro de toda a sua estirpe infame. Em 1925, Reg Le Froyd, internado na "Aparição Branca", fugiu — escapuliu atravessando a cidadezinha alta e foi parar, trêmulo, na beira do precipício, os cabelos e a camisola do hospital ao vento, quilômetros e quilômetros de costa meridional, giz pálido, quebra-mares e caminhos desaparecendo, à esquerda e à direita, na névoa salgada. Atrás dele veio um policial chamado Stuggles, à frente de uma multidão de curiosos. "Não pule!" grita o policial.

"Nunca pensei em pular", Le Froyd continua de olhar perdido no mar.

"Então o que é que você está fazendo aqui, hein?"

"Queria ver o mar", explica Le Froyd. "Nunca vi antes. Como você sabe, tenho laços de sangue com o mar."

"Ah, sei", Stuggles astucioso chegando-se a ele enquanto isso, "visitando os seus parentes, que bom."

"Estou ouvindo o Senhor do Mar", exclama Le Froyd, atônito.

"Não diga! E como ele se chama?" Os dois de cara molhada, gritando por causa do vento.

"Ah, não sei", berra Le Froyd. "O que você acha que seria um bom nome?"

"Bert", sugere o policial, tentando lembrar se é a mão direita que agarra o braço esquerdo acima do cotovelo ou se é a mão esquerda que...

Le Froyd vira-se, e pela primeira vez vê o homem, e a multidão. Seus olhos ficam redondos e suaves. "O Bert está bem", diz ele, e dá um passo para trás para o nada.

Foi a única vez que a "Aparição Branca" proporcionou alguma diversão para a gente de Ick Regis — algo que a distraia dos verões passados a contemplar o rebotalho de peles róseas ou sardentas que vem de Brighton, gente sem eira nem beira a transformar cada dia da era pré-rádio em canções, crepúsculos no precipício, a abertura das lentes mudando o tempo todo por causa da luminosidade do mar, ora agitado pelo vento, ora tranquilo junto ao céu, aspirinas para dormir — apenas o salto de Le Froyd, única diversão, até esta guerra eclodir.

Quando da derrota da Polônia, de repente caravanas ministeriais deram de aparecer a qualquer hora da noite, parando na "Aparição Branca", silenciosas como chalupas, os canos de escape bem abafados — veículos negros, sem cromados, que brilhavam quando havia estrelas, e quando não havia desfrutavam da camuflagem de um rosto prestes a ser lembrado, porém através do ato da memória morrendo ainda longe... Então, quando Paris caiu, montou-se uma estação de rádio à beira do precipício, antenas voltadas para o continente, estreitamente vigiadas, seus cabos terrestres recuando misteriosos, cruzando a chapada, até chegar à casa, vigiados dia e noite por cães que aprendem, à base de surras de cinto, fome, traições, a atacar para matar qualquer ser humano que se aproxime. Teria um dos Senhores Supremos pirado? Estaria o Nosso Lado tentando desmoralizar a Besta germânica transmitindo-lhe os pensamentos aleatórios dos loucos, dando nome, na tradição do policial Stuggles naquele dia famoso, ao que há de mais profundo, de quase invisível? A resposta é sim para todas as perguntas acima, e mais.

Pergunte ao pessoal da "Aparição Branca" sobre o plano elaborado na BBC pelo eloquente Myron Grunton, cuja voz de tofe derretido vem há anos atravessando a tela esgarçada dos alto-falantes dos rádios e penetrando os sonhos dos ingleses, cabeças confusas dos velhos, crianças nas fímbrias da atenção... Ele está sempre tendo que adiar o plano, primeiro era apenas uma voz, faltavam-lhe os dados necessários, o apoio, tentava chegar à alma germânica valendo-se de tudo que lhe chegava às mãos, interrogatórios de prisioneiros de guerra, manuais do Ministério das Relações Exteriores, os irmãos Grimm, lembranças dos tempos em que visitou a Alemanha quando jovem (cenas desconexas dos tempos do Plano Dawes, noites sem dormir, vinhedos ensolarados verdíssimos margeando os vales do sul do Reno, à noite na fumaça e contextura dos cabarés da capital, longos suspensórios como fileiras de cravos, meias de seda destacadas em finas hachuras de luz...). Mas por fim os americanos entraram na história, e o tal do SHAEF (Supremo Quartel-General, Força Expedicionária Aliada), e uma quantidade extraordinária de dinheiro.

O plano se chama Operação Asa Negra. Um projeto tão cuidadoso, meu Deus, que levou cinco anos para ser preparado. Ninguém poderia reivindicar a paternidade absoluta, nem mesmo Grunton. Foi o general Eisenhower que estabeleceu a linha mestra, a ideia de "estratégia da verdade". Alguma coisa "verdadeira", Ike insistia: um gancho preso no paredão furado de balas da guerra para servir de base à história. O Pirata Prentice da S. O. E. voltou com a primeira informação concreta de que havia de fato na Alemanha africanos de verdade, herero, oriundos do Sudoeste Africano, que teriam tido algum tipo de envolvimento no projeto de armas secretas. Myron Grunton, inspirado, soltou no ar uma noite uma passagem improvisada que acabou entrando na primeira instrução da Operação Asa Negra: "Outrora a Alemanha tratava seus colonos africanos como um padrasto severo porém amoroso, castigando-os quando necessário, muitas vezes com a morte. Lembram-se? Mas isto foi lá no Südwest, e de lá para cá surgiu uma nova geração. Agora o herero mora na casa do padrasto. Talvez vocês que estão ouvindo o conheçam. O herero anda pelas ruas, violando o toque de recolher, velando o sono do padrasto, invisível, protegido pela noite que tem a sua cor. O que estará ele pensando? Onde estão os herero neste momento? O que estarão fazendo eles, os filhos escuros e secretos da Alemanha?" A Asa Negra encontrou até mesmo um americano, um certo tenente Slothrop, que aceita entrar em estado de narcose para tentar esclarecer os problemas raciais de seu país. Uma dimensão extra de valor inestimável. À medida que o fim se aproxima e vão vindo à tona mais dados a respeito do moral dos povos estrangeiros — pesquisadores americanos munidos de pranchetas e botas térmicas ou galochas vão a ruínas recém-liberadas cobertas de neve para fuçar as trufas de verdade formadas, tal como imaginavam os antigos, durante a tempestade, no momento exato do trovão e do relâmpago — um contato no Departamento de Obras Públicas americano conseguiu cópias piratas e as entregou à "Aparição Branca". Ninguém se lembra mais quem foi que sugeriu o nome "Schwarzkommando". Myron Grunton fora a favor de "Wütende Heer", a companhia de espíritos que cavalgam pelos céus em uma caça furiosa, liderados pelo grande Wuotan — porém Myron aceitou o argumento de que era um mito mais do norte. Talvez sua eficácia na Baviera não fosse muito grande.

Eficiência, uma heresia americana, é um tema talvez excessivo na "Aparição Branca". Quem mais fala nisso é, normalmente, o senhor Pointsman, muitas vezes utilizando como munição as estatísticas que lhe são fornecidas por Roger Mexico. Quando ocorreu o desembarque na Normandia, a fase de desespero de Pointsman já havia começado. Ele se deu conta de que a grande pinça continental ia mesmo dar certo, e que este conflito, este Estado do qual ele já começava a sentir-se cidadão, seria suspenso e reconstituído como paz — e que, em termos profissionais, ele não ganhara quase nada com a guerra. Tanto financiamento dando sopa para radares, aviões e mísseis e torpedos mágicos, e o que Pointsman levara naquilo tudo? Tivera um cargo de chefia por um momento, e só: seu laboratório, o Abreaction Research Facility (ARF), conseguindo logo no início fisgar uma dúzia de subalternos, um treinador de cães do teatro de variedades, um ou dois estudantes de veterinária, até mesmo uma presa de grande porte, o doutor Porkievitch, um refugiado que trabalhara com o próprio Pavlov no Instituto Koltushi, antes dos expurgos stalinistas. Ao todo, a equipe do ARF recebe, numera, pesa, classifica segundo o temperamento hipocrático, enjaula e realiza experimentos em até doze cães diferentes por semana. E há também os colegas, coproprietários d'O Livro, todos agora — todos os que restam dos sete iniciais — trabalhando em hospitais que recebem vítimas de fadiga de batalha e neurose de guerra trazidos do outro lado da Mancha, e um ou outro que ficou com uma ou duas telhas a menos por causa dos bombardeios em Londres. Eles assistem a mais ab-reações, durante a fase de intensos bombardeios, do que os médicos de outros tempos tinham oportunidade de testemunhar ao longo de todas as suas vidas, e estão sempre propondo novas linhas de pesquisa. A Political Warfare Executive lhes concede uma mesada magra, um fluxo desesperado de papel descendo o organograma da instituição, que mal dá para a sobrevivência, para que o ARF continue sendo uma colônia daquela guerra-metrópole, mas não o bastante para lhe garantir a independência... Os estatísticos de Mexico preparam para o laboratório tabelas referentes a gotas de saliva, peso, voltagens, níveis de ruído, frequências metronômicas, doses de brometo, número de nervos aferentes cortados, datas e horas de entorpecimento, ensurdecimento, cegamento, castração. Dá-lhes apoio até mesmo a Seção Psi, uma colônia relaxada e dócil, sem quaisquer aspirações seculares.

O velho general Pudding se dá muito bem com sua turma espírita, ele até tem tendências desse tipo. Mas Ned Pointsman, sempre tramando maneiras de obter mais dinheiro — Pudding tem que fazer força para encará-lo e tratá-lo de modo cortês. Mais baixo que o pai, e certamente com uma aparência menos saudável que ele. O pai era médico do regimento de Thunder Prodd, pegou uns estilhaços na coxa em Polygon Wood, ficou deitado em silêncio por sete horas até que eles, sem ter dito uma palavra, naquela lama, aquele cheiro terrível, é, em Polygon Wood, sim... ou será que foi — quem era mesmo o rapaz de cabelo castanho-escuro que dormia de chapéu? aahh, que coisa. Pois bem, Polygon Wood... mas já está escapulindo. Árvores caídas, mortas, cinza, liso, fumaçacongeladafeitotexturadeárvore... cabelos... trovão... não adianta, porra, perdeu-se, mais um, ah meu Deus...

A idade do velho general é indefinida, mas já deve estar chegando a 80 — voltou à ativa em 1940, lançado num espaço novo não apenas de campo de batalha — onde o front muda a cada dia ou a cada hora como um laço de arapuca, como as bordas douradas da consciência (talvez, embora não se deseje ser excessivamente sinistro quanto a este ponto, *exatamente igual a elas*... melhor, então, "como um laço de arapuca") — mas também do próprio Estado da guerra, sua própria estrutura. Pudding com frequência dá por si perguntando-se, às vezes em voz alta e em presença de subordinados, que inimigo seu o odeia tanto a ponto de colocá-lo na área de Guerra Política. O trabalho é supostamente feito em coordenação — porém na prática muitas vezes a desarmonia é gritante — com outras áreas da Guerra, colônias daquela Metrópole que surge no mapa sempre que o trabalho em questão é a morte sistemática: a P. W. E. bordeja com o Ministério das Informações, o Serviço Europeu da BBC, a S. O. E., o Ministério de Guerra Econômica e o Departamento de Informações Políticas do Ministério das Relações Exteriores, na Fitzmaurice House. Entre outros. Quando os americanos entraram, tornou-se necessário introduzir nas atividades coordenadas as organizações deles: o Office of Strategic Services, o Office of War Information, e o Departamento de Guerra Psicológica do Exército. Depois surgiu a Divisão de Guerra Psicológica do SHAEF, a PWD, órgão conjunto dos Aliados que se reporta diretamente a Eisenhower, e, para organizar tudo isso, um Conselho de Coordenação de Propaganda de Londres, que não tem poder algum.

Quem consegue se orientar nesse labirinto luxuriante de siglas, setas contínuas e tracejadas, quadrados grandes e pequenos, nomes impressos e memorizados? Certamente não Ernest Pudding — isso é coisa para esse pessoal mais novo, com suas anteninhas verdes que captam todas as emanações de poder utilizáveis, versados em política americana (sabem a diferença entre a turma do OWI, ligada ao New Deal, e os republicanos endinheirados no Leste que estão por trás do OSS), que guardam dossiês mentais sobre as latências, fraquezas, hábitos de tomar chá e zonas erógenas de todos, todos os que algum dia podem vir a ser úteis.

A formação que Ernest Pudding recebeu ensinou-o a crer na existência real de uma Cadeia de Comando, tal como os clérigos de séculos passados criam numa Cadeia da Criação. As geometrias novas o confundem. Seu maior triunfo no campo de batalha ocorreu em 1917, em meio ao gás e à imundície apocalíptica do saliente de Ypres, onde conquistou uma língua de terra de ninguém de 40 metros no trecho mais largo, com baixas de apenas 70% de sua unidade. Foi aposentado no início da Grande Depressão — passava os dias no escritório de uma casa vazia em Devon, cercado por fotos de velhos companheiros, cujos olhos nunca encaravam exatamente de frente os do observador, onde se dedicava à análise combinatória, passatempo favorito de oficiais do exército aposentados, com uma devoção galopante.

Ocorreu-lhe a ideia de concentrar seu interesse no equilíbrio das potências europeias, a patologia por causa da qual ele outrora penara profundamente, tendo perdido toda e qualquer esperança de despertar, no pesadelo de Flandres. Deu início a uma obra colossal intitulada *Coisas que podem acontecer na política europeia*. A começar, é claro, com a Inglaterra. "Primeiro", escreveu ele, "Bereshith, por assim dizer: Ramsay MacDonald pode morrer." Quando terminou de analisar os realinhamentos partidários e possíveis permutações de cargos ministeriais que ocorreriam neste caso, Ramsay MacDonald já havia morrido. "Nunca vou conseguir", ele murmurava todos os dias ao iniciar o trabalho, "a coisa muda enquanto eu escrevo. É um tema esquivo, muito esquivo."

Quando a coisa já havia mudado a ponto de estar chovendo bombas alemãs na Inglaterra, o general Pudding abandonou sua obsessão e mais uma vez ofereceu seus serviços à nação. Se na época soubesse que ia terminar na "Aparição Branca"... Não que esperasse ser enviado para a frente de batalha, é claro, mas não se dizia que havia trabalho na área de informações? Em vez disso, foi parar num hospício desativado, com uns poucos lunáticos remanescentes, uma enorme matilha de cães roubados, panelinhas de espíritas, artistas de vaudeville, técnicos de rádio, couéistas, ouspenskianos, skinneristas, adeptos da lobotomia, fanáticos por Dale Carnegie; a guerra os havia exilado a todos, afastando-os de planos e manias fadados, se a paz houvesse se prolongado, a graus diversos de fracasso — porém agora suas esperanças concentravam-se no general Pudding e nas possibilidades de conseguir financiamento: mais esperanças do que o Pré-guerra, esta província subdesenvolvida, lhes pudera proporcionar. A Pudding restava apenas a possibilidade de reagir adotando um estilo de Velho Testamento com todos, inclusive os cachorros, e permanecendo secretamente perplexo e magoado pela atitude, para ele nada menos que uma traição, dos altos escalões.

O brilho da neve entra pelas janelas altas, de muitos vidros, um dia escuro, só uma ou outra luz acesa aqui e ali entre os escritórios pardacentos. Subalternos codificam, sujeitos vendados adivinham cartas de baralho Zener, falando para microfones ocultos: "Ondas... Ondas... Cruz... Estrela..." Enquanto isso, alguém da Seção Psi grava tudo a partir de um alto-falante no porão frio. Secretárias com xales de lã e galochas de borracha estremecem com o frio que entra pelas muitas frestas do hospício, seus dentes batendo-se tão ruidosamente quanto as teclas de suas máquinas de escrever. Maud Chilkes, que vista de trás lembra bastante a foto de Margot Asquith tirada por Cecil Beaton, sonha com um pão doce e uma xícara de chá.

Na ala do ARF, os cães roubados dormem, coçam-se, relembram vagos cheiros de seres humanos que talvez os tenham amado, escutam sem babar os osciladores e metrônomos de Ned Pointsman. As venezianas baixadas só deixam entrar uma luz suave. Técnicos andam de um lado para o outro por trás do vidro espesso da janela de observação, mas seus jalecos, esverdeados e submarinos por detrás do vidro, esvoaçam mais devagar, menos coloridos... Domina-os um entorpecimento, ou a percepção de que escurece. O metrônomo, acertado para 80, estala com seus ecos de madeira, e o cão Vania, amarrado na bancada de experimentos, começa a salivar. Todos os outros sons são fortemente abafados: as vigas que sustentam o laboratório sufocadas em cômodos cheios de areia, onde sacos de areia e palha e uniformes de soldados mortos ocupam os espaços entre as paredes sem janelas... salas onde antes os malucos da região ficavam fazendo caretas, cheirando gás hilariante, rindo, chorando num acorde de mi maior que modulava até chegar a sol sustenido maior, agora são desertos cúbicos, repletos de areia, para manter o metrônomo soberano aqui no laboratório, por trás de portas de ferro hermeticamente fechadas.

O duto da glândula submaxilar de Vania foi há muito tempo desviado para seu queixo através de uma incisão e suturado ali, levando a saliva para um funil coletor exterior, colado no local com a tradicional cola pavloviana de resina, óxido de ferro e cera de abelha. O vácuo faz a secreção descer por tubos reluzentes e deslocar uma coluna de óleo vermelho-claro para a direita, numa escala cuja unidade é a "gota" — uma unidade arbitrária, que provavelmente não é igual às gotas que pingavam dos cães em S. Petersburgo em 1905. Mas o número de gotas, dados este laboratório, este cão Vania e este metrônomo que marca 80, é sempre previsível.

Agora que ele passou para a fase "equivalente", a primeira das fases transmarginais, uma membrana, quase imperceptível, estende-se entre Vania e o mundo exterior. Interior e exterior permanecem tal como antes, porém a *interface* — o córtex do cérebro de Vania — está mudando de várias maneiras diferentes, e é este o aspecto realmente curioso desses eventos transmarginais. Não faz mais diferença o volume do metrônomo. Um estímulo mais forte já não produz uma resposta mais forte. O mesmo número de gotas flui ou cai. O homem entra e leva o metrônomo para o canto mais distante deste cômodo abafado. Ele é colocado dentro de uma caixa, por baixo de uma almofada que ostenta a legenda, costurada à máquina, *Recordação de Brighton*, porém as gotas não diminuem de intensidade... em seguida, o som do metrônomo é lançado num microfone e num amplificador, de modo que cada estalo se transforma num grito que enche toda a sala, mas as gotas não aumentam. A cada vez, a saliva límpida empurra a linha vermelha até a mesma marca, o mesmo número de gotas...

Webley Silvernail e Rollo Groast perambulam songamongamente pelos corredores, olhando nas salas dos outros à cata de guimbas fumáveis. A maioria das salas está vazia agora: todos os que são pacientes ou masoquistas o bastante estão submetendo-se ao ritual de sempre com o general gagá.

"Esse velho não tem vergonha", Géza Rózsavölgyi, outro refugiado (violentamente antissoviético, o que cria certas tensões com o pessoal do ARF), levantando as mãos rumo ao general Pudding num desespero alegre, enchendo a sala com sussurros musicais cigano-húngaros percussivos como pandeiros, provocando, de um modo ou outro, todos os presentes, menos o vetusto general, que desencadeia ininterruptamente, do púlpito do que foi, na fase mais amalucada do século XVIII, uma capela privada, e agora é a plataforma de lançamento das "Instruções Semanais", uma surpreendente saraivada de observações senis, paranoia de escritório, fuxicos sobre a Guerra que talvez contenham violações de sigilo, reminiscências de Flandres... os trovões despencam direto sobre as cabeças dos ouvintes... uma metralhada leitosa e luminosa na noite de seu aniversário... as superfícies úmidas das crateras de bombas refletindo um soturno céu outonal... o que Haig, espirituoso como ninguém, comentou no rancho a respeito do tenente Sassoon, que se recusava a lutar... os artilheiros na primavera, com seus longos trajes verdes... cadáveres de cavalos apodrecidos, pobrezinhos, à beira-estrada à hora do amanhecer... os doze aros da roda de uma peça de artilharia encalhada — um relógio de lama, um zodíaco de lama, refletindo muitos tons de marrom ao sol. A lama de Flandres compactada, formando conglomerados semiendurecidos, semigelatinosos, com a textura de merda humana, em pilhas, sob tábuas, nas trincheiras, nas crateras, quilômetros de merda para todos os lados, nem mesmo um mísero toco enegrecido de árvore — e o velho falastrão e babão tenta sacudir o púlpito de cerejeira, como se fosse isto o mais horrível de todo o horror da batalha de Passchendaele, esta ausência de verticalidade... E o velho vai, e vai, mil e uma maneiras deliciosas de preparar beterraba, e improbabilidades cucurbitáceas como a Surpresa de Abóbora de Ernest Pudding — é, sem dúvida há um certo sadismo em toda receita que contém a palavra "surpresa" no título, quem está com fome quer mais é *comer*, afinal, e não se defrontar com uma Surpresa, o que ele quer é apenas dar uma mordida naquela (suspiro) batata, razoavelmente certo de que não tem nada nela além de batata, nenhuma "Surpresa!" astuciosa à base de noz-moscada, uma pasta esmagada magenta com *romãs* e não-sei-mais-o-quê... pois bem, é justamente esse o tipo de peça que o general Pudding gosta de pregar: ele *tem* que rir quando seus desprevenidos convidados enfiam a faca em seu famigerado Pastelão, atravessando uma honesta camada de massa, para chegar a — *eeeca!* o que será? uma beterraba frita? uma beterraba *recheada* frita? ou talvez uma delícia de purê de funcho, fedendo a mar (que ele compra uma vez por semana do mesmo filho do peixeiro, um gordo que sobe de bicicleta o barranco branco de giz, esbaforido) — nenhum desses estranhíssimos rissoles de legume guarda a menor semelhança com um pastelão normal; lembram mais as criaturas depravadas, semi-humanas de que falam as trovas escabrosas escritas nas paredes das latrinas públicas — Pudding possui *milhares* de receitas assim, e não tem o menor escrúpulo de divulgá-las aos companheiros da PISCES, juntamente com, ainda no mesmo solilóquio semanal, um ou dois versos, oito compassos, da canção "Preferes ser um coronel com uma águia no ombro ou um recruta com uma galinha no colo?" e em seguida uma lamurienta lista de problemas de financiamento, que começa em tempos muito anteriores à criação do grupo da Electra House... brigas epistolares que travou na seção dos leitores do *Times* com pessoas que criticavam Haig...

E ficam todos sentadinhos em frente das janelas muito altas, pintadas de preto, com caixilhos de chumbo, indulgentes, o pessoal dos cachorros emburrado num canto, trocando bilhetes e inclinando-se para o lado para cochichar (sempre tramando, tramando, dormindo ou acordados não descansam nunca), a turma da Seção Psi lá do outro lado da sala — como se isto aqui fosse uma espécie de parlamento... Há anos que cada um tem seu lugar e seu ângulo específico para ouvir os delírios do general Pudding, aquele velho de pele avermelhada e cheia de manchas — entre essas duas alas ficam as outras tendências no exílio: o equilíbrio do poder, só que nunca houve poder na "Aparição Branca".

O doutor Rózsavölgyi acha que poderia haver, se as pessoas soubessem "jogar direito as cartas que têm na mão". A única questão que enfrentam agora é a sobrevivência — como atravessar a terrível interface do Dia da Vitória, adentrando o novo radiante Pós-Guerra com os sentidos e a memória intatos. Não se pode permitir que a PISCES seja derrubada junto com o resto do rebanho dócil. É preciso surgir, e logo, capaz de transformá-los numa falange, um ponto concentrado de luz, algum líder ou programa poderoso o bastante para permitir-lhes sobreviver sabe-se lá quantos anos de Pós-Guerra. O doutor Rózsavölgyi é mais a favor de um programa poderoso que de um líder poderoso. Talvez por estarem em 1945. Naquela época, era opinião generalizada que por trás da Guerra — toda aquela mortandade, selvageria e destruição — estava o princípio do Führer. Mas se era possível substituir personalidades por abstrações de poder, se as técnicas desenvolvidas pelas empresas podiam ser colocadas em prática, não seria possível as nações viverem racionalmente? Uma das esperanças mais caras ao Pós-Guerra: que não houvesse lugar para o carisma, este mal terrível... que sua racionalização fosse levada a cabo enquanto dispúnhamos de tempo e recursos...

Não é isso, afinal, o que está em jogo para o doutor Rózsavölgyi nesta mais recente trama, centrada na figura do tenente Slothrop? Todos os testes psicológicos no dossiê do sujeito, desde os tempos da universidade, indicam uma personalidade doentia. "Rosie" dá um tapa na pasta para enfatizar. A mesa estremece. "Por *exem*-plo: seu *Inventário* Mul-ti*fá*-sico de Personali*da*-de, de Minne*so*-ta é tre*men*-damente assi*mé*-trico, sempre em fa-*vor* do, psico-pático, e, do doen*ti*-o."

Porém o reverendo doutor Paul de la Nuit não gosta do Inventário (MMPI). "Rosie, existem escalas para medir características interpessoais?" Nariz de gavião futricando, futricando, olhos baixados por humildade tática, "os valores *humanos*? confiança, honestidade, amor? Existirá — se me permite puxar a brasa para a minha sardinha — uma escala religiosa, por acaso?"

Essa não, padre: o MMPI foi desenvolvido por volta de 1943. No calor da Guerra. O Estudo de Valores de Allport e Vernon, o Inventário Bernreuter revisto por Flanagan em 35 — testes de antes da Guerra — parecem mais humanos a Paul de la Nuit. O MMPI parece só testar se um homem dará um bom soldado ou não.

"Hoje em dia há muita demanda por soldados, reverendo doutor", murmura o senhor Pointsman.

"Só espero que a gente não dê uma ênfase excessiva ao MMPI dele. Me parece uma medida muito estreita, que negligencia áreas extensas da personalidade humana."

"É justa*men*-te por isso", Rózsavölgyi apressa-se, "que agora estamos pro*pon*do, aplicar, em Sloth-rop um teste com*ple*-tamente, dife*ren*-te. Estamos agora prepa*ran*-do, para ele, um teste 'proje-tivo'. O *exem*-plo mais conhe*ci*-do desse tipo de *tes*-te é o Rors-*chach*. A ideia *bá*-sica, é, que quando damos ao su*jei*-to um estímulo despro-*vi*-do de estru*tu*-ra, alguma massa dis*for*-me de experi*ên*-cia, ele tenta lhe impor uma, estru*tu*-ra. O modo como, ele estru*tu*-ra essa massa refletirá suas necessi*da*-des, esperanças — nos dará *pis*-tas sobre seus sonhos, fanta*si*-as, as regiões mais pro*fun*-das de sua psique." Sobrancelhas dançando a mil por hora, gestos extraordinariamente fluidos e graciosos, lembrando — certamente é intencional, e Rosie tem mais é que aproveitar, mesmo — os de seu compatriota mais famoso, se bem que há os efeitos colaterais inevitáveis: membros da equipe que juram tê-lo visto mergulhar de cabeça na fachada norte da "Aparição Branca", por exemplo. "De modo que no *fun*-do nós concor*da*-mos, reverendo doutor. Um teste, como o MMP*I* é, sob esse aspecto, inadequado. É, um estímulo estrutu*ra*-do. O sujeito pode falsifi-*car*, conscien-temente, ou reprimir, *in*-conscientemente. Mas com a *téc*-nica proje-tiva, nada que ele faça, cons-ciente ou não, pode nos impe*dir*, de encon-trar o que queremos, saber. Nós, detemos o controle. Ele, não pode, fazer *na*-da."

"Pelo visto, não é a marca que você fuma, hein, Pointsman", sorri o doutor Aaron Throwster. "Os seus estímulos são do tipo mais estruturado, não é?"

"Digamos que eu sinto um certo fascínio vergonhoso."

"Não me venha dizer que você vai ficar completamente de fora disso."

"Bem, completamente, não, Throwster. Já que você puxou o assunto. Nós *também* temos em mente um estímulo muito estruturado. O mesmo, aliás, que despertou nosso interesse inicial. Queremos expor Slothrop ao foguete alemão..."

Lá no alto, no teto de gesso, versões metodistas do reino de Cristo abundam: leões lado a lado com cordeiros, frutas derramando-se em abundância aos pés de cavalheiros e damas, pastores e pastoras. As expressões de todas as figuras estão malfeitas. As criaturas dóceis têm um ar debochado, as feras parecem drogadas, e todos os seres humanos evitam encarar seus semelhantes. E os tetos da "Aparição Branca" não constituem o único detalhe impróprio do lugar. É uma autêntica extravagância arquitetônica. A despensa foi construída como uma espécie de harém árabe em miniatura, por motivos que hoje parecem indevassáveis, cheia de sedas, arabescos e vigias. Uma das bibliotecas serviu por algum tempo de pocilga, o assoalho foi baixado um metro e substituído por lama até a altura das soleiras, onde porcos gigantescos refestelavam-se, guinchavam e refrescavam-se no verão, olhando curiosos para as lombadas de bocaxim que enchiam as prateleiras, sem saber se eram boas de comer. A excentricidade desta casa chega aos extremos da morbidez. Há cômodos triangulares, esféricos, labirínticos. Retratos, exemplares de curiosidades da genética, encaram o observador de todos os ângulos. Nos banheiros há afrescos que mostram Clive e seus elefantes derrotando os franceses em Plassy, chafarizes que representam Salomé com a cabeça de João Batista (água esguichando das orelhas, nariz e boca), mosaicos no chão em que se veem diferentes versões de Homo Monstrosus, uma mania interessante da época — ciclopes, girafa humanoide, centauro, repetidos em todas as direções. Para todos os lados encontram-se arcos, grutas, arranjos florais de gesso, paredes recobertas de veludo ou brocado já esfiapados. Nos lugares mais inesperados destacam-se sacadas ornadas de gárgulas providas de presas que já feriram a cabeça de muito recém-chegado incauto. Até mesmo nas piores chuvas, esses monstros limitam-se a babar um pouco — as calhas que os abastecem já estão estragadas há séculos, correndo a esmo sobre ardósia e sob beirais, passando por pilastras rachadas, cupidos pingentes, revestimentos de terracota em todos os andares, e mais belvederes, colunas pseudoitalianas, minaretes sinistros, chaminés tortas — visto à distância por dois observadores diferentes, por mais próximo que esteja um do outro, o prédio sempre se apresenta diferente, com sua orgia expressionista, a que cada proprietário subsequente acrescentou seu tanto, até ele ser apropriado pelo esforço de guerra. Árvores de topiaria ladeiam a alameda por um bom pedaço, até serem substituídas por lariços e olmos: patos, garrafas, lesmas, anjos e cavaleiros, vão minguando na estrada de cascalho, silenciosos, mergulhando nas sombras sob o túnel de árvores suspirosas. A sentinela, um vulto escuro de uniforme branco, em posição de apresentar-armas, surge iluminado pelos faróis amortecidos do carro, e é preciso parar. Os cães, treinados, letais, observam de dentro do bosque. Pouco depois, enquanto a noite desce, uns poucos flocos amargos de neve começam a cair.

Melhor se comportar, senão a gente manda você de volta para o doutor Jamf!

Quando Jamf condicionou esse aí, ele jogou fora o estímulo depois.

Pelo visto, o doutor Jamf andou examinando a sua coisinha hoje, não é?

— *O livro dos 50 000 insultos de Martin Melequento*, §6.72, "Crianças horrendas",
Nayland Smith Press,
Cambridge (Massachusetts), 1933

PUDDING: Mas isto não é —

POINTSMAN: Como assim?

PUDDING: Não é uma coisa um tanto escusa, Pointsman? Mexer com a consciência de outra pessoa dessa maneira?

POINTSMAN: General, a gente está só seguindo uma linha de pesquisa e investigação iniciada há muito tempo. A Universidade de Harvard, o exército americano — não são instituições escusas de modo algum.

PUDDING: Mas isso não, Pointsman. É uma coisa obscena.

POINTSMAN: Mas os americanos já andaram experimentando com ele! O senhor não entende? Não estamos, por assim dizer, corrompendo uma virgem, não se trata —

Pudding: Então só porque os americanos fizeram isso nós também temos que fazer? Temos que deixar que eles nos corrompam?

Por volta de 1920, o doutor Laszlo Jamf observou que, se Watson e Rayner conseguiram condicionar o "bebê Albert" a reagir com um reflexo de horror diante de tudo que tinha pelos, inclusive sua mãe com uma boá peluda, então Jamf poderia fazer o mesmo com seu bebê Tyrone e o reflexo sexual do menino. Jamf estava em Harvard naquele ano, como professor visitante, vindo de Darmstadt. Foi no início de sua carreira, antes de ele passar para a química orgânica (uma mudança que viria a ter consequências tão importantes quanto a famosa mudança de Kekulé da arquitetura para a química, um século antes). Para realizar seu experimento, contou com um magro financiamento do Conselho Nacional de Pesquisa (dentro de um programa de estudos em psicologia que fora iniciado durante a Grande Guerra, quando houve necessidade de métodos para selecionar oficiais e classificar recrutas). A escassez de fundos talvez tenha sido o motivo que levou Jamf a escolher, como reflexo a ser estudado, o tesão infantil. Medir secreções, como fazia Pavlov, implicaria a realização de cirurgias. Medir o "medo", o reflexo estudado por Watson, introduziria um excesso de subjetividade (O que é o medo? O que significa "muito" medo? Quem decide, quando se trata de um estudo de campo e não há tempo para recorrer ao método demorado de consultar a Comissão do Medo?). Equipamentos simplesmente não havia na época. O máximo que ele podia fazer seria utilizar o "detector de mentiras" de três variáveis de Larson-Keeler, mas naquele tempo tratava-se ainda de um instrumento em fase experimental.

Um pau, porém, ou está duro ou não está. É uma coisa binária, elegante. O trabalho de observá-lo pode até ficar a cargo de um estudante.

Estímulo não condicionado = acariciar pênis com algodão antisséptico.

Resposta não condicionada = tesão.

Estímulo condicionado = *x*.

Resposta condicionada = tesão quando *x* está presente, sem necessidade das carícias, bastando o tal *x*.

Bem, *x*? Mas o que é *x*? Ora, é o famoso "estímulo misterioso" que vem fascinando diversas gerações de alunos de psicologia behaviorista. As revistas de humor estudantis publicam em média 2,67 cm de colunas sobre o tema por ano. Curiosamente, este número é o exato comprimento médio das ereções do bebê T., segundo o estudo de Jamf.

Ora, segundo a tradição neste campo, uma vez terminado o estudo, o otariozinho seria descondicionado. Para usar a terminologia pavloviana, Jamf deveria "extinguir" o reflexo-tesão por ele criado, antes de encerrar seu trabalho com o menino. É bem provável que tenha mesmo feito isso. Mas, como afirmou o próprio Ivan Petrovitch, "não apenas devemos falar em extinção parcial ou completa de um reflexo condicionado como também temos de levar em conta que a extinção pode ir *além* do ponto da redução de um reflexo a zero. Não podemos, portanto, julgar o grau de extinção *apenas* com base na magnitude do reflexo ou de sua ausência, pois é possível haver ainda *uma extinção silenciosa além do zero*". Os grifos são do senhor Pointsman.

Um reflexo condicionado pode sobreviver num homem, em estado latente, por 20 ou 30 anos? Teria o doutor Jamf se limitado a extingui-lo até o zero — ou seja, esperado até que o bebê Tesão demonstrasse tesão zero na presença do estímulo *x*, e então parado? Teria ele esquecido — ou ignorado — a "extinção silenciosa além do zero"? Se a ignorou, por quê? Teria o Conselho Nacional de Pesquisa tido alguma influência?

Quando Slothrop foi descoberto, no final de 1944, pela "Aparição Branca" — embora ele já fosse conhecido por muitos como o famoso bebê Tyrone —, tal como ocorreu quando da descoberta do Novo Mundo, cada um julgava ter descoberto uma coisa diferente.

Roger Mexico vê-o como uma anomalia estatística. Mas agora tem a impressão de que os fundamentos de sua disciplina estão um pouco abalados, mais do que deveria ocorrer por efeito de uma anomalia. Anômalo, anômalo: pense na perplexidade expressa pela boca durante o ô tônico. E depois a boca se fecha. No entanto, seria necessário ir além do zero — do zero da boca fechada — e penetrar aquela outra esfera. É claro que isso não se faz. Porém, intelectualmente, tem-se consciência de que era *isso* que se devia fazer.

Rollo Groast acha que é precognição. "Slothrop é capaz de prever quando um foguete vai cair num determinado lugar. Sua sobrevivência até o presente momento é prova de que ele vem agindo com base em informações antecipadas, evitando as áreas em que o foguete vai cair nessas horas." O doutor não sabe direito como — nem mesmo *se* — a sexualidade entra na história.

Porém Edwin Treacle, o mais freudiano dos pesquisadores de fenômenos paranormais, julga que o dom de Slothrop é a psicocinesia. Com sua força mental, Slothrop *faz* os foguetes caírem onde caem. Ele não os empurra fisicamente no céu, mas talvez esteja interferindo nos sinais elétricos dentro do sistema de orientação do foguete. Seja como for, na teoria do doutor Treacle a sexualidade entra em jogo. "Subconscientemente, ele sente necessidade de abolir todo e qualquer vestígio do Outro sexual, que ele simboliza em seu mapa, de modo muito significativo, como uma *estrela*, um emblema anal-sádico de sucesso escolar que é tão comum nas escolas primárias americanas..."

É o mapa que deixa todo mundo perplexo, o mapa onde Slothrop assinala suas conquistas. As estrelas formam uma distribuição de Poisson, tal como a dos pontos atingidos por foguetes no mapa em que Roger Mexico marca os bombardeios ocorridos em Londres.

Só que, bem, a coisa não é só a distribuição, não. Os dois padrões são absolutamente idênticos. São iguais, quadrado por quadrado. Os slides que Teddy Bloat tem tirado do mapa de Slothrop foram projetados sobre o mapa de Roger, e ficou patente que as duas imagens, as estrelas das moças e os círculos das bombas, coincidem com perfeição.

Por sorte, Slothrop datou a maioria de suas estrelas. Cada estrela aparece sempre *antes* da explosão correspondente. A bomba pode vir apenas dois dias depois da conquista, ou até dez. O retardo médio é de cerca de 4,5 dias.

Suponhamos — argumenta Pointsman — que o estímulo *x* de Jamf era um ruído forte, tal como no experimento de Watson-Rayner. Suponhamos que, no caso de Slothrop, o reflexo tesão não foi totalmente extinto. Neste caso, ele estaria ficando de pau duro ao ouvir qualquer ruído forte precedido pelo mesmo tipo de preparativo que ele conheceu no laboratório de Jamf — que é o mesmo que os cães de agora encontram no laboratório de Pointsman. Isso apontaria para o V-1: o ruído do foguete passando suficientemente próximo para fazê-lo dar um salto deveria estar provocando uma ereção: o som do motor cada vez mais alto, depois o desligamento do motor e o silêncio, o suspense — e por fim a explosão. Pronto: o pau endurece. Mas não. Slothrop só fica excitado quando esta sequência se dá *ao contrário*. Primeiro a explosão, depois o som do foguete se aproximando: o V-2.

Porém o estímulo *tem* que ser o foguete, algum prenúncio espectral do foguete, um duplo que se manifesta a Slothrop como a percentagem de sorrisos num ônibus, ciclos menstruais que transcorrem segundo algum padrão misterioso — o que é que leva aquelas putinhas a dar para ele de graça? Haverá flutuações no mercado sexual, na pornografia ou nas prostitutas, talvez associadas aos preços das cotações na bolsa de valores, a respeito das quais nós, os puros, nada sabemos? Será que as notícias que vêm do front afetam a coceira que elas sentem entre as deliciosas pernocas? O desejo crescerá direta ou inversamente à possibilidade de sofrer uma morte súbita — porra, que pista será, bem na nossa cara, que até agora não tivemos sutileza suficiente para ver?...

Mas se ela está no ar, aqui e agora, então os foguetes lhe obedecem, em 100% dos casos. Não há exceções. Quando a encontrarmos, mais uma vez provaremos a pétrea determinação de tudo, de todas as almas. Não haverá mais espaço quase nenhum para a esperança de qualquer tipo. Para vocês verem como seria importante uma descoberta como essa.

Passam diante dos caminhos que levam aos canis, cobertos de montes de neve, Pointsman com botas impermeáveis e um jaquetão castanho-claro, Mexico com um cachecol de tricô que Jessica fez para ele recentemente, que o vento estica para trás dele como uma língua de dragão escarlate — hoje é o dia mais frio do inverno até agora, 22 graus abaixo de zero. Descem em direção aos penhascos, os rostos congelando, até a praia deserta. As ondas avançam, depois recuam, deixando grandes crescentes de gelo fino como pele, deslumbrantes no sol fraco. As botas dos dois homens estraçalham o gelo, chegam à areia e aos seixos. Estão no nadir do ano. Hoje dá para ouvir os disparos vindos de Flandres, lá do outro lado da Mancha, o som trazido pelo vento. As ruínas da abadia se destacam, cinzentas e cristalinas, no penhasco.

Ontem à noite, na casa às margens da cidadezinha evacuada, Jessica, acomodando-se, mergulhando, no instante antes do sono dominar os dois, sussurrou: "Roger... e as moças?" Só disse isso. Porém Roger ficou totalmente desperto. E, embora exausto, ficou mais uma hora olhando para o teto, pensando nas moças.

Agora, cônscio de que não devia repisar o assunto, "Pointsman, e se Edwin Treacle tiver razão? Se for mesmo psicocinesia. E se o Slothrop — mesmo que não de modo consciente — estiver *fazendo* as bombas caírem onde elas caem?"

"Bem. Nesse caso, vocês iam ter que fazer alguma coisa, não é?"

"Mas... *por quê*? Se estão caindo bem nos lugares onde ele..."

"Talvez ele odeie as mulheres."

"Estou falando sério."

"Mexico. Você está mesmo preocupado?"

"Não sei. Talvez eu esteja pensando na possibilidade de a coisa ter alguma ligação com a tal da fase ultraparadoxal. Talvez... eu queira saber o que é mesmo que você está procurando."

No céu, passa pulsando uma revoada de B-17s, indo a algum lugar inusitado, bem distante dos corredores aéreos normais. Acima dos aviões o ventre das nuvens está azulado, sua superfície abaulada e lisa está riscada de veias azuis — em alguns outros trechos há laivos de rosa ou roxo-acinzentado... Asas e estabilizadores aparecem como silhuetas de um cinza-escuro. As sombras clareiam-se um pouco nas curvas das fuselagens e nas nacelas. Os cones dos hélices emergem da escuridão sob as capotas, as pás dos hélices invisíveis, a luz do dia tingindo todas as superfícies vulneráveis com um tom de cinza uniformemente melancólico. Os aviões seguem zumbindo, majestosos, no céu gélido, derretendo o gelo que se forma em seus dorsos, deixando um rastro de sulcos de gelo, cuja cor é a mesma de um certo tipo de nuvem, a proa de Perspex reluzente, sempre torta, perfurando sol e nuvem. Lá dentro é negro como obsidiana.

Pointsman fala sobre a paranoia e "a ideia do oposto". Rabiscou n'O Livro pontos de exclamação e *isso mesmos* nas margens da carta aberta de Pavlov a Janet com relação aos *sentiments d'emprise* e do Capítulo LV, "Esboço de uma interpretação fisiológica das obsessões e da paranoia" — não resiste em cometer esta indelicadeza, embora os sete proprietários tenham combinado não escrever n'O Livro — é valioso demais para isso, cada um teve que contribuir com um guinéu. Foi vendido clandestinamente, no escuro, durante um ataque da Luftwaffe (a maioria dos exemplares havia sido destruída num armazém no início da Batalha da Inglaterra). Pointsman nem chegou a ver o rosto do vendedor, que desapareceu na rouca aurora acústica do toque de fim de ataque, deixando o doutor e O Livro, o maço mudo de papéis já esquentando e umedecendo em sua mão tensa... sim, poderia perfeitamente ser uma obra erótica rara, aquela mancha irregular, como se os tipos fossem compostos à mão... aquele texto mal redigido, como se a estranha tradução do doutor Horsley Gantt fosse cifrada, e o sentido verdadeiro do texto um catálogo de prazeres vergonhosos, êxtases perversos... E até que ponto Ned Pointsman não vê uma vítima delicada tentando romper suas amarras em cada cão que passa por seu laboratório... e o bisturi e a tenta não são decorativos, extensões refinadas do chicote e da bengala?

Sem dúvida, o volume que precedia O Livro — as primeiras Quarenta e Uma Conferências — surgiu-lhe aos 28 anos de idade como uma ordem irresistível da Vênus do sopé do Venusberg: trocar Harley Street por uma viagem cada vez mais perversa, deliciosa, penetrando um labirinto de pesquisas sobre reflexos condicionados do qual só agora, após treze anos desenrolando seu novelo, ele está começando a sair, encontrando no caminho velhas pistas que indicam ele já ter passado por aquele corredor antes, fazendo-o defrontar aqui e ali com as consequências daquele compromisso total que ele abraçara ainda jovem... Porém ela o avisara — não o avisara? pois ele não estava sempre atento? — que a recompensa demoraria a vir, a recompensa integral. Vênus e Ariadne! Ela parecera valer o preço, pois que naquele tempo o labirinto se afigurava complexo demais para *eles* — os cafetões escusos que haviam acertado aquele acordo entre uma versão de si próprio, um cripto-Pointsman, e seu destino... variado demais, pensava ele, para que jamais o encontrassem lá dentro. Mas agora ele sabe. Tendo indo fundo demais, preferindo não encarar a realidade ainda, ele sabe que eles estão a sua espera, pétreos e tranquilos — esses agentes da Organização que também ela tem de pagar — aguardando na câmara central, enquanto ele se aproxima mais e mais... A eles pertence tudo: Ariadne, o Minotauro, até mesmo, Pointsman teme, ele próprio. Ultimamente imagens deles têm lhe aparecido de repente: nus, atléticos, preparados, arfantes, caminhando de um lado para o outro na câmara, os pênis terríveis eretos, tão minerais quanto seus olhos, com um brilho de gelo ou cristais de mica, mas não de concupiscência, nem por ele. É apenas o trabalho que eles têm de fazer...

"Pierre Janet — às vezes ele falava como um místico oriental. Ele não compreendia direito os opostos. 'O ato de ferir e o ato de ser ferido se unem no comportamento do ferimento como um todo.' Falante e falado, senhor e escravo, virgem e sedutor, pares formados do modo mais conveniente, inseparáveis... O último refúgio dos incorrigivelmente preguiçosos, Mexico, é essa besteirada de yang-yin. Uma maneira de evitar todo o trabalho desagradável de laboratório, mas no final das contas o que é que foi *dito*?"

"Não quero entrar numa discussão sobre religião com você", a falta de sono torna Mexico mais mal-humorado do que de costume hoje, "mas eu me pergunto se vocês não... bem, não exageram um pouco as virtudes da análise. Está bem que vocês desmontam a coisa toda, eu sou o primeiro a aplaudir sua dedicação ao trabalho. Mas além de espalhar um monte de peças na bancada, o que é que foi *dito*?"

Também Pointsman não gosta desse tipo de discussão. Porém ele dirige um olhar áspero àquele jovem anarquista de cachecol vermelho. "Pavlov acreditava que o ideal, a meta de todos nós que fazemos ciência, é a verdadeira explicação mecânica. Ele era realista o suficiente para não ter esperanças de que essa explicação fosse encontrada ainda no seu tempo. Era um projeto para várias gerações. Porém ele depositava suas esperanças numa longa sequência de aproximações cada vez melhores. Em última análise, Pavlov tinha fé numa base puramente fisiológica para a vida psíquica. Uma causa para cada efeito, e uma nítida cadeia de ligações."

"É claro que isso não é o meu forte", Mexico não quer de modo algum ofender o outro, mas realmente, "mas tem-se a impressão de que essa coisa de causalidade já deu o que tinha que dar. Que para a ciência continuar a avançar ela vai precisar de pressupostos menos estreitos, menos... estéreis. Talvez o próximo grande passo à frente ocorra quando a gente tiver a coragem de jogar fora a causalidade de uma vez por todas, e partir para ver a coisa de outro ângulo."

"Não — não seria 'partir', e sim 'regredir'. Você tem 30 anos de idade, meu caro. Não há 'outros ângulos'. As únicas opções são seguir em frente — se *aprofundar* — ou andar para trás."

Mexico observa o vento puxando as fraldas do casaco de Pointsman. Uma gaivota passa gritando, costeando a beira congelada do precipício. Lá em cima, os penhascos de giz avultam-se, frios e serenos como a morte. Os bárbaros de outrora, vindos da Europa, que se aproximaram desta costa, viram estas barreiras brancas em meio à névoa e entenderam para onde seus mortos eram levados.

Pointsman virou-se agora, e... ah, meu Deus. Ele está sorrindo. Há algo de tão antigo naquele sorriso, em sua presunção de fraternidade, que — não agora, mas daqui a alguns meses, em plena primavera, a Guerra já finda na Europa — Roger relembrará este sorriso — a imagem o perseguirá — como o olhar mais malévolo que já recebeu de um rosto humano.

Fazem uma parada na caminhada. Roger olha para o outro fixamente. O Anti-Mexico. "Ideias dos opostos" encarnadas, eles dois, mas em que córtex, em que hemisfério hibernal? Que mosaico em ruínas, voltado para o Deserto... e não para a cidade protetora... legível apenas para os que se aventuram a sair... olhos voltados para a distância... bárbaros... viandantes...

"Nós dois temos o Slothrop", é o que Pointsman acaba de dizer.

"Pointsman — o que é que você espera ganhar com tudo isso? Quer dizer, além de glória."

"O mesmo que Pavlov. Uma base fisiológica para um comportamento que parece muito estranho. Para mim, tanto faz em que categoria vocês resolverem enquadrar o fenômeno — curiosamente, ninguém ainda sugeriu telepatia: talvez ele esteja captando os pensamentos de alguém do lado de lá, alguém que conhece a programação dos bombardeios alemães. Não é? E também estou pouco ligando se é uma terrível vingança freudiana contra a mãe dele por ter tentado castrá-lo ou sei lá o quê. Não sou megalômano, Mexico. Sou modesto, metódico..."

"Humilde."

"Eu me impus algumas limitações. Só disponho da inversão dos ruídos dos foguetes... a história clínica do condicionamento sexual de Slothrop, condicionamento *talvez* a estímulos auditivos, e o que *parece* ser uma inversão da relação causa-efeito. Não estou tão disposto a jogar fora a causalidade quanto você, mas se for necessário modificar o conceito — que seja."

"Mas o que é que você *quer*?"

"Você viu o MMPI dele. Viu a escala F? Falsificações, pensamentos distorcidos... Os resultados deixam isso claro: ele tem desvios psicopáticos, é obsessivo, é um paranoico latente — pois bem, Pavlov acreditava que as obsessões e os delírios paranoicos eram provocados por certas... digamos, certos neurônios no mosaico do cérebro, quando chegam a um nível de excitação tal que, através da indução recíproca, toda a área a seu redor fica inibida. Um único ponto luminoso, ardente, cercado de escuridão. Essa escuridão foi, de certo modo, evocada. Isolado, esse ponto luminoso, talvez até o final da vida do paciente, de todas as outras ideias, sensações, autocríticas que poderiam ter o efeito de temperar sua chama, recuperar sua normalidade. Pavlov denominava-o 'ponto de inércia patológica'. Estamos trabalhando agora mesmo com um cachorro... ele já passou pela fase 'equivalente', em que qualquer estímulo, forte ou fraco, evoca exatamente o mesmo número de gotas de saliva... e depois pela fase 'paradoxal' — estímulos fortes geram respostas fracas e vice-versa. Ontem conseguimos fazê-lo chegar à fase ultraparadoxal. Ir além dela. Quando ligamos o metrônomo que antes representava o alimento — que antes fazia o cão Vania babar como uma fonte — ele agora vira-se para o outro lado. Quando desligamos o metrônomo, ah, aí é que Vania se vira para ele, e fareja, e lambe, e morde — procura, no silêncio, o estímulo ausente. Pavlov achava que todas as doenças mentais poderiam um dia ser explicadas pela fase ultraparadoxal, os pontos patologicamente inertes do córtex, a confusão entre ideias dos opostos. Ele morreu quando estava prestes a dar a essas ideias uma base experimental. Mas eu não morri. Tenho financiamento, tempo e vontade. Slothrop é um sujeito fortemente imperturbável. Não vai ser fácil fazê-lo entrar em qualquer das três fases. Talvez a gente termine tendo que recorrer à fome, ao terror, não sei... isso pode não ser necessário. Mas vou descobrir seus pontos de inércia, mesmo que eu tenha que abrir a porra do crânio dele, vou descobrir como é que estão isolados, e talvez resolver o mistério dos foguetes, entender por que eles estão caindo nesses lugares. Mas admito que isso foi mais um pretexto para conseguir o seu apoio."

"Por quê?" Um pouco constrangido, Mexico? "Por que você precisa de mim?"

"Não sei. Mas preciso."

"*Você* é que está obcecado."

"Mexico." Totalmente imóvel, o lado do rosto voltado para o mar parecendo ter envelhecido cinquenta anos em um instante, vendo as ondas deixarem três vezes uma camada fina e estéril de gelo na areia. "Me ajude."

Não posso ajudar ninguém, Roger pensa. Por que ele se sente tão tentado? É perigoso e mórbido. Ele quer ajudar, sente o mesmo medo anormal de Slothrop que Jessica sente. *E as moças?* Pode ser por se sentir sozinho na Seção Psi, ou por uma convicção que no fundo do coração não consegue sentir, e ao mesmo tempo não consegue abandonar... a fé que todos têm, até mesmo Gloaming, que jamais sorri, na existência de alguma coisa, além dos sentidos, além da morte, além das Probabilidades que são a única coisa que Roger tem para acreditar... *Ah Jessie*, seu rosto encostado nas costas dela, nuas, adormecidas, com uma textura complexa de ossos e tendões, *estou perdendo o pé nessa história*...

A meio caminho entre a água e o capim da praia, uma longa extensão de cano e arame farpado ressoa ao vento. Esta treliça negra apoia-se em esteios compridos e inclinados, lanças que apontam para o mar. Um ar de coisa abandonada e matemática: reduzida aos vetores de forças que a seguram onde está, redobrada em certos trechos, uma fileira atrás da outra, movendo-se quando Pointsman e Mexico voltam a caminhar, para trás, um moiré fechado, verticais repetidas em paralaxe contra um fundo de diagonais repetidas, o emaranhado de arame embaixo intervindo de modo mais aleatório. Ao longe, onde vai se curvando e sumindo na névoa, esse muro aberto acinzenta-se. Após a nevada da noite de ontem, cada linha do rabisco negro ficou contornada de branco. Mas hoje o vento e a areia puseram o ferro negro a nu de novo, salgado, revelando, aqui e ali, breves riscos de ferrugem... em outros trechos, o gelo e o sol transformam a estrutura em linhas de energia de um branco elétrico.

Mais adiante, além das minas enterradas e dos postes antitanque de concreto já semicorroídos, em cima de uma casamata coberta por uma rede e terra, no meio do penhasco, o jovem doutor Bleagh e sua enfermeira, Ivy, descansam após uma lobotomia difícil. Os dedos esfregados e rotinizados do médico enfiam-se debaixo dos elásticos das ligas, puxam-nos para fora e depois os soltam fazendo plaque, enquanto Bleagh faz ha-ha-ha e ela dá um pulo e ri também, tentando sem muito empenho escapulir. Estão deitados num leito de velhas cartas náuticas desbotadas, manuais de manutenção, sacos de areia rasgados e areia derramada, fósforos usados e filtros desenrolados de cigarros há muito decompostos que deram prazer aos que vararam as noites de 1941, o coração disparando cada vez que uma luzinha era vislumbrada no mar. "Você está doido", cochicha ela. "Doido por você", sorri ele, e estala o elástico outra vez, um menino com sua atiradeira.

Lá em cima, uma fileira de blocos cilíndricos, para impedir o avanço dos silenciosos Tigres alemães que agora jamais virão, pontua o terreno como empadas brancas no pasto cinzento, em meio a manchas de neve e pálidos afloramentos de calcário. Num laguinho, o negro que veio de Londres patina no gelo, uma figura tão improvável quanto um zuavo, ereto e cheio de si no alto dos patins, como se fosse filho do gelo e não do deserto. Criancinhas das redondezas correm quando ele chega muito perto, tão perto que o pó de gelo que as lâminas levantam nas curvas lhes queimam as bochechas. Até que ele sorria, elas não ousam falar, apenas acompanham, correm atrás, flertam, querendo o sorriso, temendo o sorriso, querendo... Ele tem um rosto mágico, um rosto que elas conhecem. Da praia, Myron Grunton e Edwin Treacle, os dois fumando um cigarro depois do outro, meditando sobre a

Operação Asa Negra e a credibilidade do Schwarzkommando, observam o negro mágico deles, o protótipo deles, nenhum dos dois ousando arriscar-se a testar o gelo, em qualquer estilo, diante daquelas crianças.

O inverno está em suspense — o céu inteiro é um gel árido e luminoso. Lá embaixo, na praia, Pointsman tira do bolso um rolo de papel higiênico, onde em cada folha se lê PROPRIEDADE DO GOVERNO DE S.M., para assoar o nariz. De vez em quando Roger prende o cabelo debaixo do chapéu. Nenhum dos dois diz nada. Assim, eles dois: caminhando na areia, mãos entrando e saindo dos bolsos, vultos diminuindo, castanho-claro e cinza com um risco escarlate, contornos bem nítidos, deixando pegadas que são uma longa sucessão de estrelas exaustas, a congelar-se, o céu nublado refletido na praia vitrificada, quase branca... Perdemos os dois de vista. Ninguém ouviu aquelas primeiras conversas — não sobrevive sequer um instantâneo. Caminharam até que aquele inverno os ocultou, e era como se a própria Mancha, aquele estreito cruel, fosse congelar, e ninguém, nenhum de nós, jamais conseguisse encontrá-los por completo outra vez. Suas pegadas encheram-se de gelo, e pouco depois foram levadas pelo mar.

□□□□□□□

No silêncio, escondida, a câmara acompanha seus movimentos enquanto ela caminha sem rumo pelo cômodos, pernilonga, com ombros largos e arqueados de adolescente, cabelos que nada têm de austeridade holandesa, presos num penteado da moda, com uma velha coroa de prata baça, cabelos louríssimos que a permanente da véspera fixou em uma centena de vórtices, as quais brilham através da filigrana escura. Hoje a lente está totalmente aberta, uma luz de tungstênio extra está acesa; é o dia mais chuvoso dos últimos tempos, explosões distantes ao sul e ao leste de vez em quando repercutindo na casinha, sacudindo não as janelas encharcadas mas apenas as portas, que estremecem devagar três ou quatro vezes, como pobres almas, desesperadamente sequiosas de companhia, pedindo para entrar, só por um momento, um toque...

Ela está sozinha na casa, só ela e a câmara secreta e Osbie Feel, que está na cozinha, fazendo alguma coisa misteriosa com um punhado de cogumelos colhidos no telhado. Parecem xícaras de um vermelho alaranjado muito vivo, com manchas elevadas de um branco acinzentado, como um véu. De vez em quando a geometria de sua inquietude a faz olhar pela porta para Osbie, infantilmente ocupado com os exemplares de *Amanita muscaria* (pois é este curioso parente da espécie venenosa denominada "anjo exterminador" que está ocupando a atenção de Osbie, até onde se pode dizer que ele é dotado de atenção) —, e dirigir-lhe um sorriso que se pretende simpático mas que ele julga terrivelmente requintado, sofisticado, pecaminoso. Como ela é a primeira moça holandesa que ele já viu, Osbie surpreende-se ao ver que ela calça sapatos altos em vez de tamancos, e está na verdade um tanto deslumbrado com seu estilo alinhado e (pensa ele) europeu, a inteligência por trás dos olhos de cílios louros ou dos óculos escuros que ela ostenta na rua, por trás dos vestígios de gordura adolescente, das covinhas simétricas das bochechas. (Vista em close-up, sua pele, embora quase perfeita, revela uma pequena quantidade de pó de arroz e ruge, um leve escurecimento nos cílios, sobrancelhas com dois três folículos esvaziados...)

Mas o que será que o rapaz pretende fazer? Ele está cuidadosamente esfregando o interior de cada xícara cor de caqui e picando o resto. Um bando de gnomos sem-teto correm pelo telhado, cochichando. Agora Osbie tem diante de si uma pilha cada vez maior de cogumelos de um alaranjado fosco, que ele coloca, aos punhados, dentro de uma panela de água fervente. Uma leva anterior está fervendo em outra panela, já reduzida a uma consistência de mingau grosso, com uma espuma amarelada por cima, que Osbie agora retira e bate no liquidificador do Pirata. Em seguida, espalha a pasta de cogumelos sobre um tabuleiro de metal. Abre o forno, retira com pegadores de panelas de amianto outro tabuleiro recoberto com uma massa seca farelenta e o substitui pelo que acaba de preparar. Com um pilão, pulveriza a substância e a guarda numa lata velha de biscoitos Huntley & Palmers, deixando de fora apenas o suficiente para enrolar, com gestos precisos, num papel Rizla sabor alcaçuz, um cigarro, o qual ele em seguida acende e traga.

Mas ela olhou pela porta no momento exato em que Osbie abriu o forno ressonante. A câmara não registra nenhuma alteração em seu rosto, mas por que será que ela permanece tão imóvel à porta? como se a imagem fosse ser congelada e prolongada num movimento longitudinal de ouro novo e baço, inocência microscopicamente oculta, o cotovelo ligeiramente dobrado, a mão encostada na parede, os dedos esparramados sobre o papel alaranjado como se ela tocasse a própria pele, um toque pensativo... Lá fora, a chuva prolongada desce, em silício e gelo, batendo, desolada, lentamente corrosiva, nas janelas medievais, ocultando como se fosse fumaça a outra margem do rio. Esta cidade, em toda a sua extensão salpicada de crateras de bombas: esta vítima cheia de nós inesgotáveis... pele de telhados reluzentes de ardósia, tijolo úmido recoberto de fuligem em torno de cada janela escura ou iluminada, cada uma das milhões de aberturas vulneráveis à escuridão deste dia de inverno. A chuva lava, encharca, enche as sarjetas cantando, a cidade a recebe, num perpétuo dar de ombros... Com um rangido e um baque de metal, o forno é fechado outra vez, mas para Katje ele jamais se fechará. Ela posou tantas vezes diante dos espelhos hoje, sabe que seu penteado e sua maquiagem estão perfeitos, admira o vestido que lhe trouxeram da Harvey Nicholls, um crepe fino que desce das ombreiras até um ponto profundo entre os seios, um tom achocolatado que neste país é chamado de "crioulo", metros e metros desta seda deliciosa tecida e jogada, frouxamente amarrada na cintura, dobras macias caindo-lhe sobre os joelhos. O câmara está satisfeito de ver o efeito inesperado de tanto crepe ondulante, principalmente quando Katje passa diante de uma janela e a luz úmida que vem de fora transforma a vidraça, por alguns intervalos entre um e outro fechamento do obturador, em vidro sujo de carvão, antigo e castigado pelas intempéries, vestido, rosto, cabelo, mãos e pernas esguias transformam-se em vidro, imobilizados por um instante para o celuloide — guardiã translúcida de uma chuva atravessada o dia inteiro por foguetes caindo longe e perto, caindo, no chão escuro e destruído atrás dela que, no decorrer daqueles fotogramas, a define.

As imagens que Katje vê no espelho também lhe dão um prazer de fotógrafo, só que ela sabe o que o câmara não sabe: que dentro dela, por trás da superfície elegante do tecido caro e das células mortas, ela é corrupção e cinzas, ela faz parte, de uma maneira que nenhum deles imagina, cruelmente, do Forno... *Der Kinderofen*... lembrando agora os dentes dele, compridos, terríveis, eivados de podridão pardacenta enquanto diz estas palavras, os dentes amarelados do capitão Blicero, a textura de rachaduras manchadas, e no seu hálito noturno, no escuro forno de seu ser, sempre os sussurros enrodilhados da podridão... Ela lembra os dentes dele antes de qualquer outro detalhe, os dentes eram o que mais diretamente beneficiavam-se do Forno: do que foi planejado para ela, e para Gottfried. Ele nunca explicitou a coisa como uma ameaça, nem jamais se dirigiu para eles dois de modo direto, mas sim voltado para os convidados daquela noite por detrás das coxas de Katje, envoltas em cetim, ou por sobre a espinha dócil de Gottfried ("o Eixo Roma—Berlim" — assim ele o denominou na noite em que veio o italiano e estavam todos na cama redonda, o capitão Blicero espetado no cu de Gottfried virado para cima e o italiano ao mesmo tempo na boquinha mimosa dele), Katje apenas passiva, amarrada e amordaçada, de cílios falsos, servindo de travesseiro vivo para os cachos grisalhos e perfumados do italiano (rosas e gordura já quase tornando-se rançosa)... cada pronunciamento uma flor fechada, sujeita a exfoliação e a uma revelação infinita (Katje pensa numa função matemática que se expandirá para ela, feito uma flor, numa série de potências *sem termo geral*, infinitamente, obscuramente, se bem que nunca de um modo de todo inesperado)... a expressão *Padre Ignacio* dita por ele desdobrando-se em inquisidor espanhol, vestes negras, nariz aquilino moreno, cheiro sufocante de incenso + confessor/verdugo + Katje e Gottfried ajoelhados num confessionário escuro + crianças saídas do velho Märchen ajoelhadas, joelhos frios e doídos, diante do Forno, cochichando-lhe segredos que não podem contar a mais ninguém + a paranoia de bruxaria do capitão Blicero, desconfiado dos dois, apesar das credenciais da NSB de Katje + o Forno como ouvinte/vingador + Katje ajoelhada diante de Blicero transvestidérrimo, veludo negro e saltos altos, o pênis amassado invisível sob um suporte atlético de couro cor de carne por cima do qual ele usa uma boceta e pentelhos postiços de zibelina fabricados à mão em Berlim pela famosa Mme. Ophir, os falsos lábios e clitóris de um roxo vivo feitos de — Madame pedira desculpas do modo mais abjeto, alegando escassez de material — borracha sintética e mipolam, o novo cloreto de polivinila... minúsculas lâminas de aço inoxidável destacam-se da superfície rósea e úmida como carne, centenas delas, e nelas Katje, de joelhos, é obrigada a cortar os lábios e a língua, e depois com beijos estampar abstrações de sangue na tela virgem das costas de seu "irmão" Gottfried. Irmão no prazer, na escravidão... ela jamais o vira antes do dia em que veio pela primeira vez àquela casa apropriada perto da base de lançamento de foguetes, escondida entre os bosques e parques desta língua de pequenas fazendas e propriedades que se estende da cidade real em direção ao leste, a Wassenaar, entre dois pôlderes — no entanto o rosto dele, naquela primeira vez, visto ao sol do outono que entrava pela grande janela oeste da sala de visitas, ajoelhado, nu, com uma coleira de cachorro com tachões, masturbando-se metronomicamente, em obediência às ordens que lhe gritava o capitão Blicero, toda a sua pela clara manchada por uma luminosidade alaranjada sintética que antes ela jamais associara à pele humana, seu pênis um monolito sanguíneo, com uma boca aberta perfeitamente audível no silêncio acarpetado, o rosto erguido virado não para qualquer dos presentes e sim para algo que estivesse no teto, ou no céu que talvez o teto represente em sua visão, ele que a maior parte do tempo anda de olhos voltados para baixo — seu rosto, ascendendo, contraindo-se, gozando, é tão parecido com o que ela viu nos espelhos em toda a sua vida, seu próprio olhar cuidadoso de manequim, que ela prende a respiração, sente por um momento a percussão acelerada de seu coração, antes de voltar um olhar idêntico para Blicero. Ele fica deliciado. "Talvez", diz a ela, "eu corte o seu cabelo." Sorri para Gottfried. "Talvez eu o mande deixar crescer o dele." A humilhação seria boa para o rapaz todas as manhãs no alojamento, em forma com sua bateria perto do Schußstelle 3, onde outrora os cavalos corriam diante dos ansiosos aficionados, os perdedores, da antiga paz — sendo repreendido em todas as inspeções, e no entanto sempre sendo protegido da disciplina militar por seu capitão. Porém, em vez dela, sofrendo, entre lançamentos, dia ou noite, com o sono atrasado, nas horas mais irregulares, a "Hexeszüchtigung" imposta pelo capitão. Mas Blicero chegou mesmo a cortar o cabelo dela também? Disso Katje não se lembra mais. Lembra que usou o uniforme de Gottfried uma ou duas vezes (prendendo os cabelos, ah sim, dentro do boné de pala), ficando igualzinho a ele, passando as noites na "jaula", conforme as regras de Blicero, enquanto Gottfried usava as meias de seda dela, seu avental e sua touca de renda, todos os seus cetins e organdis com fitas. Mas depois ele tem sempre que voltar para a jaula. É assim. O capitão deixa bem claro quem, o irmão ou a irmã, é a criada, e quem é o ganso cevado.

Até que ponto Katje leva o jogo a sério? Quando se vive num país conquistado, que é seu próprio país, pensa ela, é melhor entrar numa versão formal e racionalizada do que, em outras circunstâncias, procede sem forma nem limite decente dia e noite, as execuções sumárias, os espancamentos, os subterfúgios, a paranoia, a vergonha... Ainda que a coisa nunca seja discutida abertamente por eles, ao que parece Katje, Gottfried e o capitão Blicero decidiram de comum acordo que esta forma setentrional e antiga, que todos eles conhecem, com que se sentem à vontade — as crianças perdidas no bosque, a bruxa com sua casa comestível, o cativeiro, a engorda, o Forno — será a rotina que os preservará, seu abrigo a protegê-los do que lá fora nenhum deles é capaz de suportar — a Guerra, o reino absoluto do acaso, o lamentável estado de contingência em que se encontram aqui, no meio do conflito...

Não estão a salvo, nem mesmo dentro da casa... quase todo dia um foguete falha. No final de outubro, não muito longe desta propriedade, um deles caiu para trás e explodiu, matando 12 homens da equipe de lançamento, quebrando janelas num raio de centenas de metros, inclusive a janela oeste da sala onde Katje viu pela primeira vez seu irmão de brincadeira. Segundo o boato oficial, fora apenas uma explosão de combustível e oxidante. Mas o capitão Blicero, com um prazer trêmulo — até mesmo niilista, ela diria —, contou que a carga de amatol na ogiva também havia explodido, de modo que aquele lugar era ao mesmo tempo campo de lançamento e alvo... Que todos eles estavam condenados. A casa fica a oeste do hipódromo de Duindigt, na direção oposta a Londres, mas nenhuma direção é totalmente protegida — com frequência os foguetes, enlouquecidos, viram-se aleatoriamente, com relinchos lancinantes, dão meia-volta e caem segundo sua própria loucura, uma loucura inalcançável e, ao que parece, incurável. Quando dá tempo, os homens que os lançaram os destroem, via rádio, enquanto eles estrebucham no ar. Entre um e outro lançamento de foguete vêm os bombardeios ingleses. Os Spitfires sobrevoam o mar escuro a baixa altitude à hora do jantar, enquanto os holofotes da cidade riscam o céu, as sirenes antiaéreas ainda pairam no ar acima dos bancos de ferro úmidos nos parques, as armas antiaéreas disparam, atarantadas, e chovem bombas no bosque, no pôlder, em apartamentos onde talvez haja soldados aquartelados.

Isso acrescenta uma nuança ao jogo, que muda de timbre ligeiramente. É Katje que, em algum momento futuro indefinido, terá de empurrar a Bruxa para dentro do Forno preparado para Gottfried. Assim, o capitão tem de levar em conta a possibilidade de que ela seja uma espiã britânica, ou um membro da resistência holandesa. Apesar de todos os esforços dos alemães, continua a haver uma torrente ininterrupta de informações sigilosas da Holanda para o comando dos bombardeios da Royal Air Force, falando de disposições de tropas, rotas de abastecimento, explicando qual o arvoredo verde-escuro que talvez abrigue uma plataforma de A4s — dados que mudam a cada hora, de tão móveis que são os foguetes e seus equipamentos de apoio. Mas os Spitfires se contentam com uma central elétrica, um depósito de oxigênio líquido, o alojamento de um comandante de bateria... esta é a questão fascinante. Será que Katje um dia sentirá que sua obrigação foi cancelada quando, um belo dia, atrair bombardeiros ingleses para esta exata casa, sua prisão de brinquedo, ainda que isto implique sua própria morte? O capitão Blicero não pode ter certeza quanto a isso. Até certo ponto, essa agonia o delicia. Sem dúvida, a passagem de Katje pela equipe de Mussert foi impecável, ela teria descoberto pelo menos três famílias criptojudaicas, ela comparece às reuniões assiduamente, ela trabalha numa estância da Luftwaffe perto de Scheveningen, onde seus superiores a consideram eficiente, bem-humorada e trabalhadeira. Ao contrário de muita gente, Katje não usa o fanatismo pelo Partido para encobrir incompetência. Talvez um único possível senão: seu compromisso com o Partido não é emocional. Ao que parece, tem motivos que a levaram a tornar-se membro... Uma mulher com alguma base em matemática, e com motivos... "Querer a Mudança", dizia Rilke, "Ah, ser inspirado pela Chama!" Ao louro, ao rouxinol, ao vento... querê-la, ser levada, abraçar, cair em direção à chama que cresce, abarcando todos os sentidos, e... não amar por não ser mais possível agir... porém ver-se num estado inevitável de amor...

Mas não Katje: essa não mergulha como a mariposa. Ele é forçado a concluir que, em seu íntimo, ela teme a Mudança, e prefere limitar-se a rever o que há de menos importante, ornamentos e roupas, não indo além de um transvestimento político, assumindo não apenas os trajes de Gottfried mas também o tradicional uniforme masoquista, as roupas de criada francesa tão inadequadas a sua estatura alta, pernas longas, cabelos louros, ombros anelantes como asas — ela apenas brinca... brinca de estar brincando.

O capitão Blicero não pode fazer nada. Num Reich moribundo, ordens que se reduzem à impotência do papel, ele precisa muito dela, precisa de Gottfried, das correias e chicotes de couro, concretos em suas mãos que ainda sentem, os gritos dela, os vergões vermelhos nas nádegas do rapaz, as bocas dos dois, o pênis, os dedos das mãos e dos pés dele — durante todo o inverno ele pode certamente contar com todas essas coisas — ele não pode apresentar razões, porém em seu coração confia, talvez agora apenas, na forma, apenas isso de todas as Märchen und Sagen, confia que esta casa encantada no meio da floresta será preservada, que é impossível cair uma bomba aqui por acidente, só se houvesse uma traição, só se Katje fosse mesmo uma espiã dos ingleses e dissesse a eles — e ele sabe que isso ela não pode fazer: que graças a alguma mágica, por debaixo da ressonância óssea de toda e qualquer palavra, um ataque britânico é a única forma proibida de todos os empurrõezinhos para dentro do verão férreo e final do Forno. Seu destino há de vir, sim... não dessa maneira — porém virá... *Und nicht einmal sein Schritt klingt aus dem tonlosen Los*... De toda a poesia de Rilke, é a Décima Elegia que ele mais ama, ele sente a cerveja amarga da Ânsia começar a arder-lhe atrás dos olhos e narinas, ao lembrar alguma passagem da... o jovem recém-morto, abraçando sua Lamentação, seu último vínculo, abandonando agora e para todo o sempre até mesmo seu toque marginalmente humano, subindo a sós, terminalmente sozinho, as montanhas da montanha da Dor primeva, sob um céu cheio de constelações estranhíssimas... *E nem uma só vez seu passo ressoa no Destino silencioso*... É ele, Blicero, que sobe a montanha, que sobe esta montanha há quase 20 anos, desde muito antes de abraçar a chama do Reich, desde o Südwest... sozinho. Independentemente da carne que houvesse para aplacar a Bruxa, o canibal, o feiticeiro, todos os implementos da dor — sozinho, sozinho. Ele nem conhece a Bruxa ou Bruxo, não compreende a fome que a/o define, sente-se apenas, em momentos de fraqueza, perplexo de constatar que a fome coexiste com ele-mesmo em seu corpo. Um atleta e sua arte, duas consciências separadas... O jovem Rauhandel, ao menos, dissera isso... quantos anos antes, no tempo da paz... Blicero via seu jovem amigo (mesmo naquele tempo condenado de modo tão gritante, tão patético, a alguma espécie de Frente Oriental) dentro de um bar, na rua, usando qualquer terno desajeitado, qualquer par de sapatos frágeis, reagir com toda a elegância à bola de futebol que os gozadores, reconhecendo-o, lhe jogavam sem mais nem menos — os desempenhos imorredouros! aquela chuteira improvisada levantada tão alto, tão perfeitamente parabólica, a bola subindo quilômetros e passando exatamente entre as duas colunas altas, fálicas e elétricas do Ufatheater na Friedrichstrasse... o cabeceio perfeito que exibia enquanto caminhava quarteirões, durante horas, os pés tão expressivos quanto um poema... No entanto não conseguia fazer mais do que sacudir a cabeça, querendo ser simpático quando lhe perguntavam, porém sem conseguir dizer outra coisa que não — "Acontece... os músculos é que fazem tudo...", depois, relembrando as palavras de um velho treinador, "é muscular", com um belo sorriso e já, no exato instante, recrutado, já transformado em bucha de canhão, a luz fraca do bar iluminando a rede de difração do crânio raspado — "são os reflexos, você entende... Não sou eu... Só os reflexos." Quando foi que a coisa começou a mudar para Blicero, naqueles tempos, de concupiscência para simples tristeza, uma tristeza tão estúpida quanto a perplexidade de Rauhandel com seu próprio talento? Ele vira tantos Rauhandels, especialmente a partir de 39, recebendo os mesmos convidados misteriosos, estranhos, muitas vezes não mais misteriosos do que o dom de estar sempre onde as bombas não caíam... Será que algum *deles*, dessas matérias-primas, realmente "quer a Mudança"? Será que eles sabem? Blicero duvida... Seus reflexos estão apenas sendo usados, centenas de milhares ao mesmo tempo, pelos outros — pelas mariposas magníficas inspiradas pela Chama. Blicero perdeu há muitos anos toda a sua inocência em relação a essa questão. Assim, seu destino é o Forno: enquanto as crianças perdidas, que jamais souberam, que só mudam de uniforme e carteira de identidade, hão de sobreviver e prosperar muito depois que ele partir através da chaminé, reduzido a gás e cinzas. É assim. Um Wandervogel nas montanhas da Dor. A coisa vem se prolongando há muito tempo, tempo demais, ele escolheu o jogo apenas pelo tipo de fim que lhe haverá de proporcionar, nicht wahr? velho demais agora, as gripes levam mais tempo para passar, o estômago com frequência o tortura o dia todo, os olhos cada vez mais cegos a cada exame, "realista" demais para preferir uma morte de herói ou mesmo de soldado. Agora só deseja escapar do inverno, para dentro do Forno com seu calor, sua escuridão, sua proteção de aço, a porta atrás dele um retângulo de luz de cozinha a adelgaçar-se mais e mais, batendo com um estrondo, para todo o sempre. O resto são carícias pré-coito.

Porém ele se preocupa, mais do que deveria, e sem entender por que se preocupa, com as crianças — com o que as motiva. Imagina que procuram a liberdade, com a mesma ânsia que o impele para o Forno, e uma perversidade tamanha o obceca e deprime... vez após vez ele retorna à imagem inútil e sem sentido do que era outrora uma casa na floresta, agora reduzida a migalhas de pão e manchas de açúcar, o Forno indomável a única coisa que resta, e as duas crianças, o auge de energia deliciosa já passado, a fome começando outra vez, a desaparecer no verde amorfo das árvores... Aonde irão, onde passarão a noite? A improvidência das crianças... e o paradoxo civil desse Pequeno Estado delas, que se fundamenta no mesmo Forno que o destruirá...

Mas todo deus de verdade é ao mesmo tempo organizador e destruidor. Criado num meio cristão, ele teve dificuldade de compreender isso, até que foi para o Südwest: até sua conquista africana. Entre os fogos abrasivos do Kalahari, sob o céu de faixas largas da costa, fogo e água, ele aprendeu. O rapaz herero, que anos antes aprendera com os missionários a atormentar-se com o medo de pecados cristãos, fantasmas de chacais, poderosas hienas europeias que o perseguiam, querendo devorar-lhe a alma, o verme precioso que vivia junto a sua espinha dorsal, agora tentava aprisionar seus antigos deuses, prendê-los em arapucas de palavras, dá-los de presente, selvagens, paralisados, àquele branco estudioso que parecia tão apaixonado pela linguagem. Levando em sua bagagem um exemplar das *Elegias de Duíno*, recém-publicadas quando ele embarcou para o Südwest, presente que a mãe lhe dera no embarque, o cheiro de tinta fresca entontecendo-lhe as noites enquanto o velho navio de frete atravessava um trópico e depois o outro... até que as constelações, como as novas estrelas do país da Dor, se tornaram todas desconhecidas, e as estações do ano inverteram-se... e ele desembarcou num barco de madeira de proa alta que 20 anos antes trouxera soldados de calças azuis do ancoradouro de ferro para esmagar o grande Levante dos Herero. Para encontrar, no interior, numa extensão de montanhas irregulares entre o Namib e o Kalahari, seu nativo fiel, sua flor da noite.

Uma expansão inexpugnável de rocha castigada pelo sol... quilômetros de cânions sinuosos que não davam em parte alguma, com areia branca no fundo que, ao cair das longas tardes, ganhavam um tom frio e nobre de azul... *Vamos fazer Ndjambi Karunga agora, omuhona...* um sussurro por entre os galhos ardentes e espinhosos onde o alemão exorciza as energias presentes na escuridão além do alcance do fogo com seu livro fino. Ele levanta a vista assustado. O rapaz quer foder, porém está usando o nome herero de Deus. O homem branco sente um arrepio gélido. Ele acredita, tal como a Sociedade Missionária do Reno que corrompeu este rapaz, em blasfêmia. Especialmente aqui, no meio do deserto, onde perigos que ele não ousa mencionar sequer na cidade, mesmo à luz do dia, reúnem-se a sua volta, as asas dobradas, as nádegas tocando a areia fria, esperando... Hoje ele sente a potência de cada palavra: as palavras estão a apenas um piscar de olhos das coisas a que se referem. O perigo de enrabar o garoto sob a ressonância do Nome sagrado lhe enche de uma volúpia insana, volúpia no rosto — a máscara — do talião instantâneo vindo da escuridão em torno do fogo... mas para o garoto, Ndjambi Karunga é o que acontece quando eles copulam, só isso: Deus é criador e destruidor, sol e escuridão, todos os opostos reunidos, inclusive preto e branco, macho e fêmea... e ele se torna, em sua inocência, filho de Ndjambi Karunga (tal como todo o seu clã de preteridos, implacáveis, além de sua própria história), aqui sob o suor do europeu, sob suas costelas, os músculos de seu ventre, seu caralho (os músculos do rapaz permanecem ferozmente tensos durante horas, ao que parece, como se ele tivesse a intenção de matar, mas nem uma palavra, só as fatias longas, clônicas, espessas da noite, a passar por cima de seus corpos).

O que era ele para mim? O capitão Blicero sabe que o africano está neste momento do outro lado da Alemanha, nos confins do Harz, e que, se ele se fechar no Forno neste inverno, eles já disseram auf Wiedersehen pela última vez. O estômago formigando, as glândulas repletas de mal-estar, ele debruça-se sobre o console, dentro do carro de controle de lançamento com pintura de camuflagem. Os sargentos que comandam os painéis do motor e da direção deram uma saída para fumar um cigarro — ele está sozinho com os controles. Lá fora, ele vê através do periscópio sujo, a neblina desvencilha-se da zona luminosa de geada que cinge como um arreio o foguete empinado na sombra, onde o tanque de oxigênio líquido está sendo completado. As árvores formam um círculo apertado: lá no alto há só uma nesga de céu por onde o foguete pode sair. A Bodenplatte — uma plataforma de concreto recoberta com tiras de aço — fica num espaço delimitado por três árvores marcadas de modo a indicar por triangulação a direção exata de Londres, 260°. O símbolo utilizado é uma mandala grosseira, um círculo vermelho com uma cruz negra e espessa dentro, o velho símbolo do sol a partir do qual, reza a tradição, os cristãos primitivos destacaram a suástica, para disfarçar seu emblema proscrito. Dois pregos estão cravados na árvore no centro da cruz. Ao lado de uma das marcas pintadas, a que fica mais a oeste, alguém riscou na casca da árvore, com a ponta de uma baioneta, as palavras IN HOC SIGNO VINCES. Ninguém da bateria admite que cometeu este ato. Talvez seja obra da Resistência. Porém ninguém mandou apagar a inscrição. Em torno da Bodenplatte há tocos de árvores com o topo amarelento, cobertos de lascas recentes e serragem misturadas com folhas secas caídas há mais tempo. O cheiro, infantil e profundo, confunde-se com o de gasolina e álcool. Ameaça chover, talvez nevar. Os homens da equipe andam de um lado para o outro, nervosos, verde-cinza. Cabos de borracha negra reluzente serpenteiam mata adentro, conectando o equipamento da base com a rede elétrica da Holanda, de 380 volts. *Erwartung*...

Por algum motivo, de uns dias para cá lembrar tornou-se mais difícil. O que aparece, desfocado pela sujeira, através dos prismas, o ritual, a iteração cotidiana dentro dessas clareiras triangulares recém-abertas nas florestas, ocupou o espaço por onde antes a memória fazia suas caminhadas sem rumo, colhendo imagens inocentemente. O tempo que ele passa fora dali, com Katje e Gottfried, torna-se mais curto e precioso à medida que se intensificam os lançamentos de foguetes. Embora o rapaz esteja na unidade de Blicero, o capitão quase não o vê quando estão em serviço — um brilho dourado que ajuda os agrimensores a ligar a base à estação de transmissão a quilômetros dali, seus cabelos ao vento como uma vela bruxuleante, desaparecendo em meio às árvores... Curioso, o oposto do africano — um negativo seu, amarelo e azul. O capitão, movido por algum transbordamento sentimental, alguma precognição, deu a seu garoto africano o nome de "Enzian", a genciana montanhesa de cores nórdicas de que fala Rilke, trazida aos vales como uma palavra pura:

Bringt doch der Wanderer auch vom Hangen des Bergrands
nich eine Hand voll Erde ins Tal, die alle unsägliche, sondern
ein erworbenes Wort, reines, den gelben und blaun
Enzian.

"Omuhona... Olhe para mim. Sou vermelho e marrom... *negro*, omuhona..."

"Liebchen, isto aqui é a outra metade da terra. Na Alemanha você seria amarelo e azul." Metafísicas especulares. Encanto pelo que imagina ser elegância, suas simetrias livrescas... E no entanto por que falar tão à toa para a montanha árida, o calor do dia, a flor selvagem da qual ele bebia infinitamente... por que perder *aquelas* palavras na miragem, o sol amarelo e as sombras azuis gélidas nas ravinas, se não fosse por profecia, além de toda síndrome de pré-desastre, além do terror de antever a meia-idade mesmo que por um instante, mesmo que não houvesse qualquer possibilidade de "prover" — *além* era uma coisa arfante, palpitante, eternamente abaixo, diante de suas palavras, algo portanto que antevia um tempo vindouro terrível, *ao menos* tão terrível quanto este inverno e a forma que a Guerra agora assumiu, uma forma que torna inevitável a forma de uma última peça de quebra-cabeça: este jogo do Forno com o rapaz louro e de olhos azuis e seu duplo silencioso, Katje (*quem* lhe fazia contraponto no Südwest? que jovem negra nunca vista por ele, sempre oculta no sol ofuscante, a passagem rouca e saibrosa dos trens à noite, uma constelação de estrelas escuras a que ninguém, nenhum anti-Rilke, jamais dera nome...) — mas em 1944 já era tarde demais para que essas coisas tivessem qualquer importância. Essas simetrias eram luxos do tempo de antes da guerra. Agora já não lhe resta nada para profetizar.

Principalmente o fato de que ela abandonaria o jogo de repente. A única variação que ele não antevira, talvez por não ter jamais visto a moça negra também. Talvez a moça negra seja um gênio de metassoluções — derrubar o tabuleiro de xadrez, dar um tiro no juiz. Mas depois do ato de ferir, quebrar, o que será do pequeno Estado do Forno? Não será possível consertá-lo? Talvez uma forma nova, mais apropriada... o arqueiro e seu filho, e a flecha na maçã... sim, sendo a própria Guerra o rei tirânico... ainda dá para salvar, sim, remendar, reatribuir papéis, não há por que correr para fora, onde...

Gottfried, dentro da jaula, vê-a tirar suas amarras e sair. Claro e esguio, pernas com pelos que só aparecem à luz do sol e mesmo assim como uma rede fina e imponderável de ouro, as pálpebras já enrugando-se em curiosas assinaturas jovens/velhas, floreios, olhos de um tom de azul raramente encontrado que, em certos dias, em sincronia com o céu, é demais para aquelas bordas amendoadas e transborda, sangra de modo a iluminar todo o rosto do rapaz, azul-virgem, azul-afogado, azul desenhado tão insaciavelmente nas paredes de giz das ruas mediterrâneas por onde passeávamos silenciosos de bicicleta ao meio-dia, no antigo tempo da paz... Ele não pode detê-la. Se o capitão perguntar, ele contará o que viu. Gottfried já a viu sair às escondidas antes, e há boatos — ela está na Resistência, ela está apaixonada por um piloto de Stuka que conheceu em Scheveningen... Mas ela deve amar o capitão Blicero também. Gottfried considera-se um observador passivo. Ele esperou a chegada de sua idade atual, e a convocação militar, com um terror desavergonhado, como quem vê a aproximação de uma curva que pretende fazer pela primeira vez controlando os esquis, *me leve*, ganhando velocidade até o último momento possível, *me leve* era sua única prece noturna. O perigo que ele julga precisar ainda é fictício para ele: naquilo com que brinca e flerta a morte não é um desfecho verdadeiro, o herói sempre sai andando do núcleo da explosão, com o rosto negro de fuligem porém sorrindo — a explosão é barulho e mudança, e jogar-se no chão para se proteger. Gottfried até agora não viu nenhum defunto, pelo menos não de perto. De vez em quando recebe notícias da família de que morreu algum amigo seu, ele já viu à distância sacos de lona compridos e moles sendo colocados dentro do cinzento envenenado dos caminhões, e os faróis furando a névoa... mas quando os foguetes falham, e tentam cair para trás em cima de quem os disparou, e dez homens se amontoam, corpos apertados uns contra os outros na trincheira estreita, esperando, o cheiro de lã suada, tensos de riso contido, a única coisa em que se pensa é — Que história boa para contar na hora do rancho, numa carta à Mutti... Esses foguetes são seus bichos de estimação, semidomesticados, que dão muitos problemas, capazes a qualquer momento de voltar ao estado selvagem. Gottfried os ama como amaria cavalos ou tanques Tigre se tivesse ido servir em outro lugar.

Aqui ele sente que o *levaram*, sim, sente-se realmente à vontade. Sem a Guerra o que ele poderia esperar? Mas fazer parte *desta* aventura... *Se você não sabe cantar Siegfried pelo menos você sabe carregar uma lança.* Em que encosta, de que rosto adorado, queimado de sol, ele ouviu esta frase? Só se lembra da extensão alva a sua frente, dos campos acolchoados amontoados de nuvens... Agora está aprendendo um ofício, cuidar de foguetes, e quando a Guerra acabar ele vai estudar engenharia. Gottfried sabe que Blicero vai morrer ou desaparecer, e que ele vai sair da jaula. Porém associa isso ao fim da Guerra, não ao Forno. Sabe, como todo mundo, que as crianças cativas são sempre soltas no momento de perigo máximo. As fodas, o volume salgado do pênis cansado e muitas vezes impotente do capitão entrando em sua boca dócil, o ardor dos castigos, seu próprio rosto refletido nas botas do capitão quando ele as beija, botas cujo brilho é manchado e corroído por graxa, óleo, álcool que respinga na hora de abastecer os foguetes, escurecendo seu rosto de tal modo que ele não o reconhece — essas coisas são necessárias, são elas que tornam específico seu cativeiro, o qual sem elas seria praticamente igual ao sufoco e à repressão da vida militar. Ele envergonha-se de gostar tanto delas — a palavra *puta*, quando pronunciada num certo tom de voz, agora lhe provoca uma ereção incontrolável —, teme que, mesmo que não venha a ser julgado e condenado, tenha enlouquecido. Toda a bateria sabe dessas práticas: embora ainda obedeçam ao capitão, a verdade está estampada em seus rostos, ele a sente no tremor de suas mãos ao estender as trenas, respingando em sua bandeja no refeitório, na manga direita de sua túnica em cada formatura de seu pelotão. Ultimamente ele tem sonhado sempre com uma mulher muito pálida que o deseja, que nunca fala — mas a confiança absoluta em seus olhos... a certeza terrível que ele tem de que ela, uma celebridade que todos reconhecem de imediato, o conhece e não tem motivo para falar com ele além do pedido estampado em seu rosto, essa certeza o faz despertar tenso no meio da noite, o rosto exausto do capitão a poucos centímetros do seu, na outra ponta da seda de prata amarrotada, olhos fracos tão fixos quanto os seus, suíças que de repente ele se sente compelido a apertar contra suas faces, soluçando, tentando dizer-lhe como era ela, o jeito como *ela o olhava*...

O capitão já a viu, é claro. Quem não a viu? Para confortá-lo, ele diz ao menino: "Ela existe de verdade. Você tem que obedecer. Você tem que entender que ela quer você para ela. Não adianta acordar gritando, me incomodando desse jeito".

"Mas e se ela *voltar* —"

"Se entregue, Gottfried. *Se entregue por completo*. Veja aonde ela vai levá-lo. Pense na primeira vez que eu fodi você. Como você estava todo tenso. Até perceber que eu ia gozar dentro de você. Aí seu botãozinho se abriu em flor. Você não tinha nada, a essa altura nem mais a inocência da sua boca, a perder..."

Mas o garoto continua a chorar. Katje não o ajuda. Talvez esteja dormindo. Ele nunca sabe. Quer ser amigo dela, mas quase nunca conversam. Katje é fria, misteriosa, ele tem ciúmes dela às vezes, e às vezes — normalmente quando quer fodê-la e, por conta de algum estratagema do capitão, não pode — nessas vezes ele acha que a ama desesperadamente. Ao contrário do capitão, nunca a vê como a irmã fiel que vai libertá-lo da jaula. Sonha com essa libertação, mas como um Processo obscuro e exterior que vai acontecer, independentemente da vontade de todos eles. Assim, quando Katje abandona o jogo para sempre, ele se cala.

Blicero a maldiz. Joga uma fôrma de bota em cima de um precioso TerBorch. Caem bombas ao oeste, no Haagsche Bosch. O vento agita a superfície dos lagos ornamentais lá fora. Carros da base partem rosnando, descendo a longa alameda de faias. A meia-lua brilha entre nuvens esgarçadas, e sua metade escura tem cor de carne velha. Blicero manda todos recolherem-se ao abrigo, um porão cheio de jarros de gim, engradados de bulbos de anêmonas. Aquela puta colocou sua bateria na mira dos ingleses, o bombardeio pode começar a qualquer momento! Todo mundo fica tomando oude genever e descascando queijo. Contando casos, engraçados em sua maioria, dos tempos de antes da Guerra. Quando o dia nasce, estão todos bêbados, adormecidos. Pedaços de cera espalhados pelo chão como folhas. Não veio nenhum Spitfire. Mas naquela mesma manhã o Schußstelle 3 é transferido, e a casa requisitada é abandonada. E Katje sumiu. Passou para o território controlado pelos ingleses, no saliente onde a grande aventura aérea aguarda o fim do inverno, com as botas de Gottfried e um vestido velho, de moiré preto, que lhe bate nas canelas, grande demais para ela, maria-mijona. Seu último disfarce. De agora em diante, ela será Katje. A única dívida que ainda tem é com o capitão Prentice. Os outros — Piet,

Wim, o tambor, o índio — todos a abandonaram. Como se ela estivesse morta. Ou então é a maneira de ela dizer que —

"Não, desculpe, nós precisamos da bala", o rosto de Wim numa escuridão à qual os olhos dela não conseguem se ajustar, cochichando feroz embaixo do molhe de Scheveningen, pisado pelos pés de uma multidão esfarrapada, "cada bala é preciosa. Precisamos do silêncio. Não dá para despachar um homem para se livrar do corpo. Já desperdicei cinco minutos com você..." e assim ele dedica seu último encontro com ela a assuntos técnicos que já não interessam mais à moça. Quando Katje olha a sua volta, ele já sumiu, silencioso como um guerrilheiro, e ela não consegue harmonizar este incidente com o corpo dele em suas mãos por algum tempo no ano passado sob a colcha de chenile, no tempo em que ele ainda não tinha tantos músculos, nem as cicatrizes no ombro e na coxa — um homem neutro, que demorou a aderir, só depois que foi incitado além de seus limites, mas ela o amara antes desse tempo... ela deve ter amado...

Agora Katje não vale mais nada para eles. O que eles queriam era o Schußstelle 3. Ela lhes deu tudo o mais, mas sempre achava motivos para não lhes dar a localização exata do campo de lançamento do capitão, e agora eles desconfiam de seus motivos. É bem verdade que o campo vivia mudando de lugar. Mas ela não poderia ter estado mais próxima do centro das decisões: era o rosto dela, rosto vazio de criada, que se debruçava sobre a mesa coberta de copos de gim e charutos, os mapas estendidos sobre as mesas baixas cheias de marcas de café, papéis creme manchados de roxo como carne contundida. Wim e os outros investiram tempo e vidas — três famílias judias mandadas para o leste —, se bem que, espere aí, ela mais do que compensou isso, não é, nos meses que passou em Scheveningen? Eram garotos, neuróticos, solitários, pilotos e soldados, todas adoravam falar, e ela passou o equivalente a deus sabe quantos maços de papéis de informações Ultrassecretas para o outro lado do mar do Norte, não é mesmo, efetivos de esquadrões, pontos de reabastecimento, técnicas para recuperar o controle da aeronave, raios de viragem, frequências de rádio, setores, padrões de tráfego — não é? O que mais eles querem? Ela faz essa pergunta a sério, como se existisse um fator de conversão entre informações e vidas. Pois bem, por estranho que pareça, existe, sim. Consta do Manual, arquivado no Departamento da Guerra. Não esqueça que no fundo a Guerra é uma operação de compra e venda. Os assassinatos e atos de violência se autopoliciam, podendo ser confiados a amadores. A natureza massificadora da morte em tempo de guerra é útil sob diversos aspectos. Serve como espetáculo, para desviar a atenção dos verdadeiros movimentos da Guerra. Fornece matéria-prima para ser registrada na História, de modo que crianças futuras possam estudar a História como sequências de violências, batalha após batalha, e desse modo preparar-se melhor para a vida adulta. O melhor de tudo é que a morte em massa estimula as pessoas comuns, os pequeninos, a tentar agarrar uma fatia do tal Bolo enquanto ainda estão aqui e podem comer. A verdadeira guerra é uma comemoração de mercados. Mercados orgânicos, que os profissionais têm o cuidado de rotular de "negros", surgem por toda parte. Libras esterlinas, marcos, ações continuam a circular, solenes como num balé clássico, em suas antissépticas câmaras de mármore. Mas aqui embaixo, no meio do povo, surgem moedas mais verdadeiras. Assim, os judeus são negociáveis. Exatamente como cigarros, bocetas, barras de chocolate. Os judeus também contêm um elemento de culpa, de chantagem futura, que atua, está na cara, em favor dos profissionais. Assim, Katje está gritando num vazio, um mar do Norte de esperanças, e o Pirata Prentice, que a conhece de encontros apressados — em praças que conseguem ao mesmo tempo evocar quartéis e inspirar claustrofobia, debaixo de escadas de madeira escura, que cheiram a pinho, íngremes como escadas de mão, num navio de velas quadradas junto a um cais sujo de óleo e os olhos de âmbar de um gato olhando para eles, num prédio de apartamentos velho, chovendo no pátio interno, e uma Schwarzlose antiga e grandalhona reduzida a cavilhas e bomba a óleo espalhadas pela sala empoeirada —, que a cada vez a vê como um rosto junto de outros que ele conhece melhor, sempre nas margens do que está acontecendo, agora, ao ver esse rosto fora de contexto, um céu enorme só cheio de nuvens avançando do mar em formação cerrada, altas e rechonchudas, atrás dela, detecta perigo na solidão em que ela se encontra, dá-se conta de que nunca ouviu seu nome, até o encontro junto ao moinho de vento conhecido como "o Anjo"...

Ela lhe explica por que está sozinha — mais ou menos —, por que não pode nunca mais voltar, e seu rosto está em outro lugar, pintado numa tela, pendurada junto com outras sobreviventes lá na casa perto de Duindigt, apenas assistindo ao jogo do Forno — séculos se passam como as nuvens arroxeadas, escurecendo uma camada infinitesimal de verniz entre ela e o Pirata, concedendo a ela o escudo de serenidade que lhe é necessário, de irrelevância clássica...

"Mas para onde você vai?" Os dois de mãos nos bolsos, os pescoços bem agasalhados com cachecóis, pedras que a água deixou para trás de um negro reluzente aguardam como um escrito num sonho, prestes a fazer sentido, impressas ali na praia, cada fragmento extraordinariamente nítido, e no entanto...

"Não sei. Você sugere um bom lugar?"

"'A Aparição Branca'", disse o Pirata.

"'A Aparição Branca', combinado", disse ela, e deu um passo em direção ao vazio...

"Osbie, será que eu enlouqueci?" noite de neve, cinco foguetes caíram desde o meio-dia, estremecendo na cozinha, já é tarde, luz de velas, Osbie Feel, o idiot-savant da casa, tão enlouquecido de noz-moscada esta noite que o questionamento parece apropriado, o pálido Jungfrau de cimento achatado, fleumático e, ao que parece, irritado num canto.

"É claro, é claro", diz Osbie, com um fluido movimento de dedos e punho baseado no gesto com que Bela Lugosi entregava um certo copo de vinho dopado a um ator adolescente idiota em *O zumbi branco*, o primeiro filme que Osbie viu na vida e, num certo sentido, o último, que consta da sua lista dos Maiores de Todos os Tempos juntamente com *O filho de Frankenstein*, *Monstros*, *Voando para o Rio* e talvez *Dumbo*, que ele foi ver na Oxford Street ontem à noite, mas no meio do filme viu, em vez de uma pena mágica, o rosto mal-humorado verde e magenta do senhor Ernest Bevin enrolado na tromba gorducha do filhote de elefante de longos cílios, e achou que seria mais prudente sair. "Não", pois que neste ínterim o Pirata entendeu errado o que quer que Osbie tenha dito, "não quis dizer 'é claro que você enlouqueceu, Prentice', nada disso..."

"Então o quê", pergunta o Pirata, depois que o lapso de Osbie atinge a marca de um minuto.

"Hã?" exclama Osbie.

O que há é que o Pirata está com a pulga atrás da orelha. Ele relembra que Katje agora evita qualquer menção à casa na floresta. Ela olhou para dentro e para fora, mas as camadas de cristal da verdade difrataram todas as suas palavras audíveis — muitas vezes até as lágrimas — e ele não entende bem o que é dito, muito menos consegue inferir o que seria o cristal radiante em si. Afinal, por que foi que ela saiu do Schußstelle 3? Isso ela não explica. Mas de vez em quando, os participantes de um jogo, numa calmaria ou numa crise, lembram-se de que, afinal de contas, é só um jogo — e então não conseguem mais continuar no mesmo pique... Também não precisa ser nada repentino, espetacular — pode vir aos poucos —, e seja qual for o escore, o número de espectadores, a vontade coletiva deles, as penas que possam vir a ser impostas por eles ou pelas Federações, o jogador, despertando deliberadamente, talvez com um dar de ombros e um passo firme de jovem durão e sozinho, tal como Katje, diz *vão se foder* e larga o jogo, sem mais nem menos...

"Está bem", ele continua sozinho, Osbie perdido num sorriso besta de drogado, contemplando a pele de neve da mulher alpina no canto, ele e o pico congelado no alto e a noite azul... "então é um defeito de caráter, uma mania. Como andar com a porra do Mendoza." Fora ele, todo mundo na Firma usa Sten, é claro. O Mendoza pesa o triplo, e ninguém nem encontra mais munição de 7 mm para o Mauser mexicano, nem mesmo na Portobello Road: não tem aquela grandiosa simplicidade nem a mesma cadência e no entanto ele o ama (é, hoje em dia é mais uma questão de amor), "sabe, você tem que pesar as vantagens e as desvantagens", a nostalgia do engatilhamento linear, igual ao da Lewis, e também poder tirar o cano em um segundo (já tentou tirar o cano de uma Sten?), e o percussor duplo para o caso de um deles quebrar... "Por isso eu não ligo para o peso, entende? É a minha *mania*, eu não ligo para peso, senão eu não teria trazido aquela garota para cá, é ou não é?"

"Você não é responsável por mim." Uma estátua de veludo *façonné* cor de vinho do pescoço aos punhos aos pés, e há quanto tempo, prezados senhores, ela não estará assistindo a tudo das sombras?

"Ah", o Pirata, virando-se, sem graça. "Mas sou, sim."

"O jovem casalzinho!" Osbie rosna de repente, tomando mais uma pitada de noz-moscada como se fosse rapé, revirando os olhos, brancos como a montanha em miniatura. Espirrando alto na cozinha, de repente parece-lhe incrível estas duas pessoas estarem ao mesmo tempo em seu campo de visão. O rosto do Pirata escurecendo de constrangimento, o de Katje impassível, metade iluminada pela luz que vem do outro cômodo, a outra imersa numa sombra cor de ardósia.

"Então eu devia ter largado você lá?" e quando ela se limita a apertar os lábios, impaciente, "ou você acha que alguém aqui tinha uma dívida moral, uma obrigação de trazer você?"

"Não." Agora ele conseguiu atingi-la. O Pirata só perguntou porque começam a brotar-lhe negras suspeitas sobre a existência de diversos Alguéns Aquis. Mas para Katje as dívidas têm que ser eliminadas. Seu velho vício incorrigível — ela quer cruzar mares, vincular países entre os quais não pode haver nenhuma taxa de câmbio. Os ancestrais dela cantavam, em holandês médio,

> ic heb u liever dan ên everswîn,
> al waert van finen goude ghewracht,

amor que não pode ser medido em termos de ouro, bezerro de ouro, até mesmo, nesse caso, porcos de ouro. Mas em meados do século XVII já não havia porcos de ouro, só de carne, tão mortal quanto a de Frans van der Groov, outro ancestral, que foi para as ilhas Maurício com um navio cheio de porcos vivos e perdeu treze anos de sua vida perambulando pelas florestas de ébano munido de seu haakbus, atravessando pântanos e lençóis de lava, sistematicamente matando os dodós nativos por motivos que ele não seria capaz de explicar. Os porcos holandeses davam cabo dos ovos e dos filhotes. Frans cuidadosamente mirava nos pais a 10 ou 20 metros de distância, apoiando a arma no gancho, lentamente puxando o gatilho, fixando a vista na ave horrenda, enquanto mais perto de seu rosto, no estopim, embebido em vinho, preso nos dentes da serpentina, uma rosa de fogo ia descendo, o calor junto a seu rosto era *como uma estrelinha só minha*, escreveu ele para Hendrik, seu irmão mais velho, *a estrela de meu Signo*... descobrindo a escorva que antes ele protegia com a outra mão — súbita explosão na caçoleta, passando pelo ouvido, e o estampido forte ecoando nas rochas íngremes, o coice com força em seu ombro (de início ficou em carne viva, depois surgiram bolhas, depois formou-se um calo, após o primeiro verão). E aquela ave idiota, desajeitada, que não foi feita para voar nem para correr — para que servia ela, afinal? —, agora nem podia mais localizar quem a assassinara, arrebentada, esguichando sangue, roucamente morrendo...

Na Holanda, o irmão corria os olhos pelas cartas, algumas secas, outras manchadas ou desbotadas, cartas escritas ao longo de anos, entregues todas de uma só vez — sem compreender quase nada, apenas ansioso para passar o dia, como sempre, nos jardins e na estufa com suas tulipas (uma loucura coletiva da época), especialmente uma nova variedade a qual ele dera o nome de sua amante atual: vermelha feito sangue, com finas tatuagens roxas... "Os recém-chegados todos vêm com o novo snaphaan... mas eu continuo usando a minha velha trava de mecha... pois uma presa tão desajeitada não pede uma arma desajeitada?" Porém Frans não explicou de modo mais claro o que o mantinha ao ar livre apesar dos ciclones de inverno, enfiando pedaços de uniformes velhos atrás das balas de chumbo, queimado de sol, barbudo, imundo — a menos que chovesse ou ele estivesse na serra, onde as crateras de velhos vulcões recolhiam punhados de água de chuva azul como céu, em oferenda.

Ele abandonava os dodós mortos, deixava-os apodrecer, não suportava a ideia de comer-lhes a carne. Normalmente caçava sozinho. Mas muitas vezes, depois de meses, o isolamento começava a mudá-lo, mudar suas percepções — a serra irregular, em plena luz do dia, começava a dançar diante de seus olhos, assumia tons absurdos de amarelo, índigos desfraldados, o céu era sua casa de vidro, toda a ilha era sua tulipomania. As vozes — ele insone, as estrelas austrais abundantes demais para formar constelações, formando rostos e criaturas fabulosas ainda mais inusitadas que os dodós — diziam palavras de sonâmbulos, sozinhas, em duplas, em coro. Os ritmos e timbres eram do holandês, porém não faziam sentido fora do sonho. Se bem que davam a impressão de o estar alertando... ralhando com ele, zangadas por ele não conseguir entendê-las. Uma vez Frans ficou o dia todo sentado olhando para um único ovo branco de dodó numa pequena elevação coberta de capim. O lugar era tão remoto que nenhum porco o descobrira. Ele ficou esperando, tentando ouvir um ruído, algo raspando e depois abrindo uma rede de rachaduras na superfície alva como giz: um surgimento. Pavio de cânhamo preso nos dentes da cobra de aço, prestes a ser aceso, prestes a descer, um sol rumo a um mar de pó negro, e destruir o recém-nascido, ovo de luz mergulhando no ovo de treva, em seu primeiro minuto de visão deslumbrada, de penugem úmida sacudida pelo frescor dos alísios de sudeste... De hora em hora mirava no ovo. Era nesses momentos que ele poderia ter visto que a arma formava um eixo tão poderoso quanto o da terra entre ele e sua vítima, ainda parte, dentro do ovo, da cadeia ancestral, condenada a não ver mais que um breve instante da luz deste mundo. Lá estavam eles, o ovo silencioso e o holandês maluco, e o arcabuz que os unia para sempre, emoldurados, luminosamente imóveis como um Vermeer. Apenas o sol se movia: descendo do zênite até se pôr finalmente por trás da dentadura irregular da serra, no oceano Índico, até o breu da noite. O ovo, sem o menor tremor, continuava intato. Ele deveria tê-lo espatifado ali mesmo: sabia que a ave nasceria antes do dia nascer. Porém um ciclo havia se encerrado. Frans pôs-se de pé, dores atrozes nos joelhos e quadris, cabeça latejando com as instruções implacáveis de seus sonâmbulos, atrapalhadas, urgentes, e foi-se embora mancando, o arcabuz à direita, em ombro-armas.

Quando a solidão começava a levá-lo a situações como essa, ele muitas vezes procurava um povoado e participava de uma caçada. Uma histeria ébria, universitária, apossava-se de todos naquelas expedições noturnas, em que logo começavam a atirar em qualquer coisa, copas de árvores, nuvens, morcegos de gritos inaudíveis. Os alísios subiam a encosta para secar-lhes o suor, o céu semitingido de vermelho por um vulcão, roncos sob seus pés tão graves quanto eram agudos os gritos dos morcegos, todos esses homens estavam presos no espectro intermediário, presos entre frequências de suas próprias vozes e palavras.

Era um bando furioso de fracassados, representando o papel de raça eleita por Deus. A colônia, o empreendimento, estava morrendo — tal como os pés de ébano que estavam arrancando da ilha, como as pobres espécies que estavam exterminando da face da terra. Em 1681, *Didus ineptus* estaria extinto, em 1710 não haveria mais nenhum colono em Maurício. O empreendimento colonizador na ilha teria durado mais ou menos o tempo de uma existência humana.

Para alguns, a coisa fazia sentido. Achavam aquelas aves desajeitadas tão malfeitas que pareciam frutos da intervenção de Satanás, tão feias que representavam um argumento contra a origem divina do mundo. Seria Maurício um primeiro vazamento de veneno a passar pelos diques que protegiam a Terra? Era preciso que os cristãos o detivessem logo, para não perecerem todos num segundo Dilúvio, dessa vez deslanchado não por Deus mas pelo Inimigo. O ato de carregar as armas tornou-se uma prática religiosa para esses homens, um ritual cujo simbolismo eles compreendiam.

Porém se haviam sido escolhidos para ir a Maurício, por que teriam sido escolhidos também para fracassar e ir embora? Teria sido mesmo uma escolha ou uma preterição? Serão eles Eleitos ou Preteridos, tão fadados ao fim quanto os dodós?

Frans não tinha como saber que, fora uns poucos outros que havia na ilha da Reunião, aqueles eram os únicos dodós de toda a Criação, e que ele estava ajudando a exterminar uma espécie. Mas às vezes a magnitude e o frenesi da caça chegavam a perturbar-lhe o coração. "Se esta raça não fosse de tal modo pervertida", escreveu ele, "seria boa de criar para alimentar nossas gerações. Não consigo odiá-los tanto quanto alguns aqui. Mas como fazer agora para atenuar essa matança? É tarde demais... Quiçá um bico mais formoso, penas mais abundantes, a faculdade de voar, ainda que pouco... detalhes. Ou então, tivéssemos encontrado selvagens nesta ilha, quem sabe a aparência da ave não nos parecesse mais estranha que a dos perus da América do Norte. Sua tragédia é serem eles a forma dominante de Vida em Maurício, porém não saberem falar."

Era isso, exatamente isso. Não saber falar era não haver possibilidade de recrutá-los para o que seus invasores rechochundos e amarelentos chamavam de Salvação. Mas Frans, após algumas manhãs especialmente solitárias, não pôde deixar de por fim testemunhar um milagre: o Dom da Fala... uma Conversão dos Dodós. Milhares deles enfileirados na praia, contra o perfil luminoso de um recife submerso, cujo bramir era o único som naquela manhã, vulcões descansando, o vento suspenso, uma alvorada de outono espargindo uma luz vítrea e profunda sobre todos eles... vieram de seus ninhos e colônias das margens de riachos que jorram das bocas de túneis de lava, de ilhotas que se espalham junto à costa norte como detritos, de cachoeiras súbitas e das florestas tropicais semidestruídas onde as lâminas dos machados enferrujam e as beiras dos aquedutos rústicos apodrecem e desabam ao vento, das manhãs úmidas à sombra dos montes baixos eles vieram em peregrinação, gingando, desengonçados, até esta assembleia: para serem santificados, aceitos... *Pois por mais que sejam criaturas de Deus, e tenham o dom do discurso racional, reconhecendo que apenas em Seu Verbo se encontra a vida eterna*... E há lágrimas de felicidade nos olhos dos dodós. São todos irmãos agora, eles e os seres humanos que antes os caçavam, irmãos em Cristo, o bebezinho ao lado de quem eles agora gostariam de pousar, empoleirando-se em seu estábulo, as penas tranquilas, para passar a noite inteira velando seu rosto querido...

É a forma mais pura de aventura europeia. Para que passamos por tanta coisa, os mares assassinos, os invernos gangrenosos, as primaveras famintas, a perseguição implacável aos infiéis, as lutas noturnas com a Besta, nosso suor transformado em gelo e nossas lágrimas em pálidos flocos de neve, senão para um momento como este: os pequenos convertidos espalhando-se até onde a vista alcança, tão humildes, tão confiantes — que moela haverá de retesar-se de medo, que grito apóstata de desprender-se diante de nossa lâmina, nossa lâmina necessária? Agora santificados, haverão de alimentar-nos; santificados, seus restos mortais e seu excremento fertilizarão nossos campos. Falamos-lhe na "Salvação"? Referimo-nos a um lar imorredouro na Cidade Celestial? Vida eterna? Um paraíso terrestre restaurado, a ilha deles devolvida tal como era antes? Provavelmente. Pensando o tempo todo em todos os irmãozinhos que devem ser contados entre nossas graças. De fato, se eles nos salvam da fome neste mundo, e depois no outro, no reino de Cristo, nossa salvação há de ser, em igual medida, inextricável. Senão os dodós seriam apenas o que parecem ser à luz ilusória do mundo — apenas nossas presas. Deus não poderia ser tão cruel assim.

Frans é capaz de olhar para as duas versões, o milagre e a caçada de tantos anos que ele já não lembra mais quantos foram, como possibilidades concretas e iguais. Em ambas, os dodós acabam morrendo. Mas quanto à fé... ele só acredita numa única realidade, a fria realidade de aço da arma que carrega. "Ele sabia que o snaphaan pesaria menos, que o cão, a pederneira e o aço da nova arma lhe dariam uma ignição mais segura — mas tinha um apego nostálgico ao haakbus... não se incomodava com o peso, era a mania *dele*..."

O Pirata e Osbie Feel estão debruçados sobre o peitoril do telhado, um magnífico pôr do sol ao longo do rio sinuoso, a serpente imperial, multidões de fábricas, apartamentos, parques, agulhas e cumeeiras no meio da fumaça, céu incandescente projetando, sobre quilômetros de ruas profundas e telhados amontoados e Tâmisa ondulante, uma tintura drástica de alaranjado queimado de fazer os visitantes pensar na transitoriedade de sua passagem mortal por este mundo, fechar ou esvaziar todas as portas e janelas visíveis dali àqueles olhos que só procuram um pouco de companhia, uma ou duas palavras trocadas na rua antes de subir para o quarto alugado com seu cheiro pesado de sabão e os quadrados de pôr do sol coral nas tábuas do assoalho — uma luz antiga, introversa, combustível queimado no holocausto medido do inverno, as formas mais distantes entre os fios ou lençóis de fumaça agora perfeitas ruínas de si próprias em cinza, as janelas mais próximas, atingidas pelo sol por um momento, não refletindo, porém contendo a mesma luz destruidora, este fenecer intenso sem promessa de retorno, luz que enferruja os carros do governo ao longo do meio-fio, envernizando os últimos rostos que passam apressados pelas lojas no frio como se houvesse finalmente soado uma sirene imensa, luz que transforma muitas ruas em canais gélidos e vazios, que se enche de estorninhos londrinos, a convergir aos milhões sobre vagos pedestais de pedra, praças já quase vazias e um grande sono coletivo. Eles vêm em círculos concêntricos, nas telas dos radares. Os operadores os chamam de "anjos".

"Você está obcecado por ele", Osbie tragando um cigarro de *Amanita*.

"Estou", Pirata explorando as beiras do jardim do telhado, irritável no crepúsculo, "mas é a última coisa em que eu quero acreditar. A outra já foi muito ruim..."

"E dela, o que você acha, então?"

"Acho que alguém vai poder usá-la", tendo tomado essa decisão ontem, na estação de Charing Cross onde ela partiu rumo à "Aparição Branca". "Um dividendo inesperado para todo mundo."

"Você sabe o que é que eles andam fazendo por lá?"

Só que é algo que tem a ver com um polvo gigante. Mas ninguém aqui em Londres sabe direito. Mesmo lá na "Aparição Branca" é um entra e sai súbito, e uma tremenda ambiguidade quanto ao porquê. Percebe-se que Myron Grunton anda dirigindo olhares de poucos amigos a Roger Mexico. O zuavo voltou para sua unidade no Norte da África, novamente sob a cruz de Lorena, com tudo o que os alemães poderiam achar de sinistro em sua negritude registrado em filme, extraído dele via persuasão simpática ou coação por ninguém menos que Gerhard von Göll, outrora amigo íntimo, e ainda um igual, de Lang, Pabst, Lubitsch, ultimamente envolvido com os assuntos de vários governos no exílio, flutuações em moedas, o estabelecimento e a dissolução de uma rede extraordinária de operações de mercado a acender-se e apagar-se por todo o continente, enquanto os tiroteios cospem ferro pelas ruas e os incêndios devoram oxigênio da atmosfera e os fregueses caem sufocados como insetos na presença do Flit... porém o comércio não fez von Göll perder seu toque mágico: pelo contrário, está mais sensível do que nunca. No primeiro copião, o negro aparece com uniforme da SS, andando entre foguetes e Meillerwagen de lona e madeira (sempre filmando por entre pinheiros, em meio à neve, de ângulos distantes que não deixem transparecer a localização na Inglaterra), os outros com o rosto pintado de preto, razoavelmente convincentes, recrutados para um dia de filmagens, toda a equipe se divertindo, o senhor Pointsman, Mexico, Edwin Treacle, Rollo Groast, o neurocirurgião residente, Aaron Throwster, todos como membros negros da equipe de foguetes do fictício Schwarzkommando — até Myron Grunton numa ponta sem falas, um extra apenas entrevisto, como os outros. O tempo de projeção é de três minutos e 25 segundos, e são doze tomadas de cena. O filme sofrerá um tratamento que o envelhecerá e lhe dará um pouco de fungos e brilho, e será levado para a Holanda, para ser incorporado aos "restos" de uma falsa base de lançamentos em Rijkswijksche Bosch. Em seguida, a resistência holandesa vai "tomar" a base, com muito estardalhaço e falsas marcas de pneus, fornecendo os detalhes que denunciam ter sido a base abandonada rapidamente. Coquetéis Molotov serão jogados dentro de um caminhão do exército: em meio a cinzas, roupas queimadas e garrafas de gim escurecidas e semiderretidas, serão encontrados restos de documentos do Schwarzkommando, cuidadosamente forjados, e mais um rolo de filme, apenas três minutos e 25 segundos do qual serão exibíveis. Von Göll, de cara séria, diz que é sua obra-prima.

"Sem dúvida, como os fatos vieram a demonstrar", escreve o conhecido crítico de cinema Mitchell Prettyplace, "é impossível discordar de sua avaliação, embora por motivos bem diferentes do que von Göll poderia ter arrolado, ou mesmo previsto de seu ponto de observação privilegiado."

Na "Aparição Branca", por causa do financiamento irregular, só há um projetor de filmes. Todos os dias, por volta do meio-dia, depois que o pessoal da Operação Asa Negra assiste à exibição de sua tropa de plataforma africana, Webley Silvernail vem levar o projetor de volta para a ala da ARF, para o mesmo quarto sem janelas onde o polvo Grigori, zangado em seu tanque, secreta maus eflúvios. Em outros quartos, os cães ganem, latem de dor com estardalhaço, gemem pedindo um estímulo que não vem, que jamais virá, e a neve continua descendo em espirais, invisível, tatuando folhas de pinho na vidraça desnervada por trás das corrediças verdes. A ponta do filme é enfiada no projetor, as luzes são apagadas, a atenção de Grigori concentra-se na tela, onde uma imagem já anda. A câmara acompanha seus movimentos enquanto ela caminha sem rumo pelos cômodos, pernilonga, com ombros largos e arqueados de adolescente, cabelos que nada têm de austeridade holandesa, presos num penteado da moda, com uma velha coroa de prata baça...

Era de manhã bem cedo. Ele saiu sozinho, às cegas, numa rua úmida de prédios de tijolo. Para os lados do sul os balões de barragem, surfando nas nuvens da manhã, brilhavam, rosa e pérola, na madrugada.

Soltaram Slothrop mais uma vez, ele está de volta na rua, que merda, era a última chance de ser desligado do exército por inaptidão e ele desperdiçou-a...

Por que não o deixaram na enfermaria dos doidinhos pelo tempo que disseram que iam deixá-lo — não ia ser por algumas semanas? Nenhuma explicação — só "Tchau!" e o papel que o devolvia à ACHTUNG. O Garoto Kenosha, Crouchfield, o homem do Oeste, e seu parceiro Whappo foram nos últimos dias os únicos habitantes de seu mundo... ainda havia problemas a ser resolvidos, aventuras incompletas, coações e grandes negócios a ser fechados com relação à tal velha que queria voltar para casa com o porco dela passando pela porteira. Mas agora, sem mais nem menos, Londres de novo.

Porém alguma coisa está diferente... alguma coisa... *mudou*... sem nenhuma intenção de criar caso, gente, o fato é que — por exemplo, ele quase seria capaz de jurar que tem alguém a segui-lo, ou pelo menos a vigiá-lo. Alguns dos espiões são bem profissionais, mas tem outros que ele percebe com facilidade. Ontem, fazendo compras de Natal na Woolworth's, ele viu uns olhinhos reluzentes na seção de brinquedos, logo depois de uma pilha de caças de pau-de-balsa e rifles Enfield em miniatura. Há algo de constante no que ele vê no retrovisor de seu Humber, não que seja sempre a mesma cor ou o mesmo modelo, mas *alguma coisa* sempre presente dentro da estreita moldura do espelho, que o leva a prestar atenção nos outros carros quando sai de manhã para trabalhar. Na ACHTUNG, as coisas da sua mesa dão-lhe a impressão de não estarem mais onde estavam antes. Algumas garotas têm inventado desculpas para não comparecer ao encontro combinado. Ele sente que está delicadamente sendo afastado da vida que levava antes de ir para o hospital. Mesmo no cinema há sempre alguém atrás dele tomando cuidado para não falar, não fazer barulho com papel, não rir alto demais. Slothrop já foi ao cinema tantas vezes que percebe uma anomalia dessas na mesma hora.

O cubículo perto de Grosvenor Square cada vez mais lhe parece ser uma armadilha. Ele passa o tempo, às vezes dias inteiros, perambulando pelo East End, respirando o ar fétido de Thameside, buscando lugares onde os que o seguem talvez não o sigam.

Um dia, na hora exata em que está entrando numa rua estreita, toda muros antigos de tijolo e cheia de verdureiros, ouve alguém chamando-o pelo nome — e ora, ora, imagine só, é ela mesmo, cabelos louros esvoaçando, sapatos de salto anabela estalando nas pedras do calçamento, uma uva com uniforme de enfermeira, e o nome dela, hum, como é mesmo, ah — Darlene. Meu Deus, é a Darlene. Trabalha no Hospital Sta. Verônica, mora lá perto na casa de uma tal senhora Quoad, que perdeu o marido há muitos anos e desde então padece de uma série de doenças antiquadas — clorose, tinha, lumbago, joanete e — mais recentemente — um pouco de escorbuto. Assim, procurando limão para sua proprietária, correndo e sacolejando-se, as frutas caindo da cesta de palha e rolando rua abaixo, a jovem Darlene vem com sua touca de enfermeira, os seios como macias defensas para este encontro no cinzento mar da cidade.

"Você voltou! Ah, Tyrone, você *voltou*!", uma lágrima ou duas, os dois catando limões no chão, o vestido cáqui farfalhando, até mesmo uma que outra fungada não totalmente desprovida de sentimento da parte de Slothrop.

"Sou eu, amor..."

As marcas de pneu na neve suja são cor de pérola, um tom suave. As gaivotas planam lentamente contra o fundo dos muros altos e cegos de tijolo.

Chega-se ao apartamento da senhora Quoad subindo-se três lanços escuros, vê-se a cúpula da catedral de S. Paulo ao longe em meio à fumaça certas tardes, e a pequenina proprietária está sentada numa poltrona de pelúcia rosa, na sala de estar, junto ao rádio, ouvindo a banda de acordeão de Primo Scala. Tem um ar até bastante saudável. Na mesa, porém, vê-se seu lenço de chiffon amassado: manchas de sangue esgazeadas nas convoluções do pano, como um estampado floral.

"O senhor estava aqui quando eu tive aquela sezão horrorosa", relembra ela, "o dia em que a gente preparou chá de artemísia", é mesmo, Slothrop revive o gosto do chá, subindo desde as solas dos sapatos, carregando-o consigo. Estão se recombinando... deve ser fora de sua memória... interior fresco e limpo, moça e mulher, independentes de sua estenografia de estrelas... tantas moças de rostos que já se dissipam, vento à beira de canais, conjugados, despedidas em pontos de ônibus, como é que ele pode se lembrar de tudo? mas esta sala está aos poucos ganhando definição: uma parte do que ele foi outrora dentro dela fez a bondade de permanecer, guardada em quiescência todos estes meses fora de sua cabeça, distribuída pelas sombras profundas, os potes nebulosos de gordura contendo ervas, balas, temperos, todos os romances de Compton Mackenzie na estante, fotografias em chapas de vidro de seu falecido marido, Austin, espanadas todas as noites, em molduras douradas sobre o console onde na última vez um buquê de ásteres sorria de um vasinho de Sèvres que ela e Austin encontraram muitos anos atrás numa loja na Wardour Street...

"Ele era a minha saúde", a velha diz sempre. "Desde que ele faleceu eu tive que virar uma verdadeira bruxa, pra me defender." Da cozinha vem o cheiro de limões recém-cortados e espremidos. Darlene entra e sai da sala, procurando plantas diferentes, perguntando onde se enfiou a gaze, "Tyrone, pegue aquilo lá em cima pra mim — não, do lado, o pote grande, obrigada, amor" — volta para a cozinha com um estalo de tecido engomado, um lampejo de cor-de-rosa. "Aqui só eu que tenho memória", suspira a senhora Quoad. "Nós ajudamos uma a outra, como o senhor vê." Ela retira de sua camuflagem de cretone um grande pote de balas. "Tome: geleia de vinho. É de antes da guerra."

"Agora me lembrei — a senhora é que consegue coisas no Ministério do Abastecimento!" mas ele sabe, com base na experiência passada, que não há galanteio que possa salvá-lo agora. Depois daquela primeira visita ele escreveu para Nalline: "Os ingleses são meio estranhos em matéria de comida, mamãe. Eles não são como nós. Talvez seja por causa do clima. Eles gostam de coisas que a gente jamais sonharia comer. Às vezes chega a revirar o estômago. Outro dia eu provei uma tal de 'geleia de vinho'. Eles comem isso como se fosse *bala*, mãe! Se a gente conseguisse dar um jeito de dar esse troço para o Hitler comer, aposto que essa guerra acabava *amanhã*!" Agora, mais uma vez ele se vê examinando um desses objetos róseos e gelatinosos, enquanto acena com a cabeça, de um modo que se pretende simpático, para a senhora Quoad. Cada um tem o nome de um vinho escrito nele em baixo-relevo.

"Leva um pouquinho de mentol também", a senhora Quoad coloca um na boca. "Uma delícia."

Slothrop finalmente escolhe um de Lafitte Rothschild e o empurra por entre os lábios. "É mesmo. Hm. Fantástico."

"Se o senhor quer experimentar um *realmente* diferente, prove o Bernkastler Doktor. Ah! Não foi o senhor que me trouxe aquelas pastilhas americanas deliciosas, com gosto de bordo, com um pouquinho de sassafrás..."

"Isso mesmo. Desculpe, que pena. Acabaram ontem."

Darlene entra com um bule fumegante e três xícaras numa bandeja. "O que é isso?" Slothrop um pouco rápido demais.

"Melhor você não saber, Tyrone."

"Tem razão", depois do primeiro gole, pena que ela não colocou mais limão ou outra coisa qualquer para disfarçar o gosto básico, que é amargo feito fel. Essa gente é mesmo maluca. Sem açúcar, claro. Ele põe a mão no pote de balas e tira um pedaço de alcaçuz preto. Aparentemente inofensivo. Mas na hora exata em que ele dá uma mordida no alcaçuz, Darlene dirige a ele, Slothrop, e a ele, alcaçuz, um olhar significativo, o timing dessa garota é incrível, e diz: "Ah, eu achava que *esses aí*" — dito no tom de uma personagem ingênua de opereta de Gilbert & Sullivan — "já tinham acabado há *anos*", quando então Slothrop entra em contato com o âmago líquido da coisa, que tem um gosto de maionese misturada com casca de laranja.

"Você pegou minha última Surpresa de Laranja!" exclama a senhora Quoad, tendo a essa altura, com uma rapidez de prestidigitador, retirado do pote um confeito em forma de ovo de um tom pastel de verde, todo recoberto de pastilhas de chocolate envoltas em açúcar. "Só por isso não vou deixar você provar nenhum desses maravilhosos bombons de creme de ruibarbo." E enfia a coisa toda na boca.

"Bem feito para mim", Slothrop, sem entender direito o sentido de suas próprias palavras, bebendo um gole de chá de ervas para tirar o gosto de maionese doce — mas não foi uma boa ideia, não, mais uma vez sua boca se enche com uma horrenda desolação alcalóidica, até o palato mole, onde ela monta acampamento. Darlene, uma verdadeira Florence Nightingale de compaixão, entrega-lhe uma bala dura de verdade, em forma de framboesa estilizada... hum, curiosamente tem mesmo gosto de framboesa, se bem que não consegue nem de longe espantar o amargor. Impaciente, ele morde a bala, e logo em seguida dá-se conta, idiota, que mais uma vez se deu mal, sobre sua língua jorra uma concentração cristalina horrível de meu Deus do céu só pode ser ácido nítrico concentrado, "Mas isso é azedo *mesmo*", quase não consegue pronunciar as palavras de tanta careta que faz, é exatamente o tipo de coisa que Hop Harrigan fazia para obrigar Tank Tinker a parar de tocar ocarina, um golpe sujo duplamente repreensível por partir de uma senhora que se considera sua aliada, que merda, ele não consegue nem enxergar, a coisa está subindo pelo nariz e seja lá o que for não dissolve de jeito nenhum, continua torturando sua língua e os caquinhos parecem vidro moído entre seus molares. Enquanto isso a senhora Quoad saboreia, às mordidelas, um *petit four* de quinino e cereja. Ela sorri para os jovens do outro lado do pote de balas. Slothrop, esquecendo-se de novo, mais uma vez recorre ao chá. Agora não há como safar-se dessa situação com tato. Darlene tirou mais dois ou três potes da prateleira, e Slothrop mergulha, como se numa viagem ao centro de um planeta pequeno e hostil, num enorme bombom, quebrando a crosta de chocolate, atravessando uma camada de creme de eucalipto forte, chegando por fim ao centro, uma pasta duríssima de goma arábica sabor uva. Com a unha ele arranca um pedaço que ficou entre os dentes e o examina por algum tempo. É roxo.

"Agora você está começando a pegar o espírito da coisa!" A senhora Quoad acena para ele com um conglomerado marmorizado de gengibre, caramelo e anis. "Tem que apreciar também a *aparência* do doce. Por que os americanos são tão impulsivos?"

"Bem", murmurando, "lá normalmente não tem nada mais complicado que uma barra de chocolate..."

"Ah, experimente *isso*", grita Darlene, com a mão na garganta e encostando-se nele.

"Puxa, deve ser mesmo incrível", aceitando com relutância um negócio esquisito, escuro, com cara de poucos amigos, uma réplica perfeita, em escala de 1:4, de uma granada de mão tipo Mills, com pino e trava, pertencente a uma série de bombons patrióticos lançados antes de começar o racionamento de açúcar, e que inclui também, ele percebe, olhando dentro do pote, um cartucho de Webley 455 de puxa-puxa verde e rosa, uma bomba de seis toneladas de gelatina azul com reflexos prateados e uma bazuca de alcaçuz.

"Então prove", diz Darlene, segurando-lhe a mão que segura o bombom e tentando enfiá-lo em sua boca.

"Eu estava só, sabe, olhando, como sugeriu a senhora Quoad."

"E não vale apertar, Tyrone."

Por trás do brilho de tamarindo, a granada é na verdade um nugá sabor pepsina, cheio de cubebas cristalizadas, com um núcleo mastigável com gosto de cânfora. É indizivelmente execrável. A cabeça de Slothrop começa a girar por efeito da cânfora, seus olhos lacrimejam, sua língua é um holocausto. Cubeba? Ele já *fumou* esse troço. "Envenenado..." ele consegue balbuciar.

"Aguente firme", aconselha a senhora Quoad.

"É", Darlene com a língua suavizada por camadas de caramelo, "você não sabe que estamos em guerra? Vamos, abra a boca, amor."

Ele não enxerga muito bem por causa das lágrimas, mas ouve a senhora Quoad do outro lado da mesa fazendo "Nhame, nhame, nhame" e Darlene rindo. É uma coisa imensa e macia, como um marshmallow, mas por incrível que pareça — a menos que seu cérebro esteja agora seriamente comprometido — tem gosto de gim. "O qué ixo", ele pergunta pastoso.

"Marshmallow de gim", diz a senhora Quoad.

"Aaah..."

"Ah, isso não é nada, prove esse aqui..." os dentes dele, movidos por um reflexo perverso, quebram uma casca dura e azeda de groselha, e derrama-se em sua boca um negócio desagradável cheio de pedacinhos glutinosos de algo, ele espera que seja tapioca, saturados de cravo em pó.

"Mais chá?" Darlene oferece. Slothrop está tossindo violentamente, tendo inalado um bocado de cravo.

"Tosse braba", a senhora Quoad oferecendo uma lata da mais inacreditável de todas as pastilhas inglesas, a Meggezone. "Darlene, o chá é maravilhoso, juro que já estou sentindo o escorbuto indo embora."

O efeito da Meggezone é como se uma montanha suíça desabasse na sua cabeça. Estalactites de mentol imediatamente começam a formar-se no céu da boca de Slothrop. Ursos polares começam a escalar os gélidos alvéolos de seus pulmões. Seus dentes doem só de respirar, mesmo pelo nariz, mesmo, afrouxando a gravata, enfiando o nariz dentro da camiseta verde-oliva. Eflúvios de benjoim penetram-lhe o cérebro. Sua cabeça flutua numa auréola de gelo.

Mesmo uma hora depois, a Meggezone ainda perdura, hortelã espectral no ar. Slothrop está deitado ao lado de Darlene, a Sessão de Asquerosos Confeitos Ingleses já é coisa do passado, sua virilha colada nas nádegas cálidas da moça. A única bala que ele não provou — negada pela senhora Quoad — foi o Fogo do Paraíso, esse produto famoso, de alto preço e gosto polimorfo — "ameixa salgada" para uns, "cereja artificial" para outros... "violetas açucaradas"... "molho inglês"... "melado temperado"... inumeráveis descrições semelhantes, categóricas, sintéticas — sempre duas palavras no máximo — semelhante às descrições de venenos e gases debilitantes nos manuais de treinamento, "berinjela agridoce" sendo talvez a mais sofisticada até o momento. O Fogo do Paraíso está no momento fora de produção, e em 1945 é quase impossível encontrá-lo: pelo menos nas lojas ensolaradas e vitrinas reluzentes de Bond Street ou dos desertos de Belgravia. Mas de vez em quando aparece um, em estabelecimentos que não costumam vender balas: quietinho, dentro de um grande pote de vidro embaçado pelos dias, juntamente com objetos da mesma espécie, por vezes uma única bala em todo o pote, quase oculta em meio a turmalinas engastadas em ouro alemão, dedais de ébano trabalhado do século XIX, cavilhas, chaves de válvulas, pedaços encordoados de instrumentos musicais obscuros, peças eletrônicas de resina e cobre que a Guerra, com seu apetite voraz e insaciável, ainda não encontrou e engoliu... Lugares onde o ruído dos motores nunca é tão próximo a ponto de parecer alto, onde as ruas são arborizadas. Cômodos recônditos e rostos mais velhos a revelar-se sob uma luz que atravessa uma claraboia, mais amarelada, mais outonal...

Caçando no zero entre vigília e sono, a pica semiamolecida ainda enfiada na moça, as pernas sem forças dobradas no mesmo ângulo... O quarto mergulha em água e frescor. Ao longe o sol se põe. Luz apenas suficiente para ver as sardas mais escuras nas costas de Darlene. Na sala, a senhora Quoad sonha que está de novo nos jardins de Bournemouth, em meio aos rododendros, uma chuva súbita, Austin gritando *Toque na garganta dela, Majestade. Só um toque!* e Yrjö — um pretendente, porém o rei verdadeiro, porque um ramo muito suspeito da família usurpou o trono em

1878 durante as disputas em torno da Bessarábia —, Yrjö trajando uma sobrecasaca antiquada com galões dourados reluzentes nas mangas, curvando-se em direção a ela na chuva para curá-la definitivamente da escrófula, com a mesma cara que aparece na rotogravura, sua linda Hrisoula um ou dois passos atrás dele, simpática, esperando muito séria, a chuva desabando neles, a mão branca do rei, desenluvada, curvando-se como uma borboleta para tocar a base do pescoço da senhora Quoad, o toque milagroso, delicado...

Relâmpago —

E Slothrop está bocejando "Que horas são?" e Darlene está emergindo do fundo do sono. Quando então, sem aviso prévio, o quarto é inundado de luz meridiana, branco ofuscante, todos os pelos que brotam da nuca da moça claramente visíveis, enquanto a concussão continua a repercutir dentro deles, sacudindo o pobre prédio até os ossos, batendo na corrediça da janela, transformada numa treliça em branco orlada de negro de cartão de pêsames. No alto, correndo atrás, vem o foguete, um expresso elevado descendo, até sumir no silêncio crescente. Lá fora vidros se quebram, um bater de pratos prolongado e dissonante por toda a extensão da rua. O soalho estremeceu como um tapete sacudido, e a cama também. O pênis de Slothrop endureceu de um salto, dorido. Para Darlene, que acordou de súbito, coração batendo a toda, palmas das mãos e dedos doendo de medo, o tesão até então parecia fazer parte da luz branca, do estrondo. Quando a explosão morre numa luz vermelha forte e bruxuleante, ela já está tentando entender... eles dois juntos... mas agora estão fodendo, que importância tem isso, mas pelo amor de Deus pelo menos esta porra deste bombardeio tem alguma coisa de bom!

E quem é que olha pela rachadura na corrediça alaranjada, respirando com cuidado, atento? E onde, ó especialistas a postos, munidos de mapas, onde deve cair o próximo?

O primeiríssimo toque: Mexico estava dizendo alguma coisa desagradável, uma daquelas típicas autocríticas suas — ah, você não me conhece, no fundo eu sou um filho da puta etc. e tal — "Não", ela fez menção de fechar-lhe os lábios com seus dedos, "não diga isso..." Enquanto ela prolongava o gesto, Roger, sem pensar no que fazia, agarrou-a pelo pulso, afastou sua mão, legítima defesa — mas continuou a segurá-la, pelo pulso. Estavam olho a olho, e nenhum dos dois desviava a vista. Roger levou a mão dela aos lábios e beijou-a, ainda olhando-a nos olhos. Uma pausa, o coração dele saltava, batendo na caixa torácica... "Aahh..." o som escapou-lhe da boca, e ela veio abraçá-lo, completamente entregue, aberta, estremecendo enquanto os dois se estreitavam. Mais tarde Jessica lhe contou que naquela noite, no momento em que ele a pegou pelo pulso, ela gozou. E a primeira vez que ele lhe tocou a boceta, apertou sua boceta suave através da calcinha, recomeçou aquele tremor em suas coxas, crescendo, dominando-a toda. Ela gozou duas vezes antes que a pica fosse oficialmente enfiada na boceta, e este fato é importante para ambos, embora nenhum dos dois consiga entender exatamente por quê.

Sempre que isso acontece, porém, a luz fica vermelhíssima para eles.

Uma vez encontraram-se numa casa de chá: ela usava uma suéter vermelha de mangas curtas, e seus braços nus brilhavam rubros. Estava de cara lavada, a primeira vez que ele a via assim. Andando até o carro, ela toma a mão de Roger e a põe, por um momento, de leve entre as suas coxas em movimento. O coração dele fica ereto e goza. É exatamente essa a sensação. Sobe de repente até o nível da pele, num V bem no centro do peito, e jorra sobre seus mamilos... é amor, é surpreendente. Mesmo quando ela não está com ele, depois de um sonho, diante de um rosto na rua que por acaso poderia ser o de Jessica, Roger jamais consegue controlar a sensação; ele é sua presa.

Quanto ao Castor, ou Jeremy, como sua mãe o chama, Roger tenta pensar nele apenas o mínimo necessário. Claro que as questões técnicas lhe causam sofrimento. Não é possível que ela — mas será que é? — Faça as Mesmas Coisas com Jeremy. Será que Jeremy também beija-lhe a boceta, por exemplo? Será que aquele sujeitinho cheio de nove-horas é capaz de... será que ela o abraça por trás quando estão fodendo, sua rosa querida, e-e enfia um dedinho brincalhão no cu de *Jeremy*? Pare, pare com isso (mas será que ela lhe chupa o pau? Será que ele já enfiou a cara insolente entre as lindas nádegas de Jessica?), não adianta, as jovens de agora querem mais é se divertir, e é melhor você ir ao Tivoli ver Maria Montez e Jon Hall, ou apreciar os leopardos e caititus no zoológico de Regents Park, pensando será que vai chover antes das quatro e meia.

Todo o tempo que Roger e Jessica já passaram juntos, se somado, ainda pode ser medido em horas. E todas as palavras que trocaram dá menos que um memorando típico do SHAEF. E o estatístico, pela primeira vez em sua carreira, não consegue dar significado algum a essas cifras.

Juntos, formam uma extensa interface de peles, fluxo de suor, o mais próximo que músculos e ossos podem chegar, sem trocar quase nenhuma palavra senão o nome dela, e o dele.

Separados, são só diálogos ágeis e cinematográficos, roteiros que eles inventam para representar sozinhos nas noites em que as metralhadoras antiaéreas batem às portas do céu, o vento dele gemendo entre as voltas de arame farpado na praia. O Mayfair Hotel. "Isso é o que se chama vir a jato — só uma hora e meia atrasado."

"Bem", moças da Marinha e do serviço civil, jovens viúvas cheias de joias olhando de esguelha, "tenho certeza de que *você* soube usar esse tempo muito bem."

"Deu tempo para várias missões", responde ele, consultando com um gesto estudado o relógio, usado, como manda a moda da Segunda Guerra, do lado de dentro do pulso, "e a esta altura imagino que já deve haver uma ou duas gravidezes confirmadas, senão..."

"Ah", ela salta alegremente (mas para cima, não para a frente), "isso me *lembra...*"

"Iaaaahh!" Roger cambaleia para trás, esbarra num vaso de planta, enquanto os saxofones de Roland Peachey e Sua Orquestra trauteiam "There, I said it again", e se encolhe todo.

"Então é *isso* que você tem em mente. Se 'mente' é mesmo a palavra que eu quero."

Eles confundem todo mundo. Parecem tão inocentes. As pessoas na mesma hora ficam querendo protegê-los: censuram toda e qualquer menção a morte, trabalho, duplicidade quando Roger e Jessica estão presentes. Só se fala em racionamento, canções e namorados, filmes e blusas...

Cabelo preso atrás das orelhas, queixo suave em perfil, ela parece ter só 9 ou 10 anos, sozinha à janela, piscando com o sol, virando a cabeça sobre a colcha fina, gozando em lágrimas, rostinho vermelho de criança prestes a chorar, fazendo *ah, ah*...

Uma noite, no refúgio escuro, de cobertor e frio, da cama de casal, ele próprio quase cochilando, Roger lambeu Jessica até ela dormir. Quando ela sentiu o hálito quente do homem roçar-lhe a vulva, estremeceu e chorou como uma gata. Duas ou três notas, aparentemente, que soavam juntas, roucas, assustadas, ao ritmo da lembrança dos flocos de neve que caíram à hora do entardecer. Lá fora as árvores peneiram o vento, invisíveis os caminhões correndo por ruas e estradas sem fim, por trás de casas, cruzando canais ou o rio, além do pequeno parque. Ah, e os cães e gatos que patinavam na neve fina...

"... imagens, quer dizer, cenas, ficam brotando, Roger. Por conta própria, não sou eu que *invento*..." Um enxame de imagens coloridas está passando agora, contra o brilho fosco e isotônico do teto. Ele e ela estão deitados e respirando de boca para cima. O pau molenga de Roger baba sobre a sua coxa, a de baixo, mais próxima de Jessica. O quarto noturno exala um suspiro, sim Exala, um Suspiro — quarto antiquado e cômico, ah meu Deus eu não tenho jeito mesmo, nasci palhaço e vou morrer palhaço, escapulindo pelo espelho com um traje de listras verdes, pantalonas, com rufos — seja como for, o quarto é mesmo antiquado, hoje em dia a maioria dos quartos cantarolam, não é, às vezes até "respiram", chegam mesmo a *aguardar numa expectativa tensa*, e esta é que devia ser a sinistra tradição daqui, criaturas longas e esguias, perfume denso e mantos em cômodos assombrados pela meia-noite, perfurados por escadas em espiral, pérgolas de pétalas azuis, um ambiente onde ninguém, por mais que seja provocado, por mais desligado que seja, minha cara senhorita, jamais, Exala, um Suspiro. Isso simplesmente não se faz.

Mas aqui. Ah, *esta* senhorita. Guingão xadrez. Sobrancelhas revoltas, desgrenhadas. Veludo vermelho. Uma vez, sendo desafiada, ela tirou a blusa, os dois no carro, na autoestrada perto de Lower Beeding.

"Meu Deus, ela enlouqueceu, o que é isso, por que cargas d'água só me aparece maluco?"

"Ha, ha, ha", Jessica rodando a gravata de sua blusa do exército como uma stripteaser, "você foi dizer que eu não tinha coragem. É ou não é. Me chamou de 'mariquinha medrosa', não-sei-que-mais, não foi..." Sem sutiã, é claro, ela nunca usa.

"Olhe aqui", olhando para os lados, "você sabe que você pode acabar presa? *Você* é o de menos", a ideia lhe ocorre de repente, "*eu* vou acabar preso!"

"Vão botar toda a culpa em você, ha, ha, ha." Expõe os dentes da arcada inferior num sorriso de menina má. "Eu sou só uma menininha inocente, e esse..." esticando um braço, arrancando luz dos pelos louros do antebraço, os seios pequenos aparecendo livres, "esse Roger tarado! esse monstro horroroso! me obriga a fazer essas coisas degradantes..."

Neste ínterim, o caminhão mais imenso que Roger já viu em toda a sua vida está manobrando ali perto, num estremecer de aço, e agora não apenas o motorista como também vários — bem, parece que são uns... *anões* horrendos, com uniformes estranhos de opereta, uma espécie de governo no exílio de país da Europa Central, todos eles espremidos na cabine, sabe-se lá como, estão todos olhando, disputando o lugar da janela como bacorinhos brigando pelas tetas da mãe, olhos arregalados, morenos, bocas babando, bebendo o espetáculo de Jessica Swanlake escandalosamente nua da cintura para cima, e ele desesperadamente tentando perder velocidade e ficar atrás do caminhão — só que agora, atrás de Roger, aliás pressionando-o para correr, na mesma velocidade que o caminhão, apareceu um, puta merda, um carro da polícia militar. Ele não pode desacelerar, e por outro lado se acelerar *aí mesmo* é que vão ficar desconfiados...

"Jessie, ah, por favor, ponha essa blusa, está bem, meu amor?" Procurando de modo ostensivo seu pente, o qual, como sempre, sumiu, o suspeito é um conhecido ctenófilo...

O motorista do caminhão imenso e ruidoso tenta agora atrair a atenção de Roger, os outros anões amontoam-se nas janelas gritando "Ei! Ei!" e emitindo gargalhadas gordurosas, guturais. O líder deles fala inglês com um sotaque europeu líquido, indizivelmente desagradável. "Ô moço! Porr faforr! Esperra um minuta, eh?" Mais risadas. Pelo retrovisor Roger vê rostos rosados de policiais ingleses cheios de retidão, insígnias vermelhas inclinando-se, consultando-se, virando-se com movimentos rígidos de vez em quando para a frente, para ver o casal no Jaguar que está agindo de modo tão... "Mas afinal, Prigsbury, o que é que eles estão fazendo, dá para você ver?"

"Parece que é um homem e uma mulher, senhor."

"Idiota." E recorre ao binóculo preto.

Através da chuva... e depois através de um vidro onírico, verde com a tarde. E ela numa cadeira, com uma touca antiquada, olhando para o oeste para além do tombadilho da Terra, inferno vermelho nas bordas, e mais adiante nas nuvens marrons e douradas...

Então, de repente, noite: A cadeira de balanço vazia iluminada vigiando giz azul — será a lua ou outra luz qualquer no céu? só a cadeira dura, vazia agora, na noite muito límpida, e essa luz fria descendo sobre tudo...

As imagens vão, florescem, vêm e vão, umas lindas, outras simplesmente horrendas... mas ela está ali, bem aconchegada com seu menininho, seu Roger, e ela gosta tanto da linha de seu pescoço, ao mesmo tempo tão — mas veja só, a cabeça dele vista de trás, calombuda como a de um garoto de dez anos. Ela o beija de alto a baixo, toda a extensão salgada da pele que a carregou desse jeito, levou-a noctilúcida ao longo desse tendão tenso, beija-o como se beijar fosse respirar, como se não acabasse mais.

Uma manhã — havia duas semanas que ele não via Jessica — acordou em sua cela de eremita na "Aparição Branca" com o pau duro, as pálpebras coçando e um longo fio de cabelo castanho-claro emaranhado em sua boca. O cabelo não era seu. Só podia ser de Jessica. Mas não podia ser — ele não estivera com ela. Roger fungou umas duas vezes, depois espirrou. Pela janela a manhã se desenrolava. Seu canino direito doía. Desemaranhou o fio longo, perolado de saliva, tártaro, penugem matinal, e olhou-o longamente. Como fora parar lá? Sinistro, ministro. O famoso je ne sais quoi de sinistre, sem dúvida. Ele precisava mijar. Indo ao banheiro, enfiando as fraldas de flanela oficial dentro da calça do pijama, ocorreu-lhe de repente: e se for uma história fim de século de vingança espectral, e esse fio de cabelo for um Primeiro Passo... Ah, paranoia? Só vendo ele examinando todas as permutações possíveis enquanto executava as rotinas de banheiro em meio a seus companheiros da Seção Psi, a tropeçar, peidar, barbear, cortar, espirrar e desmelecar. Só depois começou a sequer pensar em Jessica — na segurança dela. Muito altruísmo da sua parte, Roger. E se, e se ela morreu durante a noite, um acidente no paiol... sendo este fio a derradeira despedida que seu amor espectral pôde deixar do lado de cá, com a única pessoa que lhe era importante... Estatístico-aranha: seus olhos chegaram a encher-se de lágrimas diante da Próxima Ideia — *ah*. Ah meu Deus. Fecha essa torneira, Pereira, e dê uma olhada *nisto*. Semicurvado sobre a pia, paralisado, põe de lado por um tempo sua preocupação com Jessica, doido de vontade de olhar para trás, até mesmo para o, o espelho, sabe, ver o que eles estão tramando, mas tão paralisado que nem mesmo isso ousa arriscar... *agora*... ah, sim, uma possibilidade fantástica acaba de encontrar terreno fértil em seu cérebro: E se eles todos, todos esses malucos da Seção Psi, estiverem conspirando contra ele em segredo? Hein? Sim, digamos que eles saibam *mesmo* ler a mente dos outros! e-e se for... se for *hipnotismo*? Hein? Meu Deus: nesse caso um monte de *outras* coisas ocultas, como: projeção astral, controle mental (isso aliás não tem nada de oculto), pragas secretas que causam impotência, furúnculos, loucura, éééé — *poções*! (finalmente ele apruma o corpo e mentalmente volta a sua sala e olha agora, com *muito* cuidado, para a sala do café, ah meu *Deus*...), união psíquica com a Agência Controladora de tal modo que Roger seria ele e ele seria Roger, sim, sim, um monte de ideias assim vagando por sua cabeça, e nenhuma delas lá muito agradável — especialmente neste banheiro coletivo, com o rosto de Gavin Trefoil de um magenta vivo hoje, uma flor de trevo brilhando ao vento, Ronald Cherrycoke escarrando catarro âmbar marmorizado na pia — que diabo é isso, *quem são essas pessoas todas*... Monstros! *Moooonstros!* Ele está cercado! eles passam o tempo todo dia e noite futricando seu cérebro, telepatas, bruxos, agentes satânicos de todos os tipos controlando *tudo* — mesmo quando ele e Jessica estão na cama *fodendo* —

Tente aguentar as pontas, rapaz, se quiser entrar em pânico que seja em outra hora e outro lugar... A luz fraca das lâmpadas do banheiro intensifica as milhares de manchas velhas de água acumulada e sabão nos espelhos, transformando-as num entremeio de nuvens, de pele e fumaça quando Roger vira a cabeça diante deles, limão e bege, negro-fuligem e pardo-crepúsculo aqui, textura esfarinhada bem solta...

Bela manhã, Segunda Guerra Mundial. A única coisa em que Roger consegue pensar conscientemente é *Quero ser transferido*, uma espécie de estribilho sem música que ele cantarola diante do espelho, sim senhor, preciso fazer o pedido imediatamente. Vou me oferecer como voluntário para ir para a Alemanha, isso mesmo. Lárilá, rilá. Isso, na quarta-feira tinha um anúncio na seção classificada de *Nazis in the News*, entre um escritório do Partido Trabalhista em Liverpool procurando um agente de publicidade e uma agência de publicidade de Londres com vagas imediatas assim que vier a desmobilização, segundo eles. O anúncio entre os dois fora colocado por algum órgão do futuro governo de ocupação na Alemanha, tentando encontrar peritos em "reeducação". Fundamental, fundamental. Ensinar à Besta Germânica alguma coisa a respeito da Magna Carta, espírito esportivo, essas coisas, não é? Encafuar-se em alguma cidadezinha neurótica da Baviera cheia de relógios cuco, onde lobisomens surgem da floresta no meio da noite para deixar panfletos subversivos nas portas e janelas e depois desaparecem de novo no mato — "Qualquer coisa!" Roger voltando a seu quarto estreito, "qualquer coisa é melhor do que isto..."

Era assim que ele se sentia. Sabia que estaria mais em casa na loucura da Alemanha, em meio aos inimigos, do que aqui na Seção Psi. Esta época do ano só faz piorar. Natal. Bleeearrrrgh, apertando o estômago. Jessica era a única coisa que tornava sua situação humana, tolerável. Jessica...

Foi então tomado, durante meio minuto, estremecendo e bocejando, de ceroulas, macio, quase invisível dentro de sua cela na madrugada de dezembro, entre tantas quinas agudas de livros, maços de papéis, carbonos, tabelas e mapas (e o principal, manchas vermelhas na pele alvipura de *lady* Londres, vigiando todas... *espere aí*... doença de pele... será que *ela* traz em si a infecção fatal? serão os lugares predestinados, e a trajetória do foguete determinada pela erupção que já é *latente na cidade*... mas ele não consegue conceber, tal como não entende a obsessão de Pointsman com a inversão dos estímulos sonoros e por favor, por favor, não dava para parar só um pouquinho...), por uma aparição, só se dando conta depois que passou de que estava vendo com clareza o lado honesto de sua vida que Jessica era agora, de que sua mãe Guerra certamente reprovava com fanatismo sua beleza, sua indiferença atrevida em relação às instituições da morte em que ele há não tanto tempo atrás acreditava — sua esperança inquebrantável (se bem que ela detestava fazer planos), seu exílio da infância (se bem que se recusava a se apegar a lembranças)...

Sua vida antes era ligada ao passado. Ele se via como um ponto numa onda em movimento, propagando-se através da história estéril — um passado conhecido, um futuro projetável. Mas Jessica era o quebrar da onda. De repente havia uma praia, o imprevisível... uma vida nova. Passado e futuro paravam na praia: era assim que ele havia resolvido. Porém queria acreditar também, tal como a amava, além de todas as palavras — acreditar que por pior que estivessem as coisas, nada era fixo, tudo podia mudar e ela podia sempre negar o mar escuro que havia por trás dele, fazê-lo sumir por obra e graça do amor. E (egoísta) que ele, aquele rapaz sombrio, raízes sólidas plantadas na Morte — pegando carona com a Morte —, poderia, com ela, chegar à vida e à felicidade. Ele nunca dissera a Jessica, evitava dizer a si próprio, mas era esta a medida de sua fé, neste sétimo Natal da Guerra que mais uma vez vinha atacar seu flanco magro e trêmulo...

Ela anda de um lado para o outro do dormitório, incomodando as outras garotas com pedidos de tragos em cigarros Woodbine passados, bastõezinhos para consertar meias de náilon, comentários alegres e irônicos sobre a guerra à guisa de solidariedade. Hoje à noite ela vai sair com Jeremy, seu tenente, mas quer estar é com Roger. Só que, no fundo, ela não quer, não. Ou quer? Jessica tem a impressão de que nunca esteve tão confusa assim. Quando está com Roger, só sente amor, mas à distância — por menor que seja a distância — constata que ele a deprime, até mesmo a assusta. Por cima dele nas noites loucas, montada em sua pica, eixo dela, tentando manter-se rígida o bastante para não virar creme cera de vela se derretendo toda sobre a colcha gozando, só há lugar para *Roger, Roger, ai amor* até acabar o fôlego. Mas fora da cama, andando conversando, o rancor dele, a escuridão dele, é uma coisa que vai mais fundo que a Guerra, que o inverno: ele odeia a Inglaterra tanto, odeia "o Sistema", se queixa o tempo todo, diz que vai emigrar depois da Guerra, se entoca em sua caverna de papel cheio de ódio por si próprio... e será que ela *quer* mesmo fazê-lo sair da toca? Não é mais seguro ficar com Jeremy? Ela tenta não se perguntar isso com muita frequência, mas a pergunta permanece. Três anos com Jeremy. É praticamente um casamento. Três anos não se podem jogar fora. Pequenos retalhos e adaptações cotidianas. Ela já usou os roupões velhos do Castor, preparou chá e café para ele, procurou-o em estacionamentos de caminhões, cassinos de oficiais e campos enlameados quando todas as perdas mesquinhas e melancólicas do dia podiam ser resgatadas com um único olhar — familiar, cheio de confiança, numa época em que a palavra é invocada como arcaísmo ou para provocar um riso leve. E jogar tudo isso fora? três anos? por esse rapaz temperamental, autocentrado — *garoto*, na verdade. Meu Deus, diz que tem mais de trinta anos, é muito mais velho que ela. Será que ele não aprendeu *nada*? Um homem vivido?

O pior é que ela não tem com quem conversar. A política desta bateria mista, o incesto profissional, as obsessões mórbidas com quem disse o que a quem na primavera de 1942 pelo amor de Deus, perto de Grafty Green, Kent ou sei-lá-onde, e quem que devia ter respondido o que mas em vez disso contou para não-sei-quem, provocando ódios que florescem luxuriantes até hoje — depois de seis anos de calúnias, ambições, histeria, fazer alguma confidência a alguém aqui é puro masoquismo.

"Alguém que você não esquece, Jessie?" Maggie Dunkirk passando, ajeitando as luvas. Nos alto-falantes uma banda de swing da BBC agita uma música natalina fortemente sincopada.

"Me dê um cigarro e não negue, Maggie" já virou automático, ah se você soubesse, Jess.

Bem... "Isso aqui até que andou que parecia um filme de Greta Garbo, e não aquela fome de nicotina de sempre, mas desculpe, não tenho não..."

Ah, vá embora. "Pensando nas compras de Natal."

"Ou seja, o que você vai comprar para o Castor."

Prendendo as ligas nas meias, as mais velhas, primeiro na frente, depois atrás, mnemonicamente correndo o tecido aéreo por entre os dedos, elástico branco-lavanderia antes murcho agora tenso e fino, tangenciando a delicada curva da coxa, presilhas prateadas luzindo debaixo ou atrás das unhas esmaltadas de vermelho, passando como fontes distantes por trás de árvores de topiaria, Jessica responde: "Ah. Hum. Um Cachimbo, eu acho..."

Perto da bateria de Jessica uma noite, rodando em algum lugar em Kent, ela e Roger encontraram uma igreja, um montículo no meio do planalto escuro, iluminado, brotando da terra. Era domingo, pouco antes da hora de vésperas. Homens com sobretudos, capas de chuva, boinas escuras que tiravam ao entrar, aviadores americanos com uniformes de couro forrados de lã de carneiro, umas poucas mulheres com botas barulhentas e japonas de ombros largos, mas nenhuma criança, nem uma, só adultos, vindos de campos de bombardeio, bivaques de balões, casamatas na praia, entrando pela porta normanda peluda de trepadeiras hibernantes. Jessica disse: "Ah, eu me lembro..." mas não continuou. Estava relembrando outros Adventos, sebes alvas de neve como carneiros vistas de sua janela, e a Estrela prestes a ser colada no céu outra vez.

Roger parou o carro, e os dois ficaram a ver os militares de trajes surrados e sem cor indo ao ofício das vésperas. O vento cheirava a neve recém-caída.

"A gente devia ir para casa", disse ela, depois de algum tempo. "Está tarde."

"A gente podia dar uma entrada rápida."

Com essa ela não contava, depois de tantas semanas de comentários sarcásticos! Sua irritação de incréu com os colegas da Seção Psi que, segundo ele, estavam todos querendo botá-lo tão maluco quanto eles já eram, e sua postura antinatalina intensificando-se cada vez mais, junto com as compras natalinas — "Não é você que não liga para essas coisas?" disse ela. Porém Jessica queria entrar, o céu de neve daquela noite estava pesado de nostalgia, sua própria voz estava prestes a traí-la e juntar-se à dos coros que agora cantam nas ruas e se ouvem ao longe, à medida que os dias do Advento vão pingando um por um, vozes a cantar vindo de campos congelados onde as minas enterradas são tantas quanto são as ameixas num pudim... muitas vezes por cima dos sons da neve se derretendo, ventos que atravessam não a atmosfera natalina, e sim a substância do tempo, traziam a ela aquelas vozes infantis, cantando por tostões, e se seu coração ainda não estava pronto para assumir todas as tensões da sua própria mortalidade e a delas, ao menos havia o medo de que ela estivesse começando a perdê-las — que um belo dia de inverno ela saísse correndo para ver, fosse até o portão para encontrá-las, corresse até as árvores porém em vão, as vozes estariam morrendo...

Caminhavam pisando nas pegadas que todos os outros tinham deixado na neve, de braços dados, ela muito séria, o vento a emaranhar-lhe os cabelos, escorregando uma vez no gelo. "Para ouvir a música", ele explicou.

O coro improvisado daquela noite era todo masculino, ombros com dragonas visíveis sob os colarinhos largos das túnicas brancas, e muitos rostos quase tão brancos quanto as túnicas com o cansaço de campos encharcados e enlameados, rondas, cabos dedilhados pelos balões nervosos boiando nas nuvens, tendas com luzes dentro que no lusco-fusco brilhavam radiativas, como almas, através da lona hachurada, transformada em gaze fina, tamborilada pelo vento. Porém havia um rosto negro, o contratenor, um cabo jamaicano, trazido de sua ilha cálida para esta — ele que passara a infância cantando nos bares enfumaçados da High Holborn Street onde os marinheiros bebem rum e jogam bombas vermelhas enormes, um quarto de uma banana de dinamite rapaz, por cima das portas de vaivém e atravessam a rua correndo rindo, ou então saem caminhando com moças de saias curtas, moças da ilha, moças chinesas e francesas... cascas de limão esmagadas nas sarjetas perfumavam as madrugadas onde ele cantava, Você sabe da minha querida Lola, corpinho de garrafa de Coca-Cola, marinheiros correndo e descendo nas sombras dos becos, lenços no pescoço e calças largas ao vento, e as moças cochichando e rindo... todo dia de manhã ele contava meio bolso de moedas de todos os países. Lá de Kingston, cidade de palmeiras, as complexas necessidades do Império Anglo-Americano (1939-1945) o trouxeram para essa gélida igreja de interior, de onde quase se podia ouvir um mar setentrional que ele mal vira ao atravessá-lo, para comparecer a este ofício de completas, hoje um programa de cantochão em inglês, de vez em quando descambando em polifonia: Thomas Tallis, Henry Purcell, até mesmo latim macarrônico da Alemanha quatrocentista, atribuído a Heinrich Suso:

In dulci jubilo
Nun singet und seid froh!
Unsers Herzens Wonne
Leit in *praesipio*,
Leuchtet vor die Sonne
Matris in gremio.
Alpha es et O.

A voz aguda do negro pairava acima das outras, não um falsete de cabeça porém uma voz completa, saída do peito honesto, uma voz de barítono elevada até este registro por anos de prática... através dela mulatas rebolavam no meio daqueles protestantes nervosos, caminhando pelos antigos caminhos abertos pela música, Big Anita e Little Anita, Stiletto May, Plongette que gosta de levar no meio dos peitos e nem cobra quando é assim — para não falar no latim, no *alemão?* numa igreja inglesa? Não se trata de heresias e sim de vicissitudes do império, tão necessárias quanto a presença do negro, pequenos atos surrealistas — que, tomados em conjunto, constituem um ato de suicídio, mas que em sua patologia, sua versão prosaica do real, o Império comete aos milhares todos os dias, sem qualquer consciência do que faz... Assim, a voz pura do contratenor subia, penetrando no coração de Jessica e até no de Roger, pensava ela, arriscando olhadelas para o lado e para cima através dos espectros castanhos de seus cabelos, durante os recitativos e pausas. Ele não estava com ar de niilismo, nem mesmo de niilismo barato. Estava...

Não, Jessica nunca viu seu rosto exatamente assim, à luz de uns poucos lampiões de óleo, as chamas firmes, amarelíssimas, na manga do mais próximo as impressões digitais do sacristão num fino V de vitória, de pólen, a pele de Roger tem agora um tom de rosa mais infantil, seus olhos brilham mais do que a luz dos lampiões pode explicar — não é? ou é ela que quer que assim seja? A igreja é tão fria quanto a noite lá fora. Cheiro de lã úmida, de cerveja no hálito desses profissionais, de fumaça de vela e cera derretida, de peidos reprimidos, de tônico capilar, do próprio óleo ardente dos lampiões, estreitando os outros odores num abraço maternal, mais pertencente à Terra, a camadas mais profundas, outras épocas, e ouça... ouça: são as vésperas da Guerra, é a hora canônica da Guerra, e a noite é real. Sobretudos negros amontoados, capuzes vazios cheios de sombras densas de interior de igreja. Lá na costa as marinheiras trabalham até tarde, dentro de cascos frios e eviscerados, tochas azuis que são estrelas recém-nascidas no entardecer. Chapeamentos balançam-se no céu como grandes folhas de ferro, suspensos em cabos que rangem em lascas de som. Em posição de descansar, a postos, as chamas dos maçaricos, atenuadas, enchem os mostradores redondos dos manômetros com uma luz alaranjada. Nos galpões dos encanadores, ornados de pingentes de gelo, sacudidos pelos vendavais que vêm do estreito, há pilhas de tubos de creme dental usados, muitas delas chegando até o teto, milhares de melancólicas manhãs humanas tornadas toleráveis, transformadas em eflúvios de hortelã e canções tristes que deixavam pintas brancas nos espelhos de Harrow a Gravesend, milhares de crianças que fizeram de suas bocas almofarizes para nelas bater espuma, que perderam tranquilamente milhares de palavras em meio às bolhas brancas — queixas na hora de ir para a cama, tímidas declarações de amor, notícias de seres gordos ou translúcidos, peludos ou suaves, vindos do país debaixo da colcha — incontáveis momentos de espuma e alcaçuz cuspidos no ralo, descendo esgoto abaixo, chegando ao estuário lerdo cheio de escuma cinzenta, enquanto as bocas matinais ao decorrer do dia recobriam-se de fumo e peixe, secavam-se de medo, conspurcavam-se de ócio, inundavam-se ao imaginar refeições impossíveis, contentando-se com o rebotalho da semana em tortas de rins, leite em pó, biscoitos quebrados pela metade do preço em cupons, e o mentol é mesmo uma invenção maravilhosa para tomar a quantidade exata todas as manhãs e despejá-la na costa, onde se transformará em bolhas grandes e sujas, formando uma intricada marchetaria de escoadouros a multiplicar-se rumo ao mar, quando um por um esses tubos velhos de creme dental são esvaziados e devolvidos à Guerra, pilhas de metal levemente odorífero, fantasmas de menta nos gélidos galpões, tubos amassados ou enrugados pelas mãos inconscientes de Londres, formando padrões de interferência, mão contra mão, aguardando agora — é o verdadeiro retorno — a hora de serem derretidos para virar solda, lâminas, para fazer liga e transformar-se em peças fundidas, mancais, gaxetas, coisas ocultas que as crianças da outra encarnação doméstica jamais verão. Porém a continuidade, de carne para metais afins, de lar para mar sem fronteiras, persiste. Não é a morte que separa essas encarnações, e sim o papel: especialidades de papel, rotinas de papel. A Guerra, o Império, erigem tais barreiras entre nossas vidas. A Guerra precisa dividir dessa maneira, e subdividir, embora sua propaganda viva enfatizando a união, a aliança, o esforço comum. A Guerra, ao que parece, não quer uma consciência de povo, nem mesmo do tipo que os alemães fabricaram, ein Volk ein Führer — quer uma máquina com muitas peças separadas, não unidade, porém complexidade... No entanto, como pretender saber *o que* a Guerra quer, tão vasta e distante é a Guerra... tão *ausente*. Talvez a guerra não seja sequer uma consciência — não seja uma vida, afinal. Talvez só haja uma semelhança cruel e acidental com a vida. Na "Aparição Branca" há um esquizofrênico, internado há muito tempo, o qual acredita que *ele* é a Segunda Guerra Mundial. Não recebe jornais, recusa-se a ouvir rádio, mas assim mesmo, por algum motivo, no dia da invasão da Normandia sua temperatura disparou para 40°. Agora, quando as pinças do leste e do oeste dão continuidade a seu lento e reflexo movimento de contração, ele fala numa escuridão que lhe invade a mente, diz que seu eu sofre um desgaste... A ofensiva de Rundstedt, porém, o animou, lhe deu novas forças — "Um lindo presente de Natal", confessou ao médico residente de sua enfermaria, "é tempo de nascimento, de recomeços." Sempre que cai um foguete — um foguete audível — ele sorri, dá uma volta na enfermaria, os olhos alegres rasos d'água, a tez tão corada que seus colegas de enfermaria não têm como não se sentir animados. Seus dias estão contados. Vai morrer no Dia da Vitória. Se ele não é mesmo a Guerra, é seu filho e substituto, gozando de favores por um prazo, mas quando chegar o dia da cerimônia, cuidado. O rei verdadeiro morre apenas uma morte fingida. Lembre-se. Um número qualquer de jovens pode ser escolhido para morrer em seu lugar, enquanto o rei verdadeiro, o velho sacana, sobrevive. Será que ele vai aparecer sob a Estrela, espertamente genuflectindo junto com os outros reis enquanto este solstício de inverno nos toca para a frente? Trazendo ao caravançará presentes de tungstênio, cordite e gasolina de alta octanagem? E o menino levantará a vista, de seu leito de palha dourada, e olhará nos olhos o velho rei que se debruça longamente sobre ele para lhe entregar suas dádivas, e os dois se entreolharão, e que mensagem, que possível saudação ou acordo surgirá entre o rei e o príncipe recém-nascido? O bebê está sorrindo, ou estará apenas com gases? Qual das alternativas você prefere?

O Advento vem no vento do mar, do mar que hoje ao pôr do sol brilhava verde e liso como vidro com alto teor de ferro: venta sobre nós todos os dias, todo o céu está grávido de santos e finas trombetas de arautos. Mais um ano de vestidos de casamento abandonados no mais fundo do inverno, jamais usados, pendurados no armário, cetim silencioso, véus brancos e amassados começando a amarelar, estremecendo de leve quando passa você, espectador... visitante que vai aos recantos mais mortos da cidade... Vislumbrando nos vestidos seu próprio reflexo uma que outra vez, meio na sombra, apenas vagas cores carnais no peau de soie, instigando-o a aproximar-se e sentir o cheiro horrendo do primeiro brotar de mofo, aliás bem-vindo — para cobrir todo e qualquer vestígio do cheiro da ex-noiva de classe média, suor, sabonete fino e talco. Porém virgem no coração, nas esperanças. Nada de estações suíças, cristalinas, porém dia pardacento, nublado, neve descendo, cobrindo o campo de vestidos de noiva, vestidos de inverno, suave à noite, uma respiração quase imperceptível junto aos seus ouvidos. Nas estações da cidade os prisioneiros voltaram da Indochina, pobres feixes de ossos ambulantes, leves como sonhadores ou homens a caminhar na lua, em meio a carrinhos de bebê cromados, de couro negro ressoante como couro de tambor, cadeirinhas de criança de madeira pintada de rosa e azul, com decalques de flores arranhados e respingados de mingau, camas de vento e ursos com línguas vermelhas de feltro, cobertores de criança como nuvens de tons pastel, alegres em meio aos cheiros de carvão e vapor, os espaços de metal, entre os enfileirados, os sem-rumo, os que dormem um sono desconfiado, vindo às centenas para os feriados, apesar das advertências, a seriedade do senhor Morrison, o metrô sob o rio pode ser perfurado por um foguete alemão, no momento exato em que se escrevem as palavras, as ausências que podem estar esperando por eles, os endereços que certamente não existirão mais. Olhos vindos da Birmânia, de Tonquim, contemplam estas mulheres com suas centenas de perseveranças — olham com olhos de órbitas azuladas, com cefaleias que não há Alasil que possa aplacar. Prisioneiros de guerra italianos xingam sob o peso dos sacos de correio que chegam bufando e estalando a cada hora, em plena onda de correspondência natalina, enchendo os trens cobertos de neve como cogumelos, como se os trens tivessem passado a noite inteira debaixo da terra, atravessando o país dos mortos. Quando esses carcamanos cantam de vez em quando, pode apostar que não é a "Giovanezza" e sim algum trecho do *Rigoletto* ou de *La Bohème* — aliás o departamento de correios está até pensando em editar uma lista de Canções Proibidas, com cifras de cavaquinho para ajudar a identificação. A alegria, a cantoria desse grupo é genuína até certo ponto — mas à medida que os dias se acumulam, que esta orgia de saudações natalinas ultrapassa todos os limites do saudável, sem que haja possibilidade de diminuir até o dia 26, eles resolvem ser mais profissionalmente italianos, de vez em quando dirigindo um olhar lascivo para uma ou outra evacuada, inventando um jeito de segurar o saco com uma das mãos enquanto a outra se finge de morta — *cioé*, condicionalmente viva — quando nas multidões sem rumo predomina o elemento feminino... é, é promissor. Afinal, a vida continua. Os prisioneiros de ambos os tipos reconhecem isso, mas não há *mano morto* para os ingleses que voltam da China, Birmânia e Índia, não há salto da morte para a vida diante de uma simples permissão concedida por uma coxa ou traseiro provável — nada de brincadeiras, pelo amor de Deus, são questões de vida ou morte! Eles não querem mais aventuras: só futricar na velha estufa, aquecer a velha cama, críquete no inverno, sonolência de folha morta em jardim seco na casa geminada aos domingos. Se vier o admirável mundo novo de lambuja, bem, certamente haverá tempo para se adaptar a ele... Mas esta semana querem o luxo de quase pós-guerra de comprar um trem elétrico para o filho, tentando desse modo obter para uso próprio um conjunto de rostinhos sorridentes, calibrando sua estranheza, fotografias tão conhecidas agora ganhando vida, ahs e ohs mas não ainda, não aqui na estação, nenhum dos movimentos mais necessários: a Guerra os desviou, os enterrou, esses imprudentes, esses destruidores sinais de amor. As crianças desdobraram os presentes do ano passado e encontraram latas de conserva reencarnadas, sabem muito bem que agora pode ser o outro lado, talvez inevitável, do jogo do Natal. Nos meses entre um e outro — primaveras e verões no campo — brincaram com latas de conserva de verdade — tanques, peças antitanque, casamatas, couraçados cor de carne, amarelos e azuis nos soalhos empoeirados de quartos de despejo e despensas, debaixo das camas de vento ou sofás de seu exílio. Agora é hora outra vez. O bebê de gesso, os bois folheados a ouro e os carneiros com olhos de gente voltam a ser reais outra vez, tinta ganha vida e vira carne. Acreditar não é um preço que elas tenham que pagar — a coisa acontece por si só. O bebê é a Criança Nova. Na noite mágica, os animais vão falar, e o céu vai virar leite. Os avós, que passaram todas as semanas aguardando a hora do Médico do Rádio perguntando O que são as hemorroidas? O que é o enfisema? O que é um infarto do miocárdio? vão esperar além da hora da insônia, aguardando mais uma vez para que o impossível anual não aconteça, mas com algum residuozinho — esta é a encosta, o céu *pode* nos mostrar uma luz — como uma emoção, uma ocasião esperada com ânsia excessiva, não uma decepção completa, mas assim mesmo muito menos que um milagre... insistindo em suas vigílias, protegidos por suéteres e xales, teatralmente ranzinzas, mas com o resíduo dentro deles sofrendo mais uma fermentação hibernal todos os anos, cada ano um pouco menos, mas sempre dando para mais uma vez quando chega o Natal... Praticamente nus agora, os ternos e vestidos reluzentes dos tempos das peregrinações de bar em bar há muito tempo reduzidos a trapos estreitos para fazer isolamento nos canos da calefação dos proprietários, estranhos, para proteger do inverno a identidade das casas. A Guerra precisa de carvão. Eles já deram os penúltimos passos, escutaram as confirmações do Médico do Rádio a respeito do que já sabiam com seus corpos, e no Natal estão nus como gansos debaixo dos agasalhos baratos e pesados de lã, roupas de velho. Seus relógios elétricos estão adiantados, até mesmo o Big Ben vai estar adiantado até a revisão da primavera, todos adiantados, e ao que parece ninguém entende por quê, nem está interessado em saber. A Guerra precisa de eletricidade. É um jogo divertido, Monopólio Elétrico, disputado entre as companhias de energia, a Comissão Central de Eletricidade e outras agências da Guerra, para manter a Hora da Rede sincronizada com a Hora Média de Greenwich. À noite, nos mais profundos poços de concreto da noite, dínamos cuja localização é confidencial rodam mais depressa, e deste modo, andam mais depressa os ponteiros junto aos velhos olhos insones — recolhendo seus minutos gemendo num tom mais alto, rumo ao ritmo vertiginoso de uma sirene. É o Carnaval Louco da Noite. A folia sob as sombras dos ponteiros de minutos. A histeria dos mostradores pálidos entre os números. As companhias de energia falam de cargas, gastos provocados pela Guerra tão excessivos que os relógios vão se atrasar a menos que haja esta compensação noturna, mas as tais cargas diárias que se esperam acabam não acontecendo, e a Rede anda cada vez mais depressa, e os rostos velhos viram-se para os mostradores e pensam em complôs, e os números se atropelam rumo à Natividade, uma violência, uma estrela nova do coração que nos transformará a todos, para todo o sempre, chegando mesmo às esquecidas raízes do que somos. Mas sobre o mar a neblina ainda forma uma camada de madrepérola discretamente revolta. Na cidade, as lâmpadas de arco voltaico zumbem furiosas, num incêndio contido, no centro das ruas, uma cor gelada demais para parecer velas, globular demais para parecer um holocausto... os ônibus vermelhos de dois andares gingam, todos os faróis, cumprindo os regulamentos, já livres das máscaras, atravessam, cruzam, esquivam-se, e grandes punhados cegos e rasgados de umidade passam no vento, desolados como as praias recobertas do nácar da neblina, onde o arame farpado que jamais sentiu o empuxo da correnteza, que se estendia passivo, oxidando-se na noite, agora se estende como capim submarino, enrodilhado, gélido, afiado como escorpião, por toda a extensão de areia em branco, passando por lanchas abandonadas no último verão da paz, onde antes o velho mundo passava os feriados, passava as noites em meio a vinho e azeite e cachimbos pré-Guerra, agora reduzidas a ferrugem eixos aposturas, dentro delas o mesmo cheiro de maresia desta praia onde não se pode passear de verdade, por causa da Guerra. No planalto, para além dos holofotes cujos feixes no outono eram abarrotados de aves migradoras noite após noite, que ali ficavam fatalmente presas até caírem exaustas do céu, uma chuva de aves mortas, os fiéis estremecem dentro da igreja sem aquecimento durante o ofício das completas, mudos, enquanto o coro indaga: onde o júbilo? Onde, senão lá onde os Anjos cantam canções novas e os sinos repicam na corte do Rei? *Eia* — estranho suspiro milenar — *eia, wärn wir da!* ah se pudéssemos estar lá... Os homens cansados, com seu carneiro-guia negro que vai mais longe que todos, estão tão afastados de suas peles de cordeiro quanto lhes permite o ano. Então venha. Deixe de lado por alguns instantes sua guerra, sua guerra de papel ou ferro, gasolina ou carne humana, venha com seu amor, seu medo de perder, sua exaustão. O dia inteiro a Guerra ficou a coagi-lo, a enrolá-lo, a obrigá-lo a acreditar em tanta coisa falsa. Então você é mesmo isso, aquele rosto vagamente criminoso na carteira de identidade, cuja alma foi roubada pela câmara do governo tão logo desceu a guilhotina do obturador — se não ficou junto com o coração na Stage Door Canteen, onde estão contando a féria da noite as garotas do Apoio Civil, as garotas chamadas Eileen, cuidadosamente guardando em compartimentos refrigerados os órgãos avermelhados, com consistência de borracha, envoltos em gordura amarelada — ah Linda, venha cá ver este aqui, ponha o dedo neste ventrículo, não é fantástico, ainda está batendo... Todo mundo de quem você não desconfia é cúmplice, todo mundo menos você: o capelão, o médico, sua mãe, doida para poder ostentar uma Estrela de Ouro, o soprano desenxabido que cantou ontem à noite no programa da BBC, não esqueçamos o senhor Noël Coward, falando todo serelepe sobre a morte e o outro mundo, lotando o Duchess Theatre há quatro anos, o pessoal de Hollywood dizendo que aqui é tudo uma maravilha, tudo muito divertido, o elefante Dumbo de Walt Disney agarrado àquela pena, quantos defuntos debaixo da neve hoje entre os tanques pintados de branco, quantas mãos congeladas em torno de uma Medalha Milagrosa, talismã de osso, moeda de meio dólar com seu sol sorridente atrás do vestido translúcido da Liberdade, mão em garra, mudo, quando caiu o 88º — o que você acha, uma história infantil? É o que não há. As crianças estão longe, sonhando, mas no Império não há lugar para sonhos, e hoje aqui é só para adultos, aqui neste refúgio onde os lampiões ardem fundo, numa exalação pré-cambriana, saborosa como cheiro de comida no fogo, pesada como fuligem. E a 100 quilômetros de altitude, os foguetes pairando no momento incomensurável acima do negrume do mar do Norte antes da queda, cada vez mais rápido, até o calor do atrito torná-los alaranjados, transformá-los em estrelas do Natal, a queda inevitável em direção à Terra. Numa altitude menor, as bombas voadoras também estão soltas, rugindo como o Inimigo, buscando a quem devorar. Hoje vai ser uma longa caminhada ao voltar para casa. Escute esta cantoria de falsos anjos, comungue ainda que apenas com os ouvidos, mesmo que eles não sejam porta-vozes das suas exatas esperanças, seus exatos e mais negros terrores, escute. Deve ter havido orações de vésperas aqui muito antes da notícia do nascimento de Cristo. Sem dúvida, sempre que houve noites tão terríveis quanto esta — algo que levante a possibilidade de uma outra noite que pudesse, com amor e cocorocós, iluminar o caminho que leva de volta ao lar, banir o Inimigo, derrubar as fronteiras entre nossas terras, nossos corpos, nossas histórias, todas falsas, a respeito do que somos: por uma única noite, iluminando apenas o nosso caminho e a lembrança do menino que você viu, quase frágil demais, tem merda demais nestas ruas, camelos e outros animais inquietos lá fora, cada casco uma possibilidade de matá-lo, torná-lo apenas mais um Messias, e certamente haverá alguém já fazendo apostas a respeito deste, enquanto nesta cidade os colaboradores judeus estão vendendo informações úteis para o Serviço de Informações do Império, e as putas locais estão divertindo os invasores incircuncisos, cobrando o máximo que o mercado sustenta, tal como os taberneiros, que naturalmente adoraram essa história de todos terem que se registrar, e lá na capital já estão pensando na ideia, quem sabe, de dar a cada pessoa um *número*, é mesmo, para ajudar o departamento de registros do SPQR... e Herodes ou Hitler, pessoal (os capelães lá nas Ardenas são viris, ferozes, bons de copo), que diabo de mundo é esse ("O senhor se esqueceu do Roosevelt, padre", dizem as vozes lá de trás, o bom padre jamais pode vê-los, eles o atormentam, os tentadores, mesmo nos sonhos: "Wendell Willkie!" "E o Churchill?" "Harry Pollitt!") em que um bebê de 3 quilos e 300 gramas vem baixar as espadas achando que vai salvar o mundo, ele deve é estar ruim da cabeça...

Mas a caminho de casa, hoje, você vai lamentar não tê-lo pegado no colo, só um pouquinho, apertado seu corpo bem junto ao seu coração, colocado seu rosto no seu ombro, cheio de sono. Como se fosse você que, de algum modo, pudesse salvá-lo. Sem ligar, por um momento, para a classificação com que você aparece no registro. Por um momento, ao menos, para o rótulo que lhe dão os Césares.

O Jesu parvule,
Nach dir ist mir so weh...

Assim, esse grupo heterogêneo, exilados e garotos matando cachorro a grito, civis mal-humorados convocados em plena meia-idade, homens que engordam apesar da fome, que sofrem de flatulência por isso, pré-ulcerosos, roucos, nariz escorrendo, olhos vermelhos, garganta irritada, homens com infecções urinárias e dores agudas nas costas e ressacas de vinte e quatro horas, desejando a morte de oficiais que eles odeiam do fundo do coração, homens que você já viu andando a pé na cidade, com caras de poucos amigos, mas que você depois esqueceu, homens que também não se lembram de você, sabendo que deviam estar tentando dormir um pouco, e não estar aqui se apresentando para uma plateia de estranhos, neste ofício das vésperas, cujo clímax agora é um fragmento ascendente de alguma escala antiga, vozes que se sobrepõem, três ou quatro vozes, subindo, ecoando, enchendo todo o vazio da igreja — nenhum bebê falso, nenhuma proclamação do Reino, nem mesmo uma tentativa de aquecer ou iluminar esta noite terrível, apenas, porra, nosso mísero gritinho obrigatório, nosso máximo esforço de externar — *Deus seja louvado!* — para você levar de volta para seu endereço de guerra, sua identidade de guerra, atravessando as pegadas e marcas de pneus na neve até chegar por fim ao caminho que você terá de criar você mesmo, sozinho no escuro. Queira você ou não, quaisquer que sejam os mares por você já navegados, o caminho de volta para a casa...

□□□□□□□

Fase paradoxal, em que os estímulos fracos produzem respostas fortes... Quando foi que isso aconteceu? Numa das primeiras etapas do sono: você não ouviu os Mosquitoes e Lancasters indo hoje para a Alemanha, o ronco de seus motores rachando o céu, sacudindo-o, rasgando-o, por uma hora inteira, uns poucos flocos de nuvem hibernal pairando abaixo do ventre da noite, crivado de rebites de aço, vibrando com o terror constante de tantos bombardeiros a caminho. Você imóvel, respirando pela boca, deitado sozinho barriga para cima no beliche estreito junto à parede tão nua de fotos, mapas, nada: *tão habitualmente nua*... Seus pés apontam para uma janela alta e estreita na extremidade oposta do recinto. Luz de estrelas, o som constante dos bombardeios partindo, ar gelado entrando. A mesa coberta de livros de lombadas amassadas, colunas rabiscadas encabeçadas com *Tempo / Estímulo / Secreção* (30 s.) / *Comentários*, xícaras de chá, pires, canetas. Você dormiu, sonhou: a centenas de metros acima do seu rosto passavam os bombardeiros de aço, onda após onda. Você estava dentro de um salão grande, um auditório. Muitas pessoas reunidas. De uns dias para cá, em certas horas, uma luz redonda e branca, muito intensa, tem passado, deslizando para baixo em linha reta, riscando o ar. Aqui, de repente, ela aparece de novo, num percurso linear como sempre, da direita para a esquerda. Mas desta vez não é constante — ela brilha com força em pequenas explosões estrepitosas de curta duração. A aparição, desta vez, é tomada pelos presentes como um alerta — alguma coisa que deu errado, terrivelmente errado, hoje... Ninguém sabia o que significava a luz arredondada. Fora nomeada uma comissão, uma investigação estava em andamento, a resposta estava prestes a sair — porém agora mudou o comportamento da luz... A reunião é suspensa. Ao ver a luz e ouvir aquela explosão, você começa a esperar alguma coisa terrível — não exatamente um bombardeio, mas quase isso. Você olha rapidamente para o relógio. São seis em ponto, ponteiros perfeitamente alinhados, e você compreende que seis horas é a hora em que a luz aparece. Você sai para ver a noite. É a rua da casa da sua infância: pedras, sulcos, rachaduras, água brilhando em poças. Você sai para a esquerda. (Normalmente nestes sonhos com a sua casa você prefere a paisagem à direita — amplos gramados noturnos, com nogueiras antigas e altas, uma colina, uma cerca de madeira, cavalos de olhos vazios num prado, um cemitério... Nesses sonhos, sua tarefa é muitas vezes atravessar — por baixo das árvores, no meio das sombras — antes que alguma coisa aconteça. Com frequência você passa pela terra de pousio logo depois do cemitério, cheia de sarças e coelhos, onde vivem os ciganos. Às vezes você voa. Mas nunca vai acima de uma certa altitude. Você tem a sensação de que está perdendo velocidade, que inevitavelmente terá de parar: não o terror intenso de cair, apenas uma proibição inapelável... e quando a paisagem começa a escurecer... você *sabe*... *aquilo*...) Mas esta tarde, nestas seis horas da tarde, hora da luz arredondada, você resolveu sair para a esquerda. Ao seu lado, uma moça identificada como sua mulher, embora você nunca tenha se casado, nunca a tenha visto antes, no entanto você a conhece há anos. Ela não diz nada. Acaba de chover. Tudo brilha, os contornos das coisas estão extremamente nítidos, a iluminação é baixa e puríssima. Pequenos aglomerados de flores brancas para todos os lados. Tudo floresce. Você vê mais uma vez a luz redonda, descendo, uma piscadela breve. Apesar do frescor aparente, da chuva recente, das flores, a cena o incomoda. Você tenta captar algum cheiro fresco que corresponda ao que você vê, mas não consegue. Tudo é silencioso, inodoro. Por causa do comportamento da luz, alguma coisa vai acontecer, e só lhe resta esperar. A paisagem brilha. Calçada úmida. Colocando um capuz na nuca e nos ombros para agasalhar-se, você está prestes a dizer a sua mulher: "Esta é a hora mais sinistra da noite". Porém há uma palavra melhor do que "sinistro". Você tenta encontrá-la. É um nome de pessoa. Ele espera por trás da penumbra, da claridade, das flores brancas. Vem uma luz batendo à porta.

Você se senta de repente da cama, o coração batendo de pavor. Você esperou que a batida se repetisse, e então se deu conta dos inúmeros bombardeiros no céu. Outra batida. Era Thomas Gwenhidwy, que veio lá de Londres, com a notícia sobre o pobre Spectro. Seu sono não foi perturbado pelo rugido incessante dos esquadrões, mas as batidas tímidas e relutantes de Gwenhidwy o acordaram. Uma coisa parecida com o que acontece no córtex do cachorro durante a fase "paradoxal".

Agora fantasmas amontoam-se sob os beirais. Esticados entre chaminés cobertas de fuligem e neve, sobre os poços de ventilação, tênues demais para produzir qualquer som, permanentemente secos neste vento úmido, esticados sem jamais se partir, formando vítreas curvas francesas a correr pelos telhados, pelo planalto prateado, escorregando onde o mar lambe a costa com línguas de gelo. Eles se amontoam, cada vez mais numerosos, à medida que os dias vão passando, fantasmas ingleses, acotovelando-se na noite, lembranças a soltar-se inverno afora, sementes que jamais haverão de criar raízes, tão perdidas, agora apenas uma palavra de vez em quando, uma pista para os vivos — "Raposas", diz Spectro$_E$ pelos espaços astrais, palavra destinada ao senhor Pointsman, que não está presente, e a quem ela não será transmitida porque os poucos membros da Seção Psi que estão aqui e a ouvem recebem fragmentos obscuros como este em todas as sessões — se chegar a ser anotada, vai parar no projeto de contagem de palavras de Milton Gloaming — "Raposas", um zumbido que ecoa na tarde, Carroll Eventyr, o médium residente da "Aparição Branca", a cabeça coberta de cachos tensos, pronunciando a palavra "raposas" com lábios muito vermelhos e finos... metade do Hospital Sta. Verônica atingido hoje de manhã, ficou sem telhado tal como a velha Abadia de Ick Regis, reduzido a pó tal como a neve, e o pobre Spectro foi-se também, cubículo iluminado e enfermaria escura igualmente engolidos pela explosão, ele nem chegou a ouvir o foguete, o som chegou tarde demais, depois da explosão, o fantasma do foguete chamando os fantasmas por ele criados. Depois, silêncio. Outro "evento" para Roger Mexico, mais um alfinete de cabeça redonda a ser espetado em seu mapa, um quadrado antes com dois e agora com três, confirmando a previsão das três bombas, o que andava demorando a acontecer...

Um alfinete? nem mesmo isso, um furo de alfinete num papel que um dia vai ser tirado da parede, quando os foguetes pararem de cair, ou quando o jovem estatístico resolver parar de contar, papel a ser levado pelas faxineiras, rasgado, queimado... Pointsman sozinho, espirrando impotente em sua sala cada vez mais escura, os latidos que vêm dos canis atenuados pelo frio, sacudindo a cabeça, *não*... dentro de mim, na minha memória... mais do que um "evento"... nossa mortalidade comum... estes dias trágicos... Mas agora já está estremecendo, permitindo-se olhar para o Livro do outro lado da sala, dizendo a si mesmo que dos sete de antes agora só restam dois proprietários, ele próprio e Thomas Gwenhidwy cuidando de seus pobres lá longe, para lá de Stepney. Os cinco fantasmas se dispõem num crescendo evidente: Pumm num acidente de jipe, Easterling num dos primeiros bombardeios da Luftwaffe, Dromond atingido pela artilharia alemã em Shellfire Corner, Lamplighter por uma bomba voadora, e agora Kevin Spectro... carro, bomba, arma, V-1 e agora V-2, e em Pointsman só há terror, toda sua pele dói, a sofisticação crescente dessa série, a dialética que ela parece implicar...

"Ah, sim, sei. A maldição da múmia, seu idiota. Meu Deus, meu Deus, desse jeito vou parar na ala D."

A ala D é o disfarce da "Aparição Branca", onde ainda há alguns pacientes de verdade. A maioria do pessoal da PISCES nunca chega perto dela. O que resta da equipe do hospital tem cantina, banheiro, quartos de dormir e escritórios próprios, e ainda vive como nos velhos tempos de paz, aturando a Outra Turma no mesmo prédio. Tal como, por sua vez, o pessoal da PISCES atura a maluquice de tempo de paz da ala D, e só muito de vez em quando tem oportunidade de trocar com os de lá informações sobre terapias ou sintomas. É, de fato era de se esperar que houvesse mais intercâmbio. Afinal, histeria é histeria, é ou não é? Pois bem, pensando bem, não é não. Como é que a pessoa pode se sentir tranquila durante muito tempo a respeito da transição? De conspirações tão suaves, tão domésticas, da cobra enroscada dentro da xícara de chá, a paralisia da mão, o olho que evita certas palavras, *palavras* que se tornam tão assustadoras, ao tipo de coisa que Spectro encontrava diariamente em sua enfermaria, agora extinta... ao que Pointsman encontra nos cães Piotr, Natasha, Nikolai, Sergei, Katinka — ou Pavel Sergevitch, Varvara Nikolaevna, e depois seus filhos, e — Quando se pode ver com tanta clareza nos rostos dos médicos... Gwenhidwy por trás de sua barba felpuda nunca tão impassível quanto gostaria de ser, Spectro saindo apressado com uma seringa para cuidar de sua Raposa, quando na verdade não há nada capaz de impedir a Ab-reação do Senhor da Noite enquanto não cessarem os bombardeios, os foguetes não forem desmontados, todo o filme não for rodado de trás para a frente: fuselagem virando chapa de metal virando lingotes virando incandescência branca virando minério, de volta na Terra. A realidade, porém, não é reversível. Cada flor de fogo, seguida pela explosão e depois pelo som da chegada, é um escárnio (e como poderia não ser proposital?) do processo reversível: com cada uma delas o Senhor legitima mais ainda seu Estado, e nós que não conseguimos encontrá-lo, nem mesmo vê-lo, acabamos não pensando mais na morte do que antes... e, vindo sem aviso prévio, e não havendo como derrubá-los, fingimos levar a vida tal como era antes dos bombardeios. Quando a coisa acontece, nos contentamos em atribuí-la ao "acaso". Ou então a tal nos convenceram. Realmente, existem níveis em que o acaso praticamente não é reconhecido. Mas, para funcionários como Roger Mexico, é música, não desprovida de uma certa majestade, esta série de potências $Ne^{-m}\left(1 + m + \frac{m^2}{2!} + \frac{m^2}{3!} + \ldots + \frac{m^{n-1}}{(n-1)!}\right)$ termos numerados conforme o número de quedas de foguetes por quadrado, sendo que a distribuição de Poisson determina não apenas essas aniquilações de que homem algum pode escapar como também acidentes de cavalaria, contagens de glóbulos sanguíneos, desintegração espontânea, número de guerras por ano...

Parado diante de uma janela, Pointsman vê o reflexo vago de seu próprio rosto atravessado pela neve que cai lá fora no dia cada vez mais escuro. Ao longe um trem apita, um som granuloso como neblina ao crepúsculo: um galo canta – . – . —, um assobio prolongado, outro cocorocó, fogo junto aos trilhos, um foguete, outro foguete, no bosque ou no vale...

Bem... Então por que *não* renunciar ao Livro, Ned, desistir, só isso, dados obsoletos, os momentos isolados de poesia do Mestre, é só papel, você não precisa disso, o Livro e sua terrível maldição... antes que seja tarde demais... Isso, abjure, avilte-se, ah fantástico — mas diante de quem? Quem está ouvindo? Porém ele já se aproximou da mesa e chegou mesmo a pegá-lo...

"Idiota. Idiota supersticioso." Está variando, a cabeça vazia... esses episódios estão cada vez mais frequentes. Seu declínio, tomando conta dele aos poucos. Pumm, Easterling, Dromond, Lamplighter, Spectro... o que ele deveria ter feito então, ir até a Seção Psi, pedir a Eventyr que promovesse uma sessão espírita, tentar entrar em contato com um deles pelo menos... talvez... sim... O que o impede de fazer isso? "Será que eu", cochicha Pointsman contra o vidro, a sibilante e as oclusivas subsequentes nublando a vidraça fria em leques brancos de hálito quente e desconsolado, "sou tão orgulhoso assim?" Não se pode, *ele* não pode, caminhar por aquele corredor, não pode nem apenas dar a entender, não, nem mesmo a Mexico, a falta que sente deles... embora mal conhecesse Dromond, e Easterling... mas... sente falta de Allen Lamplighter, que apostava em qualquer coisa, cachorros, tempestades, números de bondes, o efeito provável do vento sobre uma saia, até onde iria uma bomba voadora... meu Deus... até mesmo a que caiu nele... Pumm embromando no piano e cantando com voz de barítono bêbado, suas conquistas entre as enfermeiras... Spectro... Mas *por que* ele não pode pedir? Há mil maneiras de fazê-lo...

Eu devia... devia ter... Em sua história há tantos passos não dados, tantos "devia ter" — devia ter se casado com ela, devia ter deixado que o pai dela lhe desse uma ajuda, devia ter ficado na Harley Street, ter sido mais bondoso, sorrido mais para os desconhecidos, até mesmo sorrido hoje quando Maudie Chilkes sorriu para ele... por que não? Uma porra de um sorriso idiota, por que não, o que o inibe, que nó no mosaico? Olhos bonitos, âmbar, por trás daqueles óculos padronizados... As mulheres o evitam. Ele sabe de modo geral por quê: ele é sinistro. Ele tem até mesmo consciência, geralmente, quando está sendo sinistro — é uma certa tensão nos músculos faciais, uma tendência a suar... mas ao que parece não há nada que ele possa fazer a esse respeito, não consegue se concentrar por muito tempo, elas o deixam tão confuso — e quando dá por si está de novo sinistrando como sempre... e a reação delas é previsível, saem correndo gritando um grito que só elas, e ele, escutam. Ah, como ele gostaria de algum dia lhes dar um motivo *de verdade* para gritar...

Uma ereção começa a manifestar-se, esta noite ele vai se masturbar outra vez antes de dormir. Uma constante que não dá prazer, uma instituição em sua vida. Porém que imagens hão de surgir, logo antes do clímax intenso, a tentá-lo, brotando em borbotões? Ora, os torreões e águas azuis, os barcos a vela e torres de igreja de Estocolmo — o telegrama amarelo, o rosto de uma mulher alta, astuta e bela virando-se e olhando para ele quando ele passa na limusine cerimoniosa, uma mulher que mais tarde, e não por acaso, vai visitá-lo em sua suíte no Grand Hotel... a coisa não é só mamilos cor de rubi e corseletes de renda negra, é claro. Tem também salas cheirando a papel em que se entra em silêncio, votações de cartas marcadas nas Comissões disto e daquilo, as Cadeiras, os Prêmios... nada pode se comparar a isso! *Mais tarde, quando for mais velho, você vai entender*, diziam-lhe. É, ele entende cada vez melhor, cada ano de guerra equivale a doze de paz, ah, como eles tinham razão.

Como sua sorte sempre soube, sua sorte subcortical, sorte bruta, seu dom de sobreviver enquanto homens melhores são levados pela Morte, esta é a porta, que ele imaginou tantas vezes ao caminhar como Teseu pelos corredores labirínticos dos anos: uma saída desta ortodoxia pavloviana, descortinando-lhe vistas de Norrmalm, Södermalm, Djurgården e Gamla Stan...

Um por um eles estão sendo atingidos a sua volta: em seu pequeno círculo de colegas, o numerador aumenta cada vez mais em relação ao denominador, mais fantasmas, mais a cada inverno, e menos vivos... e com cada um deles Pointsman tem a impressão de que trechos de seu córtex escurecem, adormecem para sempre, partes do que ele foi até agora vão perdendo toda a definição, retornando ao estado de substância química inerte...

Kevin Spectro não estabelecia uma diferença tão rígida quanto ele entre Fora e Dentro. Para ele o córtex era um órgão de interface, um mediador entre os dois, porém *pertencente a ambos*. "Depois que você o examina e vê exatamente como é", perguntou uma vez, "como é que nós, qualquer um de nós pode ser separado?" Ele é o meu Pierre Janet, pensou Pointsman...

Em breve, segundo a dialética do Livro, Pointsman estará sozinho, num campo negro revertendo à entropia, ao zero, aguardando a hora de ser o último a partir... Haverá tempo? Ele *tem* que sobreviver... tentar ganhar o Prêmio, não por sua própria glória, não — mas para cumprir uma promessa, ao campo humano de sete de que ele já fez parte, os que não conseguiram... Agora um plano médio, ele iluminado por trás, sozinho na janela alta do Grand Hotel, copo de uísque elevado contra o fundo do céu subártico iluminado, *à saúde de vocês todos, amigos, todos nós vamos subir ao palco amanhã, Ned Pointsman apenas teve sorte de sobreviver, só isso*... RUMO A ESTOCOLMO é seu lema, seu grito de guerra, e depois de Estocolmo é só uma névoa, um prolongado crepúsculo dourado...

Ah, sim, houve época em que ele acreditava na existência de um Minotauro a sua espera: sonhava que chegava correndo à câmara interior, espada desembainhada, gritando como se num comando, botando tudo para fora finalmente — chegando a um maravilhoso píncaro da existência dentro de si pela primeira e última vez, enquanto o rosto virava-se para ele, antigo, cansado, sem ver nada da humanidade de Pointsman, pronto para enfrentá-lo com mais um movimento (que a rotina mecanizara havia muito) de chifre ou casco (mas desta vez haveria uma luta, sangue de Minotauro, a fera filha da puta, gritos de fundo de seu ser, de uma virilidade e uma violência que o surpreenderiam)... Este era o sonho. O cenário, o rosto mudava, pouca coisa além da estrutura sobrevivia à primeira xícara de café e pílula achatada e bege de benzedrina. Podia ser um grande estacionamento de caminhões à hora do amanhecer, a calçada recém-lavada com uma mangueira, manchas marrons de graxa, os caminhões verde-oliva, cobertos, cada um contendo seu segredo, aguardando... mas ele sabe que dentro de um deles... e por fim, examinando-os um por um, encontra-o, o código de identificação indizível, sobe na carroceria, enfia-se debaixo da lona, aguarda no meio da poeira e da luz pardacenta, até que, no retângulo nublado da janela da cabine, um rosto *que ele conhece* começa a virar-se... mas a estrutura subjacente é o rosto a virar-se, o encontro de olhares... procurando o Rechssieger von Thanatz Alpdrucken, o mais esquivo dos cães nazistas, campeão na categoria weimaraner em 1941, número de registro 416 832 tatuado dentro da orelha por toda uma Alemanha londrinada, seu vulto cinzento se afastando, correndo no lusco-fusco ao longo dos canais entupidos com o lixo da guerra, os foguetes que caem nunca acertam neles, a perseguição continua, uma chapa queimada com explosões de fogo, o mapa de uma cidade oferecida em sacrifício, de um córtex humano e canino, a orelha do cão balançando-se de leve, o topo de seu crânio refletindo nítidas as nuvens de inverno, até um abrigo subterrâneo forrado de aço quilômetros abaixo da cidade, uma ópera de intrigas balcânicas, e nesta segurança hermética, em meio a estes aglomerados de dissonância azul com acentos irregulares, ele não consegue escapar por completo, porque o Reichssieger persiste, sempre à frente, sereno, incontestável, e a esta perseguição ele retorna, tem que retornar de quando em quando num rondó febril, até por fim verem-se os dois numa encosta ao final de uma longa tarde cheia de despachos do Armagedão, entre fileiras rubras de buganvílias, caminhos dourados onde a poeira sobe, pilares de fumaça ao longe sobre a cidade aracnídea que atravessaram, vozes no ar dizendo que a América do Sul foi reduzida a cinzas, o céu de Nova York está arroxeado sob o império do novo raio da morte, e eis por fim o lugar onde o cão cinzento pode virar-se e fixar seus olhos âmbar nos olhos de Ned Pointsman...

A cada vez, a cada virada, seu sangue e seu coração são acariciados, batidos, elevados jubilosos, despertados para as gélidas noctilucas, Thermite fundida reluzente enquanto ele começa a expandir, uma luz irreprimível, e as paredes da câmara assumem um brilho sanguíneo, alaranjado, depois branco, e começam a escorregar, a fluir como cera, o que é labirinto desaba em anéis para fora, herói e horror, engenheiro e Ariadne consumidos, derretidos dentro da luz de si próprio, a louca explosão de si próprio...

Anos atrás. Sonhos de que ele mal se lembra. Os intermediários que há muito se interpuseram entre ele e sua besta final. Querendo negar-lhe até mesmo a pequena perversidade de apaixonar-se por sua própria morte...

Mas agora, com Slothrop — anjo súbito, surpresa termodinâmica, seja lá o que for — será que vai mudar agora? Será que Pointsman terá uma chance de enfrentar o Minotauro, afinal de contas?

Slothrop já deve estar na Riviera, no quentinho, bem alimentado, bem servido de mulher. Mas aqui neste inverno inglês os cachorros, abandonados, ainda perambulam pelas travessas e becos, farejando as latas de lixo, escorregando nos tapetes de neve, brigando, fugindo, estremecendo em poças úmidas azul-da-prússia... tentando evitar o que não pode ser farejado nem visto, o que se anuncia com um rugido de predador tão absoluto que eles afundam na neve ganindo e ficam de barriga para cima, oferecendo à Coisa os ventres macios e vulneráveis...

Terá Pointsman renunciado a eles em favor de um sujeito humano ainda não utilizado? Não se pense que ele não tem dúvidas a respeito da validade de seu esquema, pelo menos. O reverendo de la Nuit que se preocupe com o lado ético; ele é o capelão da equipe. Mas... e os cachorros? Pointsman os conhece. Ele soube violar com destreza o segredo de suas consciências. Eles não têm segredos. Pointsman pode enlouquecê-los, e com brometos em doses adequadas pode restaurar-lhes a normalidade. Mas Slothrop...

Assim, o pavloviano zanza de um lado para o outro em seu escritório, sentindo-se irrequieto e velho. Devia dormir, mas não consegue. Tem que ser algo mais do que um mero condicionamento imposto a uma criança muitos anos atrás. Como é que ele pode ser médico há tantos anos e não ter desenvolvido reflexos para certas situações? Ele sabe muito bem que é mais que isso. Spectro morreu, e Slothrop (*sentiments d'emprise*, meu velho, calma) estava com sua Darlene, a apenas uns poucos quarteirões do Sta. Verônica, dois dias antes.

Quando um evento sucede a outro com uma regularidade tão terrível, é claro que não se pode automaticamente deduzir que se trata de uma relação de causa e efeito. Mas há que se procurar um mecanismo que dê sentido à coisa. Há que investigar, projetar um experimento modesto... É uma obrigação que ele tem com Spectro. Mesmo que o americano não seja legalmente um assassino, e sim um doente. A etiologia deveria ser investigada, o tratamento encontrado.

Há neste empreendimento, Pointsman sabe, o perigo da sedução. Por causa da simetria... Ele já foi desencaminhado outras vezes pela simetria: em certos resultados de testes... ao pressupor que um mecanismo necessariamente implica sua imagem especular — "irradiação", por exemplo, e "indução recíproca"... mas quem foi que provou que um ou o outro existem? Talvez seja isso que está acontecendo agora, também. Mas o fato é que ele se sente obcecado pela simetria destas duas armas secretas, no Exterior, no bombardeio, os sons do V-1 e do V-2, um o inverso do outro... Pavlov demonstrou que as imagens especulares no Interior podiam ser confundidas. Ideias do oposto. Mas que nova patologia haverá no Exterior agora? Que doença dos eventos — da própria História — será capaz de criar opostos simétricos como essas armas-robô?

Sinal e sintomas. Teria Spectro razão? Seriam Exterior e Interior partes de um mesmo campo? Seria justo... justo... que Pointsman buscasse a resposta na interface... certamente... no córtex do tenente Slothrop. Ele vai sofrer — talvez até, num sentido clínico, seja destruído —, mas quantos hoje não estarão sofrendo em seu nome? Meu Deus, a cada dia, em Whitehall, estão deliberando e assumindo riscos que fazem com que o risco que *ele* vai correr pareça quase trivial. Quase. Há nisso alguma coisa transparente e rápida demais para que seja possível apreendê-la — o pessoal da Seção Psi talvez falasse em ectoplasmas —, porém Pointsman sabe que não houve oportunidade melhor do que esta, e que o sujeito experimental exato está de fato em suas mãos. Ele precisa agarrá-lo agora, ou então condenar-se a permanecer para sempre nos mesmos corredores de pedra, que levam para um lugar que ele sabe muito bem qual é. Porém é preciso permanecer aberto — até mesmo para a possibilidade de que o pessoal da Psi tenha razão. "Talvez todos nós tenhamos razão", anota ele em seu diário nesta noite, "e portanto sejamos tudo o que já especulamos, e mais ainda. O que quer que venhamos a encontrar, não há dúvida de que ele é, sob os aspectos psicológico e histórico, um monstro. *Não podemos jamais perder o controle.* A possibilidade de que ele se perca no mundo dos homens, no pós-guerra, inspira-me um terror profundo que não consigo extinguir..."

□□□□□□□

Cada vez mais, nestes dias de aparições e comunicados angélicos, Carroll Eventyr sente-se uma vítima de seu talento anormal, de sua — para usar a expressão de Nora Dodson-Truck — "esplêndida fraqueza". A qual se manifestou pela primeira vez tardiamente: ele já tinha 35 anos quando uma bela manhã, no Embankment, entre os riscos feitos por um artista de rua com dois bastões de pastel, salmão e castanho-avermelhado, e umas vinte figuras humanas esguias, melancólicas e esfarrapadas nas lonjuras, entremeadas com ferro batido e fumaça fluvial, sem mais nem menos uma voz do outro mundo começou a falar através de Eventyr, tão discretamente que Nora não pegou quase nada, nem mesmo a identidade da alma que o usava. Não daquela vez. Parte das palavras de que ela se lembrava eram em alemão. Ela ficou de perguntar ao marido, com quem iria encontrar-se naquela tarde em Surrey — chegando atrasada, porém, todas as sombras, homens e mulheres, cães, chaminés, muito alongadas e negras, estendidas no enorme gramado, e ela com uma leve poeira ocre, quase imperceptível ao sol de fim de tarde, formando um leque perto da borda de seu véu — foi a cor que ela arrancou da caixa de madeira do artista e rapidamente, com gestos precisos, apenas a ponta do sapato e o giz amarelo cremoso a desmanchar-se tocando a superfície, sem interrupção, desenhou uma grande estrela de cinco pontas na calçada, bem ao lado, no sentido rio acima, de um retrato pouco lisonjeiro de Lloyd George feito em roxo e verde: puxando Eventyr pela mão para fazê-lo colocar-se no pentágono central, sob um diadema ruidoso de gaivotas no céu, depois ela própria colocando-se no centro também, seu jeito instintivo, maternal, com todas as pessoas que amava. Havia desenhado seu pentagrama a sério. Proteção nunca era demais, o mal estava sempre à espreita...

Teria ele sentido, já naquele momento, que ela começava a recuar... teria invocado o espírito comunicante do outro lado do Muro como uma maneira de apegar-se a ela? Nora estava distanciando-se do olhar desperto, social, de Eventyr como luz no limiar da noite quando, por talvez dez minutos perigosos, nada ajuda: ponha os óculos e acenda luzes, sente-se à janela que dá para o poente e mesmo assim a coisa continua escapulindo, você vai perdendo a luz e talvez desta vez seja para sempre... uma boa hora do dia para aprender a entregar-se, aprender a diminuir como a luz, ou como certas músicas. Essa entrega é seu único dom. Depois ele não se lembra de mais nada. Às vezes, raramente, fica intrigado por — não palavras, e sim auréolas de significado em torno de palavras que foram certamente pronunciadas por sua boca, que só permanecem — quando permanecem — por um momento, como os sonhos, não podem ser retidas e desenvolvidas, e terminam se dissipando. Ele já fez incontáveis eletroencefalogramas com Rollo Groast desde que veio pela primeira vez à "Aparição Branca", e dá tudo normal, menos, de vez em quando, uma ou duas vezes no máximo, um pico de 50 milivolts num lóbulo temporal, ora o esquerdo, ora o direito, sem seguir um padrão definido — aliás, uma polêmica do tipo da discussão sobre os canais de Marte vem ocorrendo nos últimos anos entre os diferentes observadores — Aaron Throwster jura que viu formas lentas semelhantes a ondas delta no lóbulo frontal esquerdo e suspeita que haja um tumor, e no verão passado Edwin Treacle percebeu uma "discreta alternância disrítmica entre picos e ondas, curiosamente bem mais lenta do que o normal (três por segundo)" — porém há que levar em conta que na véspera Treacle fizera uma noitada em Londres com Allen Lamplighter e sua turma de jogadores inveterados. Menos de uma semana depois, a bomba voadora deu a Lamplighter sua oportunidade: de encontrar Eventyr do outro lado e provar que ele era mesmo o que os outros diziam: uma interface entre os mundos, um paranormal. Lamplighter apostara 5 contra 2. Porém até agora permanecia silencioso: nada nos discos de acetato macio/metal nem nas transcrições datilografadas que não pudesse vir de dez outras almas diferentes...

Vinha gente de longe, até do instituto de Bristol, para assistir boquiaberta, medir e sistematicamente questionar os fenômenos da Seção Psi. Eis Ronald Cherrycoke, famoso especialista em psicometria, pálpebras tremulando de leve, mãos firmes emoldurando, a dois centímetros de distância, uma caixa embrulhada em papel pardo onde estão ocultos certos mementos do início da Guerra, uma gravata marrom, uma caneta-tinteiro Schaeffer quebrada, um pincenê de ouro branco sem brilho, tudo propriedade de um certo coronel-aviador "Basher" St. Blaise, servindo num posto longínquo, a norte de Londres... Cherrycoke, um rapaz de aparência normal, talvez um pouco gordo, começa a recitar com seu sotaque dos Midlands que lembra o zumbido de um torno mecânico um curriculum vitæ íntimo do coronel-aviador, suas ansiedades a respeito da calvície incipiente, seu entusiasmo pelos desenhos animados do Pato Donald, um incidente durante o bombardeio de Lübeck que só ele e seu ala, já falecido, presenciaram e combinaram não relatar aos superiores — nada que violasse a segurança: confirmado posteriormente, aliás, pelo próprio St. Blaise, sorrindo um pouco, boquiaberto, é, realmente, com essa você me pegou, agora me diga, como foi que você descobriu? É mesmo, como é que Cherrycoke consegue? Ele e os outros? Como é que Margaret Quartertone produz vozes em discos e gravadores de fio a quilômetros de distância sem falar nem sequer tocar no equipamento? E quais os falantes que estão começando agora a reunir-se? De onde vêm os grupos de cinco dígitos que o reverendo Paul de la Nuit, capelão e praticante de escrita automática, está escrevendo há semanas, e que, ao que parece, o que é preocupante, ninguém em Londres consegue decodificar? Qual o significado dos sonhos recentes de Edwin Treacle, nos quais ele se vê voando, em particular quando temporalmente correlacionados com os sonhos de Nora Dodson-Truck, nos quais ela está caindo? O que é que se forma entre todos eles que cada um, a seu modo insólito, consegue testemunhar, porém não em palavras, nem mesmo na língua franca dos escritórios? Turbulências no éter, incertezas nos ventos do carma. Essas almas que atravessam a interface, esses a que chamamos de mortos, estão cada vez mais ansiosos e esquivos. Até mesmo o comunicante de Carroll Eventyr, Peter

Sachsa, normalmente frio e sarcástico, o que o encontrou aquele dia há tantos anos no Embankment e tantas outras vezes depois — sempre que há mensagens a serem transmitidas — até mesmo Sachsa anda nervoso...

Ultimamente, como se todos estivessem sintonizando o mesmo Programa X no éter, novos fenômenos têm procurado a "Aparição Branca", a qualquer hora do dia e da noite, silenciosos, o olhar parado, querendo que tomem conta deles, carregando máquinas de metal preto e enfeites de vidro de mau gosto, entrando em transes paralisantes, aguardando hipercineticamente a pergunta certa para disparar, a 200 palavras por minuto, uma lenga-lenga a respeito de seus poderes terríveis e especiais. Uma invasão. O que fazer com Gavin Trefoil, cujo dom nem sequer tem nome ainda? (Rollo Groast quer denominá-lo *autocromatismo*.) Gavin, o mais jovem de todos, só 17 anos, de algum modo consegue metabolizar, sempre que o deseja, um de seus aminoácidos, a tirosina. Este aminoácido produz a melanina, que é o pigmento marrom-escuro responsável pela cor da pele humana. Gavin também é capaz de inibir este metabolismo, variando, ao que parece, o nível de fenilalanina no sangue. Assim, consegue mudar a cor de sua pele desde um branco espantoso de albino até um negro muito profundo, arroxeado, passando por todos os tons intermediários. Normalmente ele está distraído, ou esquece, e gradualmente retorna a seu estado de repouso, um tom pálido de ruivo sardento. Mas pode-se imaginar o quanto ele foi útil para Gerhardt von Göll durante a filmagem das cenas do Schwarzkommando: ele ajudou a economizar literalmente horas de trabalho de maquiagem e iluminação, atuando como um refletor variável. A teoria que melhor explica *como* o processo se dá é a de Rollo, mas é muito vaga — sabemos que as células da pele responsáveis pela produção da melanina — os melanócitos — faziam parte, em todos os organismos, numa etapa inicial da formação embriônica, do sistema nervoso central. Mas à medida que o embrião se desenvolve e o tecido vai se diferenciando, algumas destas células nervosas se afastam do que virá a ser o SNC e vão se situar na pele, onde se transformam em melanócitos. Elas conservam sua forma original de galho de árvore, axônio e dendritos, que é característica do neurônio típico. Porém os dendritos passam a ser usados para transmitir não sinais elétricos, e sim pigmentos. Rollo Groast acredita na existência de alguma ligação, até hoje não descoberta — uma memória celular sobrevivente que ainda responde, de modo retrocolonial, às mensagens da metrópole cerebral. Mensagens de que talvez o jovem Trefoil não tenha consciência. "Faz parte", escreve Rollo para seu pai, o doutor Groast de Lancashire, numa vingança complexa das histórias que este lhe contava na infância sobre Jenny Dentes-Verdes, à espera dos meninos no pântano para afogá-los, "de um drama antigo e secreto para o qual o organismo humano atua apenas como um conjunto de notas de programa muito indiretas, com frequência misteriosas — é como se o organismo que conseguimos medir fosse um fragmento desse programa encontrado na rua, perto de um magnífico teatro onde não podemos entrar. As convoluções da linguagem nos são negadas! O grande Palco, mais escuro ainda que nas produções do senhor Tyrone Guthrie... Dourados e espelhos, veludo vermelho, fileiras e mais fileiras de camarotes, tudo imerso na sombra também, enquanto em algum lugar daquele proscênio profundo, mais fundo que as geometrias que conhecemos, as vozes murmuram segredos que jamais nos são revelados..."

— Tudo que vem do SNC temos que arquivar aqui, você sabe. Depois de algum tempo vira uma tremenda aporrinhação. A maior parte é totalmente inútil. Mas nunca se sabe quando vão querer alguma coisa. No meio da noite, ou durante o auge de um bombardeio de ultravioleta, sabe, para eles não faz a menor diferença.

— Você costuma ir muito ao... bem, ao Nível Exterior?

(Pausa longa, em que a mais velha olha fixamente, enquanto diversas mudanças ocorrem no rosto dela — humor, piedade, preocupação — até que o mais novo volta a falar.) D-desculpe, eu não quis —

— (Abruptamente) Eu vou ter que lhe dizer, mais cedo ou mais tarde, como parte do interrogatório.

— Me dizer o quê?

— Tudo que me disseram. Nós passamos adiante, uma geração para a outra. (Não há nada de plausível em que ela possa refugiar-se. Percebemos que isto ainda não é uma coisa rotineira para ela. Por uma questão de integridade, ela tenta falar baixo, ainda que não delicadamente.) *Todos* nós subimos ao Nível Exterior, meu jovem. Uns imediatamente, outros só depois de algum tempo. Porém mais cedo ou mais tarde todo mundo aqui tem que ir para a Epiderme. Não há exceções.

— Tem que...

— Desculpe.

— Mas não é... Eu pensava que fosse só um... bem, um *nível*. Um lugar onde se fosse em visita. Não é...?

— Um cenário extraordinário, sim, eu também — formações estranhas, um vislumbre da Radiância Exterior. Mas somos todos *nós*, entende? Milhões de nós, transformados em interface, em tecido córneo, sem sentimentos, silencioso.

— Ah, meu Deus. (Pausa em que ele tenta apreender — depois, em pânico, repele:) Não — como você pode dizer uma coisa dessas — não dá para sentir a *memória?* o puxão... estamos no exílio, temos um lar! (A outra permanece em silêncio.) Lá atrás! Não na interface. Lá no SNC!

— (Em voz baixa) É uma ideia aceita por muitos. Faíscas caídas. Fragmentos de recipientes que se quebraram quando da Criação. E algum dia, de algum modo, antes do fim, uma volta ao lar. Um mensageiro do Reino, chegando no último instante. Mas eu lhe digo que não há mensagem, nem lar — apenas milhões de últimos instantes... nada mais. Nossa história é um conglomerado de últimos instantes.

Ela atravessa a sala complexa, atulhada de couros flexíveis, teca tratada com limão, espirais ascendentes de incenso, instrumentos ópticos reluzentes, desbotados tapetes da Ásia Central dourados e escarlates, trabalhos de ferro batido com os ossos expostos, uma longa travessia do palco em direção ao proscênio, comendo uma laranja, seção por seção, enquanto caminha, o vestido de faille esvoaçando lindamente, as mangas trabalhadas caindo dos ombros muito largos até se estreitarem nos punhos abotoados, tudo isso num tom terroso sem nome — um verde-sebe, um marrom--argila, um toque de oxidação, laivos de outono — a luz dos revérberos penetra por entre os caules e folhas dactiloides de filodendros capturados nos últimos estertores do arrebol, desce um amarelo tranquilo sobre as fivelas de aço sobre os dorsos dos pés e riscos nos lados e nos saltos altos de seus sapatos de verniz, tão lustrosos que parecem não ter cor alguma ao passar por esta suave luz cítrica onde ela os toca, e eles a recusam, como se fosse um beijo de masoquista. Por trás de seus passos, o tapete relaxa em direção ao teto, as formas das solas e saltos desaparecem lentamente da pilha de madeira. Uma única explosão de foguete irrompe no céu da cidade, vindo do leste, de longe, leste quarta a sudeste. A luz refletida pelos sapatos flui e cessa, como tráfego vespertino. Ela se detém, ao se lembrar de algo: o vestido militar treme, fios de seda estremecem aos milhares quando a luz gélida desliza para o outro lado, voltando a tocá-los por trás, desprevenidos. Adensam-se os odores de sândalo e almíscar ardentes, de couro e uísque derramado.

E ele — passivo como se em transe, permitindo à beleza dela penetrá-lo ou evitá-lo, o que ela bem desejar. Como pode ele ser algo mais que um manso receptor, um preenchedor de silêncios? Todos os raios da sala são dela, celofane líquido, estalando tangencialmente quando ela gira em torno do eixo do salto, lançados quando ela começa a retroceder. Então ele a ama há quase dez anos? Incrível. Esta perita em "fraquezas esplêndidas", movida não por concupiscência, nem mesmo por uma veleidade, e sim pelo vácuo: pela ausência de qualquer esperança humana. Ela é assustadora. Alguém a chamou de niilista erótica... cada um deles, Cherrycoke, Paul de la Nuit, até mesmo, ele imagina, o jovem Trefoil, até mesmo — é o que dizem — Margaret Quartertone, cada um deles foi *usado* para a ideologia do Zero... para tornar a grande rejeição de Nora ainda mais tremenda. Pois... se ela de fato o ama: se tudo que ela disse, estes dez anos de quartos e conversações significam alguma coisa... se ela o ama e ainda assim o nega, apostando 2 contra 5 na inexistência de seu dom, nega o que está distribuído por todas as células de seu corpo... então...

Se ela o ama. Ele é passivo demais, não tem coragem de avançar, como Cherrycoke tentou fazer... Claro que Cherrycoke é esquisito. Ri demais. Não um riso vazio, porém *dirigido a algo* que ele pensa que todos estão vendo. Todo mundo assistindo a um jornal da tela irônico, o feixe de luz do projetor descendo leitoso, engrossando com a fumaça de cachimbos e charutos, Abdullas e Woodbines... os perfis iluminados de militares e moças são bordas de nuvens: o crepe viril de um bibico avançando no cinema escuro, a forma reluzente e rotunda de uma perna envolta em seda com o pé comodamente enfiado entre dois bancos da fileira à frente, os turbantes de veludo com sombras nítidas e os cílios protuberantes sob eles. Em meio aos vagos e lascivos casais dessas noites, os risos de Ronald Cherrycoke, seu jeito de suportar a solidão, frio, fácil de enlouquecer, cola escorrendo das rachaduras, sujeito estranho de um plástico muito instável... De todos os fracos esplêndidos de Nora, ele é o que empreende as viagens mais arriscadas em seu vazio, procurando um coração cujo ritmo *ele* há de determinar. Ela deve surpreender-se, Nora-A-Sem-Coração, ao vê-lo ajoelhar-se, agitando-lhe as sedas, entre as mãos a história antiga fluindo em correntes de Foucault — echarpes verdes, azul-claro, passamanes lilás, alfinetes, broches, escorpiões opalescentes (seu signo é Escorpião) incrustados em ouro formando um tríquetro, fivelas de sapatos, leques de nácar quebrados e programas de teatro, linguetas de suspensórios, longas meias escuras, de antes dos tempos de austeridade... desacostumadamente ajoelhado, as mãos perdendo-se, virando, buscando o passado de Nora tão precário em meio ao fluxo dos objetos, sentindo suas mãos avançarem, ela deliciada de poder anunciar suas negações, cobrindo os acertos dele (muitas vezes absolutamente precisos) com habilidade, como se fosse uma comédia de costumes...

Cherrycoke está jogando um jogo perigoso. Volta e meia lhe ocorre que o volume de informações que jorra por entre seus dedos vai saturá-lo, queimá-lo... ela parece estar decidida a inundá-lo com sua história e a dor dessa história, seu gume, sempre recém-afiado, a cortar todas as esperanças dele, as esperanças dos dois. Ele a respeita, sim: sabe que muito pouco disso tudo é só teatro feminino. Ela de fato virou o rosto, mais de uma vez, para a Radiância Exterior e não viu simplesmente nada lá. Desse modo, cada vez foi assumindo um pouco mais do Zero em si própria. Em última análise, é uma questão de coragem, e na pior das hipóteses ela só se autoilude numa proporção que tende ao zero: impossível não admirar o que ela faz, ainda que não se aceitem seus desperdícios mortos, seus apelos a um dia não de ira, mas de indiferença final... Assim como ela não pode aceitar a verdade que ele sabe a respeito de si próprio. É verdade, Cherrycoke recebe emanações, impressões... o grito dentro da pedra... beijos excrementícios alinhavados invisíveis na pala de uma camisa velha... uma traição, um delator cuja culpa vai um dia transformar-se num câncer de garganta, tilintando como a luz do dia por entre os furos de uma velha luva italiana... O anjo de Basher St. Blaise, muito além de qualquer designação, elevando-se acima de Lübeck naquele domingo de Ramos com as cúpulas verde-veneno sob seus pés, uma sucessão obsessiva de telhas vermelhas subindo e descendo mil telhados íngremes enquanto os bombardeiros mergulhavam, o Báltico já sumido por trás de uma cortina de fumaça incendiária, ali estava o Anjo: cristais de gelo varridos das bordas de trás de asas perigosamente profundas, abrindo-se ao penetrar o novo abismo branco...

St. Blaise: Monstro Dois, *você viu aquilo?*, câmbio.

Ala: Fala Monstro Dois — confirmado.

St. Blaise: Bom.

Ao que parecia, ninguém mais que participara daquela missão conseguira se comunicar pelo rádio. Depois do bombardeio, St. Blaise verificou o equipamento dos que retornaram à base e não encontrou nada de errado: todos os cristais estavam na frequência correta, as fontes de alimentação não apresentavam ondulação acima do normal — porém outros lembravam-se de que, durante os poucos momentos em que durou a aparição, até mesmo a estática desapareceu dos fones. Alguns ouviram talvez uma espécie de canto agudo, como vento soprando em meio a mastros, ovéns, antenas espirais ou parabólicas dos navios hibernando nos estaleiros... porém só Basher e seu ala o viram, passando zumbindo diante das léguas do rosto em chamas, os olhos, que se elevavam quilômetros, acompanhando o voo dos aviões, as íris vermelhas como brasas, clareando, tornando-se amarelas e por fim brancas, no momento em que eles descarregavam todas as bombas sem obedecer a nenhum critério em particular, o complexo mecanismo Norden, gotas de suor no ar em torno da ocular, perplexo diante da súbita necessidade deles de subir, em vez de atacar a terra atacar o céu...

O coronel-aviador St. Blaise não mencionou este anjo em seu relatório oficial — a oficial da Força Aérea Auxiliar Feminina que o interrogou era um dragão literalista do pior tipo (ela tinha encaminhado Blowitt ao psiquiatra por ter visto uma valquíria acima de Peenemünde, e Creepham por descrever os duendes azuis que caíram das asas de seu Typhoon como aranhas, com pequenos paraquedas da mesma cor, sobre os bosques de Haia). Mas, que diabo, aquilo não era uma nuvem. Por vias extraoficiais, nas duas semanas que separaram o incêndio de Lübeck da ordem dada por Hitler de que fossem feitos "ataques aterrorizantes de caráter retaliatório" — ou seja, foguetes — a história do Anjo se espalhou. Embora St. Blaise parecesse relutar, Ronald Cherrycoke recebeu permissão de investigar certos objetos vistos durante o voo. Assim, o Anjo foi revelado.

Então Carroll Eventyr tentou também contatar Terence Overbaby, o ala de St. Blaise. Encurralado por uma junta médica inteira, sem escapatória. Os dados eram perturbadores. Peter Sachsa dava a entender que na verdade havia várias versões do Anjo que talvez fossem verdadeiras. A de Overbaby não era tão acessível quanto algumas das outras. Problemas de níveis, e do Julgamento, no sentido que o termo tem no tarô... Faz parte da tempestade que os varre todos agora, para cá e para lá da Morte. É desagradável. Eventyr tende a sentir-se como vítima, até mesmo um pouco ressentido. Peter Sachsa, por sua vez, age de modo totalmente fora de seu normal, diz ter muita saudade da vida antiga, a paz de outrora, a decadência de Weimar que o mantinha alimentado e motivado. Colhido em 1930 por um golpe de cassetete desferido por um policial numa agitação de rua em Neukölln, ele relembra agora, sentimental, as noites emolduradas por lambri escuro, fumaça de charuto, senhoras com jade cinzelado, pelúcia, fragrância de rosas-damascenas, pastéis angulosos da moda emoldurados nas paredes, drogas do último tipo dentro das muitas gavetinhas das mesas. Mais do que um mero "Kreis", quase sempre à noite mandalas cheias florescaim: todos os níveis da sociedade, todos os bairros da capital, mãos espalmadas sobre aquele famoso folheado vermelho, tocando-se apenas nas pontas dos dedos mindinhos. A mesa de Sachsa era como uma lagoa profunda no meio da floresta. Sob a superfície havia coisas rolando, escorregando, começando a aflorar... Walter Asch ("Taurus") foi possuído uma noite por algo tão fora do comum que precisou de três

"Hieropons" (250 mg) para voltar, e mesmo assim ele pareceu relutar em dormir. Todos ficaram em pé, observando-o, formando fileiras irregulares como se de atletas, Wimpe o homem da IG que por acaso estava segurando o Hieropon de dedo enganchado com Sargner, um civil ligado ao Estado-maior, ladeado pelo tenente Weissman, tendo recentemente voltado do Sudoeste Africano, e o ajudante de ordem herero que ele trouxe consigo, olhando fixamente para tudo e todos... enquanto isso, atrás deles, senhoras zanzavam sibilantes, lantejoulas e meias de albedo elevado a reluzir, maquiagem preto e branco exprimindo delicados sustos nasalados, olhos arregalados fazendo *ah*... Cada rosto que observava Walter Asch era um palco de teatro de marionetes: cada um, um espetáculo à parte.

... mãos boas sim caídas e pulsos até os músculos depressão respiratória relaxante...

... idem... idem... meu rosto branco no espelho três três e meia quatro marcha das Horas tique-taque quarto não impossível entrar luz insuficiente sim insuficiente não *aaahhh* —

... teatro nada só Walter olhe bem a cabeça ângulo falso quer pegar luz bom luz verte um gel amarelo...

(Uma rã de brinquedo inflável pula em cima de um nenúfar tremendo: sob a superfície reside um terror... um cativeiro recente... porém ele flutua agora acima da cabeça do que o levaria de volta... seus olhos não podem ser lidos...)

...mba rara m'eroto ondyoze... meb mu munine m'oruroto ayo u n'omuinyo... (recuando mais ainda há um retorcer de fios ou cordame, uma rede gigantesca, uma torção de couro, de músculos engalfinhados com algo que vem lutar no mais fundo da noite... e também a sensação de uma aparição de mortos, depois a sensação mórbida de que eles não são tão amistosos quanto pareciam ser... ele acordou, chorou, buscou explicações, mas ninguém jamais lhe disse nada em que ele pudesse acreditar. Os mortos conversaram com ele, vieram e sentaram-se junto a ele, beberam seu leite, contaram-lhe histórias de ancestrais, ou de espíritos de outras partes da savana — pois tempo e espaço, do lado deles, não têm significado, tudo é junto).

"Há sociologias", Edwin Treacle, cabelos apontando em todas as direções, tenta acender um cachimbo cheio de restos miseráveis — folhas de outono, pedaços de barbante, pontas de cigarro — "que ainda nem começamos a investigar. A sociologia da Seção Psi, por exemplo. A Sociedade de Pesquisas Psíquicas, as velhinhas em Altrincham tentando evocar o Demônio, todos nós do lado de cá, você sabe, somos apenas metade da história."

"Cuidado com esse 'nós'", Roger Mexico hoje com a cabeça em outro lugar por conta de mil coisas diferentes, chi-quadrados que não batem um com o outro, livros desaparecidos, a ausência de Jessica...

"Não faz sentido se a gente não considerar também os que passaram para o outro lado. Nós nos comunicamos com eles, não é? Através de especialistas como Eventyr e os espíritos comunicantes do lado de lá. Mas todos juntos formamos uma única subcultura, uma comunidade paranormal, se você quiser."

"Não quero", diz Mexico, seco, "mas concordo que alguém devia estar estudando isso."

"Existem povos — os herero, por exemplo — que mantêm transações cotidianas com seus ancestrais. Os mortos são tão reais quanto os vivos. Como é que a gente pode compreendê-los sem tratar quem está dos dois lados da muralha da morte com a mesma abordagem científica?"

E no entanto para Eventyr não é a transação social que Treacle espera que seja. Não há lembranças de seu lado: nenhum registro pessoal. Ele tem que ler a respeito do que acontece nas anotações feitas pelos outros, ouvir gravações. Ou seja: tem que confiar nos outros. Está aí uma situação social complicada. A parte mais importante de sua vida se baseia na probidade de homens encarregados de agir como interfaces entre o que dizem que ele é e ele próprio. Eventyr sabe o quanto está próximo de Sachsa do outro lado, mas não se *lembra*, e teve uma formação cristã, de europeu ocidental, aprendeu a acreditar na primazia do eu "consciente" e suas lembranças, considerar todo o resto anormal ou trivial, e por isso está perturbado, profundamente perturbado...

As transcrições são um documento sobre Peter Sachsa tanto quanto sobre as almas com as quais ele estabelece contato. Elas relatam, com detalhe, seu amor obsessivo por Leni Pökler, que era casada com um jovem engenheiro químico e também atuava no Kommunistische Partei Deutschlands, ora no 12º Distrito, ora nas sessões de Sachsa. Cada noite em que Leni vinha ele tinha vontade de chorar de pensar no cativeiro em que ela vivia. Em seus olhos sujos estava estampado o ódio por uma vida que Leni não queria largar: um marido que ela não amava, uma filha em relação a quem jamais conseguira aprender a não se sentir culpada por não amar suficientemente.

O marido, Franz, tinha uma ligação, vaga demais para que Sachsa pudesse transmiti-la, com a seção de material bélico do Exército, de modo que havia também barreiras ideológicas que nenhum dos dois tinha energia suficiente para escalar. Ela ia a agitações de rua, Franz ia trabalhar nos foguetes em Reinickendorf após tomar seu chá numa sala matinal cheia de mulheres que lhe pareciam emburradas esperando que ele saísse: levando seus maços de panfletos, suas mochilas empanturradas de livros ou jornais políticos, para atravessar os pátios dos cortiços de Berlim ao romper da madrugada...

Eles estremecem de frio, e têm fome. No Studentenheim não há aquecimento, há pouca luz e milhões de baratas. Um cheiro de repolho, do antigo segundo Reich, repolho de avó, de fumaça de banha que, no decorrer dos anos, conseguiu estabelecer uma *détente* com o ar que tenta decompô-la, cheiros de doenças prolongadas e ocupação terminal desprendem-se das paredes a desmoronar-se. Uma delas está manchada de amarelo do esgoto que sai dos canos quebrados do andar superior. Leni está sentada no chão com quatro ou cinco outras pessoas, compartilhando com elas um pedaço de pão preto. Num ninho úmido de números velhos de *Die Faust Hoch*, que ninguém jamais há de ler, sua filha Ilse dorme, respirando tão de leve que mal dá para perceber. Seus cílios projetam sombras enormes nas curvas superiores de suas faces.

Dessa vez foram-se embora para não voltar mais. Este quarto servirá por mais um dia, até mesmo dois... depois disso Leni não sabe. Ela pegou uma valise para as duas. Será que ele sabe o que significa para uma mulher do signo de Câncer, e mãe, ter todo seu lar contido numa valise? Tem alguns marcos consigo, Franz tem seus foguetes de brinquedo para ir à lua. Realmente, terminou.

Leni sempre sonhou que iria ter diretamente com Peter Sachsa. Se ele não quisesse ficar com ela, pelo menos a ajudaria a encontrar um emprego. Mas agora que Leni rompeu em caráter definitivo com Franz... há alguma coisa, uma beligerância desagradável, típica dos signos terrestres, que de vez em quando se manifesta em Peter... Nos últimos tempos, Leni anda um tanto insegura quanto ao estado de espírito dele. Peter anda sendo pressionado por escalões que — imagina ela — são mais altos que os de costume, e não está conseguindo se aguentar muito bem...

Porém até mesmo os piores acessos de raiva infantil de Peter são melhores que as noites mais tranquilas passadas com seu marido, que é de Peixes, nadando em seus mares de fantasia, desejos de morte, misticismo de foguetes — Franz é exatamente o tipo de pessoa que eles querem. Sabem usá-lo muito bem. Sabem usar quase todo mundo. O que será dos que eles não sabem usar?

Rudi, Vania, Rebecca, somos uma fatia da vida berlinense, mais uma obra-prima da Ufa, exemplar de estudante tipo La Bohème, exemplar de eslavo, exemplar de judia, eis-nos: a Revolução. Claro que não há Revolução, nem mesmo no Kinos, não há *Outubro* alemão, nesta "república". A Revolução morreu — embora Leni fosse apenas uma menina e não se metesse em política — com Rosa Luxemburgo. No momento, o melhor que se pode fazer é acreditar numa Revolução no exílio aqui mesmo, uma continuidade, sobrevivendo nas fímbrias de tudo durante os magros anos de Weimar, aguardando sua hora e sua Luxemburgo reencarnada...

UM EXÉRCITO DE APAIXONADOS PODE SER DERROTADO. Essas coisas aparecem nas paredes dos bairros vermelhos no meio da noite. Ninguém consegue jamais descobrir quem foi que inventou ou pintou essas inscrições, o que gera a suspeita de que o autor é sempre a mesma pessoa. Dá até para acreditar na existência de uma consciência coletiva do povo. São menos slogans do que textos, revelados a fim de serem pensados, desenvolvidos, traduzidos em ação pelo povo...

"É verdade", agora é Vania, "veja as formas de expressão capitalistas. Pornografias: pornografias de amor, amor erótico, amor cristão, menino e cachorro, pornografias de pôr do sol, pornografias de assassinato, pornografias de dedução — *aah*, aquele suspiro quando a gente adivinha quem é o criminoso — todos esses romances, esses filmes e músicas que nos embalam a consciência, são todos maneiras, umas mais confortáveis, outras menos, de chegar àquele Conforto Absoluto." Pausa para permitir a Rudi um sorriso rápido e azedo. "O orgasmo autoinduzido."

"'Absoluto'?" Rebecca aproximando-se de joelhos, os joelhos nus, para entregar-lhe o pão, úmido, despedaçando-se com o contato com sua boca úmida. "Duas pessoas estão —"

"Duas pessoas, é o que dizem a você", Rudi diz, com um sorriso que não chega a ser debochado. Passa pela atenção dela, com tristeza e não pela primeira vez aqui, a expressão *supremacia masculina*... por que é que dão tanto valor à masturbação deles? "Mas na natureza isso é quase desconhecido. Quase sempre é solitária. Você sabe disso."

"Eu sei que é possível gozar juntos", é tudo que ela diz. Embora eles nunca tenham feito amor, Rebecca diz isso num tom de repreensão. Porém ele desvia a vista, como sempre fazemos quando alguém acaba de nos dirigir um constrangedor apelo à fé no qual não podemos nos aprofundar mais.

Leni, tendo desperdiçado tanto tempo com Franz, sabe muito bem o que é gozar sozinha. De início, a passividade do marido a impedia de gozar. Depois ela compreendeu que podia inventar o que quisesse para preencher a liberdade que Franz lhe concedia. A coisa ficou mais confortável: ela podia sonhar com ternuras deliciosas entre eles (logo passou a sonhar também com outros homens) — porém ficou mais solitária. No entanto, suas rugas demoram para aprofundar-se, sua boca não endurece mais do que a expressão que constantemente a surpreende no espelho, um rosto de criança sonhadora, traindo-a para todo aquele que a vê, o exato tipo de fraqueza difusa, suavizada pela gordura, que faz com que os homens a vejam com a Menininha Dependente — até mesmo em Peter Sachsa ela já percebeu este olhar — e o sonho é o mesmo que ela ia buscar enquanto Franz gemia perdido em seus próprios desejos de dor, um sonho de ternura, luz, em que seu coração criminoso redimia-se, em que não era preciso mais fugir, nem lutar, um homem chegando tranquilo como ela, forte, a rua transformando-se numa lembrança remota: precisamente o único sonho que ela pode ao menos permitir-se, aqui. Ela sabe o que tem de fingir. Especialmente quando Ilse a está observando mais. Ilse não vai ser usada.

Rebecca está discutindo com Vania, meio que flertando, Vania tenta manter tudo no código intelectual, enquanto a judia reverte, vez após vez, ao corpóreo... tão sensual: as faces internas das coxas, logo acima dos joelhos, lisas como óleo, a tensão de todos seus músculos, o rosto vivo, o fingimento de Judenschnautze, a insistência, a ponta da língua aparecendo por um instante entre os lábios grossos... como seria ser levado para a cama por ela? Fazer não apenas com outra mulher, mas *com uma judia*... A escuridão animal das duas... os traseiros suados, empurrados agressivamente em direção ao rosto dela, pelos negros escurecendo num crescente fino em torno de cada nádega, a partir da fenda no meio... o rosto virado por cima do ombro sorrindo de prazer grosseiro... de surpresa, num instante roubado num quarto amarelo-claro, enquanto os homens perambulassem lá fora pelos corredores com sorrisos dopados... "Não, devagar. Com carinho. Eu lhe digo quando for para fazer com mais força..." A pele clara de Leni, seu ar de inocência, e a tez mais morena da judia, mais crua, contrastando com a delicadeza da estrutura e da pele de Leni, ossos pélvicos esticando teias de aranha lisas em direção à virilha e em torno do ventre, as duas mulheres deslizando, rosnando, arfando... *Eu sei que é possível gozar juntos*... e Leni despertando sozinha — a judia já em outro cômodo da casa — sem jamais saber o instante exato em que mergulhou no autêntico sono de bebê, uma suave mudança de estado que nunca acontecia com Franz... Assim, ajeitou e alisou os cabelos com as pontas dos dedos, para dar uma ideia de como se sentia a respeito da clientela noturna, e caminhou até os banhos, despiu-se sem ligar para quem a estivesse vendo e mergulhou no calor corpóreo, no perfume convencional... De repente, em meio a gritos e a uma umidade que poderiam ter dificultado sua concentração, ela viu, ali, numa prateleira, olhando para ela... Sim, era Richard Hirsch, da Mausigstrasse, tantos anos atrás... ela percebeu de imediato que seu próprio rosto jamais parecera tão vulnerável — percebeu-o nos olhos dele...

Em volta deles os outros espirravam água, faziam amor, recitavam monólogos cômicos, talvez fossem amigos dele — isso mesmo, olhe ali Siggi chutando água, a gente o chamava de "Gnomo", ele não cresceu um centímetro desde aquele tempo... desde o tempo em que a gente voltava para casa correndo pela margem do canal, tropeçava e caía sobre o calçamento mais duro do mundo, e acordava de manhã vendo neve nos raios das rodas dos vagões, vapor saindo das narinas do velho cavalo... "Leni, Leni..." Os cabelos de Richard empurrados para trás, seu corpo dourado debruçado para a frente, para levantá-la daquela banheira nevoenta, para sentá-la a seu lado.

"Mas você não...?" Ela está confusa, não sabe como dizer isto. "Alguém me contou que você não voltou da França..." Olha para seus próprios joelhos.

"Nem mesmo as garotas francesas iam conseguir me prender na França." Ele continua ali: Leni sente-o tentando olhá-la nos olhos: e fala de modo tão simples, e está tão vivo, convicto de que as garotas francesas têm mais poder de coação que as metralhadoras inglesas... ela sabe, chorando por dentro pela inocência dele, que Richard não pode ter estado com ninguém lá, que as garotas francesas para ele ainda são belas e remotas agentes do Amor...

Em Leni, agora, não há nenhum sinal do trabalho a que se entregou por tanto tempo, nada. Voltou a ser a criança que ele via nos parques, ou com quem se encontrava vindo para casa pelas Gassen à luz parda do entardecer, seu rosto, um tanto largo naquela época, virado para baixo, as sobrancelhas claras preocupadas, livros às costas, mãos nos bolsos do avental... algumas das pedras dos muros eram brancas como gesso... ela pode tê-lo visto vindo em sentido contrário, mas ele era mais velho, sempre acompanhado de amigos...

Agora estão todos menos barulhentos ao seu redor, mais respeitosos, até mesmo tímidos, felizes por verem Richard e Leni juntos. "Antes tarde do que nunca!" exclama Siggi com sua vozinha acelerada de anão, esticando-se nas pontas dos pés para verter ponche nos copos de todos. Leni sai para pentear e clarear um pouco os cabelos, e Rebecca vem com ela. As duas conversam, pela primeira vez, sobre planos para o futuro. Sem se tocar, Leni e Richard se apaixonaram, como deveriam ter se apaixonado naquele tempo. Está subentendido que ele vai levá-la consigo...

Ex-colegas do ginásio têm aparecido de uns dias para cá, trazendo comidas exóticas, vinho, drogas novas, muita espontaneidade e honestidade em questões sexuais. Ninguém se dá ao trabalho de vestir-se. Todos exibem seus corpos nus. Ninguém se sente ansioso ou ameaçado por causa do tamanho dos seios ou do pênis... É muito relaxante para todos. Leni pratica seu novo nome, "Leni Hirsch", até mesmo às vezes quando está sentada com Richard à mesa de um café de manhã: "Leni Hirsch", e ele sorri, constrangido, tenta desviar a vista mas não consegue escapar do olhar dela, e por fim encara-a de frente, ri alto, um riso de puro júbilo, e estende a mão, a palma de sua mão querida, para tocar o rosto de Leni...

Numa tarde de muitos níveis, com balcões, terraços, plateias agrupadas em planos diferentes, todos olhando para baixo, para um centro comum, galerias de moças com folhas verdes na cintura, pinheiros altos, gramados, água corrente e solenidade nacional, o presidente, no ato de pedir ao Bundestag, com sua voz engasgada e nasalada, uma gigantesca dotação de guerra, de repente se interrompe: "Ah, que se foda..." *Fickt es*, a expressão que se tornará imortal, ressoa nos céus, ressoa por toda a terra, *Ja, fickt es!* "Vou mandar todos os soldados para casa. Vamos fechar as fábricas de armamentos, vamos jogar todas as armas no mar. Estou cheio da guerra. Estou cheio de acordar todo dia com medo de morrer." De repente torna-se impossível continuar a odiá-lo: ele é tão humano, tão mortal agora, quanto qualquer um. Haverá novas eleições. A esquerda vai lançar a candidatura de uma mulher cujo nome nunca é dito, mas que todos sabem ser Rosa Luxemburgo. Os outros candidatos escolhidos serão tão ineptos e desinteressantes que ninguém vai votar neles. Haverá uma oportunidade para a Revolução. O presidente prometeu.

Felicidade incrível nos banhos, entre os amigos. Felicidade verdadeira: eventos de um processo dialético não podem ocasionar esta explosão do coração. Todos estão apaixonados...

UM EXÉRCITO DE APAIXONADOS PODE SER DERROTADO.

Rudi e Vania estão discutindo táticas de rua. Em algum lugar está pingando água. A rua chega até aqui dentro, faz sua presença sentir-se em toda parte. Leni a conhece, a odeia. A impossibilidade de descansar... a necessidade de confiar em estranhos que podem estar trabalhando para a polícia, ou então podem vir a trabalhar para ela dentro em breve, quando a rua tornar-se insuportavelmente desolada para eles... Quisera Leni poder impedir que sua filha viesse a conhecer a rua, mas talvez já seja tarde demais para isso. Franz — Franz nunca esteve muito na rua. Sempre alguma desculpa. Preocupado com a segurança, medo de ser captado em algum fotograma por um dos fotógrafos de casaco de couro, que estão sempre nas margens da ação. Ou então dizia: "O que vamos fazer com a Ilse? E se houver violência?". Se houver violência, o que vamos fazer com o Franz?

Leni tentou explicar-lhe que quando se chega a um certo nível, com os dois pés nele, perde-se o medo, todo o medo, penetra-se o momento, encaixa-se perfeitamente em seu sulco, cinza-metal porém macio como látex, e agora as figuras estão dançando, cada uma delas pré-coreografadas no lugar exato, joelhos exibidos por um instante sob a saia pérola quando a moça de lenço na cabeça se abaixa para pegar uma pedra, o homem de casaco preto e suéter marrom sem mangas agarrado por policiais, cada um segurando um braço, ele tentando manter a cabeça erguida, mostrando os dentes, o liberal velhusco de sobretudo bege sujo, dando um passo atrás para esquivar-se de um manifestante desembestado, olhando para trás por cima da lapela como-você-ousa ou cuidado-*eu*-não, os óculos refletindo o brilho do céu hibernal. Eis o momento, e suas possibilidades.

Ela chegou mesmo a tentar, com base no pouco de cálculo que havia aprendido, a explicar a coisa a Franz em termos de Δt tendendo a zero, eternamente aproximando-se do zero, as fatias de tempo cada vez mais finas, uma sucessão de salas cada uma com paredes mais prateadas, transparentes, à medida que a luz pura do zero se aproxima...

Porém ele fez que não com a cabeça. "Não é a mesma coisa, Leni. O importante é levar uma função ao limite. Δt é só para facilitar, para que a coisa possa acontecer."

Franz tem, tinha, o dom de fazer tudo perder a graça com umas poucas palavras. E nem eram palavras escolhidas com cuidado: ele é assim por instinto. Quando iam ao cinema, Franz dormia. Dormiu em *Nibelungen*. Não viu a parte em que Átila, rei dos hunos, vem do leste, num ataque feroz, para devastar os borgonheses. Franz adorava cinema, mas era assim que ele assistia aos filmes, cochilando e acordando. "Você é o homem da causalidade", gritou ela. Como ele conseguia juntar os fragmentos que via quando estava de olhos abertos?

Franz era o homem da causalidade: implicava impiedosamente com a astrologia de Leni, expondo-lhe o que ele imaginava ser aquilo em que ela acreditava, e negando-o em seguida. "Marés, interferências no rádio, e olhe lá. Não há como as mudanças que ocorrem lá longe produzirem mudanças aqui."

"Não se trata de 'produzir'", tentava ela, "nem de 'causas'. Tudo acontece junto. Em paralelo, não em série. Metáfora. Signos e sintomas. Mapeados em sistemas de coordenadas diferentes, sei lá..." Ela não sabia, só estava tentando aproximar-se.

Porém ele replicava: "Tente projetar alguma coisa assim e veja se funciona".

Foram ver *Die Frau im Mond*. Franz achou graça, condescendente. Criticou detalhes técnicos. Conhecia algumas das pessoas que trabalharam nos efeitos especiais. Leni viu ali um sonho com voo. Um dos muitos possíveis. A realidade do voo e os sonhos com voos andam de mãos dadas. Ambos fazem parte de um mesmo movimento. Não A antes de B, e sim tudo junto...

Seria possível alguma coisa com ele durar? Se o lobo judeu Pflaumbaum não tivesse tocado fogo em sua própria fábrica de tinta junto ao canal, Franz talvez dedicasse sua vida ao seu empreendimento impossível de desenvolver uma tinta estampada, dissolvendo cristal após cristal, pacientemente, controlando as temperaturas com um cuidado obsessivo para que, ao esfriar, a mistura amorfa desta vez se fixasse num padrão de listras, bolinhas, estrelas de davi — em vez de encontrar, de manhã cedo, um caos enegrecido, latas de tinta explodidas numa apoteose de escarlate e verde-garrafa, cheiros de madeira queimada e nafta, Pflaumbaum retorcendo as mãos, *oy, oy, oy*, hipócrita desgraçado. Tudo para embolsar o seguro.

Assim, Franz e Leni passaram muita fome por algum tempo, com Ilse crescendo dentro da barriga de Leni a cada dia. Os poucos empregos que surgiam eram braçais e pagavam uma ninharia. Franz estava se desestruturando. Até que encontrou seu velho amigo do T. H. Munich uma noite nos subúrbios pantanosos.

Ele havia passado o dia inteiro na rua, o marido proletário, colando cartazes anunciando alguma alegre fantasia cinematográfica de Max Schlepzig, enquanto Leni grávida, deitada na cama, virava-se para o lado quando a dor nas costas ficava insuportável, lá na lata de lixo mobiliada no último Hinterhöfe do cortiço. Já estava bem escuro e muito frio quando o balde de cola de Franz ficava vazio e todos os anúncios já estavam em seus lugares, prontos para serem mijados, rasgados, riscados com suásticas. (Talvez fosse uma produção barata. Talvez fosse um erro de impressão. Mas o fato é que, quando chegou no cinema na data que constava no cartaz, ele encontrou o lugar às escuras, com pedaços de reboco caindo no assoalho do saguão, e um barulho terrível de coisas sendo despedaçadas vindo dos fundos da sala de projeção, como se o prédio estivesse sendo demolido, só que não se ouviam vozes, nem se via nenhuma luz vindo de lá... Franz gritou, mas a demolição prosseguiu, um rangido estrepitoso nas entranhas por trás do letreiro elétrico, o qual, ele percebeu neste momento, estava em branco...) Exausto, Franz havia caminhado sem rumo para o norte, quilômetros e quilômetros, até Reinickendorf, um bairro de fábricas pequenas, telhados de metal enferrujados, bordéis, galpões, extensões de tijolo entregues à noite e ao desuso, oficinas mecânicas onde a água dos tanques para esfriar peças estava estagnada, coberta de escuma. Apenas uma ou outra luzinha aqui e ali. Vazio, terrenos baldios cobertos de mato, ninguém nas ruas: um bairro onde todas as noites quebram-se vidros. Era decerto o vento que o levava por uma estrada de terra, passando por um antigo quartel do exército agora ocupado pela polícia local, por entre barracões e depósitos de ferramentas, chegando a uma cerca de arame com um portão. O portão estava aberto, e Franz entrou. Deu-se conta de que vinha um ruído dali perto, a sua frente. Num verão antes da Guerra Mundial, ele fora a Schaffhausen passar as férias com o pai. Tinham ido de bonde até as quedas do Reno. Desceram uma escadaria e chegaram a um pequeno pavilhão de madeira de telhado pontiagudo — à sua volta, nuvens, arco-íris, gotas de fogo. E o rugido da cachoeira. Franz deu as mãos para os pais, suspenso na nuvem fria de vapor entre Mutti e Papi, sem ver quase nada além das árvores que se agarravam à beira da cachoeira num borrão verde úmido, e os barquinhos de turistas lá embaixo que iam até perto do ponto em que a catarata despencava no Reno. Porém agora, no auge do inverno de Reinickendorf, estava sozinho, de mãos vazias, tropeçando em lama congelada, na escuridão de um velho depósito de munição, cheio de vidoeiros e salgueiros, que se erguia em colinas e afundava em pântano. Alojamentos de concreto e baluartes de mais de 10 metros de altura elevavam-se não muito longe dali, e o som entre eles, o som de uma cachoeira, ficava cada vez mais alto, chamando-o do fundo da memória. Esses os fantasmas que assombravam Franz, não pessoas mas formas de energia, abstrações...

Por uma fenda no bastião viu um pequeno ovo de prata, com uma chama pura e firme embaixo, iluminando as formas de homens de terno, suéter, sobretudo, assistindo de casamatas e trincheiras. Era um foguete, em sua plataforma: um teste estático.

O som começou a modificar-se, a interromper-se de vez em quando. Para Franz, em seu maravilhamento, não parecia conotar perigo, era apenas diferente. Porém a luz foi ficando mais forte, e os observadores de repente começaram a jogar-se no chão, e o foguete soltou um rugido feroz, como se vomitasse, uma explosão prolongada, vozes gritando *se abaixem* e Franz deitou-se no momento exato em que o objeto prateado despedaçou-se, uma detonação tremenda, metal zunindo pelo ar no ponto exato onde ele estivera antes, quando em pé, Franz abraçando a terra, os ouvidos zumbindo, nem sentia mais o frio, naquele momento não sabia sequer se ainda estava habitando seu próprio corpo...

Pés aproximaram-se correndo. Franz olhou para cima e viu Kurt Mondaugen. O vento a noite toda, talvez o ano todo, os havia reunido. Disso ele se convencera agora, que fora o vento. Boa parte da gordura do menino fora substituída por músculo, o cabelo rareava, a tez era a mais bronzeada que Franz já vira na rua naquele ano, morena mesmo nas dobras concretas de sombra e chamas que vinham do combustível de foguete espalhado para todos os lados, mas era Mondaugen mesmo, sem dúvida, sete ou oito anos depois, porém reconheceram-se de imediato. Tinham morado na mesma mansarda cheia de correntes de ar na Liebigstrasse em Munique. (Franz pensara que o endereço era um bom sinal, pois Justus von Liebig fora um de seus heróis, um herói da química. Depois, como se para confirmar esta intuição, seu professor de teoria dos polímeros foi o professor doutor Laszlo Jamf, o último da verdadeira sucessão, de Liebig para August Wilhelm von Hofmann para Herbert Ganister para Laszlo Jamf, uma cadeia direta, causa e efeito.) Andavam nos mesmos Schnellbahnwagen chacoalhantes, com as três antenas de contato frágeis como pernas de insetos roçando nos fios aéreos, para ir à T. H.: Mondaugen fizera engenharia elétrica. Ao se formar, fora para o Sudoeste Africano, trabalhando numa pesquisa na área de rádio. Corresponderam-se por algum tempo, depois pararam.

O reencontro foi até bem tarde, numa cervejaria em Reinickendorf, gritaria de universitários em meio a bebedores proletários, um jubiloso e grandioso velório para o foguete malsinado — rabiscando em guardanapos de papel encharcados, todos falando ao mesmo tempo em torno da mesa cheia de copos, discutindo em meio à fumaça e ao barulho sobre fluxo de calor, impulso específico, fluxo de propulsor...

"Foi um fracasso", Franz cambaleando sob a lâmpada às três ou quatro da manhã, um sorriso besta no rosto, "fracassou, Leni, mas eles só falam em sucesso! Vinte quilogramas-força de empuxo e só por uns poucos segundos, mas *ninguém conseguiu fazer isso antes*. Eu nem acreditei Leni eu vi uma coisa que, que ninguém nunca fez antes..."

Sua intenção, imaginava Leni, era acusá-la de condicioná-lo ao desespero. Mas ela só queria que ele crescesse. Que diabo de idiotice, de Wanderwögel, passar a noite enfiados num pântano dizendo que são da Sociedade de Navegação Espacial?

Leni fora criada em Lübeck, numa rua de casas kleinbürger, todas iguais, pavimentada com pedras, à margem do Trave. Árvores podadas, dispostas regularmente ao longo da calçada do lado do rio, ramos longos formando arcos sobre a água. Da janela de seu quarto ela via as agulhas gêmeas da Dom elevando-se acima dos telhados das casas. Aquela vida que Leni levava num cortiço fétido em Berlim era apenas uma comporta de descompressão — *tinha* que ser. Uma maneira de sair daquele sufocamento Biedermeier, o tributo que pagava para depois viver tempos melhores, depois da Revolução.

Franz, de brincadeira, muitas vezes a chamava de "Lenin". Sempre ficara claro quem era o elemento ativo e quem o passivo — mesmo assim, Leni esperava que ele crescesse, rompesse com aquilo. Ela conversou com psiquiatras, sabe dos problemas dos rapazes alemães na puberdade. Deitados nos prados e montanhas, contemplando o céu, masturbando-se, anelando. O Destino aguarda, uma treva latente na textura do vento morno. O Destino há de traí-lo, esmagar seus ideais, afundá-lo na mesma detestável Bürgerlichkeit em que seu pai vegeta, cachimbando no passeio dominical depois do culto, passando pelas casas à beira-rio — há de vesti-lo com o mesmo uniforme cinzento de todos os pais de família, e sem sequer um gemido você vai cumprir seu tempo de serviço, fugir da dor para o dever, do prazer para o trabalho, do compromisso para a neutralidade. O Destino faz tudo isso com você.

Franz a amava de modo neurótico, masoquista, era todo dela, acreditava que ela o carregaria nas costas e o levaria para um lugar onde o Destino não pudesse alcançá-lo. Como se fosse a gravidade. Uma noite, semidesperto, ele enterrou o rosto em sua axila, murmurando: "Suas asas... ah, Leni, suas asas...".

Porém as asas de Leni só podem arcar com o peso dela, e mais o de Ilse, ela espera, por algum tempo. Franz é um peso morto. Ele que procure voar lá na Raketenflugplatz, onde ele vai para ser usado pelos militares e os cartéis. Que voe para a lua morta se quiser...

Ilse está acordada, e chorando. O dia inteiro sem comer. Eles deviam recorrer a Peter, afinal. Ele deve ter leite. Rebecca estende o que resta da casca de pão que está comendo. "Será que ela come isso?"

Leni não tem muito de judia. Por que será que metade dos esquerdistas que ela conhece são judeus? Lembra-se de imediato que Marx também era. Uma afinidade racial por livros, por teoria, um amor rabínico por discussões acirradas... Ela dá o pão à criança, pega-a no colo.

"Se ele vier aqui, diga que não me viu."

Quando chegam na casa de Peter Sachsa, já está bem escuro. Uma sessão está prestes a começar. Imediatamente Leni sente-se constrangida com seu casaco sem cor, seu vestido de algodão (bainha alta demais), seus sapatos arranhados e cheios de poeira das ruas, a ausência de joias. Mais reflexos pequeno-burgueses... vestígios, ela espera. Mas a maioria das mulheres são velhas. As outras são simplesmente deslumbrantes. Hum. Os homens parecem mais ricos do que de costume. Leni vê suásticas de prata em uma ou outra lapela. Os vinhos na mesa são das grandes safras de 20 e 21. Schloss Volltrad, Zeltinger, Piersporter — Trata-se de uma Ocasião Especial.

O objetivo hoje é entrar em contato com o falecido ministro das Relações Exteriores, Walter Rathenau. No ginásio, Leni cantava com as outras crianças o encantador refrão antissemita que se ouvia nas ruas naquela época:

Knallt ab den Juden Rathenau,
Die gottverdammte Judensau...

Depois que Rathenau foi assassinado ela passou semanas sem cantar nada, convicta de que, ainda que não fosse aquela musiquinha a causa do atentado, fora pelo menos uma profecia, um encantamento...

Hoje há mensagens específicas. Perguntas para o falecido ministro. Um delicado processo de triagem está ocorrendo. Razões de segurança. Apenas certos convidados têm permissão para entrar na sala de Peter. Os preteridos ficam do lado de fora, fofocando, exibindo as gengivas de pura tensão, retorcendo as mãos... O grande escândalo que circula na IG Farben este mês envolve a azarada subsidiária Spottbilligfilm AG, cuja administração vai ser toda posta na rua por ter enviado para o departamento de armamentos do Oberkommando der Wehrmacht a proposta de projeto de um novo raio, transportado por avião, que é capaz de cegar populações inteiras num raio de dez quilômetros. Uma comissão de revisão da IG descobriu tudo a tempo. Pobre Spottbilligfilm. Não havia se dado conta do efeito que uma tal arma poderia ter sobre o mercado de tinturas depois da próxima guerra. A mentalidade de Götterdämmerung mais uma vez. A arma fora denominada L-5227, L de luz, mais um cômico eufemismo alemão, como o A de agregado em nomes de foguetes, ou o nome da própria IG, Interessengemeinschaft, comunidade de interesses... e o caso de um envenenamento por catalisadores em Praga — seria mesmo verdade que os Grupos de Pessoal VI b na Instrumentalidade Química para Anormais foram enviados de avião para o leste em caráter de emergência, e que se trata de um envenenamento complexo, envolvendo selênio e telúrio... os nomes dos venenos são um balde de água fria despejado sobre a conversa, como se alguém tivesse mencionado o câncer...

A elite reunida aqui hoje pertence às grandes empresas nazistas, e entre eles Leni reconhece ninguém menos que o Generaldirektor Smaragd, de um ramo da IG que esteve interessado por seu marido, por certo tempo. Mas então, sem mais nem menos, pararam de contatá-lo. Teria sido misterioso, até mesmo um pouco sinistro, se naqueles tempos não fosse possível culpar a economia por tudo...

No meio da multidão, seus olhos encontram-se com o de Peter. "Eu o abandonei", cochicha ela, com um aceno de cabeça, enquanto ele troca apertos de mãos.

"Pode pôr a Ilse para dormir num dos quartos. Podemos conversar depois?" Há nos seus olhos hoje um nítido lampejo de fauno. Será Peter capaz de aceitar que Leni não pertence a ele, tal como nunca pertenceu a Franz?

"Claro. O que está havendo?"

Ele bufa, como quem diz: *ninguém me disse*. Eles estão usando Peter — eles o usam, vários "eles" diversos, há dez anos. Mas Peter nunca sabe como, menos uma ou outra vez, por acidente, uma alusão, um sorriso interceptado. Um espelho sempre embaçado, os sorrisos de seus clientes...

O que eles querem com Rathenau hoje? O que foi que César realmente cochichou para seu protegido ao tombar morto? Et tu, Brute, a mentira oficial, é o tipo de coisa que se espera deles — não diz absolutamente nada. O momento do assassinato é o momento em que o poder e a ignorância do poder se juntam, com o aval da Morte. Quando um fala com o outro, neste momento, não é para passar o tempo com et-tu-brutices. O que se passa é uma verdade tão terrível que a história — na melhor das hipóteses, uma conspiração, nem sempre de cavalheiros, com objetivos fraudulentos — jamais a admitirá. A verdade será reprimida ou então, em épocas mais elegantes, será disfarçada como outra coisa. O que Rathenau, passado o momento, há anos vivendo do outro lado, terá a dizer sobre a velha ordem? Provavelmente nada tão incrível quanto o que poderia ter dito no momento em que sentiu o choque em seus nervos mortais, no momento em que o Anjo o colheu...

Mas eles vão ver. Rathenau — segundo os livros de história — foi profeta e arquiteto do estado cartelizado. A partir de um pequeno departamento do Ministério da Guerra em Berlim, ele coordenara a economia alemã durante a Guerra Mundial, controlando abastecimento, quotas e preços, atravessando e abolindo as barreiras de segredo e propriedade que separavam uma firma da outra — um Bismarck das empresas, diante de cujo poder nenhum livro-razão era privilegiado, nenhum acordo era clandestino. Seu pai, Emil Rathenau, fundara a AEG, a General Electric alemã, porém o jovem Walter era mais do que o simples herdeiro de uma indústria — era um filósofo com uma visão do Estado do pós-guerra. Para ele, a guerra que estava em curso era uma revolução mundial, da qual emergiria não o comunismo vermelho nem a direita desenfreada, e sim uma estrutura racional em que a empresa seria a verdadeira, a legítima autoridade — uma estrutura baseada, previsivelmente, na que ele havia criado na Alemanha para combater a Guerra Mundial.

Esta, a versão oficial. Bem grandiosa. Mas o Generaldirektor Smaragd e seus colegas não vieram aqui para ouvir algo em que até as massas acreditam. Seria mesmo o caso de pensar — sucumbindo à paranoia — que há aqui uma colaboração entre os dois lados do Muro, matéria e espírito. O que eles sabem que os sem-poder não sabem? Que terrível estrutura haverá por trás das aparências de diversidade e empreendimento?

Humor negro. Um jogo de salão idiota. É claro que Smaragd não acredita em nada disso, Smaragd, o técnico e administrador. Talvez só queira sinais, presságios, confirmações do que já existe, algo para provocar risadas no Herrenklub — "Temos até mesmo a bênção do judeu!" O que quer que venha do médium hoje eles vão distorcer, emendar, até transformá-lo numa bênção. Trata-se de uma categoria sutil de desprezo.

Leni encontra um sofá num canto tranquilo de uma sala cheia de peças de marfim chinês e cortinados de seda, deita-se nele, uma perna de fora, e tenta relaxar. Franz deve estar chegando em casa da base de foguetes, piscando sob a lâmpada ao ouvir de Frau Silberschlag, a vizinha do lado, a última mensagem de Leni. Mensagens, hoje, transmitidas pelas luzes de Berlim... néon, lâmpadas incandescentes, estrelas... mensagens a combinar-se numa rede de informações de que ninguém escapa...

"O caminho está livre", uma voz move os lábios de Sachsa, sua garganta alva e rígida. "Do lado daí, os senhores são obrigados a segui-lo ao longo do tempo, um passo de cada vez. Mas daqui é possível ver toda a forma de uma só vez — não eu, ainda não estou tão avançado — mas muitos a conhecem como uma presença nítida... 'forma' não é a palavra exata... Vou ser franco com os senhores. Cada vez está mais difícil para mim colocar-me no seu lugar. Os problemas que os atormentam, até mesmo os que têm implicações globais, para muitos de nós aqui parecem meros desvios de percurso triviais. Os senhores estão seguindo uma estrada difícil e sinuosa, que lhes parece ser larga e reta, uma Autobahn onde se pode viajar com todo o conforto. Adianta se eu lhes disser que tudo que lhes parece real é ilusão? Eu não sei se vão me ouvir ou se vão ignorar minhas palavras. Os senhores só querem saber sobre o seu caminho, sua Autobahn.

"Está bem. Malva: isso está previsto. A invenção do malva, a chegada da cor malva ao seu nível. O senhor está ouvindo, Generaldirektor?"

"Estou ouvindo, Herr Rathenau", responde Smaragd da IG Farben.

"Púrpura, alizarina e índigo, outras tinturas de alcatrão de hulha estão aqui, mas a importante é a malva. William Perkin a descobriu na Inglaterra, mas estudou com Hofmann, que estudou com Liebig. Há uma sucessão. Se é carma, é só num sentido muito limitado... outro inglês, Herbert Ganister, e a geração de químicos que ele formou... Em seguida, a descoberta da onirina. Pergunte ao Wimpe, que trabalha para o senhor. Ele é perito em benziloquinilinas ciclizadas. Examinem os efeitos clínicos da droga. Não sei. Creio que valeria a pena realizar estudos sobre isso. Converge com a linha malva-Perkin-Ganister. Mas só tenho a molécula, o esquema... Metonirina, o sulfato. Não na Alemanha, mas nos Estados Unidos. Há uma ligação com os

Estados Unidos. Com a Rússia. Por que acham que eu e von Maltzan fechamos o tratado de Rapallo? Era necessário para caminhar para o leste. Wimpe pode lhe explicar. Wimpe, o V-Mann, sempre estava presente. Por que acham que nós fazíamos tanta questão de que a Krupp vendesse máquinas agrícolas para eles? Era também parte do processo. Na época eu não percebia isso com tanta clareza quanto agora. Mas sabia o que tinha que ser feito.

"Vejamos o carvão e o aço. Há um lugar onde eles se encontram. A interface entre carvão e aço é o alcatrão de hulha. Pensem no carvão, nas profundezas da terra, de um negrume absoluto, ausência de luz, a própria substância da morte. A morte antiga, pré-histórica, espécies que *jamais voltaremos a ver*. Cada vez mais velho, mais negro, mais profundo, em camadas de noite perpétua. Na superfície da terra, fabrica-se o aço, em folhas luminosas de fogo. Mas para fazer aço, o alcatrão de hulha, o mais escuro e pesado, tem que ser retirado do carvão original. O excremento da Terra, purgado para o enobrecimento do aço reluzente. Desprezado.

"Víamos isso como um processo industrial. Era mais. Nós desprezávamos o alcatrão de hulha. Mil moléculas diferentes aguardavam no refugo preterido. Este é o sinal da revelação. Do desdobramento. Este é um dos significados do malva, a primeira cor nova sobre a Terra, emergindo para a luz da Terra de sepulturas enterradas a muitos quilômetros e eras abaixo. Há também o outro significado... a sucessão... ainda não consigo enxergar tão longe assim...

"Mas isso tudo é a imitação da vida. O verdadeiro movimento não é da morte para nenhum renascimento. É da morte para a morte transfigurada. O melhor que os senhores podem fazer é polimerizar algumas moléculas mortas. Mas a polimerização não é ressurreição. Refiro-me à sua IG, Generaldirektor."

"A *nossa* IG, eu diria", responde Smaragd, num tom ainda mais frio e rígido do que o habitual."

"Isso é o senhor quem sabe. Se preferir encarar isto como uma associação, pode fazê-lo. Estou aqui por quanto tempo os senhores precisarem de mim. Os senhores não precisam me escutar. Acham que seria melhor se eu falasse sobre o que os senhores denominam 'vida': o Kartell, crescendo, orgânico. Mas isso é apenas mais uma ilusão. Um robô muito inteligente. Quanto mais dinâmico ele lhe parece, mais profundo e mais morto se torna na realidade. Vejam as chaminés, como elas proliferam, despejando os resíduos dos despejos originais sobre extensões cada vez maiores das cidades. Estruturalmente, elas são as mais fortes sob compressão. Uma chaminé é capaz de sobreviver a qualquer explosão — até mesmo a uma onda de choque de uma das novas bombas cósmicas" — neste momento um pequeno murmúrio eleva-se ao redor da mesa — "como os senhores certamente hão de saber. A persistência, portanto, das estruturas que favorecem a morte. Morte convertida em mais morte. Aperfeiçoando seu reino, tal como o carvão enterrado se torna mais denso, sob um número cada vez maior de camadas — época acumulada sobre época, uma cidade em ruínas sobre outra. Este é o sinal da Morte, a imitadora.

"Estes sinais são verdadeiros. São também sintomas de um processo. O processo segue a mesma forma, a mesma estrutura. Para apreendê-lo, é necessário seguir os sinais. Toda ideia de causa e efeito é história profana, e a história profana é uma ação diversionária. É útil para os senhores, mas não é mais útil para nós aqui. Se querem a verdade — sei que estou presumindo demais — é preciso investigar a tecnologia dessas questões. Até mesmo o âmago de certas moléculas — afinal, são elas que determinam temperaturas, pressões, taxas de fluxo, custos, lucros, a forma das torres...

"Os senhores precisam fazer duas perguntas. Primeiro: qual a verdadeira natureza da síntese? Segundo: qual a verdadeira natureza do controle?

"Os senhores pensam que sabem, e apegam-se a suas crenças. Porém mais cedo ou mais tarde será necessário abandoná-las..."

Um silêncio, que se prolonga. Corpos mudam de posição em torno da mesa, porém os dedos mínimos continuam em contato.

"*Herr* Rathenau? Podia me dizer uma coisa?" É Heinz Rippenstoss, um nazista brincalhão e festeiro. Todos começam a rir baixinho, e Peter Sachsa começa a voltar a sua sala. "Deus é mesmo judeu?"

□□□□□□□

Pumm, Easterling, Dromond, Lamplighter, Spectro são as estrelas na árvore de Natal do doutor. A brilhar nesta mais sagrada das noites. Cada uma é uma fria proclamação de becos sem saída, sóis que se recusam a permanecer no lugar, porém estão sempre fugindo para o sul, sempre para o sul, deixando-os num norte interminável. Porém Kevin Spectro é a mais brilhante, a mais distante de todas. E as turbas invadem Knightsbridge, no metrô os trens vão e vêm, "Jingle Bells" toca em todos os rádios, mas o Pointsman está sem ninguém. Porém tem seu presente de Natal, trá-lá-lá, este ano não vai se contentar com um cachorro de lata, não senhor, este ano ele ganhou seu milagre, uma criança humana, já chegada à idade adulta mas contendo, em algum lugar do córtex slothropiano, um pouco da infância da própria psicologia, isso mesmo, história pura, inerte, enquistada, intocada pelo jazz, a Depressão, a guerra — um remanescente, por assim dizer, do falecido doutor Jamf, ele mesmo, tendo cruzado os umbrais da morte, o ajuste de contas da, da velha câmara central, sabe...

Ele não tem ninguém a quem perguntar, ninguém a quem contar. Meu coração, pensa, meu coração está tão cheio de virilidade e esperança... Da Riviera chegam ótimas notícias. E por aqui os experimentos estão dando certo, para variar. Graças a alguma obscura superposição, alguma verba geral ou fundo de amortização, o general Pudding conseguiu até melhorar o financiamento do ARF. Será que ele também sente o poder de Pointsman? Estará se precavendo?

Ao longo do dia, de vez em quando, Pointsman, fascinado, dá-se conta de que está com o pênis ereto. Começa a fazer gracejos, gracejos ingleses e pavlovianos, quase todos os quais giram em torno de um único acidente infeliz: a palavra latina *cortex* traduz-se em inglês como *bark* ("latir" e "casca de árvore"), para não falar na conhecida e engraçada relação entre cães e árvores (estas brincadeiras por si só já são tediosas, e a maioria do pessoal da PISCES tem o bom senso de evitá-las, mas são tiradas espirituosas brilhantes se comparadas com as piadas mais recônditas, como esta preciosidade: "O que foi que o cockney exclamou para o caubói de San Antonio?"). Durante a festa de Natal da PISCES, Maudie Chilkes leva Pointsman até um armário cheio de beladona, gaze, funis e cheiro de borracha cirúrgica, onde sem mais nem menos cai de joelhos e desabotoa-lhe a braguilha, enquanto Pointsman, confuso, meu Deus, acaricia o cabelo dela desajeitadamente, desprendendo boa parte do que estava preso na fita cor de vinho — mas o que é isso, uma garota trabalhadora de verdade, quentinha e rubicunda, a chupá-lo ali mesmo em meio àquelas salas clínicas, alvas e hibernais, com a vitrola longínqua tocando uma rumba, contrabaixos, percussão, cansadas cadências de cordas tropicais, todos dançando no chão nu, e o velho prédio pseudorrenascentista, concha de mil cômodos, ressoa, ecoa, distribui os pulsos por paredes e vigas... Maud sem medo, incrível, tragando o róseo caralho pavloviano até onde dá, queixo na mesma vertical que a clavícula como um engolidor de espadas, a cada vez que o tira emitindo um delicado e feminino som de engasgo, odor de uísque caro emergindo como perfume de uma flor, e as mãos dela agarrando a lã frouxa de seus fundilhos, dobrando, desdobrando — tudo acontece tão depressa que Pointsman só faz balançar-se, piscando um pouco, ebriamente, tentando decidir se está sonhando ou se descobriu a mistura perfeita, tente lembrar, sulfato de anfetamina, 5 mg de 6 em 6 h, ontem à noite amobarbital sódico 0,2 g ao deitar-me, hoje de manhã várias vitaminas na hora do café, álcool cerca de 30 g por hora, nas últimas... Quantos cm^3 que isso dá e ah meu Deus estou gozando. Estou mesmo? estou sim... bem... e Maud, querida Maudie, engolindo, não perde uma gota... sorrindo tranquila, por fim desconectada, guarda o gavião ainda duro em seu frio ninho de solteirão porém continua ajoelhada por mais um tempo no armário deste momento, este momento de correntes de ar e luz branca, uma música de Ernesto Lecuona, talvez "Siboney", chegando até eles através de corredores longos como os caminhos marítimos que levam às águas verdes e rasas, ameias de pedra coberta de limo e palmeiras de Cuba... uma pose vitoriana, a face dela contra a perna dele, a mão masculina de veias proeminentes contra o rosto dela. Mas ninguém os viu, jamais verá, e no decorrer deste inverno, aqui e ali, ela e ele vão entreolhar-se e ela vai ficar vermelha, tão vermelha quanto seus joelhos, ela virá a este armário do laboratório uma ou duas vezes talvez, mas isto nunca mais vai voltar a acontecer, este trópico súbito enquanto a guerra prende a respiração, em pleno dezembro inglês, este momento de perfeita paz...

Ninguém para contar. Maud deve estar desconfiada, as finanças da PISCES passam por suas mãos, nada lhe escapa a atenção. Mas ele *não pode* contar para ela... quer dizer, não pode contar-lhe tudo, o sentido *exato* de suas esperanças, ele jamais, nem mesmo para si próprio... está tudo no futuro, no escuro, inversamente definido pelo horror, por todos os reveses que podem vir a anular suas esperanças e levá-lo a encontrar apenas sua própria morte, essa piada burra e vazia, no final de sua trajetória pavloviana.

Também Thomas Gwenhidwy sente a mudança a fibrilar no rosto e no passo de seu colega. Gordo, barba de Papai Noel prematura, um comediante penso e amarrotado, um espetáculo constante, tentando falar uma língua dupla, ao mesmo tempo sotaque cômico de galês provinciano e tom de verdade dura como diamante, cada um que ouça o que quiser ouvir. Quando canta revela uma voz extraordinária, e nas horas vagas caminha ao longo das pistas de aviação, ladeadas por tela metálica, de olho nos aviões de grande porte — pois adora praticar a voz do baixo de "Diadem" quando as Fortalezas Voadoras decolam com potência total, e mesmo assim é possível ouvi-lo, vibrante e puro, apesar dos bombardeiros, até Stoke Poges. Uma vez uma mulher chegou a escrever para o *Times*, de Luton Hoo, Bedfordshire, perguntando quem era o homem com aquela voz grave tão bonita que cantava "Diadem". Uma tal de senhora Snade. Gwenhidwy gosta muito de beber, normalmente álcool de cereais, misturado em grandes poções de cientista maluco com caldo de carne, groselha, xarope para tosse, infusões amargas de escutelária azul que provocam arrotos, raiz de valeriana, agripalma e cipripédio, o que tiver à mão, na verdade. É o tipo do alcoólatra saudável celebrizado nas lendas e canções nacionais. Descende diretamente do galês do *Henrique V* de Shakespeare que vivia obrigando os outros a comer seu alho-porró. Mas não era desses beberrões sedentários, não senhor. Pointsman nunca viu Gwenhidwy sentado ou parado em pé — está sempre andando de um lado para o outro, capitão em seu tombadilho, dando esporro nas longas fileiras de rostos doentes ou moribundos, e até mesmo Pointsman percebeu o amor duro que há por trás dos pequenos gestos, das mudanças na respiração e na voz. São negros, indianos, judeus asquenaditas falando dialetos jamais ouvidos na Harley Street: perderam suas casas em bombardeios, passaram frio, fome, moraram em abrigos miseráveis, e seus rostos, mesmo os das crianças, possuem todos uma intimidade antiga com a dor e os reveses da sorte que surpreende Pointsman, o qual se dedica a catalogar os sinais e sintomas mais refinados de moradores do West End, anorexias nervosas e prisões de ventre com as quais o galês não teria muita paciência. Nas enfermarias de Gwenhidwy, as taxas de metabolismo basal chegam por vezes a -35, -40. Grossas linhas brancas riscam os fantasmas radiológicos de ossos, amostras cinzentas raspadas de línguas florescem sob seu velho microscópio negro em nuvens de invasores vangóghicos, com as presas ferozes de fora, ávidos de ulcerar o tecido desvitaminado de onde eles emergiram. Um mundo muito diferente, você sabe.

"Não sei não, rapaz — não", levantando o braço gordo, em câmara lenta, de sua manta cor de porco-espinho, em direção ao hospital, quando caminham na neve — para Pointsman há uma separação clara, monges aqui e catedral lá, soldados e guarnição — mas não para Gwenhidwy, uma parte do qual permanece lá atrás, refém. As ruas estão vazias, é Natal, estão subindo a ladeira rumo aos aposentos de Gwenhidwy, cortinas silenciosas de neve descem sem parar entre eles e as paredes perfuradas da instituição, marchando numa paralaxe de pedra até desaparecer na treva branca. "Como eles *resistem*! Os pobres, os negros. E os judeus! E os galeses, os galeses outrora eram judeus também? uma das tribos perdidas de Israel, uma tribo negra, que passou séculos perambulando pela terra? ah, uma viagem incrível. Até que por fim chegaram ao País de Gales, você sabe."

"Gales..."

"E foram ficando, e viraram os galeses. E se todos nós formos judeus, você sabe, espalhados como sementes? ainda nos afastando para longe do punho primevo que nos lançou há tanto tempo. Rapaz, eu acredito nisso."

"Claro que acredita, Gwenhidwy."

"Então, não é verdade? E você?"

"Não sei. Hoje não estou me sentindo muito judeu, não."

"Não, eu digo se afastando para longe?" Ou seja, sozinhos, separados para sempre: Pointsman sabe o que ele quer dizer. Assim, surpreendentemente, algo nele se comove. Sente a neve natalina nas fendas das botas, o frio terrível tentando entrar. O vulto pardacento do agasalho de lã de Gwenhidwy move-se no canto de seu campo visual, um bolsão de cor, um foco de resistência contra este dia cada vez mais branco. Afastando-se para longe. Voando... Gwenhidwy, um milhão de pontos gelados caindo enviesados em seu volume imenso, parecendo tão invulnerável que agora, de onde está escondido, emerge o mesmo pavor de bêbado trincando os dentes, a Maldição do Livro, e eis ali alguém que Pointsman quer de verdade, do fundo de seu coração mesquinho, que seja preservado... embora ele seja tímido demais, ou orgulhoso demais, para jamais sorrir para Gwenhidwy sem dizer alguma coisa que explique ou negue o sorriso...

Ao ouvi-los se aproximando, cachorros saem correndo latindo. Pointsman dirige-lhes seu Olhar Profissional. Gwenhidwy está cantarolando "Aberystwyth". Aparece a filha do porteiro, Estelle, seguida de uma ou duas crianças tiritantes, e uma garrafa natalina de alguma coisa acre, mas que esquenta bastante dentro do peito depois de engolida. Cheiros de fumaça de carvão, mijo, lixo, a batata com repolho da véspera, enchem os corredores. Gwenhidwy bebe no gargalo, flerta com Estelle e consegue ao mesmo tempo brincar de cadê-ele-olha-ele-aqui com Arch, o menorzinho, ao redor das amplas ancas da mãe, que tenta o tempo todo dar-lhe um tabefe mas não consegue porque ele é rápido demais para ela.

Gwenhidwy bafeja num medidor de gás totalmente congelado, tanto que nem dá para enfiar uma moeda dentro. Frio horroroso. Gwenhidwy o cerca, xinga-o, debruça-se sobre ele como um galã de cinema prestes a beijar a mocinha, as pontas de sua manta desfraldadas no vento a abraçar — Gwenhidwy, irradiando como um sol...

Pelas janelas da sala veem-se uma fileira de choupos nus, de cor militar, um canal, um pátio de manobra coberto de neve, e atrás dele uma longa serra de carvão ainda fumegante de uma bomba V que caiu ontem. Uma fumaça esfiapada e contorcida é empurrada para o lado pelo vento, e empurrada para baixo pela neve que cai.

"Essa foi a que caiu mais perto até agora", Gwenhidwy ao caldeirão, um cheiro azedo de fósforo de enxofre no ar. Após um momento, ainda atento junto ao fogão: "Pointsman, quer ouvir uma coisa paranoica *mesmo*?".

"Você também?"

"Você tem olhado para o mapa da cidade recentemente? Toda essa chuva implacável de bombas V está caindo *aqui*, sabe? Não lá em Whitehall, como devia ser, mas aqui onde eu estou, e acho isso um terror, você sabe."

"Que comentário mais impatriótico."

"Ah", pigarreando e escarrando na pia, "você não quer acreditar em mim. É, acreditar por quê? Você é lá da Harley Street, meu Deus."

É uma velha mania de Gwenhidwy, sacanear os membros da Royal Society. Algum vento ou termoclino incomum no céu está trazendo até eles o zumbido coral grave dos bombardeiros americanos: o Gymanfa Ganu branco da Morte. Uma locomotiva de manobras passa silenciosa pela rede de pistas lá embaixo.

"Elas caem segundo uma distribuição de Poisson", diz Pointsman em voz baixa, como se temendo que alguém o contradiga.

"Sem dúvida, rapaz, sem dúvida — uma observação oportuna. Mas é sempre na porra do East End, sabe?" Arch, ou outra pessoa qualquer, desenhou um Gwenhidwy marrom, laranja e azul carregando uma maleta de médico, caminhando numa linha de horizonte verde, à frente de um gasômetro verde. A maleta está cheia de garrafas de gim, Gwenhidwy está sorrindo, um passarinho aninhado em sua barba põe a cabeça de fora, o céu é azul e o sol amarelo. "Mas já lhe ocorreu pensar por quê? Eis a Cidade Paranoica. Todos estes séculos, crescendo pelo campo afora? como uma criatura inteligente. Uma atriz, uma *mímica* fantástica, Pointsman! Imi-tando todas as forças corretas? as eco-nômicas, as demográficas?, ah, até mesmo as ale-a-tórias, você sabe."

"Eu não sei disso coisa nenhuma." Contra o fundo da janela, iluminado em silhueta pela tarde branca, o rosto de Pointsman está invisível, dele só se vendo dois crescentes luminosos, um em cada olho. Seria o caso de abrir a janela atrás dele? Será que o galês amalucado amalucou de vez?

"Você não vê *eles*", um intricado brocado de vapor começa a emergir da boca de cisne, esmalte já descascando, "os negros e os judeus, na escuridão deles. Você não consegue. Não consegue ouvir o silêncio deles. Você já está muito acostumado com as vozes e a luz."

"Pelo menos com os latidos."

"No meu hospi-tal só chegam fracas-sados, sabe." Olhando com um olhar fixo, apatetado, olhar de bêbado. "O que é que eu posso curar? Só posso mandar essa gente de volta? De volta para *aquilo*? É como se a gente estivesse no continente, em com-bate, é enta-lar e dro-gar todo mundo para ter condições mí-nimas de voltar à carnifi-cina?"

"Mas será que você não sabe que estamos em guerra?" E Pointsman recebe, junto com sua xícara, um olhar terrível. Na verdade, ele tem esperança de fazer com que suas irrelevâncias idiotas desviem Gwenhidwy daquela história de Cidade Paranoica. Pointsman prefere conversar sobre as vítimas dos bombardeios que chegaram hoje no hospital. Mas isto é exorcismo, rapaz, é o poeta cantando para deter o silêncio, implorando os cavaleiros brancos, e Gwenhidwy sabe, como Pointsman não sabe, que faz parte do plano daquele dia ficar sentado dentro daquela sala acanhada e gritar contra esta surdez: que o senhor Pointsman tem de representar exatamente o seu próprio papel — estilizado, irritadiço, obtuso...

"Em algumas cidades, os ricos vivem nos morros e os pobres ficam lá embaixo. Em outras, os ricos moram na praia, enquanto os pobres têm que viver afastados da costa. Agora, aqui em Londres há um gradiente de miséria? que aumenta à medida que o rio se alarga, cada vez mais perto do mar. Só estou pergun-tando, por quê? É por causa dos navios? Tem a ver com a utiliza-ção da terra durante a Revolução Industrial? Será um an-tigo tabu tribal, que sobrevive há tantas gera-ções? Não. A verdadeira razão é o Perigo Que Vem Do Leste, sabe. E do Sul: da massa continental da Eu-ropa, com certeza. As pessoas daqui estão aqui *porque são elas que têm que morrer primeiro*. Nós somos dispensáveis: o pessoal do West End, e ao norte do rio, não. Não estou dizendo que o Perigo tem esta ou aquela forma. Não se trata de política. Se a Cidade Paranoica sonha, *nós* não temos como saber o que ela sonha. Talvez a Cidade sonhasse com uma outra cidade, ini-miga, que viesse boiando do outro lado do mar para invadir o estuá-rio... ou com ondas de escuridão... ondas de fogo... Talvez sonhasse ser engolida outra vez, pela imensa, a silencio-sa Mãe Europa? O que a cidade sonha não é da *minha* conta... Mas e se a Cidade for um neoplas-ma crescendo ao longo dos séculos, sempre mudan-do, de modo a assumir a forma exata, mutan-te, de seus medos mais terríveis e secretos? Os peões maltrapilhos, o bis-po desmoralizado e o cavalo covarde, todos nós condenados, irreversivelmente perdidos, aqui de fora, expostos, à espera. Já não se sabia, não negue — *sabia*, Pointsman! — que o front na Euro-pa algum dia viria para esse lado? se afastar para o leste, tornar os fogue-tes necessários — já não se sabia como e onde os foguetes iam cair ou não. Pergunte ao seu amigo Mexico? veja as densidades neste mapa? leste, leste, e ao sul do rio também, onde vivem todos os micróbios, é lá que caem quase *todas* as bom-bas, meu amigo."

"Você tem razão, Gwenhidwy", judicioso, provando o chá, "isso é muito paranoico."

"É verdade." Agora ele pegou a garrafa comemorativa de Vat 69, e vai servir um brinde.

"Aos bebês." Sorrindo, louco de pedra.

"Bebês, Gwenhidwy?"

"Ah, eu também tenho o meu mapa? Nele eu regis-tro os dados das materni-da-des. Os bebês nascidos durante os bombardeios também estão seguindo uma distribuição Poisson, você sabe?"

"Bem... então à estranheza do fenômeno. Coitadinhos."

Mais tarde, quase à hora do entardecer, várias baratas enormes, de um tom bem escuro de marrom avermelhado, emergem como gnomos do lambri, e vão em direção à despensa — entre elas, baratas grávidas, com filhotes translúcidos anexos, como uma escolta. À noite, nos silêncios tardios entre bombardeiros, disparos de armas antiaéreas e foguetes caindo, elas se fazem ouvir, ruidosas como camundongos, roendo os sacos de papel de Gwenhidwy, deixando trilhas e pegadas de merda da cor de seus corpos. Parecem não gostar muito de coisas moles, frutas, legumes, coisas assim, preferem a solidez das lentilhas e feijões, algo que possam roer, barreiras de papel e gesso, interfaces duras para serem perfuradas, pois elas são agentes da unificação, você sabe. Insetos natalinos. Estavam no fundo da palha da manjedoura em Belém, tropeçando, subindo, caindo reluzentes num reticulado de palha dourada que a elas certamente parecia estender-se por quilômetros para cima e para baixo — uma espécie de cortiço comestível, de vez em quando perfurado por suas mandíbulas de modo a perturbar algum misterioso feixe de vetores, fazendo com que as baratas vizinhas despencassem de bunda para cima e antenas para baixo por cima das outras, as quais se agarravam com todas as patas àqueles caules dourados sempre a tremer. Um mundo tranquilo, a temperatura e a umidade permaneciam quase constantes, o ciclo do dia incluía apenas uma suave variação de luz, primeiro dourada, depois cor de ouro velho, depois escuridão, e luz dourada outra vez. O choro do bebê chegava a seus ouvidos, talvez, como explosões de energia vindas de uma lonjura invisível, quase despercebidas, por vezes ignoradas. O seu salvador, você sabe...

□□□□□□□

Dentro do aquário, os dois peixinhos estão formando o signo de Peixes, cabeça de um sobre a cauda do outro, perfeitamente imóveis. Penélope, sentada, contempla o mundo deles. Há um pequeno galeão afundado, um mergulhador de porcelana com traje de mergulho, pedrinhas e conchas bonitas que ela e as irmãs trouxeram da praia.

A tia Jessica e o tio Roger estão na cozinha, abraçados, aos beijos. Elizabeth está implicando com Claire no corredor. A mãe delas está no banheiro. Sooty, o gato, cochila numa cadeira, uma nuvem de tempestade negra a caminho de alguma coisa, que no momento por acaso está com a aparência de um gato. Hoje é o dia depois do Natal. A noite está muito silenciosa. O último foguete foi há uma hora, para os lados do sul. Claire ganhou um boneco de pano, Penelope uma suéter, Elizabeth um vestido que um dia Penelope há de herdar.

A peça que Roger levou-as todas para assistir hoje à tarde foi *João e Maria*. Claire imediatamente disparou por debaixo das cadeiras, onde as outras percorriam caminhos secretos, uma fita de cabelo ou colarinho branco surgindo de relance aqui e ali entre os tios altos e atentos, uniformizados, os encostos das cadeiras cobertos por casacos. No palco, João, que não era um menino e sim uma garota alta de malha e bata, estava encolhido dentro da jaula. A bruxa, uma velha engraçada, espumava pela boca e subia pelo cenário. E Maria, uma gracinha, aguardava junto ao Forno uma oportunidade de agir...

Então um foguete alemão caiu ali pertinho do teatro. Alguns dos bebês começaram a chorar. Ficaram assustados. Maria, que estava justamente pegando a vassoura para acertar a bruxa bem na bunda, parou: baixou a vassoura e, diante da plateia silenciosa, aproximou-se da ribalta e cantou:

Ah, não fique com medo,
Tal como eles querem,
Tem uma coisa que você não está vendo —
É grande, é feia, nem queira saber,
E ela quer é grudar em você!
O fruteiro quer um arco-íris,
E o lixeiro caminha ao léu,
E eles todos estão nesta alegre canção,
E tem um rosto sorrindo no céu!

"Vamos todos cantar", ela sorriu, e não é que a plateia toda, até mesmo Roger, cantou:

Com um rosto sorrindo no céu-éu,
E um sonho que não quer acabar,
Você vai se melar com um prato de mel,
E o espetáculo vai começar!
O soldado inglês está dormindo na neve,
E o soldado alemão está aprendendo a voar —
Vamo' embora da rua, vamo' juntos pra lua,
Pruma casa de vento a voar...

Uma casa de vento no céu-éu,
E um bolo de nuvem no prato —
A sua mãe é uma metralhadora,
E o seu pai um rapaz muito chato...

(Cochichando, em staccato:)

O padeiro só fuma cachimbo,
E o banqueiro só dorme na mesa,

A orquestra tocou, a plateia acordou,
No seu bolso tem uma surpresa —

No seu bolso tem uma surpresa,
Pois não tinha ninguém afinal!
E a festa acabou, e a luz se apagou,
Pois o baile chegou ao final...
Numa praia, as palmeiras cochicham,
E no mar já começa a chover,
E esse choro baixinho, ouça bem, meu menino,
São crianças que aprendem a morrer...

A cadeira do pai de Penelope, no canto, junto da mesa do abajur, está vazia. Está virada para ela. No encosto há um xale de crochê, e Penelope vê os muitos nós cinzentos, pardos, pretos e marrons com uma nitidez assombrosa. No desenho, ou à frente dele, alguma coisa se mexe: de início apenas uma refração, como se houvesse uma fonte de calor bem na frente da cadeira vazia.

"Não", ela cochicha alto. "Não quero. Você não é ele. Não sei quem você é, mas não é o meu pai não. Vá embora."

As pernas e braços estão silenciosos e rígidos. Penelope olha para a cadeira.

Eu só quero visitar você.

"Você quer me possuir."

Possessões demoníacas nessa casa não são um fenômeno desconhecido. Será mesmo Keith, o pai de Penelope? levado embora quando ela tinha apenas a metade de sua idade atual, e devolvido agora não como o homem que ela conheceu, mas apenas a casca — pois a lesma carnuda de alma que sorri e ama, que sente sua mortalidade, ou bem apodreceu ou bem foi espetada pelas bocas pontudas da morte-por-ordem-do-governo — processo por meio do qual almas vivas, contra sua vontade, se transformam nos demônios que são conhecidos, na corrente principal de magia ocidental, como os Qlipot, as Cascas dos Mortos... É também o que, no atual estado de coisas, muitas vezes acontece com homens e mulheres de bem que ainda estão com os dois pés deste lado do Muro. Em ambos os casos, trata-se de um processo sem qualquer dignidade ou piedade. As mães e os pais são condicionados a morrer de propósito de certas maneiras preferenciais: contraindo câncer e sofrendo infartos, envolvendo-se em acidentes de trânsito, indo lutar na Guerra — deixando os filhos sozinhos na floresta. Eles sempre dizem que os pais são "levados", mas na verdade eles simplesmente vão embora — é isso que acontece. Um pai sempre arranja desculpas para o outro, é isso. Talvez seja até melhor esta presença, que torna a sala seca como vidro, surgindo numa cadeira velha e depois sumindo, do que um pai que ainda não morreu, uma pessoa que a gente ama e tem que assistir àquilo acontecendo com ela...

Na cozinha, a água na chaleira estremece e chia, quase fervendo, e lá fora o vento sopra. Em alguma outra rua uma telha de ardósia desprende-se e despenca. Roger tomou as mãos geladas de Jessica para esquentá-las junto a seu peito, sentindo o frio delas através da suéter e da camisa, dobradas contra ele. No entanto ela mantém distância, tremendo. Ele quer aquecer todo seu corpo, não apenas as cômicas extremidades, quer o que as esperanças razoáveis não lhe prometem. Seu coração estremece como a chaleira.

A coisa começou a revelar-se: a facilidade com que ela pode ir embora. Pela primeira vez Roger entende por que isto é a mesma coisa que a mortalidade, e por que ele vai chorar quando ela se for. Está começando a identificar os momentos em que nada realmente a prende a não ser seus braços magros, braços de 20 flexões... Se ela for embora, então não vai fazer a menor diferença se os foguetes caem aqui ou ali. Porém a coincidência de mapas, garotas e foguetes penetrou-o de modo silencioso, como gelo, e moléculas-Quisling dentro dele dispuseram-se de tal modo a congelá-lo. Se ele conseguisse passar mais tempo com ela... se acontecesse quando os dois estivessem juntos — em outras circunstâncias essa ideia poderia parecer romântica, mas numa cultura da morte, certas situações são simplesmente mais atraentes que outras — mas eles passam tanto tempo separados...

Se os foguetes não caírem sobre ela, tem também o tal tenente. O desgraçado do Castor/Jeremy é a Guerra, é tudo aquilo que a porra da Guerra vem afirmando — que fomos criados para trabalhar e servir o governo, para viver na austeridade: e que tais coisas têm prioridade sobre o amor, os sonhos, o espírito, os sentidos e outras trivialidades de importância secundárias que pertencem às horas de ócio... Que se fodam, estão todos enganados. São malucos. Jeremy vai levá-la embora tal como se fosse o Anjo, com um vamos-lá seco e cheio de subterfúgios, e Roger será esquecido, um doido engraçado, mas para quem não haverá lugar no ritual de poder racionalizado que será a paz vindoura. Ela vai obedecer às ordens do marido, vai se tornar uma burocrata do lar, uma sócia minoritária, e se lembrará de Roger, se ainda lembrar-se dele, como um erro que graças a Deus ela não cometeu... Ah, ele sente-se prestes a explodir num acesso de raiva — como é que vai conseguir sobreviver sem ela? Jessica é o sobretudo que protege seus ombros caídos, e o pardal fugindo do inverno que ele protege entre as mãos. É sua inocência mais profunda em espaços de ramo e feno antes que os desejos recebessem um nome separado para alertar que talvez não se realizem, e sua ágil parisiense, filha do prazer, sob o espelho eterno, abrindo mão de perfumes, pelica até as axilas, tudo isso é muito fácil, para seu empobrecimento, seu amor mais merecedor.

Você passa de sonho a sonho dentro de mim. Você tem acesso a meu canto mais remoto e vergonhoso, e ali, em meio às ruínas, você encontrou vida. Não sei mais quais das palavras, imagens, sonhos e fantasmas são "seus" e quais "meus". Não dá mais para separar. Nós dois agora somos uma pessoa nova, uma pessoa incrível...

Seu ato de fé. Na rua as crianças cantam:

É Natal! Anjos, enaltecei!
Wallis Simpson fisgou nosso rei...

No console, Kim, filho de Sooty, um siamês vesgo extraordinariamente gordo, aguarda a hora de fazer a única coisa que lhe dá prazer de uns tempos para cá. Além de comer, dormir e foder, sua principal obsessão é saltar, ou cair, em cima de sua mãe, e ficar rindo enquanto ela corre aos gritos pela sala. A irmã de Jessica, Nancy, sai do banheiro para apartar o que está se transformando numa briga feia entre Elizabeth e Claire. Jessica afasta-se de Roger para assoar o nariz. O som é para ele tão familiar como o canto de um pássaro, ip-ip-in NHUNNGG, e o lenço é retirado... "Cruz-credo", diz ela, "acho que estou pegando um resfriado."

Você está pegando é a Guerra. Está sendo contaminada por ela, e não sei o que fazer para impedir que isso aconteça. Ah, Jess. Jessica. Não me abandone...

2. UN PERM' AU CASINO HERMANN GOERING

Você vai trabalhar com o galã mais alto e mais moreno de Hollywood.

Merian C. Cooper a Fay Wray

□□□□□□□

Nas ruas desta manhã já estalam, perto e longe, solas de madeira de sapatos civis. No vento, a farejar comida, gaivotas planam, sem esforço, de um lado para o outro, asas esticadas imóveis, de vez em quando um leve estremecimento, ganhando impulso para este entretecer de formas alvas e lentas, cartas descartadas por mãos invisíveis... A primeira impressão, ontem, chegando na avenida à beira-mar, foi sombria: o mar em tons de cinza sob nuvens cinzentas, o volume baixo e branco do Cassino Hermann Goering e o denteado negro das palmeiras, quase imóveis... Mas nesta manhã as árvores ao sol retomaram o verde. À esquerda, ao longe, o velho aqueduto, amarelo seco, desmoronando, costeia o *Cap*, casas e vilas que o sol coloriu de matizes cálidos de ferrugem, suaves corrosões de todos os tons terrosos, do cru claro ao torrado.

O sol, ainda não muito alto, atinge as pontas das asas das aves, tingindo as penas de cores vivas, transformando-as em raspas de gelo. Slothrop olha para cima e contempla as aves em pleno voo, tiritando em sua pequena sacada, onde o calor do aquecedor elétrico do outro lado do quarto mal chega a roçar-lhe as pernas. Instalaram-no num quarto só para ele, alto, na alva fachada voltada para o mar. Tantivy Mucker-Maffick e seu amigo Teddy Bloat dividem outro quarto no mesmo andar. Ele recolhe as mãos nas mangas sulcadas da suéter, cruza os braços, admira a esplêndida manhã estrangeira, os fantasmas de seu hálito a desfazer-se nela, sentindo o primeiro calor do sol, desejando um primeiro cigarro — e aguardando, perverso, que um ruído súbito dê início a seu dia, um primeiro foguete. Ao mesmo tempo cônscio de que está na esteira de uma grande guerra que foi para o norte, e que aqui as únicas explosões que ele há de ouvir serão rolhas de champanhe, motores de lustrosos Hispano-Suizas, um ou outro tapa amoroso, espera ele... Longe de Londres, longe dos bombardeios — será que ele vai conseguir se acostumar? Claro, justamente quando for época de voltar.

"Bem, ele acordou." Bloat fardado, entrando de mansinho no quarto, o cachimbo fumegante, Tantivy atrás, de terno listrado. "De pé ao romper da aurora, fazendo reconhecimento de terreno, atento para as mademoseles desacompanhadas, claro..."

"Não dormi nada", Slothrop voltando em direção à sacada, aos bocejos, aves planando ao sol atrás dele.

"Nem nós", Tantivy. "Deve levar anos pra gente se acostumar."

"Meu Deus", Bloat forçando entusiasmo nesta manhã, apontando teatral para a cama enorme, desabando nela, quicando vigorosamente. "Devem ter avisado quem você é, Slothrop! Que luxo! Já nós, nos puseram num armário desativado."

"Mas o que é que você andou dizendo pra ele?" Slothrop catando um cigarro em algum lugar. "Que eu sou um Van Johnson na vida?"

"Só que, em matéria de", Tantivy na sacada, jogando-lhe um maço verde de Cravens, "mulher, você sabe —"

"Sendo os ingleses mais reservados", Bloat explica, quicando para dar mais ênfase.

"Cambada de doido", resmunga Slothrop, indo para seu banheiro particular, "invadido por um bando de elementos indesejáveis..." Satisfeito, mijando sem usar as mãos, acende o cigarro, porém pensa no tal de Bloat. Parece que é velho amigo de Tantivy. Joga o fósforo dentro da privada, um chiado breve: no entanto, o jeito como ele fala com Slothrop, seria condescendente? ou talvez nervoso...

"Vocês estão pensando que *eu* vou arrumar mulher pra vocês?" grita enquanto a descarga ronca. "E eu que pensava que bastava um inglês atravessar a Mancha e pisar em terra francesa pra virar Rodolfo Valentino."

"Já ouvi falar nessa tradição pré-guerra", Tantivy parado na porta, pidão, "mas eu e Bloat somos da Nova Geração, nós dependemos do know-how dos ianques..."

Quando então Bloat levanta-se da cama de um salto e tenta explicar a Slothrop com uma canção:

O INGLÊS É ACANHADO DEMAIS (FOXTROTE)

(Bloat): O inglês é acanhado demais.
Permita-me que eu insista:
Em matéria de conquista
Como os ianques não há ninguém.
(Tantivy) — O inglês comum não tem
A ousadia transatlântica

	Que as moças acham romântica,
	Não entendo por quê, aliás...
(Bloat):	Só de ver um americano sedutor e poligâmico,
	Fica uma fera e esbraveja o Casanova britânico,
(Tantivy):	Porém no fundo ele sente a maior admiração
	Por este que lhe parece um Clausewitz da paixão...
(Juntos):	Ai, não seria nada mau
	Ter de um ianque o know-how
	Junto com a beleza austera
	De um filho da Inglaterra!
	O mulherio ia ficar assanhado,
	Mesmo sendo o inglês tão acanhado.

"Bem, nesse caso vocês vieram pro lugar certo", concorda Slothrop, convencido. "Mas não fiquem achando que eu vou puxar a brasa pra sardinha de vocês."

"Só a abordagem inicial", diz Bloat.

"Moi", Tantivy entrementes está gritando da sacada para a rua. "Moi Tantivy, entende? Tantivy."

"Tantivy", repete um vago coro feminino lá da rua.

"J'ai deux amis, aussi, por estranha coincidência. Par un bizarre coincidence, sei lá, oui?"

Slothrop, que a esta altura está fazendo a barba, vai até a sacada, pincel de pelo de texugo cheio de espuma na mão, para ver o que está havendo, e colide com Bloat, que está indo correndo para posicionar-se junto à dragona esquerda de seu compatriota e olhar para três rostinhos simpáticos virados para cima, cada um aureolado por um chapelão de palha gigantesco, sorrisos deslumbrantes, olhos misteriosos como o mar ao fundo.

"Me digam, où", pergunta Bloat, "où, sabe, déjeuner?"

"Um prazer ajudar vocês", murmura Slothrop, passando creme entre as espáduas de Tantivy.

"Mas venham conosco", as moças estão gritando, mais alto que as ondas, duas delas levantando uma enorme cesta de vime, coberta por um pano branco por cujas bordas esguias garrafas verdes de vinho despontam e pães de cascas ásperas ainda fumegam, espirais de vapor desprendendo-se das superfícies castanhas com riscos claros, "venham — sur la plage..."

"Eu vou só", Bloat já um pé no corredor, "fazer companhia a elas até que vocês..."

"Sur la plage", Tantivy meio sonhador, piscando no sol, sorrindo para a realização daquele sonho matinal, "ah, parece uma pintura. Uma coisa impressionista. Fauve. Cheia de luz..."

Slothrop se afasta, passando a loção de hamamélis de uma mão para a outra. O cheiro no quarto evoca um momento num sábado em Berkshire — vidros de tônico capilar nas cores ameixa e âmbar, espirais de papel pega-mosca incrustados de insetos balançadas pelo ventilador de teto, pontadas de dor provocadas por uma tesoura cega... Tirando a suéter, cigarro aceso na boca, fumaça saindo pelo pescoço como um vulcão — "Escute, dava para você me arranjar um ci..."

"Você já está com o maço", exclama Tantivy, "meu Deus, que diabo é *isso?*"

"Isso o quê?" O rosto de Slothrop é pura inocência enquanto ele veste e começa a abotoar o objeto em questão.

"Você está de brincadeira, é claro. As moças estão esperando, Slothrop, ponha uma roupa civilizada, seja um bom rapaz —"

"Prontíssimo", Slothrop indo em direção à porta passa pelo espelho ajeitando os cabelos no topete de sempre, à Bing Crosby.

"Você não vai querer que vejam a gente com —"

"Foi meu irmão Hogan que me mandou", informa Slothrop, "no meu aniversário, mandou lá do Pacífico. Você viu atrás? debaixo dos caras da canoa, à esquerda das flores de hibisco, onde está escrito LEMBRANÇA DE HONOLULU? É autêntico, Mucker-Maffick, não é nenhuma imitação barata, não."

"Meu Deus", geme Tantivy, acompanhando com a vista Slothrop que sai do quarto, as mãos protegendo os olhos da camisa, que brilha um pouco na penumbra do corredor. "Pelo menos enfie dentro da calça e cubra com alguma coisa. Tome, eu até lhe empresto meu paletó..." Tremendo sacrifício: o paletó foi comprado numa loja de Saville Row onde as cabines de prova são enfeitadas com retratos de todos os carneiros venerandos — uns posando no alto de um penhasco, outros fotografados com ar pensativo, em close e com a lente um pouco desfocada — que forneceram a lã prateada usada na confecção do produto.

"Isso foi tecido com arame farpado", é o comentário de Slothrop. "Qual a garota que vai querer chegar perto disso?"

"Ah, mas que mulher em pleno gozo das faculdades mentais vai querer ficar a menos de dez quilômetros de-dessa camisa horrorosa, hein?"

"Espere!" De algum lugar Slothrop retira um lenço berrante, amarelo verde e laranja, e em meio aos gemidos de pavor do amigo ajusta-o no bolso do paletó dele de modo a deixar de fora três pontas. "Pronto!", sorridente, "agora está mesmo *chique*!"

Emergem ao sol. Gaivotas começam a gemer, e a camisa de Slothrop, refúlgida, ganha vida própria. Tantivy aperta as pálpebras. Quando abre os olhos, todas as moças estão cercando Slothrop, alisando a camisa, ajeitando-lhe o colarinho, ronronando em francês.

"Claro." Tantivy pega a cesta. "Certo."

As moças são dançarinas. O gerente do Cassino Hermann Goering, um certo César Flebótomo, trouxe para lá toda uma trupe de coristas assim que chegaram os libertadores, embora ainda não tenha tido tempo de trocar o nome dado ao estabelecimento no tempo da ocupação. Pelo visto, ninguém se incomoda com isso, um agradável mosaico de conchinhas perfeitas, milhares delas aglomeradas em argamassa, roxas, rosa, marrons, substituindo um grande pedaço do telhado (as telhas antigas ainda permanecem numa pilha ao lado do cassino), instalado ali como terapia recreativa por um esquadrão de Messerschmitt de licença, em letras góticas grandes o bastante para serem vistas do ar, tal como fora a intenção original. O sol ainda está baixo demais para destacar as letras do fundo, de modo que estão invisíveis, já sem qualquer vínculo com os homens, a dor em suas mãos, as bolhas que enegreceram sob o sol com infecções e sangue — recuando enquanto o grupo caminha, passando agora pelos lençóis e fronhas do hotel, espalhados para secar junto à praia, seis pares de pés perturbando detritos jamais recolhidos, uma velha ficha de pôquer semiesbranquecida pelo sol, translúcidos ossos de gaivotas, uma camiseta sem cor, da Wehrmacht, rasgada e manchada de graxa...

Seguem pela praia, a camisa espantosa de Slothrop, o lenço de Tantivy, os vestidos das moças, as garrafas verdes, tudo dançando, todos falando ao mesmo tempo, na língua franca de moça e rapaz, as moças trocando mil confidências entremeadas de olhares de soslaio dirigidos aos rapazes. Isso devia ajudar a atiçar a, ha, ha, paranoia matinal, uma espécie de trago estimulante para ajudar a enfrentar o que certamente o dia há de trazer mais tarde. Mas não. Manhã boa demais para isso. Ondinhas quebrando na areia, rachando como massa de torta ao longo de uma curva de seixos escuros, mais ao longe espumando entre os rochedos negros que protuberam aqui e ali no *Cap*. Mais longe ainda, no mar, piscam os brilhos gêmeos das velas de um barco sendo tragado pelo sol e pela distância, rumo a Antibes, virando aos poucos, frágil feito concha entre as ondas baixas que tocam as cantoneiras do casco com um sibilo maroto que Slothrop consegue sentir nesta manhã, lembrando os Comets e Hamptons de antes da guerra que ele via da praia no cabo Cod, em meio a cheiros de terra firme, algas ao sol, óleo de cozinha já velho de um verão, a sensação de areia em pele queimada, o capim espetando os pés descalços sobre as dunas... Mais perto da praia, um *pédalo* cheio de soldados e moças — pernas dependuradas para fora, esparramados em espreguiçadeiras listradas verde e branco na popa. À beira d'água criancinhas correm, gritam, riem aquele riso rouco de criança cosquenta. Na avenida, um casal de velhos descansa num banco, azul e branco e sombrinha creme, um hábito matinal, uma âncora para o dia...

Vão até as primeiras pedras, encontrando ali um recanto meio separado do resto da praia, não devassado pelo prédio do cassino. O desjejum é vinho, pão, sorrisos, sol difratado por entre a malha fina de longos cabelos de dançarinas, balançados, jogados para trás, jamais imóveis, um deslumbramento de violeta, canela, açafrão, esmeralda... Por um momento pode-se esquecer do mundo, as formas sólidas se fracionam, quente dentro do pão à espera, ao alcance dos dedos, vinho oloroso descendo suave e lento rumo à base da língua...

Bloat interrompe. "Me diga, Slothrop, ela é sua amiga também?"

Hein? que está havendo? Ela quem? Bloat, satisfeito de si, gesticula em direção às rochas e uma poça d'água de mar ali perto...

"Tem alguém de olho em você, rapaz."

Bem... ela só pode ter saído do mar. A essa distância, 20 metros, é apenas um vulto vago, vestido de bombazina negra até os joelhos, pernas nuas longas e retas, um curto capuz de cabelos de um louro vivo mantendo-lhe o rosto na sombra, formando pega-rapazes que tocam nas faces. Está olhando para Slothrop, sim. Ele sorri, meio que acena. Ela continua parada, a brisa repuxando-lhe as mangas. Ele volta a atenção de novo para a garrafa de vinho cuja rolha está sacando, e a pequena explosão vem como uma apojatura ornando o grito de uma das dançarinas. Tantivy já está quase de pé, Bloat olhando direto na direção da moça, as dançarinas fazem tableaux em gestos defensivos espontâneos, cabelos ao vento, vestidos retorcidos, coxas expostas por um instante —

Puta merda, está se *mexendo* — um polvo? É sim, puta que o pariu, o maior polvo que Slothrop já viu fora do cinema, rapaz, e acabou de sair do mar e saracotear para cima de uma das pedras pretas. Agora, virando um olho maligno para a moça, ele estende um tentáculo cheio de ventosas e enrosca-o em torno do pescoço dela, diante dos olhos de todos, enrola outro em sua cintura e começa a puxar a moça, que se debate, para dentro do mar.

Slothrop já se levantou e corre, de garrafa na mão, passando por Tantivy, que hesita numa espécie de passo de dança, as mãos apalpando os bolsos do paletó em busca de armas que não estão lá, quanto mais Slothrop se aproxima do polvo maior ele fica, porra, esse é dos grandes *mesmo* — para junto a ele, um pé dentro da poça, e começa a atacá-lo na cabeça com a garrafa. A moça, já metade dentro d'água, tenta gritar, porém o tentáculo, fluido e gélido, mal lhe permite respirar. Ela estende a mão macia, mão de criança com uma pulseira de identificação masculina no pulso, e agarra a camisa havaiana de Slothrop, agarra-se cada vez com mais força, quem poderia imaginar que entre as últimas coisas que ela veria estariam aquelas moças vulgares dançando o *hula*, cavaquinhos e surfistas, tudo em cores de revistas em quadrinhos... *ah meu Deus, por favor*, a garrafa batendo, afundando na carne do polvo, não adianta merda nenhuma, o polvo olha para Slothrop, triunfante, enquanto ele, na presença da morte certa, não consegue despregar os olhos daquela mão, o pano vincando em tangentes ao terror dela, um botão da camisa já preso por um único fio — ele vê o nome na pulseira, sulcos formando letras todas elas nítidas, porém o todo não fazendo sentido para ele, diante da criatura cinzenta a apertar cada vez mais, líquida, mais forte que ele e ela juntos, emoldurando a pobre mão que aquele abraço cruel está separando da Terra —

"Slothrop!" Bloat a três metros dali lhe oferece um caranguejo grande.

"Que porra..." Quem sabe se ele quebrasse a garrafa na pedra e cortasse bem no meio dos olhos do bicho —

"Ele está com fome, vai querer pegar o caranguejo. *Não mate o polvo, Slothrop.*

Pegue, pelo amor de Deus —" e lá vem o caranguejo pelos ares, as patas estendidas centrífugas: Slothrop vacila e larga a garrafa um instante antes de o bicho bater na palma de sua outra mão. Agarra-o no ar. Imediatamente, através dos dedos da moça e de sua camisa, ele sente o reflexo provocado pelo alimento.

"O. K." Trêmulo, Slothrop sacode o caranguejo diante dos olhos do polvo. "Hora do almoço, rapaz." Outro tentáculo entra em cena. Um contato mucoso e corrugado em seu punho. Slothrop joga o caranguejo a alguns metros de distância, e não é que o polvo vai direto atrás dele? Arrasta a moça, com Slothrop correndo atrás mais um pouco, depois a larga. Slothrop mais que depressa pega de novo o caranguejo, segurando-o de modo que o polvo o veja, e começa a atrair a criatura dançando, praia abaixo, e o bicho se baba todo, olhos fixos no caranguejo.

Basta esta curta convivência para que Slothrop tenha a impressão de que este polvo não goza de boa saúde mental, mas com base em que termo de comparação? Porém há uma exuberância louca, como de um objeto inanimado que cai de uma mesa quando nos damos conta do barulho ou de nossa própria falta de jeito e não *queremos* que ele caia, uma espécie de pof! ha-ha, ouviu essa? e tome *outra*, POF! em cada movimento do cefalópode, que Slothrop quer ver à distância quando finalmente lança o caranguejo como se fosse um disco, com toda a força, no mar, e o polvo, espadando água e gorgolejando, vai atrás dele, e logo some.

A moça frágil está deitada na praia, respirando fundo, agora cercada pelos outros. Uma das dançarinas a toma nos braços e fala com ela, erres e nasais ainda franceses, numa língua que Slothrop, aproximando-se tranquilo, não consegue identificar.

Tantivy sorri e bate uma continenciazinha. "Bom serviço!", saúda-o Teddy Bloat. "Eu é que não ia tentar esse método!"

"Por que não? Foi você que pegou o caranguejo. Espere aí — onde foi que você arranjou o caranguejo?"

"Achei por aí", responde Bloat, com a cara mais séria. Slothrop olha para ele mas não consegue captar seu olhar. Que merda que está acontecendo?

"Melhor tomar um gole de vinho", resolve Slothrop. Bebe no gargalo. Esferas deformadas de ar sobem ruidosas a garrafa verde. A garota o observa. Ele para para respirar e sorri.

"Obrigada, tenente." Não há o menor tremor na voz, e o sotaque é teutônico. Agora ele vê seu rosto, nariz macio de corça, olhos cheios de um verde ácido por trás de cílios louros. Uma dessas bocas europeias de lábios finos. "Eu já tinha quase parado de respirar."

"Hã — você não é alemã."

Sacudindo a cabeça com ênfase. "Holandesa."

"E você está aqui há..."

Os olhos da moça se esquivam, ela estende o braço e tira a garrafa da mão de Slothrop. Está olhando para o mar, para o ponto onde o polvo sumiu. "São animais muito óticos, não é? Eu não sabia. Ele me *viu*. A mim. Eu não pareço um caranguejo."

"Acho que não. Você é uma moça muito bonita." Ao fundo, Bloat, deliciado, cutuca Tantivy. A tal ousadia transatlântica. Slothrop pega o pulso dela, agora lê sem dificuldade a pulseira de identificação. KATJE BORGESIUS. Sente o pulso latejando. Ele já não a viu em algum lugar? estranho. Uma mistura de reconhecimento e súbita astúcia no rosto da moça...

Assim, é aqui, nessa praia, em meio a estranhos, que as vozes começam a ganhar uma ressonância metálica, cada palavra um estalo seco, e a luz, embora tão forte quanto antes, agora ilumina menos... é o reflexo puritano de buscar outras ordens por trás do visível, também conhecido como paranoia, que está se insinuando. Pálidas linhas de força desenham-se no ar marítimo... pactos jurados em salas já reduzidas por bombas a plantas baixas, e não de todo por acidente de guerra, se oferecem. Ah, aquele caranguejo não foi "encontrado", sua besta — nem o polvo nem a garota estão aí por acaso, não. A estrutura e o detalhe vêm depois, mas a conspiração a sua volta ele sente agora de imediato, no coração.

Todos ficam mais um pouco na praia, terminando o café da manhã. Mas o dia simples, aves e sol, moças e vinho, já escapuliu de Slothrop. Tantivy está ficando bêbado, mais relaxado e engraçado à medida que as garrafas vão esvaziando. Ele escolheu para si não apenas a primeira garota em que pôs a vista, como também aquela que Slothrop estaria sem dúvida levando na conversa agora se o tal polvo não tivesse aparecido. Tantivy é um mensageiro do passado ingênuo, pré-polvo, de Slothrop. Bloat, por outro lado, está perfeitamente sóbrio, o bigode imperturbável, o uniforme nos conformes, observando Slothrop com atenção. Sua companheira, Ghislaine, mignon e esguia, pernas de pin-up girl, cabelos longos puxados para trás das orelhas e caindo-lhe pelas costas, ajeita as nádegas roliças na areia, escrevendo comentários à margem do texto de Bloat. Slothrop, que acredita que as mulheres, como os marcianos, têm antenas que os homens não têm, fica de olho nela. A moça só olha para ele uma vez, e seus olhos arregalam-se, misteriosos. Slothrop seria capaz de jurar que ela sabe alguma coisa. Voltando para o cassino, carregando as garrafas vazias e a cesta cheia do lixo da manhã, ele consegue trocar umas palavras com ela.

"Que piquenique, necepá?"

Formam-se covinhas junto aos cantos da boca de Ghislaine. "Você já sabia desde o começo a respeito do polvo? Foi o que eu pensei, porque parecia uma dança — todos vocês."

"Não. Falando sério, não. Quer dizer que você achou que foi tudo uma brincadeira, uma peça?"

"Meu pequeno Tyrone", cochicha ela de repente, tomando-lhe o braço e abrindo um enorme sorriso postiço para os outros. Pequeno? Ele é o dobro dela. "Por favor — tenha muito cuidado..." É só. Com a outra mão ele segura a mão de Katje, dois diabinhos opostos, um de cada lado. Na praia vazia agora só cinquenta gaivotas pardas pousadas contemplando a água. Cúmulos brancos se amontoam acima do mar, duros, soprados por querubins — folhas de palmeiras balouçam-se ao longo de toda a avenida. Ghislaine separa-se do grupo para ir ter com o sóbrio Bloat, que ficou para trás, na praia. Katje aperta o braço de Slothrop e lhe diz exatamente o que ele quer ouvir agora: "Talvez, afinal de contas, *nós dois tínhamos mesmo que nos conhecer*..."

Visto do mar, à distância, o cassino a esta hora é um bibelô iluminado no horizonte: seu contraponto de palmeiras já começa a ensombrecer-se na penumbra. Adensa-se o marrom amarelado das serras, mar da cor do interior macio de uma azeitona preta, vilas brancas, castelos encarapitados, inteiros ou em ruínas, verdes outonais de arvoredos e pinheiros solitários, tudo adensando-se, mergulhando na paisagem noturna que permaneceu latente durante todo o dia. Fogueiras se acendem na praia. Um tênue murmurejar de vozes inglesas, até mesmo trechos de uma que outra canção, vem do outro lado da expansão de água até o doutor Porkievitch, parado no tombadilho. No convés inferior, o polvo Grigori, tendo se empapuçado de carne de caranguejo, saracoteia-se satisfeito no seu cercado. O raio estendido do farol do promontório passa riscando os barquinhos de pescadores que se afastam da praia. Grischa, meu amiguinho, por algum tempo você não precisar mais fazer nenhum serviço... Haverá alguma esperança de conseguir mais apoio de Pointsman, agora que Porkievitch e Seu Polvo Fabuloso fizeram sua parte?

Há muito tempo que ele parou de questionar ordens — não questiona mais sequer seu exílio. As provas que o implicam na conspiração de Bukharin, cujos detalhes ele desconhece por completo, podem até de algum modo ser verdadeiras — o Bloco Trotskista talvez o conhecesse graças a sua reputação, e talvez o tenha usado de modos que permanecerão para sempre em segredo... *para sempre em segredo*: há formas de inocência, ele sabe, que não podem sequer conceber o significado dessa expressão, muito menos aceitá-la tal como ele a aceitou. Pois, afinal, pode ser apenas mais um episódio de algum imenso sonho doentio de Stalin. Ele pelo menos tinha a fisiologia, alguma coisa fora do Partido... os que só tinham o Partido, que haviam construído suas vidas inteiramente sobre as bases do Partido, e depois foram expulsos, viviam uma experiência que devia ser muito semelhante à morte... e jamais saber nada com certeza, jamais ter a precisão do laboratório... é esta precisão, Deus sabe, que garante sua sanidade há vinte anos. Pelo menos eles nunca vão poder —

Não, isso eles não fariam, jamais houve um caso... a menos que tenha sido encoberto, é claro que não seria publicado em nenhum periódico científico —

O Pointsman seria capaz...?

Talvez. Ele seria, sim.

Grischa, Grischa! Conseguimos. Tão rápido para nós: cidades estranhas, comediantes de chapéus amassados, coristas dançando cancã, fontes de fogo, uma orquestra barulhenta no poço... Grischa com as bandeiras de todos os países uma em cada tentáculo... mariscos frescos, um pirojki quentinho, chá quente à noite, entre as apresentações... aprender a esquecer a Rússia, a contentar-se com os míseros pedacinhos falsificados dela que encontramos por aqui...

Agora o céu se estica até admitir uma única primeira estrela. Mas Porkievitch não faz nenhum pedido. Uma questão de política. Os sinais de chegada não lhe interessam, nem mesmo os de partida... O motor do barco acelera, e a esteira que levantam no mar, refletindo o rosa do crepúsculo, obscurece o cassino branco na praia.

Hoje não está faltando eletricidade, o cassino foi religado à rede francesa. Lustres peludos de agulhas de cristal brilham no teto, e lâmpadas mais fracas reluzem nos jardins lá fora. Ao descer para jantar com Tantivy e as dançarinas, Slothrop se detém, olhos arregalados, diante de Katje Borgesius, tiara de esmeralda nos cabelos, corpo envolto num vestido longo à Medici de veludo verde-marinho. Está acompanhada de um general de duas estrelas e um general de brigada.

"Privilégios da hierarquia", cantarola Tantivy, executando um sapateado sarcástico no tapete, "*ah*, privilégios da hierarquia."

"Você está tentando me fazer perder as estribeiras", sorri Slothrop, "mas não está conseguindo."

"Já percebi." O sorriso dele petrifica-se. "Ah, não, Slothrop, por favor, não, a gente vai jantar —"

"Mas eu sei que a gente vai jantar —"

"Não, é muito constrangedor, você tem que tirar."

"Gostou? É pintada à mão, de verdade! Olhe! Beleza de peitaria, hein?"

"É a gravata dos ex-detentos da prisão de Wormwood Scrubs."

Na sala de jantar principal, misturam-se a um grande ir e vir de garçons, oficiais e senhoras. Slothrop, jovem dançarina a tiracolo, envolvido pelo turbilhão, consegue por fim enfiar-se com ela em dois lugares que acabam de vagar: e constata que sua vizinha à esquerda, vejam só, é Katje. Ele incha as bochechas, envesga, ajeita os cabelos com a mão de modo insistente, quando então a sopa é servida, e ele a ataca como quem desativa uma bomba. Katje finge não o ver, e conversa animadamente, debruçando-se sobre seu general, com um coronel a respeito do trabalho que ele fazia antes da guerra — administrar um campo de golfe na Cornualha. Buracos e obstáculos. A pessoa pega o jeito do terreno. Mas o melhor era à noite, quando os texugos saíam das tocas para brincar...

O peixe vem e é levado embora, quando então algo estranho começa a acontecer: o joelho de Katje, quente e aveludado, parece estar se esfregando no de Slothrop debaixo da mesa.

Pois bem, pensa Slothrop, vamos ver: vou partir para um *subterfúgio*. Afinal, eu estou na Europa, é ou não é? Levanta a taça de vinho e anuncia: "'A Balada de Tantivy Mucker-Maffick'". Aplausos, Tantivy tímido tenta não sorrir. É uma canção que todos conhecem: um dos escoceses corre em direção ao piano de cauda, César Flebótomo, torcendo o bigode encerado numa ponta de sabre, vai para trás de um vaso de palmeira e aumenta um pouco a iluminação, põe a cabeça de fora piscando e sibila para seu maître. Taças de vinho são engolidas, pigarros explodem e um bom número dos comensais começa a cantar

A Balada de Tantivy Mucker-Maffick

Gim italiano é praga de mãe,
Cerveja francesa parece antisséptico,
E vinho espanhol é puro formol,
Só serve pra santo ou epiléptico.
Uísque doméstico é mata-matuto,
É mais letal que cascavel —
É pura peçonha, uma coisa medonha,
É provar e ir direto pro céu!

(*Refrão*): Ah — se tem álcool, o Tantivy toma,
Pra garrafa ele nunca diz não,
E que eu morra de achaque num barril de conhaque
Se alguém me provar que não tenho razão!

Parece haver uns cem — mas devem ser só uns dois — galeses cantando, um tenor do sul e um baixo do norte do país, você sabe, de modo que toda a conversação, confidencial ou não, é encoberta pelo som. O que é exatamente o que Slothrop quer. Ele se debruça na direção de Katje.

"Vá ao meu quarto", cochicha ela, "o 306, depois de meia-noite."

"Certo." E Slothrop desdebruça-se a tempo de engrossar o coro da segunda parte desde o primeiro compasso:

Ele já navegou oceanos de vinho,
Viu baleia nadando de esguelha;
Entornou rios de rum e pediu "só mais um",
E fechou com licor de groselha.
No inverno londrino ou ao sol do Saara,
Seja em Praga ou seja em Beirute,
Ele bebe e não nega, do primeiro Strega
Até o derradeiro vermute!

Ah, se tem álcool, o Tantivy toma... etc.

Depois do jantar, Slothrop faz um sinal de alerta para Tantivy. As dançarinas dos dois vão de braços dados ao banheiro de mármore onde as cabines são equipadas com tubos acústicos de latão, para permitir a conversação interprivadas. Slothrop e Tantivy vão para o bar mais próximo.

"Escute", diz Slothrop, falando para dentro do copo de uísque, refletindo as palavras nos cubos de gelo para que saiam tão geladas quanto ele deseja, "ou bem eu estou embarcando numa psicosezinha ou então tem alguma coisa muito estranha acontecendo, é ou não é?"

Tantivy, com um falso ar de relaxamento, interrompe seu cantarolar de "Pode-se fazer muita coisa na praia que não se pode fazer em casa" para perguntar: "Ah, é? você acha mesmo?".

"Venha cá, aquele polvo..."

"O polvo é um animal muito comum nas praias do Mediterrâneo. Se bem que normalmente não costuma ser tão grande — é o *tamanho* que incomoda você? Mas vocês americanos não gostam —"

"Tantivy, não foi um acidente. Você não ouviu o Bloat? 'Não mate o polvo!' Ele *já tinha* aquele caranguejo, d-dentro daquele bornal, talvez, pronto para atrair o bicho. E onde que ele foi agora à noite, hein?"

"Acho que ele está na praia. Tem muita gente bebendo."

"Ele bebe muito?"

"Não."

"Olhe, você é amigo dele —"

Tantivy geme. "Meu Deus, Slothrop. *Eu* não sei de nada. Sou seu amigo também, você sabe, mas você há de reconhecer que existe uma certa paranoia slothropiana..."

"Paranoia o caralho. Tem alguma coisa acontecendo, e-e você sabe o que é!"

Tantivy mastiga gelo, contempla o bastão de vidro de mexer a bebida, despedaça um pequeno guardanapo e cria uma nevasca em miniatura, todas essas coisinhas de bar, ele é puta velha nisso. Mas por fim, em voz baixa: "Bem, ele anda recebendo umas mensagens em código".

"Ah-ah!"

"Vi uma delas hoje na mochila dele. Só de relance. Não tentei ver mais de perto. Afinal, ele trabalha para o Supremo Quartel-General — pode ser isso."

"Não, não é isso, não. Pois escute *esta* —" e Slothrop lhe fala sobre o encontro com Katje à meia-noite. Por um momento é quase como se estivessem de volta na ACHTUNG, os foguetes caindo, o chá em copos de papel, e tudo mais como devia ser...

"Você vai?"

"Não devia ir? Você acha que ela é perigosa?"

"Eu acho ela um pedaço. Se não fosse a Françoise, para não falar na Yvonne também, eu ia tentar chegar no quarto dela antes de você."

"Mas...?"

Mas o relógio do bar só faz tiquetaquear um minuto, depois outro, e assim, minutamente, o tempo deles vai virando passado.

"Ou bem o que você tem é contagioso", começa Tantivy, "ou bem eles estão de olho em mim também."

Os dois se entreolham. Slothrop se dá conta de que, fora Tantivy, ele está totalmente sozinho aqui. "Me conte."

"Não tenho muito para contar. Ele mudou — mas não há nada de concreto para lhe dizer. Desde que... não sei. O outono. Ele não fala mais sobre política. Meu Deus, a gente vivia discutindo... Agora ele não também conversa mais sobre o que pretende fazer depois da desmobilização, ele que vivia falando nisso. Achei que foi por causa dos bombardeios que ele tinha ficado meio... mas depois dessa história de ontem, fico achando que deve ser outra coisa. Porra, eu fico chateado."

"O que foi que aconteceu?"

"Ah. Uma espécie de — não foi uma ameaça, não. Quer dizer, nada sério. Eu falei, só de brincadeira, que estava interessado na sua Katje. E o Bloat ficou muito frio, e disse: 'Se eu fosse você eu não me metia com ela'. Tentou rir depois pra disfarçar, como se ele também estivesse de olho nela. Mas não era isso. E-eu não tenho mais confiança nele. Eu... eu fico achando que ele me usa, de uma maneira que não sei qual é. Que estou sendo tolerado só enquanto ele precisar de mim. Sabe como é, ex-colegas de faculdade. Não sei se você sentia isso em Harvard... de vez em quando, em Oxford, eu percebia uma certa *estrutura* que ninguém reconhecia que existia — que ia muito além da Turl Street, que passava do Cornmarket e implicava acordos, favores, dívidas... a gente nunca sabia quem seria, nem quando, nem como eles iriam tentar cobrar... mas eu achava que fosse uma coisa à toa, apenas nas margens do *verdadeiro* motivo pelo qual eu estava lá, sabe..."

"Claro. Na América, é a primeira coisa que dizem à gente. Harvard existe por outras razões. O lado 'educativo' é só uma fachada."

"Aqui nós somos muito inocentes, sabe?"

"Alguns de vocês, talvez. É uma pena, essa história do Bloat."

"Ainda tenho esperança de que seja outra coisa."

"Pode ser. Mas o que é que a gente faz agora?"

"Ah, vá ao seu encontro marcado. Tenha cuidado, e me mantenha informado. Talvez amanhã eu é que tenha umas aventuras para lhe contar, para variar. E se precisar de ajuda", sorriso cheio de dentes, rosto corando um pouco, "bem, aí eu ajudo você."

"Obrigado, Tantivy." Meu Deus, um aliado britânico. Yvonne e Françoise, de fora, olham para dentro do bar, chamam-nos com um gesto. Vão para a Himmler-Spielsaal, e é bacará até a meia-noite. Slothrop termina em casa, Tantivy perde, as garotas ganham. Nada de Bloat, se bem que dezenas de oficiais entram e saem, pardos e distantes como rotogravuras, ao longo da noite. Também nada de Ghislaine, a garota de Bloat. Slothrop pergunta. Yvonne dá de ombros: "Saiu com o seu amigo? Sei lá!". Ghislaine, cabelos longos, braços bronzeados, rosto de criança de seis anos sorrindo... Se ela souber alguma coisa, será que corre perigo?

Às 23h59, Slothrop vira-se para Tantivy, acena com a cabeça para as duas moças, esboça uma risada lasciva e dá no amigo um pequeno soco de brincadeira no ombro. Uma vez, na escola preparatória, logo antes de ele começar uma partida de futebol americano, o técnico de Slothrop deu um pequeno soco igual a esse no ombro dele, o que lhe inspirou confiança por ao menos cinquenta segundos, quando então Slothrop foi atropelado e derrubado por um bando de atacantes do time de Choate, com os instintos e a massa de rinocerontes assassinos.

"Boa sorte", diz Tantivy, sem ironia, já estendendo a mão em direção ao delicioso bumbum sedoso de Yvonne. Minutos de dúvida, sim, sim... Slothrop subindo a escada coberta de tapete vermelho (Bem-vindo Senhor Slothrop Bem-vindo À Nossa Estrutura Esperamos Que O Senhor Aproveite Sua Estada), ninfas e sátiros de malaquita paralisados em plena perseguição, sempre verdes, nos patamares silenciosos, seguindo rumo a uma solitária lâmpada acesa no alto...

À porta do quarto de Katje ele se detém o tempo suficiente para pentear o cabelo. Agora ela está com uma peliça branca, coberta de lantejoulas, ombreiras, plumas de avestruz brancas em torno do decote e nos punhos. Tirou a tiara: à luz elétrica, os cabelos são como neve recém-caída. Mas dentro da suíte arde uma única vela perfumada, e o luar inunda o ambiente. Ela serve conhaque em copos antigos de cristal, e quando Slothrop estende a mão seus dedos se tocam. "Eu não sabia que você era tão doida por golfe!" Melífluo, romântico Slothrop.

"Ele era simpático. Eu estava sendo simpática com ele", um olho meio que virado para cima, a testa franzida. Slothrop pensa: será que minha braguilha está aberta?

"E me ignorando. Por quê?" Jogada esperta, essa, Slothrop — porém ela se limita a evaporar diante da pergunta, rematerializando-se em outra parte da sala...

"Eu estou ignorando você?" Está à janela, o mar atrás dela, o mar da meia-noite, ondas individuais impossíveis de acompanhar a esta distância, tudo integrado na imobilidade de uma velha pintura vista do outro lado de uma galeria deserta onde você aguarda na sombra, sem se lembrar do motivo que o trouxe aqui, assustado com o nível de iluminação, a qual vem de uma cicatriz de lua a varrer a extensão do oceano...

"Não sei. Mas você ora está com um, ora com outro."

"Talvez seja isso o que eu tenho que fazer."

"Assim como 'talvez nós dois tínhamos mesmo que nos conhecer'?"

"Ah, você acha que eu sou mais do que eu sou", deslizando para um sofá, sentando-se por cima de uma perna.

"Eu sei. Você é apenas uma pastorinha holandesa. Armário cheio de aventais engomados e-e tamancos, não é?"

"Pode olhar." O perfume da vela espalha-se pelo ambiente como dendritos.

"Eu olho mesmo!" Abre o armário, e o luar refletido pelo espelho revela um labirinto atulhado de cetins, tafetás, linhos, ponjês, colarinhos e aplicações de pele, botões, cintos, passamanaria, macios, confusos, feminis sistemas de túneis que se estendem talvez por quilômetros — ele seria capaz de perder-se em menos de meio minuto... rendas brilham, ilhós piscam, uma echarpe de crepe roça-lhe o rosto... Ah-ah! espere um minuto, o cheiro aqui é de tetracloreto de carbono, rapaz, e isso aqui é um vestuário de teatro. "É. Chique pra cachorro."

"Se isso é um elogio, obrigada."

Deixe que Eles agradeçam, menina. "Uma gíria americana."

"Você é o primeiro americano que já conheci."

"Hum. Você deve ter saído por Arnhem, então, não é?"

"Mas como você é perspicaz", num tom que o avisa para não ir longe demais. Ele suspira, dando um peteleco no copo de cristal. Na sala escura, com o mar paralisado e silencioso às suas costas, ele resolve cantar:

CEDO DEMAIS PARA SABER (FOXTROTE)

Ainda é cedo demais,
Ainda não ardemos de amor,
Nem quebramos a paz
Desta noite cheia de esplendor,
De luar no jardim,
De odor de jasmim...

É cedo para saber
Se aquela conversa tão boa
Que deu tanto prazer
Foi mais do que um flerte à toa
Fadado a morrer
Quando o dia nascer...

Como saber?
Como prever?
Os desígnios da paixão
Escapam à nossa razão...

Ah, quem saberá
Se um grande amor está começando
Ou se nada haverá
E é só mais um sonho terminando?
É um grande segredo,
Meu bem, AINDA É CEDO.

Sabendo o que se espera dela, Katje aguarda com um olhar vazio até ele terminar, harmônicos ressoam no ar por um momento, então ela estende uma mão, derretendo-se toda para ele enquanto Slothrop desaba em câmara lenta sobre sua boca, penas deslizam, mangas arregaçam-se, braços nus enluarados deslizam sobre as costas dele, a língua grudenta dela é nervosa como uma mariposa, as mãos de Slothrop arranham-se nas lantejoulas.... então os seios de Katje apertam-se contra ele, suas mãos tateiam suas próprias costas em busca do fecho ecler, puxam-no espinha abaixo...

A pele de Katje é mais alva que a alva roupa de que ela se desprende. *Nascida de novo*... pela janela Slothrop quase consegue ver o lugar onde o polvo surgiu entre as pedras. Ela caminha como uma bailarina, na ponta dos pés, coxas longas e curvas, Slothrop afrouxando o cinto, desabotoando, desamarrando cadarços pulando um pé de cada vez, oba, oba, mas o luar só branqueia as costas dela, há ainda um lado escuro, o lado do ventre, o rosto, que ele não vê mais, uma terrível mudança animal ocorrendo no focinho e na mandíbula, pupilas negras crescendo até cobrir todos os olhos até desaparecerem os brancos e só restar o reflexo vermelho bestial quando a luz atingi-los *nunca se sabe quando a luz* —

Deitada na cama macia, puxa-o para si, cetim, bordados de anjos e flores, virando-se imediatamente para acolher a ereção dele em sua forquilha esticada, diapasão a vibrar e dar o tom da noite... enquanto fodem ela estremece, corpo estroboscópico sob o dele, creme e azul-cinza, todos os sons suprimidos, olhos em crescentes por trás dos cílios dourados, brincos de azeviche, longos, octaédricos, balançando-se silenciosos, batendo-lhe contra as faces, granizo negro, o rosto dele sobre o dela impassível, cheio de técnicas cuidadosas — será para ela? ou parte do pacote slothropiano em que ela foi treinada — ela vai envolvê-lo, não vai ser coberta por uma casca plástica... a respiração dela está mais ruidosa, ultrapassa a barreira do silêncio... achando que ela está próxima de gozar, ele enfia a mão entre seus cabelos, tenta imobilizar-lhe a cabeça, precisa ver o rosto dela: de repente há uma luta, feroz, de verdade — ela não quer lhe entregar seu rosto — e sem mais nem menos ela começa a gozar sim, e Slothrop também.

Por algum motivo, ela que nunca ri se transformou na superfície superior de um balão de riso que emerge do fundo de repente. Depois, pouco antes de adormecer, ela vai cochichar: "Rindo", rindo de novo.

Ele vai querer dizer: "Ah, então Eles deixam", mas talvez Eles não deixem, não. Mas a Katje com que ele está falando já não está mais aqui, e logo os olhos de Slothrop se fecham também.

Como um foguete cujas válvulas, acionadas por controle remoto, abrem-se e fecham-se em momentos predeterminados, Slothrop, numa certa etapa de sua volta ao sono, para de respirar pelo nariz e começa a respirar pela boca. Logo esta respiração transforma-se em roncos capazes de fazer tremer vidraças, balançar venezianas e chacoalhar lustres, sério... Ao primeiro ronco, Katje o acorda e acerta-o na cabeça com um travesseiro.

"Não senhor."

"Hum."

"Eu tenho o sono leve. Cada vez que você roncar, vai levar uma travesseirada."

Ela está falando sério. A rotina roncar-levar travesseirada-acordar-dizer hum-dormir de novo se repete até alta madrugada. "Ora", diz ele por fim, "pare com isso."

"Roncador!", ela grita. Ele agarra seu próprio travesseiro e tenta golpeá-la. Katje se esquiva, rola para o outro lado, cai no chão protegendo-se com o travesseiro, anda de costas até o aparador onde fica a bebida. Ele não vê o que Katje tem na mão até que ela larga o travesseiro e pega o sifão de soda.

O quê, *o sifão de soda*? Que merda é essa? Que outros objetos interessantes Eles colocaram ali, e que outros reflexos americanos estão querendo testar? Cadê as *tortas de banana*, hein?

Slothrop segura dois travesseiros pelas pontas e fica a observá-la. "Mais um passo", ela ri. Slothrop salta para acertá-la na bunda e ela ataca com o sifão, claro. O travesseiro explode contra uma quina de mármore, o luar no quarto é sufocado por penas e logo por gotículas de soda também. Slothrop tenta várias vezes agarrar o sifão. A moça escorregadia sempre escapole, se esconde atrás de uma cadeira. Slothrop pega a garrafa ornamental cheia de conhaque no aparador, tira a rolha e lança duas amebas de líquido âmbar e translúcido no ar enluarado, que atravessam o quarto e cobrem o pescoço da moça, descem entre os peitos de mamilos negros, escorregam-lhe os flancos abaixo. "Seu puto", e o atinge com o sifão outra vez. As penas grudam nos corpos que se perseguem no quarto, o dela, mosqueado, sempre recuando, àquela iluminação, mesmo de perto, impossível de enxergar. Slothrop a toda hora tropeça nos móveis. "Ah, quando eu pegar você!" Neste momento ela abre a porta que dá para a saleta, sai, bate a porta na cara de Slothrop, o qual ricocheteia, diz merda, abre a porta e vê Katje agitando uma grande toalha de mesa de linho para ele.

"O que é isso?", indaga Slothrop.

"Mágica!" exclama ela, e joga a toalha em cima dele, as dobras precisas propagam-se rápidas como falhas de cristal, rubramente pelo ar. "Olhe com atenção e veja como eu faço um tenente americano desaparecer."

"Pare com isso", Slothrop debate-se tentando sair daquela tenda. "Como que eu posso olhar com atenção se eu estou aqui dentro." Não consegue achar nenhuma beira e começa a entrar em pânico.

"Por isso mesmo", de repente ela está dentro também, ao lado dele, lábios sobre seus mamilos, mãos acariciando os pelos de sua nuca, puxando-o lentamente para o tapete espesso. "Meu chapinzinho."

"Onde que você viu esse filme, hein? Lembra quando o W. C. Fields vai para a cama c-com aquela *cabra*?"

"Ah, não pergunte..." Desta vez é uma rapidinha simpática, bem coordenada, os dois meio sonolentos, cobertos de penas grudentas... depois de gozar ficam bem juntinhos, liquefeitos demais para mexer-se, hum, linho e felpa, aconchegante e vermelho como um útero aqui... Enroscados, os pés dela sobre os dele, pica aninhada no rego quente entre as nádegas dela, Slothrop tentando a sério respirar de boca fechada, os dois adormecem.

Slothrop acorda ao sol matinal do Mediterrâneo, filtrado por uma palmeira junto à janela, depois vermelho pela toalha, pássaros, água correndo no andar de baixo. Por um minuto fica a despertar, sem ressaca, ainda fazendo parte, antislothropicamente, de um ciclo férvido de partidas e retornos. Katje, viva e quente, um S grudado no seu S, começa a acordar.

Do quarto ao lado vem o som inconfundível de uma fivela de cinto militar. "Alguém", ele observa, percebendo rápido, "deve estar roubando as minhas calças." Pés passam correndo pelo tapete, perto de sua cabeça. Slothrop ouve o tilintar de suas moedas nos bolsos. "Ladrão!" grita, e acorda Katje, que se vira para abraçá-lo. Slothrop, conseguindo agora localizar a borda da toalha que na véspera lhe escapara, livra-se do pano a tempo de ver um pé grande com um sapato de duas cores, café e índigo, desaparecendo porta afora. Entra correndo no quarto e constata que todas as suas outras roupas sumiram também, inclusive os sapatos e a cueca.

"Minhas roupas!" sai correndo pela sala e passa por Katje, que saindo debaixo da toalha tenta agarrá-lo pelo pé. Slothrop abre a porta da suíte de repente, sai correndo pelo corredor, dá-se conta de que está nu em pelo, vê um carrinho de lavanderia e arranca dele um lençol de cetim roxo, joga-o em volta do corpo à guisa de toga. Da escada vem uma risadinha e o pleque-pleque de solas de borracha. "Ah-ah!" grita Slothrop, e sai desabalado pelo corredor. O pano escorrega, enrola-se nos seus pés. Sobe a escada dois degraus de cada vez, e encontra no andar de cima apenas um corredor igual ao outro, vazio também. Onde estará todo mundo?

Ao longe, no corredor, uma cabecinha aparece atrás de uma esquina, depois uma mãozinha, que lhe faz um gesto obsceno. Um riso antipático chega a seus ouvidos uma fração de segundo depois, quando Slothrop já está correndo para lá. Na escada, ouve passos descendo. A Grande Pipa Roxa desce correndo três andares, xingando, sai por uma porta a um pequeno terraço, a tempo de ver alguém pular por cima de uma balaustrada de pedra e desaparecer na metade superior de uma árvore grossa, que brota de algum lugar lá embaixo. "Agora você vai ficar des*arvorado*!" exclama Slothrop.

Primeiro passa para a árvore, depois é fácil como subir uma escada. Dentro da copa, cercado de folhas pungentes, Slothrop só enxerga uns dois galhos à frente. Porém a árvore está balançando, de modo que ele imagina que o ladrão esteja ali em algum lugar. Tenaz, Slothrop segue subindo, lençol prendendo-se e rasgando, pele espetada por espinhos, arranhada por casca de árvore. Os pés machucam-se. Logo ele está esbaforido. Aos poucos o cone de luz verde estreita, fica mais claro. Perto do topo, Slothrop nota um corte de serrote ou coisa parecida semiatravessando o tronco, mas só para para pensar no significado daquilo quando chega bem no alto da árvore, que balança de leve, onde ele fica a apreciar a bela vista do porto e do promontório, mar azul-tinta, espuma branca de ondas, tempestade formando-se junto ao horizonte, cabeças de gente andando lá embaixo. Puxa! De um ponto do tronco mais abaixo vem o som de madeira começando a rachar, e Slothrop sente uma vibração ali em seu poleiro esguio.

"Espere aí..." O desgraçado! Ele *desceu* a árvore em vez de subir! Está lá embaixo agora, esperando! Eles sabiam que Slothrop ia subir, e não descer — estavam contando com esse reflexo americano, é claro, o vilão numa perseguição sempre vai para cima — por que para cima? e então serraram o tronco quase inteiro, e-e agora —

Eles? *Eles?*

"Bem", opina Slothrop, "melhor eu, ah..." Mais ou menos a esta altura a árvore racha ao meio, e com um grande farfalhar e estalidos mil, um maço de galhos escuros cheios de pontas espetando-o em alguns milhares de lugares, Slothrop desaba, quicando de galho a galho, tentando manter o lençol roxo sobre a cabeça para servir de paraquedas. Ufa. Nnn. Mais ou menos na metade da descida, ao nível do terraço, ele olha para baixo, e vê um bom número de oficiais superiores de uniforme e senhoras gorduchas com vestidos de batista branca e chapéus de flores. Estão jogando croqué. Pelo visto, Slothrop vai aterrissar ali no meio. Ele fecha os olhos e tenta imaginar uma ilha tropical, um quarto protegido, onde isto não possa estar acontecendo. Abre--os mais ou menos no instante em que bate no chão. No silêncio, antes mesmo que tenha tempo de registrar a dor, vem o *toc* estrepitoso de madeira contra madeira. Uma bola listrada de um amarelo vivo passa rolando a dois centímetros do nariz de Slothrop e desaparece de vista, seguida um segundo depois por uma explosão de parabéns, senhoras entusiasmadas, passos em sua direção. Parece que ele, hãã, machucou as costas um pouco, mas de qualquer modo não está com muita vontade de se mexer. Logo em seguida o céu é obscurecido pelo rosto de algum general e o de Teddy Bloat, olhando para baixo com curiosidade.

"É o Slothrop", diz Bloat, "e está vestido com um lençol roxo."

"O que é isso, meu filho", pergunta o general, "fazendo teatro, é?" Aproximam-se duas senhoras, sorrindo ao ver Slothrop, ou talvez para não ver Slothrop.

"Com quem o senhor está falando, general?"

"Aquele sujeito de toga", responde o general, "que está na frente do meu próximo arco."

"Mas que coisa extraordinária, Rowena", virando-se para sua amiga, "*você* está vendo algum 'sujeito de toga'?"

"De modo algum, Jewel", responde Rowena, faceira. "Na *minha* opinião, o general andou bebendo." As duas senhoras riem baixinho.

"Se o general tomasse *todas* as suas decisões nesse estado", Jewel tentando recuperar o fôlego, "haveria *chucrute em Londres*!" As duas então guincham de rir, muito alto, por um tempo desagradavelmente excessivo.

"E o seu nome seria *Brunhilde*", os dois rostos agora uma rosa estrangulada, "em vez de — em vez de Jewel!" Agora estão abraçadas, quase *mortas* de hilaridade. Slothrop olha para este espetáculo, agora acrescido de um elenco de dezenas.

"B-bem, sabe, é que alguém roubou toda a minha roupa, e eu estava justamente indo reclamar na administração — "

"Só que em vez disso resolveu vestir um lençol roxo e subir numa árvore", diz o general, concordando com a cabeça. "Bem, creio que vamos conseguir arranjar alguma coisa para você. Bloat, você é quase do tamanho desse homem, não é?"

"Ah", malho de croqué no ombro, numa pose de anúncio de Kilgour ou Curtis, com um sorriso debochado para Slothrop, "devo ter um uniforme sobrando em algum lugar. Venha comigo, Slothrop, você está bem, não está? Não quebrou nada, não."

"Iaaag." Envolto em seu lençol esfarrapado, ajudado a levantar-se por solícitos desportistas, Slothrop vai mancando atrás de Bloat, saem do campo e entram no cassino. Primeiro param no quarto de Slothrop. O quarto está recém-arrumado, inteiramente vazio, pronto para receber o próximo hóspede. "Epa..." Abre aos solavancos as gavetas vazias: todas as roupas que ele tinha sumiram, inclusive a camisa havaiana. Que porra. Gemendo, vai até a mesa. Vazia. Armários vazios. Documentos de licença, identidade, tudo foi levado. Os músculos de suas costas latejam de dor. "O que é isso?" Vai de novo confirmar o número da porta, tudo agora só por desencargo de consciência. Ele já sabe. O que mais o incomoda é a camisa de Hogan.

"Antes de mais nada ponha uma roupa decente", Bloat num tom cheio de indignação de diretor de escola. Dois subalternos entram de repente carregando suas valises. Param olhando abismados para Slothrop. "Ih, rapaz, você está no teatro de operações errado", exclama um. "Olha o respeito!" ri o outro, "é o Lawrence da Arábia!"

"Merda", diz Slothrop. Não consegue nem levantar o braço, quanto mais usá-lo contra os dois. Vão para o quarto de Bloat, onde conseguem reunir as peças de um uniforme.

"Escute", Slothrop lembra-se, "onde está o Mucker-Maffick?"

"Não faço ideia. Deve ter saído com a garota. Ou as garotas. E *você*, onde é que você estava?"

Slothrop, porém, olha a sua volta, o temor retal apertando-lhe o esfíncter agora, em efeito retardado, pescoço e rosto cobertos de bagas de suor, tentando encontrar neste quarto que Tantivy divide com Bloat algum vestígio de seu amigo. O famoso paletó que espeta, terno listrado, qualquer coisa...

Nada. "O Tantivy foi embora, ou o quê?"

"Pode ser que tenha ido ficar com a Françoise ou a outra fulana. Ou até mesmo voltado para Londres mais cedo, não cuido da vida dele, não sou o departamento de pessoas desaparecidas."

"Você é amigo dele..." Bloat dá de ombros, insolente, e pela primeira vez desde que se conheceram olha Slothrop nos olhos. "Não é? Você é o quê?"

A resposta está no olhar fixo de Bloat, o quarto penumbroso racionalizado, nada dele que lembre férias, só uniformes feitos em Saville Row, escovas e navalha de prata dispostos em ângulos retos, um espeto reluzente de base octogonal empalando meia dúzia de papeluchos de cores pastel, todos com os cantos perfeitamente alinhados... um pedacinho de Whitehall em plena Riviera.

Slothrop desvia a vista. "Vou ver se o encontro", murmura, recuando até a porta, o uniforme largo demais na bunda e apertado demais na cintura. É bom se acostumar com ele agora, rapaz, porque vai ter que usá-lo por um bom tempo...

Começa indo no bar onde conversaram na véspera. Lá só encontra um coronel com um bigodão retorcido, de quepe, sentado todo teso diante de uma coisa grande, opaca, que chia, ornada com um crisântemo branco. "Será que lá em Sandhurst não o ensinaram a bater continência?" grita o oficial. Slothrop, hesitando apenas um momento, obedece. "A porra da Unidade de Formação de Cadetes deve estar cheia de nazistas." Nenhum barman à vista. Não se lembra do — "E então?"

"É que, na verdade, bem, eu sou é americano, este uniforme eu só peguei emprestado, e eu estava procurando um tenente, Mucker-Maffick..."

"Você é o quê?" explode o coronel, arrancando folhas do crisântemo com os dentes. "Que conversa de nazista é essa, hein?"

"Bem, obrigado", Slothrop saindo de costas do bar, com outra continência.

"É inacreditável!" o eco o segue pelos corredores até a Himmler-Spielsaal. "Coisa de nazista!"

Vazia na modorra do meio-dia, expansões ressoantes de mogno, feltro verde, dobras pendentes de veludo marrom. Ancinhos de madeira para recolher dinheiro formam leques sobre as mesas. Sininhos de prata com cabos de ébano jazem sobre o folheado castanho, de boca para baixo. Em torno das mesas, cadeiras estilo império perfilam-se, precisas, vazias. Porém umas são mais altas que as outras. Não são mais sinais visíveis de jogatina. Há uma outra atividade aqui, mais real que o jogo, mais impiedosa, e sistematicamente mantida oculta dos Slothrops da vida. Quem se senta nas cadeiras mais altas? Será que Eles têm nomes? O que Eles colocam sobre as lisas superfícies de feltro?

Uma luz brônzea desce do alto. Murais cobrem as paredes do salão: deuses e deusas pneumáticos, pastores e pastoras em cores pastel, folhagens enevoadas, echarpes esvoaçantes... Por toda parte há espirais douradas a esparramar-se — nas sancas, nos lustres, nos pilares, nas esquadrias das janelas... o parquê riscado brilha sob a claraboia... Longas cadeias pendem do teto até poucos metros acima das mesas, com ganchos nas pontas. O que é pendurado nestes ganchos?

Por um minuto, Slothrop, com seu uniforme inglês, se vê a sós com a parafernália de uma ordem de cuja presença em meio aos detritos comuns da vida diurna ele só recentemente começou a desconfiar.

Talvez, por um momento, um vulto dourado, vagamente semelhante a uma raiz ou a um ser humano, tenha começado a formar-se em meio às sombras pardas e manchas de luz creme. Mas a coisa não vai ser tão fácil assim para Slothrop. Em pouco tempo, e de modo desagradável, vai-lhe assaltar a certeza de que tudo neste salão na verdade está sendo usado com um propósito diferente. Significando para Eles coisas que jamais significou para nós. Jamais. Duas ordens de ser, aparentemente idênticas... porém, porém...

Ah, O MUNDO DE LÁ, é
Um negócio tão estranho!
Que-nem, um-sonho, dentro do seu crânio!
Dançando como um doido na Ala Proibida,
'Sperando que a luz se acenda — me diga,
Quem foi que disse que assim não dava pra mexer,
Quem foi que disse que não dava pra tentar?
Se-você sentir-que dói-até-demais,
Sempre dá pra-de-pois-vol-tar-a-trás,
Porque ne-nhum-a-deus-nunca-é-pra-va-ler!

Por que aqui? Por que as bordas iridescentes do que já quase o domina haveriam de vibrar mais intensamente aqui nesta sala cheia de códigos? e por que entrar aqui haveria de ser quase igual a penetrar o próprio Proibido — eis as mesmas salas alongadas, salas de antigas paralisias e destilação do mal, de condensações e resíduos de velhas corrupções que você teme cheirar, salas cheias de estátuas eretas de penas cinzentas e asas abertas, rostos vagos no pó — salas cheias de pó que nubla os contornos dos habitantes, nas suas quinas ou mesmo nas profundezas, pó que pousa nas lapelas de seus trajes formais, que suaviza e adoça os rostos brancos, os peitilhos brancos das camisas, as joias e os vestidos, mãos brancas que se mexem mais depressa que a vista... que jogo, as cartas que Eles dão? Que passes serão, tão indistintos, tão antigos, tão perfeitos?

"Fodam-se", sussurra Slothrop. É o único encantamento que ele conhece, um bom encantamento, de mil e uma utilidades. Seu sussurro é detido pelos milhares de minúsculas superfícies rococós. Talvez ele entre aqui de fininho à noite — não, à noite não — mas uma outra hora, munido de balde e pincel, e pinte as palavras FODAM-SE num balãozinho saído da boca de uma daquelas pastorinhas róseas ali...

Ele sai, andando de costas, como se metade de seu corpo, a metade ventral, estivesse sendo golpeada pela radiância de um rei: recuando, porém voltado para a Presença temida e desejada.

Lá fora, vai em direção ao cais, para misturar-se aos turistas, às aves brancas em voo rasante, uma chuva incessante de titica de gaivota. Enquanto caminho pelo Buá-de-bulônhe com um ar independente... Batendo continência para todas as fardas que passam, até virar um reflexo, não procure mais confusão, busque o invisível... baixando o braço cada vez de modo ligeiramente mais idiota. Agora as nuvens se elevam depressa do mar. Nenhum sinal de Tantivy aqui também.

Fantasmas de pescadores, vidreiros, peleiros, pregadores renegados, patriarcas da montanha e políticos do vale recuam de Slothrop numa avalanche, remontam até 1630, quando o governador Winthrop chegou à América na *Arbella*, nau capitânia de uma grande frota puritana daquele ano, em que o primeiro Slothrop americano veio como cozinheiro ou coisa assim — lá vai a *Arbella* com toda sua frota, navegando para trás em formação, o vento sugando-os de volta para o leste, as criaturas que se debruçam das margens do desconhecido *chupando para dentro* suas bochechas, envesgando com o esforço, em bocas negras e profundas à mercê de dentes já não tão alvos como molares de querubins, enquanto os velhos navios saem do porto de Boston, atravessando de costas um Atlântico cujas correntes e ondas se movem em marcha à ré... a redenção de todo cozinheiro de bordo que já escorregou e caiu quando o tombadilho jogou de modo inesperado, e o cozido do jantar levanta-se das tábuas e dos sapatos indignados dos eleitos, formando uma fonte que converge para dentro do caldeirão, e o próprio serviçal levanta-se de novo e o vômito em que ele escorregou volta para dentro da boca que o lançou... Abracadabra! Tyrone Slothrop volta a ser inglês! Mas o que *esses* Eles têm em mente, ao que parece, não é exatamente redenção...

Slothrop está numa avenida larga, pavimentada com pedras, ladeada de palmeiras que agora voltam a um tom de negro à medida que as nuvens começam a cobrir o sol. Tantivy também não está na praia — nem ele nem nenhuma das garotas. Slothrop senta-se numa mureta baixa, balança os pés, contempla a frente, negra, roxo-lama, que vem do mar em lençóis, em ondas. O ar à sua volta está esfriando. Ele estremece. O que estarão Eles fazendo?

Volta para o cassino quando grandes gotas globulares de chuva, grossas como mel, começam a pintar asteriscos gigantescos na calçada, convidando-o a consultar o rodapé do texto daquele dia, onde as notas hão de explicar tudo. Ele resolve não olhar. Quem foi que disse que o dia tem que fazer um sentido quando chega ao fim? Em vez disso, corre. A chuva vai aumentando num crescendo úmido. Os passos de Slothrop levantam finas flores de água, cada uma pairando por um segundo na esteira de sua fuga. É mesmo uma fuga. Ele entra salpicado, sarapintado de chuva, dá início a uma busca frenética pelo imenso e inerte cassino, novamente partindo do mesmo bar enfumaçado e fedendo a álcool, passando pelo pequeno teatro, onde essa noite será apresentada uma versão abreviada de *L'Inutil Precauzione* (a ópera imaginária com que Rosina tenta enganar seu tutor no *Barbeiro de Sevilha*), entrando na sala verde onde moças, todo um mundo sedoso de moças, menos as três que mais interessam Slothrop, riçam cabelos, ajeitam ligas, colam cílios postiços, sorriem para Slothrop. Ninguém viu Ghislaine, Françoise, Yvonne. Numa outra sala a orquestra ensaia uma animada tarantela de Rossini. Todas as madeiras parecem estar um semitom abaixo do tom. De estalo Slothrop dá-se conta de que está cercado por mulheres que passaram boa parte de suas vidas em guerra e sob ocupação, e para as quais é uma ocorrência cotidiana uma pessoa desaparecer... é bem verdade que em um ou dois pares de olhos ele encontra uma antiga piedade europeia, um olhar que ele virá a conhecer, muito antes de perder a inocência e transformar-se num deles...

Assim, vai passando pelos salões de jogo iluminados e cheios, a sala de jantar e seus satélites reservados, interrompendo tête-à-têtes, colidindo com garçons, só encontrando estranhos onde quer que olhe. *Se precisar de ajuda, bem, aí eu ajudo você...* Vozes, música, o farfalhar de cartas cada vez mais alto, até que ele se vê novamente olhando para dentro da Himmler-Spielsaal, agora lotada, joias brilhando, couro reluzindo, roleta rolando os números indistintos — é neste ponto que o atinge a saturação, é tanta jogatina, é jogo demais: a voz nasalada, obsessiva de um crupiê que ele não vê — messieurs, mesdames, les jeux sont faits — de súbito lhe vem diretamente da Ala Proibida, e fala sobre o jogo que Slothrop passou o dia inteiro jogando contra a Banca invisível, talvez apostando sua alma — em pânico ele dá meia-volta, sai de novo na chuva, vai para a rua, onde as luzes elétricas do Cassino, em pleno holocausto, brilham nas pedras vitrificadas do calçamento. Colarinho virado para cima, chapéu de Bloat enfiado até as orelhas, exclamando *merda* a torto e a direito, tiritando, as costas doídas da queda do alto da árvore, anda aos tropeções chuva adentro. Sente que está prestes a chorar. Como foi que tudo e todos se voltaram contra ele tão depressa? Amigos antigos e novos, todos os papéis e roupas que o ligavam ao que sempre foi, simplesmente desapareceram, puta que o pariu. Como é que ele pode encarar uma situação dessas sem perder a linha? Só muito depois, exausto, fungando, gelado, arrasado, dentro daquela prisão de lã militar encharcada, é que ele pensa em Katje.

Volta ao cassino já perto da meia-noite, a hora dela, sobe a escada deixando pegadas úmidas nos degraus, ruidoso como uma máquina de lavar roupa — para diante da porta de Katje, chuva pingando no tapete, com medo de bater. Será que ela também foi levada? Quem estará aguardando atrás da porta, e que maquinaria Eles terão trazido? Porém ela o ouve, e abre a porta com um sorriso cheio de covinhas, repreendendo-o por estar tão molhado. "Tyrone, eu estava com saudades."

Ele dá de ombros, convulsivo, impotente, espirrando água nela e em si próprio. "É o único lugar que eu tinha para vir." Aos poucos o sorriso dela se desembolsa. Sem jeito, ele dá um passo para dentro, não sabe se é porta ou janela alta, e entra no quarto profundo.

□□□□□□□

Manhãs boas de boa e velha lascívia, venezianas matinais abertas para o mar, ventos que entram com o roçar pesado das folhas das palmeiras, na enseada botos chegando resfolegantes à superfície e ao sol.

"Ah", geme Katje, perdida em algum lugar debaixo de uma pilha de batistas e brocados, "Slothrop, seu porco."

"Óinc, óinc, óinc", diz Slothrop, alegre. Reflexos do mar dançam no teto, espirais de fumaça brotam de cigarros comprados no mercado negro. Dadas as precisões de luz destas manhãs, há formas graciosas a se admirar na fumaça que emerge, meandra, enrosca-se, delicadamente desmaia até o branco...

Em certas horas, o azul da enseada reflete-se na fachada caiada de branco, e nas janelas altas descem outra vez as venezianas. Imagens de ondas tremulam ali numa rede luminosa. A esta altura Slothrop já está de pé, com seu uniforme britânico, devorando croissants com café, já às voltas com seu curso de alemão técnico, ou tentando entender a teoria das trajetórias estabilizadas, ou examinando quase com o nariz no papel o esquema de um circuito alemão em que os resistores parecem bobinas e as bobinas parecem resistores — "Mas que merda maluca", depois que ele entende a jogada, "por que é que eles trocam as bolas desse jeito? Será que é para camuflar?"

"Lembre-se das runas alemãs antigas", sugere Sir Stephen Dodson-Truck, que é do Departamento de Informações Políticas do Ministério das Relações Exteriores e fala 33 idiomas, entre eles um inglês fortemente oxfordiano.

"Me lembrar do quê?"

"Ah", apertando os lábios, uma espécie de náusea cerebral, "este símbolo de bobina aqui é muito parecido com a runa usada em nórdico arcaico que correspondia ao S, *sôl*, que quer dizer 'sol'. O termo equivalente em alto-alemão arcaico é *sigil*."

"Maneira engraçada de desenhar esse *sol*", comenta Slothrop.

"Deveras. Muito antes disso, os godos usavam um círculo com um ponto no centro. Esta linha pontilhada certamente teve origem numa época de descontinuidades, talvez de fragmentação tribal, alienação — o que quer que corresponda, no plano social, ao desenvolvimento de um ego independente numa criança bem pequena, entende?"

Bem, na verdade Slothrop não entende não, pelo menos não exatamente. Dodson-Truck lhe diz coisas desse tipo quase todas as vezes que topa com ele. O homem simplesmente se materializou um belo dia, surgindo na praia de terno preto, ombros salpicados da caspa caída dos ralos cabelos cor de cenoura, aparecendo contra o fundo da fachada branca do cassino, que tremia acima dele quando ele se aproximou. Slothrop estava lendo uma história em quadrinhos do Homem-Borracha. Katje cochilava ao sol, o rosto virado para cima. Mas quando seus passos chegaram aos ouvidos da moça, ela se virou, apoiada num cotovelo, e acenou para ele. O nobre empertigou-se todo, Atitude 8.11, Torpor, Aluno de graduação. "Então este é o tenente Slothrop."

O Homem-Borracha, em quatro cores, se espreme por dentro de um buraco de fechadura, vira uma esquina, sobe por um cano e vai sair numa pia do laboratório do cientista maluco nazista, e da torneira sai agora a cabeça de HB, olhos de carapaças brancas e queixo nada plástico. "Sou. E você, meu chapa?"

Sir Stephen se apresenta, as sardas ressaltadas pelo sol, encarando a revista em quadrinhos com curiosidade. "Concluo que não é horário de estudo."

"Ele é autorizado?"

"É autorizado", Katje sorrindo/dando de ombros para Dodson-Truck.

"Descansando um pouco do controle de rádio Telefunken. O 'Hawaii I'. Está sabendo alguma coisa sobre isso?"

"Só o bastante para entender a origem do nome."

"O *nome*?"

"A coisa tem uma certa poesia, poesia de engenheiro... 'Hawaii I' se pronuncia quase como *Haverie* — 'média', você sabe — certamente você tem os dois lóbulos, não tem?, simétricos em relação ao azimute do foguete... *hauen* também — acertar uma pessoa com uma enxada ou um porrete..." e embarca numa viagem só sua, sorrindo um sorriso que não é para ninguém em particular, citando uma expressão muito usada na guerra, *ab-hauen*, técnica de varapau, humor camponês, comédia fálica que remonta aos gregos da Antiguidade... O primeiro impulso de Slothrop é retornar às peripécias do HB, mas há algo naquele homem, apesar de obviamente ele fazer parte do complô, que o faz continuar escutando... uma inocência, talvez uma tentativa de ser simpático do único modo que ele sabe ser, compartilhando a coisa que o move e o motiva, um amor pelo Verbo.

"Bem, pode ser só propaganda do Eixo. Algo a ver com Pearl Harbor."

Sir Stephen pensa nesta possibilidade, parecendo satisfeito. Será que Eles o escolheram por causa de tantos puritanos obcecados pelas palavras dependurados em tantos ramos da árvore genealógica de Slothrop? Estariam Eles agora tentando seduzir seu cérebro, seu olho que lê também? Às vezes Slothrop chega a conseguir encontrar um mecanismo de embreagem entre ele e a locomotiva de ferro d'Eles, muito distante, num trem elétrico cuja forma e propósito ele só pode tentar adivinhar, uma embreagem que ele pode soltar, sentindo então toda sua inércia, sua total impotência... não é exatamente desagradável, não. Coisa estranha. Ele tem quase certeza de que, seja lá o que for que Eles querem, não é arriscar a vida dele, nem mesmo sacrificar muito seu conforto. Porém não consegue encaixar todas as peças num desenho maior, não há como associar um Dodson-Truck a uma Katje...

Sedutor e otário, O.K., não é um jogo muito ruim, não. Muito pouco fingimento. Não sente raiva de Katje: o verdadeiro inimigo está em Londres, ela está apenas cumprindo seu dever. Katje é versátil, sabe ser alegre e boa, e ele prefere estar aqui no quentinho com ela do que congelando e levando bomba. Mas de vez em quando... é tão insubstancial que não dá para apreender, há no rosto dela uma expressão, algo que ela não consegue controlar, que o deprime, que já lhe apareceu até em sonhos, tão amplificado que chegou a assustá-lo: a terrível possibilidade de que ela também tenha sido enganada. Que seja tão vítima quanto ele — um olhar azarado, inexplicavelmente *sem futuro*...

Numa tarde cinzenta, logo na Himmler-Spielsaal, lá mesmo, ele a surpreende sozinha diante de uma roleta. Está em pé, de cabeça baixa, uma anca mais alta que a outra, uma pose graciosa, bancando a crupiê. Funcionária da Casa. Está com um traje de camponesa, blusa branca e saia de corpete justo com listras das cores do arco-íris, que brilha sob a claraboia. A tatuagem da bola contra os raios da roleta que roda emite um guincho agudo e prolongado, ali naquele espaço entre murais. Katje só se vira quando Slothrop está a seu lado. Há na sua respiração um tremor grave, que lateja devagar: ela bate de leve às portas de seu coração, revelando-lhe rápidos vislumbres de uma paisagem outonal de cuja existência ele até então apenas suspeitou, apenas teve medo de encontrar, fora dele, dentro dela...

"Ei, Katje..." Esticando o braço, enganchando o dedo num raio da roleta para detê-la. A bola cai num compartimento cujo número eles não chegam a ver. Ver o número é que deveria ser a graça toda do jogo. Mas não é, no jogo por trás do jogo.

Katje sacode a cabeça. Ele compreende que é uma coisa dos tempos da Holanda, de antes de Arnhem — uma impedância instalada em caráter permanente no circuito deles dois. Para quantas orelhas cheirando a Palmolive e Camay ele já não cantou canções, canções de depois-do-boliche, canções de atrás-de-anúncios-de-Moxie, canções de sábado-à-noite tipo me-abra-mais-uma-garrafa, todas elas dizendo a mesma coisa, meu bem, o que você já fez não interessa, não vamos viver no passado, só o presente é que existe...

Lá, funcionava muito bem. Mas não aqui, pondo a mão no ombro nu de Katje, olhando para dentro de sua escuridão europeia, assustado, ele com seus cabelos lisos quase impenteáveis e seu rosto barbeado sem nenhuma ruga numa intrusão tão casta na Himmler-Spielsaal cheia de formas de uma perplexidade teuto-barroca (um sacramento de mãos em cada última volta que cada mão tinha que produzir, pelo que a mão era, tinha de se tornar, para que tudo saísse exatamente assim... todo frio, todo trauma, toda carne já ausente que jamais tocou aqui...) No salão de jogo cheio de contorções douradas, seus próprios movimentos secretos tornam-se um pouco mais claros para ele. As probabilidades com que Eles jogavam aqui pertenciam ao passado, só ao passado. Não eram probabilidades, na verdade, porém frequências *já observadas*. É o passado que faz exigências aqui. Ele cochicha, estende a mão e, com um sorriso debochado, enfia o dedo no cu de suas vítimas.

Quando escolhiam números, vermelho, preto, par, ímpar, o que Eles queriam dizer com isso? Que Roda Eles punham em movimento?

Num quarto, no início da vida de Slothrop, um quarto que agora lhe é proibido, há alguma coisa muito ruim. Fizeram alguma coisa com ele, e pode ser que Katje saiba o que foi. Não terá Slothrop, no "olhar sem futuro" dela, encontrado alguma ligação com seu próprio passado, algo que os une de modo tão íntimo como se fossem apaixonados? Ele a vê no fim de uma passagem em sua vida, sem nenhum próximo passo que se possa dar — todas as apostas já foram feitas, a ela só resta agora o tédio de ser empurrada de um quarto para outro, uma sequência de quartos numerados cujos números não têm importância, até que a inércia a leve ao último quarto. Mais nada.

Slothrop, ingênuo, jamais pensou que uma vida pudesse terminar assim. Assim tão desolada. Mas a essa altura a coisa já se tornou muito menos estranha para ele — ele vem se acomodando, masturbatoriamente assustado e animado ao mesmo tempo, com a desagradável ideia de que um Controle deste exato tipo já tenha sido instaurado sobre ele.

A Ala Proibida. Ah, a mão de um crupiê terrível é aquele toque nas mangas de todos os seus sonhos: tudo em sua vida que sempre pareceu livre ou aleatório, ele constata agora, esteve o tempo todo sob algum Controle, tal como uma roda de roleta fixa — onde apenas os destinos são importantes, onde se dá atenção às estatísticas a longo prazo, não aos indivíduos: e onde a Banca sempre, naturalmente, acaba lucrando...

"Você estava em Londres", ela dirá dentro em pouco, voltando-se para a roleta e rodando-a outra vez, rosto virado para o outro lado, torcendo, feminina, o fio, entremeado de noite, de seu passado, "quando eles estavam caindo. Eu estava em 's Gravenhage" — fricativas suspirando, o nome pronunciado com ânsia de exilada — "quando eles estavam subindo. Entre mim e você há não apenas uma trajetória de foguete como também uma vida. Você vai vir a entender que entre os dois pontos, durante aqueles cinco minutos, *ele* vive uma vida inteira. Você nem mesmo aprendeu ainda os dados do nosso lado do perfil de voo, o visível ou acompanhável. Além deles há muito mais, tanto que nenhum de nós sabe..."

Porém trata-se de uma curva que todos os dois sentem, de modo inconfundível. É a parábola. Eles devem ter adivinhado, uma ou duas vezes — adivinhado e se recusado a acreditar — que tudo, sempre, coletivamente, estivera caminhando rumo àquela forma purificada latente no céu, aquela forma sem surpresas, sem segundas oportunidades, sem volta. Porém andam para sempre sob aquela forma, reservados para a má notícia em preto e branco que ela representa, como se fosse ela o Arco-Íris e eles seus filhos...

À medida que o front se afasta deles, e o cassino se torna cada vez mais uma área de retaguarda, e a água fica mais poluída e os preços aumentam, os militares que chegam lá de licença tornam-se mais barulhentos e mais dedicados à mais pura babaquice — sem nem um pouco do estilo de Tantivy, seu hábito de sapatear discretamente quando bêbado, seu dandismo faz de conta, e seus impulsos tímidos, decentes, no sentido de conspirar, ainda que do modo mais marginal, sempre que possível, contra o poder e a indiferença... Nenhuma notícia dele. Slothrop sente sua falta, não apenas como aliado, mas como uma presença, uma bondade. Continua a acreditar, aqui na França, de licença, no ócio, que a interferência é temporária e de papel, uma questão de mensagens encaminhadas e ordens interrompidas, um incômodo que vai terminar quando terminar a guerra, testemunho da perfeição com que Eles cultivaram as planícies de seu cérebro, que as lavraram e semearam e subsidiaram para que ele não plantasse nada que fosse seu...

Nenhuma carta de Londres, nem mesmo notícias da ACHTUNG. Tudo sumiu. Teddy Bloat um dia simplesmente desapareceu: outros conspiradores, como coristas, surgem e somem atrás de Katje e Sir Stephen, entram dançando, todos com idênticos Sorrisos Profissionais, e a multiplicação dessas dentaduras reluzentes, pensam eles, tem o efeito de deslumbrá-lo, distraí-lo da perda que eles julgam estar lhe infligindo, a perda de sua identidade, de seu dossiê de serviço, de seu passado. Ora, porra... você sabe. Ele deixa acontecer. O que o interessa, e às vezes o preocupa um pouco, é o que eles parecem estar acrescentando. Num determinado momento, aparentemente movido por um capricho, mas como é que a gente pode ter certeza quanto a essas coisas, Slothrop resolve deixar crescer o bigode. Seu último bigode foi aos 13 anos de idade, ele encomendou do tal Johnson Smith um Kit-Bigode, 20 formas diferentes, de Fu Manchu a Groucho Marx. Eram de papelão preto, com ganchos que encaixavam no nariz. Depois de algum tempo os ganchos ficavam encharcados de muco, amoleciam, e o bigode caía.

"De que tipo?" Katje quer saber, assim que o bigode se torna visível.

"De vilão", diz Slothrop. Ou seja, explica ele, aparado, estreito e malévolo.

"Não, isso vai lhe dar uma atitude negativa. Por que não deixa crescer um bigode de mocinho?"

"Mas o mocinho *não usa* —"

"Como não? E Wyatt Earp?"

Poder-se-ia argumentar que Wyatt não era tão bonzinho assim. Mas ainda estamos aqui na era Stuart Lake, antes de entrarem em cena os revisionistas, e Slothrop acredita naquele Wyatt, sim. Um dia um certo general Wivern, da equipe técnica do SHAEF, entra e o vê. "As pontas são caídas", observa ele.

"Como o bigode de Wyatt", explica Slothrop.

"Como o bigode de John Wilkes Booth", replica o general. "Não é?"

Slothrop pensa. "Esse era vilão."

"Justamente. Por que você não vira as pontas *para cima*?"

"Quer dizer, à maneira inglesa. Pois bem, eu tentei. Deve ser o tempo, não sei, mas ele fica caindo o tempo todo, e-e aí eu tenho que morder as pontas para arrancar. É muito incômodo."

"É nojento", diz Wivern. "Da próxima vez eu vou lhe trazer um pouco de cera. A cera tem um gosto ruim de propósito, para a pessoa não ficar viciada em mastigar a ponta."

Assim, o bigode cresce e Slothrop encera o bigode. Todo dia tem alguma novidade desse tipo. Katje sempre lá, colocada por Eles na sua cama como moedinhas sob o travesseiro para premiar seu americanismo sazonal, incisivos inocentes e molares bem-comportados largados numa trilha ruidosa nos corredores do cassino. Por algum motivo ele constata que fica de pau duro depois das sessões de estudo. Hum, esquisito. Não há nada de muito erótico na atividade de estudar manuais traduzidos do alemão às carreiras — mimeografados no vai da valsa, até mesmo uns que foram colhidos pela Resistência polonesa nas latrinas no campo de treinamento de Blizna, manchados de autênticos mijo e merda da SS... decorar fatores de conversão, polegadas em centímetros, cavalos-vapor em Pferderstärke, desenhando, com base na memória, esquemas e diagramas isométricos do intricado labirinto de combustível, oxidante, vapor, encanamentos de peróxido e permanganato, válvulas, respiradouros, câmaras — o que há de erótico nisso? No entanto ele emerge de cada sessão de estudo com uma tremenda ereção, uma pressão enorme por dentro... espécie de loucura temporária, pensa ele, e sai procurando Katje, mãos para caranguejar por suas costas e meias de seda glissando contra suas ancas...

Durante as lições ele muitas vezes olha para o lado e pega Sir Stephen Dodson-Truck consultando um cronômetro e fazendo anotações. Meu Deus. Que diabo que está acontecendo? Jamais lhe ocorre que tenha a ver com aquelas misteriosas ereções. A personalidade deste homem foi escolhida — ou projetada — para pôr de lado as suspeitas antes que elas tenham oportunidade de ganhar velocidade. Sol de inverno atingindo metade de seu rosto, como uma enxaqueca, extremidades das calças sem vinco, molhadas e cheias de areia porque ele se levanta todos os dias às seis para caminhar na praia, Sir Stephen torna perfeitamente acessível seu disfarce, ainda que não sua função naquele complô. Pelo que Slothrop sabe, ele é agrônomo, neurocirurgião e oboísta — lá em Londres ele viu em todos os níveis de comando carradas de gênios multidimensionais desse tipo. Mas, tal como no caso de Katje, há no zelo informado de Dodson-Truck aquela aura inconfundível que assinala o empregado, o fracassado...

Um dia Slothrop tem uma oportunidade de testar sua intuição. Ao que parece, Dodson-Truck é enxadrista fanático. No bar, uma tarde, ele pergunta a Slothrop se ele sabe jogar.

"Não", mentindo, "nem mesmo damas."

"Que diabo. Até agora não consegui ter tempo para jogar uma boa partida."

"Eu conheço um jogo", será que algo de Tantivy estava aguardando dentro dele esse tempo todo? "um jogo de bar, chamado príncipe, capaz até de ter sido inventado pelos ingleses, porque vocês é que têm príncipes, não é, e nós não, não que eu ache isso errado, de modo algum, mas todo mundo pega um número, e-e você começa assim, o príncipe de Gales perdeu seus xales, não leve a mal, os números rodam a mesa no sentido horário, e o número dois encontrou, o próximo na roda ao lado do príncipe, número dois ou o número que ele preferir, aliás, ele é o príncipe, seis ou lá o que seja, sabe, você primeiro escolhe o príncipe, ele começa, depois o tal número dois, ou seja lá quem o príncipe chamou, mas primeiro é ele, o príncipe, Gales, xales, dois, senhor, depois de dizer que o príncipe de Gales perdeu seus xales, o número dois responde, não fui eu, não senhor —"

"Sim, sim, mas —" dirigindo um olhar muito estranho a Slothrop, "quer dizer, não sei se entendi direito qual a graça do jogo. Como é que a gente ganha?"

Ha! Como é que a gente ganha. "A gente não ganha", indo aos poucos, pensando em Tantivy, uma pequena contraconspiração improvisada, "a gente perde. Um por um. Quem sobra no final é que ganha."

"Parece meio negativo."

"Garçom." As bebidas aqui, quando o Slothrop pede, são sempre por conta da casa — Eles estão caindo nessa, ele imagina. "Mande uma champanhe! Traga sempre, e assim que acabar, pode trazer mais, comprendez?" Um número indefinido de subalternos de queixo mole, ao ouvir a palavra mágica, se aproximam e se sentam enquanto Slothrop explica as regras.

"Eu acho que não —" começa Dodson-Truck.

"Conversa. Ora, vai lhe fazer bem descansar do xadrez um pouco."

"Isso, isso", concordam os outros.

Dodson-Truck continua sentado, um pouco tenso.

"Copos maiores", Slothrop grita para o garçom. "Que tal aqueles *canecos de cerveja* ali! Isso! Perfeito." O garçom abre uma garrafa de três litros de Veuve Clicquot Brut e enche todos os copos.

"Bem, o príncipe de Gales", começa Slothrop, "perdeu seus xales, e o número três encontrou. Gales, xales, três, senhor!"

"Não fui eu, não senhor", responde Dodson-Truck, meio que na defensiva.

"Quem, senhor?"

"Cinco, senhor."

"Digo o quê?" indaga o Cinco, um escocês de calças xadrez de uniforme de gala.

"Você errou", diz Slothrop, principesco, "e por isso tem que beber direto. Até o fim, sem parar nem para respirar."

E por aí vai. Slothrop perde o posto de príncipe para o Quatro, e todos os números mudam. O escocês é o primeiro a rodar, cometendo erros primeiro propositais, logo depois inevitáveis. Garrafas de três litros se sucedem, gordas, verdes, refletindo o brilho elétrico do bar no papel laminado do gargalo. As rolhas vão ficando mais finas, menos coguméIicas, as datas de *degorgement* vão avançando mais e mais nos anos da guerra à medida que os bebedores vão ficando mais bêbados. O escocês escorre da cadeira rindo baixinho, preserva o bipedismo por uns três metros, quando então adormece encostado a um vaso de palmeira. Na mesma hora outro oficial subalterno instala-se sorridente em seu lugar. A notícia espalhou-se, osmoticamente, por todo o cassino, e há no momento uma multidão de homens peruando em torno da mesa, aguardando vagas. Chega gelo em blocos gigantescos, com samambaias de bolhas por dentro, respirando branco nas superfícies, e é jogado dentro de uma grande banheira molhada e partido em pedaços para gelar a sequência de garrafas que sobem do porão em levas incessantes. Logo os garçons atribulados não têm outro jeito senão empilhar canecos vazios em pirâmides e derramar champanhe no alto feito uma fonte, em grandes cascatas borbulhantes que arrancam hurras da multidão. Sempre tem um gozador que faz questão de puxar um dos canecos de baixo, fazendo toda a estrutura balançar e obrigando todos os outros a levantar-se de um salto para conseguir agarrar algum antes que a montanha desabe, encharcando uniformes e sapatos — para ser erguida mais uma vez. O jogo agora mudou para príncipe rotativo, em que cada número chamado imediatamente passa a ser o príncipe, alterando todos os números. A esta altura já não é mais possível saber quem está errando e quem não está. Brotam discussões. Metade dos homens estão cantando uma canção vulgar:

CANÇÃO VULGAR

Ontem comi a rainha da Transilvâ-nia,
Hoje vai ser a rainha da Macedô-nia,
Estou ficando com uma esquizofrenia medo-nha,
Mas a Rainha é tão boazinha pra mim...
É caviar com champanhe no café da manhã-ã,
E à hora do chá tem bife à chatobriã —
Agora só fumo charuto de Havana legí-timo,
Eu rio, eu canto, eu grito e não perco o rí-timo,
Podem falar mal de mim que eu respondo com manha:
Fui eu que comi a rainha da Transilvâââ-nia!

A cabeça de Slothrop é um balão, que sobe não na vertical e sim na horizontal, constantemente atravessando a sala, sem sair do lugar. Cada neurônio de seu cérebro virou uma bolha: ele se transmudou em uvas negras de Épernay, sombras frescas, nobres cuvées. Olha para Sir Stephen Dodson-Truck, o qual, do outro lado da mesa, ainda está, por milagre, na vertical, embora com os olhos já vidrados. Ah-ah, isso, aqui está havendo uma contra conspiração, sim senhor, bem, agora... ele se perde na contemplação de mais uma fonte piramidal, desta vez com Taittinger doce sem data no rótulo. Garçons e carteadores de folga, empoleirados no balcão feito pássaros, assistem de olhos arregalados. O barulho é inacreditável. Um galês de acordeão em punho, em pé sobre uma mesa, toca "Lady of Spain" em dó maior, apertando e esticando o instrumento como um possesso. Espessas espirais de fumaça empapam o espaço. Cachimbos ardem na penumbra. Pelo menos três contendas de pugilato estão transcorrendo. Já se tornou difícil acompanhar a partida de príncipe. À porta do bar um bando de garotas gargalha e aponta. A luminosidade do bar está parda de tantos uniformes. Slothrop agarra seu canecão, levanta-se com esforço, dá uma volta completa em torno de seu eixo e cai com estrondo no meio de uma partida de dados. Dignidade, ele adverte a si próprio: olha a dignidade... Gozadores levantam-no pelos sovacos e bolsos de trás e o jogam na direção de Sir Stephen Dodson-Truck. Ele segue em frente por debaixo de uma mesa, um ou dois tenentes caindo em cima dele no caminho, atravessando uma que outra poça de champanhe derramada, um que outro pântano de vômito, até encontrar o que imagina ser as calças cheias de areia de Dodson-Truck.

"Ei", enroscando-se por entre os pés de uma cadeira, entortando a cabeça para cima e localizando o rosto de Dodson-Truck, em torno do qual há um halo de luz tecido por uma luminária pendente orlada de franjas. "Você consegue andar?"

Cuidadosamente balançando os olhos em direção a Slothrop, "Na verdade, nem sei se consigo ficar em pé..." Levam algum tempo para desvencilhar Slothrop da cadeira, depois para pôr-se de pé, o que tem lá suas complicações — depois localizar a porta, ir em direção a ela... Trôpegos, um se escorando no outro, acotovelando-se, atravessam a turba de homens envesgados, desabotoados, a brandir garrafas, a rugir, uns muito pálidos, apertando o estômago, rompem a barreira ágil e perfumada de garotas na saída, todas delicadamente altas, uma cabine de descompressão na saída.

"Puta merda." É o tipo de pôr do sol que quase não se vê mais hoje em dia, um arrebol oitocentista, como os que foram registrados, de modo aproximado, em telas, paisagens do Oeste americano assinadas por artistas de que ninguém nunca ouviu falar, no tempo em que a terra ainda era de ninguém e o olho era inocente, e a presença do criador muito mais direta. Aqui no Mediterrâneo, agora, alto e esplêndido, explode esse anacronismo em vermelho primal, amarelo puro que não se encontra mais em parte alguma, uma pureza que pede para ser poluída... é claro que o Império caminhou para o Oeste — para onde poderia ter seguido senão rumo a esses crepúsculos virginais, para penetrá-los e conspurcá-los?

Mas lá no horizonte, perto da luzidia beira do mundo, quem serão esses três visitantes parados... esses vultos com mantos — talvez, vistos à distância, tenham centenas de quilômetros de altura —, rostos serenos e distanciados, como o do Buda, debruçados sobre o mar, impassíveis, tal como o Anjo que pairava acima de Lübeck durante os bombardeios de domingo de Ramos, ali não para destruir nem para proteger, e sim para testemunhar um jogo de sedução. Foi o penúltimo passo que Londres tomou antes de submeter-se, antes daquela ligação que terminaria por causar as erupções e cicatrizes da sífilis registrada no mapa de Roger Mexico, latente no amor que ela tem por esse libertino notívago, lorde Morte... porque enviar a RAF para fazer um bombardeio terrorista contra os civis de Lübeck foi um olhar com o sentido inconfundível de *depressa, me foda*, que fez os foguetes virem com toda força, gritando, os A4, que iam ser lançados de qualquer maneira, só que um pouco mais cedo...

O que vieram procurar hoje os vigias da beira do mundo? cada vez mais escuros, seres monumentais, estoicos, quase cor de escória, cor de cinza, cor que a noite vai estabilizar quando escurecer de vez... o que há de tão grandioso para testemunhar? aqui só Slothrop, e Sir Stephen, dizendo bobagens, cruzando uma sucessão de longas sombras de barras de prisão projetadas pelos troncos das altas palmeiras que ladeiam a avenida. Os espaços entre as sombras são inundados agora por um vermelho-arrebol muito cálido, que atravessa a praia achocolatada. Não parece haver nada de momentoso acontecendo. Não há tráfego sussurrando nas pistas circulares, não há milhões de francos sendo apostados por causa de uma mulher ou de uma *éntente* de nações em nenhuma das mesas lá dentro. Apenas o choro um tanto formal de Sir Stephen, ajoelhado com um joelho só na areia ainda quente de sol: soluços suaves e estrangulados de desespero contido, de tal modo atestando toda a repressão por que ele passou que até Slothrop sente, em sua própria garganta, pontadas empáticas de dor pelo esforço que aquele homem está visivelmente fazendo...

"Ah, eu, sabe, eu, eu, não consigo. Não. Eu pensava que você soubesse — mas por que eles haveriam de lhe contar? *Eles* todos sabem. Ninguém me leva a sério no trabalho. Até as pessoas sabem. A Nora é a queridinha do pessoal paranormal há anos. Sempre vale uma notícia no *News of the World* —"

"Ah! Claro! A Nora — aquela que foi pega aquela vez com aquele garoto q-que *troca de cor*, não é? Porra! Claro, Nora Dodson-Truck! Eu sabia que já tinha ouvido seu nome em algum lugar..."

Porém Sir Stephen prosseguiu: "... tivemos um filho, sim, tivemos até mesmo um filho sensível, um rapaz mais ou menos da sua idade. Frank... acho que ele foi enviado para a Indochina. Eles são muito educados quando eu pergunto, muito educados, mas não me deixam descobrir onde ele está... Eles são boas pessoas, o pessoal da Fitzmaurice House, Slothrop. São bem-intencionados. Eu é que fui o maior culpado... Eu amava Nora. Amava, sim. Mas tinha outras coisas... Coisas importantes. Eu achava importantes. Ainda acho. Tenho que achar. À medida que ela foi subindo, sabe... elas ficam assim, mesmo. Você sabe como elas são, sempre tentando arrastar a gente p-para a cama. Eu não conseguia", sacudindo a cabeça, os cabelos agora de um tom incandescente de laranja no crepúsculo, "Eu não conseguia. Eu tinha subido demais. Outro galho. Não dava para descer até ela. E-ela podia até ter se contentado com, bem, um *toque* de vez em quando... Escute, Slothrop, a sua namorada, a Katje, e-ela é *muito* bonita, você sabe."

"Eu sei."

"E-eles acham que eu não me importo mais, que sou indiferente. 'Você pode observar sem paixão.' Desgraçados... Não, eu não quis dizer isso... Slothrop, nós somos todos tão mecânicos. Cumprindo o dever. É o que a gente faz. Escute... como é que você acha que eu me *sinto*? Quando você vai atrás dela depois de cada aula. Eu sou um homem impotente — a única coisa que tem a minha espera é um livro, Slothrop. Um relatório a escrever..."

"Escute, meu chapa..."

"Não fique zangado. Eu sou inofensivo. Pode me bater, vamos, eu vou cair e vou me levantar de novo. Veja só." Faz uma demonstração. "Eu me preocupo com vocês, sim, com vocês dois. Falando sério, Slothrop."

"O.K. Me conte o que está acontecendo."

"É *sério*!"

"Está bem, está bem..."

"Minha 'função' é observar você. É a minha função. Você gosta da minha função? Gosta? A *sua* função... é aprender tudo sobre o foguete, detalhe por detalhe... Eu tenho que entregar um relatório diário sobre o seu progresso. E isso é tudo que eu sei."

Mas não é tudo, não. Ele está escondendo alguma coisa, alguma coisa profunda, e o idiota do Slothrop está bêbado demais para tentar descobrir o que é com um mínimo de sutileza. "Eu e a Katje também? Você fica espiando pelo buraco da fechadura?"

Fungando, "Que diferença faz? Eu sou o homem perfeito para o serviço. Perfeito. Quase já não consigo me masturbar... não há perigo de esporrar em cima do relatório, sabe. Isso eles não iam querer. Sou um elemento neutro, um olho que tudo vê... Eles são tão cruéis! Acho que eles nem percebem, no fundo... Não são nem sádicos... Simplesmente não têm *paixão nenhuma*..."

Slothrop põe a mão no ombro dele. A ombreira afunda, forma uma bola sobre o osso quente que há por baixo. Slothrop não sabe o que dizer: ele próprio sente-se vazio, e quer mais é dormir... Mas Sir Stephen está de joelhos, prestes a, à beira de, revelar a Slothrop um segredo terrível, uma confidência fatal sobre

O PÊNIS QUE ELE JULGAVA SEU

(tenor solo): Era o pênis que ele jul-gava seu —
Membro que sempre lhe obedeceu...
E toda menininha
Que provou a cabecinha
Gostou tanto que em se-guida deu —
(baixo): Gui-da deu...

(vozes intermediárias): Porém Eles no quarto entraram,
(baixo): E o seu dito-cujo levaram —
(vozes intermediárias): Le-va-ram...
(tenor): E agora ele chora
E lamenta a hora
Em que o pê-nis deixou de, ser, seu!
(vozes intermediárias): De, ser, seu!

Os vultos distantes no mar estão atentos, cada vez mais insubstanciais e remotos quanto mais fria e pobre fica a luminosidade... É tão difícil aproximar-se deles — apreendê-los. Carroll Eventyr, tentando confirmar o anjo de Lübeck, viu o quanto isso é difícil — ele e seu espírito comunicante, Peter Sachsa, espolinhando-se nos pântanos entre os dois mundos. Depois, em Londres, veio a visita do mais ubíquo dos agentes duplos, Sammy Hilbert-Spaess, que todos pensavam estar em Estocolmo, ou seria no Paraguai?

"Aqui, então", o simpático rosto de escombrídeo perscrutando Eventyr, rápido como um antena parabólica de direção de tiro, e mais impiedoso ainda. "Eu resolvi —"

"Resolveu vir dar uma olhada."

"Telepatia, também, meu Deus, ele é mesmo um fenômeno." Os olhos de peixe, porém, não cedem. É um quarto quase nu, no endereço de Gallaho Mews normalmente reservado para transações em dinheiro vivo. Mandaram Eventyr vir da "Aparição Branca". Em Londres também sabem desenhar pentagramas, e proferir conjurações, evocar exatamente a entidade desejada... A mesa está coberta de copos, sujos, embranquecidos, esvaziados ou contendo resíduos de bebidas escuras ou vermelhas, cinzeiros e restos de flores artificiais que Sammy está colhendo, descascando, retorcendo em curvas e nós misteriosos. Por uma janela entreaberta entra fumaça de trem. Uma parede do quarto, embora sem porta nem janela, vem sendo erodida, ao longo dos anos, por sombras de espiões, tal como certos espelhos em restaurantes são comidos pelas imagens dos fregueses: uma superfície adquirindo caráter, como um rosto velho...

"Mas vocês não chegam mesmo a *falar* com ele", ah, Sammy é tão bom nisso, suave, suave, "quer dizer, não tem nenhum telegrafista conversando no meio da noite, esse tipo de coisa..."

"Não. Não." Eventyr compreende agora que eles têm acesso a transcrições de tudo que vem de Peter Sachsa — que o que ele, Eventyr, lê já passou pela censura. E que talvez isso já venha acontecendo há algum tempo... Assim, relaxe, fique passivo, tente ver se alguma forma emerge da falação de Sammy, uma forma que na verdade Eventyr já conhece, como sabemos quando tentamos resolver um acróstico — ele foi chamado a Londres, mas eles não lhe estão pedindo que os ponham em contato com ninguém, portanto estão interessados é pelo próprio Sachsa, e o objetivo desta reunião não é dar nenhum encargo a Eventyr, e sim alertá-lo. Colocar sob interdição uma parte de sua própria vida oculta. Fragmentos, tons de voz, fraseios agora de repente se juntam num todo: "... deve ter sido um tremendo choque dar por si lá... eu também tinha um ou dois Zaxa para me preocupar... pelo menos assim *você* não fica na rua... ver como é que você está se aguentando, e o velho Zaxa também, é claro, tem que filtrar as *personalidades* dos dados, entendeu?, que assim é mais fácil para nós...".

Assim você não fica na rua? Todo mundo sabe como foi que Sachsa morreu. Mas ninguém sabe por que ele estava na rua naquele dia, o que o levou a isso. E o que Sammy está dizendo a Eventyr aqui é: *Não pergunte.*

Quer dizer que vão tentar pegar Nora também? Se há analogias aqui, se Eventyr de algum modo corresponde a Peter Sachsa, então será que Nora Dodson-Truck vai se tornar a mulher que Sachsa amava, Leni Pökler? Será que a interdição se estenderá à voz fumacenta de Nora, suas mãos firmes, e será que Eventyr ficará, durante algum tempo, talvez pelo resto da vida, sob alguma forma sutilíssima de prisão domiciliar, por crimes que jamais lhe serão explicitados?

Nora ainda leva em frente sua Aventura, sua "Ideologia do zero", firme em meio aos cabelos esvoaçantes de estátua dos últimos guardiães brancos no último passo antes do negro, antes do radiante... Mas onde estará Leni agora? Onde terá ido, com sua filha, com seus sonhos que jamais crescem? Ou bem não queríamos perdê-la — foi uma elipse em nossos cuidados, naquilo que alguns serão capazes de jurar que é nosso amor, ou bem alguém a levou, de propósito, por motivos que estão sendo mantidos em segredo, e a morte de Sachsa também faz parte deste segredo. Ela roçou com suas asas uma outra vida — não Franz, o marido, que sonhou em ser levado assim, rezou exatamente por isso, mas acabou sendo mantido para algo bem diferente — Peter Sachsa, que era passivo de uma maneira diversa... haverá algum equívoco? Será que Eles nunca se equivocam, ou... por que ele está correndo com ela rumo ao fim dela (tal como Eventyr foi arrastado na esteira furiosa de Nora), o volume do corpo dela impedindo que ele enxergue tudo que há a sua frente, a moça esguia misteriosamente transformada numa espécie de carvalho, uma forma larga e matronal... tudo o que ele tem que o oriente são os detritos do seu tempo que vêm no vento de um lado e do outro, formando longas hélices, sumindo no pó onde os últimos vestígios de sol brilham nas pedras da estrada... sim: ainda que do modo mais ridículo, ele está representando a fantasia de Franz Pökler para ele, aqui acocorado nas costas dela, muito pequeno, sendo *levado*: levado adiante por um vento etéreo cujo cheiro... não, *não é aquele cheiro* encontrado no instante antes de seu nascimento... o vazio muito antes de onde sua memória deveria começar... o que quer dizer que, se é aqui de novo... então... *então*...

Estão sendo empurrados para trás por um cordão de policiais. Peter Sachsa está preso dentro do cordão, tentando não perder o pé, fugir é impossível... O rosto de Leni mexendo-se, inquieto, contra a janela do Hamburg Flyer, estradas de concreto, pedestais, torres industriais do Mark voando a mais de 160 quilômetros por hora são o pano de fundo perfeito, pardo, vago, o mais mínimo erro, nos pontos, na pista da estrada a esta velocidade e é o fim... a saia dela está levantada atrás, suas coxas nuas atrás, marcadas de vermelho do banco do trem, viram-se para ele... sim... na iminência do desastre, sim, quem quer que esteja vendo sim... "Leni, cadê você?" Ela estava junto a seu cotovelo nem dez segundos atrás. Eles haviam combinado tentar se manter juntos. Mas há dois tipos de movimento aqui — tal como o deslocamento aleatório de estranhos, cruzando uma nítida linha de atiradores da Força, reúne pessoas que depois permanecem juntas por um tempo, no amor isto pode até fazer a opressão parecer fracasso, assim também o amor, aqui na rua, pode ser desmontado de modo centrífugo: rostos vistos pela última vez aqui, palavras ditas à toa, por cima do ombro, pressupondo a presença dela, já últimas palavras — "Será que o Walter vai trazer vinho hoje à noite? Eu esqueci —" é uma velha brincadeira entre eles, seus esquecimentos, suas confusões de adolescente, a esta altura já desesperadamente apaixonado também pela menininha, Ilse. É nela que ele se refugia da sociedade, das festas, dos clientes... muitas vezes Ilse é sua sanidade. Ele adquiriu o hábito de ficar sentado por algum tempo todas as noites à cabeceira dela, altas horas, vendo-a dormir, a bundinha para cima e o rosto enterrado no travesseiro... como aquilo é puro, como aquilo é *certo*... Porém a mãe dela, quando dorme, range muito os dentes, franze a testa, fala numa língua que ele é incapaz de admitir que talvez, em algum tempo ou lugar, ele saiba falar com fluência. Na semana passada mesmo... o que ele entende de política? porém entende perfeitamente que ela ultrapassou um limite, chegou a uma encruzilhada no tempo, onde talvez ele não possa segui-la —

"Você é a mãe... e se você for presa, o que vai ser dela?"

"É isso que eles — Peter, será que você não vê, eles querem mais é um grande seio inchado com uma desculpa atrofiada por ser humano, gemendo nas sombras. Como que eu posso ser *humana* para ela? Não a *mãe* dela. 'Mãe' é uma categoria do serviço público, as Mães trabalham para *Eles*! São as policiais da alma..." Seu rosto ensombrece-se, judaizado por aquelas palavras, não por estar falando em voz alta mas por estar falando a sério, e ela tem razão. Contra a fé dela, Sachsa vê os rasos de sua própria vida, a estagnação de banheira daquelas soirées em que há anos nem mesmo os rostos mudam... tantos anos tépidos...

"Mas eu amo você...", ela empurra para trás os cabelos que caem sobre a testa suada de Peter, estão deitados sob uma janela pela qual entram constantemente luzes de rua e de anúncios, lambendo-lhe as peles, as curvas dos corpos, as sombras, com espectros mais frios que os da Lua dos astrólogos... "Você não tem que ser o que você não é, Peter. Eu não estaria aqui se não o amasse por quem você é..."

Foi ela que o instigou a ir para a rua, foi ela a sua morte? De seu ponto de vista do outro lado, não. No amor, as palavras podem assumir formas demais, só isso. Mas ele sente, sim, que foi enviado para o outro lado por algum motivo específico...

E Ilse, a seduzi-lo com seus olhos negros. Ela sabe dizer o nome dele, mas muitas vezes, por coquetismo, recusa-se a dizê-lo, ou então o chama de *mamãe*.

"Não, a mamãe é aquela. Eu sou o Peter. Lembra? Peter."

"Mamãe."

Leni limita-se a olhar, sorriso contido entre os lábios quase, ele tem que admitir, presunçosos, permitindo que a confusão de nomes despenque e desencadeie reverberações masculinas que ela certamente não ignora. Se Leni não quer que ele vá para a rua, por que então limita-se a ficar calada nestes momentos?

"Eu achei ótimo ela não estar *me* chamando de mamãe", Leni pensou em explicar. Mas isso é quase ideologia, não é nada que Peter possa aceitar ainda. Ele não sabe ouvir esse tipo de coisa como se fosse algo mais do que um amontoado de slogans: não aprendeu a ouvir com o coração revolucionário, jamais terá tempo suficiente para formar um coração revolucionário com base na austera camaradagem dos outros, não, não há tempo para isso agora, não há tempo para mais nada do que mais uma respiração, a respiração ofegante de um homem sentindo medo na rua, nem mesmo tempo bastante para ele perder o medo da maneira mais tradicional, não, porque aí vem Schutzmann Jöche, cassetete já erguido, seção de cabeça comunista entrando em seu campo de visão estupidamente, ignorando sua presença, seu poder... o primeiro golpe limpo de Schutzmann daquele dia... ah, seu timing é perfeito, ele sente a energia entrar no braço e sair no cassetete não mais flácido a seu lado e sim tenso agora, erguido numa curva musculosa, no alto do movimento, pico de energia potencial... bem abaixo daquela veia cinzenta na têmpora do homem, frágil feito pergaminho, nitidamente destacada, a latejar com o penúltimo batimento de seu pulso... e, MERDA! Ah — *que* —

Que lindo!

Durante a noite, Sir Stephen desaparece do cassino.

Mas não antes de dizer a Slothrop que suas ereções interessam muito a Fitzmaurice House.

Então de manhã Katje entra possessa, mais irritada que galinha que caiu na água, dizendo a Slothrop que Sir Stephen foi embora. De repente todo mundo está dizendo coisas a Slothrop, e ele mal acordou. A chuva bate nas persianas e janelas. Manhãs de segunda, estômagos indispostos, despedidas... ele olha piscando para o mar enevoado, o horizonte envolto em cinzento, palmeiras reluzentes de chuva, pesadas, úmidas, verdíssimas. Talvez a champanhe ainda lhe pese na mente — durante dez segundos extraordinários não há nada em seu campo além de amor puro e simples por aquilo que ele vê.

Então, perversamente cônscio do fato, ele se vira para o outro lado, para dentro do quarto. Hora de brincar com Katje, agora...

O rosto dela está tão pálido quanto seus cabelos. Bruxa de chuva. A aba de seu chapéu forma um halo verde, cremoso, chique, em torno de seu rosto.

"Então ele foi embora." Este grau de agudeza talvez possa provocá-la. "Uma pena. Por outro lado — talvez seja bom."

"Deixe ele pra lá. Até onde você está sabendo, Slothrop?"

"O que você quer dizer com 'deixe ele pra lá'? O que você faz, joga pessoas fora sem mais nem menos?"

"Você quer descobrir?"

Ele permanece parado, retorcendo o bigode. "Me conte."

"Seu puto. Você sabotou tudo, com seu joguinho de bebida."

"Tudo o quê, Katje?"

"O que foi que ele disse a você?" Ela dá um passo em direção a ele. Slothrop observa suas mãos, pensando nos professores de judô que já viu em ação. Ocorre-lhe que ele está nu e também, hum, que parece estar ficando de pau duro, cuidado, Slothrop. E ninguém aqui para observar o fenômeno, especular por quê...

"Você não me disse que sabia lutar judô. Deve ter aprendido lá na *Holanda*, não é? Sei — são coisinhas", cantando em terças descendentes infantis, "que entregam você, sabe..."

"Aahh..." exasperada ela parte para cima dele, tenta um golpe na cabeça de que ele se esquiva — salta sobre a axila dela, levanta-a como se fosse um bombeiro, joga-a na cama e pula em cima. Katje acerta com força o calcanhar em seu pau, como deveria ter feito desde o início. Aliás, seu timing está todo errado, senão o mais provável seria ela ter vitória total... talvez sua intenção seja errar o alvo, apenas raspar a perna de Slothrop, que se desvia, agarra-a pelos cabelos e torce-lhe o braço para trás, empurrando-a, com a cara para baixo, contra a cama. A saia dela está levantada, expondo a bunda, as coxas estrebuchando sob ele, seu pênis tremendamente dilatado.

"Escute, sua babaca, não me faça perder a paciência com você, para mim dar porrada em mulher não tem problema nenhum, eu sou o James Cagney da Riviera francesa, de modo que é bom você se cuidar."

"Eu sou capaz de matar você —"

"O quê? E sabotar a coisa toda?"

Katje vira a cabeça e crava os dentes no antebraço dele, perto do cotovelo, do lugar onde entravam as agulhas de pentotal. "Ai, *porra*...", ele solta o braço que estava torcendo, puxa a calcinha para baixo, agarra-a pela anca e começa a penetrá-la por detrás, enfiando a mão por baixo dela para apertar-lhe os mamilos, dedilhar-lhe o clitóris, arranhar com as unhas as coxas, o Senhor Técnica, não que isso faça diferença, os dois já estão quase gozando — primeiro Katje, gritando contra o travesseiro, Slothrop um ou dois segundos depois. Fica deitado em cima dela, suando, respirando fundo, vendo o rosto dela virado em $^3/_4$ para o outro lado, nem mesmo um perfil, porém o terrível Rosto que Não é Rosto, transformado em algo abstrato demais, inacessível: a entrada da órbita mas não o olho mutável, apenas a curva anônima da face, a convexidade da boca, a máscara sem nariz da Outra Ordem do Ser, do ser de Katje — aquela não-face sem vida é a única face dela que ele conhece de verdade, a única de que ele irá se lembrar.

"Oi, Katje", é tudo que ele diz.

"Hm." Mas ela já retomou seu velho resíduo de azedume, e pelo visto eles não vão acabar se tornando amantes em paraquedas de voile ensolarado, descendo lentamente, de mãos dadas, para algum prado tranquilo. Surpreso?

Ela se afastou, desvencilhando-se do pau dele, agora solto no quarto frio. "Como é que é em Londres, Slothrop? Quando caem os foguetes?"

"O quê?" Depois de foder, ele gosta de ficar deitado, fumando um cigarro, pensando em comida. "Bem, você só sabe que tem foguete vindo quando ele cai. Quer dizer, *depois* que ele cai. Se não acertou você, então tudo bem até o próximo. Se você ouve a explosão, você sabe que está vivo.

"É assim que você sabe que está vivo."

"É." Ela senta-se na cama, puxando a calcinha para cima e a saia para baixo, vai até o espelho, começa a ajeitar os cabelos. "Me fale sobre as temperaturas de contorno. Enquanto você se veste."

"Temperatura de contorno T sob E, que história é essa?, sobe exponencialmente até o Brennschluss, num alcance de cerca de 110 quilômetros, e-e então chega a um ponto máximo súbito de 1200 graus, aí cai um pouco, mínimo de 1050, até sair da atmosfera, depois sobe de novo até 1080 graus. Fica mais ou menos estável até a reentrada", blá-blá-blá. A música de transição aqui, resplendente de xilofones, é baseada em alguma velha canção conhecida que faça um comentário, irônico porém delicado, sobre o que está vindo à tona — por exemplo, "School days, school days", ou "Come, Josephine, in my flying machine", ou mesmo "There'll be a HOT TIME in the old town tonite!", você escolhe — diminuindo o ritmo e o volume quando então Slothrop e Katje aparecem numa varanda envidraçada no andar de baixo, em tête-à-tête, a sós, salvo pela presença de alguns músicos num canto, gemendo e sacudindo a cabeça, tramando um modo de fazer com que César Flebótomo lhes pague o que está devendo. Péssimo emprego... A chuva bate na vidraça, lá fora limoeiros e murtas balançam-se ao vento. Com o acompanhamento de croissants, geleia de morango, manteiga de verdade, café de verdade, ela o faz falar sobre o perfil de voo, em termos da temperatura da parede do exaustor e dos coeficientes Nusselt de transferência de calor, calculando de cabeça com base nos números de Reynolds que ela lhe fornece... equações de movimento, amortecimento, momentos... métodos de computação do Brennschluss por guiagem inercial e radiotelemetria... equações, transformações...

"Agora os ângulos dos jatos de escape. Eu lhe dou uma altitude, você me diz o ângulo."

"Katje, por que *você* não me diz aonde você quer chegar?"

Antes, ela gostava de pensar num pavão, cortejando, ostentando a cauda... via-o com as cores que se sucediam na chama quando o foguete subia da plataforma, escarlate, laranja, verde iridescente... havia alemães, até mesmo membros da SS, que se referiam ao foguete como *Der Pfau*. "Pfau Zwei." Ascendendo, programado num ritual de amor... termina no Brennschluss — a contraparte puramente feminina do Foguete, o ponto zero no centro de seu alvo, se submete. Daí em diante tudo segue de acordo com as leis da balística. O Foguete é impotente. Alguma outra coisa assumiu o controle. Alguma coisa além do que ele foi programado para fazer.

Katje vê o grande arco sem ar como uma alusão clara a certos desejos secretos que movem o planeta e ela própria, e Aqueles que a usam — chegando ao ápice e além dele, mergulhando, ardendo, rumo a um orgasmo terminal... o que sem dúvida não é coisa que ela possa contar a Slothrop.

Escutam o silvo da chuva, quase saraiva. O inverno cria forças, respira, aprofunda-se. Uma bola de roleta chacoalha, em algum outro recinto. Ela está correndo. Por quê? Terá ele chegado perto demais outra vez? Slothrop tenta lembrar-se se ela sempre teve necessidade de falar dessa maneira, recuando antes de tocá-lo, como um jogador de sinuca dando uma tacada de puxada. Boa hora de começar a fazer perguntas. Ele está contraconspirando no escuro, forçando portas a esmo, nunca se sabe o que vai sair delas...

Basalto negro emerge do mar. Uma gaze vaporosa envolve o promontório e seus châteaux, transformando tudo num cartão-postal antigo. Ele toca na mão de Katje, corre os dedos pelo braço nu acima, chegando...

"Hum?"

"Vamos para o quarto."

Ela talvez tenha hesitado, mas por um instante tão breve que ele não reparou. "Sobre o que nós estávamos falando esse tempo todo?"

"O foguete A4."

Katje o contempla por um bom tempo. De início Slothrop pensa que ela vai rir dele. Depois tem a impressão de que vai chorar. Ele não compreende. "Ah, Slothrop. Não. Você não me quer. O que eles querem, talvez queira, mas *você* não. Tal como o A4 não quer Londres. Mas acho que eles não sabem... dos outros eus... os seus e os do Foguete... não. Como você também não sabe. Se você não consegue entender agora, pelo menos se lembre. É tudo que posso fazer por você."

Voltam para o quarto dela: caralho, boceta, a chuva de segunda nas janelas... Slothrop passa o resto da manhã e o começo da tarde estudando os textos do professor Schiller sobre resfriamento regenerador, do professor Wagner sobre equações de combustão, dos professores Pauer e Beck sobre gases de escape e eficiência de combustão. E mais uma pornografia de cópias heliográficas. Ao meio-dia a chuva para. Katje saiu para cuidar de sua vida. Slothrop passa algumas horas no bar lá embaixo, garçons que o olham sorridentes, levantando garrafas de champanhe, balançando-as convidativos — "Não, merci, non...". Está tentando decorar os organogramas da base de Peenemünde.

Quando começa a transbordar luz do céu nublado, ele e Katje saem para dar uma volta, uma caminhada de fim de tarde na avenida. A mão nua de Katje está gelada na dele, seu casaco estreito e preto a faz parecer mais alta, os longos silêncios têm o efeito de diluí-la para ele, reduzi-la quase a névoa... Param, encostam numa grade, ele contemplando o mar hibernal, ela o cassino cego e frio atrás deles. Nuvens sem cor passam deslizando, infinitamente, no céu.

"Eu estava pensando daquela vez que entrei e encontrei você. Aquela tarde." Ele não consegue ser mais específico, mas Katje sabe que ele se refere à Himmler-Spielsaal.

Ela olhou para ele de repente. "Eu também."

Ao respirar, eles soltam fantasmas que o vento rasga e leva para o mar. Os cabelos de Katje estão hoje penteados à Pompadour, as sobrancelhas claras, reduzidas a asas, escurecidas, olhos com contornos de rímel preto, só os últimos cílios que escaparam e permanecem louros. A luz desce inclinada das nuvens e risca-lhe o rosto, esvaziando-o de toda cor, deixando pouco mais do que uma foto formal, o tipo de foto que aparece num passaporte...

"E-e você estava tão distante naquela hora... que eu não podia alcançá-la..."

Naquela hora. Uma espécie de comiseração brota no rosto dela e logo morre. Porém seu sussurro é letal e brilhante como arame farpado: "Talvez você descubra. Talvez numa das cidades bombardeadas deles, ou junto a um dos rios ou florestas, até mesmo um dia na chuva, você vai entender. Vai se lembrar da Himmler-Spielsaal, e da saia que eu estava usando.... a lembrança vai dançar para você, e você pode até fazer minha voz lhe dizer o que eu não pude dizer naquela hora. Nem agora". Ah, o que é que ela sorri para ele, apenas por um segundo? que já passou. Retoma a máscara sem sorte, sem futuro — o estado de repouso de seu rosto, o favorito, o mais fácil...

Estão parados entre esqueletos negros e crespos de bancos de ferro, na curva vazia desta avenida, inclinados num ângulo muito maior do que os despertos jamais necessitam: vertiginoso, tentando precipitá-los para dentro do mar e livrar-se disso tudo. O dia esfriou. Nem ele nem ela conseguem ficar equilibrados por muito tempo, a toda hora um ou o outro tem que trocar de posição. Ele estende a mão e vira para cima o colarinho do casaco de Katje, segura-lhe as faces entre as palmas das mãos... estará tentando reavivar a cor da tez? Olha para baixo, tentando olhar dentro de seus olhos, e constata perplexo que há lágrimas se acumulando nos dois, entre os cílios, o rímel sangrando em finas espirais negras... pedras translúcidas, tremendo em suas órbitas...

Ondas quebram e arrastam as pedras da praia. A enseada está pontilhada de cristas brancas de ondas, tão brilhantes que sua luz não pode estar vindo deste céu mortiço. Lá está ele outra vez, aquele Outro Mundo de aparência idêntica — será que ele vai ter que se preocupar com *isso* agora? Mas que — veja só essas *árvores* — galhos longos pendendo, picados, estonteantes, numa caprichada ponta-seca contra o céu, cada uma delas *tão perfeitamente bem colocada*...

Katje mexeu as coxas e os quadris de modo a encostá-los nele, através do casaco — pode ser, afinal, para ajudar a trazê-lo de volta — seu hálito é uma echarpe branca, as trilhas de suas lágrimas são gelo no inverno. Ela se sente agasalhada. Mas isso não basta. Nunca bastou — não, ele compreende bem, ela está querendo ir embora há muito tempo. Encolhidos para proteger-se do vento que as ondas brancas implicam, ou impelidos pela inclinação da calçada, os dois se abraçam. Ele beija-lhe os olhos, sente o pau começar a crescer de novo com a boa e velha, má e velha — bem, seja como for, velha — lascívia.

No mar, ao longe, um solitário clarinete começa a tocar, uma melodia engraçada que pouco depois ganha a adesão de violões e bandolins. Aves de olhos vivos agrupam-se na praia. O ânimo de Katje se eleva, um pouco, ao ouvir esse som. Slothrop ainda não desenvolveu em si os reflexos europeus ativados pelo som dos clarinetes, ainda pensa em Benny Goodman e não em palhaços e circos — mas peraí... isso aí não é um trombeta de brinquedo? É sim, são várias trombetas de brinquedo! Uma *Banda de Brinquedo*!

Aquela noite, bem tarde, de volta no quarto, Katje traja um vestido vermelho de seda pesada. Duas velas altas ardem a uma distância indefinida atrás dela. Slothrop sente a mudança. Depois de fazer amor, ela está deitada, apoiada num cotovelo, olhando para ele, respirando fundo, os mamilos negros subindo e descendo, como boias no mar branco. Porém formou-se uma pátina em seus olhos: Slothrop nem mesmo consegue vê-la recolhendo-se como sempre, desta última vez, atenuada, graciosa, para um canto de algum quarto interior...

"Katje."

"Xxx", unhas sonhadoras raspando a madrugada, pela Côte d'Azur rumo à Itália. Slothrop quer cantar, resolve cantar, mas aí não consegue encontrar nada adequado. Estende o braço, e sem umedecer os dedos apaga as velas. Ela beija a dor. Dói mais ainda. Ele adormece nos braços dela. Quando acorda, Katje já foi embora, completamente, a maioria de suas roupas, jamais usadas, ainda no armário, bolhas e um pouco de cera em seus dedos, e um cigarro, amassado antes da hora, formando um gancho de exasperação... Ela nunca desperdiçava cigarros. Deve ter ficando fumando, vendo-o dormir... até que alguma coisa, ele nunca vai poder perguntar-lhe o quê, desencadeou-se dentro dela, tornando-lhe impossível esperar até terminar o cigarro.

Slothrop endireita o cigarro, fuma-o até o fim, não tem sentido desperdiçar cigarros, afinal estamos em guerra...

□□□□□□□

"Normalmente, em nosso comportamento, reagimos de modo não simples, e sim complexo, a fim de nos adaptarmos aos conteúdos sempre presentes de nosso meio ambiente. Em pessoas de idade", Pavlov dando uma conferência aos 83 anos de idade, "a situação é totalmente diversa. Ao nos concentramos num determinado estímulo, excluímos por indução negativa outros estímulos colaterais e simultâneos porque eles muitas vezes não se adaptam às circunstâncias, não são reações complementares no contexto dado."

Assim [Pointsman nunca mostra estes arroubos seus a ninguém], estendendo a mão para uma flor em minha mesa,
Sinto o mosaico fresco de minha sala
Começando a dissolver-se lentamente, inibidor,
Em torno da flor, o estímulo, a necessidade
Que arde mais forte, como luz, rapidamente sugada
Dos objetos a seu redor, agora se concentra
(Porém sem chegar a ofuscar a vista) em chama.
Enquanto isso, ali na tarde hipnótica da sala,
À espreita, os outros — livros, instrumentos,
Roupas de velho, um velho bastão de gorodki,
Vitrificados agora apenas de suas presenças. Seus espíritos,
Ou lembranças que guardei de onde estavam,
São cancelados, por ora, pela chama:
O gesto em direção à flor frágil, expectante...
E assim, um deles — caneta, ou copo vazio —
É derrubado de onde estava, talvez para rolar
Para além das fronteiras vazias da memória...
Porém isto, veja bem, não é uma "distração senil",
Mas ao concentrar-se, tal como homens mais jovens
Podem esquivar-se com facilidade e rindo, o mundo deles
Apresentando muito mais que uma perda apenas —
E aqui, aos oitenta e três, o córtex fraqueja,
Os processos de excitação se tornam brasas
Por força da Inibição, dedos calejados,
Cada vez que minha sala começa a escurecer sinto
Que vislumbrei o blecaute de alguma outra cidade
(Tal como haverá de acontecer, se a Alemanha prosseguir

Nessa estrada de loucura). Cada luz a se apagar...
Fora, por fim, uma última flor vívida
Que Fiscal algum pode erradicar. Pelo menos não agora.

As sessões semanais de instrução na "Aparição Branca" foram praticamente abandonadas. Quase ninguém vê mais o velho general. Sinais de insegurança financeira começam a se fazer visíveis nos interstícios dos querubins que ornam os corredores e cornijas da PISCES.

"O velho está arregando", exclama Myron Grunton, o qual também não anda muito seguro de si ultimamente. O grupo Slothrop está em sua reunião ordinária na ala do ARF. "Ele vai acabar com todo o projeto, basta ele dormir mal uma noite..."

Um certo grau de pânico contido pode ser observado entre os presentes. Ao fundo, assistentes de laboratório limpam o cocô de cachorro e calibram os instrumentos. Ratos e camundongos, brancos e pretos e alguns tons de cinza, correm em suas rodas em uma centena de gaiolas.

Pointsman é o único aqui que não perde a calma. Parece tranquilo e forte. De uns tempos para cá, seus jalecos de laboratório estão adquirindo uma serenidade de Saville Row, cintura contida, aberturas maiores embaixo, tecido mais fino, lapelas ousadamente denteadas. Nesta época de seca e esterilidade, ele jorra afluência. Quando por fim cessam as lamentações, Pointsman diz, tranquilizante: "Não há perigo".

"Não há perigo?" grita Aaron Throwster, e logo estão todos de novo resmungando e rosnando.

"Slothrop despachou Dodson-Truck e a moça em um dia!"

"Está tudo indo por água abaixo, Pointsman!"

"Depois que Sir Stephen voltou, a Fitzmaurice House caiu fora do projeto, e Duncan Sandys tem feito perguntas constrangedoras..."

"É o genro do primeiro-ministro, Pointsman! A coisa está feia, muito feia!"

"Já começamos a dar déficit..."

"Há financiamentos disponíveis", SE você conseguir não perder a cabeça, "e o dinheiro vai começar a entrar em breve... antes que a gente comece a ter algum problema sério. Sir Stephen não só não foi 'despachado' como está muito bem instalado na Fitzmaurice House, e se algum de vocês quiser confirmar, é só ir lá. A senhorita Borgesius continua atuando no programa, e todas as perguntas do senhor Duncan Sandys estão sendo respondidas. Mas o melhor de tudo é que *já temos* financiamentos que cobrem boa parte do exercício de 46, e que vão chegar bem antes de começar a dar algum déficit."

"As suas Partes Interessadas outra vez?" pergunta Rollo Groast.

"Ah, vi que o Clive Mossmoon da Imperial Chemicals esteve em reunião com você anteontem", Edwin Treacle menciona agora. "Eu e Clive fomos colegas num curso de química orgânica lá em Manchester. A ICI é uma das nossas, ah, patrocinadoras, Pointsman?"

"Não", calmo, "na verdade o Mossmoon está trabalhando na Malet Street. Não estávamos tramando nada de sinistro, só discutindo uma questão de rotina de coordenação referente a essa história do Schwarzkommando."

"Essa eu não engulo não. Por acaso eu sei que o Clive está na ICI, envolvido com uma pesquisa sobre polímeros."

Os dois se encaram. Um deles está mentindo, ou blefando, ou então os dois estão, ou então todas as opções acima. Mas seja lá como for, Pointsman tem uma pequena vantagem. Por encarar de frente a extinção de seu programa, ele apreendeu esta pérola de Sabedoria: mesmo que haja uma força vital atuando na Natureza, não há nada análogo atuando numa burocracia. Nada de tão místico assim. Tudo se reduz, necessariamente, aos desejos de homens específicos. Ah, e mulheres também, é claro, esses serezinhos de cabelos longos e ideias curtas. Mas para sobreviver é preciso ter desejos fortes — conhecer o Sistema melhor do que os outros, e saber usá-lo. É uma questão de trabalho, só isso, e não há lugar para ansiedades extra-humanas — elas só servem para enfraquecer, afeminar a vontade: ou bem o homem se entrega a elas, ou bem se esforça para dominá-las, und so weiter. "Eu bem que gostaria que a ICI financiasse uma parte desse projeto", sorri Pointsman.

"Não colou, não colou", murmura o doutor Groast Júnior.

"Que diferença faz?" exclama Aaron Throwster. "Se o velho cismar na hora errada, é o fim."

"O general Pudding não vai deixar de cumprir nenhum de seus compromissos", Pointsman muito firme, calmo, "nós negociamos com ele. Os detalhes não são importantes."

Nunca são, nestas reuniões. Treacle foi empurrado pela tangente para o Affaire Mossmoon, as tiradas lamurientas de Rollo Groast nunca chegam a transformar-se em oposição séria, e têm a virtude de dar uma impressão de que está havendo uma discussão aberta, tal como os ataques histéricos de Throwster têm o efeito de distrair a atenção dos outros... Assim, a reunião se dissolve, os conspiradores vão em busca de café, esposas, uísque, sono, indiferença. Webley Silvernail fica depois que os outros se vão para recolher seu equipamento audiovisual e saquear os cinzeiros. O cão Vania, cuja mente por um instante volta ao estado normal, ao contrário de seus rins (que após algum tempo tornam-se vulneráveis à terapia de brometo), ganhou um pequeno intervalo em que foi desconectado do equipamento experimental, e sai farejando em direção à gaiola do rato Ilia. Ilia encosta o focinho no ferro galvanizado da gaiola e os dois ficam assim, focinho contra focinho, vida contra vida... Silvernail, tragando de uma guimba em forma de gancho, arrastando um projetor de 16 mm, sai do ARF passando por uma longa fileira de gaiolas, onde as rodas de exercício dos ratos rodopiam estroboscópicas à luz fluorescente. Cuidado aí pessoal, lá vem merda. Ah esse aí é legal Louie, é um cara legal. Os outros riem. Então o quéqui ele tá fazendo aqui, hein? As longas lâmpadas brancas zumbem no teto. Assistentes de jalecos cinzentos conversam, fumam, trabalham sem pressa. Cuidado aí, Lefty, dessa vez eles vai pegar ocê. Cê vai ver, ri o rato Alexei, quando ele me pegar eu vou e *cago* bem na mão dele! Faz isso não, silembra o que aconteceu com o Slug, hein? *Fritaram* ele quando ele fez isso, rapaz, a primeira vez que ele tava naquele labirinto e fodeu tudo. Cem vorts. Dissero que "foi acidente". *Aqui* que foi acidente!

Visto de cima, do ângulo de uma câmera alemã, pensa Webley Silvernail, este laboratório também é um labirinto, é ou não é... os behavioristas ficam andando pelo meio dessas mesas e painéis que nem se fossem ratos. Para eles o reforço não é comida, e sim um experimento que dá certo. Mas quem é que fica assistindo lá do alto, quem é que anota as reações deles? Quem é que ouve os bichinhos nas gaiolas, fodendo, dando de mamar, comunicando-se através do quadriculados das grades, ou, como agora, cantando... saindo de suas gaiolas, crescendo até ficarem do tamanho de Webley Silvernail (embora ninguém no laboratório se dê conta do fato) e dançando em torno dele pelos corredores compridos, passando pelos aparelhos de metal, ao som de tambores e de uma cálida orquestra tropical, cantando a popularíssimo canção

PAVLÓVIA (BEGUINE)

Era primavera na Pavlóvia-a-a,
Perdido no labirinto eu estava...
Perfume de lisol na atmosfera,
Há tantos dias que eu te procurava.
Então te encontrei, num beco sem saída,
Tão perdida quanto eu, a procurar —
Roçamos focinhos, e de repente
Meu coração aprendeu a voar!

Assim, juntos, nos encontramos,
E juntos comemos nossas rações....
Como amantes num romântico café,
Unidos em nossos corações!

É outono outra vez na Pavlóvia-a-a,
E estou sozinho, como em outros outonos —
Sofrendo minha dor aos milivolts,
Sofrendo em todos os meus neurônios.
E relembro os dias que vivemos,
Que foram tão bons, mas que passaram logo...
Agora só restam na Pavlóvia
Os labirintos, e o mesmo velho jogo...

Dançam em bandos harmoniosos. Ratos e camundongos formam círculos, enroscam e desenroscam as caudas desenhando crisântemos e sóis, por fim todos formando a imagem de um camundongo gigantesco, cujo olho é Silvernail sorridente, levantando os braços em V, prolongando a última nota da melodia, juntamente com a enorme orquestra e coro de roedores. Um dos típicos folhetos que a PWD anda espalhando agora, dirigido aos Volksgrenadier, conclama: SETZT V-2 EIN!, com uma nota de rodapé em que se explica que "V-2" significa levantar os dois braços numa "rendição honrosa" — mais humor negro — e explicando, em transcrição fonética, como dizer em inglês "ei ssörrender". Será que o V de Webley aqui é de vitória ou de rrendissom?

Eles tiveram seu momento de liberdade. Webley foi apenas o convidado especial. Agora voltam para as gaiolas e as formas racionalizadas de morte — morte a serviço da única espécie cuja maldição é a consciência de que vai morrer... "Eu libertaria vocês, se soubesse como. Mas aqui fora ninguém é livre. Todos os animais, plantas, minerais, até mesmo outros tipos de homens, estão sendo quebrados e remontados todos os dias, para preservar uma pequena elite, cujos membros são os que mais alto teorizam sobre a liberdade, porém são os menos livres de todos. Não posso sequer lhes dar a esperança de que algum dia será diferente — que Eles vão sair, e esquecer a morte, e perder o terror complexo de Sua tecnologia, e parar de usar todas as outras formas de vida impiedosamente para manter o que atormenta os homens num nível tolerável — e em vez disso ser como vocês, simplesmente presentes e vivos..." O convidado especial vai se afastando pelos corredores.

Todas, menos umas poucas, luzes se apagaram na "Aparição Branca". Hoje o céu está de um azul-escuro, escuro como um sobretudo da marinha, e as nuvens são de um branco surpreendente. O vento é intenso e frio. O velho general Pudding, trêmulo, sai de seu alojamento pela escada dos fundos, por um caminho que só ele conhece, atravessa a estufa de laranjeiras vazia à luz das estrelas, passa por uma galeria de retratos de dândis cheios de rendas, cavalos, damas com olhos de ovos cozidos, sai por um pequeno mezanino (ponto de *perigo máximo*...) e entra num quarto de despejo que, com suas pilhas de cacarecos e negrumes aleatórios, até mesmo agora que a infância está tão distante, é um bom lugar para se pegar um resfriado, sai de novo por uma escada de metal, cantando — baixinho, ele espera — para levantar seu próprio ânimo:

Me lave na água suja
Onde você lavou a dita-cuja,
Que vou ficar mais alvo que a neve mais lavada...

finalmente chegando à Ala D, onde ainda vivem malucos dos anos 30. O vigia noturno dorme sob um exemplar do *Daily Herald*. É um sujeito de aparência rude, e estava lendo o editorial. Será um indício das coisas vindouras, da próxima eleição? Ah, meu Deus...

Porém a ordem é deixar o general passar. O velho passa na ponta dos pés, respirando depressa. O catarro ronca no fundo de sua garganta. Está naquela idade em que o catarro é um companheiro cotidiano, há toda uma cultura do catarro entre os velhos, catarro em mil e uma manifestações, aparecendo de modo totalmente imprevisto na toalha de mesa da casa de um amigo, formando tubos duros em volta dos canais respiratórios à noite, a ponto de escurecer os contornos dos sonhos e fazê-los acordar, implorando...

De alguma cela distante demais para que a possamos localizar vem uma voz a entoar: "Eu sou o bem-aventurado Metatron. Eu sou o guardião do Segredo. Eu sou o guardião do Trono...". Aqui, os excessos mais perturbadores da decoração rococó foram destruídos a cinzel ou cobertos com uma demão de tinta. Para não excitar os pacientes. Só tons pastel, cortinados macios, gravuras impressionistas nas paredes. Apenas o chão de mármore foi mantido, que à luz das lâmpadas brilha como água. O velho Pudding tem que atravessar meia dúzia de salas e antessalas antes de chegar a sua meta. Ainda não completou duas semanas esta repetição, mas a coisa já se ritualizou até certo ponto. Cada sala conterá uma e apenas uma coisa desagradável para ele: um teste pelo qual o general tem que passar. Ocorre-lhe a possibilidade de que esses obstáculos tenham sido colocados por Pointsman também. Claro, claro que foi ele... como que o danado do rapaz descobriu? Será que ando falando dormindo? Será que eles entram no meu quarto à noite com soro da verdade para — e ao formular a ideia com clareza já desponta o primeiro teste da noite. Na primeira sala: uma seringa hipodérmica foi deixada sobre uma mesa. Bem nítida, reluzente, o resto da sala um pouco fora de foco. É, de manhã eu me sentia terrivelmente tonto, não conseguia despertar, depois de sonhar — eram mesmo sonhos? Eu estava falando... Mas não se lembra de mais nada, só que estava falando enquanto outra pessoa escutava... Ele está estremecendo de medo, e seu rosto está mais alvo que a neve mais lavada.

Na segunda antessala, uma lata vermelha de café, vazia. A marca do café é Savarin. Ele compreende que o significado é "Severin". Ah, seu cachorro, seu devochado... Mas são menos trocadilhos maliciosos dirigidos contra uma vítima do que magia simpática, a iteração insistente de alguma forma predominante (assim como, por exemplo, nenhum demolidor sensato, ao lavar pratos à noite, é capaz de lavar uma colher entre duas xícaras, nem mesmo entre um copo e um prato, com medo do Vibrador que isso evoca... porque o que ele tem na mão é na verdade uma língua-vibrador, entre dois contatos fatais, segura por dedos que doem ao relembrar de repente)... Na terceira, há um arquivo entreaberto, contendo uma pilha de históricos parcialmente visíveis e um exemplar aberto de Krafft-Ebing. Na quarta, um crânio humano. O general fica ainda mais excitado. Na quinta, uma bengala de rotim. Já lutei pela Inglaterra em tantas guerras que nem me lembro mais quantas foram... será que já não paguei bastante? Arrisquei tudo por eles, tantas vezes... Por que atormentar um velho? Na sexta sala, dependurado, o corpo de um soldado inglês estraçalhado em Wytschaete, uniforme de batalha com furos de Maxim com orlas negras, como os olhos de Cléo de Mérode, o olho esquerdo dele arrancado à bala, o cadáver já começando a feder... não... não! um sobretudo, um casaco velho, só isso, largado num gancho na parede... mas dava até para sentir o *cheiro*. Agora gás de mostarda começa a entrar, a penetrar seu cérebro como um zumbido fatal, como fazem os sonhos quando não os queremos, ou quando estamos sufocando. Uma metralhadora alemã canta *tá tarará-rá*, uma arma inglesa responde *tá tá*, e a noite se aperta, enroscada em torno de seu corpo, um instante antes da Hora-H...

Na sétima cela, os nós dos dedos batem fracamente na porta de carvalho escuro. A fechadura, controlada à distância, por eletricidade, abre com um estalo seguido de um eco. Pudding entra e fecha a porta após entrar. A cela está imersa na semiescuridão, uma única vela aromática ardendo num canto que parece estar a quilômetros dele. Ela o aguarda numa cadeira Adam alta, corpo branco e uniforme-da-noite negro. Ele cai de joelhos.

"Domina Nocturna... mãe reluzente e último amor... seu servo Ernest Pudding, obedecendo às suas ordens."

Nestes tempos de guerra, o ponto focal de um rosto de mulher é a boca. O batom, mesmo entre estas moças duras e muitas vezes superficiais, se destaca como sangue. Os olhos por vezes ficam expostos às intempéries e às lágrimas: nestes tempos, com tanta morte escondida no céu, debaixo do mar, entre as manchas indistintas das fotografias de reconhecimento, os olhos da maioria das mulheres são apenas funcionais. Mas Pudding é homem de outra época, e Pointsman também levou em conta este detalhe. A Senhora do general passou uma hora diante do espelho munida de rímel, lápis, loções e ruge, pincéis e pinças, consultando de vez em quando um álbum de folhas soltas com fotos das beldades de trinta, quarenta anos atrás, para que seu reinado nestas noites seja autêntico, ainda que não — tanto pelo estado de espírito dela quanto pelo do dele — legítimo. Seus cabelos louros são presos e escondidos debaixo de uma farta peruca negra. Quando ela se senta de cabeça baixa, esquecendo-se de sua postura régia, os cabelos caem para a frente, por cima dos ombros, até abaixo dos seios. Ela está nua agora, trajando apenas um longo manto de zibelina e botas negras de salto de escarpina. A única joia que ela usa é um anel de prata com um rubi artificial não facetado, e sim a bola original, uma arrogante gota de sangue, que ela estende agora, aguardando o beijo dele.

O bigode aparado do general, trêmulo, espeta-lhe os dedos. As unhas da mulher foram lixadas de modo a formar pontas afiadas, e estão pintadas de um tom de vermelho idêntico ao do rubi. Sob esta luz, as unhas são quase pretas. "Já basta. Prepare-se."

Ela o vê despir-se, as medalhas tilintando de leve, a camisa engomada estalando. Sente uma vontade terrível de fumar, mas foi instruída a não o fazer. Tenta manter as mãos imóveis. "Em que você está pensando, Pudding?"

"Na noite em que nos conhecemos." A lama fedia. As armas antiaéreas pipocavam na escuridão. Seus homens, pobres carneiros, haviam inalado gás na manhã daquele dia. Ele estava sozinho. Pelo periscópio, à luz de uma estrela-bomba que pairava no céu, ele a viu... e embora estivesse escondido, ela viu Pudding. O rosto dela era pálido, suas roupas eram todas negras, ela estava na terra de ninguém, as metralhadoras tracejavam seus desenhos a sua volta, porém ela não precisava de proteção. "Eles a conheciam, Senhora. Eram seus."

"E você também."

"A Senhora me chamou e disse: 'Nunca deixarei você. Você me pertence. Estaremos juntos, para sempre, mesmo se com intervalos de anos. E você sempre estará às minhas ordens'."

Novamente ele está de joelhos, nu como um bebê. Sua pele de velho arrepia-se, áspera, à luz da vela. Antigas cicatrizes e vergões recentes agrupam-se aqui e ali na epiderme. Seu pênis está em posição de apresentar armas. Ela sorri. Ordena que ele venha beijar suas botas, e ele obedece, rastejando. Pudding sente o cheiro de graxa e couro, sente os dedos dos pés flexionando-se sob sua língua, por trás daquela pele preta. Com o rabo do olho vê, numa mesinha, os restos do jantar dela, a beira de um prato, os gargalos de duas garrafas, água mineral, vinho francês...

"Agora é a hora da dor, general. Vai ganhar doze bem dadas, se sua oferta de hoje me agradar."

É o pior momento para ele. Já houve vezes em que ela se recusou. Suas reminiscências do Saliente não lhe interessam. Ela parece ligar tão pouco para os grandes massacres quanto para os mitos e o terror pessoal... mas por favor... aceite, sim, por favor...

"Em Badajoz", cochichando humilde, "durante a guerra na Espanha... uma bandeira da Legião de Franco tomou a cidade, cantando o hino do regimento. Cantavam sobre a noiva que haviam tomado. Era a Senhora: eles... eles a estavam proclamando a noiva deles..."

Ela permanece calada por um instante, fazendo-o esperar. Por fim, fixando os olhos nos do general, sorri; como sempre, o componente de maldade do qual ele necessita surge de modo espontâneo: "É verdade... Muitos deles se tornaram meus noivos naquele dia", sussurra, flexionando a bengala luzidia. Tem-se a impressão de que um vento frio percorre a sala. A imagem da Senhora ameaça dissolver-se em flocos de neve distintos. O general adora ouvi-la falar, a voz dela é a voz que o encontrou vinda das salas destruídas das aldeias flamengas, ele sabe, conhece o sotaque, as moças que envelheceram nos Países Baixos, cujas vozes foram se corrompendo da juventude à velhice, da alegria à indiferença, à medida que a guerra se prolongava, estações cada vez mais cruéis se sucedendo... "Eu apertava os corpos morenos dos espanhóis contra o meu. Eram da cor do pó, e do crepúsculo, de carnes cozidas ao ponto, textura perfeita... quase todos eram muito jovens. Um dia de verão, um dia de amor: um dos dias mais pungentes da minha vida. Obrigada. Hoje você vai ganhar sua dor."

Pelo menos esta parte da rotina a agrada. Embora nunca tenha lido os clássicos da pornografia inglesa, ela se sente confiante como um peixe que nada na corrente certa. Seis nas nádegas, mais seis nos mamilos. *Plaft* Cadê a Surpresa de Abóbora agora, hein? Ela gosta de ver o sangue formando vergões que cruzam com os da véspera. Às vezes tem que se conter para não gemer cada vez que o velho grunhe de dor, duas vozes numa dissonância que seria bem menos acidental do que parecia... Houve vezes em que ela o amordaçou com uma faixa de condecoração, amarrou-o com alamares de borlas douradas, com seu próprio talabarte. Mas hoje ele está embolado no chão, a seus pés, a bunda murcha para cima, e a única coisa que o prende é sua necessidade de dor, de alguma coisa real, alguma coisa pura. Eles o obrigaram a afastar-se muito de sua simplicidade nervosa. Enfiaram ilusões de papel e eufemismos militares entre ele e esta verdade, esta decência tão rara, este momento aos pés escrupulosos de sua Senhora... não, não é culpa, é menos culpa que maravilhamento — como ele pode ter passado tantos anos dando ouvidos a ministros, cientistas, médicos, cada um contando suas mentiras especializadas, quando ela estava aqui esse tempo todo, segura de seu domínio sobre o corpo claudicante dele, seu verdadeiro corpo: livre do disfarce dos uniformes, de drogas que o isolem dos comunicados de vertigem, náusea e dor que ela lhe impõe... Acima de tudo, dor. A poesia mais límpida, o carinho mais valioso de todos...

Ele se levanta com esforço, para ficar de joelhos novamente e beijar o instrumento. Agora ela está em pé à sua frente, as pernas abertas, a pélvis jogada para a frente, o manto de pele aberto nas ancas. Seus pelos púbicos foram pintados de preto para a ocasião. Ele suspira, e deixa escapar um pequeno gemido envergonhado.

"Ah... é, eu sei." Ela ri. "Pobre general mortal, eu sei. É meu último mistério", acariciando a genitália com as unhas, "e não se pode pedir a uma mulher que revele seu último mistério, não é?"

"Por favor..."

"Não. Hoje, não. Ajoelhe-se aqui e tome o que lhe dou."

Sem querer — já se tornou um reflexo — ele olha de relance para as garrafas na mesa, os pratos, sujos de carne, molho holandês, pedaços de cartilagem e osso... A sombra da mulher cobre-lhe o rosto e a parte superior do torso, as botas de couro rangem suavemente com o movimento das coxas e dos músculos abdominais, e então num jorro ela começa a mijar. Ele abre a boca para captar o fluxo, engasgando-se, tentando engolir sem parar, sentindo a urina quente escorrendo-lhe dos cantos da boca, pelo pescoço e ombros, submerso no silvo da tempestade. Quando termina, ele lambe as últimas gotas que ficaram nos lábios. Outras ainda pendem, douradas, cristalinas, nos pentelhos lustrosos. O rosto dela, pairando acima dos seios nus, é liso como aço.

Ela se vira. "Pegue a minha zibelina." Ele obedece. "Cuidado. Não toque na minha pele." Nos primórdios deste jogo, ela ficava nervosa, tinha prisão de ventre, pensava se a impotência masculina seria mais ou menos assim. Porém Pointsman pensava em tudo, e já prevendo esta possibilidade passou a enviar-lhe pílulas de laxante junto com as refeições. Agora seus intestinos gemem suavemente e ela sente a merda começando a descer e sair. Ele está de joelhos, os braços segurando o manto fino. Um cagalhão escuro aparece na fenda, despontando na escuridão absoluta entre as nádegas alvas. Ele abre bem os joelhos, desajeitado, até conseguir sentir o couro das botas. Debruça-se para a frente para abarcar o cagalhão quente com os lábios, chupando-o para fora delicadamente, lambendo-lhe a face inferior... está pensando, contra a vontade, não consegue evitá-lo, está pensando no pênis de um negro, sim, ele sabe que isto anula parte das condições acertadas, mas não há como negá-lo, a imagem de um africano bruto a discipliná-lo... O fedor de merda invade seu nariz, domina-o, cerca-o. É o cheiro de Passchendaele, do Saliente. Misturado com a lama, e a putrefação dos cadáveres, era o cheiro soberano do primeiro encontro dos dois, é o emblema de sua Senhora. O tolete desliza para dentro de sua boca, até a garganta. Ele quase vomita, num espasmo, porém trinca os dentes com firmeza. Um pão que teria flutuado num vaso de porcelana em algum lugar, sem quem o visse, sem quem o provasse — assado no amargo Forno intestinal, transformando-se no pão que conhecemos, pão leve como o conforto doméstico, secreto como a morte na cama... Os espasmos na garganta continuam. A dor é terrível. Com a língua ele amassa a merda contra o céu da boca e começa a mastigar, um ruído forte, o único som na sala...

Há dois mais toletes, menores, e tendo comido ambos põe-se a lamber a merda residual do ânus da mulher. Ele reza para que ela o deixe jogar o manto sobre seu próprio corpo, que o deixe, naquela escuridão forrada de seda, ficar mais um pouco com sua língua submissa enterrada em seu cu. Porém ela se afasta. A pele é arrancada de suas mãos. Ela lhe ordena que se masturbe na sua frente. Já viu o capitão Blicero fazer isso com Gottfried, e aprendeu a maneira correta de fazê-lo.

O general goza rapidamente. O cheiro forte de sêmen se espalha pela sala como fumaça.

"Agora vá embora." Ele tem vontade de chorar. Mas já tentou implorar, oferecer-lhe — absurdamente — a própria vida. Lágrimas brotam-lhe dos olhos e escorrem-lhe pelas faces. Ele não consegue olhá-la nos olhos. "Você está com a boca toda suja de merda. Acho que vou tirar uma foto de você assim. Para se algum dia você se cansar de mim."

"Não. Não. Eu só estou cansado é *daquilo*", indicando com um movimento de cabeça o resto da "Aparição Branca", para além da Ala D. "Tão cansado..."

"Vista-se. Lembre-se de limpar a boca. Quando eu o quiser de novo, mando chamar."

Ele é despachado. Já fardado, fecha a porta da cela e volta por onde veio. O vigia noturno continua dormindo. O ar frio bate em Pudding como um soco. Ele soluça, recurvo, sozinho, o rosto encostado por um momento nas ásperas paredes de pedra da casa pseudorrenascentista. Seu alojamento transformou-se num exílio, e seu verdadeiro lar é lá onde encontra sua Senhora da Noite, com suas botas macias e sua dura voz de estrangeira. Agora nada o espera senão uma tigela de caldo de carne, papéis de rotina para assinar, uma dose de penicilina que Pointsman o obriga a tomar, para combater os efeitos de *E. coli*. Quem sabe amanhã à noite... é, talvez. Ele não sabe como vai conseguir aguentar por muito mais tempo. Mas talvez, nas horas que antecedem o romper da madrugada...

O grande ápice — verde equinócio, virada dos peixes sonhadores ao tenro carneiro, sono das águas a despertar de fogo — desce sobre nós. Do outro lado do front ocidental, no alto dos montes Harz, em Bleicheröde, Wernher von Braun, braço recém-quebrado engessado, prepara-se para comemorar seu aniversário, 33 anos. O estrondo da artilharia pontua a tarde. Tanques russos levantam torvelinhos de pó nos prados alemães. As cegonhas voltaram, e as primeiras violetas já apareceram.

Na "Aparição Branca", junto aos despenhadeiros de giz, os dias agora são belos e limpos. As moças do escritório sobrepõem um número menor de suéteres, e as formas dos seios começam a tornar-se visíveis de novo. Março começou bem, Lloyd George está morrendo. Alguns visitantes aparecem na praia ainda proibida, sentados em meio a estruturas já quase obsoletas de varas e cabos de ferro, calças arregaçadas até os joelhos, cabelos livres de redes, dedos dos pés pálidos e friorentos pisando os seixos. A poucos metros da praia, debaixo d'água, correm quilômetros de canos secretos, óleo que pode ser lançado com o simples girar de uma válvula para queimar invasores alemães que pertencem a sonhos já antigos... combustível aguardando uma ignição autodetonante que não virá jamais, a menos que seja agora, como brincadeira de algum burocrata de baixo escalão ou rebelião primaveril do espírito, ao som animado da melodia do bávaro Carl Orff:

O, O, O,

To-tus flore-o!
Iam amore virginali
Totus ardeo...

toda esta costa-fortaleza ardendo, de Portsmouth a Dungeness, ardendo por amor à primavera. Tramas desse tipo são elaboradas cotidianamente pelas cabeças mais ativas da "Aparição Branca" — o inverno de cães, de nevadas negras de palavras estéreis, está chegando ao fim. Logo terá passado. Porém, uma vez lá, às nossas costas — continuará a emitir seu frio encapuzado, por mais que o mar se incendeie?

No Cassino Hermann Goering, um novo regime começa a ser implantado. O general Wivern é agora o único rosto conhecido por lá, embora pareça ter sido rebaixado. Já a imagem que Slothrop construiu da trama contra ele só fez aumentar. Antes a conspiração era monolítica, todo-poderosa, impalpável. Até o jogo de príncipe, e aquela cena com Katje, e as duas despedidas súbitas. Mas agora —

Provérbios para Paranoicos, 1: Nunca se pode tocar no Mestre, porém podem-se fazer cócegas em suas criaturas.

Além disso, bem, ultimamente Slothrop tem se aventurado num certo estado de consciência, não um sonho, nada disso, talvez o que outrora fosse chamado de "devaneio", se bem que nele há mais cores primárias do que tons pastel... e nessas ocasiões ele tem a impressão de ter tocado, e ter permanecido em contato, por algum tempo, com uma alma que conhecemos, uma voz que mais de uma vez falou através do médium da unidade de pesquisa, Carroll Eventyr: o falecido Roland Feldspath mais uma vez, perito, há muito tempo cooptado, em sistemas de controle, equações de guiagem, situações de retroalimentação para esta ou aquela aeronáutica. Pelo visto, por motivos pessoais, Roland permanece pairando acima desse espaço slothropiano, no sol cuja energia ele mal sente ou em tempestades cuja eletricidade estática faz cócegas em suas costas, Roland sussurra da altitude selvagem de oito quilômetros, posicionado, tal como ele sempre esteve, em uma das Últimas Parábolas — trajetórias de voo que nunca devem ser tomadas —, atuando agora como um dos invisíveis Interditores da estratosfera, totalmente burocratizado do outro lado tal como deste, ele crava suas unhas astrais com tanta força quanto possível, enrodilhado no "céu", tenso de todas as frustrações de tentar se comunicar, com a impotência de certos sonhadores que tentam acordar ou falar e não conseguem, que se debatem contra pesos e pontadas de dor craniana que dão a impressão de que seriam insuportáveis se estivessem acordados, ele espera, não necessariamente pela entrada aleatória de bobalhões como o nosso Slothrop —

Roland estremece. Será que é *esse*? Esse? para ser figura de proa da última passagem? Ah, meu Deus. Tende piedade: que tempestades, que monstros do Éter este Slothrop seria capaz de imobilizar com seus encantos para quem quer que fosse?

Bem, Roland tem que fazer o melhor que pode, paciência. Se eles chegarem até este ponto, Roland tem de lhes mostrar o que ele sabe a respeito do Controle. Esta é uma das missões secretas de sua morte. Seus pronunciamentos obscuros sobre sistemas econômicos aquela noite no Snoxall são apenas a base dos bate-papos cotidianos do lado de cá, uma precondição do ser. Pergunte aos alemães, em particular. Ah, é uma história triste, o modo absurdo como os que detinham o poder utilizaram seu Schwärmerei pelo Controle. Sistemas Paranoicos da História (SPH), um periódico efêmero dos anos 20 cujos clichês desapareceram todos misteriosamente, é claro, chegou mesmo a aventar a hipótese, em mais de um editorial, de que toda a Inflação Alemã foi criada de propósito, apenas para levar os jovens entusiastas da Tradição Cibernética a trabalhar no Controle: afinal, uma economia inflacionada, subindo mais e mais feito um balão, descontrolada, sua própria definição da superfície da Terra subindo de valor, ao sabor dos dias, em que o sistema de retroalimentação projetado para manter constante o valor do marco havia fracassado do modo mais humilhante... Um de ganho em cada volta, um de ganho, mudança zero, e silêncio, assim para todo o sempre, eram esses os versinhos secretos da infância da Disciplina do Controle — secretos e terríveis, como dizem as histórias escandalosas. Oscilações divergentes de qualquer tipo eram quase a Pior Ameaça. Era impossível empurrar os balanços daqueles playgrounds acima de um certo ângulo medido a partir da vertical. As brigas eram rapidamente terminadas, com uma eficiência que não demorara para se instaurar. Os dias de chuva nunca tinham muitos relâmpagos nem trovões, apenas um tom cinzento vítreo e altivo a acumular-se nas partes mais baixas, um panorama monocromático de vales cheios de armadilhas cobertas de plantas, raízes apontando para o céu numa atitude lúdica não de todo maligna (uma surpresa branca para os elitistas indiferentes lá do alto, não...), vales cheios de outono, e na chuva um tom pardacento, murcho, tom de solteirona, por trás do dourado... chuva muito seletivamente poluída nos empurrando para terrenos baldios e ruelas, cada vez mais misteriosas, mal pavimentadas e mais profundamente trançadas, cada terreno dando lugar a mais sete terrenos tortos, muitas vezes até mais, contornando quinas de sebes, atravessando ilusões de ótica da luz do dia até que saímos, febris, silenciosos, da região de ruas e passamos para o interior, para os campos escuros e quadriculados e a mata, o início da floresta de verdade, onde começa a revelar-se algo da provação que temos pela frente, e nossos corações começam a sentir medo... mas tal como nenhum balanço podia ser levado acima de uma certa altura, assim também, além de um certo raio, não se podia penetrar mais a floresta. Sempre havia um limite impossível de ultrapassar. Era fácil crescer num tal estado de coisas. Tudo era muito sadio. Raramente víamos as bordas, menos ainda flertávamos com elas. A destruição, ah, e os demônios — inclusive o de Maxwell — estavam lá, no fundo da mata, junto com outras feras que se entocavam nas fortificações de nossa segurança...

Assim, a terrível passagem do Foguete foi reduzida, literalmente, a termos burgueses, termos de uma equação como aquela elegante combinação de filosofia e mecânica, mudança abstrata e eixos metálicos que descrevem o movimento sob o aspecto de controle de rotação:

$$\theta \frac{d^2 \phi}{dt^2} + \delta^* \frac{d\phi}{dt} + \frac{\partial L}{\partial \alpha}(S_1 - S_2)\, \alpha = - \frac{\partial R}{\partial \beta} S_3 \beta,$$

preservando, possuindo, navegando entre Cila e Caribde até o Brennschluss. Se algum dos jovens engenheiros viu uma correspondência entre o profundo conservadorismo da Retroalimentação e o tipo de vida que eles estavam começando a levar *justamente no processo* de abraçá-la, ela se perdeu, ou se disfarçou — nenhum deles fez a conexão, pelo menos em vida: foi só mesmo com a morte que Roland Feldspath se deu conta, a morte com suas ótimas oportunidades de chegar Tarde Demais, e uma multidão de outras almas que se sentiam, mesmo agora, semelhantes ao Foguete, viajando em direção às luzes azul-pétreo do Vácuo sob um Controle que elas não conseguem identificar direito... a iluminação aqui é surpreendentemente amena, tão amena quanto as vestes celestiais, a percepção de uma população e uma força invisível, fragmentos de "vozes", vislumbres de *uma outra ordem do ser*...

Depois, tudo que restaria para Slothrop seria menos um símbolo ou esquema da coisa do que um ressaibo alcalino de lamento, uma *estranheza* irredutível, uma autossuficiência que nada poderia penetrar...

É, esses episódios são meio *germânicos*. Pois é, ultimamente Slothrop está até sonhando em alemão. Estão lhe ensinando dialetos, Plattdeutsch para a zona que os britânicos pretendem ocupar, turíngio se os russos não conseguirem chegar em Nordhausen, onde fica a principal fábrica de foguetes. Juntamente com os professores de alemão vêm peritos em material bélico, eletrônica e aerodinâmica, e um sujeito da Shell International Petroleum chamado Hilary Bounce, que vai lhe ensinar propulsão.

Ao que parece, no início de 1941 o Ministério do Abastecimento britânico concedeu à Shell um contrato de pesquisa no valor de £10.000 — para que a Shell desenvolvesse um motor de foguete cujo combustível não fosse cordite, que estava sendo usado na época para explodir pessoas de vários tipos a um ritmo de porrilhões de toneladas por hora, e portanto não podia ser gasto em foguetes. Uma equipe liderada por um tal de Isaac Lubbock criou um laboratório de teste estático em Langhurst, perto de Horsham, e começou a fazer experimentos com oxigênio líquido e combustível de avião, realizando o primeiro teste com êxito em agosto de 42. O engenheiro Lubbock graduara-se em primeiro lugar em duas áreas diferentes em Cambridge e era o Pai da Pesquisa Britânica sobre Oxigênio Líquido, e se havia alguma coisa sobre a substância que ele não sabia era porque não valia a pena saber. Seu principal assistente no momento é o senhor Geoffrey Gollin, e é a Gollin que Hilary Bounce presta contas.

"Pois eu prefiro Esso", Slothrop achou-se na obrigação de dizer. "Meu carro antigo bebia gasolina até não poder mais, mas era um gurmê. Toda vez que eu punha Shell no meu Terraplane, coitado, depois tinha que botar um vidro inteiro de Bromo-Seltzer pra consertar as tripas dele."

"Na verdade", as sobrancelhas do capitão Bounce, um tipo que veste a camisa da firma 110%, subindo e descendo num esforço sincero de ajudá-lo, "naquela época a gente só trabalhava com transporte e armazenamento. Antes dos japoneses e dos nazistas, você sabe, a produção e refinamento ficavam a cargo da sede holandesa, em Haia."

Slothrop, o babacão, coitado, está pensando em Katje, sua Katje perdida, dizendo o nome da sua cidade, sussurrando palavras holandesas de amor enquanto caminhavam à beira-mar em manhãs que agora já pertencem a uma outra época, outro estado de coisas... *Espere um minuto*. "Você está se referindo à Bataafsche Petroleum Maatschappij, N.V.?"

"Isso mesmo."

É também o negativo de uma foto de reconhecimento da cidade, marrom-escuro, cheia de manchas d'água, nunca dá tempo de deixar secar direito —

"Saberão vocês...", também lhe ensinam inglês britânico, sabe Deus por quê, e sempre que ele tenta falar como eles vira uma imitação de Cary Grant, "que os boches — os alemães, você sabe — estão lá em Haia, mandando foguetes para Londres, e-e eles usam o... o *prédio* da sede da Royal Dutch Shell, na Josef Israelplein se não me engano, como transmissor de radioguiagem? Mas que merda é essa, meu caro?"

Bounce olha fixamente para ele, tilintando suas joias gástricas, sem saber o que pensar do tal Slothrop.

"Quer dizer", Slothrop agora começando a se indignar por algo que só o incomoda vagamente, nada que valha um bate-boca, é ou não é? "você não acha meio estranho, vocês da Shell pesquisando o *seu* motor do outro lado do mar, enquanto os boches atiram os foguetes *deles* em vocês usando... a porra da torre da transmissão da Shell, hein?"

"Não, não vejo nada de... aonde é que você quer chegar? Imagino que eles simplesmente escolheram o prédio mais alto que ficava na linha reta dos alvos deles em Londres."

"É, e na *distância* exata, também, não esqueça — precisamente doze quilômetros da base de lançamento. Não é? É aí que eu quero chegar." Espere aí, espere aí. É *aí* mesmo que ele quer chegar?

"Bem, eu nunca encarei a coisa por esse ângulo."

Nem eu, meu irmão. Ah...

Hilary Bounce e seu Sorriso Perplexo. Outro inocente, outro entusiasta baixo-facho como Sir Stephen Dodson-Truck. Porém:

Provérbios para Paranoicos, 2: A inocência da criatura é inversamente proporcional à imoralidade do Mestre.

"Espero que eu não tenha dito nada de errado."

"Por quê?"

"Você está com uma cara —" Bounce aspira ao que se pretende ser um risinho simpático, "preocupada."

Preocupado é apelido. Sentindo-se nas mandíbulas de alguma Criatura, alguma Presença tão grande que ninguém mais consegue enxergá-la — olhe lá! olhe lá o tal monstro de que eu estava lhe falando. — Que monstro, que nada, sua besta! São *nuvens*! — Não, será que você não vê? São os *pés* dele — Pois bem, Slothrop percebe este monstro no céu: as garras e escamas, perfeitamente visíveis, estão sendo confundidas com nuvens e outras coisas plausíveis... ou então todo mundo combinou de *chamá-las por outros nomes* sempre que Slothrop estiver escutando...

"É só uma 'coincidência maluca', Slothrop."

Ele vai aprender a detectar aspas nas falas dos outros. É um reflexo meio livresco, talvez seja predisposição genética — todos aqueles antepassados que viajavam pelas serras azuis com bíblias como parte do equipamento, decorando os capítulos e versículos das descrições das Arcas, dos Templos, dos Tronos Visionários — todos os materiais e dimensões. Dados por trás dos quais, mais perto ou mais longe, estava sempre a certeza numinosa de Deus.

Pois bem: não haveria maneira melhor de Tyrone Iluminar-se do que esta:

Trata-se de uma cópia heliográfica de uma lista de peças alemãs, uma reprodução tão vagabunda que ele mal consegue ler o que está escrito — "Vorrichtung für die Isolierung, 0011-5565/43", que diabo é isso? Slothrop sabe o número de cor, é o número do contrato original do foguete A4. O que é que o "dispositivo de isolamento" tem a ver com o número do contrato do Aggregat? E além disso prioridade DE, a mais alta prioridade nazista? Nada bom. Ou bem um funcionário do OKW fez merda, o que acontece às vezes, ou então ele simplesmente não sabia o número, e pôs o do foguete para quebrar o galho. O número do pedido, da peça e do trabalho vêm todos com a mesma nota marginal, que remete a um tal Documento SG-1. Uma nota apensa à nota alerta: "Geheime Kommandosache! Isto é um segredo de Estado, na acepção de § 35 R5138".

"Escute", recebendo o general Wivern que entra de fininho, "queria um exemplar do tal Documento SG-1."

"Ha, ha", responde o general. "Você e o nosso pessoal, eu imagino."

"Deixe de brincadeira." Toda informação dos Aliados sobre o A4, por mais confidencial que seja, é enfiada num funil secreto em Londres, e tudo acaba aparecendo na cela sofisticada de Slothrop no Cassino. Até agora não lhe recusaram nada.

"Slothrop, não existe nenhum documento 'SG'."

O primeiro impulso é esfregar a lista de peças na cara do sujeito, mas hoje Slothrop é o ianque esperto enrolando os ingleses. "Ah, pode ser que eu tenha lido errado", fazendo de conta que olha a sua volta na sala cheia de papéis, "vai ver que era '56', sei lá, meu Deus, estava aqui ainda agorinha..."

O general sai. Deixando Slothrop intrigado, até mesmo, bem, também não chega a ser uma obsessão... ainda não... Junto à lista de peças, na coluna de Materiais, lá está: "Imipolex G". Essa não. Dispositivo de isolamento feito de Imipolex G, é? Slothrop anda de um lado para o outro procurando seu manual de nomes comerciais alemães. Lá não acha nada sequer parecido... em seguida, encontra uma lista completa de materiais empregados na construção do A4 e todo seu equipamento de suporte, e lá também não tem nenhum Imipolex G. Escamas e garras, e passos que ninguém mais consegue ouvir...

"Algum problema?" Hilary Bounce de novo, o nariz enfiado na porta.

"É o oxigênio líquido, preciso de mais dados sobre impulso específico."

"Impulso... você quer dizer 'empuxo específico'?"

"Ah, sim, empuxo." Salvo pelo inglês britânico, Bounce devidamente despistado:

"Oxigênio líquido e álcool, mais ou menos 200. O que mais você precisa saber?"

"Mas lá em Langhurst vocês não usavam gasolina?"

"Sim, entre outras coisas."

"Pois bem, as tais outras coisas. Você não sabe que estamos em guerra? Vocês não podem querer guardar segredo sobre isso."

"Mas todos os relatórios da companhia estão em Londres. Quem sabe na minha próxima folga..."

"Que porra de burocracia! Eu preciso disso agora, capitão!" Slothrop parte do princípio de que eles lhe atribuem uma ilimitada Necessidade de Saber, o que é confirmado por Bounce:

"Acho que dava para eu mandar por teletipo..."

"Melhorou!" Teletipo? Sim senhor, Hilary Bouce tem seu próprio Terminal de Teletipo da Rede Internacional da Shell, tal como Slothrop sonhava, ali mesmo em seu quarto de hotel, dentro do armário, atrás dos uniformes e camisas engomadas comprados na Alkit. Slothrop azeita sua entrada com a ajuda de sua amiga Michele, na qual, ele já percebeu, Bounce está de olho. "E então, meu bem", na mansarda escura cheia de meias penduradas onde dormem as dançarinas, "que tal se ligar hoje num bambambã do petróleo?" Problema de comunicação, ela fica pensando em se conectar através de tubos metálicos a um homenzarrão coberto de óleo cru, uma transação sexual que não lhe parece muito apetitosa, porém o mal-entendido é esclarecido, e logo Michele está animadíssima para passar uma conversa no homem de modo a afastá-lo do teletipo, para que Slothrop possa se comunicar com Londres e informar-se a respeito do Imipolex G. De fato, ela já percebeu a presença ocasional do capitão Bounce entre seus admiradores noturnos, e reparou em particular numa insígnia que Slothrop também já viu: um anel de benzeno de ouro com uma cruz de malta no centro — o Prêmio IG Farben por Contribuições de Mérito à Pesquisa com Materiais Sintéticos. Bounce ganhou a condecoração em 32. A conexão industrial para que ela aponta já estava cochilando no fundo da consciência de Slothrop quando surgiu a Questão do Transmissor de Radioguiagem. De certo modo, foi ela que inspirou o complô do teletipo. Quem poderia saber melhor do que uma empresa como a Shell, que no fundo não tem pátria, não está nem de um lado nem do outro em guerra alguma, que não tem rosto nem herança: que em vez disso explora aquele estrato global, o mais profundo, de onde se originam todas as aparências de propriedade de empresas?

Muito bem. Hoje tem festa lá no *Cap*, chez Raoul de la Perlimpinpin, o jovem e desmiolado herdeiro do magnata dos fogos de artifício de Limoges, Georges ("Poudre") de la Perlimpinpin — se é que "festa" é a palavra adequada para designar uma atividade que vem ocorrendo sem interrupção desde que esta parte da França foi liberada. Slothrop tem permissão para — vigiado como sempre — ir à casa de Raoul sempre que lhe der na veneta. A casa é frequentada por um bando de porra-loucas ociosos, vindos de todos os cantos da Europa Aliada, ligados por vínculos de sangue, sexo e pelo histórico de outras festas semelhantes cuja complexidade jamais conseguiu penetrar por completo em seu cérebro. Aqui e ali passam rostos, velhos rostos americanos de Harvard ou do SHAEF, nomes que lhe escapam — são fantasmas, talvez acidentais, talvez...

É para ir a esta festa que Michele seduziu Hilary Bounce, e é para ela que Slothrop, assim que recebe sua resposta de Londres pela máquina de Bounce, começa a embonecar-se. Deixa para ler a resposta com calma depois. Cantando,

Meu rosto brilha como um microfone,
E o meu cabelo é sensacional,
Sou mais que um pão, eu sou um panetone,
Sou mesmo o tal, o tal...

e assim, com um terno francês na crista da moda, verde com um sutil xadrez roxo, gravata larga de florzinhas ganha numa mesa de trinta e um, sapatos modelo-inglês marrons e brancos com travas de golfe nas solas e meias brancas, Slothrop coroa-se com um chapéu de feltro azul-escuro de aba quebrada e sai, cláquete-cláquete, pelo foyer do Cassino Hermann Goering, elegantérrimo. Assim que se afasta, um paisano magro e musculoso, disfarçado de apache até onde o Serviço Secreto é capaz de imaginar o que seja um apache, sai de dentro de um nicho na porta-cocheira e segue o táxi de Slothrop pela estrada escura e sinuosa que leva à casa de Raoul.

Acontece que umas horas atrás algum gozador colocou cem gramas de haxixe no molho holandês. A notícia se espalhou. Todo mundo atacou os brócolis. Assados esfriam nas longas mesas de bufê que vão de uma ponta da sala a outra. Um terço dos convivas já dorme, a maioria no chão. É necessário caminhar com cuidado entre os corpos para chegar até onde alguma coisa está acontecendo.

O que está acontecendo não é fácil de entender. Lá estão os grupinhos fechados de sempre nos jardins, negociando. Não tem muito espetáculo hoje. Um triângulo de homossexuais degenerou em beliscões e recriminações bem na porta do banheiro, bloqueando a passagem. Lá fora jovens oficiais vomitam entre as zínias. Casais perambulam. Garotas abundam, com laços de veludos, mangas de voile, subnutridas, ombros largos, com permanentes, falando meia dúzia de idiomas, umas queimadas do sol daqui, outras pálidas como o Vigário da Morte, vindas de territórios da Guerra mais ao leste. Rapazes ansiosos com cabelos de verniz correm de um lado para o outro tentando seduzir as moças, enquanto outros, com mais idade e menos cabelo, preferem esperar, limitando-se a um esforço mínimo, olhos e bocas voltados para o outro lado da sala, falando sobre negócios enquanto isso. Uma extremidade do salão é ocupada por uma orquestra de dança e um crooner macilento de cabelos ondulados e olhos muito vermelhos, que canta:

JULIA (FOXTROTE)

Ju-lia,
Minha paixão por ti é hercú-lea,
É muito mais que uma fagú-lia,
Posso roubar um beijo de você?

Ju-lia,
Você é a linha, eu sou a agu-lha,
Mesmo você me achando um pu-lha,
Posso roubar um beijo de você?

Ah Juu-lia,
Por favor, deixe que eu adu-le-a,
Meu coração por ti arrú-lia,
Eu quero muito ser teu bem —
Tem mais, também —

Ju-lia,
Eu gritaria ale-lu-ia,
Se eu tivesse a minha Juuuu-lia,
Só minha, e de mais ninguém.

Música saxofônica, bem ao gosto de Park Lane, perfeita para certos estados de espírito. Slothrop vê Hilary Bounce, claramente vítima do molho alucinógeno, todo espapaçado num pufe enorme com Michele, que está há duas ou três horas acariciando-lhe a medalhinha da IG Farben. Slothrop acena para eles, mas nenhum dos dois responde.

Drogados e bêbados disputam desavergonhadamente os restos do bufê e da cozinha, remexendo armários, lambendo panelas. Um grupo de banhistas nus passa em direção à escada que dá à praia. Nosso anfitrião, o tal Raoul, anda de um lado para o outro com um chapelão de caubói, camisa de Tom Mix e par de revólveres, puxando um percherão pelas rédeas. O cavalo solta cagalhões sobre o tapete de Bucara e sobre um ou outro convidado supino. Tudo muito confuso e disforme, até que a banda executa um floreio sarcástico, e eis que entra em cena o sujeito mais assustador que Slothrop já viu fora de filme de Frankenstein — com um terno de malandro branco com vincos caprichados e um chaveiro de ouro comprido que se balança espalhando reflexos quando ele atravessa a sala fechando a carranca para todo mundo, meio apressado mas fazendo questão de examinar rostos e corpos, inclinando a cabeça para um lado e para o outro, um pouco sinistro. Para por fim diante de Slothrop, que está preparando um shirley-temple.

"Você." Um dedo do tamanho de uma espiga de milho, a dois centímetros do nariz de Slothrop.

"Eu mesmo", Slothrop deixando cair no tapete uma cereja em calda de marasquino, depois esmagando-a ao dar um passo à frente. "Sou eu e mais ninguém. É comigo mesmo. O que é? Qualquer coisa."

"Venha." Saem da casa e vão até um arvoredo de eucaliptos, onde Jean-Claude Gongue, notório traficante de escravas brancas de Marselha, está traficando escravas brancas. "Ei, você", gritando para dentro do arvoredo, "você quer ser escrava branca, hein?" "Eu, não, porra", responde alguma moça invisível, "quero é ser uma escrava *verde*!" "Magenta!" grita alguém de uma oliveira. "Escarlate!" "Acho que vou virar traficante de droga", diz Jean-Claude.

"Olhe", o amigo de Slothrop tirando um envelope de papel Kraft que mesmo no escuro Slothrop percebe estar cheio de papel-moeda provisório amarelo, emitido pelo exército americano, "quero que você segure isso para mim até eu pedir que me devolva. Parece que o Italo vai chegar aqui antes da Tamara, e não sei quem é que..."

"Tamara que ela chegue antes dele", interrompe Slothrop, num tom de Groucho Marx.

"Não tente abalar minha confiança em você", aconselha o Grandalhão. "Você é o homem."

"Certo", Slothrop enfiando o envelope no bolso. "Me diga uma coisa, onde foi que você arranjou esse terno bacana?"

"Qual o seu tamanho?"

"52, médio."

"Você vai ganhar um", e volta para dentro da casa resmungando.

"E-e um *chaveiro bacana* também!", grita Slothrop. Mas que merda é essa? Anda a esmo fazendo uma ou outra pergunta. Descobre que o tal cidadão é Blodgett Waxwing, famoso por ter fugido da Caserne Martier em Paris, o pior campo de prisioneiros do teatro de operações europeu. A especialidade de Waxwing é falsificar documentos de todos os tipos — cupons de racionamento, passaportes, Soldbücher —, nas horas vagas ele negocia com armamentos do exército. Desde a batalha de Ardenas, volta e meia Waxwing passa ausente, e embora essa falta seja punida com execução nem por isso ele deixa de frequentar as bases do exército americano à noite para as sessões de cinema — desde que sejam de bangue-bangue, ele adora filme com muita porrada, tropéis de cavalos num alto-falante ribombando por cem metros de barris de petróleo e sulcos de caminhão em terra estrangeira fazem seu coração balançar como se uma brisa soprasse nele, um de seus muitos contatos lhe passa uma relação de todos os filmes exibidos em todas as cidades ocupadas no teatro de operações, e ele já fez ligação direta no jipe de um general só para ir a Poitiers assistir a um filme de Bob Steele ou Johnny Mack Brown. Sua foto está sempre em posição de destaque em todos os xadrezes dos quartéis americanos e está gravada nos cérebros de milhares de policiais militares, mas por outro lado ele já viu *Assassinos a sangue frio* sete vezes.

O que está acontecendo hoje aqui é uma típica trama romanesca da Segunda Guerra Mundial, mais uma noite na casa de Raoul, em que um futuro carregamento de ópio está sendo usado por Tamara como garantia a um empréstimo contraído com Italo, o qual por sua vez deve a Waxwing um tanque Sherman que seu amigo Theophile está tentando contrabandear para a Palestina, só que precisa levantar alguns milhares de libras para pagar propinas na fronteira, e por isso colocou o tanque como caução a um empréstimo que lhe vai fazer Tamara, a qual está usando uma parte do dinheiro que está tomando de Italo para lhe pagar. Mas neste ínterim a transação de ópio parece que vai gorar, porque o intermediário não dá sinal de vida há semanas, juntamente com o dinheiro que Tamara lhe deu adiantado, o qual ela obteve de Raoul de la Perlimpinpin através de Waxwing, que está agora sendo pressionado por Raoul para lhe pagar, porque Italo, concluindo que o tanque agora pertence a Tamara, apareceu na véspera e o levou para Local Desconhecido como pagamento de seu empréstimo, o que fez Raoul entrar em pânico. Mais ou menos isso.

O agente que segue Slothrop está recebendo propostas indecorosas de dois dos homossexuais que estavam brigando no banheiro. Bounce e Michele desapareceram, e o tal do Waxwing também. Raoul está tendo uma conversa séria com seu cavalo. Slothrop está justamente se instalando ao lado de uma garota com vestido da Worth de antes da guerra e com um rosto igual ao de Alice no País das Maravilhas, a mesma testa, o mesmo nariz, o mesmo cabelo, quando lá de fora vem uma barulheira infernal, rangidos, estampidos, madeira estalando, moças saem correndo apavoradas dos arvoredos de eucalipto e fogem para dentro da casa, e logo atrás delas, à luz fraca do jardim, eis que surge nada menos que o famoso Tanque Sherman, faróis ardendo como os olhos de King Kong, esteiras cuspindo grama e lascas de pedra, manobrando e por fim parando. O canhão de 75 mm roda até apontar para as portas de vidro que dão direto na sala. "Antoine"! uma jovem encarando o gigantesco cano, "pelo amor de Deus, agora não..." Abre-se uma escotilha e sai Tamara — imagina Slothrop: mas o tanque não estava com Italo? — aah — gritando impropérios contra Raoul, Waxwing, Italo, Theophile e o intermediário da transação de ópio. "Mas agora", grita ela, "eu peguei vocês todos! Um coup de foudre!" Fecha-se a portinhola — ah meu Deus — ouve-se um projétil de 3 polegadas sendo colocado na culatra. Moças começam a gritar e partem em direção às saídas. Drogados olham a sua volta, piscando, sorrindo, dizendo "sim" de diversas maneiras diferentes. Raoul tenta montar no cavalo para fugir, mas não acerta a sela e cai do outro lado, dentro de uma banheira cheia de gelatina adquirida no mercado negro, sabor framboesa, coberta de creme chantilly. "Ah, não..." Slothrop acaba de resolver dar uma corrida até o tanque quando BRRRRLUUMMMMM! o canhão troveja ensurdecedor, chamas de um metro saltam para dentro da sala, uma onda de choque empurra os tímpanos para o meio do cérebro e joga todo mundo contra as paredes.

Uma cortina pegou fogo. Slothrop, tropeçando nos convidados, não consegue ouvir nada, sente a cabeça doendo, corre em meio à fumaça rumo ao tanque — salta em cima dele, vai abrir a escotilha e quase é derrubado quando Tamara põe a cabeça para fora para gritar com todo mundo outra vez. Depois de uma luta que não deixa de ter seus momentos eróticos, pois Tamara é um pedaço de mulher com movimentos bem graciosos, Slothrop consegue dar-lhe uma chave de braço e arrastá-la para fora do tanque. Mas apesar da barulheira e de tudo o mais, olhe só — pelo visto ele *não* está de pau duro. Hum. Eis um dado que jamais chegou a Londres, porque não havia ninguém olhando.

Acaba que o projétil falhou e só fez abrir buracos em várias paredes, além de destruir um grande quadro alegórico que representava a Virtude e o Vício praticando um ato antinatural. A Virtude tinha um sorriso vago e distante. O Vício coçava a cabeça descabelada, um pouco perplexo. O fogo da cortina foi apagado com um pouco de champanhe. Raoul, em lágrimas, agradece a Slothrop por ter salvo sua vida, apertando-lhe as mãos e beijando-lhe as faces, deixando uma trilha de gelatina por onde vai. Tamara é levada pelos guarda-costas de Raoul. Slothrop acaba de livrar-se dele, e está tirando a gelatina do terno, quando sente uma mão pesada no ombro.

"Você tinha razão. Você é mesmo o homem."

"Isso não foi nada." Errol Flynn cofia os bigodes. "Salvei uma mulher de um polvo há não muito tempo, que tal?"

"Com uma diferença", diz Blodgett Waxwing. "Isso aqui aconteceu de verdade. Mas o polvo, não."

"Como é que você sabe?"

"Eu sei muita coisa. Nem tudo, mas sei coisas que você não sabe. Escute, Slothrop — você vai precisar de um amigo, e mais cedo do que você imagina. Não venha mais a esta casa — a coisa aqui vai ficar quente demais — mas se der para você ir até Nice —" e entrega-lhe um cartão de visita, com um cavalo de xadrez em relevo e um endereço na rue Rossini. "Me devolva o envelope. Tome o seu terno. Obrigado, maninho." E desaparece. Tem o talento de sumir quando quer. O terno de malandro está dentro de uma caixa amarrada com fita roxa. O chaveiro está lá também. Ambos já pertenceram a um garoto que morava em East Los Angeles, chamado Ricky Gutiérrez. Por ocasião do Motim dos Ternos de Malandro de 1943, o jovem Gutiérrez foi agarrado por um bando de rapazes brancos, que o surraram enquanto a polícia assistia a tudo e dava sugestões, e depois preso por perturbar a ordem. O juiz dava aos rebeldes a opção de escolher a cadeia ou o exército. Gutiérrez alistou-se, foi ferido em Saipan, teve gangrena, perdeu um braço e voltou para East Los Angeles, onde está casado com uma garota que trabalha na cozinha de uma lanchonete de comida mexicana em San Gabriel, não consegue arranjar emprego, passa o dia bebendo... Mas seu velho terno de malandro, e os de milhares de outros rapazes que foram presos naquele verão, ficando abandonados em tantas casas de mexicanos em L.A., acabaram sendo comprados e vieram parar aqui, no mercado, não há nada de errado em lucrar um pouco, é ou não é, se ficassem em seus lugares de origem iam ficar ociosos, em meio à fumaça de gordura e cheiros de bebê, em quartos onde as persianas ficam abaixadas para deter o sol branco que castiga, dia após dia, as palmeiras ressecadas, os canos de esgoto enlameados, dentro desses quartos vazios, infestados de moscas...

O tal Imipolex G acaba não sendo nada mais — ou menos — sinistro que um novo plástico, um polímero heterocíclico aromático desenvolvido em 1939, anos antes de surgir alguma utilidade para ele, por um certo L. Jamf, da IG Farben. Permanece estável em altas temperaturas, até 900°C, é resistente e um bom isolante. Em termos estruturais, é uma cadeia reforçada de anéis benzênicos, semelhantes ao hexágono de ouro que está sempre batendo contra o umbigo de Hilary Bounce, alternando aqui e ali com os chamados anéis heterocíclicos.

As origens do Imipolex G remontam a pesquisas realizadas na du Pont. A história dos plásticos tem uma grandiosa tradição e uma corrente principal, que passa pela du Pont e seu famoso empregado Carothers, cognominado "o grande sintetizador". Seus estudos clássicos sobre as macromoléculas duraram toda a década de 20 e culminaram na descoberta do náilon, que é não apenas delicioso para o fetichista e indispensável para os insurgentes armados como também era, naquela época e dentro do Sistema, uma afirmação do cânon central da Plasticidade: os químicos não mais ficariam à mercê da Natureza. Agora eles podiam escolher as propriedades que gostariam que uma molécula tivesse e criá-la tal como a queriam. Na du Pont, o passo seguinte após a criação do náilon foi introduzir anéis benzênicos na cadeia de poliamidas. Em pouco tempo surgiu toda uma família de "polímeros aromáticos": poliamidas, policarbonatos, poliéteres e polissulfanos. A propriedade mais desejada era, ao que parecia, a resistência — a primeira da tríade de virtudes da Plasticidade: Resistência, Estabilidade e Brancura (*Kraft*, *Standfestigkeit*, *Weiße*: muitas vezes esta inscrição era tomada por um grafite nazista, e de fato era difícil distingui-la nos muros clareados pela chuva, enquanto os ônibus passavam na rua ao lado ruidosamente trocando de marcha, e os bondes rangiam metálicos, e as pessoas caminhavam caladas na chuva, o céu de fim de tarde com a textura de fumaça de cano de escape, e os braços dos jovens pedestres não enfiados nas mangas dos casacos, e sim lá dentro, em algum lugar, como se abrigassem anões, ou como se, num êxtase, escapassem do horário de trabalho e estivessem tendo relações tácteis com forros ainda mais sedutores que o recém-descoberto náilon...). L. Jamf, entre outros, então propôs, logicamente, dialeticamente, tomar as seções originais de poliamida da nova cadeia e formar anéis com elas também, criando gigantescos anéis "heterocíclicos" alternados com os benzênicos. Este princípio foi com facilidade estendido a outras moléculas precursoras. Um monômero desejado de alto peso molecular podia ser sintetizado sob medida; em seguida, formavam-se com ele anéis benzênicos, que eram encadeados junto com os anéis benzênicos ou aromáticos, mais "naturais". Estas cadeias eram denominadas "polímeros heterocíclicos aromáticos". Uma das cadeias hipotéticas que Jamf elaborou, pouco antes da guerra, veio a ser posteriormente modificada de modo a dar origem ao Imipolex G.

Na época, Jamf estava trabalhando para uma firma suíça chamada Psychochemie AG, cujo nome original era Grössli Chemical Corporation, subsidiária da Sandoz (onde, como qualquer criança sabe, o lendário doutor Hofman fez sua importante descoberta). No início dos anos 20, a Sandoz, a Ciba e a Geigy uniram-se para formar um cartel suíço na área da química. Pouco depois, a firma de Jamf foi também absorvida. De qualquer modo, a maioria dos contratos da Grössli era com a Sandoz, mesmo. Em 1926 já havia acordos verbais entre o cartel suíço e a IG Farben. Quando os alemães abriram uma firma de fachada na Suíça, a IG Chemie, dois anos depois, a maior parte das ações da Grössli foi vendida para eles, e a companhia foi transformada em Psychochemie AG. Assim, o Imipolex G foi patenteado em nome da IG e também da Psychochemie. A Shell Oil entrou na história através de um contrato com a Imperial Chemicals datado de 1939. Por algum motivo curioso, Slothrop vai descobrir, nenhum acordo entre a ICI e a IG tem data posterior a 1939. Nos termos desse contrato referente ao Imipolex, a ICI podia vender o novo plástico na Comunidade Britânica em troca de uma libra esterlina e outras formas valiosas de remuneração. Muito conveniente. A Psychochemie AG ainda existe, e continua com sede no mesmo endereço, na Schokoladestrasse, Zurique, Suíça.

Slothrop balança o chaveiro comprido que veio com seu terno de malandro, um tanto agitado. Algumas coisas estão bem claras de saída. Há mais coisas convergindo sobre ele, vindas lá de fora, do que ele imaginava mesmo em seus momentos de mais profunda paranoia. O Imipolex G aparece num misterioso "dispositivo de isolamento" de um foguete disparado com auxílio de um transmissor instalado no telhado da sede da Shell holandesa, que é colicenciada para vender o Imipolex — um foguete cujo sistema de propulsão é extraordinariamente parecido com o de um que foi desenvolvido pela Shell britânica mais ou menos na mesma época... ah, e tem mais: de repente Slothrop se dá conta do lugar onde todas as informações referentes a foguetes estão sendo reunidas — o escritório de ninguém menos que o senhor Duncan Sandys, genro de Churchill, que trabalha no Ministério do Abastecimento, o qual fica exatamente na Shell Mex House, *meu Deus do céu*...

Neste ponto, Slothrop realiza uma brilhante razia, juntamente com seu fiel companheiro Blodgett Waxwing, na própria Shell Mex House — o coração da filial do Foguete em Londres. Derrubando fileiras de seguranças com sua pequena Sten, chutando para o lado histéricas secretárias núbeis do corpo feminino do exército (de que outro modo seria possível reagir, mesmo que de brincadeira?), atacando os arquivos com brutalidade, lançando coquetéis Molotov, os Malandros Malucos por fim chegam ao sanctum sanctorum com as calças puxadas até os sovacos, cheirando a cabelo chamuscado e sangue derramado, e encontram não o senhor Duncan Sandys numa postura abjeta perante as forças do bem, nem uma janela aberta, uma fuga cigana, cartas de tarô espalhadas, nem mesmo um duelo de força de vontade com o grande Consórcio — mas apenas uma sala sem nada de mais, máquinas de escritório encostadas nas paredes piscando tranquilamente, arquivos de cartões perfurados frágeis como rostos de açúcar, frágeis como as últimas paredes alemãs sem apoio depois que todas as bombas caíram, agora retorcendo-se no alto, ameaçando cair do céu, derrubadas pela força do vento que dissipou a fumaça... Há um cheiro de pólvora no ar, e não há uma única funcionária de escritório à vista. As máquinas se comunicam com estalidos e campainhas. Hora de baixar a aba do chapéu, acender um cigarro pós-violência e pensar em fugir... lembra do caminho que veio dar aqui, todas as curvas? Não. Você não estava olhando. Qualquer uma dessas portas pode ser a salvação, mas talvez não dê tempo...

Porém Duncan Sandys não passa de um nome, uma função nisso tudo. "Até onde essa coisa sobe?" não é a pergunta adequada, porque os organogramas são feitos por Eles, os nomes dos cargos e dos ocupantes são escritos por Eles, porque

Provérbios para Paranoicos, 3: Se eles conseguem fazer com que você faça as perguntas erradas, eles não precisam se preocupar com as respostas.

Slothrop constata que está parado diante da lista azul de peças que deu origem a tudo isso. *Até onde*... aaahh. A pergunta traiçoeira, afinal de contas, não se aplica a *pessoas*, e sim ao *equipamento*! Apertando a vista, correndo o dedo pela coluna abaixo com cuidado, Slothrop sobe mais uma etapa na utilização do tal Vorrichtung für die Isolierung.

"S-Gerät, 11/00000."

Se isso é o número de série de um foguete, como indica a forma, deve ser um modelo especial — Slothrop nunca ouviu falar de nenhum que tivesse quatro zeros, quanto mais cinco... nem de nenhum S-Gerät, há um I e um J-Gerät, estão na guiagem... bem, o Documento SG-1, que supostamente não existe, deve cobrir isso...

Sai da sala: caminha sem rumo, ao ritmo do tamborilar lento dos músculos de seu estômago *ver no que dá, estar pronto*... Entra no restaurante do cassino sem nenhum problema, nenhuma queda de temperatura que sua pele possa perceber, senta-se a uma mesa onde alguém largou o *Times* de Londres de terça-feira. Hum. Há algum tempo não vê nenhum *deles*... Folheando o jornal, tralali, tralalá, é, a Guerra continua, os Aliados estão espremendo Berlim vindo do leste e do oeste, ovos em pó ainda a um xelim e três pence a dúzia, "Oficiais tombados", MacGregor, Mucker-Maffick, Whitestreet, Homenagens Pessoais... *Agora seremos felizes* passando no Cine Empire (lembra-se de ter aplicado o velho golpe do pênis na caixa de pipoca lá com uma tal de Madelyn, que não era lá muito —) —

Tantivy... Ah, merda, não, espere aí —

"Encanto pessoal... humildade... força de caráter... pureza e bondade cristãs... todos gostávamos muito de Oliver... sua coragem, sua gentileza e seu bom humor constantes nos inspiravam a todos... teve morte heroica no campo de batalha comandando uma brava tentativa de salvar membros de sua unidade que estavam encurralados pela artilharia alemã..." Assinado pelo seu camarada de guerra mais próximo, Theodore Bloat. *Major* Theodore Bloat agora —

Olhando pela janela, sem olhar para nada, apertando o cabo de uma faca com tanta força que corre o risco de quebrar um osso da mão. Acontece às vezes com os leprosos. Ausência de feedback para o cérebro — não há como saber se estão fazendo força demais ao dar uma banana. Você sabe como são os leprosos. Pois bem —

Dez minutos depois, em seu quarto, está deitado de bruços na cama, sentindo-se vazio. Não consegue chorar. Não consegue fazer *nada*.

Foram eles. Levaram seu amigo a alguma cilada, provavelmente o deixaram fingir que morria uma morte "honrada"... e depois limitaram-se a *fechar seu arquivo*...

Mais tarde vai lhe ocorrer a possibilidade de que seja tudo mentira. Eles poderiam publicar uma mentira assim com a maior facilidade no *Times*, não é? E depois deixar o jornal para Slothrop encontrar? Mas quando ele tiver essa ideia, já não dará mais para voltar atrás.

Ao meio-dia, Hilary Bounce entra esfregando os olhos com uma cara de quem engoliu sapos. "Como foi a sua tarde? A minha foi notável."

"Que bom." Slothrop está sorrindo. *Você também está na minha lista, meu chapa*. Este sorriso lhe exige mais urbanidade do que qualquer coisa já lhe exigiu em toda a sua lânguida existência americana, até hoje. Ele que nunca achou que urbanidade fosse seu forte. Porém está funcionando. Ele fica tão espantado, e tão satisfeito, que quase começa a chorar. O melhor de tudo é que não apenas Bounce parece ter sido tapeado por aquele sorriso como também Slothrop sabe agora que o sorriso vai voltar a funcionar outras vezes...

Assim, consegue ir até Nice, após uma fuga apressada pela Corniche, atravessando as montanhas cantando os pneus à beira dos abismos ensolarados, todos ressabiados na praia onde ele teve a delicadeza de emprestar a seu amigo Claude, o auxiliar de cozinha, mais ou menos com a mesma altura e corpo que ele, seu calção de banho pseudotaitiano novinho em folha, e, enquanto está todo mundo olhando para Claude, encontrar um Citroën preto com as chaves dentro, mistério nenhum, gente — entrar na cidade com seu terno branco de malandro, óculos escuros e um panamá de aba mole à Sydney Greenstreet. Não é lá uma figura muito discreta em meio às multidões de militares e mademoseles já com vestidinhos de verão, porém larga o carro perto da Place Garibaldi, segue em direção a um bistrô no trecho de La Porte Fausse que fica na cidade velha e ainda se dá ao luxo de um café com pão antes de procurar o endereço que Waxwing lhe deu. É um hotel antigo de quatro andares, já com bêbados deitados nos corredores àquela hora, pálpebras semelhantes a pãezinhos pincelados com os últimos brilhos do sol poente, e poeira estival fazendo sóbrias evoluções na luz acinzentada, um molejo estival nas ruas lá fora, verão de abril no momento em que o grande vórtice da redistribuição de tropas da Europa para a Ásia passa por lá deixando a cada noite tantas almas apegando-se mais um pouco às tranquilidades locais, aqui tão perto do ralo de Marselha, esta penúltima parada no ciclone do papel que os traz da Alemanha, descendo os vales dos rios, começando a arrastar alguns de Antuérpia e dos portos do Norte também a essa altura, à medida que o vórtex se torna mais confiante, que vão se formando caminhos preferenciais... No fio da faca, aqui na rue Rossini, Slothrop tem a melhor sensação que pode ser proporcionada pelo pôr do sol numa cidade estrangeira: no ponto exato em que a luz do céu se iguala à dos lampiões elétricos na rua, logo antes da primeira estrela, alguma promessa de acontecimentos sem causa, surpresas, formando ângulo reto com todas as direções que sua vida pôde encontrar até agora.

Impaciente demais para esperar a primeira estrela, Slothrop entra no hotel. Os tapetes estão empoeirados, há um cheiro de álcool e água sanitária no ar. Marinheiros e moças entram sem pressa, juntos e separados, enquanto Slothrop zanza paranoico de porta em porta, à procura de uma que tenha algo a lhe dizer. Nos quartos de madeira pesada há rádios a todo volume. A escada parece não estar no prumo, e sim *inclinada* num ângulo esquisito, e a luz que escorre pelas paredes é de duas cores apenas: cor de terra e cor de folha. No último andar Slothrop por fim encontra uma femme de chambre velha e maternal a caminho de um quarto, levando uma muda de roupa de cama, muito alva na penumbra.

"Por que você foi embora?", o suspiro tristonho ressoa como se viesse de um telefone, numa ligação remota, "eles queriam ajudar você. Não iam fazer nada de mal..." O cabelo dela é todo cacheado, à George Washington. Ela olha para Slothrop num ângulo de 45°, um olhar paciente, de jogador de xadrez de banco de praça, nariz enorme, adunco e bondoso, olhos brilhantes: toda engomada, ossos firmes, pontas dos sapatos de couro ligeiramente voltadas para cima, meias listradas vermelho e branco nos pés enormes que lhe dão um ar de criatura simpática oriunda de um dos outros mundos, o tipo de gnomo que não apenas faz sapatos enquanto você dorme como também dá uma varrida no assoalho, e quando você acorda já tem uma panela no fogo, talvez uma flor recém-colhida à janela —

"Como?"

"Ainda há tempo."

"Você não entende. Mataram um amigo meu." Mas lendo no *Times*, assim tão em público... como que isso pode ser verdadeiro, verdadeiro o bastante para convencê-lo de que Tantivy não vai entrar pela porta adentro um belo dia, oi-pessoal, sorriso tímido... oi, Tantivy. Por onde você andou?

"Por onde que *eu* andei, Slothrop? Essa é boa." Seu sorriso ilumina o tempo de novo, e o mundo inteiro livre...

Ele mostra o cartão de Waxwing. A velha escancara um sorriso espantoso, os dois dentes que lhe restam brilham à luz das lâmpadas novas da noite. Ela aponta para a escada de subir com o polegar e lhe faz com os dedos o V de vitória, ou então é alguma mandinga de camponesa contra o mau-olhado que tem o efeito de azedar o leite. Seja lá como for, ela dá uma risadinha sarcástica.

No alto fica o telhado, com uma espécie de cobertura no meio. Três jovens com costeletas de apaches e uma moça munida de um cassetete de couro trançado estão sentados à frente da entrada fumando um cigarro fino de cheiro ambíguo. "Você está perdido, mon ami."

"Hãã... é...", mostrando o cartão de Waxwing outra vez.

"Ah, bien..." Eles abrem caminho, e Slothrop adentra um fru-fru de chapéus Borsalino amarelo-canário, sapatos de sola de cortiça com bicos redondos enormes saídos de histórias em quadrinhos, muito pesponto em cores contrastantes (combinações como laranja sobre azul e — a favorita de sempre — verde sobre magenta), ge-

ruídos cotidianos de incômodo confortado como os que se ouvem normalmente em banheiros públicos, ligações telefônicas em nuvens de fumaça de charuto. Waxwing não está, mas um colega interrompe uma negociação ruidosa assim que vê o cartão.

"De que você precisa?"

"Carteira de identidade, passagem para Zurique, Suíça."

"Amanhã."

"Lugar para dormir."

O homem entrega a chave de um dos quartos de um andar inferior. "Você tem dinheiro?"

"Pouco. Não sei quando eu —"

Conta, envesgando, folheando: "Tome".

"Hãã..."

"Tudo bem, não é empréstimo, não. Faz parte do orçamento. Agora, não saia do hotel, não tome porre, não se meta com as garotas que trabalham aqui."

"Aahh..."

"Até amanhã." Volta ao trabalho.

Slothrop passa uma noite desconfortável. Não consegue achar uma posição em que possa dormir por mais de dez minutos. Os insetos saltam sobre seu corpo em escaramuças súbitas que guardam certa coordenação com seu nível de sonolência. Bêbados vêm à porta, bêbados e fantasmas.

"Rone, você tem que me deixar entrar, é o Dumpster, Dumpster Villard."

"O que —"

"Hoje está feia a coisa. Desculpe. Eu não devia vir aqui, eu não valho o trabalho que eu dou... escute... estou com frio... eu vim de longe..."

Uma batida com força. "Dumpster..."

"Não, não, é o Murray Smile, eu estava do seu lado no treinamento básico, companhia 84, se lembra? Nossos números só tinham dois algarismos de diferença."

"Eu tive que deixar... deixar o Dumpster entrar... onde que ele foi? Eu estava dormindo?"

"Não diga a eles que eu estive aqui. Vim só para lhe dizer que você não precisa voltar."

"É mesmo? Então eles disseram que está tudo bem?"

"Está tudo bem."

"É, mas *eles disseram* isso?" Silêncio. "Hein? Murray?" Silêncio.

O vento uiva forte nas estruturas de ferro do hotel, e na rua uma carroça de verdureiro se arrasta de ponta a ponta, bamba, vazia, escura. Devem ser quatro da madrugada. "Tenho que voltar, que merda, estou atrasado..."

"Não." Apenas um sussurro... Mas foi o "não" dela que ficou com ele.

"Quem é? Jenny? É você, Jenny?"

"Eu sim. Ah amor, que bom que eu encontrei você."

"Mas eu tenho que..." Será que Eles a deixariam viver sem ele no cassino...?

"Não, não posso." Mas *o que há de estranho na voz dela*?

"Jenny, ouvi dizer que o seu quarteirão foi bombardeado, alguém me disse, no dia dois de janeiro... um foguete... e eu queria voltar pra ver se você estava bem, mas... acabei não indo... e então Eles me levaram pra aquele cassino..."

"Tudo bem."

"Mas não, se eu não —"

"Só peço pra você não voltar mais pra eles."

E em algum lugar, peixes escuros escondendo-se por trás de ângulos de refração no fluxo desta noite, estão Katje e Tantivy, as duas visitas que ele mais queria receber. Ele tenta distorcer as vozes que vêm até a porta, curvá-las como notas de uma gaita, mas não adianta. O que ele quer está muito no fundo...

Pouco antes de raiar o dia, alguém bate na porta com muita força, batidas de aço. Slothrop dessa vez tem o bom senso de ficar calado.

"Vamos, abra."

"Polícia militar, abra."

Vozes americanas, vozes de caipiras, agudas e impiedosas. Imobilizado, congelado, Slothrop teme que as molas do colchão o entreguem. Talvez pela primeira vez, ele ouve a voz da América tal como a ouvem os que não são americanos. Mais tarde relembrará que o que mais o surpreendeu foi o fanatismo, a confiança não na força mas na *certeza moral* de estar agindo certo... há muito tempo lhe ensinaram que eram assim os nazistas, e especialmente os japoneses — *nós* sempre tínhamos senso de justiça —, mas esses dois que batem à porta são tão massacrantes quanto um close de John Wayne (num ângulo que ressalta o que há de oblíquo em seus olhos, gozado que você nunca reparou antes) gritando "BANZAI!".

"Espere um minuto, Ray, olhe ele lá..."

"Hopper! Seu merda, volte aqui..."

"Nunca mais que vocês vão me enfiar numa camisa de fooooorça..." A voz de Hopper vai morrendo na esquina enquanto os PMs saem atrás dele.

Slothrop dá-se conta, ao ver clarear a corrediça parda da janela, que este é seu primeiro dia do Lado de Fora. Sua primeira manhã de liberdade. Ele *não* tem que voltar. Liberdade? O que é liberdade? Ele adormece finalmente. Pouco antes do meio-dia, uma moça entra com uma chave-mestra e lhe entrega os documentos. Agora ele é um correspondente de guerra inglês chamado Ian Scuffling.

"Este é o endereço de um dos nossos em Zurique. Waxwing lhe deseja boa sorte e pergunta por que você demorou tanto."

"Quer dizer que ele quer uma resposta?"

"Ele disse que você vai ter que pensar sobre isso."

"Péééraí." A ideia acaba de lhe ocorrer. "Por que é que vocês estão me ajudando assim? De graça?"

"Quem é que sabe? A gente tem que jogar o jogo. Você deve estar fazendo parte de um jogo, neste momento."

"Hãã..."

Mas ela já saiu. Slothrop olha a sua volta: à luz do dia, é um lugar sórdido e anônimo. Nem as baratas devem se sentir confortáveis aqui... Será que ele entrou de repente, como Katje em sua roda, numa catraca de quartos como este, para ficar em cada um deles apenas o tempo necessário para recuperar fôlego ou desespero suficiente para passar para o próximo, mas sem nunca poder voltar atrás, nunca mais? Sem tempo sequer de conhecer a rue Rossini, que rostos gritam das janelas, onde se serve uma comida boa, qual o nome da canção que todo mundo vive assobiando nestes dias de verão prematuro...

Uma semana depois Slothrop está em Zurique, após uma longa viagem de trem. Enquanto as criaturas de metal, solitárias, dias de neblina confortável e estável, passam o tempo fazendo mímica, brincando de moléculas, imitando a síntese industrial à medida que se decompõem, rejuntam, acoplam e desacoplam, ele cochila, entrando e saindo de uma alucinação em que entram Alpes, neblinas, abismos, túneis, escaladas de encostas de inescaláveis, sinos de vacas na escuridão, margens verdejantes pela manhã, cheiros de pastos úmidos, pelas janelas sempre um agrupamento de trabalhadores barbados indo consertar um trecho dos trilhos, longas esperas em pátios com grades que se estendem como fatias paralelas de uma cebola, lugares cinzentos e desolados, noites cheias de assobios, acoplamentos, estrondos, desvios, vacas de olhar parado nas encostas ao entardecer, comboios militares aguardando nos entroncamentos vendo os trens passarem, nenhum sinal nítido de nenhuma nacionalidade em lugar nenhum, nem mesmo de adversários diferentes, apenas a Guerra, uma única paisagem danificada, na qual a "Suíça neutra" não passa de uma convenção um tanto formal, observada com tanto sarcasmo quanto a "França liberada" ou a "Alemanha totalitária", a "Espanha fascista" e outras...

A Guerra vem reconfigurando tempo e espaço à sua imagem e semelhança. A ferrovia agora segue por redes diferentes. O que parece ser destruição é na verdade a adaptação dos espaços ferroviários a propósitos diversos, intenções cujas bordas Slothrop, passando por eles pela primeira vez, começa agora a perceber...

Ele faz seu registro no Hotel Nimbus, numa rua obscura do Niederdorf, o bairro dos cabarés de Zurique. O quarto fica no sótão, e para chegar lá é preciso subir uma escada de mão. Há também outra escada de mão que dá na janela, de modo que Slothrop fica tranquilo. Quando anoitece, ele sai à procura do representante local de Waxwing, encontra-o mais adiante no Limmatquai, sob uma ponte, em salas cheias de relógios e altímetros suíços. É um russo chamado Semiavin. Lá fora, barcos buzinam no rio e no lago. No andar de cima, alguém estuda piano: lieder suaves, aos tropeços. Semiavin verte conhaque de genciana nas xícaras de chá que acaba de preparar. "A primeira coisa que você tem que entender é que aqui tudo é especializado. Se quer relógios, você vai a um café. Se quer mulheres, vai a outro. Peles, tem várias categorias diferentes: Marta, Arminho, Visom e Outras. Com drogas, é a mesma coisa: Estimulantes, Sedativos, Psicomiméticos... O que é que você quer?"

"Hã... informações?" Gozado, esse negócio tem gosto de Moxie...

"Ah. Mais um." Olhando Slothrop de esguelha. "A vida era simples antes da Primeira Guerra. Não é do seu tempo. Drogas, sexo, artigos de luxo. Moeda naquele tempo era só um bico, e a expressão 'espionagem industrial' era desconhecida. Mas eu vi as mudanças acontecendo — ah, e como mudou! Eu já devia ter previsto o que ia acontecer desde a inflação alemã — aquele monte de zeros que iam daqui até Berlim. E eu dizia a mim mesmo, muito sério: 'Semiavin, é só um afastamento temporário da realidade. Uma pequena aberração, nada de muito preocupante. Aja como você sempre agiu — força de caráter, boa saúde mental. *Coragem*, Semiavin! Logo tudo há de voltar ao normal'. Mas sabe o que aconteceu?"

"Deixe ver se eu adivinho."

Um sorriso trágico, "Informações. Por que não se contentam com drogas e mulheres? Não admira que o mundo tenha enlouquecido, agora que a informação passou a ser a única moeda de verdade".

"Eu pensava que fosse o cigarro."

"Você está sonhando." Pega uma lista de cafés e pontos de encontro em Zurique. Na categoria Espionagem Industrial Slothrop encontra três. Ultra, Lichtspiel e Sträggeli. Ficam em margens diversas do Limmat, um bem longe do outro.

"Muito chão pela frente", dobrando a lista e guardando no bolso enorme do terno branco de malandro.

"Vai ficar mais fácil. Algum dia tudo vai ser feito por máquinas. Máquinas de informações. Vocês são o futuro."

Começa um período de idas e vindas entre os três cafés, horas passadas em cada um deles com uma xícara de café na frente, comendo uma vez por dia, salsichão e rösti nos dispensários populares... vendo multidões de negociantes de terno azul, esquiadores queimados de sol que passaram a Guerra descendo quilômetros de geleiras sem ouvir falar de campanhas nem política, só lendo as marcações dos termômetros e cata-ventos, encontrando atrocidades em avalanches, vitórias em camadas de neve compacta... estrangeiros andrajosos com casacos de couro manchados de óleo e calças de uniforme de faxina esfarrapadas, sul-americanos embrulhados em casacos de pele e batendo queixo no sol, velhos hipocondríacos que estavam fazendo estação de águas quando a Guerra estourou e desde então estão aqui, mulheres com vestidos longos negros que não sorriem, homens com sobretudos sujos a sorrir... e os loucos dos hospícios de luxo passando o fim de semana na cidade — ah, os loucos da Suíça: Slothrop é conhecido por eles, sim, em meio às ruas sombrias e rostos escuros e cores pardacentas só ele está de branco, terno, chapéu e sapatos, tudo branco como as montanhas-cemitérios daqui... Ele é também a Nova Referência da Cidade. Para ele é difícil distinguir a primeira onda de espiões industriais dos

Loucos de Licença!

(A linha de coristas é dividida não em Rapazes e Moças, como de costume, e sim em Enfermeiros e Malucos, independentemente de sexo, embora todas as quatro possibilidades sejam representadas no palco. Muitos estão de óculos de sol com lentes pretas e armações brancas, menos para ficar na moda do que para indicar nifablepsia, o branco antisséptico da clínica, talvez até a escuridão da mente. Mas tudo parece alegre, tranquilo, informal... nenhum sinal de repressão, nem mesmo uma diferença de traje, de modo que de início é difícil distinguir os Enfermeiros dos Malucos quando todos vêm dos bastidores dançando e cantando):

Lá vem nós, pessoal, pra arrasar!
Ponha sua máscara e comece a tramar,
Enquanto a gente ri e baba a testa,
Que nem um bando de anões em festa!

Somos os loucos de licença,
Preocupação é coisa de otário —
Deixamos o cérebro dentro do armário,
E vamos à luta, com muito gingado,
Bons no requebro e no sapateado!
Passando chapéu, pedimos não notas,
Mas medos, tristezas e dores idiotas —
Maluco é que sabe das coisas, maninha:
A vida é boa pra quem não se aporrinha!
La-ra-rá, la-ra-rá, rá-rá etc. (Cantarolam a melodia por trás do que se segue):

Primeiro Maluco (ou talvez Enfermeiro): Vai fechar um tremendo negócio, não é, americano? Eu sabia, eu sempre reconheço um conterrâneo, mas escute, esse seu terno é legal, hein, se você subir numa geleira dessas ninguém vai conseguir ver você! É, eu sei o que você pensa desses vendedores de rua, jogando monte na calçada [fica atravessando o palco de um lado para o outro, brandindo o dedo, cantando: "Jogando monte na cal-ça-da", repetidamente no mesmo tom obsessivo, tantas vezes quanto o deixarem] e na mesma hora você percebe o que está errado, tudo muito prometendo lhe arranjar alguma coisa de graça, não é? Pois é, engraçado, é justamente essa a principal objeção que os engenheiros e cientistas sempre levantaram contra o conceito de [baixando a voz] moto-perpétuo ou, como a gente prefere dizer, Administração de Entropia — aqui, tome aqui nosso cartão — é, eles têm certa razão. Pelo menos eles tinham. Até agora...

Segundo Maluco ou Enfermeiro: Já ouviu falar no carburador que faz cem quilômetros por litro, a lâmina de barbear que não gasta nunca, a sola de sapato eterna, a pílula antissarna que faz bem às glândulas, o motor que roda à base de areia, ornitópteros e robobópsteros — isso mesmo, tenho um cavanhaque de palha de aço — fantástico, mas isso aqui é para a sua cabeça! Está preparado? É o Trinco Trincadão, A Porta Que Abre Você!

Slothrop: Acho que está na hora da minha sesta...

Terceiro M. ou E.: Transforme ar normal em diamante através da Redução Cataclísmica de Dióxido de Carbo-o-o-o-n-o-o...

Se ele fosse sensível para esse tipo de coisa, Slothrop ficaria muito insultado com essa primeira onda. Ela passa, gesticulando, acusando, implorando. Então faz-se uma pausa — e vêm os de verdade, primeiro devagar, depois encorpando, encorpando. Borracha sintética ou gasolina, calculadores eletrônicos, anilinas, perfumes (essências roubadas em frascos dentro de estojos de amostras), hábitos sexuais de uma centena de membros seletos de diretorias, plantas baixas, livros de códigos, conexões e propinas, é só pedir que eles conseguem.

Por fim, um dia no Sträggeli, Slothrop mordiscando a salsicha e o pedaço de pão que está a manhã inteira carregando dentro de um saco de papel, de repente surge do nada um tal de Mario Schweitar ostentando um colete com alamares, sai de súbito do relógio cuco da Segunda Guerra Mundial, os infinitos corredores escuros as suas costas, e a sorte muda para Slothrop. "Ô Zé", começa ele, "ô moço."

"Eu, não", responde Slothrop, de boca cheia.

"Está interessado em L.S.D.?"

"Se é lesbianismo, sadomasoquismo e datiloproctismo, você errou de bar, meu chapa."

"Acho que errei de país", Schweitar um pouco desanimado. "Sou da Sandoz."

"Ah-ah, Sandoz!", exclama Slothrop, e puxa uma cadeira para o sujeito.

E vem à tona que o tal Schweitar é *assim* com a Psychochemie AG, é um desses quebra-galhos free lance do Cartel, trabalhando para eles por diárias e fazendo espionagem nas horas vagas.

"Pois bem", diz Slothrop, "eu gostaria de saber qualquer coisa que eles tiverem a respeito de L. Jamf, e-e o tal de Imipolex G."

"Gaaah —"

"Hein?"

"Esse troço. Não é da nossa área. Já tentou desenvolver um polímero quando só tem entendidos em indol? Recebendo ultimatos todo dia da nossa sede gigantesca no Norte? O Imipolex G é o peso morto da companhia, seu ianque. Lá tem vice-presidentes com a única função de observar o ritual de ir todo domingo cuspir no túmulo do velho Jamf. Você nunca andou muito com o pessoal do indol. Eles são muito elitistas. Acham que são o produto final de uma longa dialética europeia, gerações de grãos atacados por ferrugem, ergotismo, bruxas montadas em cabos de vassouras, orgias comunitárias, cantões perdidos em vales longínquos que não passam um dia sem uma alucinação há 500 anos — preservadores de uma tradição, aristocratas —"

"*Peraí...*" Jamf morreu? "Você falou no *túmulo* de Jamf?" Isso devia fazer muita diferença para ele, se bem que o sujeito na verdade nunca foi realmente vivo, de modo que como é que pode agora estar realmente —

"Lá nas montanhas, perto do Uetliberg."

"Você alguma vez —"

"O quê?"

"Você conheceu Jamf?"

"Não é do meu tempo. Mas sei que tem muita informação sobre ele nos arquivos confidenciais da Sandoz. Daria um pouco de trabalho pegar o que você quer..."

"Hã..."

"Quinhentos."

"Quinhentos o quê?"

Francos suíços. Slothrop não tem 500 de coisa nenhuma, a menos que valha contar preocupações. O dinheiro que trouxe de Nice já está quase no fim. Ele parte em direção à loja de Semiavin, do outro lado da Gemüse-Brücke, decidido a só andar a pé de agora em diante, mastigando sua salsicha branca e se perguntando quando será que vai poder ver outra.

"Primeira coisa que você tem que fazer", aconselha Semiavin, "é ir numa casa de penhores e levantar uns francos com esse... ah...", apontando para o terno. Ah, não, o terno não! Semiavin vai num quarto de fundos e volta com uma trouxa de roupas de trabalhador. "Você não deve se expor muito. Volte amanhã, vou ver se acho mais alguma coisa."

Com o terno branco de malandro embolado embaixo do braço, Ian Scuffling, agora bem menos exposto, volta para a rua, para a tarde medieval do Niederdorf, muros de pedra agora escurecendo feito pão dentro do forno ao sol à luz do sol poente, oba oba, ele já viu tudo: vai ser mais uma confusão do tipo Tamara/Italo, e aí ele vai estar tão metido nessa história que nunca mais vai sair dela...

Na entrada da sua rua, nos poços de sombra, Slothrop percebe um Rolls-Royce parado, o motor ligado, os vidros escuros e a tarde já tão avançada que não dá para ver lá dentro. Belo carro. Há muito tempo que ele não vê um Rolls, seria apenas uma curiosidade de se não fosse

Provérbios para Paranoicos, 4: *Você* se esconde, eles procuram.

Tõõõõiinnnh! tirilã, tirilã, tirilã-tã-tã, aqui entra a Abertura Guilherme Tell, voltar para as sombras, torcendo para que ninguém esteja olhando por aquele vidro unilateral — zupt, zupt, contornando esquinas, correndo por travessas, não se ouve ninguém atrás dele, mas é o motor mais silencioso que existe depois do motor do tanque King Tiger...

Hotel Nimbus, nunca mais, pensa Slothrop. Seus pés já estão começando a incomodar. Chega à Luisenstrasse e à casa de penhores logo antes de ela fechar, consegue levantar um dinheirinho com o terno, salsichão para um ou dois dias. Adeus, malandragem.

Esta cidade fecha cedo, hein. Onde dormir hoje à noite? Slothrop tem uma momentânea recaída de otimismo: entra num restaurante e telefona para a recepção do Hotel Nimbus. "Ah, sim", inglês britânico, "por obséquio, podia informar-me se o rapaz inglês que estava esperando no saguão ainda está aí..."

Um minuto depois, atende uma voz agradável, sem jeito, perguntando você-está--na-linha. Ah, angelical. Slothrop entra em pânico, põe o fone no gancho, fica parado olhando para todas as pessoas que jantam e olham para ele — fodeu, fodeu, agora Eles sabem que ele está sabendo d'Eles. Como sempre, há a possibilidade de que a paranoia de Slothrop esteja mais uma vez fora de controle, mas as coincidências estão ficando excessivas. Além disso, a essa altura ele já conhece o tom de inocência calculada d'Eles, faz parte do estilo...

Mais uma vez anda pela cidade: bancos de precisão, igrejas, portas góticas passam por ele ordenadamente... agora ele tem que evitar o hotel e os três cafés, certo, certo... Os zuriquenses permanentes passeiam de roupa azul-tardinha. Azul do entardecer da cidade, azul cada vez mais escuro... Já não há espiões e traficantes na rua. Nem pensar em ir à loja de Semiavin, o pessoal de Waxwing está sendo cem por cento com ele, não tem sentido fazê-los correr perigo. Que peso teriam os Visitantes nesta cidade? Slothrop poderia correr o risco de ir para um outro hotel? Provavelmente não. Está ficando frio. Agora vem um vento do lago.

Slothrop dá-se conta de que andou até o Odeon, um dos grandes cafés do mundo, cuja especialidade não consta de nenhuma lista — jamais foi determinada. Lenin, Trotski, James Joyce, o doutor Einstein, todos eles sentaram-se a estas mesas. Sabe-se lá o que todos eles tinham em comum: sabe-se lá o que vieram arranjar aqui... talvez tenha a ver com as pessoas, com a mortalidade dos pedestres, o inquieto entrecruzar de necessidades ou desesperos em um único trecho fatal de rua... dialéticas, matrizes, arquétipos, todos precisam se interligar, de vez em quando, com o sangue proletário, com odores corporais, com os gritos sem sentido que vêm das mesas, com as trapaças e últimas esperanças, senão tudo o mais é dracularidade poeirenta, a antiga maldição do Ocidente...

Slothrop constata que tem trocados suficientes para tomar um café. Entra e escolhe uma cadeira virada para a porta. Quinze minutos depois recebe o sinal dos espiões de um estrangeiro moreno, cabelos crespos, terno verde, a duas mesas dele. Também virado para a porta da frente. Na mesa do estrangeiro, um jornal velho que parece ser em espanhol. Aberto numa charge estranha, uma fila de homens de meia--idade com vestidos e perucas, dentro de uma delegacia de polícia onde um policial segura um pão branco — não, um bebê, com uma fralda onde se lê LA REVOLUCIÓN... ah, todos dizem que a revolução recém-nascida é filha sua, todos esses políticos brigando como um bando de mães putativas, e essa charge está ali para funcionar como pedra de toque, esse sujeito de terno verde, que ele descobre ser um argentino chamado Francisco Squalidozzi, está procurando uma reação... a passagem-chave fica no final da linha, onde o grande poeta argentino Leopoldo Lugones afirma: "Agora vou lhes contar em versos como a concebi livre do Pecado Original...". Trata-se da revolução de Uriburu de 1930. O jornal é de quinze anos atrás. Não há como saber o que Squalidozzi espera de Slothrop, mas a reação deste é pura ignorância. A reação parece ser aceitável, e logo o argentino se abre o bastante para revelar que ele e uma dúzia de colegas seus, entre os quais a excêntrica internacional Graciela Imago Portales, sequestraram um velho submarino alemão em Mar del Plata há algumas semanas, e o trouxeram de volta para o outro lado do Atlântico, e agora estão tentando obter asilo político na Alemanha, assim que a Guerra terminar lá...

"Você disse na *Alemanha*? Você está maluco? Lá está a maior bagunça, rapaz!"

"Muito pior está na minha terra", responde o argentino, melancólico. Rugas profundas brotaram junto a sua boca, rugas adquiridas numa vida passada em meio a milhares de cavalos, vendo muitos potros condenados e pores do sol a sul de Rivadavia, onde começa o verdadeiro Sul... "Está uma bagunça desde que os coronéis tomaram o poder. Agora, com o Perón a caminho... nossa última esperança era a Acción Argentina", *que diabo que esse cara está falando, meu Deus que fome*, "... fecharam um mês depois do golpe... agora todo mundo está à espera. Vão às manifestações de rua por força do hábito. Esperança, mesmo, nada. Resolvemos agir antes que o Perón assuma mais um ministério. O da Guerra, muito provavelmente. Ele já tem os 'descamisados', e agora vai ter o exército também, entende?... É só uma questão de tempo... a gente podia ter ido pro Uruguai pra esperar até que ele caísse — é uma tradição. Mas talvez ele fique no poder por muito tempo. Montevidéu está cheia de exilados fracassados, de esperanças perdidas..."

"É, mas a Alemanha é o último lugar para vocês irem."

"*Pero ché, no sós argentino...*" Desvia o olhar demoradamente, volta-se para as cicatrizes geométricas das avenidas suíças, procurando o Sul que ele deixou. Não é o mesmo argentino, Slothrop, que o Bob Eberle vê levantar brindes a "Tangerine" em todos os bares agora... Squalidozzi quer dizer: *Nós, de todos os precipitados formados no alambique doloroso e turvo da Europa, nós somos o mais ralo, o mais perigoso, o mais prático para aplicações profanas... Tentamos exterminar nossos índios, tal como vocês: queríamos a versão branca e fechada da realidade que obtemos — mas mesmo nos labirintos mais fumacentos, na densidade mais compacta de sacada ou pátio e portão ao meio-dia, a terra nunca nos deixa esquecer...* Porém o que ele pergunta em voz alta é: "Você parece estar com fome. Você já comeu? Eu estava indo jantar. Será uma honra para mim".

No Kronenhalle eles encontram uma mesa no andar de cima. Já está passando a hora do rush. Salsichas e fondue: Slothrop está morto de fome.

"No tempo dos gaúchos, meu país era uma folha de papel em branco. Os pampas se estendiam até onde alcançava a imaginação dos homens, inesgotáveis, livres de cercas. Até onde um gaúcho conseguisse chegar em seu cavalo, aquela terra lhe pertencia. Mas Buenos Aires queria ter hegemonia sobre as províncias. Todas as neuroses ligadas à propriedade foram ganhando força, e começaram a infectar o interior. Surgiram cercas, e o gaúcho ficou menos livre. É a nossa tragédia nacional. Nossa obsessão é construir labirintos onde antes só havia campo aberto e céu. Traçar desenhos cada vez mais complexos no papel em branco. Não suportamos aquela *amplidão aberta*: ela nos enche de terror. Veja Borges. Veja os subúrbios de Buenos Aires. O tirano Rosas já morreu há um século, mas seu culto permanece. Sob as ruas da cidade, os cômodos e corredores abarrotados de gente, as cercas e redes de ferrovias, o coração argentino, em sua perversidade e culpa, anseia pela volta àquela serenidade primeva de página virgem... aquela unidade anárquica de pampa e céu..."

"M-mas arame farpado", Slothrop com a boca cheia de fondue, enchendo o rabo, "é *progresso* — não dá, não se pode manter o prado aberto para sempre, não se pode impedir o progresso —", isso mesmo, ele vai falar nisso meia hora, citando para aquele estrangeiro que está lhe pagando o almoço esses filmes de caubói que passam nas tardes de sábado, que são os maiores elogios da Propriedade.

Squalidozzi, tomando aquilo por loucura mansa e não por grosseria, limita-se a piscar uma ou duas vezes. "Em tempos normais", ele quer explicar, "o centro sempre vence. Seu poder cresce com o tempo, e este processo não pode ser revertido, pelo menos por meios normais. A descentralização, a volta ao anarquismo, requer tempos extraordinários... esta Guerra — esta Guerra incrível — pelo menos por ora eliminou a proliferação de pequenos estados que caracteriza a Alemanha há mil anos. Limpou tudo. *Abriu*."

"Sim. Por quanto tempo?"

"Não vai durar. Claro que não. Mas por uns poucos meses... talvez a paz chegue no outono — *discúlpeme*, na primavera, ainda não me acostumei com este hemisfério — por um momento de primavera, talvez..."

"É, mas — o que é que você vai fazer, tomar um pedaço de terra e tentar ficar com ele? Vão expulsar você rapidinho, meu chapa."

"Não. Tomar terra é construir mais cercas. Queremos deixá-la aberta. Queremos que ela cresça e mude. Na abertura da Zona Alemã, nossa esperança é ilimitada." Então, como se levasse um golpe na testa, um olhar rápido e súbito, não para a porta, mas *para o teto* — "E nosso perigo também".

O submarino está neste momento em algum lugar ao largo da costa da Espanha, passando boa parte do dia submerso, vindo à tona de noite para recarregar as baterias, de vez em quando indo à costa para reabastecer-se. Squalidozzi não entra em detalhes quanto às operações de reabastecimento, mas parece que há uma ligação de longa data com a resistência republicana — uma comunidade de dignidade, um dom de persistência... Squalidozzi está em Zurique para fazer contatos com governos que talvez estejam dispostos, por mil motivos diversos, a auxiliar seu anarquismo no exílio. Ele tem que passar uma mensagem para Genebra amanhã no máximo: de lá ela será retransmitida para a Espanha e para o submarino. Porém há agentes peronistas aqui em Zurique. Ele está sendo observado. Não pode arriscar-se a trair seu contato em Genebra.

"Eu posso ajudar você", Slothrop lambendo os dedos, "mas estou meio duro, e..."

Squalidozzi menciona uma quantia que dá para pagar Mario Schweitar e manter Slothrop alimentado durante alguns meses.

"Metade adiantado e eu já estou indo."

O argentino entrega a mensagem, os endereços, o dinheiro e faz questão de pagar a conta. Combinam de encontrar-se no Kronenhalle dali a três dias. "Boa sorte."

"Para você também."

Squalidozzi sozinho em sua mesa lhe dá um último olhar melancólico. Joga uma mecha de cabelo para trás, e fim da cena.

O avião é um DC-3 castigado, escolhido por ter afinidade com o luar, por ter uma expressão simpática em seu rosto de janelas, por ser escuro dentro e fora. Slothrop desperta encolhido entre os carregamentos, escuridão metálica, vibração de motor em seus ossos... luz vermelha muito fraca filtrada por um tabique a sua frente. Vai de gatinhas até uma janela minúscula e olha para fora. Alpes ao luar. Meio pequenos, porém, e não espetaculares como ele imaginava. Que seja... Acomoda-se num macio leito de maravalhas, acendendo um dos cigarros com filtro de Squalidozzi, pensando: Puxa, nada mau, o sujeito toma o avião, vai para onde bem entender... por que parar em Genebra? É, por que não — Espanha? Não, espere aí, lá é fascismo. Ilhas do Pacífico! Hum. Cheias de japoneses e soldados americanos. Bem, a África é o Continente Negro, só tem nativo, elefante, o Spencer Tracy...

"Não há lugar nenhum para ir, Slothrop, lugar nenhum." A figura está acocorada junto a um engradado, estremecendo. Slothrop força a vista na luz fraca e avermelhada. É o conhecido rosto despreocupado, rosto de frontispício, do aventureiro Richard Halliburton: mas estranhamente alterado. Nas duas faces do homem, uma terrível erupção cutânea sobrepõe-se, palimpsesticamente, a marcas mais antigas, em cuja simetria Slothrop, tivesse ele olho clínico, perceberia os sinais de uma reação a drogas. Seus culotes estão rasgados e sujos, seus cabelos reluzentes estão engordurados e caídos. Ele parece chorar baixinho, recurvo, um anjo fracassado, chorando por todos aqueles Alpes de segunda, todos os esquiadores noturnos lá embaixo, descendo encostas, riscando a neve incessantemente, purificando e aperfeiçoando seu ideal fascista de Ação, Ação, Ação, que já foi sua própria razão de ser. Mas não mais. Não mais.

Slothrop estende a mão, apaga o cigarro no chão. Essas aparas de madeira de alvura angelical elevam-se no ar com a maior facilidade. Fique quietinho, deitado no fundo desse avião mambembe, fique bem quietinho, sua besta, eles tapearam você outra vez, isso mesmo — tapearam você outra vez. Richard Halliburton, Lowell Thomas, Rover e Motor Boys, pilhas ictéricas de revistas *National Geographic* no quarto de

Hogan, todos mentiram para ele, e não havia ninguém naquele tempo, nem mesmo um fantasma dos tempos coloniais naquele sótão, para lhe dizer a verdade...

O avião bate na pista, escorrega, rodopia, aterrissagem de barriga, merda de piloto reprovado em curso de empinador de papagaio, cinzenta madrugada suíça raiando pelas janelinhas, e todas as juntas, músculos e ossos de Slothrop doem. Hora de retomar o serviço.

Salta do avião sem problemas, misturando-se a um bando de passageiros, entregadores e empregados de aeroporto, todos bocejando, mal-humorados. Manhãzinha em Cointrin. Morros espantosamente verdes de um lado, cidade pardacenta do outro. Calçadas úmidas e lisas. Nuvens lentas no céu. O monte Branco diz oi, o lago diz olá, também, Slothrop compra 20 cigarros e um jornal local, pede informações, entra num bonde que para e adentra, espertado pelo ar frio que penetra portas e janelas, a Cidade da Paz.

Vai encontrar-se com seu contato argentino no Café l'Éclipse, bem afastado da linha do bonde, desce uma rua de paralelepípedos e chega a uma pracinha cercada de barracas bege de fruteiros e verdureiros, lojas, outros cafés, jardineiras em janelas, calçadas lavadas à mangueira. Cachorros correm, entrando e saindo das vielas. Slothrop instala-se numa mesa munido de café, croissants e jornal. Depois de algum tempo, o sol dissipa a névoa. Sombras riscam a praça, quase chegando ao lugar onde ele está sentado, com todas as suas antenas estendidas. Não parece haver ninguém vigiando. Ele espera. As sombras recuam, o sol sobe no céu e depois começa a descer, por fim seu contato aparece, bate exatamente com a descrição: terno diurno portenho preto, bigode, óculos de armação de ouro, assobiando um velho tango de Juan d'Arienzo. Slothrop faz de conta que examina todos os bolsos, tira a nota estrangeira que Squalidozzi lhe disse para usar: olha para ela com o cenho franzido, levanta-se, vai até o outro.

Como no, señor, problema nenhum trocar uma nota de 50 pesos — oferece-lhe uma cadeira, toca de tirar notas, cadernos, cartões, logo a mesa está coberta de pedaços de papel que acabam sendo guardados nos bolsos de tal modo que a mensagem de Squalidozzi fica com o homem e Slothrop fica com uma outra mensagem para levar de volta a Squalidozzi. É só.

Volta a Zurique num trem à tarde, dormindo a maior parte da viagem. Salta em Schlieren, altas horas da noite, só para prevenir-se caso Eles estejam de olho no Banhof na cidade, pega uma carona até a St. Peterhofstatt. O grande relógio da igreja paira sobre Slothrop e sobre as ruas vazias, num mutismo que agora lhe parece maligno. Traz-lhe à memória praças no campus da sua juventude longínqua, torres de relógios tão mal iluminadas que era impossível saber a hora, e uma tentação, porém nunca tão forte quanto a de agora, de render-se ao ano cada vez mais escuro, abraçar o que for possível abraçar do terror verdadeiro da hora sem nome (a menos que seja... não... NÃO...): era vaidade, vaidade, tal como o sabiam seus ancestrais puritanos, ossos e coração alertas ao Nada, o Nada sob os saxofones da faculdade num uníssono tão doce, blazers brancos com batom nas lapelas, fumaças de Fatimas nervosos, sabonete de azeite vaporizando-se de cabelos reluzentes, e beijos de hortelã, e cravos orvalhados. Era como virem buscá-lo pouco antes do amanhecer, um bando de gozadores mais moços que ele, e o arrancarem da cama, e vendá-lo, e obrigá-lo a sair na fria madrugada de outono, sombras e folhas no chão, e então o momento de dúvida, a possibilidade real de que eles sejam outra coisa — que nada de nada tenha sido real antes deste momento: apenas teatro, só para enganá-lo. Mas agora a tela ficou escura, e não resta mais tempo algum. Os agentes vieram buscar você finalmente...

Que melhor lugar para reencontrar a vaidade que Zurique? Terra da Reforma, cidade de Zwingli, o homem da última página da enciclopédia, e há pedras comemorativas por toda parte. Espiões e grandes negócios, em seu elemento, caminham incansáveis por entre as lápides. Pode ter certeza de que há ex-jovens, nesta exata cidade, rostos com que Slothrop costumava cruzar nas praças do campus, que em Harvard foram iniciados nos Mistérios Puritanos: que juraram a sério respeitar e sempre agir em nome da *Vanitas*, do Vazio, seu senhor... os quais, seguindo seu projeto de vida, vieram aqui para a Suíça com o fim de trabalhar para Allen Dulles e sua rede de "inteligência", a qual atualmente atua sob o nome "Office of Strategic Services" [Escritório de Serviços Estratégicos]. Mas para os iniciados, o OSS é também uma sigla secreta: como mantra em épocas de crise imediata, eles aprendem a dizer interiormente *oss*... *oss*, que em latim tardio, corrupto, da Idade das Trevas, quer dizer "osso"...

No dia seguinte, quando Slothrop se encontra com Mario Schweitar no Sträggeli para lhe entregar metade do pagamento, ele lhe pergunta também onde fica o túmulo de Jamf. E é lá que combinam fechar o negócio, no alto das montanhas.

Squalidozzi não aparece no Kronenhalle, nem no Odeon, nem em nenhum dos lugares onde Slothrop o procura nos dias que se seguem. Os desaparecimentos, em Zurique, nada têm de extraordinário. Mas Slothrop insiste, só para ter certeza. A mensagem é em espanhol, ele só consegue entender uma ou duas palavras, porém decide guardá-la, pode vir a ter oportunidade de passá-la adiante. Além disso, bem, ele tem uma certa simpatia pelas tendências anarquistas. Nos tempos em que Shays lutava contra as tropas federais em Massachusetts, havia Slothrops entre as patrulhas rebeldes que andavam por Berkshire com galhinhos de pinheiros nos chapéus para não serem confundidos com soldados do governo. Os federais usavam pedaços de papel branco. Naquele tempo os Slothrops ainda não estavam muito envolvidos com papel, nem com a destruição em massa de árvores. Ainda eram a favor do verde vivo, contra o branco morto. Mais tarde perderam, ou venderam, o conhecimento a respeito do lado em que antes estavam. Nosso Tyrone herdou deles sua santa ignorância sobre o assunto.

Agora, atrás dele, o vento atravessa a cripta de Jamf. Slothrop está acampado aqui há algumas noites, quase sem dinheiro, esperando uma resposta de Schweitar. Protegido do vento, todo encolhido, embrulhado nuns cobertores suíços que surrupiou, tem conseguido até dormir. Bem em cima do Senhor Imipolex. Na primeira noite teve medo de dormir, medo de ser assombrado por Jamf, cuja mente de cientista alemão a Morte certamente reduzira aos reflexos mais brutais, não haveria como dirigir apelos à malevolência muda e sorridente que certamente era tudo que restava... vozes chilrando com luar em torno de sua imagem, enquanto passo a passo ele, ela, a Coisa, a Coisa Reprimida, se aproxima... *peraí* acordar de repente, cara nua, virar-se para as lápides estrangeiras, *o quê? o quê, mesmo*... dormir de novo, quase até, acordar de novo... acordar, e dormir, assim, toda a primeira parte da noite.

Não há assombrações. Pelo visto, Jamf está só morto. Slothrop acordou no dia seguinte sentindo-se, apesar da barriga vazia e do nariz escorrendo, melhor do que vinha se sentindo havia meses. Era como se tivesse passado por uma prova, não a de outra pessoa, mas sua, mesmo, para variar.

Lá embaixo a cidade, agora banhada em luz parcial, é uma necrópole de agulhas de igrejas e cata-ventos, torres de menagem brancas, prédios largos com telhados de mansarda e milhares de janelas a brilhar. Nesta manhã as montanhas estão translúcidas feito gelo. Daqui a algumas horas vão virar amontoados de cetim amarfanhado. O lago é liso como um espelho, mas as montanhas e casas que nele se refletem estão curiosamente embaçadas, contornos finos e escovados como chuva: sonho de Atlântida, do Suggenthal. Aldeias de brinquedo, cidade desolada de alabastro pintado... Slothrop, acocorado na fria curva de uma trilha de montanha, faz bolas de neve e joga-as a esmo, aqui não há muito o que fazer, é só fumar a última guimba do que talvez seja o último Lucky Strike de toda a Suíça.

Passos na trilha. Guincho de galochas. É o entregador de Mario Schweitar, com um envelope gordo. Slothrop paga-o, fila um cigarro e uns fósforos, despedem-se. De volta à cripta, Slothrop reacende uma pilha de gravetos e galhos de pinheiros, aquece as mãos e começa a examinar o material. A ausência de Jamf cerca-o como se fosse um cheiro, um cheiro que ele conhecesse mas não conseguisse identificar, uma aura ameaçando transformar-se em epilepsia a qualquer momento. As informações estão aqui — não tantas quanto ele queria (ah, mas quantas ele queria?), porém mais do que esperava, sendo Slothrop um desses americanos práticos. Nas semanas que se seguirão, naqueles raros momentos em que terá tempo para chafurdar no passado, talvez venha até a lamentar ter lido esses papéis...

O senhor Pointsman resolveu passar o feriado de Pentecostes na praia. Anda se sentindo meio megalô ultimamente, nada muito sério, nunca chega a passar da, ah, a impressão, enquanto caminha célere pelos corredores da "Aparição Branca", que todos os outros estão imobilizados em posições claramente parkinsonianas, sendo ele o único que permanece alerta, são. Estamos de novo em tempos de paz agora, mal havia lugar para os pombos em Trafalgar Square na noite do Dia da Vitória, todo mundo no trabalho totalmente de porre, se abraçando e se beijando, menos a ala blavatskiana da Seção Psi, que tinha ido em peregrinação de Dia do Lótus Branco à 19 Avenue Road, St. John's Wood.

Agora há tempo para feriados novamente. Embora Pointsman sinta uma certa obrigação de relaxar, não se pode esquecer, é claro, da Crise. Um líder tem que demonstrar autocontrole, mesmo durante um feriado, numa situação de Crise.

Há quase um mês que não se tem notícia de Slothrop, desde que aqueles babacas da seção de inteligência do exército o perderam de vista em Zurique. Pointsman está um pouco puto da vida com a Firma. Sua estratégia tão inteligente pelo visto não funcionou. Nas primeiras conversas com Clive Mossmoon e os outros, parecia que não havia como não dar certo: deixar Slothrop escapar do Cassino Hermann Goering e depois usar o Serviço Secreto e não a PISCES para mantê-lo sob vigilância. Questão de economia. Os gastos com vigilância constituem o espinho mais torturante na coroa dos problemas de financiamento que ele está condenado a usar enquanto não terminar este projeto. A porra do financiamento vai acabar com ele, se Slothrop não o enlouquecer primeiro.

Pointsman deu uma mancada. Não lhe resta sequer o consolo tennysoniano de dizer que "alguém" deu uma mancada. Não; foi ele, só ele, que autorizou a equipe anglo-americana composta por Harvey Speed e Floyd Perdoo a investigar uma amostra aleatória das aventuras sexuais de Slothrop. Verba não faltava, e mal não poderia fazer, não é? Os dois saíram *saltitantes*, obsessivos como os Munchkins de Oz, por esta curva de Poisson erótica. O mapa da Europa de Don Giovanni — 640 na Itália, 231 na Alemanha, 100 na França, 91 na Turquia *mas*, mas, mas — na Espanha! na Espanha, 1003! — é o mapa de Londres de Slothrop, e os dois detetives ficam de tal forma contaminados pelo gosto predominante que há aqui por prazeres idiotas que logo estão passando tardes inteiras em restaurantes ao ar livre beliscando saladas de crisântemos e assados de carneiro, ou então divertindo-se nas bancas dos fruteiros — "Olhe só, Speed, *cantalupos*! Não vejo um desde o terceiro governo Roosevelt — puxa, dê uma cheirada neste aqui, que beleza! E então, que tal um cantalupo, hein, Speed? Hein? Vamos lá".

"Excelente ideia, Perdoo, excelente."

"Hãã... Ah, você escolhe um para você, está bem?"

"*Um?*"

"É. Esse aqui", virando-o para mostrá-lo com o gesto brusco de um vilão que vira o rosto de uma jovem ameaçada, "é o que *eu* escolhi, viu?"

"Mas mas eu pensei que nós dois íamos —" indicando com um gesto débil o melão que ainda não consegue aceitar como sendo o de Perdoo, e no entalhe de sua textura, tal como em meio às crateras da pálida lua, começa a emergir um rosto, o rosto de uma mulher cativa com olhos virados para baixo, pálpebras lisas como tetos persas...

"É, quer dizer, eu normalmente, hãã —" é constrangedor para Perdoo, e como se lhe exigissem que, bem, justificasse o ato de comer uma maçã, ou mesmo de jogar uma *uva* dentro da boca — "eu, quer dizer, eu costumo comer assim... inteiro, sabe?" com um risinho que ele espera que pareça simpático, para conotar delicadamente o que há de *singular* nesta discussão —

— só que Speed entende aquele risinho de modo errado: entende-o como sinal de instabilidade mental daquele americano um pouco dentuço e anguloso, que agora dança de uma mesura inglesa a outra, desengonçado feito marionete de feira ao vento. Sacudindo a cabeça, ele não obstante escolhe um cantalupo só para si, dá-se conta de que ficou para pagar a conta, que é exorbitante, e sai saltitante atrás de Perdoo, plect-plect, um atrás do outro, tra-la-li, tra-la-lá *pof* esbarrando em mais um beco sem saída:

"Jenny? Não — aqui não tem nenhuma Jenny..."

"Talvez Jennifer? Genevieve?"

"Ginny" (podem ter escrito errado), "Virginia?"

"Se os senhores estão querendo se divertir um pouco..." O sorriso dela, o sorriso vermelho, histericamente bom-dia-bom-dia-*mesmo!* dela, é largo o bastante para prendê-los os dois, tiritando, sorrindo, ali, e ela tem idade para ser *mãe* dos dois — a mãe única de ambos, reunindo as piores características da senhora Perdoo e da senhora Speed — aliás está se transformando *exatamente* nisso, ali mesmo diante dos olhares deles. Estes mares tempestuosos estão cheios de mulheres tentadoras — aqui é mesmo úmido e traiçoeiro. Enquanto os dois detetives sentimentais são envolvidos pela aura da mulher, que está piscando para eles aqui, em plena rua, cabelos reluzentes de hena, flores de maracujá no vestido de raiom — no instante antes da entrega final à loucura daqueles olhos violeta, eles se permitem, só para gozar a deliciosa cócega do pecado, lembrar-se pela última vez do projeto para o qual deveriam estar trabalhando — Bloco de Observações Slothropianas Semanais Terapêuticas e Aleatórias (BOSSTA) —, pensamento esse que sai correndo vestido de palhaço, um palhaço vulgar, apatetado, transbordante de piadas mudas sobre secreções corpóreas, careca, uma quantidade espantosa de pelos saindo das narinas com os quais ele fez duas tranças amarradas com laços de fita verde-ácido — uma corrida desajeitada, passando por sacos de areia e a cortina que já está descendo, tentando recuperar o fôlego, para dizer aos dois, com uma voz esganiçada e desagradável: "Não tem Jenny. Não tem Sally W. Não tem Cybele. Não tem Angela. Não tem Catherine. Não tem Lucy. Não tem Gretchen. Quando é que vocês vão entender? Quando é que vocês vão entender?".

Também não há "Darlene". Foi ontem. Chegaram a localizar a residência de uma certa senhora Quoad. Mas esta, uma jovem divorciada e serelepe, jamais, afirmou ela, sequer soube que na Inglaterra alguém fosse capaz de dar à filha o nome de "Darlene". Ela lamentava muito. A senhora Quoad passava os dias num endereço de pés bem cuidados em Mayfair, e os dois investigadores saíram daquela rua aliviados...

Quando é que vocês vão entender? Pointsman entende na mesma hora. Mas ele "entende" como quem entra no quarto e é atacado por uma moreia gigantesca que salta de um trecho mal-iluminado do teto, os dentes expostos num sorriso imbecil e letal, emitindo, ao cair direto sobre o rosto desprotegido, um prolongado ruído humano que a pobre vítima compreende, horrorizada, que é um *suspiro sexual*...

Em outras palavras, Pointsman evita a questão, uma reação reflexa, como faria com um pesadelo. Se isso não for uma fantasia e sim *realidade*, bem...

"Os dados, até agora, são incompletos." Isto deveria ser enfatizado em todas as declarações. "Reconhecemos que os dados iniciais parecem indicar", lembre-se de que é preciso *parecer sincero*, "que há um certo número de casos em que os nomes encontrados no mapa de Slothrop parecem não corresponder aos fatos que pudemos determinar ao longo de sua linha de tempo aqui em Londres. Isto é, que pudemos determinar *até agora*. Em sua maioria, são apenas primeiros nomes, isto é, os, os xis sem os ípsilones, por assim dizer, as horizontais sem as verticais. É difícil dizer se as investigações já realizadas são suficientes.

"E se, em algum dia longínquo, ficar provado que muitas — ou mesmo a maioria — das estrelas slothropianas referem-se a fantasias sexuais e não a eventos reais? Isto de modo algum invalidaria nossa abordagem, tal como não invalidou a do jovem Sigmund Freud, na Viena de outrora, diante de uma violação da probabilidade semelhante a essa — todas aquelas histórias do tipo papai-me-currou, que podiam até ser mentiras do ponto de vista factual, eram sem dúvida verdadeiras do ponto de vista *clínico*. É preciso que se entenda que nós, na PISCES, estamos trabalhando com uma versão da verdade definida de modo bem estrito, clínico. Não buscamos outro agente que não esse."

Até agora, o ônus é só de Pointsman. A solidão de um Führer: ele sente-se fortalecer à luz dos raios deste companheiro escuro da sua estrela pública, ora em ascensão... porém não quer compartilhá-la, ainda não...

As reuniões da equipe, a sua equipe, tornam-se cada vez mais inúteis, pior do que inúteis. Emperram em discussões intermináveis sobre detalhes triviais — permanecer ou não como PISCES agora que a Capitulação foi devidamente Executada com Sucesso, e que espécie de sigla adotar, ou não. O representante da Shell Mex House, o senhor Dennis Joint, quer inserir o programa no Grupo de Operações de Projéteis Especiais (GOPE), como adjunto do projeto britânico de recauchutagem de foguetes, a Operação Tiro pela Culatra, que funciona em Cuxhaven, no litoral do mar do Norte. Dia sim, dia não, surge uma nova tentativa, vinda de uma fonte diferente, de reconstituir ou mesmo dissolver a PISCES. De uns tempos para cá, Pointsman assume cada vez com mais facilidade uma mentalidade do tipo l'etat c'est moi — pois não é ele que está fazendo tudo? não é ele que está segurando todas as pontas, por vezes valendo-se apenas da sua férrea força de vontade...?

A Shell Mex House, é claro, está desesperada com o desaparecimento de Slothrop. Eis que se encontra à solta um homem que sabe tudo que é possível saber — não apenas sobre o A4, mas também sobre o que a *Grã-Bretanha* sabe sobre o A4. Zurique está cheinha de agentes soviéticos. E se eles já pegaram Slothrop? Na primavera, tomaram Peenemünde, e agora pelo visto vão ganhar também a fábrica de foguetes central de Nordhausen, mais uma negociação de Yalta... Pelo menos três agências, a VIAM, a TSAGI e a NISO, mais alguns engenheiros que pertencem a outros comissariados, estão no momento no setor soviético da Alemanha ocupada, com listas de pessoal e equipamento a serem levados para o leste. Dentro da esfera de influência da SHAEF, a Divisão de Material Bélico do Exército Americano e uma série de outras equipes competidoras estão recolhendo tudo o que encontram pela frente. Já levaram von Braun e mais uns 500 outros, e os internaram em Garmisch. E se *eles* pegarem Slothrop?

Para piorar a Crise, houve defecções: Rollo Groast voltou para a Sociedade de Pesquisas Paranormais, Treacle abriu um consultório, Myron Grunton voltou a trabalhar no rádio em regime de expediente integral. Mexico está se tornando distante. Katje Borgesius continua cumprindo suas obrigações noturnas, mas agora que o general adoeceu (será que o velho idiota anda esquecendo de tomar os antibióticos? Será que Pointsman tem que fazer tudo sozinho?) ela está começando a ficar inquieta. Naturalmente, Géza Rózsavölgyi continua trabalhando no projeto. Esse é um fanático. Rózsavölgyi *nunca* vai embora.

Pois bem. Um feriado na praia. Por motivos políticos, o grupo é composto por Pointsman, Mexico, a namorada de Mexico, Dennis Joint e Katje Borgesius. Pointsman vai com sapatos de sola de corda, seu chapéu-coco de antes da guerra e um raro sorriso. O tempo não é ideal. Céu nublado, um vento que vai ficar gelado à tardinha. Vem um cheiro de ozônio dos carrinhos de autopista na estrutura de aço cinzenta na avenida beira-mar, junto com cheiros de mariscos dos carrinhos de vendedores, e de maresia. A praia de seixos está apinhada de famílias: pais descalços de terno com colarinho branco alto, mães de conjuntos de saia e blusa recém-despertos de um prolongado sono canforado, crianças correndo para todos os lados trajando jardineiras, fraldas, calças curtas, meias compridas, chapéus. Há sorvetes, balas, Cocas, mariscos, ostras e camarões com sal e molho. Nos fliperamas, as máquinas estremecem nas mãos de soldados fanáticos e suas garotas, a contorcer-se, xingar e gemer enquanto as bolas coloridas descem por entre os obstáculos de madeira, luzes que piscam, flíperes que se dobram. Os jumentos zurram e cagam, as crianças pisam na bosta e os pais gritam. Homens afundados em cadeiras de praia de lona falam sobre negócios, esportes, sexo e principalmente política. Um realejo toca a abertura de *La gazza ladra* de Rossini (a qual, como veremos mais tarde, em Berlim, assinala um ponto culminante na história da música que todos ignoraram, preferindo Beethoven, que nunca passou das declarações de intenção), e aqui, sem os tambores, sem a sonoridade dos metais, a melodia é suave, esperançosa, prometendo arrebóis violeta, pavilhões de aço inoxidável, todo mundo finalmente elevado à aristocracia, e amor sem qualquer forma de pagamento...

Hoje Pointsman pretendia não falar de trabalho, e sim deixar a conversa fluir de modo mais ou menos orgânico. Esperar que os outros se traíssem. Mas todos estão tímidos, ou constrangidos. A conversação é mínima. Dennis Joint está olhando para Katje com um sorriso cheio de tesão, de vez em quando dirigindo um olhar desconfiado a Roger Mexico. Mexico, por sua vez, está tendo seus problemas com Jessica — cada vez mais, nos últimos tempos — e no momento os dois não estão sequer olhando um para o outro. Katje Borgesius está com o olhar perdido no mar, é impossível imaginar o que se passa na cabeça dessa aí. De algum modo vago, Pointsman, embora saiba que ela não tem nenhum poder sobre ele, continua tendo medo de Katje. Há ainda muitas coisas que escapam a seu entendimento. Talvez o que mais o incomoda agora seja a ligação que possivelmente existe entre ela e o Pirata Prentice. Prentice já foi várias vezes à "Aparição Branca" fazer perguntas muito objetivas a respeito da moça. Quando, recentemente, a PISCES abriu seu novo escritório em Londres (o qual algum gozador, provavelmente o imbecil do Webley Silvernail, já batizou de "Décima Segunda Casa"), Prentice começou a frequentá-lo de modo insistente, flertando com as secretárias, tentando dar uma espiadela nesta ou naquela ficha... O que está havendo? Que vida após a morte a Firma terá encontrado depois do Dia da Vitória? O que será que Prentice quer... qual o seu preço? Estará apaixonado por La Borgesius? Será possível esta mulher se apaixonar? *Amar?* Ah, só de pensar dá vontade de gritar. Que concepção de amor ela poderia ter...

"Mexico", agarrando o braço do jovem estatístico.

"Hein?" Roger desvia a vista de uma beldade que lembra um pouco Rita Hayworth, com um maiô estampado de flores que forma um X nas suas costas esguias...

"Mexico, acho que estou tendo uma alucinação."

"É mesmo? Alucinação? O que é que você está vendo?"

"Mexico, estou vendo... estou vendo... Estou vendo coisa nenhuma, sua besta! A questão é o que estou *ouvindo*."

"Então o que você está ouvindo, ora." Um pouco de irritação em Roger.

"No momento, estou ouvindo você dizer 'Então o que você está ouvindo, ora'. E *não estou gostando disso*! "

"Por quê?"

"Porque, por mais desagradável que seja a alucinação, ainda acho ela *bem* menos desagradável que a sua voz."

Ora, um tal comportamento seria estranho partindo de qualquer um, mas do senhor Pointsman, normalmente tão correto, é estranho o bastante para fazer todo este grupo de paranoicos recíprocos parar de repente. Ali perto há uma Roda da Fortuna, com maços de Lucky Strike, bonecas e barras de chocolate enfiadas entre os raios.

"E essa agora, o que você acha?", o louro e saudável Dennis Joint cutuca Katje com um cotovelo largo como um joelho. Em sua profissão, ele aprendeu a fazer julgamentos instantâneos a respeito das pessoas com quem lida. Para ele, Katje é uma garota alegre, doida para se divertir um pouco. É, essa aí daria uma boa líder, falando sério. "Ele ficou meio maluco de repente, não é?" Tentando manter a voz baixa, sorrindo com uma paranoia atlética mais ou menos na direção do estranho pavloviano — não *diretamente* para ele, veja bem, olhá-lo nos olhos agora talvez fosse uma imprudência suicida, dado o estado mental do sujeito...

Enquanto isso, Jessica está bancando Fay Wray. É uma espécie de paralisia protetora, reação semelhante à que se tem quando a tal moreia salta do teto em cima da pessoa. Mas ela está se protegendo é do Punho do Macaco, das luzes elétricas de Nova York que invadem, tremeluzentes, o quarto que você julgava inexpugnável... dos pelos pretos grossos, dos tendões ávidos, do amor trágico...

"Pois é", como afirma o crítico Mitchell Prettyplace em seu estudo definitivo, em 18 volumes, de *King Kong*, "o negócio é que ele estava *apaixonado* pela moça, gente." A partir dessa premissa, Prettyplace, ao que parece, não se esqueceu de nada, nenhuma tomada de cena, inclusive as que não chegaram a ser utilizadas na montagem final, vasculhando-as até o último farelo de simbolismo, biografias exaustivas de todo mundo que teve alguma relação com o filme, extras, maquinistas, laboratoristas... até mesmo entrevistas com os Kultores de King Kong, membros de uma sociedade à qual só são admitidos os que já viram o filme pelo menos 100 vezes e foram aprovados num exame de 8 horas de duração... E no entanto, no entanto: há que levar em conta a lei de Murphy, esta ousada reformulação irlandesa e proletária do teorema de Gödel — *quando tudo foi verificado, quando nada pode dar errado, nem mesmo nos surpreender... algo há de dar errado.* Assim, as permutações e combinações que Pudding prevê para 1931, o ano do teorema de Gödel, em *Coisas que podem acontecer na política europeia*, não dão chance alguma a Hitler. Assim, quando as leis de hereditariedade são estabelecidas, nascem mutantes. Até mesmo um equipamento tão determinista como o foguete A4 é capaz de gerar espontaneamente itens como o "S-Gerät" que Slothrop julga estar procurando como se fosse o graal. Assim, também, a lenda do macaco expiatório que é lançado como Lúcifer do alto da maior ereção do mundo termina, a seu tempo, gerando seus próprios filhos, correndo de um lado para o outro da Alemanha no momento — os membros do Schwarzkommando, cujo surgimento nem mesmo Mitchell Prettyplace poderia ter previsto.

Na PISCES, muitos acreditam que o Schwarzkommando foi convocado, tal como se evocam demônios, chamados à luz do dia e à face da terra, pela já falecida Operação Asa Negra. Sem dúvida, o pessoal da Seção Psi deve ter dado boas gargalhadas por conta dessa história. Quem poderia imaginar que ia haver uma tropa negra *de verdade* operando os foguetes? Uma história inventada para assustar o inimigo de ontem revelara-se literalmente verdadeira — e agora não havia mais como enfiá-los de volta na garrafa, nem pronunciar o encantamento de trás para a frente: ninguém conhecia o encantamento de cabo a rabo — cada um conhecia um pedaço, trabalho de equipe é isso aí... Quando alguém tiver a ideia de reexaminar a documentação Secretíssima referente à Operação Asa Negra, para tentar entender como tudo isso pôde acabar acontecendo, vai constatar que, curiosamente, alguns documentos críticos ou sumiram ou então foram atualizados em data posterior ao fim da Operação, e que não é mais possível, a esta altura do campeonato, reconstruir todo o encantamento, embora não faltem as especulações elegantes e subliterárias de sempre. Mesmo as especulações anteriores estarão amputadas e tranquilizadas. Nada restará, por exemplo, das descobertas incertas do freudiano Edwin Treacle e sua turma, os quais, mais para o final, já não estavam de acordo nem sequer com a própria minoria a que pertenciam, a ala psicanalítica da Seção Psi. Começou como uma busca de uma possível base mensurável da experiência comum de ser assombrado pelos mortos. Depois de algum tempo, alguns colegas começaram a fazer pedidos de transferência. Comentários desagradáveis, do tipo "Isso aqui está começando a ficar com cara de Instituto Tavistock", começaram a ser cochichados nos corredores do subsolo. Revoltas palacianas, muitas delas concebidas em magníficos e ornamentais acessos de paranoia, resultaram na presença maciça de serralheiros e soldadores, levaram a misteriosas faltas de material de escritório, até mesmo água e calefação... mas nada disso impediu Treacle e os seus de continuar a manter a mentalidade freudiana, para não falar na junguiana. Ficaram sabendo da existência real do Schwarzkommando uma semana antes do Dia da Vitória. Os eventos individuais, quem disse o que a quem, se perderam no frenesi de acusações, choros, colapsos nervosos e áreas de gosto ruim que se seguiram. Alguém evoca a imagem de Gavin Trefoil, rosto azul como o de Krishna, correndo nu em pelo por entre as árvores de topiaria, e Treacle o perseguindo com um machado, gritando: "Macaco gigante, é? Eu vou já lhe mostrar um macaco gigante!".

De fato, ele viria a mostrar a criatura a muitos de nós, ainda que nos recusássemos a olhar. Em sua inocência, não entendia por que motivo seus colegas de trabalho do projeto não haveriam de praticar a autocrítica com tanto rigor quanto os membros de uma célula revolucionária. Não fora sua intenção ferir a suscetibilidade de ninguém; quisera apenas mostrar aos outros, todos eles boas pessoas, que seus sentimentos associados à cor negra estavam ligados a sentimentos associados à merda, e os sentimentos associados à merda ligados a sentimentos associados à putrefação e à morte. Para ele, isto era tão claro... por que os outros não o ouviam? Por que não admitiam que suas repressões haviam de fato, num sentido que a Europa, vivendo os últimos estágios do processo de perversão da magia, já perdera, haviam de fato se encarnado em homens de carne e osso, que provavelmente (segundo as melhores informações disponíveis) estavam em posse de armas de carne e osso, assim como o pai morto que jamais dormiu com você, Penelope, volta noite após noite a sua cama, tentando se acomodar atrás de você... ou assim como o filho que você nunca teve a acorda, chorando no meio da noite, e você sente seus lábios espectrais no seu seio... são seres reais, estão vivos, no momento em que você finge gritar agarrada pelo Punho do Macaco... porém olhando agora para uma candidata muito mais provável, Katje, com sua pele alva como leite, sob a Roda da Fortuna, ela própria prestes a sair na disparada pela praia, rumo à calma relativa da montanha-russa. Pointsman está tendo alucinações. Ele perdeu o controle. Pointsman supostamente tem controle absoluto sobre Katje. Então onde ela fica nisso tudo? Se seu controle perdeu o controle. Nem mesmo no mundo de couro e dor do gemütlich capitão Blicero ela se sentiu tão apavorada como agora.

Roger Mexico está levando a coisa pessoalmente, mas-que-é-isso, eu só estava tentando ajudar...

O que o senhor Pointsman, um tanto aéreo, está ouvindo esse tempo todo é uma voz, estranhamente familiar, uma voz que outrora ele atribuíra, em sua imaginação, a um rosto que aparece numa foto da Guerra largamente reproduzida:

"Eis o que você tem que fazer. Agora você precisa de Mexico mais do que nunca. Suas ansiedades do inverno passado a respeito do Fim da História agora já podem descansar tranquilamente, parte da sua biografia agora é apenas um velho pesadelo. Mas, como sempre diz lorde Acton, a história não é tecida por mãos inocentes. A namorada de Mexico é uma ameaça a todo o seu empreendimento. Ele é capaz de fazer qualquer coisa para não perdê-la. Mesmo que faça cara feia para ele, mesmo que o xingue, ela sempre o seduzirá, afastando-o do projeto para a neblina do mundo civil onde você o perderá e jamais voltará a encontrá-lo — a menos que aja agora, Pointsman. A Operação Tiro pela Culatra está mandando moças do serviço auxiliar para a Zona. Para trabalhar nos foguetes: trabalhos de secretaria e até mesmo pequenos cargos técnicos no campo de provas de Cuxhaven. Basta mandar um recado ao GOPE, através de Dennis Joint, que Jessica Swanlake deixa de ser um obstáculo para você. Mexico vai reclamar por algum tempo, mas, se a coisa for bem encaminhada, será mais um motivo para ele Entregar-se Totalmente ao Trabalho, é ou não é? Lembre-se das palavras eloquentes de Sir Denis Nayland Smith para o jovem Alan Sterling, cuja noiva está nas garras do pérfido Inimigo Amarelo: 'Já ardi nesse fogo que o consome agora, Sterling, e sempre constatei que o trabalho é o melhor unguento para as queimaduras'. E nós dois sabemos o que Nayland Smith representa, é ou não é? Hein?"

"*Eu* sei", retruca Pointsman, em voz alta, "mas realmente não sei se *você* sabe. Aliás, nem sei quem você *é*, afinal."

Essa estranha explosão não tranquiliza nem um pouco os colegas de Pointsman. Eles começam a se afastar de mansinho, muito preocupados. "Temos que achar um médico", murmura Dennis Joint, piscando para Katje como se fosse um Groucho Marx de cabelos louros cortados à escovinha. Jessica, esquecendo-se de que está emburrada, segura-se no braço de Roger.

"Está vendo? Está vendo?", a voz começa outra vez. "Ela sente que está protegendo Mexico, protegendo-o *de você*. Quantas vezes na vida a pessoa tem a oportunidade de *ser* uma síntese, hein, Pointsman? Oriente e Ocidente, juntos na mesma pessoa? Você pode não apenas ser Nayland Smith, dando sábios conselhos sobre as virtudes do trabalho ao rapaz que está com dor de cotovelo, como também ao mesmo tempo ser *Fu Manchu*! Hein? O que está com a mocinha em seu poder! *Que tal?* Protagonista e antagonista, dois em um. Se eu fosse você, eu topava sem vacilar."

Pointsman está prestes a responder algo assim como "Só que você não é eu", porém dá-se conta de que estão todos olhando para ele com olhos esbugalhados. "Estou só falando sozinho, sabe? Um pouco de — uma espécie de — excentricidade, hi-hi."

"Yang e Yin", cochicha a voz, "Yang e Yin..."

3. NA ZONA

Toto, tenho a impressão de que não estamos mais no Kansas, não...
DOROTHY, ao chegar em Oz

Já passamos, felizmente, dos dias dos Eis-Heiligen — s. Pancrácio, s. Servácio, s. Bonifácio, die Kalte Sophie... eles pairam em nuvens acima das vinhas, seres sagrados de gelo, prontos, com seu hálito, sua intenção, para estragar o ano com geada e frio. Em certos anos, principalmente em tempos de Guerra, são pouco caridosos, birrentos, presunçosos com todo o seu poder: nada santos, nem mesmo cristãos. As preces dos vinicultores, dos colhedores de uvas, dos enófilos certamente hão de chegar até eles, porém não se sabe a reação dos santos do gelo — gargalhadas grosseiras, irritação pagã, quem será capaz de compreender esta retaguarda que preserva o inverno, combatendo os revolucionários de maio?

Este ano encontraram o campo em paz há poucos dias. Já as videiras começam a crescer por cima dos obstáculos anticarro, Stukas caídos, tanques queimados. O som aquece as encostas, os rios despencam, reluzentes como vinho. Os santos se contêm. As noites têm sido amenas. A geada não veio. É a primavera da paz. A safra, se Deus conceder pelo menos cem dias do sol, será ótima.

Nordhausen confia menos nos santos do gelo do que o fazem as regiões vinícolas mais ao sul, porém até mesmo aqui a estação parece promissora. Uma chuva de vento se esparge pela cidade quando, manhã cedo, chega Slothrop, pés descalços, cheios de bolhas sobre bolhas, refrescados aqui na grama úmida. Já há sol no alto das montanhas. Seus sapatos foram roubados por algum deslocado de guerra de dedos mais leves que os sonhos, num dos muitos trens que ele pegou depois da fronteira suíça, em algum ponto da Baviera, no auge do sono. Quem quer que o tenha feito deixou uma tulipa vermelha entre os dedos dos pés de Slothrop. Ele entendeu a flor como um sinal. Uma lembrança de Katje.

Os sinais o encontrarão aqui na Zona, e os ancestrais vão reafirmar-se. É como aprofundar-se nas selvas da África para estudar os nativos e constatar que as curiosas superstições deles estão tomando conta de você. Aliás, coisa engraçada, algumas noites atrás Slothrop esbarrou num africano, o primeiro que ele viu na vida. Conversaram em cima de um vagão de carga por um ou dois minutos apenas. Conversa fiada para acompanhar a súbita partida do major Duane Marvy, que saiu a quicar e estabacar-se nas pedras junto aos trilhos e rolar vale abaixo — na ocasião, na verdade, não se falou nada sobre as crenças dos herero a respeito dos ancestrais. Porém Slothrop sente agora a presença dos seus, cada vez mais forte à medida que as fronteiras vão ficando para trás e a Zona o envolve, seus antepassados anglo-saxões de vestes negras, ouvindo Deus a clamar para eles em cada folha e cada vaca solta entre as macieiras outonais...

Sinais de Katje, e duplos também. Uma noite, entrou numa casa de brinquedo numa propriedade abandonada, mantendo o fogo aceso com os cabelos louros de uma boneca com olhos de lápis-lazúli. Ele guardou os olhos. Alguns dias depois, trocou-os por uma carona e meia batata cozida. Cães ladravam ao longe, vento estival soprava nos vidoeiros. Slothrop estava numa das principais artérias da última dissolução e retirada da primavera. Em algum lugar perto dali, uma das unidades de foguetes do general de divisão Kammler havia morrido uma morte coletiva, deixando, com sua raiva militar estropiada, peças, módulos, seções de fuselagens, baterias apodrecendo, segredos de papel transformados em pasta pela chuva. Slothrop vai atrás. Qualquer pista é boa o bastante para justificar uma carona num trem...

O cabelo da boneca é cabelo de verdade. Ao queimar, produz um cheiro horrível. Slothrop ouve algo se movendo do outro lado do fogo. Um barulho mecânico — ele agarra o cobertor, pronto para sair na disparada pela janela sem vidraças, esperando uma granada. Em vez disso, entra um desses brinquedinhos alemães de cores vivas, um orangotango de rodinhas fazendo qui-qui-qui, e se aproxima do fogo, espástico, cabeça sobe e desce, sorriso idiota no rosto, dedos de aço dobrados roçando no chão. Já está quase entrando na fogueira quando acaba a corda, a cabeça parando na posição central, virada de chapa para Slothrop.

Ele joga mais um tufo de cabelos dourados no fogo. "Boa noite."

Riso em algum lugar. Uma criança. Porém o riso é velho.

"Pode vir, sou inofensivo."

O macaco é seguido por um pequenino corvo preto de bico vermelho, também de rodinhas, a pular e crocitar, batendo as asas de metal.

"Por que você está queimando o cabelo da minha boneca?"

"Ah, mas o cabelo não é mesmo dela, você sabe."

"O papai disse que era de uma judia russa."

"Por que você não chega perto do fogo?"

"Machuca a vista." Dando corda outra vez. Nada se mexe. Porém uma caixa de música começa a tocar. Melodia em tom menor, precisa. "Dance comigo."

"Não estou vendo você."

"Aqui." Fora do alcance da luz da fogueira, uma pequena flor de geada. Ele estende a mão e consegue tocar-lhe as pontas dos dedos, segurá-la pela cinturinha estreita. Começam uma dança severa. Slothrop nem sabe se é ele que a conduz.

Não chegou a ver seu rosto. Apalpa voile e organdi.

"Bonito vestido."

"Usei na minha primeira comunhão." O fogo terminou morrendo, restando a luz das estrelas e um brilho tênue vindo de alguma cidade ao leste, por janelas já sem vidraça alguma. A caixa de música continuava tocando, parecia que a corda não ia acabar nunca. Seus pés passavam por cima de vidro velho, tornado opaco, esmigalhado, sedas rasgadas, ossos de coelhos e filhotes de gato. Pelo caminho geométrico, passaram por velhos arrás caídos e rasgados, cheirando a pó, e um bestiário mais velho que o que estava junto ao fogo... unicórnios, quimeras... e o que era mesmo que ele vira, em festões, acima da entrada baixa da casinha? Bulbos de alho? Peraí — isso não é para afastar *vampiros*? Um leve cheiro de alho chegou-lhe às narinas exatamente neste instante, um irromper de sangue balcânico no ar de seu norte, quando ele se virou para ela para lhe perguntar se era mesmo Katje, a linda rainhazinha da Transilvânia. Mas a música já havia morrido. E ela havia evaporado de seus braços.

Pois bem, cá está ele, perdido na Zona como um copo numa mesa de sessão espírita, e o que aparece dentro do círculo vazio de seu cérebro poderia até formar uma mensagem, ou não, ele vai ter que esperar para ver. No entanto, sente dedos paranormais pousados leves, mas inconfundíveis, em seus dias, e imagina que sejam os dedos de Katje.

Ele continua sendo Ian Scuffling, correspondente de guerra (paz?), se bem que novamente de uniforme britânico agora, com muito tempo, em suas viagens de trem, para matutar sobre as informações que Mario Schweitar lhe arranjou em Zurique. Há um gordo arquivo sobre o Imipolex G, que parece apontar para Nordhausen. O engenheiro que aparecia como comprador no contrato de Imipolex era um certo Franz Pökler. Ele veio para Nordhausen no início de 44, quando o foguete estava começando a ser produzido em massa. Foi aquartelado na Mittelwerke, um complexo subterrâneo de fábricas operadas, em sua maioria, pela SS. Não havia nenhuma informação referente ao destino que ele tomou quando as fábricas foram evacuadas em fevereiro e março. Porém Ian Scuffling, o ás da reportagem, certamente há de descobrir uma pista lá na Mittelwerke.

Dentro do vagão sacolejante, Slothrop estava acompanhado de outros trinta seres friorentos e andrajosos, olhos só pupilas, lábios craterados de feridas. Estavam cantando, alguns. Muitos deles garotos. É uma canção de deslocados de guerra, e Slothrop vai ouvi-la muitas vezes na Zona, nos acampamentos, na estrada, em mais de dez variantes:

Se vires um trem esta noite,
Depois que a noite chegar,
Deita no teu cobertor
E deixa esse trem passar.

Trens nos chamam toda noite,
Trens distantes, aos milhares,
Que cruzam cidades vazias,
Trens que não têm lugares.

Trens que não têm maquinista,
Trens que não sabem onde vão.
Não precisam de passageiros.
Os trens são da escuridão.

Passam estações desertas,
E outras, e outras mais.
Os trens levam o que deixamos,
Os trens nos deixam pra trás.

Que chorem como almas penadas,
Que chorem os desgraçados.
Aos trens, a noite e a ruína.
A nós, as canções e os pecados.

Cachimbos rodam de mão em mão. Fumaça paira entre as ripas úmidas, é chupada para fora estalando no turbilhão da noite. Crianças choramingam dormindo, bebês raquíticos choram... de vez em quando as mães trocam uma palavra. Slothrop encolhe-se dentro de sua infelicidade de papel.

O dossiê da firma suíça sobre L. (de Laszlo) Jamf lista todas as propriedades que ele possuía quando veio trabalhar em Zurique. Ainda era membro — representando a classe dos cientistas — da diretoria da Química Grössli em 1924. Entre opções para compras de ações e participações nesta e naquela firma alemã — pedaços que seriam rejuntados nos próximos dois anos pelo polvo da IG — havia registros de uma transação entre Jamf e o senhor Lyle Bland, de Boston, Massachusetts.

Está ficando quente, rapaz. Lyle Bland é um nome que Slothrop conhece bem. E é também um nome que aparece muito nos registros privados que Jamf fazia de seus próprios negócios. Ao que parece, Bland, no início dos anos 20, envolveu-se até as pontas dos cabelos com a operação Hugo Stinnes na Alemanha. Stinnes, enquanto durou, foi o menino-prodígio das finanças europeias. No vale do Ruhr, onde sua família fizera fortuna com carvão havia gerações, o jovem Stinnes construiu um império razoável de aço, gás, energia elétrica e força hidráulica, bondes e linhas de barcas antes de completar 30 anos. Durante a Guerra Mundial, foi colaborador próximo de Walter Rathenau, que comandava a economia com mão de ferro na época. Após a guerra, Stinnes conseguiu juntar o cartel horizontal de eletricidade da Siemens-Schuchert com as reservas de carvão e ferro da Rheinelbe Union de modo a formar um supercartel horizontal e vertical, além de comprar participações em praticamente tudo o mais — estaleiros, linhas de navios a vapor, hotéis, restaurantes, florestas, fábricas de celulose, jornais — ao mesmo tempo especulando com moeda, comprando moeda estrangeira com marcos tomados emprestados ao Reichsbank, baixando a cotação do marco e depois pagando as dívidas a uma fração do valor original. Mais do que qualquer outro financista, foi acusado de ser o causador da Inflação. Era nessa época que as pessoas usavam carrinhos de mão para carregar cédulas de marcos ao fazer pequenas compras cotidianas, e usavam-nas como papel higiênico, quando tinham o que cagar. As conexões internacionais de Stinnes abarcavam o mundo inteiro — Brasil, Indonésia, Estados Unidos — e, para comerciantes como Lyle Bland, sua taxa de crescimento era irresistível. Na época, dizia-se que Stinnes estava conspirando com Krupp, Thyssen e outros com o fim de arruinar o marco para que a Alemanha não tivesse que pagar suas dívidas de guerra.

A ligação com Bland era vaga. Os registros de Jamf mencionam que ele negociara contratos referentes à entrega de toneladas de moeda privada denominada Notgeld a Stinnes e seus colegas, bem como "cédulas Mefo" à República de Weimar — mais uma das muitas manobras contábeis feitas por Hjalmar Schacht para evitar qualquer menção nos registros oficiais a verbas referentes a armamentos, os quais haviam sido proibidos pelo Tratado de Versalhes. Alguns desses contratos referentes a notas cambiais bancárias foram fechados com uma certa fábrica de papel de Massachusetts em que Lyle Bland era membro da diretoria.

O nome desta firma era Companhia de Papel Slothrop.

Ele lê seu nome sem muita surpresa. Tinha mesmo que estar ali, como todos os pequenos detalhes têm que estar onde estão num déjà vu. Em vez de uma súbita incidência de luz (nem mesmo sob a forma de um ser humano: luz dourada e admonitória), enquanto ele olha para estas oito marcas de tinta, ocorre um desagradável episódio em seu estômago, um terror tão tangível quanto uma ânsia de vômito — a mesma vertigem que o dominou uma vez há muito tempo na Himmler-Spielsaal. Um balão de gás cerca sua cabeça, um balão de borracha, enorme, pressionando-a por todos os lados, aquela sensação que conhecemos, sim, mas... Além disso ele está ficando de pau duro, sem nenhum motivo imediato. E aquele *cheiro* outra vez, um cheiro que remonta a um tempo anterior a sua memória consciente, um cheiro suave e químico, ameaçando, assombrando, um cheiro que não se pode encontrar solto pelo mundo — *é o hálito da Ala Proibida*... essência de todas as figuras imóveis que esperam por ele lá dentro, desafiando-o a entrar e encontrar um segredo a que ele não poderá sobreviver.

Uma vez alguma coisa foi feita com ele, numa sala, enquanto ele estava deitado, indefeso...

Sua ereção é um zumbido distante, como um instrumento instalado por Eles, ligado a seu corpo como um posto avançado numa colônia aqui em nosso mundo inóspito e ruidoso, mais um escritório de representação da Metrópole branca e distante d'Eles...

Uma história triste, sem dúvida. Slothrop, a esta altura nervosíssimo, continua lendo. Lyle Bland, é? Faz sentido, sim. Ele relembra vagamente ter visto o tio Lyle uma ou duas vezes. O homem vinha visitar seu pai, afável, louro, um safardana ao estilo regional de Jim Fisk. Bland vivia levantando o pequeno Tyrone e balançando-o pelos pés. Tudo bem — na época Slothrop não tinha nenhum compromisso mais sério com a posição cabeça-para-cima-pés-para-baixo.

Pelo que diz aqui, Bland ou previu o desastre financeiro de Stinnes antes da maioria das outras vítimas ou então era apenas naturalmente nervoso. No início de 1923, começou a vender sua participação nas operações de Stinnes. Uma dessas vendas foi feita através de Laszlo Jamf para a Companhia Química Grössli (posteriormente Psychochemie AG). Um dos bens transferidos nessa venda foi "a totalidade da participação no empreendimento Schwarzknabe. O vendedor se compromete a continuar a exercer suas obrigações de vigilância até que o agente da Schwindel possa ser substituído por um seu equivalente da parte do comprador, o qual seja aprovado pelo vendedor".

Por acaso, a chave do código de Jamf está no dossiê. Faz parte da personalidade do homem, afinal. "Schwindel" era Hugo Stinnes. O velho sacana tinha senso de humor. Em frente a "Schwarzknabe" aparecem as iniciais "T.S.".

Puta que o pariu, pensa Slothrop, deve ser eu. A menos que seja, o que é improvável, Total Sacanagem.

Na lista do passivo do "empreendimento Schwarzknabe" aparece uma conta por pagar devida à Universidade de Harvard, cerca de US$ 5 000, aí incluídos os juros, "conforme acordo (verbal) com Schwarzvater".

"Schwarzvater" refere-se, no código, a "B.S.". O que se não for, o que é improvável, Baita Sacanagem, deve ser o pai de Slothrop, Broderick. Negropai Slothrop.

Uma bela maneira de descobrir que, vinte anos atrás, o pai da gente fechou um negócio com alguém para garantir nossa formação universitária. Pensando bem, Slothrop nunca conseguiu entender direito a coexistência da iminente ruína financeira da família, anunciada ao longo de toda a crise dos anos 30, com o conforto que ele desfrutou em Harvard. Mas, afinal, qual foi o negócio que seu pai fez com Bland? Fui vendido, meu Deus, vendido à IG Farben como uma peça de carne. Vigilância? Stinnes, como todo imperador da indústria, tinha sua própria rede de espionagem. Ele e a IG. Então Slothrop está sendo observado — t-talvez desde que *nasceu*? Éééé...

O medo de novo incha como um balão dentro de seu cérebro. Não há como contê-lo com um mero Foda-se... Um cheiro, uma sala proibida, na borda inferior de sua memória. Ele não consegue enxergar, não consegue distinguir. Nem quer. Está associado à Pior Coisa.

Ele sabe o que o cheiro deve ser: embora de acordo com estes papéis tenha acontecido muito antes do tempo, e embora ele nunca tenha encontrado a substância em meio às coordenadas diurnas de sua vida, assim mesmo, lá no fundo, ali na cálida escuridão, em meio às formas antigas onde relógios e calendários pouco significam, ele sabe que o que o atormenta há de ser o cheiro de Imipolex G.

E mais aquele sonho recente que ele tem medo de voltar a ter. Slothrop via-se em seu antigo quarto, na casa dos pais. Tarde de verão, lilases e abelhas, ar quente entrando por uma janela aberta. Slothrop encontrava um dicionário velhíssimo de alemão técnico. O livro abria-se numa certa página cheia de palavras em negrito. Correndo a vista pela página, ele chegava a JAMF. A definição era: Eu. Acordou pedindo à Coisa que *não* — mas mesmo depois de acordar, ele tinha certeza, continuava tendo certeza, de que Ela podia voltar a assombrá-lo, quando bem entendesse. Talvez você também conheça esse sonho. Talvez Ela lhe tenha dito para jamais pronunciar Seu nome. Nesse caso, você sabe como Slothrop está se sentindo agora.

O que ele faz é levantar-se de um salto, ir até a porta do vagão de carga, que está subindo uma ladeira. Ele abre a porta, sai — ação, ação — e sobe uma escada de mão, chegando ao telhado. A trinta centímetros de seu rosto, uma fileira dupla de dentes reluzentes paira no ar. Justamente o que ele precisa. É o major Marvy da Divisão de Material Bélico do Exército Americano, o líder da Máfia de Marvy, a equipe de inteligência mais filha da puta de toda essa porra dessa Zona, meu chapa. Slothrop o chama de Duane, quando quer. "Buga, buga, buga! Bando de selvagens aí no vagão do lado, sô!"

"Peraí", diz Slothrop, "acho que eu cochilei ou sei lá o quê." Seus pés estão gelados. O tal Marvy é gordo mesmo. Calças enfiadas nas botas de combate reluzentes, pneu de gordura caído por cima do cinturão onde ele enfia seus óculos escuros e sua 45, óculos de tartaruga, cabelos brilhantinados, olhos de válvulas de segurança que pulam para fora sempre que — como agora — a pressão dentro de sua cabeça sobe demais.

Marvy pegou uma carona num P-47 de Paris até Kassel, acoplou-se a este trem a oeste de Heiligenstadt. Está indo para a Mittelwerke, tal como Ian Scuffling. Vai trabalhar com o pessoal de um tal Projeto Hermes, da General Electric. Fica nervoso só de saber que tem um bando de crioulo ali do lado. "Essa história deve interessar a vocês. Avise o pessoal lá da sua terra."

"São soldados americanos?"

"Porra nenhuma. Alemães. Do Sudoeste Africano. Sei lá. Quer dizer que você não está sabendo de nada? Não fode. A inteligência inglesa não é lá das mais inteligentes, ha, ha, não leve a mal não, é brincadeira. Eu pensava que todo mundo estava sabendo." Segue-se uma história escabrosa — parece uma invenção da SHAEF, a imaginação de Goebbels, não muito fértil, não vai além de baluartes alpinos e quejandos — sobre um plano de Hitler no sentido de criar um império nazista na África negra, que mixou quando o Patton botou no cu do Rommel no deserto. "'Vai baixando a calça, general.' 'Ach du lieber! Mein Arsch! AAAH — ha, ha, ha...'" agarrando num gesto cômico os fundilhos das calças largas. Pois bem, os negros não tinham mais futuro na África, ficaram na Alemanha como governos-no-exílio sem nenhum reconhecimento oficial, foram parar, sabe-se lá como, na divisão de material bélico do exército alemão, e acabaram virando técnicos de foguetes. Agora estavam à solta por aí. Descontrolados. Ainda não foram internados como prisioneiros de guerra, aliás que Marvy saiba não foram nem mesmo desarmados. "Já não basta a gente ter que se preocupar com os russos, os franceses, os ingleses — ih, desculpe, meu chapa — e agora tem mais esses crioulos, e ainda por cima crioulos *alemães*. Meu Deus. No Dia da Vitória, onde você via um foguete tinha um crioulo também. Claro que não tinha nenhuma bateria só de crioulo — nem os boches são *tão* malucos assim! Uma bateria, quer dizer, 81 homens, *mais* o pessoal de apoio, o controle de lançamento, energia, carga propulsora, levantamento topográfico — ia ser crioulo demais num lugar só, não é? Mas será que eles continuam espalhados que nem antes? Se você descobrir, é um tremendo furo pra você, meu chapa. Porque se eles estão se juntando agora, aí a coisa vai ficar *feia!* Tem pelo menos uns vinte e cinco aí nesse vagão — logo ali, olhe. E-e eles estão *indo pra Nordhausen*, meu chapa!", enfiando um dedo gordo no peito do outro para acompanhar cada palavra. "Hein? O que você acha que eles estão planejando? Sabe o que eu acho? Eles têm um *plano*. É. Acho que tem a ver com os foguetes. Não me pergunte o quê, é só uma intuição que eu tenho. E-e, sabe, eles são *muito* perigosos. Não se pode confiar neles — e com *foguetes* ainda por cima! É uma raça infantil. O cérebro deles é menor."

"Mas a nossa paciência", diz uma voz tranquila que vem da escuridão, "nossa paciência é enorme, se bem que talvez não ilimitada." Assim falando, um africano alto, com uma pera no queixo, aproxima-se e agarra o americano gordo, que tem tempo de dar um gritinho antes de ser jogado do alto do trem. Slothrop e o africano ficam vendo o major quicando nos trilhos atrás deles, braços e pernas se debatendo, rolando encosta abaixo e desaparecendo. Encostas coalhadas de pinheiros. Uma lua crescente despontou acima de um penhasco irregular.

O homem se apresenta em inglês, Oberst Enzian, membro do Schwarzkommando. Pede desculpas pela explosão de raiva, observa a braçadeira de repórter de Slothrop, diz que não dá entrevistas antes que Slothrop tenha tempo de dizer o que quer que seja. "Nada a declarar. Somos deslocados de guerra, como todo mundo."

"Creio que o major estava preocupado por vocês estarem indo para Nordhausen."

"O Marvy vai nos dar trabalho, sem dúvida. Assim mesmo, ele é menos preocupante que —" Olha fixamente para Slothrop. "Hum. Você é mesmo um correspondente de guerra?"

"Não."

"Um agente livre, imagino."

"'Livre', Oberst? Não sei, não."

"Mas você é livre. Todos nós somos livres. Você vai ver. Em breve." Dá um passo à frente, descendo a lombada do telhado do vagão, com um gesto germânico de adeus. "Em breve..."

Slothrop, sentado, esfrega os pés descalços. Um amigo? Um bom sinal? *Soldados negros especializados em foguetes?* Que merda é essa?

Bom dia, minha gente, todo mundo contente,
Adeus, Segunda Guerra Mundial!
A luta acabou, todo mundo ganhou,
E agora a alegria é geral —
Que é isso, seu Fritz, não vá dar chiliques,
Pra sua casa o senhor vai voltar —
Ninguém é cacete na Cidade do Foguete,
Todo dia tem sol a brilhar —
(Não enche, Frau Gerda, ou então vá à merda!)
Aproveite esse sol a brilha-ar!

Manhã em Nordhausen: o prado é uma salada verde, salpicada de gotas de chuva. Tudo está fresco e lavado. Os montes Harz acorcundam-se em torno, encostas escuras barbadas até os cumes com espruces, pinheiros e lariços. Casas de cumeeiras altas, lençóis d'água refletindo o céu, ruas enlameadas, soldados americanos e russos entrando e saindo aos borbotões das tavernas e reembolsáveis improvisados, cada um com uma arma no cinto. Prados e trechos desmatados das encostas inundam-se de luz mosqueada enquanto o vento espalha as nuvens de chuva pela Turíngia. Castelos, empoleirados no alto dos morros, entram e saem de nuvens esfarrapadas. Cavalos velhos, de joelhos sujos e calombudos, patas curtas e peito largo, puxam carroças cheias de barris, pescoços tensos sob as coelheiras que os cingem aos pares, ferraduras pesadas que levantam flores de lama a cada passo úmido, descendo das vinhas às tavernas.

Slothrop vai parar num trecho destelhado da cidade. Velhos de preto zanzam como morcegos entre as paredes. Aqui as lojas e residências já foram saqueadas há muito tempo pelos trabalhadores escravos liberados do campo de concentração de Dora. Muitos desses *veados* ainda estão por aí, com cestas e crachás da 175-Stadt à mostra, parados às portas, olhando com olhos úmidos. Da vitrina desvidrada de uma loja de moda feminina, na penumbra atrás de um manequim de gesso careca, esparramado no chão, braços levantados para o céu, mãos curvas preparadas para os buquês ou taças de vinho que nunca mais voltarão a segurar, Slothrop ouve uma garota cantando. Acompanhando-se ao som de uma balalaica. Uma dessas musiquinhas tristonhas, meio parisienses, em $^3/_4$:

Amor nunca morre de todo,
Nunca de todo se esquece.
E quando menos se espera
Uma lembrança aparece.

Tu me deixaste pra sempre,
Pra sempre tu foste embora —
Mas uma rosa esqueceste
No meu Livro de Horas...

Ah, tanto tempo passou,
E tantas coisas mudaram,
Mas sob o meu pé de tília
Minhas lágrimas não secaram...

Amor nunca morre de todo,
Quando é sincero, eu sei,
Um belo dia ele volta,
Tal como brotam as folhas
De tília, amor, que eu te dei.

Slothrop descobre que ela se chama Geli Tripping, e a balalaica pertence a um oficial soviético da área de informações chamado Tchitcherine. De certo modo, Geli também lhe pertence — pelo menos em regime de meio expediente. Pelo visto, o tal Tchitcherine tem um harém, uma garota em cada cidade de foguetes da Zona. Isso mesmo, mais um maníaco de foguetes. Slothrop se sente um turista aqui.

Geli fala sobre seu rapaz. Os dois conversam no quarto dela, que não tem teto, bebendo um vinho branco conhecido aqui como Nordhäuser Schattensaft. Sobre suas cabeças, pássaros-pretos de bico amarelo traçam tranças no céu, dando voltas ao sol, indo e vindo de seus ninhos nos castelos no alto dos morros e nas ruínas da cidade cá embaixo. Ao longe, talvez no mercado, um comboio de caminhões está parado, todos com seus motores em ponto morto, um cheiro de monóxido de carbono vai penetrando o labirinto de paredes, cobertas de musgo, cheias de vazamentos, baratas que tentam encontrar onde apoiar as patas, paredes que abafam o ronco dos motores, dando a impressão de que o som vem de todas as direções ao mesmo tempo.

Ela é magra, um pouco desajeitada, muito jovem. Não há em seu olhar o menor sinal de corrosão — como se tivesse passado toda a Guerra protegida sob uma redoma, tranquila, brincando com bichinhos da floresta em algum quintal. Sua canção, ela reconhece, não corresponde à realidade. "Quando ele vai embora, ele vai embora mesmo. Quando você chegou, quase pensei que fosse o Tchitcherine."

"Não. Só um repórter esforçado, mais nada. Sem foguetes e sem harém."

"Nós temos um acordo", ela lhe explica. "A situação aqui é muito desorganizada. Tem que haver acordos. Você vai entender." É verdade — Slothrop vai encontrar milhares de acordos, visando calor, amor, alimento, movimentação nas estradas de rodagem e de ferro e nos canais. Até mesmo o G-5, vivendo sua fantasia de ser o único governo atuante na Alemanha no momento, é apenas um acordo de vencedores. Nem mais nem menos verdadeiro que todos esses outros acordos privados, silenciosos, de que a História não vai guardar vestígio. Slothrop, embora ainda não saiba disso, é ele próprio um estado tão bem constituído quanto qualquer outro da Zona. Não se trata de paranoia. É assim que são as coisas. Alianças temporárias, que se formam e se desfazem. Ele e Geli chegam a um acordo escondidos das ruas ocupadas por restos de paredes, numa velha cama de baldaquino virada para um espelho de tremó escuro. Acima do telhado que não está mais lá, Slothrop vê uma longa encosta coberta de árvores. Hálito de vinho, uma penugem suave nas axilas, coxas flexíveis como árvores tenras ao vento. Slothrop mal terminou de penetrá-la e ela já está gozando, e seu rosto estampa, de modo claro e tocante, uma fantasia com Tchitcherine. Isto irrita Slothrop, porém não o impede de gozar também.

A bobagem começa logo depois da desintumescência, perguntas engraçadas do tipo: o que será que estão dizendo por aí que faz com que ninguém procure Geli além de mim? Ou: haverá algo em mim que a faz pensar em Tchitcherine e, se há, o que é? E mais: onde estará o tal Tchitcherine no momento? Slothrop cochila, desperta com o contato dos lábios dela, dos dedos, das pernas orvalhadas roçando contra as suas. Surge o sol no trecho de céu que lhes pertence, é eclipsado por um seio, reflete-se nuns olhos de criança... então nuvens, e chuva, que a faz estender sobre a cama uma lona verde com borlas que ela própria costurou nas pontas, improvisando um baldaquino... a chuva escorre das borlas, fria, ruidosa. Noite. Geli lhe serve repolho cozido com uma velha colher patrimonial, com timbre e tudo. Bebem mais vinho. Sombras de suaves tons de verdete. A chuva parou. Ao longe, meninos chutam um bujão de gás vazio numa rua de paralelepípedos.

Alguma coisa vem voando do céu: garras arranham o baldaquino. "Que é isso?" semidesperto e ela está com as cobertas de novo, ah Geli...

"Minha coruja", diz Geli. "Wernher. Tem uma barra de chocolate crocante na gaveta de cima da cômoda, Liebchen, por favor, você dá de comer a ela?"

Liebchen, o cacete. Levantando-se trôpego, na vertical pela primeira vez aquele dia, Slothrop desembrulha o Baby Ruth, pigarreia, resolve não lhe perguntar como ela conseguiu aquele chocolate porque já sabe a resposta, e joga-o em cima da lona para o tal Wernher. Logo depois, deitados juntos novamente, ouvem um bico estraçalhando amendoim.

"Chocolate crocante", resmunga Slothrop. "Que história é essa? Você não sabe que ela devia estar era caçando ratos, essas porras? Você domesticou o bicho."

"Você também é meio preguiçoso." Dedos infantis percorrem-lhe as costelas.

“É, mas eu aposto — pare com isso — eu aposto que o *Tchitcherine* não tem que se levantar da cama para dar de comer a essa coruja.”

Ela esfria, sua mão para onde está. “Ela adora o Tchitcherine. Ela só vem pedir comida quando o Tchitcherine está aqui.”

É a vez de Slothrop esfriar. Mais exatamente, congelar. “Hã... mas... você não pode estar dizendo que o Tchitcherine está, hã...”

“Ele era para estar”, suspirando.

“Ah. Quando?”

“Hoje de manhã. Ele está atrasado. Acontece.”

Slothrop já está fora da cama, do outro lado do quarto, broxando, uma meia calçada, a outra entre os dentes, cabeça enfiada numa das mangas da camiseta, o zíper da braguilha emperrado, gritando *porra*.

“Meu bravo inglês”, rosna ela.

“Por que você não disse isso antes, Geli, hein?”

“Ah, volte para a cama. Já é noite, ele está com alguma mulher por aí. Ele não sabe dormir sozinho.”

“Espero que *você* saiba.”

“Pare com isso. Venha cá. Você não pode sair sem sapato. Eu vou lhe dar umas botas velhas dele e lhe contar todos os segredos dele.”

“Segredos?” Cuidado, Slothrop. “Por que eu ia querer saber —”

“Você não é correspondente de guerra.”

“Por que é que todo mundo vive dizendo isso? Ninguém acredita em mim. É claro que eu sou correspondente de guerra.” Sacudindo a braçadeira na cara dela. “Será que você não sabe ler? Olhe aqui, está escrito: ‘Correspondente de guerra’. Eu tenho até bigode, olhe só, não tenho? Igualzinho ao Ernest Hemingway.”

“Ah. Então eu imagino que você não deve estar atrás do Foguete Número 00000. Foi só uma ideia maluca que me passou pela cabeça. Desculpe.”

Ah, eu vou é cair fora daqui rapidinho, diz Slothrop com seus botões, conheço esse jogo, ela me leva para a cama, aí chega o Tchitcherine etc., tudo combinado. Quem mais estaria interessado no único foguete entre 6000 que tem o dispositivo de Imipolex G?

“E você certamente também não está interessado no Schwarzgerät, não”, ela insiste. Ela insiste.

“No quê?”

“Também chamavam de S-Gerät.”

Subir mais uma etapa, lembra, Slothrop? Em cima do baldaquino, Wernher está piando. Sem dúvida é um sinal combinado com Tchitcherine.

Os paranoicos não são paranoicos (Provérbio 5) por serem paranoicos, mas por estarem sempre se colocando deliberadamente, os babacas, em situações paranoigênicas.

“Agora, por que cargas-d’água”, cuidadosamente desarrolhando mais uma garrafa de Nordhäuser Schattensaft, *pofff*, fazendo a melhor imitação de Cary Grant de que ele é capaz com os intestinos tensos daquele jeito, reenchendo os copos com o gesto mais blasé, entregando um a ela, "uma menininha tão doce como você haveria de entender alguma coisa de *foguetes*?"

"Eu leio a correspondência do Vaslav", como se respondesse a uma pergunta idiota, como de fato é.

"Você não devia estar entregando o ouro para o primeiro estranho que aparece. Se ele descobrir, ele mata você."

"Eu gosto de você. Eu gosto de intrigas. Eu gosto de jogar."

"Vai ver que você gosta de meter os outros em confusão."

"Está bem." E tome beicinho.

"Pronto, pronto, me conte tudo. Mas eu não sei se o *Guardian* vai se interessar. Meus editores são muito conservadores, sabe?"

Os peitinhos nus de Geli ficam arrepiados. "Uma vez eu posei para uma insígnia de foguete. Você é capaz de já ter visto. Uma bruxinha bonita montada num A4. Com a vassoura obsoleta no ombro. Fui eleita a queridinha da 3/Art, Abt. (mot) 485."

"Você é bruxa mesmo?"

"Acho que tenho tendências. Você já esteve no Brocken?"

"Acabei de chegar na cidade."

"Eu subo lá todo ano na noite de Valpúrgis desde que comecei a menstruar. Se quiser, eu levo você lá."

"Me fale sobre o tal do, do 'Schwarzgerät'."

"Eu pensei que você não estava interessado."

"Como é que eu posso saber se estou ou não estou interessado se eu nem sei em que é que eu devo ou não devo estar interessado?"

"Você deve ser correspondente mesmo. Você tem um jeito de usar as palavras..."

Tchitcherine entra rosnando por uma janela, com uma Nagant disparando na mão. Tchitcherine cai de paraquedas e derruba Slothrop com um único golpe de judô. Tchitcherine irrompe num tanque Stalin pelo quarto adentro, e derruba Slothrop com um obus de 76 mm. Obrigado por atraí-lo aqui, Liebchen, ele era um espião, bem, tchau, estou indo para Peenemünde onde me espera uma donzela núbil polonesa com peitos que parecem sorvete de creme, até mais.

"Acho que tenho que ir embora", diz Slothrop, "preciso trocar a fita da máquina de escrever, fazer ponta nos lápis, sacumé —"

"Eu já lhe disse que ele não vem aqui esta noite."

"Por quê? Ele está correndo atrás do tal Schwarzgerät, é?"

"Não. Ele não está sabendo da última. A mensagem chegou de Stettin ontem."

"Não estava em código, é claro."

"Qual o problema?"

"Não pode ser nada de importante."

"Está à venda."

"A mensagem?"

"O S-Gerät, seu bobo. Um homem lá em Swinemünde consegue. Quinhentos mil francos suíços, se você está no mercado. Ele fica esperando na avenida da praia todos os dias até meio-dia. De terno branco."

É mesmo? "Blodgett Waxwing."

"O nome, não diz. Mas acho que não é o Waxwing, não. Esse não sai da região do Mediterrâneo."

"Você viaja muito, hein?"

"O Waxwing virou uma lenda aqui na Zona. Como o Tchitcherine. Talvez você também. Como é mesmo o seu nome?"

"Cary Grant. Ge-li, Ge-li, Ge-li... Me diga uma coisa, Swinemünde não é na zona soviética?"

"Você parece alemão. Esqueça essa história de fronteiras, de subdivisões. Não tem mais."

"Tem soldados."

"É verdade." Olhando para ele. "Mas é diferente."

"Ah."

"Você vai aprender. Foi tudo suspenso. O Vaslav diz que é um 'interregno'. É só você se deixar levar."

"Eu vou é me deixar levar embora daqui, menina. Obrigado pela informação, e tiro o meu chapéu pra você —"

"Fique, por favor." Enroscada na cama, os olhos prestes a transbordar de lágrimas. Ah, que merda, Slothrop, seu otário... mas ela é só uma menininha... "Venha cá..."

Porém basta ele enfiar que ela fica má, e um pouco maluca também, arranhando-lhe as pernas, ombros e bunda com as unhas roídas, afiadas como um serrote. Slothrop, por consideração, está tentando conter o orgasmo até que ela também esteja pronta, quando de repente uma coisa pesada, cheia de penas e pontas cai na sua nuca, quica para o lado e o faz gozar, junto com Geli também ZONNGGG! iiiii... ah, puta merda. Um bater de asas, e Wernher — pois é a coruja — ascende na escuridão.

"Bicho desgraçado", grita Slothrop, "se fizer isso de novo vai levar uma barra de chocolate enfiada no cu —" é um complô é um complô é *condicionamento pavloviano!* ou coisa parecida, "Foi o Tchitcherine que ensinou ela a fazer isso, não foi?"

"Foi não! Fui *eu* que ensinei." Geli está sorrindo para ele, com uma felicidade tão intensa de criança de quatro anos, sem esconder nada dele, que Slothrop resolve acreditar em tudo que ela lhe disse até agora.

"Você é uma bruxa." Apesar de toda a sua paranoia, ele se acomoda debaixo da coberta com sua feiticeira pernilonga, acende um cigarro e, com toda a infinidade de Tchitcherines que saltam por cima das paredes sem teto, munidos de um arsenal de desastres, todos destinados a ele, consegue até mesmo dormir, depois de algum tempo, nos braços nus e abertos de Geli.

Madrugada de história em quadrinhos, céu azulíssimo com nuvens rosa-shocking. A lama sobre os paralelepípedos é tão lisa que reflete a luz, de modo que a gente pisa não no calçamento, e sim em fatias compridas e listradas de carne crua, presunto de lobisomem, toucinho da Besta. Tchitcherine tem pés grandes. Geli teve que enfiar pedaços de um corpete velho nos bicos das botas para Slothrop poder calçá-las. Esquivando-se a toda hora de jipes, caminhões de dez toneladas, russos a cavalo, ele por fim consegue uma carona com um tenente americano de 18 anos de idade, num Mercedes cinza oficial todo amassado. Slothrop cofia os bigodes, exibe a braçadeira, na defensiva. O sol já está quente. A serra cheira a pinheiros. O tenente, que está trabalhando na companhia de tanques que guarda a Mittelwerke, acha que para Slothrop não vai ser difícil entrar lá. O GOPE inglês já veio e já foi embora. No momento, membros da Divisão de Material Bélico do exército americano estão encaixotando e despachando peças e ferramentas para a construção de cem A4s. Tremenda bagunça. "Tentando tirar tudo antes que os russos cheguem para assumir o poder." Interregno. Civis e burocratas aparecem todo dia, turistas de alto nível, para olhar e deslumbrar-se. "Acho que ninguém nunca viu tanta gente assim. Não sei o que é. Parece plateia de espetáculo de variedades. Não vêm fazer nada, só olhar. A maioria traz máquina fotográfica. Reparei que você não. A gente aluga na entrada, se você estiver interessado."

Mais uma jogada comercial entre tantas. Yellow James, o cozinheiro, está com um carrinho de sanduíches bacana, ele grita nos túneis: "Olha o sanduíche! Quente ou frio, molho caprichado!" E metade desses bobocas que vêm aqui olhar daqui a pouco vão estar com os óculos cheios de gordura. Nick De Profundis, o coça-saco da companhia, surpreendeu todo mundo transformando-se, após uma passagem pela cabine telefônica dos espaços fabris daqui, em um comerciante ativíssimo, vendendo suvenires do A4: objetos pequenos que podem ser transformados em chaveiros, clipes ou alfinetes decorativos para aquela garota especial lá na América, bicos-piloto de latão das câmaras de combustão, rolimãs dos servos, e essa semana o artigo que está fazendo mais sucesso são microválvulas SA 100, e umas gracinhas de umas válvulas conversoras levadas das unidades da Telefunken, e as SA 102, mais raras ainda, que naturalmente são mais caras. O "Micro" Graham, que deixou crescer as costeletas, fica à espreita nos túneis e, quando um turista otário se aproxima, ataca de "pssst".

"Pssst?"

"Deixe pra lá."

"Ah, mas agora eu fiquei curioso."

"Achei que você tinha espírito de aventura. Está na excursão?"

"E-eu só me afastei deles um segundo. Na verdade, eu já estava indo..."

"Está achando meio chato?" Insidioso, Micro aproxima-se de sua presa. "Não gostaria de saber o que *realmente* aconteceu aqui?"

O turista disposto a gastar uma quantia exorbitante quase nunca se decepciona. Micro conhece as portas secretas das passagens entre as pedras que levam a Dora, o campo de prisioneiros que ficava ao lado da Mittelwerke. Cada membro do grupo ganha uma lanterna elétrica. São dadas instruções básicas, apressadas, a respeito do que fazer se algum morto aparecer. "Lembrem que aqui eles estavam sempre na defensiva. Quando os americanos liberaram Dora, os prisioneiros que ainda estavam vivos aloprararam — saquearam tudo, comeram e beberam até passar mal. Para os outros, a Morte foi como o exército americano, e os libertou espiritualmente. Assim, eles devem agora estar num processo de alopração espiritual. Protejam seus pensamentos. Usem o equilíbrio natural da mente contra eles. Lembrem-se de que eles vão estar desprevenidos."

Uma atração muito popular é o elegante guarda-roupas espacial da Raumwaffe, desenhado pelo famoso costureiro militar Heini de Berlim. Há não apenas trajes deslumbrantes, capazes de empolgar até mesmo os jovens protagonistas de uma opereta de ficção científica, inclusive imagens televisivas de cores estranhas piscando sobre as unhas dos dedos dos pés, como também Heini pensou até em sedas para os divertidos Jóqueis Espaciais (Raum-Jockeier), com seus chicotes elétricos, que algum dia vão correr em volta do campo de força da Raketen-Stadt montados em "cavalos" de meteorito polido, todos com o mesmo rosto estilizado (uma imago em alto contraste do cavalo que vai atrás de você, com ênfase nos olhos enlouquecidos, nos dentes, na escuridão embaixo do traseiro...), os gases propulsores explodindo como peidos pela traseira — os jovens protagonistas dão risadinhas marotas neste momento escatológico, e lentamente, no que é pouco mais que um suspiro de gravidade, começam a dançar, cada um numa radiante profusão de plásticos fluorescentes, voltando à Valsa, a estranha, comunal Valsa do Futuro, um coral ligeiramente, inquietantemente áspero-dissonante, sugerido pelo torvelinho silencioso de rostos, as omoplatas nuas levantadas num gesto tão espácio-vienense, tão blasé de Amanhã...

Surgem então — os Capacetes Espaciais! De início você pode se assustar, ao perceber que eles parecem ser feitos de crânios. Pelo menos a parte de cima deste desagradável elmo sem dúvida é feita do crânio de alguma criatura semelhante ao homem, só que em escala maior... Quem sabe Titãs vivam debaixo desta montanha, e seus crânios foram colhidos como se fossem cogumelos... As órbitas dos olhos são preenchidas com lentes de quartzo. Podem-se adicionar filtros. O osso do nariz e a arcada dentária superior são substituídos por um respirador de metal, cheio de fendas e grades. Correspondendo ao queixo há uma estrutura volumosa, que lembra uma braguilha renascentista, de ferro e ebonite, talvez abrigando uma unidade de rádio, negra e protuberante e inevitável. Pagando mais uns marcos, você pode enfiar na cabeça um destes capacetes. Uma vez dentro destas cavernas amarelas, olhando para fora através de órbitas de densidade neutra, ouvindo o sibilo de sua própria respiração através e em torno dos espaços entre os ossos, você constata que o que lhe parecia ser uma mente equilibrada para pouca coisa serve. O compartimento onde se aquartelavam os membros do Schwarzkommando não é mais um divertido documentário de selvagens nativos assumindo costumes do século XXI. As cuias de leite apenas parecem ser feitas de plástico. No lugar onde, segundo a tradição, Enzian teve sua Iluminação, durante um sonho erótico em que ele copulava com um esguio foguete branco, encontra-se uma mancha escura, milagrosamente ainda úmida, e um cheiro supostamente de sêmen — mas na verdade mais parece sabão, ou água sanitária. As pinturas murais, que se pretendem primitivas e toscas, assumem uma espacialidade, uma profundidade, um brilho primitivos — transformam-se em dioramas cujo tema é "A promessa das viagens espaciais". Fortemente iluminada por luzes de carbureto que sibilam e têm um cheiro de mau hálito de pessoa bem conhecida, esta cena obriga você a olhar fixamente. Depois de alguns minutos torna-se possível perceber movimento ali, mesmo nas distâncias imensas que a escala implica: sim, estamos agora na última etapa de nossa trajetória rumo à Raketen-Stadt, tendo passado uma noite difícil de tempestades magnéticas, correntes de Foucault ainda reluzindo em todo o nosso aço como gotas de chuva salpicando as janelas de um veículo... sim, é mesmo uma Cidade: interjeições inertes, "Nossa!", "Que incrível!", ecoam quando nos agrupamos em torno da janela que floresce neste subterrâneo salgado... Curioso: não são estas as simetrias que estávamos programados para encontrar, não vemos as formas alongadas, aerodinâmicas, os pilonos, as geometrias simples e sólidas da visão oficial — isso é para os otários que estão seguindo o guia da excursão, nas Stollen numeradas. Não, esta Cidade dos Foguetes, sob uma luz tão branca contra a escuridão tranquila do espaço, foi criada deliberadamente Para Evitar a Simetria, Permitir a Complexidade, Introduzir o Terror (do Preâmbulo aos Artigos da Imaquinação) — porém os turistas têm que associar o que veem com coisas que trazem na memória, coisas do seu tempo e do seu planeta — a garrafa de vinho despedaçada na pia, os pinheiros das Montanhas Rochosas que vêm desafiando a Morte há milênios, estradas de concreto abandonadas há anos, penteados do final dos anos 30, moléculas de indol, especialmente indóis *polimerizados*, como os do Imipolex G —

Espere aí — qual deles pensou isso? Monitores, descubram logo, *vamos, depressa* —

Mas o alvo se esquiva e escapa. "Lá dentro eles mesmos cuidam da segurança", diz o jovem tenente a Slothrop, "nossa função é só de Guarda da Superfície. Nossa responsabilidade termina na Stollen Número Zero, Força e Luz. Na verdade, pra nós é uma tremenda boa vida." A vida é boa, e ninguém está muito interessado em transferência. Tem fräuleins para foder, cozinhar e lavar roupa. Ele pode arranjar para Slothrop champanhe, peles, máquinas fotográficas, cigarros... Não é possível que ele só esteja interessado em foguetes, seria maluquice. Ele tem razão.

Um dos frutos mais doces da vitória, depois de dormir e saquear, deve ser a oportunidade de desrespeitar as placas de Proibido Estacionar. Há pês riscados dentro de círculos por toda parte, pregados em árvores, nas cercas, mas as principais entradas dos túneis já estão cheias de carros quando o Mercedes amassado chega lá. "Merda", grita o tenente, desliga o motor e larga o carro alemão parado de qualquer jeito na lama. E larga as chaves dentro também, Slothrop está aprendendo a perceber coisas desse tipo...

A entrada do túnel é em forma de parábola. O toque Albert Speer. Bem, alguém nos anos 30 tinha mania de parábolas, e Albert Speer era responsável pela Nova Arquitetura Alemã na época, e depois veio a se tornar ministro das Munições, e era o principal comprador dos A4s. Esta parábola aqui, na verdade, é obra de um discípulo de Speer chamado Etzel Ölsch. Ele havia reparado nesta forma de parábola em viadutos das autoestradas, nos estádios esportivos, u.s.w., e achava que era a coisa mais moderna do mundo. Imagine seu espanto ao descobrir que a parábola era também a forma da trajetória do foguete no espaço. (O que ele disse, na verdade, foi "Ah, que legal".) Foi a mãe que escolheu seu nome, em homenagem a Átila, rei dos hunos, e ninguém jamais descobriu por quê. Sua parábola tem um arco alto, e os trilhos entram sob ela, aço sumindo nas sombras. Nas bordas, há tecido de camuflagem preso com ripas. Acima, a montanha se eleva, com afloramentos rochosos aqui e ali em meio às árvores e arbustos.

Slothrop exibe seu superpasse do SHAEF, assinado por Eisenhower e, até mesmo mais autêntico, pelo coronel que chefia a "Missão Especial V-2" americana sediada em Paris. Uma especialidade de Waxwing. A Companhia B, 47ª Infantaria Blindada, 5ª Divisão Blindada, parece estar aqui por outro motivo além de segurança. Com um dar de ombros, deixam Slothrop passar. Muita embromação, muita fala arrastada, muito humor caipira aqui. Alguém estava tirando ouro do nariz. Dois dias depois Slothrop vai encontrar uma meleca seca no cartão, um visto marrom cristalino para Nordhausen.

Entra passando pelas torres de sentinela brancas. Transformadores zumbem na manhã de primavera. Em algum lugar, correntes chacoalham e um caminhão abre a comporta traseira. Entre sulcos de rodas, lugares mais altos, arestas de lama começam a secar ao sol, a clarear e desfazer-se. Perto daqui, irrompe o ruidoso bocejo e espreguiçar matinal do apito de um trem. Slothrop passa por uma pilha de esferas de metal reluzentes à luz do sol, com uma placa cômica: FAVORE NON APERTARE AS UNIDADE DE OXIG NIO, EH? quanto tempo, quanto tempo vocês sfacim-a este paese... Passa por uma parábola depois da outra, direto para dentro da montanha, onde não há mais sol, faz frio, é escuro, e ressoam os ecos prolongados da Mittelwerke.

É aquele distúrbio de personalidade, não tão raro assim, denominado tannhäuserismo. Tem gente que adora ser levada para dentro de túneis, e nem sempre com expectativas libidinosas — Vênus, Frau Holda, suas delícias sexuais — não, muitos vêm, na verdade, atrás de gnomos, criaturas menores que a gente, vêm sentir o modo sepulcral como o tempo se estica nas caminhadas por estes túneis, por estes pátios tranquilos que se estendem por quilômetros, sem qualquer medo de se perder... ninguém olha para você, ninguém está se preparando para emitir um julgamento sobre você... afastado do olhar do público... até um Minnesinger precisa ficar sozinho...

longas caminhadas interiores de dia nublado... o conforto de um lugar fechado, onde todos estão em pleno acordo quanto à Morte.

Slothrop conhece este lugar. Menos por conta dos mapas que teve que estudar no Cassino do que por conhecê-lo daquele modo que a gente sabe que *tem alguém aí*...

Os geradores da fábrica ainda estão funcionando. Aqui e ali uma lâmpada nua escava uma região de luz. Assim como a escuridão é escavada e transportada de um lugar a outro como se fosse mármore, assim também a lâmpada é o cinzel que a retira da inércia, e tornou-se um dos grandes ícones secretos da Humanidade, as multidões que são deixadas para trás por Deus e pela História. Quando os prisioneiros de Dora começaram a saquear tudo, as lâmpadas da fábrica de foguetes foram as primeiras vítimas: antes da comida, antes das delícias a serem arrancadas dos armários de remédios e da farmácia do hospital na Stollen Número 1, estas imagens quebráveis, sem bocal (em alemão, "bocal de lâmpada" e "mãe" são a mesma palavra — assim, sem mãe também), eram o que os "liberados" tinham para levar...

A planta da fábrica foi outra inspiração de Etzel Ölsch, uma inspiração nazista como a parábola, porém mais uma vez um símbolo referente ao foguete. Imagine as letras SS espichadas um pouco na vertical. São os dois túneis principais, que avançam quase dois quilômetros montanha adentro. Ou então imagine uma escada de mão levemente curvada em S, na horizontal: há 44 degraus que são as Stollen, galerias ou túneis transversais, ligando os dois principais. Tudo isso sob cerca de quinhentos metros de rocha, no ponto mais profundo.

Mas a forma não é apenas um SS alongado. Hupla, o aprendiz, um dia vem correndo falar com o arquiteto. "Mestre!" grita ele. "Mestre!" Ölsch está morando na Mittelwerke, separado da fábrica subterrânea por alguns túneis reservados que não aparecem em nenhum mapa. Aqui embaixo, ele está ficando com uma concepção grandiosa da função do arquiteto, e agora obriga todos os seus ajudantes a chamá-lo de "mestre". E essa não é sua única excentricidade. Os três últimos projetos que apresentou ao Führer eram todos visualmente brilhantes, bem Nova Arquitetura Alemã, só que nenhum dos prédios fica de pé. Parecem normais, porém foram projetados para cair, como gordos na ópera adormecendo no colo de alguém, logo que o último rebite for enfiado no lugar, as últimas fôrmas retiradas da estátua alegórica recém-terminada. É o problema de "desejo de morte" de Ölsch, como dizem seus pequenos ajudantes: é tema de muitas fofocas no refeitório, e junto às cafeteiras nas sombrias estações de carregamento... O sol já se pôs há algum tempo, cada mesa neste compartimento coberto, quase ao ar livre, tem sua própria luz incandescente acesa. Os gnomos ficam aqui, à noite, apenas suas lâmpadas luzindo condicionalmente, precariamente... tudo pode escurecer com tanta facilidade, sem mais nem menos... Cada gnomo trabalha em sua prancha. Trabalham até tarde. Há um prazo a ser cumprido — não se sabe se estão fazendo hora extra para cumprir o prazo ou se já o estouraram e estão aqui de castigo. Em sua sala, Etzel Ölsch canta. Canções grosseiras de cervejaria. Agora está acendendo um charuto. Ele e o gnomo-aprendiz

Hupla, que acaba de entrar correndo, sabem que este é um charuto explosivo, colocado em seu estojo como gesto revolucionário de pessoas desconhecidas, porém tão desprovidas de poder que pouco importam — "Espere, Mestre, não acenda esse charuto — Mestre, apague, por favor, é um *charuto explosivo!*"

"Diga logo, Hupla, qual foi a informação nova que o levou a entrar em minha sala de modo tão indelicado."

"Mas —"

"Hupla..." Soltando baforadas autoritárias de fumaça de charuto.

"É-é a forma dos túneis daqui, mestre."

"Não faça caretas. A forma dos túneis baseia-se no símbolo dos dois relâmpagos, Hupla — o emblema da ss."

"Mas também é o símbolo da integral dupla! O senhor sabia?"

"Ah. Sim: Summe, Summe, como dizia Leibniz. Pois bem, isso não é —"

BUM.

Tudo bem. Mas o gênio de Etzel Ölsch era ser fatalmente receptivo para imagens associadas ao Foguete. No espaço estático do arquiteto, ele poderia ter usado uma integral dupla aqui e ali, no início de sua carreira, para encontrar volumes sob superfícies cujas equações eram conhecidas — massas, momentos, centros de gravidade. Porém há muitos anos ele não pega em nada tão básico assim. A maior parte de seus cálculos hoje em dia tem a ver com marcos e fênigues, e não funções de idealistas r e θ, ingênuos *x* e *y*... Mas no espaço dinâmico do Foguete vivo, a dupla integral tem um significado diferente. Integrar aqui é atuar sobre uma taxa de mudança de modo que o tempo esmoreça: a mudança é contida... "Metros por segundo", integrados, viram "metros". O veículo em movimento é imobilizado, no espaço, transformando-se em arquitetura atemporal. Jamais foi lançado. Jamais há de cair.

Na guiagem, era isto que acontecia: um pequeno pêndulo era mantido centrado por um campo magnético. No lançamento, com o impulso das gs, o pêndulo balançava para trás, descentrando-se. Havia uma bobina ligada a ele. Quando a bobina atravessava o campo magnético, uma corrente elétrica fluía nela. Quando o pêndulo era afastado do centro pela aceleração do lançamento, a corrente fluía — quanto maior a aceleração, maior a corrente. Assim o Foguete, de seu próprio ponto de vista, sentia a aceleração primeiro. Os homens, que acompanhavam sua trajetória, percebiam primeiro a posição ou distância. Para obter-se a distância a partir da aceleração, o Foguete tinha que integrar duas vezes — precisava de uma bobina móvel, transformadores, célula eletrolítica, ponte de diodos, um tetrodo (com uma grade extra para melhorar o acoplamento capacitivo no interior da válvula), uma complexa dança de precauções para chegar ao que o olho humano via antes de mais nada — a distância na trajetória de voo.

Mais uma vez, aquela simetria invertida que Pointsman não percebera, mas que não escapara à percepção de Katje. "Vida própria", disse ela. Slothrop relembra o sorriso relutante dela, a tarde mediterrânea, o tronco de eucalipto a descascar-se, o mesmo tom de rosa, na luz do poente, das calças de oficial americano que Slothrop usara outrora, e o cheiro ácido, pungente, das folhas... A corrente, fluindo na bobina, passava por uma ponte de Wheatstone e carregava um capacitor. A carga era a integral na base do tempo da corrente que passava pela bobina e pela ponte. Versões aperfeiçoadas dessa "guiagem IG" integravam duas vezes, de modo que a carga a acumular-se de um dos lados do capacitor crescia conforme aumentava a distância transcorrida pelo Foguete. Antes do lançamento, o outro lado da célula tinha sido carregado até um nível que representava a distância a um ponto específico do espaço. O Brennschluss exatamente aqui faria com que o Foguete caísse um quilômetro ao leste da Waterloo Station. No momento em que a carga (B_{iL}) acumulada em voo se equiparava à carga prefixada (A_{iL}) do outro lado, o capacitor descarregava. Um interruptor se fechava, interrompia-se o consumo de combustível, a combustão se encerrava. O Foguete agora voava por conta própria.

Este é um dos significados da forma dos túneis aqui na Mittelwerke. Outro talvez seja a runa antiga que representa o teixo, ou a Morte. A dupla integral representava, no subconsciente de Etzel Ölsch, o método de encontrar centros ocultos, inércias desconhecidas, como se monolitos tivessem sido deixados para ele na penumbra, deixados por alguma concepção corrompida de "Civilização", em que águias de concreto de dez metros de altura destacam-se nos cantos de estádios onde se reúnem pessoas, uma concepção corrompida de "Povo", em que as aves não voam, em que os centros imaginários no fundo da fatalidade sólida da pedra são encarados não como "coração", "plexo", "consciência" (a voz que fala neste ponto se torna mais irônica, aproxima-se de um pranto que não é puro teatro, à medida que a lista prossegue...), "Santuário", "sonho de movimento", "quisto do eterno presente", nem "a eminência parda da Gravidade em meio aos conselhos de pedra viva". Não, nada disso, e sim um ponto no espaço, um ponto tão preciso quanto o ponto em que a combustão tem de terminar, jamais lançado, fadado a jamais cair. E qual a forma específica cujo centro de gravidade é o Ponto de Brennschluss? Não se apresse a dizer que há um número infinito de formas possíveis. Só há uma. O mais provável é que seja uma interface entre uma ordem de coisas e outra. Há um ponto de Brennschluss para cada local de lançamento. Eles continuam pairando lá no céu, todos eles, uma constelação aguardando a criação de um 13º signo do zodíaco para designá-la... porém estão tão próximos da Terra que de muitos lugares nem se pode vê-los, e, de lugares diferentes dentro da zona onde podem ser vistos, formam desenhos completamente diferentes...

A dupla integral é também a forma de um casal enamorado dormindo, um enroscado no outro, e era lá que Slothrop gostaria de estar agora — com Katje, como antes, mesmo se voltasse a se sentir perdido, mesmo mais vulnerável que agora — mesmo (porque sinceramente ainda tem saudades dela), preservado por acidente, de modos que ele não pode deixar de ver, acidente de cuja sinceridade muito mais fria cada amante só conta com o outro para protegê-lo... Seria ele capaz de viver assim? Será que Eles o deixariam viver com Katje assim? Nunca disse nada sobre ela a ninguém. Não é um reflexo de cavalheirismo que o levou a fazer cortes, alterar nomes, inserir fantasias nas histórias que contava a Tantivy nos velhos tempos da ACHTUNG, e sim um medo primitivo de capturar uma alma por uma semelhança de imagem ou um nome... Ele quer proteger o que for possível dela das diversas entropias d'Eles, da bajulação d'Eles, do dinheiro d'Eles: talvez pense que, se conseguir fazer isso para ela, conseguirá também fazer o mesmo para si próprio... se bem que isso chega quase a ser nobreza em se tratando de Slothrop e O Pênis Que Ele Julgava Seu.

Nos dutos de chapa de metal que serpenteiam como uma espinha dorsal no teto, geme o sistema de ventilação. De vez em quando tem-se a impressão de ouvir vozes. Tráfego de algum lugar distante. Não que pareçam estar conversando *sobre* Slothrop, veja bem. Mas ele queria poder ouvir um pouco melhor...

Lagos de luz, transportes de treva. As paredes de concreto do túnel deram lugar a superfícies caiadas, cheias de falhas, de aparência tão artificial quanto as paredes de uma caverna de parque de diversões. Pelos lados passam entradas de túneis transversais como tubos de um órgão, correntes de ar nas entradas... era uma vez um tempo em que tornos guinchavam, maquinistas travessos esguichavam óleo uns nos outros... mãos ralavam-se contra engrenagens, poros, dobras da pele e sabugos de unhas eram perfurados por finas limalhas de aço... tubos de ligas metálicas e vidro contraíam-se, estalando, num ar que parecia sempre hibernal, e uma falange de luzes âmbar corria entre as lampadinhas de néon. Era uma vez um tempo em que tudo isso de fato acontecia. É difícil, aqui na Mittelwerke, viver no presente por muito tempo. A nostalgia que sentimos não é nossa, mas é poderosa. Todos os objetos se tornaram imóveis, afogados, enfraquecidos por aquele entardecer terminal. Camadas resistentes de óxidos, algumas com apenas uma molécula de espessura, protegem as superfícies metálicas, impedem reflexos humanos. Correias de transmissão de álcool de polivinil, cor de palha, relaxadas, emitem seus últimos vestígios de odor industrial. Embora encontrado cheio de assombrações, sinais de presença humana recente, este lugar não é o lendário navio "Marie-Celeste" — não tem limites tão precisos, estes trilhos subterrâneos correm nos dois sentidos numa Europa toda ela silenciada, e sua carne não sua e se arrepia aqui por conta dos mistérios domésticos, do horror oculto d'O Que Poderia Ter Acontecido, e sim pelo seu conhecimento do que provavelmente aconteceu... sempre foi fácil, em lugares abertos e desertos, ser assombrado pelo medo pânico da natureza, mas estes são os chiliques urbanos que o acometem toda vez que você está perdido ou isolado dentro do modo como o tempo está passando, quando não há mais História, não há cápsula de viagem no tempo para a qual você possa voltar, apenas a sensação de tardança e ausência que permeia uma grande estação ferroviária depois que a capital foi evacuada, e os primos urbanos do deus caprino o esperam nas fímbrias da luz, tocando as músicas que sempre tocaram, porém mais audíveis agora, porque tudo o mais foi-se embora ou então silenciou-se... almas de andorinhas, feitas de crepúsculo pardacento, elevam-se em direção aos tetos brancos... só existem na Zona, respondem à nova Incerteza. Outrora os fantasmas eram ou imagens dos mortos ou espectros dos vivos. Mas aqui na Zona as categorias estão seriamente embaralhadas. A categoria em que se encaixa o nome de que você sente falta, o nome amado, pelo qual você agora busca, tornou-se ambígua e remota, mas isso é mais do que a burocracia da ausência em massa — alguns ainda vivem, alguns já morreram, mas muitos, muitos mesmo, já esqueceram se estão vivos ou mortos. Suas imagens não servem mais. Aqui embaixo só há invólucros largados na luz, no escuro: imagens da Incerteza...

A humanidade pós-A4 caminha, martela e grita nos túneis. Slothrop vê civis com distintivos e roupas cáqui, forros de capacete com as letras GE escritas em estêncil, que às vezes o saúdam com um movimento de cabeça, o reflexo de uma lâmpada distante piscando nos óculos, mas na maioria das vezes o ignoram. Equipes de militares marchando sem cadência de um lado para outro, reclamando, carregando engradados. Slothrop está com fome e não vê Yellow James em lugar nenhum. Mas aqui embaixo não há ninguém para dizer oi para o free lance Ian Scuffling, muito menos para lhe dar de comer. Não, peraí, oba, lá vem uma delegação de garotas com jalecos cor-de-rosa apertados, deixando de fora as coxas nuas, subindo o túnel com seus sapatinhos de salto anabela "Ah, so reizend ist!" são tantas que não dá para abraçar todas ao mesmo tempo, "Hübsch, was?" calma aí, moças, tem que ser uma de cada vez, estão todas rindo e estendendo os braços para colocar em torno de seu pescoço ricas grinaldas de porcas B prateadas e flanges de união, resistores escarlate e capacitores amarelo-canário um atrás do outro como se fossem pequenas salsichas, pedaços de gaxeta, quilômetros de limalhas de alumínio bem encaracoladinhas, que nem os cachinhos de Shirley Temple — ô Hogan, pode ficar com as suas dançarinas havaianas! — e para onde é que o estão levando? para uma Stollen vazia, onde todas dão início a uma orgia fabulosa, que se prolonga por dias e dias, cheias de papoulas, folguedos, cantos e sacanagens.

A partir da Stollen 20 o tráfego se intensifica. Aqui era o trecho da fábrica onde se faziam os A4s, que o Foguete dividia com os setores de montagem do V-1 e do turbojato. Saindo dessas Stollen, as de 20 até 40 e tantos, como os braços de uma cruz, os componentes do Foguete seguiam para as duas principais linhas de montagem. À medida que você se aprofunda na escavação, vai reconstituindo o vir a ser do Foguete: carburadores, seções centrais, montagem do nariz, motores, controles, seções da cauda... muitas seções da cauda empilhadas por aqui, empilhadas alternadamente aleta para cima e para baixo, uma encaixando na outra, fileiras idênticas, superfícies de metal onduladas. Slothrop perambula vendo os reflexos de seu rosto nelas, deslizando, distorcidos, como se numa enorme casa maluca subterrânea, gente... Pequenas locomotivas com rodinhas de metal recuam rumo ao túnel: transportam volumes em forma de ponta de flecha de quatro lâminas apontadas para o teto — *ah.* Certo — os suportes cônicos devem ter se encaixado nas válvulas, é batata: lá vem uma porção delas, grandes *pra caralho*, da altura de Slothrop, com As maiúsculos brancos pintados perto dos bicos-piloto... Lá no alto os canos forrados de branco correm gordos e sinuosos, e as luminárias de aço não emitem luz alguma de seus refletores chamuscados em forma de solidéu... pelo centro do túnel corre uma fileira de colunas de concreto, esguias, cinzentas, as roscas expostas imersas em ferrugem velha... sombras azuis inundam os compartimentos de peças sobressalentes, apoiados em tábuas e barras em I suspensas de úmidas colunas de tijolos, altas como chaminés... junto aos trilhos há montes de isolante de lã de vidro, como neve...

A montagem final ocorria na Stollen 41. O túnel transversal tem 15 metros de profundidade, para caber nele o Foguete pronto. Sons festivos, de vozes deliberadamente descontroladas, emergem das profundezas e reverberam das paredes de concreto. Funcionários sobem o túnel principal com rostos rubicundos e olhares esgazeados. Slothrop olha para baixo, apertando a vista para enxergar dentro dessa longa escavação, e vê uma multidão de americanos e russos reunidos em torno de um enorme barril de carvalho cheio de cerveja. Um civil alemão, pequeno como um gnomo, com um bigode ruivo à von Hindenburg, distribui canecões que aparentemente contêm mais espuma que líquido. Em quase toda manga vê-se a insígnia de fumacinha do Material Bélico. Os americanos estão cantando

Cançonetas Balísticas

Havia um foguete chamado V-2,
Não tinha piloto e valia por dois —
Era só apertar um botão
E ouvir a maior explosão
E enterrar um montão de defunto depois.

A melodia é conhecida por todo universitário americano. Mas por algum motivo ela está sendo cantada aqui no mais puro estilo SS: as notas são interrompidas bruscamente ao final de cada verso, e há um tempo silencioso antes do ataque do verso seguinte.

[Refrão]: Ja, ja, ja!
Ninguém faz minete na Prússia,
Os boches importam já feito!
Melhor dar um pulo na Rússia,
Que as russas lá fazem direito!

Bêbados dependuram-se de escadas de ferro e passarelas. O cheiro de cerveja espalha-se pela longa caverna, em meio a pedaços de foguete verde-oliva, alguns em pé, outros deitados.

Um rapaz bem chegado a um minete
Resolveu namorar um foguete.

E a quem perguntava
O que ele achava,
Respondia: "É bom pra cacete!"

Slothrop tem fome e sede. Apesar do palpável miasma malévolo que emana da Stollen 41, ele começa a procurar uma maneira de chegar lá embaixo e quem sabe tirar uma casquinha daquele piquenique. Pelo visto, o único acesso é um cabo preso a um guincho. Um outro cabo — um sulista gorducho — comanda os controles, bebendo no gargalo uma garrafa de vinho. "Vamos lá, meu chapa. Pode subir aí que eu manobro direitinho. Aprendi a mexer nesse troço no Programa de Auxílio aos Desempregados." Ian Scuffling levanta o bigode, num gesto que lhe parece profundamente britânico, e se instala no cabo, enfiando um dos pés num laço. Um motor elétrico começa a zumbir, Slothrop solta a grade de ferro e segura o cabo, e 15 metros de penumbra despontam sob seus pés. Hãã...

Pairando acima da Stollen 41, cabeças zanzando lá embaixo, colarinhos de chope luzindo como archotes nas sombras — de repente o motor é desligado e ele cai como uma pedra. Puta merda, "Jovem demais!" ele grita, a voz sai tão aguda que parece um adolescente falando no rádio, o que em circunstâncias normais seria constrangedor, mas lá vem o chão de concreto em sua direção a toda velocidade, Slothrop vê cada arranhão, cada cristal escuro de areia da Turíngia sobre os quais vai esborrachar-se — nem um corpo por perto para amortecer a queda de modo que ele sobreviva com meras fraturas múltiplas... Quando só faltam uns três metros, o cabo que maneja o cabo aciona o freio. Gargalhadas sádicas vêm de cima e de baixo. O cabo retesa-se, a mão de Slothrop escorrega, ele cai e é lentamente baixado, de cabeça para baixo, preso pelo pé, até chegar aos farristas reunidos em torno do barril de cerveja, os quais, já acostumados a chegadas desse tipo, continuam sem interrupção a cantar:

Tem um jovem que gosta demais
De um lança-foguetes lilás.
Mas as quedas de pressão
Desse jeito destruirão
O conector hidráulico do rapaz.

Cada jovem americano põe-se de pé (se quiser), levanta seu caneco e canta sobre uma maneira diferente de Fazer Aquilo com o A4 ou algum outro equipamento relacionado. Slothrop não sabe que estão cantando para ele, nem eles o sabem. Ele olha aquela cena de cabeça para baixo com um certo mal-estar: agora que seu cérebro está quase apagando por excesso de irrigação, vem-lhe a estranha sensação de que é Lyle Bland que o está segurando pelo calcanhar. Assim, é transportado lentamente para a periferia da festa. "Ei!" exclama um rapazinho de cabelo cortado à escovinha, "l-lá vem o *Tarzã*! Ha! Ha!" Meia dúzia de homens da Divisão de Material Bélico, chumbados e rindo às gargalhadas, tentam agarrar Slothrop. Depois de muito retorcer-se e estrebuchar, ele consegue retirar o pé do laço. O guincho volta para o alto, pelo caminho por onde veio, para o cabo pândego, à espera do próximo otário que cair em suas mãos.

Um segundo-tenente da ativa
Teve um caso com uma ogiva.
A esposa deu o troco:
Chamou-o de louco
E foi viver com uma locomotiva.

Os russos bebem implacavelmente, em silêncio, arrastando as botas, franzindo a testa, talvez tentando traduzir essas cançonetas. Não está claro se são os americanos que estão aqui com o consentimento dos russos ou se é o contrário. Alguém impinge a Slothrop um estojo de obus, geladinho, transbordando de espuma. "Puxa, a gente não estava esperando os ingleses também. Grande festa, hein? Aguente as pontas aí — ele está vindo já."

"Ele quem?" Milhares de vermes luminosos estão se debatendo em todo o campo de visão de Slothrop, e em seu pé está começando a passar a dormência. Ah, esta cerveja está gelada *mesmo*, e amarga, não adianta parar para respirar, o jeito é virar direto, até — aaaah. O nariz emerge coberto de espuma, o bigode também está branco, cheio de bolhinhas. De repente gritos emergem das fímbrias da multidão. "Olha ele aí, olha ele aí!" "Arranjem uma cerveja pra ele!" "Oi, Major, rapaz, chefe!"

Um técnico de Pasadena
Teve um caso com uma turbina.
"Sai bem mais barato
"Que uísque importado",
Diz ele, "e é melhor que menina!"

"O que está havendo?", pergunta Slothrop através da espuma de outro caneco que acaba de se materializar em sua mão.

"É o major Marvy. É a festa de bota-fora dele." A Máfia de Marvy agora está toda cantando "Porque ele é bom companheiro". E ninguém há de negar — é a impressão que se tem —, porque ninguém é besta de fazer tal coisa...

"Hã — pra onde que ele está indo?"

"Embora."

"Eu pensava que ele estava aqui para se encontrar com o pessoal da GE."

"Claro, quem que você acha que está bancando isso aqui?"

Marvy, a esta luz subterrânea, é ainda menos simpático do que visto ao luar em cima daquele vagão. As dobras de gordura, os olhos saltados, os dentes reluzentes são mais cinzentos aqui, têm uma textura mais grosseira. Um pedaço de esparadrapo, atleticamente colado sobre o cavalete do nariz, e uma condecoração roxa, amarela e verde em torno de um dos olhos atestam sua rápida saída do trem naquela noite. Ele está apertando a mão de seus homenageadores, rosnando meiguices másculas, dando especial atenção aos russos — "Aposto que na sua caneca você pôs uma gotinha de vodca, hein?" passando para o próximo "Vlad, meu querido, como vai o seu peru?" Os russos parecem não entender, de modo que só lhes resta tentar interpretar o sorriso afiado, os olhos de ovos de Páscoa. Slothrop está bufando para tirar a espuma do nariz quando Marvy o vê, e seus olhos esbugalham-se com sinceridade.

"Lá está ele!" exclama com estrépito, apontando um dedo trêmulo para Slothrop, "o inglês filho da puta, pega ele, pessoal!" Pega ele, pessoal? Slothrop continua por um instante olhando para aquele dedo, iluminado em graciosos floreios e arabescos de carne querubínica.

"Ora, o que é isso, meu caro", começa Ian Scuffling, mas a esta altura as forças hostis já começam a cercá-lo. Humm... ah, claro, fugir — ele joga cerveja na cara mais próxima, lança o estojo vazio em outra, encontra uma falha na multidão, escapole por ela a toda velocidade, passando por rostos rubentes de ébrios adormecidos, saltando por cima de panças cáqui ornadas com salpicos de vômito, descendo o túnel transversal, por entre as peças do Foguete.

"Depressa, seus energúmenos!" grita Marvy, "não deixem o veado fugir!" Um sargento com rosto de menino e cabelos grisalhos, cochilando abraçado a uma submetralhadora, acorda gritando "Os boches!" e dispara uma saraivada ensurdecedora direto no barril de chope, destruindo a metade inferior, e um grande jorro de âmbar líquido e espuma confunde os perseguidores americanos, metade dos quais imediatamente escorregam e caem de bunda no chão. Slothrop chega ao final da Stollen com uma boa dianteira, e sobe correndo a escada de mão que lá encontra, dois degraus de cada vez. *Tiros* — explosões terríveis naquela caixa de ressonância. Ou bem a Máfia de Marvy está bêbada demais ou bem a escuridão o está protegendo. Slothrop termina de subir a escada esbaforido.

No outro túnel principal em que se vê agora, Slothrop corre numa velocidade mais confortável em direção ao mundo exterior, um bom quilômetro e meio, tentando não pensar se seu fôlego vai aguentar até o fim. Ainda não correu cem metros quando a vanguarda dos perseguidores chega ao alto da tal escada e já vem em seu encalço. Esconde-se no que parece ser uma loja de tintas, escorrega num pedaço de chão cor verde Wehrmacht e vai caindo, atravessando grandes manchas de preto, branco e vermelho, até parar diante das botas de combate de um velho de terno de tweed, com bigodes brancos de búfalo. "Gruss Gott."

"Olhe, acho que estão querendo me matar. Será que aqui tem algum lugar —"

O velho pisca o olho, faz sinal para que Slothrop atravesse a Stollen e passe para outro túnel principal. Slothrop vê um macacão riscado de tinta e resolve pegá-lo.

Passa por mais quatro Stollen, depois vira à direita. É um depósito de metais. "Olhe só." O velho caminha pelo longo recinto, rindo baixinho, por entre pilhas azuladas de folhas laminadas a frio, montes de lingotes de alumínio, maços de barras 3712, 1624, 723... "Isso vai ser divertido."

"Por *aí* não, eles estão vindo justamente por esse lado." Mas aquele gnomo tamanho família já está prendendo num cabo que desce de um guincho suspenso um maço comprido de barras de liga monel. Slothrop veste o macacão, com o pente puxa o topete para cima da testa e com um canivete apara as pontas do bigode.

"Você ficou a cara do Hitler. Agora é que eles vão *mesmo* querer matar você!" Humor germânico. O velho se apresenta: Glimpf, professor de matemática da Technische Hochschule, Darmstadt, assessor para assuntos científicos do Governo Militar Aliado, o que leva algum tempo para dizer. "Agora a gente atrai os homens assim."

Estou nas mãos de um louco de pedra — "Não é melhor eu ficar escondido aqui até eles esquecerem de mim?" Mas eis que já começam a se ouvir gritos distantes, túnel acima: "Ninguém no 37 e no 38, Chuckie!" "O.K., Cavalão, vocês pegam os ímpares que a gente pega os pares". Eles não vão esquecer, não; vão examinar túnel por túnel. A guerra acabou, eles não podem atirar para matar... mas está todo mundo bêbado... ah meu Deus. Slothrop está se cagando de medo.

"O que é que a gente faz?"

"Você que conhece bem o inglês coloquial, diga alguma coisa bem provocadora."

Slothrop enfia a cabeça no túnel comprido e berra, caprichando no sotaque britânico: "O major Marvy é veado!"

"Por aqui!" Estrépito de botas militares, pregos batendo em concreto, e muitos outros sons metálicos sinistros, tlique, tlique...

"Agora", Glimpf, sorrindo maroto, pondo o guincho em movimento.

"O major Marvy dá o cu PRA CRIOULO!"

"É melhor a gente agir depressa", diz Glimpf.

"Ah, logo agora que eu pensei numa boa sobre a mãe dele." Pouco a pouco retesa-se a volta do cabo que se estende entre o guincho e as barras de metal, que Glimpf preparou para cair bem na entrada do depósito, se tudo der certo mais ou menos na hora em que os americanos chegarem.

Slothrop e Glimpf escafedem-se pela saída na extremidade oposta. Mais ou menos quando chegam à primeira curva do túnel, todas as luzes se acendem. A ventilação é ligada. As vozes espectrais lá dentro ganham confiança da escuridão.

As barras de liga monel despencam com grande estardalhaço. Slothrop toca na parede de pedra, e vai tateando-a para se orientar na escuridão absoluta. Glimpf ainda está em algum ponto do túnel, nos trilhos. Não está ofegante, e sim rindo baixinho. Atrás deles os perseguidores cambaleiam impotentes, mas ainda não vem nenhuma luz. Ouve-se um barulho metálico suave, e o professor exclama "Himmel". Os gritos estão cada vez mais altos agora, e eis que chegam as primeiras lanternas, hora de sair da banheira...

"O que está havendo? Pelo amor de Deus..."

"Venha cá." Glimpf colidiu com uma espécie de trem em miniatura, cujo vulto acaba de se tornar visível — outrora era usado para mostrar a fábrica a visitantes vindos de Berlim. Entram na locomotiva e Glimpf mexe nos comandos.

E vamos nós, todos a bordo, pelo visto Marvy só cortou as luzes, estão saindo faíscas lá atrás, e está até fazendo um ventinho agora. É bom estar em movimento.

Os nazistas jogam sinuca e fazem pagode
Lá no Mittel-werk Ex-press!
Os fascistas torcem a ponta do bigode.
Se você não quer ir, então desce!
Vamos todos pro país-maravilha
Onde não se paga imposto ou entra em fila!
Ah, vai ser tão bom, a gente merece
Ir lá no Mittel-werk Ex-press!

Glimpf acendeu um farol. Nos túneis laterais que passam céleres, vultos cáqui olham intrigados. Os brancos dos olhos refletem a luz por um instante antes de sumir na distância. Uns poucos acenam. Gritos dopplerizam-se *Ei-ei-i-i-i* como buzinas nos cruzamentos, voltando para casa pela Boston and Maine... O Expresso segue a uma velocidade razoável. O vento forte e úmido silva. Nas fímbrias do foco do farol, divisam-se silhuetas de partes de ogivas, empilhadas nos dois pequenos vagões-plataformas que a locomotiva está puxando. Anões da fauna local correm medrosos junto aos trilhos, à margem da luz. Eles acham que o trenzinho lhes pertence, e ficam magoados sempre que seres grandalhões o usam. Alguns estão sentados em pilhas de engradados, balançando as pernocas. Outros plantam bananeira na escuridão. Seus olhos brilham, verdes e vermelhos. Uns chegam mesmo a balouçar-se das cordas que pendem do alto, fingindo ataques camicásicos contra Glimpf e Slothrop, gritando "Banzai, banzai" antes de desaparecerem entre risinhos. Tudo brincadeira. Na verdade, eles são amistosos —

Bem atrás deles, alto como se por megafones, o imenso coral:

Tinha um cara na infantaria

"Puta merda", exclama Slothrop.

Que se engraçou por uma bateria.
Um choque porreta
Deixou-lhe a caceta
Mais mole que massa de aletria.

Ja, ja, ja,
Ninguém faz minete na Prússia, u.s.w.

"Será que dava pra você soltar esses vagões?" Glimpf indaga.
"Acho que dá..." Porém mexe que mexe e não consegue. Neste ínterim:

Tinha outro chamado Procópio
Que meteu num osciloscópio.
A curva traçada
Daquela trepada
Parecia um sonho de ópio.

"Engenheiros", murmura Glimpf. Slothrop consegue soltar os vagões, e a locomotiva ganha velocidade. O vento agita todas as cordas soltas, punhos, fivelas e cintos. Lá atrás ouve-se uma tremenda batida, e alguns gritos na escuridão.

"Será que depois dessa eles param?"
Bem no encalço deles, a quatro vozes:

Tinha um garoto chamado Iuri
Que fodeu a válvula pelo venturi.
O rapaz de deu mal
No distrito policial,
E sofreu mais ainda com o júri.

"O. — K., pessoal! Vocês têm bastão de fósforo?"
"Salta um bastão de fósforo pro amigo aí!"
Com este único aviso, numa concussão ofuscante o fósforo inunda o túnel de luz branca. Por um ou dois minutos ninguém enxerga nada. É só a corrida desabalada atravessando aquela brancura extraordinariamente perfeita. Brancura sem calor, inércia cega: Slothrop sente uma terrível sensação de *familiaridade* aqui, um centro que ele evita desde que se entende por gente — nunca antes esteve tão próximo do verdadeiro ímpeto de seu tempo: rostos e fatos que até então disfarçavam seu compromisso com o Foguete, todas as camuflagens se dissipam durante aquele momento branco, tudo que é vão e cego puxando-lhe as mangas da camisa *é importante... por favor... olhe para nós...* mas já é tarde demais, é só vento, só impacto da gravidade, e o sangue de seus olhos já começa a tocar o branco de volta ao marfim, a pinceladas de ouro e uma rede de fímbrias da rocha quebrada... e a mão que o levantou dali o recoloca na Mittelwerke —
"*Oba!* Lá está lá o veado!"
Da brancura emerge, tão perto que daria para atingi-la com uma pistola, uma

locomotiva diesel empurrando a sua frente os dois vagões que Slothrop soltou, cheia de americanos de olhos vermelhos, descabelados, inchados de álcool, e no ápice, erguido meio torto sobre os ombros dos homens, o próprio major Marvy, munido de uma gigantesca Stetson branca e com uma 45 automática em cada mão.

Slothrop se abaixa atrás de um objeto cilíndrico na parte de trás da locomotiva. Marvy começa a atirar a esmo, inspirado pelas risadas horrendas dos outros. Slothrop dá-se conta de que seu escudo improvisado parece ser outra ogiva. Se as cargas de Amatol ainda estiverem dentro — me diga, professor, será que a onda de choque causada por uma bala de 45 disparada à queima-roupa seria capaz de detonar esta ogiva se acertasse nela? m-mesmo se estiver sem detonador? Bem, Tyrone, vai depender de uma série de fatores: velocidade do projétil, espessura do revestimento, composição —

Já esperando no mínimo um braço distendido e uma hérnia, Slothrop consegue empurrar a ogiva para cima dos trilhos enquanto as balas de Marvy voam para todos os lados. A ogiva quica, e termina inclinada sobre um trilho. Bom.

A luz de fósforo está começando a morrer. As sombras voltam a ocupar as bocas da Stollen. Os vagões à frente de Marvy atingem o obstáculo com um PONG! violento, dobrando-se num V invertido — os freios diesel guincham em pânico *ia-a-a-a-que* e a locomotiva sai dos trilhos, gira, começa a cair para o lado, os americanos se agarram em desespero às alças, uns aos outros, ao nada. Então Slothrop e Glimpf passam pela última curva do símbolo da integral e ouve-se mais uma batida fortíssima atrás deles, gritos que se prolongam, ecoando, quando veem agora a entrada à frente, a parábola crescente de encostas verdes, e luz do sol...

"Você veio de carro?" indaga Glimpf, sorridente.

"O quê?" Slothrop relembra que as chaves ainda estão dentro do Mercedes. "Ah..."

Glimpf pisa de leve nos freios enquanto saem pela parábola para o dia, e param de maneira respeitável. Batem continência para as sentinelas da Companhia B e logo se apropriam do Mercedes, que está exatamente onde foi deixado pelo tal tenente.

Na estrada, Glimpf aponta para o norte, observando com olhar debochado o modo como Slothrop dirige. Terminam subindo os montes Harz, entrando e saindo de sombras de montanhas, envolvidos por odores de pinheiros e abetos, pneus cantando nas curvas, às vezes quase saindo da estrada. Slothrop tem o dom congênito de escolher a marcha errada em todas as ocasiões, e ainda por cima está apavorado, o olho pregado no retrovisor, a cabeça fervilhando de carros de transporte blindados e esquadrões de Thunderbolts ululantes. Virando uma curva fechada, ocupando todas as pistas da estrada para conseguir — um truque de carro de corridas que ele por acaso conhece —, o automóvel por um triz não se espatifa contra um caminhão do exército americano que vem descendo a serra, a palavra *panaca* claramente visível na boca do motorista no momento exato do raspão, corações pulsando na boca, lama levantada pelos pneus de trás do caminhão cobrindo-os como uma grande asa que sacode o carro e tapa metade do para-brisa.

O sol já passou bastante do zênite quando eles param, por fim, ao sopé de um morro arredondado, coberto de mata, com um pequeno castelo em ruínas no alto, centenas de pombos, lágrimas brancas, pingando das ameias. O hálito verde do bosque está mais aguçado, mais frio.

Sobem uma picada em zigue-zague salpicada de pedras, entre abetos escuros, em direção ao castelo ensolarado, uma massa irregular e pardacenta como um pedaço de pão largado para muitas gerações de aves.

"É aí que você está morando?"

"Eu já trabalhei nesse lugar. Quem sabe o Zwitter ainda está por aqui." Não havia espaço suficiente na Mittelwork para muitas das linhas de montagem menores. Principalmente as de sistemas de controle. Assim, foram instaladas em cervejarias, lojas, escolas, castelos, fazendas nos arredores de Nordhausen, em qualquer espaço onde fosse possível improvisar um laboratório. Zwitter, colega de Glimpf, é da T.H. de Munique. "O estilo bávaro de fazer eletrônica." Glimpf franze a testa. "Creio que Zwitter é suportável." As misteriosas injustiças que porventura decorram do estilo bávaro de fazer eletrônica impedem Glimpf de sorrir, e lhe impõem uma introspecção soturna durante todo o resto da subida.

Uma massa líquida arrulhante, envolta em penugem branca, recebe-os quando eles entram no castelo por uma porta lateral. O chão está sujo, coberto de garrafas e papéis. Alguns dos papéis ostentam o carimbo magenta GEHEIME KOMMANDOSACHE. Pássaros entram e saem pelas janelas quebradas. Finas réstias de luz entram pelas frestas e trechos erodidos. Grãos de poeira, agitados pelas asas dos pombos, estão em perpétuo movimento. As paredes são enfeitadas com retratos desbotados de nobres, com grandes penteados alvos à Frederico, o Grande, damas de rostos lisos e olhos ovais, com vestidos decotados cuja seda se espalha por entre a poeira e o bater de asas dos cômodos escuros. Há titica de pombo por toda parte.

Por outro lado, o laboratório de Zwitter, no andar de cima, está muito bem iluminado, arrumado, apinhado de bécheres, mesas de trabalho, luzes multicoloridas, caixas sarapintadas, pastas verdes — o laboratório de um cientista nazista maluco! Cadê você, Homem de Borracha?

Presente, só Zwitter: gorducho, cabelo partido ao meio, óculos de lentes grossas como janelas de uma batisfera, e mais hidras, esguias e raias fluorescentes de equações de controle nadando em mares atrás deles...

Porém quando veem Slothrop entrar, imediatamente descem barreiras de vidro. Hmm, T.S., o que é isso? Quem são essas pessoas? O que houve com as bochechas rosadas do velho Glimpf? O que é que um nazista perito em guiagem está fazendo aqui, fora de Garmisch, com seu laboratório intato?

AH... tem...
Nazistas nas paredes,
Fascistas nos porões.

Japoneses dentuços
Vão te pegar pelos colhões.
Quando essa guerra acabar,
Vai ser bom pra mim, pra vocês!
Trabalhando pros russos,
Esperando a Número Três...

Nos tempos em que os engenheiros brancos estavam discutindo os atributos do futuro sistema de alimentação, um deles veio a Enzian de Bleicheröde e disse-lhe: "Não conseguimos entrar em acordo quanto à pressão na câmara. Nossos cálculos indicam que uma pressão operacional de 40 atü seria a mais desejável. Mas todos os dados de que dispomos giram em torno de um valor de apenas cerca de 10 atü".
"Sem dúvida, então", respondeu o Nguarorerue, "vocês devem dar ouvidos aos dados."
"Mas esse não seria o valor mais perfeito e eficiente", protestou o alemão.
"Homem orgulhoso", disse o Nguarorerue. "O que são esses dados, se não uma revelação direta? De onde vêm eles, se não do Foguete que virá a ser? Como ousar comparar um número que foi apenas calculado num papel com um número que vem do próprio Foguete? Evite o orgulho, e chegue a um valor intermediário."

— de *Histórias do Schwarzkommando*,
coligidas por Steve Edelman

Nas montanhas nos arredores de Nordhausen e Bleicheröde, em minas abandonadas, vive o Schwarzkommando. Hoje em dia este nome não é mais um título militar: eles agora formam um povo, são os herero da Zona, exilados do Sudoeste Africano há duas gerações. Missionários renanos começaram a trazê-los de volta à Metrópole, aquele zoológico desenxabido, como espécimes de uma raça possivelmente condenada à extinção. Fizeram experiências delicadas com eles: expuseram-nos a catedrais, soirées de Wagner, cuecas Jaeger, na tentativa de fazê-los interessar-se por suas próprias almas. Outros foram levados de volta para a Alemanha como criados, por soldados que foram reprimir o grande levante dos herero de 1904-6. Porém foi só a partir de 1933 que a maioria dos atuais líderes chegaram, como parte de um plano — jamais assumido abertamente pelo Partido Nazista — de estabelecer juntas negras, governos paralelos para um dia tomar o poder nas colônias britânicas e francesas na África negra, seguindo o modelo alemão adotado no Magreb. Na época, o Sudoeste já era um protetorado administrado pela União Sul-Africana, mas o verdadeiro poder continuava nas mãos das antigas famílias coloniais alemãs, que cooperavam com os nazistas.

Atualmente, há diversas comunidades subterrâneas na região de Nordhausen/Bleicheröde. A designação local destas comunidades é Erdschweinhöhle. Trata-se de um exemplo de humor herero — humor negro. Os ovatjimba, os mais pobres dos herero, que não possuíam gado nem aldeias, tinham como animal totêmico o Erdschwein, ou aardvark ("porco-da-terra"). Adotavam o nome do animal como seu, jamais lhe comiam a carne, retiravam seu alimento da terra, tal como ele. Considerados párias, viviam no veld, no descampado. Eram vistos à noite, em torno de fogueiras que desafiavam o vento corajosamente, fora do alcance das armas de quem estivesse no trem: parecia não haver outra força que lhes fixasse o lugar naquele vazio. Sabia-se o que eles temiam — não o que eles queriam, nem o que os impelia. E tinha-se mais o que fazer, nas minas que eram o destino do trem: assim, à medida que as fogueiras morriam à distância, desaparecia a necessidade de continuar pensando naquela gente...

Porém, enquanto o trem se afastava, quem era aquela mulher sozinha na terra, enfiada até a altura dos ombros numa toca de aardvark, olhar fixo no plano do deserto, a serra longínqua atrás dela, escura e recolhida na noite? A mulher sente a pressão incrível, quilômetros de areia e barro horizontais, contra seu ventre. Na trilha, perto dali, esperam por ela os fantasmas luminosos de seus quatro filhos natimortos, vermes gordos deitados entre as cebolas-bravas sem qualquer possibilidade de conforto, um por um, chorando por um leite mais sagrado do que aquele que é provado e abençoado nas cuias de aldeia. Formando uma linha de preteridos, indicaram à mãe este caminho, para que ela entrasse em contato com o dom criador da Terra. A mulher sente o poder fluindo por todos os portões: um rio entre suas coxas, luz adentrando pelas pontas dos dedos das mãos e dos pés. É tão certo e nutritivo quanto o sono. É um calor. O dia vai morrendo, e ela se entrega mais e mais — à treva, à água que desce do ar. Ela é uma semente na Terra. O aardvark sagrado escavou aquele leito para ela.

No Sudoeste, o Erdschweinhöhle era um poderoso símbolo de fertilidade e vida. Mas aqui na Zona seu status verdadeiro não é muito claro.

Em meio ao Schwarzkommando há forças, no momento, que optaram pela esterilidade e a morte. A maior parte dessa luta é travada em silêncio, à noite, nas náuseas e dores das gravidezes e abortos. Mas trata-se de uma luta política. Ninguém se preocupa com ela mais do que Enzian. Aqui ele é Nguarorerue. A palavra não quer dizer exatamente "líder", e sim "aquele que passou pela prova".

Enzian também é chamado — mas só pelas costas — de Otyikondo, o Mestiço. Seu pai era europeu. Não que sob esse aspecto ele seja excepcional aqui: a esta altura, já corre sangue alemão, eslavo e cigano pelas veias de sua gente. No decorrer de duas gerações, movidos por acelerações que eram desconhecidas antes do tempo do Império, eles vêm desenvolvendo uma identidade cuja forma final poucos julgam divisar. O Foguete terá uma forma final, mas não o povo do Foguete. Eanda e oruzo perderam aqui sua força — as linhas de ascendência de pai e mãe foram deixadas para trás, lá no Sudoeste. Muitos dos emigrantes mais antigos já haviam mesmo se convertido à religião da Sociedade Missionária Renana muito antes de partirem. Em cada aldeia, quando o sol do meio-dia recolhia as sombras sob os pés de seus donos, naquele momento de terror e refúgio, o omuhona retirava de sua sacola sagrada, alma após alma convertida, a corda de couro ali guardada desde o nascimento do indivíduo, e desfazia o nó de nascimento. Uma vez desfeito o nó, era mais uma alma morta para a tribo. Assim, hoje, no Erdschweinhöhle, cada um dos Vazios anda com uma faixa de couro livre de nós: é uma parte do velho simbolismo que ainda lhes é útil.

Eles se autodenominam Otukungurua. Os entendidos em coisas d'África dirão que devia ser "Omakungurua", mas é que eles sempre têm o cuidado — talvez seja por um motivo menos saudável do que a cautela — de advertir que *oma-* aplica-se apenas a seres vivos e humanos. *Otu-* é para os inanimados e os ascendentes, e é assim que eles se imaginam. Revolucionários do Zero, querem dar continuidade ao projeto iniciado pelos antigos herero após o fracasso da revolução de 1904. Querem uma taxa de nascimentos negativa. O programa deles é o suicídio racial. Seu objetivo é levar a cabo o programa de extermínio racial iniciado pelos alemães em 1904.

Uma geração atrás, o número cada vez menor de nascimentos de crianças vivas entre os herero era um assunto de grande interesse para os médicos de toda a África meridional. Os brancos preocupavam-se, tal como se o gado estivesse atacado de peste bovina. Uma coisa desagradável, ver a população subjugada diminuindo daquele jeito ano após ano. O que é uma colônia sem seus nativos de pele escura? Que graça tem, se todos eles vão morrer? Apenas uma ampla extensão de deserto, sem criadas, sem trabalhadores rurais, sem operários para a construção civil e as minas — peraí, um minuto, é ele sim, Karl Marx, aquele velho racista manhoso, escapulindo de fininho, com os dentes trincados, sobrancelhas arqueadas, tentando fazer de conta que é só uma questão de Mão de Obra Barata e Mercados Internacionais... Ah, não. Uma colônia é muito mais que isso. A colônia é a latrina da alma europeia, onde o sujeito pode baixar as calças e relaxar, gozando o cheiro de sua própria merda. Onde ele pode agarrar sua presa esguia rugindo com todas as forças sempre que lhe der na veneta, e beber-lhe o sangue com prazer incontido. Não é? Onde ele pode chafurdar, em pleno cio, e entregar-se a uma maciez, uma escuridão receptiva de braços e pernas, cabelos tão encarapinhados quanto os pelos de sua própria genitália proibida. Onde a papoula, o cânhamo e a coca crescem luxuriantes, verdejantes, e não com as cores e o estilo da morte, como a cravagem e o agárico, as pragas e fungos nativos da Europa. A Europa cristã sempre foi morte, Karl, morte e repressão. Lá fora, nas colônias, pode-se viver a vida, dedicar-se à vida e à sensualidade em todas suas formas, sem prejudicar em nada a Metrópole, nada que suje aquelas catedrais, estátuas de mármore branco, pensamentos nobres... As notícias nunca chegam lá. Os silêncios aqui são tão amplos que absorvem todos os comportamentos, por mais sujos e animalescos que sejam...

Alguns dos médicos mais racionais atribuíram a queda na taxa de nascimentos dos herero a uma deficiência de vitamina E em sua dieta — outros, à dificuldade de ocorrer fertilização entre os herero, dado o formato longo e estreito dos úteros de suas mulheres. Mas por trás de todas essas explicações razoáveis, todas essas especulações científicas, nenhum africânder branco conseguia expressar o modo como se sentia em relação a isso... Havia algo de sinistro solto no veld: ele estava começando a olhar para aqueles rostos, principalmente os das mulheres, alinhados do outro lado das cercas de espinhos, e sabia, sem precisar de qualquer prova lógica: havia uma mente tribal em ação, e ela optara pelo suicídio... Não dá para entender. Talvez nós não tenhamos sido tão razoáveis assim, quando tomamos deles o gado e as terras... e depois os campos de trabalhos forçados, é claro, o arame farpado, as paliçadas... Talvez eles não tenham mais vontade de viver neste mundo. Mas é típico deles, desistir, ir morrer num canto... por que não tentam negociar? Poderíamos encontrar uma solução, *alguma* solução...

Para os herero, a escolha era simples, entre dois tipos de morte: a morte tribal ou a morte cristã. A morte tribal fazia sentido. A morte cristã não fazia sentido algum. Parecia-lhes um exercício de que eles não tinham necessidade. Mas para os europeus, que caíram no Conto do Menino Jesus, vigarice que eles próprios inventaram, o que estava acontecendo com os herero era um mistério tão indevassável quanto os cemitérios de elefantes, ou os lemingues correndo em direção ao mar.

Embora não o admitam, os Vazios que vivem no exílio na Zona, europeizados no idioma e no pensamento, separados da velha unidade tribal, também acham o porquê da coisa misterioso. Porém apegam-se a ele, tal como uma mulher doente apega-se a um amuleto. Não pensam em termos de ciclos, de retornos, estão apaixonados pelo glamour da ideia de todo um povo cometer suicídio — a atitude, o estoicismo, a bravura. Esses Otukungurua são profetas da masturbação, especialistas em aborto e esterilização, paladinos dos atos orais e anais, podais e digitais, sodomíticos e zoofílicos — sua abordagem e seu jogo é o prazer: eles se esforçam muito para vender seu peixe, com sinceridade e eficiência, e a gente do Erdschweinhöhle lhes dá ouvidos.

Os Vazios garantem que dia chegará em que os últimos herero da Zona morrerão, o zero final de uma história coletiva vivida integralmente. Isso tem um certo atrativo.

Não há uma luta pelo poder explícita. É tudo um jogo de seduções e contrasseduções, propaganda e pornografia, e a história dos herero da Zona está sendo decidida na cama.

Vetores na noite subterrânea, todos tentando fugir de um centro, de uma força, que parece ser o Foguete: alguma imaquinação, de viagem ou de destino, capaz de reunir inimigos políticos figadais no Erdschweinhöhle à medida que vai acumulando combustível e oxidante na câmara de impulsão: abastecida, uma timoneira atuando em prol da parábola programada.

Cai a tarde, e Enzian está embaixo da montanha, após mais um dia planejando, despachando, às voltas com uma papelada recém-inventada — formulários que, antes do fim do expediente, ele destrói ou dobra, origamicamente, formando gazelas, orquídeas, falcões de caça. À medida que o Foguete cresce, aproximando-se da forma operacional integral, também ele evolui, assumindo uma configuração nova. Ele o sente. É mais uma preocupação. Essa noite, altas horas, em meio às cópias heliográficas, Christian e Mieczislav levantaram a vista, abruptamente sorriram e depois se calaram. Uma reverência transparente. Examinam os desenhos como se fossem criações dele, e revelações. Enzian se ressente dessa atitude.

O que Enzian quer criar não terá história. Jamais precisará de uma alteração de desenho. O tempo, o tempo tal qual o conhecem as outras nações, vai morrer aos poucos dentre deste novo tempo. O Erdschweinhöhle não estará preso ao tempo, como está o Foguete. O povo encontrará o Centro outra vez, o Centro sem tempo, a viagem sem histerese, em que toda partida é uma volta ao mesmo lugar, o único lugar...

Assim, ele encontrou uma estranha reaproximação com os Vazios: em particular, com Josef Ombindi de Hanôver. O Centro eterno é tão fácil de ver quanto o Zero Final. Os nomes e os métodos variam, mas o movimento rumo ao silêncio é o mesmo. Isso levou a estranhas comunicações entre os dois homens. "Sabe", os olhos de Ombindi rolaram para o outro lado, voltando-se para uma imagem especular de Enzian que só ele vê, "tem... tem uma coisa que normalmente você não acharia erótica, mas que na verdade é a coisa mais erótica que existe."

"Não diga", sorri Enzian, sedutor. "Não consigo imaginar o que possa ser. Me dê uma pista."

"É um ato que não pode ser repetido."

"Disparar um foguete?"

"Não, porque sempre existe outro foguete. Mas não há nada — bem, deixe para lá."

"Ah-ah! Não há nada que possa vir depois desse ato, é o que você ia dizer."

"E se eu lhe der mais uma pista?"

"Vamos lá." Porém Enzian já adivinhou: é o que demonstra seu modo de segurar o queixo, prestes a rir...

"Esse ato engloba todos os Desvios num único ato." Enzian suspira, irritado, mas não lhe chama a atenção por usar o termo "Desvios". Evocar o passado faz parte do jogo de Ombindi. "O homossexualismo, por exemplo." Nenhuma reação. "O sadismo *e* o masoquismo. Onanismo? Necrofilia..."

"Tudo isso num único ato?"

Tudo isso e muito mais. A esta altura, os dois já sabem que o que está sendo discutido é o ato do suicídio, o qual também contém bestialidade (o argumento aqui é: "Como é doce demonstrar piedade, piedade sexual, para com *aquele* animal que sofre e chora"), pedofilia ("Muitos afirmam que, no momento exato, você se torna surpreendentemente jovem"), lesbianismo ("Sim, pois quando o vento atravessa todos os compartimentos que vão se esvaziando, as duas mulheres da sombra podem por fim sair de suas câmaras no invólucro moribundo, por fim chegam ao litoral cinzento, onde se encontram e se abraçam..."), coprofilia e urolagnia ("As convulsões finais..."), fetichismo ("Uma ampla escolha de fetiches de morte, naturalmente...").
Naturalmente. Os dois permanecem sentados, um passando o cigarro para o outro,

até só restar uma guimba mínima. Será conversa fiada, ou estará Ombindi realmente tentando enrolar Enzian? Enzian só pode dar seu próximo passo depois que tiver certeza. Se ele disser "Você está tentando me enrolar?" e acabar que não é nada disso, bem... Mas a alternativa é tão *estranha* — que Ombindi está de algum modo tentando convencê-lo de que

SUICÍDIO É SENSACIONAL

Eu não ligo nem um pouco pra comida,
E estou é me lixando pra bebida,
Mas suicídio é sensacional!

Rádio pra mim não precisava existir,
Bing Crosby é igual um poodle a latir,
Mas suicídio é sensacional!

Não faz mal se acabou minha ração,
Se a minha mãe traçou um batalhão,
Mas suicídio é sensacional!

Não gosto nem dos Cards nem dos Browns,
Pra mim é tudo um bando de clowns,

Mas suicídio, pois é, e a coisa continua, estrofe após estrofe, por mais um bom tempo. A versão completa da música representa uma renúncia razoavelmente completa a todas as coisas do mundo. O problema é que, segundo o teorema de Gödel, fatalmente há de haver algum item que a pessoa não inclui na lista, e é difícil lembrar dessa coisa, de modo que o mais comum é repetir a ladainha toda, corrigindo um ou outro erro e fazendo inevitáveis repetições, acrescentando novos itens que vêm à mente, e — bem, não é difícil entender que o tal "suicídio" acaba tendo que ser adiado sine die!

Atualmente, as conversas de Ombindi e Enzian são uma série de mensagens comerciais, em que Enzian faz não o papel de freguês em potencial, e sim o de uma espécie de ajudante de camelô, representando a multidão de passantes, que podem ou não estar prestando atenção no pregão do vendedor.

"Ah, é impressão minha ou seu pau está crescendo, Nguarorerue?... Não, não, talvez você esteja apenas pensando numa pessoa que você amou, em algum lugar, muitos anos atrás... lá no Sudoeste, hein?" Para deixar que o passado tribal se disperse, todas as lembranças devem se tornar públicas, não há sentido em preservar a história se o que nos espera é aquele Zero Final... Porém Ombindi, o cínico, faz sua pregação em nome da velha Unidade Tribal, o que é uma falha de seu pregão —

pega mal, dá a impressão de que Ombindi está tentando fazer de conta que a doença do cristianismo jamais nos atacou, quando é de conhecimento geral que todos nós estamos infectados, alguns mortalmente infectados. Sem dúvida, é uma certa hipocrisia da parte de Ombindi evocar uma inocência que ele só conhece de orelhada, na qual ele não consegue acreditar — a pureza reunida dos opostos, a aldeia construída em forma de mandala... Mesmo assim, ele a afirma e proclama, como a imagem de um graal pairando no recinto, radiante, embora os gozadores ao redor da mesa estejam colocando uma almofada peidadora na Cadeira Perigosa, bem debaixo da bunda já descendente do cavaleiro destinado a encontrar o graal, e embora hoje em dia haja graais de plástico, dez cêntimos a dúzia, um tostão a grosa, mesmo assim Ombindi, que às vezes cai em seu próprio conto do vigário, tal qual um cristão, elogia e profetiza aquela era de inocência que ele nem chegou a conhecer, um dos últimos bolsões de Unidade Pré-Cristã que ainda restam no planeta: "O Tibete é um caso à parte. O Tibete foi escolhido de propósito pelo Império para ser um território livre e neutro, uma Suíça do espírito onde não há extradição, e o Himalaia em vez de Alpes para atrair a alma para o alto, e perigos que são suficientemente raros para serem tolerados... A Suíça e o Tibete são vinculados por um dos *verdadeiros* meridianos da Terra, tão verdadeiros quanto os meridianos do corpo desenhados pelos chineses... Teremos que aprender esses mapas novos da Terra: e à medida que as viagens no Interior forem se tornando mais comuns, e os mapas forem ganhando uma outra dimensão, nós também a ganharemos..." E fala também de Gondwanalândia, antes dos continentes se separarem, quando a Argentina estava grudada no Sudoeste... As pessoas escutam, depois voltam à caverna, à cama, à cuia da família em que o leite, não consagrado, é engolido em sua alvura fria, tão frio quanto o setentrião...

Assim, entre esses dois, até mesmo as saudações de rotina vêm com uma carga de significados, e a esperança de um invadir a mente do outro. Enzian sabe que está sendo usado por causa de seu nome. O nome tem uma certa magia. Porém há tanto tempo ele não consegue tocar ninguém, há tanto tempo está tão neutro... tudo se esvaeceu, menos o nome, Enzian, um som bom de repetir. Ele espera que seja mágico o suficiente para uma coisa, uma coisa boa quando chegar a hora, por mais longe do Centro que seja... Que são essas persistências em meio a um povo, essas tradições e ofícios, se não armadilhas? os fetiches sexuais que o cristianismo sabe exibir para nos atrair, para nos lembrar do mais remoto amor da infância... Terá seu nome, "Enzian", o poder de derrotar o poder *deles*? Será seu *nome* capaz de prevalecer?

O Erdschweinhöhle está numa das piores armadilhas de todas, uma dialética do verbo feito carne, carne transformando-se em algo diverso... Enzian vê a armadilha com clareza, mas não vê a saída... Agora, sentado entre duas velas recém-acesas, túnica de serviço aberta no pescoço, barba descendo a garganta negra até tocar os pelos negros e luzidios, mais curtos e ralos, que formam redemoinhos, limalhas de ferro em torno do polo sul de seu pomo de adão... polo... eixo... vara... Árvore... Omumborombanga...

Mukuru... primeiro ancestral... Adão... ainda suando, mãos desajeitadas e dormentes após um dia de trabalho, ele tem um minuto para ficar a relembrar esta hora do dia lá no Sudoeste, na superfície da terra, comungando com o poente, vendo a névoa descer, misto de neblina e poeira levantada pelo gado que volta aos currais para ser ordenhado e depois dormir... nos tempos idos sua tribo acreditava que cada pôr do sol é uma batalha. Ao norte, onde o sol se põe, vivem os guerreiros de um braço só, de uma perna só e de um olho só, que lutam contra o sol todo fim de tarde, que o matam a golpes de lança, e seu sangue se espalha pelo horizonte e pelo céu. Mas debaixo da terra, durante a noite, o sol renasce, para voltar a cada alvorada, um novo sol que é o mesmo de antes. Mas nós, os herero da Zona, debaixo da terra, quanto tempo teremos que esperar neste setentrião, neste lugar da morte? É para renascer depois? ou será que fomos por fim enterrados pela última vez, enterrados voltados para o norte como todos os nossos outros mortos, e como todo o gado sagrado sacrificado para nossos ancestrais? Norte é morte. Talvez não haja deuses, mas há uma configuração: os nomes por si só podem não ter magia, porém o *ato* de dar nome, o ato físico de enunciar, segue a configuração. Nordhausen quer dizer casas do norte. O Foguete tinha que ser produzido num lugar chamado Nordhausen. A cidade-gêmea chamava-se Bleicheröde como confirmação, uma redundância, para não haver perigo de se perder a mensagem. A história dos herero de outrora é uma história de mensagens perdidas. Tudo começou em tempos míticos, quando a lebre matreira cujo ninho fica na Lua trouxe para os homens a morte, em lugar da mensagem verdadeira da Lua. A mensagem verdadeira não veio jamais. Talvez o Foguete um dia nos leve lá, e então a Lua nos dirá sua verdade por fim. Dentro do Erdschweinhöhle há alguns, mais jovens, que só conheceram a Europa branca e outonal, para quem a Lua é seu destino. Porém os mais velhos lembram que a Lua, como Ndjambi Karunga, ao mesmo tempo é aquela que traz o mal e aquela que o vinga...

E para Enzian o nome Bleicheröde evoca "Blicker", o apelido que os germânicos antigos davam à Morte. Viam a Morte — ou *o* Morte, como eles dizem — branco: branco de descorado, branco de vazio. Depois o nome foi latinizado para "Dominus Blicero". Weismann, encantado, adotou-o como seu codinome na SS. Nessa época Enzian já estava na Alemanha. Weismann trouxe o nome novo para casa, para seu herero de estimação, não exibindo o nome propriamente, e sim indicando a Enzian mais um passo a ser tomado em direção ao Foguete, em direção a um destino do qual ele ainda não consegue ver mais que essa sinistra criptografia de nomes, uma configuração rarefeita, mas que não há como negar, que grita e o impele para a frente, aos tropeções, tão irresistível agora quanto há vinte anos...

Outrora ele não conseguia imaginar uma vida em que não houvesse volta. No tempo anterior a suas primeiras lembranças conscientes, alguma coisa o acolheu, levou-o da aldeia circular de sua mãe no longínquo Kakau Veld, nas fronteiras do país da morte, uma partida e um retorno... Isso lhe contaram anos depois. Pouco após ele nascer, sua mãe o trouxe de volta para sua aldeia, trouxe-o de Swakopmund. Em tempos normais, ela teria sido banida. Aquele filho era bastardo, filho de um marinheiro russo cujo nome a mulher não conseguia pronunciar. Mas no tempo da invasão alemã, o protocolo era menos importante que a solidariedade. Embora os assassinos de azul voltassem vez após vez, de algum modo Enzian sempre escapava. É um mito herodiano que seus admiradores até hoje gostam de relembrar, o que o incomoda. Enzian havia aprendido a andar havia uns poucos meses quando sua mãe levou-o consigo na grande travessia do deserto de Kalahari liderada por Samuel Maherero.

Das histórias que lhe contaram sobre aquele tempo, esta é a mais trágica. Os refugiados estavam no deserto havia muitos dias. Khama, rei dos bechuanos, mandou-lhes guias, bois, carroças e água para ajudá-los. Os primeiros a chegar foram alertados a beber a água aos pouquinhos. Mas quando os retardatários chegaram, todos os outros estavam dormindo. Ninguém para avisá-los. Mais uma mensagem perdida. Eles beberam até morrer, centenas de almas. A mãe de Enzian foi uma delas. Enzian havia adormecido debaixo de um couro, exausto, faminto e sedento. Acordou cercado de mortos. Dizem que foi encontrado ali por um bando de ovatjimba, que o levaram e tomaram conta dele. Deixaram-no perto da aldeia da mãe, para que ele entrasse nela sozinho. Eram nômades, poderiam estar seguindo em qualquer direção naquela terra vazia, porém o trouxeram de volta a seu ponto de partida. Enzian não encontrou mais quase ninguém. Muitos haviam seguido Maherero, alguns tinham sido levados para a costa e confinados em aldeias, ou para o interior, para trabalhar na estrada de ferro que os alemães estavam construindo no deserto. Muitos outros tinha morrido após comer carne de gado infectado de peste bovina.

Impossível voltar. Sessenta por cento dos herero foram exterminados. Os sobreviventes estavam sendo usados como animais. Enzian criou-se num mundo ocupado pelos brancos. Cativeiro, morte súbita, viagens só de ida eram ocorrências comuns do cotidiano. Quando por fim ele veio a perguntar-se por que havia sobrevivido, não encontrou resposta. Não conseguia acreditar em nenhum processo de seleção. Ndjambi Karunga e o Deus dos cristãos estavam distantes demais. Não havia diferença entre o comportamento de um deus e os efeitos do puro acaso. Weissmann, o europeu que se tornou seu protetor, julgava que, ao seduzi-lo, havia afastado Enzian da religião. No entanto, os deuses é que haviam ido embora por conta própria: os deuses tinham abandonado o povo... Ele deixava Weissmann pensar o que quisesse. Aquele homem tinha uma sede de culpa tão insaciável quanto a sede de água do deserto.

Já faz muito tempo que eles dois não se veem. A última vez que se falaram foi durante a mudança de Peenemünde para a Mittelwerke. A esta altura, Weissmann já deve ter morrido. Mesmo no Sudoeste, vinte anos atrás, quando Enzian ainda nem falava alemão, ele já compreendera isto: o amor pela última explosão — a ascensão, o grito que culmina além do medo... Por que Weissmann iria querer sobreviver à guerra? Certamente teria encontrado uma coisa tão esplêndida quanto sua sede. Para ele, tudo não poderia terminar racionalizado e submisso como as centenas de departamentos envidraçados do circuito da SS — localizado no tempo e no espaço sempre aquém da grandeza, sempre no vácuo que vem atrás dela, sendo puxado por ela por algum tempo, porém terminando largado na sua esteira, coberto de umas poucas lantejoulas sujas. Bürgerlichkeit ao som de Wagner, os metais fracos e zombeteiros, as vozes das cordas entrando e saindo da sincronia...

À noite, aqui, é cada vez mais comum Enzian acordar sem motivo. Teria mesmo sido Ele, o Jesus coberto de chagas, a se debruçar sobre você? O corpo alvo com que todo veado sonha, as pernas esguias, os olhos suaves e dourados de europeu... você conseguiu ver de relance o caralho cor de oliva sob a tanga esfarrapada, você teve vontade de lamber o suor daquele suplício rude? Onde estará ele, em que parte da Zona hoje, maldito seja ele todo, até o castão daquele nervoso cajado imperial...

Há poucas ilhas de penugem e veludo, como essa, onde ele possa deitar-se e sonhar, nestes marmóreos corredores do poder. Enzian tornou-se frio, menos por haver-se apagado um fogo do que por ter chegado um frio positivo, um gosto amargo crescendo no palato das primeiras esperanças do amor... Tudo começou quando Weissmann o trouxe para a Europa: a descoberta de que o amor, em meio a esses homens, após as sensações físicas e orgasmos, tinha a ver com tecnologias masculinas, contratos, vitórias e derrotas. E exigia, no seu caso em particular, que ele passasse a servir o Foguete... Mais do que uma mera ereção de aço, o Foguete representava todo um sistema *conquistado*, arrancado, das trevas femininas, mantido a despeito das entropias da Natureza, essa Mãe adorável porém simplória: foi a primeira coisa que Weissmann o obrigou a aprender, seu primeiro passo para poder tornar-se cidadão da Zona. Enzian foi levado a acreditar que, se compreendesse o Foguete, viria a compreender de verdade sua própria masculinidade...

"Antigamente eu acreditava, com uma ingenuidade que não tenho mais, que todo o entusiasmo daqueles tempos estava sendo encenado para mim, de algum modo, como um presente de Weissmann. Ele havia me carregado no colo para dentro de sua casa, e era essa a vida que ele queria me dar, essas ocupações viris, a dedicação ao Líder, as intrigas políticas, o rearmamento secreto em desobediência às velhas plutocracias que nos cercavam... elas estavam se tornando impotentes, mas nós éramos jovens e fortes... ser tão jovem e tão forte assim, num momento desses da vida de uma nação! Eu não conseguia acreditar em tantos jovens de pele clara, corpos cobertos de suor e poeira, prolongando as Autobahns mais e mais a cada dia: andávamos de carro entre corneteiros, bandeiras de seda impecáveis como trajes... as mulheres pareciam totalmente dóceis, desprovidas de cor... eu as imaginava enfileiradas, de quatro, sendo ordenhadas, seu leite recolhido em baldes de aço reluzente..."

"Ele às vezes tinha ciúme dos outros rapazes — do que você sentia por eles?"

"Ah. Para mim, na época, a coisa ainda era muito física. Mas ele já havia passado dessa etapa. Não. Não, acho que ele não se importava... Eu o amava naquele tempo. Não conseguia enxergar dentro dele, nem perceber as coisas em que ele acreditava, mas era isso que eu queria. Se o Foguete era a vida dele, então eu me entregaria ao Foguete."

"E você nunca duvidou dele? Porque a personalidade dele não era das mais organizadas..."

"Escute — não sei como dizer isso... Você já foi cristão?"

"Bem... por uns tempos."

"Você alguma vez viu na rua um homem que você na mesma hora percebeu, com certeza, que *tinha* que ser Jesus Cristo — não que você desejasse que fosse ele, nem que ele fosse um pouco parecido — mas que você *soubesse* que era ele. O Salvador, de volta ao mundo e caminhando no meio das pessoas, tal como as velhas histórias prometiam... e quanto mais perto você chegava dele mais certeza você tinha — não havia nada que pudesse contradizer a sua impressão original de espanto... e então você passava por ele, apavorado com a possibilidade de que ele falasse com você... seus olhos lutavam... confirmavam. E o mais terrível de tudo era que *ele sabia*. Ele enxergava dentro da sua alma: todo o seu faz de conta perdia o sentido..."

"Então... o que aconteceu, desde que você chegou aqui na Europa, poderia ser caracterizado, para usar a expressão de Max Weber, quase como uma 'rotinização do carisma'."

"Outase", diz Enzian, uma das muitas palavras herero que querem dizer "merda" — essa em particular refere-se a uma porção de bosta de vaca recém-cagada.

Andreas Orukambe está sentado diante de um transmissor-receptor verde-oliva, de acabamento rugoso, num nicho de pedra do cômodo. Seus ouvidos estão cobertos por um fone de borracha. O Schwarzkommando usa a faixa de 50 cm — a faixa usada pela guiagem do foguete Hawaii II. Quem, senão um fanático de foguetes, sintonizaria a frequência de 53 cm? O Schwarzkommando pode ao menos ter a certeza de que está sendo monitorado por todos os outros competidores da Zona. As transmissões do Erdschweinhöhle começam por volta das 3h00 e vão até o nascer do sol. Outras estações do Schwarzkommando transmitem em seus horários. As comunicações são em herero, com uma ou outra palavra emprestada do alemão (o que é uma pena, pois na maioria das vezes são termos técnicos, pistas valiosas para quem estiver escutando).

Andreas está no seu segundo turno da madrugada, basicamente copiando coisas, dando uma resposta quando necessário. Trabalhar num transmissor é um convite à paranoia instantânea. Forma-se de repente toda uma configuração de antenas, milhares de quilômetros quadrados cheios de inimigos cada um em seu acampamento na Zona, inimigos sem rostos, todos eles a monitorar. Embora estejam em contato um com o outro — o Schwarzkommando tenta escutar o maior número de transmissões possível — embora ninguém tenha ilusões quanto ao que se planeja fazer com o Schwarzkommando, mesmo assim eles estão adiando, esperando o momento adequado para entrar em ação e destruir sem deixar vestígio... Enzian acha que vão esperar até que o primeiro foguete africano esteja inteiramente montado e pronto para ser disparado: a coisa será mais aceitável se agirem contra uma ameaça concreta, um foguete de verdade. Enquanto isso, Enzian tenta controlar a segurança. Aqui na base central não há problema: seria impossível haver uma penetração, a menos que fosse um regimento inteiro. Porém mais ao longe, no meio da Zona, em cidades-foguete como Celle, Enschede, Hachenburg — lá eles podem nos destruir um por um, primeiro uma guerra de atrito, depois um ataque coordenado... restando por fim apenas esta metrópole sitiada, para ser estrangulada...

Talvez seja apenas teatro, mas eles não *parecem* mais ser Aliados... embora a história que inventaram para si próprios nos condicione a *prever* "rivalidades pós-guerra", quando na verdade talvez seja um cartel gigantesco formado por vitoriosos e derrotados unidos, num acordo amistoso para repartir o que houver para repartir... Assim mesmo, Enzian conseguiu jogar um contra o outro, aqueles abutres brigões... a coisa *parece* verdadeira... Marvy deve estar com os russos a esta altura, e com a General Electric também — quando o jogamos do alto do trem aquela noite, ganhamos... o quê? Um ou dois dias, e será que soubemos aproveitar bem esse tempo?

Tudo se reduz a esta atividade cotidiana de tricotar e desfazer o tricô, pequenos sucessos, pequenas derrotas. Milhares de detalhes, cada um dos quais pode levar a um erro fatal. Enzian gostaria de não estar tão envolvido no processo — poder olhá-lo de fora e ver para onde está caminhando, saber, em tempo real, a cada encruzilhada da trajetória da decisão, que passo seria correto, que passo seria equivocado. Porém o tempo é *deles*, o espaço é *deles*, e Enzian continua esperando, ingenuamente, resultados que o contínuo branco há muitos séculos já não espera. Os detalhes — válvulas, ferramentas especiais que podem ou não existir, ciúmes e tramas do Erdschweinhöhle, manuais de operação perdidos, técnicos fugindo do Leste e do Oeste, escassez de alimentos, crianças doentes — rodopiam como neblina, cada partícula contendo sua própria disposição de forças e direções... ele não consegue coordenar tudo ao mesmo tempo, se dedica muito tempo a uma coisa corre o perigo de perder outras... Mas não se trata apenas dos detalhes. Enzian tem a sensação estranha, em momentos de devaneio ou desespero sincero, de que está recitando falas que foram preparadas em algum lugar distante (distante não no espaço, mas em termos de níveis de poder), e que as decisões que toma na verdade não são decisões tomadas por ele, e sim apenas as tiradas bombásticas de um ator fazendo o papel de líder. Às vezes sonha que está preso nas garras implacáveis de uma aventura da qual não consegue despertar... em muitos sonhos vê-se a bordo de um navio num rio largo, chefiando uma rebelião fadada ao fracasso. Por motivos políticos, estão permitindo que a rebelião prossiga por mais algum tempo. Ele está sendo cassado, seus dias estão cheios de fugas de última hora que lhe parecem emocionantes, fisicamente belas... e a Trama! Tem uma beleza séria, intensa, é música, uma sinfonia do Norte, de uma viagem ártica, que passa por promontórios de gelo verdíssimo, chegando aos sopés de icebergs, ajoelhando-se diante desta música incrível, lavando-se em mares azul-anil, um Norte infinito, uma terra vasta ocupada por um povo cuja cultura e história antiquíssimas estão isoladas do resto do mundo por uma muralha de silêncio... os nomes de suas penínsulas e mares, de seus rios compridos e tremendos, são desconhecidos no mundo temperado... é uma volta, esta viagem: ele envelheceu dentro de seu nome, a música avassaladora da viagem é uma música que ele próprio compôs, há tanto tempo que já a esqueceu por completo... porém ela agora o reencontra novamente...

"Problema em Hamburgo —" Andreas está rabiscando depressa, empurrando para trás um dos fones úmidos de suor, *flop*, para poder atentar para as duas extremidades do enlace ao mesmo tempo. "Pelo visto, são os deslocados de guerra de novo. O sinal está ruim. A toda hora morre —"

Desde a rendição, tem havido escaramuças constantes entre os civis alemães e os prisioneiros estrangeiros liberados dos campos. Há cidades ao norte que foram tomadas por deslocados poloneses, checos, russos, que saquearam os arsenais e celeiros, e estão decididos a não abrir mão do que conquistaram. Mas ninguém sabe o que pensar com relação ao Schwarzkommando local. Alguns só veem os uniformes da SS esfarrapados, e reagem a eles de alguma maneira — outros julgam que se trata de marroquinos ou indianos que conseguiram de algum modo vir da Itália, transpondo os Alpes. Os alemães ainda se lembram da conquista da Renânia há 20 anos por unidades compostas de soldados vindos das colônias francesas, e dos cartazes histéricos SCHWARZE BESATZUNG AM RHEIN! Outra tensão. Semana passada, em Hamburgo, dois membros do Schwarzkommando foram mortos a tiros. Outros foram barbaramente espancados. O governo militar britânico enviou alguns soldados, mas só quando os homens já estavam mortos. Foram para lá mais para impor um toque de recolher.

"É o Onguruve." Andreas entrega os fones e sai da frente de Enzian, recuando na cadeira giratória.

"... não sei se eles querem nos aprisionar ou se querem tomar a refinaria de petróleo..." a voz some e reaparece em meio à estática, "... cem, talvez duzentos... são tantos... — fles, porretes, revólveres —"

B-bip, xxxxxxx, depois uma voz conhecida. "Posso levar uns doze homens."

"Hanôver está respondendo", murmura Enzian, tentando assumir um tom jocoso.

"É Josef Ombindi." Andreas não acha graça.

Ora, Onguruve, pedindo ajuda, é neutro quanto à questão dos Vazios, ou pelo menos tenta ser. Mas se Ombindi puder trazer tropas de reforço para Hamburgo, ele talvez resolva ficar. Hanôver, mesmo com a fábrica da Volkswagen lá, é apenas uma etapa para ele. Hamburgo daria aos Vazios uma base de poder mais forte, e esta pode ser a oportunidade. O Norte deveria ser o elemento nativo deles, mesmo...

"Tenho que ir", devolvendo os fones a Andreas. "Qual o problema?"

"Podem ser os russos, tentando atrair você."

"Tudo bem. Pare de se preocupar com Tchitcherine. Acho que ele não está lá, não."

"Mas o seu europeu disse —"

"Ele? Não sei até que ponto posso confiar nele. Lembre-se de que eu o ouvi conversando com Marvy no trem. Agora ele está com a garota de Tchitcherine em Nordhausen. Você confiaria nele?"

"Mas se o Marvy o está perseguindo agora, isso talvez queira dizer que ele vale alguma coisa."

"Se vale, certamente vamos voltar a vê-lo."

Enzian pega sua mochila, engole dois Pervitins para a viagem, lembra Andreas de dois detalhes para o trabalho de amanhã e começa a subir a longa rampa de sal e pedra que leva à superfície.

Lá fora, respira o cheiro de pinho dos montes Harz. Nas aldeias de outrora, era nesta hora da tardinha que se fazia a ordenha. A primeira estrela apareceu, okanumaihi, a pequena bebedora de leite doce...

Mas esta estrela deve ser outra, uma estrela no Norte. Ela não conforta. O que aconteceu conosco? Se jamais tivemos o direito de escolher, se o destino dos herero da Zona é viver no seio do Anjo que tentou nos destruir no Sudoeste... então: fomos esquecidos, ou fomos escolhidos para algo mais terrível ainda?

Enzian tem que estar em Hamburgo antes que o sol seja atravessado pela lança outra vez. A segurança nos trens é um problema, mas as sentinelas o conhecem. Os longos cargueiros saem da Mittelwerke dia e noite, carregando material do A4 para os americanos no Oeste, para os ingleses no Norte... e em breve, quando o novo mapa da ocupação estiver em vigência, para os russos no Leste... Nordhausen ficará sob controle dos russos, e aí a coisa vai ficar animada... terá ele oportunidade de encontrar-se com Tchitcherine? Enzian jamais o viu, mas os dois estão fadados a se conhecer. Enzian é meio-irmão dele. São a mesma carne.

Seu nervo ciático está latejando. Enzian ficou muito tempo sentado. Segue em frente, mancando, sozinho, cabeça ainda baixa, por força do hábito de andar dentro do Erdschweinhöhle — quem sabe o que espera aqui fora quem anda de cabeça empinada? Estrada abaixo, passando sob o viaduto da ferrovia, alto e cinzento à luz das estrelas cada vez mais numerosas, Enzian segue para o Norte...

Pouco antes do amanhecer. Trinta metros abaixo, flui um pálido lençol de nuvem, estendendo-se para o oeste até onde a vista alcança. Eis aqui Slothrop e a aprendiz de feiticeira Geli Tripping, no pico do Brocken, o próprio plexo do mal alemão, trinta quilômetros a nor-noroeste da Mittelwerke, esperando o sol nascer. Embora a véspera do primeiro de maio tenha ocorrido quase um mês antes da chegada destes dois folgazões, ainda podem ser vistas relíquias do último sabá: garrafas vazias de Kriegsbier, calcinhas de renda, cartuchos vazios de rifle, flâmulas de cetim vermelho com suásticas, rasgadas, agulhas de tatuagem e manchas de tinta azul — "Para que é que serve isso?" pergunta Slothrop.

"Para o beijo do diabo, é claro", Geli aconchegando-se toda junto a sua axila fazendo uma carinha de ah-seu-bobão, e Slothrop sentindo-se meio por fora e quadradão por não saber. Mas ele não sabe mesmo nada a respeito de bruxas, muito embora entre seus ancestrais haja uma autêntica Bruxa de Salem, uma das últimas de tantas a serem dependuradas pelo pescoço, tantos séculos atrás, num galho da árvore genealógica dos Slothrop. Chamava-se Amy Sprue, uma ovelha negra da família que se tornou antinomiana aos 23 anos de idade e saiu pintando e bordando pelo interior de Berkshire, 200 anos antes de Sue Dunham, a louca, roubando bebês, montando em vacas no crepúsculo, sacrificando galinhas na Snodd's Mountain. As tais galinhas, como se pode imaginar, provocaram muitos ressentimentos. Já as vacas e os bebês sempre voltavam intatos. Amy Sprue não era, como a antagonista da jovem Dorothy em Oz, uma bruxa má.

> Ela foi buscar refúgio em Rhode Island, a coitada,
> Resolveu parar em Salem só pra ver no que ia dar...
> Mas a turma implicou com seu sorriso, sua risada,
> E em Narragansett Bay ela não pôde chegar...

Foi presa por bruxaria e condenada à morte. Mais uma parenta maluca de Slothrop. Sempre que alguém a mencionava, era com um dar de ombros, uma coisa remota demais para ser Vergonha da Família — era mais uma curiosidade. Slothrop cresceu sem saber direito o que pensar a respeito dela. Sem dúvida, as bruxas não tinham uma boa imagem nos anos 30. Dizia-se que eram uns bagulhos que chamavam os homens de "benzinho", criaturas bem pouco recomendáveis. O cinema não o havia preparado para aquela versão teutônica. Por exemplo, a bruxa boche tem seis dedos em cada pé e não tem um único pelo na xota. Pelo menos são assim as que aparecem nos murais pintados dentro do que já foi um dia a torre de transmissão dos nazistas no alto do Brocken, e os murais do governo não costumam representar imagens fantásticas irresponsáveis, é ou não é? Mas Geli acha que a xota glabra vem das mulheres desenhadas por von Bayros. "Ah, você é que não quer raspar a sua", debocha Slothrop. "Ha, ha! Grande bruxa que você é."

"Pois eu vou lhe mostrar uma coisa", diz ela, e é por isso que eles estão acordados numa hora dessas, lado a lado, de mãos dadas, imóveis, na hora em que o sol começa a clarear o horizonte. "Olhe só", cochicha Geli, "ali."

À medida que a luz do sol lhes atinge as costas, quase de chapa, começam a formar-se sobre as nuvens cor de pérola duas sombras gigantescas, estendendo-se por quilômetros, passando de Clausthal-Zelterfeld, passando de Seesen e Goslar, atravessando o rio Leine, chegando a Wesser... "Puxa", Slothrop um pouco nervoso, "é o Espectro." Isso também acontecia perto de Greylock, lá nos montes Berkshire. Aqui nestas bandas o nome do fenômeno é Brockengespenst.

Sombras de Deus. Slothrop levanta um braço. Seus dedos são cidades, seu bíceps uma província — é claro que ele levanta um braço. Não é o que se espera dele?

A sombra do braço levanta uma trilha de arco-íris enquanto se estende para o leste, como se fosse agarrar Göttingen. E além disso não são sombras normais — são sombras *tridimensionais*, esparramando-se na alvorada alemã, sim, é claro que titãs viviam nestas montanhas, ou debaixo delas... Uma escala inacreditável. Nunca ser levado por um rio. Nunca olhar para um horizonte e imaginar que ele se estende para todo o sempre. Nenhuma árvore para subir, nenhuma longa jornada para fazer... só restam suas imagens profundas, cascas vazias cercadas de halos, estendidas supinas acima das névoas que envolvem os homens...

Geli estende uma perna bem reta, como uma dançarina, e inclina a cabeça para o lado. Slothrop levanta o dedo médio para o oeste, e o dedo impetuoso escurece cinco quilômetros de nuvem por segundo. Geli agarra o pau de Slothrop. Slothrop debruça-se para morder o peito de Geli. São enormes, dançando na pista de todo o céu visível. Ele enfia a mão debaixo do vestido dela. Ela enrosca uma perna numa das pernas dele. Os espectros vermelhos tingem-se de índigo, como uma maré, imensos, em todas as suas bordas. Sob as nuvens tudo é tão silencioso, e perdido, quanto a Atlântida.

Porém o Brockengespenstphänomen está restrito à fina interface do amanhecer, e em pouco tempo as sombras encolhem, recolhem-se à vizinhança de seus donos.

"Escute, alguma vez o tal do Tchitcherine —"

"Ele é ocupado demais para vir aqui."

"Ah, e eu sou um vagabundo."

"Você é diferente..."

"Pois ééé... mas ele *tinha* que ver isso."

Ela olha para ele curiosa, mas não pergunta por quê — seus dentes contêm-se no lábio inferior, e o *warum* (varum, um dos sons do Homem de Borracha) paira preso em sua boca. Antes assim. Slothrop *não sabe* por quê. Ele é uma decepção para qualquer um que quiser interrogá-lo. Ontem à noite ele e Geli esbarraram por engano num piquete formado por membros do Schwarzkommando à entrada de uma das galerias da velha mina. Os herero ficaram uma hora a interrogá-lo. Ah, estou só andando por aí, sabe, procurando coisas, quer dizer, "vinhetas da vida real", fascinantes, não é?, a gente sempre se interessa no que vocês estão fazendo... Geli rindo baixinho na escuridão. Eles certamente a conheciam. A *ela* ninguém perguntou nada.

Quando Slothrop tocou no assunto mais tarde, Geli não sabia o que estava havendo entre Tchitcherine e os africanos, mas fosse o que fosse a coisa era altamente passional.

"É ódio, não tenha dúvida", disse ela. "Burrice, burrice. A guerra terminou. Não é política nem traição, é puro ódio pessoal."

"Enzian?"

"Acho que sim."

Encontraram o Brocken ocupado por tropas americanas e russas. A montanha ficava no que passaria a ser a fronteira da zona soviética de ocupação. As ruínas de tijolo e estuque do transmissor de rádio e de um hotel para turistas divisavam-se à borda da área iluminada pelo fogo. Aqui havia apenas uns dois pelotões. Nenhuma patente acima de subtenente. Todos os oficiais estavam em Bad Harzburg, Halberstadt, algum lugar confortável, tomando um porre ou dando uma trepada. Há uma certa atmosfera de ressentimento no Brocken, mas os rapazes gostam de Geli e toleram Slothrop, e o melhor de tudo é que pelo visto não tem ninguém aqui que faça parte da tal Divisão de Material Bélico.

Porém esta segurança dura apenas um momento. O major Marvy está vasculhando os montes Harz, provocando ataques cardíacos em milhares de canários, que caem das árvores de barriga para cima como uma chuva amarela quando ele passa urrando Peguem o veado inglês, nem que pra isso eu precise da porra de uma *divisão* inteira, ouviu, garoto? Mais cedo ou mais tarde o major vai pegá-lo. É um louco varrido. Slothrop pode não ser muito certo da bola, mas também não é assim — isso é um negócio mórbido, essa perseguição do Marvy. Será que... é, a ideia certamente lhe ocorreu — que Marvy está mancomunado com os caras do Rolls-Royce que andavam atrás dele em Zurique? As ligações entre essa gente são potencialmente ilimitadas. Marvy está ligado à GE, tem dinheiro de Morgan lá, tem dinheiro de Morgan em Harvard, e sem dúvida deve haver uma ligação com Lyle Bland em algum lugar... afinal, quem são eles, hein? e por que eles tanto querem Slothrop? Ele agora não tem mais dúvida de que Zwitter, o tal cientista maluco nazista, é um deles. E o velho professor Glimpf, tão bonzinho, estava só esperando por Slothrop lá na Mittelwerke para o caso de ele aparecer. Meu Deus. Se Slothrop não tivesse saído de fininho de lá depois que escureceu e voltado para Nordhausen, a esta altura já estaria preso, ou então espancado, ou até mesmo morto.

Antes de descerem a montanha, conseguem filar meia dúzia de cigarros e umas rações de campanha das sentinelas. Tem um amigo de um amigo de Geli que está numa fazenda no Goldene Aue, um maníaco por balões chamado Schnorp, que está indo para Berlim.

"Mas eu não quero ir pra Berlim."

"Você quer ir pra qualquer lugar onde o Marvy não esteja, Liebchen."

Schnorp sorri de orelha a orelha, está doido para arranjar companhia, acaba de voltar de um reembolsável carregando uma pilha de caixas chatas brancas debaixo do braço: mercadorias que pretende vender em Berlim. "Tudo bem", diz ele a Slothrop, "não se preocupe. Já fiz essa viagem mais de cem vezes. Ninguém perturba os balões."

Leva Slothrop até os fundos da casa, e ali, no meio de um campo ondulado coberto de grama, vê-se uma barquinha de vime ao lado de uma enorme pilha de seda de tons vivos de amarelo e escarlate.

"Uma fuga bem discreta", murmura Slothrop. Um bando de garotos sai correndo de um pomar de macieiras para ajudá-los a carregar latões de álcool de cereais até a barquinha. Todas as sombras estão sendo lançadas encosta acima pelo sol poente. Vem um vento do oeste. Slothrop empresta a Schnorp seu Zippo para que ele acenda o fogo, enquanto os garotos desdobram o balão. Schnorp regula a chama até ela sair de lado, apontada para dentro da abertura do grande saco de seda. Por trás das ondas de calor, as imagens das crianças distorcem-se. Lentamente o balão começa a inchar. "Não se esqueça de mim", grita Geli, para ser ouvida apesar do rugir do fogo. "Até a próxima..." Slothrop sobe na barquinha junto com Schnorp. O balão eleva-se um pouco e é levado pelo vento. Começam a deslocar-se. Geli e os meninos agarraram a barquinha, cercando-a por completo, o saco ainda não está totalmente cheio mas já está pegando velocidade, arrastando a todos, que correm o máximo que podem, rindo e aos gritos, encosta acima. Slothrop tenta não atrapalhar Schnorp, que o tempo todo controla a chama, mantendo-a bem apontada para o orifício do balão e evitando que as cordas peguem fogo. Por fim o balão verticaliza-se, cobre o sol, dentro dele uma convulsão de calor amarelo e vermelho. Um por um os ajudantes vão largando a barquinha, acenando em despedida. A última é Geli, de vestido branco, cabelo escovado para trás e preso em maria-chiquinha, o queixo e a boca macias e os olhos grandes e sérios voltados para os de Slothrop até o instante em que ela é obrigada a largar. A moça ajoelha-se na grama e sopra um beijo para Slothrop. Ele sente que seu coração está inflado de amor, subindo tão depressa quanto um balão. Quanto mais tempo ele permanece na Zona, mais tempo demora para ele lembrar-se de dizer a si mesmo *ah, deixe de ser babaca*. O que será que esse lugar está fazendo com seu cérebro?

Sobrevoam um arvoredo de abetos. Geli e as crianças, cada vez menores, são riscos de sombra no gramado verde. A serra se afasta, se achata. Pouco depois, olhando para trás, Slothrop vê Nordhausen: catedral, prefeitura, igreja de S. Brás... o bairro sem telhados onde ele conheceu Geli...

Schnorp cutuca-o e aponta. Depois de algum tempo, Slothrop consegue divisar um comboio de veículos verde-oliva levantando poeira numa fazenda, a toda velocidade. A Máfia de Marvy, ao que tudo indica. E Slothrop aqui, dependurado nessa bola de praia avantajada. Ora, ora —

"Eu dou azar", grita Slothrop depois de algum tempo. Agora conseguiram estabelecer um rumo estável em direção ao nordeste, e estão os dois aconchegados junto à chama de álcool, colarinhos virados para cima, um gradiente de cerca de 30 entre o vento que sopra às suas costas e o calor à sua frente. "Eu devia ter lhe dito isso. Você nem me conhece, e cá estamos nós, indo em direção à zona russa."

Schnorp, cabelos revoltos como feno de férias, esboça um gesto germânico melancólico com o lábio superior. "Não existem zonas", uma frase que Geli também diz sempre. "Só existe a Zona."

Não demora e Slothrop começa a fuçar nas caixas que Schnorp trouxe. São doze, e cada uma contém uma torta de creme espessa, dourada. Estas tortas valem uma fortuna em Berlim. "Porra", exclama Slothrop, "cacete. Certamente estarei alucinando", e outras frases inflamadas de adolescente entusiasmado.

"Você devia ter cartão do reembolsável." Conversa de vendedor.

"No momento não posso gastar um selo de racionamento pra comprar um suporte atlético de formiga", responde Slothrop, na hora.

"Pois bem, vou rachar essa aqui com você", diz Schnorp após uma pausa, "porque estou ficando meio com fome."

"Oba, oba."

Pois bem, Slothrop mergulha na tal torta! em glória, lambendo o creme das mãos, quando repara no céu, para os lados de Nordhausen, um objeto gozado, escuro, do tamanho de um ponto final. "Hã..."

Schnorp olha para trás, "Kot!", pega um telescópio de latão e apoia-o na amurada. "Kot, Kot — não tem nada escrito."

"Será que..."

Naquele céu tão azul que dá para você apertar entre os dedos, esfregar e ficar com os dedos azuis, eles veem o pontinho se transformar lentamente num velho e caquético avião de reconhecimento. Pouco depois ouvem seu motor, rosnando e cuspindo. Então o avião inclina-se e vem na direção deles.

Junto com o vento, débil, ouve-se o canto das Fúrias:

Um rapaz teve um caso de amor
Com a tomada do amplificador.
Mas um curto-circuito
Machucou-o, e muito,
De buracos ele ficou com pavor.

Ja, ja, ja!
Ninguém faz minete na Prússia —

O avião passa zumbindo a um ou dois metros dele, exibindo o ventre. É um monstro, prestes a parir. Por um buraco vê-se um rosto rubicundo com capacete de couro e óculos de proteção. "Seu veado inglês", passando, "nós vamos botar no seu cu."

Sem pensar no que está fazendo, Slothrop pega uma torta. "Vá se foder." Joga a torta com mira perfeita, o avião passando por eles lentamente, e *plof* acerta Marvy bem na cara. Isso mesmo. Mãos enluvadas limpam o rosto. A língua rosada do major aparece. Creme goteja ao vento, gotículas amarelas caem em direção à terra, descrevendo longos arcos. A escotilha se fecha e o avião se afasta lentamente, descreve um círculo e volta. Schnorp e Slothrop pegam tortas e esperam.

"O motor é descoberto", Schnorp percebeu, "vamos atacar por lá." Agora veem o dorso do avião, a cabine lotada de americanos empapuçados de cerveja, cantando:

O Ritter vivia de sacanagem
Com um transmissor de guiagem.

A pica murchou,
O saco estourou,
E acabou-se essa libidinagem.

A cem metros deles, chegando cada vez mais perto. Schnorp agarra Slothrop pelo braço e aponta para estibordo. A Providência colocou no caminho deles uma imensa nuvem, e o vento os empurra para ela rapidamente: a criatura estica seus tentáculos brancos, apressando-os... depressa... e agora eles estão dentro dela, de seu abrigo úmido e gelado...

"Agora eles vão esperar."

"Não", Schnorp com a mão em concha atrás do ouvido, "eles desligaram o motor. Estão aqui dentro conosco." O silêncio algodoado se prolonga por um ou dois minutos, mas não dá outra:

O Schroeder enfiou a caceta
No servomotor da palheta.
E disse: "Dá trabalho
Tirar o caralho,
Mas é muito melhor que boceta!"

Schnorp está regulando a chama, um nimbo rosado, tentando diminuir a visibilidade do aeróstato sem perder muita altitude. Flutuam dentro de uma pálida esfera de luz, sem coordenadas. Afloramentos de granito furam a nuvem às cegas, como punhos, tentando encontrar o balão. O avião está em algum lugar, seguindo seu próprio rumo em sua própria velocidade. Não há nada que o balão possa fazer. As decisões binárias não têm mais sentido aqui. A nuvem oprime, sufoca. Condensa-se em gotas gordas em cima das tortas. De repente, num tom raivoso e ressacado:

Um rapaz teve um caso ridículo
Com um gerador de oxigênio líquido.
Os colhões e o cacete
Viraram sorvete,
E ele deu o maior faniquito.

Cortinas de vapor afastam-se e revelam os americanos, planando a menos de dez metros e apenas um pouco mais depressa que o balão.

"Agora!" grita Schnorp, atirando uma torta no motor exposto. Slothrop erra a pontaria e borra o para-brisas bem diante do piloto. A esta altura Schnorp começou a jogar sacos de areia no motor, um deles encaixando-se entre dois dos cilindros. Os americanos, apanhados de surpresa, confusos, tentam apelar para pistolas, granadas, metralhadoras, tudo o que o pessoal de Material Bélico leva consigo a título de armamentos leves. Porém já deixaram o balão para trás, e agora a neblina cobre tudo outra vez. Ouvem-se alguns tiros.

"Puta merda, se eles acertam no balão —"

"Xxx. Acho que a gente acertou o fio do magneto do dínamo." Do meio da nuvem vem o relincho incômodo de um motor que se recusa a pegar. As articulações guincham desesperadas.

"Que merda!" Um grito abafado, distante. O gemido intermitente vai morrendo aos poucos, até o silêncio. Schnorp está em decúbito dorsal, lambuzando-se de torta, rindo um riso amargo. Metade de seu estoque foi jogado fora, e Slothrop sente-se um pouco culpado.

"Não, não. Pare de se preocupar. É como os primórdios do sistema mercantil. Voltamos à estaca zero. Uma segunda chance. As passagens são longas e difíceis. As perdas em trânsito fazem parte da vida. Você acaba de ver em funcionamento o paleomercado."

Quando as nuvens se afastam alguns minutos depois, eles se veem flutuando tranquilos sob o sol, cordame gotejando, balão ainda luzidio da umidade da nuvem. Nenhum sinal do avião de Marvy. Schnorp ajusta a chama. Começam a ascender.

Por volta da hora do pôr do sol, Schnorp fica pensativo. "Olhe. Dá pra gente ver o risco. Nesta latitude, a sombra da Terra atravessa a Alemanha a 1040 quilômetros por hora, a velocidade de um avião a jato." A grande nuvem esfarinhou-se em pequenos pedaços de neblina cor de camarão cozido. O balão continua deslizando, sobrevoando a colcha de retalhos do campo, que o entardecer agora faz tender ao negro: a linha de um riacho ardendo ao sol poente, o labirinto anguloso de mais uma cidade sem telhados.

O crepúsculo é vermelho e amarelo, tal como o balão. No horizonte, a esfera suave vai afundando, distorcida, um pêssego num prato de porcelana. "Quanto mais você vai em direção ao sul", prossegue Schnorp, "mais rápido a sombra se desloca, até chegar ao equador: 1600 quilômetros por hora. Fantástico. Rompe a barreira do som ali pelo sul da França — mais ou menos na latitude de Carcassone."

O vento os impele docemente, norte quarta a nordeste. "Sul da França", lembra-se Slothrop então. "É. Foi lá que *eu* rompi a barreira do som..."

A Zona está em pleno verão: encontram-se almas quiescentes atrás de pedaços de parede, ferradas no sono, enroscadas em crateras de bombas, fodendo debaixo de um cano de esgoto, fraldas de camisa ao vento, sonhando no meio dos campos. Sonhando com comida, o olvido, passados alternativos...

Aqui os silêncios são refúgios de som, como o recuo das ondas antes de uma enchente provocada por um maremoto: som que se esvai, descendo encostas de passagem acústica, para avolumar-se, em outro lugar, numa grande explosão de ruído.

Vacas — grandes almanjarras malhadas preto e branco, arreadas para arar a terra porque na Zona os cavalos estão praticamente extintos — entram de caras muito sérias nos campos que foram minados no último inverno. As explosões tremendas ecoam por toda a região, chifres e couro e carne moída chovem para todos os lados, e os cincerros amassados jazem silenciosos em meio aos trevos. Os cavalos talvez soubessem se esquivar — mas os alemães desperdiçaram todos os seus cavalos, a espécie inteira, arregimentando-os todos para o pior da guerra, os enxames de aço, os pântanos reumáticos, os frios desagasalhados dos últimos fronts. Um ou outro talvez tenha encontrado refúgio entre os russos, que ainda cuidam dos cavalos. À noite se fazem ouvir com frequência. As fogueiras dos russos iluminam extensões imensas, por entre as faias, atravessando a névoa quase seca do verão setentrional, só o suficiente para emprestar à luz do fogo uma nitidez de gume de faca, dez acordeões e sanfonas tocando ao mesmo tempo em acordes confusos com um trêmulo de palhetas, e canções cheias de melancólicos *stvie* e *znii*, as vozes das moças se destacando em particular. Os cavalos relincham e se espojam na grama. Os homens e mulheres são bons, práticos, fanáticos — são os mais alegres dos sobreviventes da Zona.

Entrando e saindo desta massa de carne vibrante, Tchitcherine, a hiena louca, é mais metal do que qualquer outra coisa. Dentes de aço reluzem quando ele fala. Sob o topete há uma placa de prata. Um trançado de fios de ouro forma uma tatuagem tridimensional em meio ao caos delicado de cartilagem e osso de seu joelho direito, volume sempre sentido, selo da dor modelado à mão, a condecoração de batalha de que ele mais se orgulha, por ser invisível, por ser ele o único que a sente. Quatro horas de operação, e no escuro. Foi no front oriental: não havia sulfa, não havia anestesia. É claro que ele se orgulha.

Tchitcherine veio até aqui, com seu passo manco tão permanente quanto ouro, emergindo do frio, dos campos, do mistério. Oficialmente, trabalha para o TSAGI, o Instituto Central de Aero e Hidrodinâmica de Moscou. Suas ordens falam em informações técnicas. Porém sua verdadeira missão na Zona é particular, obsessiva e — como seus superiores já lhe deram a entender, de diversas maneiras delicadas — não é do interesse do povo. Tchitcherine imagina que, tomando-se a expressão ao pé da letra, isso talvez seja verdade. Mas não tem certeza se isso se aplica aos interesses dos que o alertaram. Eles talvez tenham seus próprios motivos para querer que Enzian seja liquidado, digam o que disserem. Suas divergências com Tchitcherine talvez se limitem a questões de oportunidade, ou de motivos. Os motivos de Tchitcherine nada têm de políticos. O pequeno Estado que ele está criando no vácuo alemão baseia-se na sua necessidade compulsiva — que ele desistiu de tentar compreender — de aniquilar o Schwarzkommando e seu mítico meio-irmão, Enzian. Tchitcherine tem sangue de niilista: há entre seus ancestrais um bom número de terroristas e assassinos jubilosos. Não tem qualquer parentesco com o Tchitcherine que negociou o tratado de Rapallo com Walter Rathenau. Havia um intrigante, um menchevique que virou bolchevique, que, no exílio e ao retornar, acreditava num Estado que sobreviveria a todos eles, no qual alguém haveria de sentar-se em seu lugar à mesa, tal como ele se sentara no de Trotski — as bundas iam e viam, mas os lugares permaneciam... pois muito bem. Existe esse tipo de Estado. Mas há também o *outro* tipo, o de Tchitcherine, um Estado que só vai perdurar enquanto viverem todos os indivíduos que o compõem. Ele está atado, por laços de amor e medo físico, aos estudantes que morreram sob as rodas de carruagens, aos olhos traídos por noites insones, aos braços que se abriram, alucinados, para abraçar a morte imposta pelo poder absoluto. Inveja-lhes a solidão, a disposição de enfrentar o mundo sozinhos, sem sequer o apoio de uma estrutura militar, muitas vezes sem o apoio nem o amor de ninguém. Sua fiel rede de fräuleins na Zona é uma transigência de sua parte: sabe que nisso há um excesso de conforto, mesmo que tenha seu valor como fonte de informações. Porém os riscos perceptíveis do amor, do envolvimento, ainda são suficientemente leves para que ele os aceite, quando contrapostos àquilo que ele tem de fazer.

No início do governo Stalin, Tchitcherine foi mandado para um lugar remoto, um "canto de urso" (*medveji ugolok*) na região dos Sete Rios. No verão, os canais de irrigação traçavam um padrão indistinto de arabescos por todo aquele oásis verde. No inverno, os parapeitos das janelas enchiam-se de copos grudentos de chá, os soldados jogavam bisca e só iam lá fora para mijar, ou então saíam à rua para atirar num lobo assustado, com a nova versão do Moisin. Era uma terra de nostalgias ébrias por outras cidades, silenciosas cavalgadas quirguizes, infindáveis tremores de terra... por causa dos terremotos, ninguém construía prédios de mais de um andar, e por isso a cidadezinha parecia um filme de caubói: uma rua de terra batida ladeada por grandiosas fachadas falsas de dois ou três andares.

Ele estava ali para dar àquela gente tribal, naquele fim de mundo, um alfabeto: entre eles só havia fala, gestos, toques, nem mesmo uma escrita arábica para substituir. Tchitcherine trabalhava em colaboração com o centro Likbez local, o qual fazia parte de uma cadeia conhecida em Moscou como os "*džurts* vermelhos". Quirguizes jovens e velhos vinham da planície, cheirando a cavalo, leite azedo e fumaça, entravam e ficavam olhando espantados para as lousas cobertas de riscos de giz. Os rígidos símbolos latinos eram quase tão estranhos para eles quanto eram para os funcionários russos — Galina, alta, com suas calças do exército e camisas cinzentas de cossaco... Luba, de cabelos ondulados e rosto suave, grande amiga de Galina... Vaslav Tchitcherine, o agente político... todos eles eram agentes — embora não vissem a si próprios desta forma — do NAT (Novo Alfabeto Túrquico) naquela terra extraordinariamente estrangeira.

Pela manhã, após o desjejum, Tchitcherine normalmente vai até o *džurt* vermelho para ver como está Galina, a professora — a qual fala ao lado feminino de sua personalidade... bem... muitas vezes ele sai de manhã e constata que o céu está cheio de relâmpagos difusos: brilhos, explosões. Horrível. O chão estremece, mas não chega a ser audível. Parece o fim do mundo, mas é apenas um dia como outro qualquer na Ásia Central. O céu pulsa, pulsa. Nuvens, formando um perfil bem nítido, negras, dentadas, deslizam em frotas rumo ao ártico asiático, por sobre as diesiatinas de capim, de talos de verbasco, ondulando até onde a vista alcança, verde e cinza no vento. Um vento extraordinário. Porém Tchitcherine permanece parado na rua, ajeitando as calças, as pontas das lapelas batendo contra o peito, maldizendo o Exército, o Partido, a História — o que quer que o tenha trazido para este lugar. Ele jamais virá a amar este céu, esta planície, esta gente, estes animais. E jamais olhará para trás, não, nem mesmo nos mais desolados bivaques de sua alma, em rudes confrontos em Leningrado com a certeza de sua morte, da morte de seus camaradas, jamais recorrerá a uma lembrança de Sete Rios para proteger-se. Nenhuma música ouvida, nenhuma viagem feita no verão... nenhum cavalo visto contra a estepe à luz do fim da tarde...

E certamente não Galina. Galina não será nem mesmo uma "lembrança" propriamente dita. Mesmo agora, ela já é mais uma forma do alfabeto, um procedimento para desmontar um Moisin — isso mesmo, é como lembrar-se de segurar o gatilho com o indicador esquerdo ao retirar o ferrolho com o direito, uma série de precauções que se encaixam uma na outra, parte de um processo entre os três exilados Galina/Luba/Tchitcherine que elabora suas mudanças, sua pequena dialética, até chegar ao fim, não restando mais nada além da estrutura...

Os olhos dela se escondem em sombras férreas, órbitas escurecidas como se por socos precisos. O queixo é pequeno, quadrado, avançado para a frente, os dentes da arcada inferior tendem a aparecer quando ela fala... Quase nunca sorri. Ossos da face fortemente curvos e soldados. Aura de pó de giz, sabão de lavar roupa, suor. Com Luba desesperada pairando em torno, sempre, de seu quarto, à sua janela, um belo falcão. Galina treinou-a — mas é só Luba que voa, que conhece o mergulho de muitas verstas, o cravar das presas e o sangue, enquanto sua dona esguia permanece no rés do chão, na sala de aula, prisioneira das palavras, dos montes de neve e desenhos de geada formados pelas palavras brancas.

A luz pulsa por trás das nuvens. Tchitcherine entra no Centro deixando por onde passa um rastro de lama das ruas, é recebido por Luba com um ruborizar das faces, pelo cômico faxineiro chinês Chu Piang com uma espécie de vênia e uma continência de esfregão, por um ou outro aluno madrugador com olhares indevassáveis. O professor "nativo" itinerante, Džaqyp Qulan, levanta os olhos de uma pilha de plantas topográficas, teodolitos negros, cadarços, gaxetas de trator, velas de ignição, pontas de barras de direção sujas de graxa, estojos de mapas de metal, cargas de munição de 7,62 mm, farelos e pedaços de lepeshka, prestes a pedir o cigarro que Tchitcherine já tirou do bolso e lhe estende.

Ele agradece com um sorriso. Não custa. Ele não tem certeza das intenções de Tchitcherine, menos ainda de sua amizade. O pai de Džaqyp Qulan foi morto no levante de 1916, tentando fugir das tropas de Kuropatkin transpondo a fronteira com a China — estava entre os cerca de 100 fugitivos quirguizes que foram massacrados uma noite junto a um riacho quase seco cuja origem talvez pudesse ser localizada no ponto zero do extremo norte no mundo. Os colonos russos, em pânico, cercaram e mataram os refugiados, todos de pele mais escura, com pás, forcados, rifles velhos, qualquer arma que tivessem à mão. Uma ocorrência comum em Semiretchie na época, mesmo àquela distância da ferrovia. Naquele verão terrível, caçaram-se satros, casaques, quirguizes e dunganos como se fossem animais selvagens. Todos os dias contabilizavam-se as presas. Era uma competição alegre, porém mais do que um jogo. Milhares de nativos inquietos foram mortos. Seus nomes, até mesmo quantos eram, jamais se saberá. A cor da pele, o traje, tornaram-se motivos suficientes para prender, espancar, matar. Até mesmo o jeito de falar — pois havia boatos sobre a infiltração de agentes alemães e turcos, boatos que haviam sido estimulados por Petrogrado. Este levante de nativos, dizia-se, era coisa de estrangeiros, uma conspiração internacional para abrir um novo front na guerra. Mais paranoia ocidental, solidamente fundamentada no equilíbrio de potências europeias. Como poderia haver motivos orientais — casaques, quirguizes? As nacionalidades não eram felizes? Meio século de domínio russo não trouxera progresso e riqueza?

Pois bem, no momento, sob a atual ordem moscovita, Džaqyp Qulan é filho de um mártir nacional. O georgiano chegou ao poder, ao poder na Rússia, poder antigo e absoluto, proclamando Sejamos Bons Com As Nacionalidades. Mas mesmo se o adorável tirano faz o que pode, Džaqyp Qulan por algum motivo permanece tão "nativo" quanto antes, e os russos o auscultam todos os dias para ver se ele está muito ou pouco inquieto. Seu rosto castanho-claro, seus olhos longos e estreitos, suas botas empoeiradas, aonde ele vai em suas viagens, o que realmente acontece dentro daquelas remotas tendas de couro Lá Fora, em meio aos auls, no vento — tudo isso são mistérios que eles não fazem questão de devassar. Dão-lhe cigarros, constroem para ele toda uma existência de papel, usam-no como Falante Nativo Instruído. Sua função lhe é permitida, e pronto... só que, de vez em quando, Luba dirige-lhe um olhar de falcão — piós, céu e terra, viagens... Ou então, Galina lhe dá um silêncio onde poderia haver palavras...

Aqui Galina virou uma perita em silêncios. Os grandes silêncios de Sete Rios ainda não foram alfabetizados, e talvez jamais o sejam. A qualquer momento entram na sala, no coração, e reduzem a giz e papel as sensatas alternativas soviéticas trazidas aqui pelos agentes da Likbez. São silêncios que o NAT não consegue preencher, não consegue liquidar, imensos e assustadores como os elementos naturais neste canto de urso — em escala proporcional a uma Terra maior, um planeta mais selvagem, mais distante do sol... Os ventos, as neves e as ondas de calor da cidade que Galina conheceu na infância não eram jamais tão imensos, tão impiedosos. Ela precisou vir até aqui para ver o que era um terremoto, para aprender a proteger-se de uma tempestade de areia. Como seria agora voltar, voltar para a cidade? Muitas vezes ela sonha com um delicado modelo de papelão, uma cidade de urbanista, perfeitamente detalhada, tão pequena que as solas das botas de Galina poderiam esmagar um bairro inteiro com uma pisada — ao mesmo tempo, ela também mora lá, dentro daquela cidade minúscula, aguardando o aniquilamento, os golpes que vêm do céu, céu que a espera tensiona terrivelmente, incapaz de dizer o que é que se aproxima cada vez mais, sabendo — terrível demais para dizer — que é ela mesmo, seu eu gigantesco de Ásia Central, é essa a Coisa Sem Nome que ela teme...

Aqueles anjos muçulmanos altos, anjos que tapam as estrelas... *O, wie spurlos zerträte ein Engel den Trostmarkt*... Ele está sempre lá, no oeste, o meio-irmão africano, com seus livros de poesia sulcados e semeados de letras teutônicas negras como madeira queimada — ele aguarda, sujando as páginas uma por uma, as incontáveis verstas de planície e luz zonal que se torna mais oblíqua cada vez que volta o outono, que se inclina sobre as cernelhas do planeta como um velho cavaleiro de circo, tenta atrair-lhes a atenção apenas com seu rosto público, e sempre fracassa nesse intento, em cada passada perfeita em torno do picadeiro.

Mas não estaria Džaqyp Qulan, de vez em quando — só de vez em quando —, levantando a vista do outro lado da sala de aula de papel, ou de surpresa, diante das janelas que davam para o descampado profundo e aberto, e dirigindo um certo olhar a Tchitcherine? Esse olhar não estaria dizendo: "Nada que você faça, nada que ele faça, há de alterar a sua condição mortal"? E mais: "Vocês são irmãos. Juntos, separados, por que levar isso tão a sério? Vivam. Morram algum dia, de morte honrada ou ignóbil, desde que um não mate o outro...". A luz de cada outono comum traz o mesmo conselho gratuito, cada vez menos esperançoso. Mas os dois irmãos não ouvem. O negro deve ter encontrado, em algum lugar na Alemanha, uma outra versão de Džaqyp Qulan, algum nativo infantil cujo olhar o desperte dos sonhos germânicos da vinda do anjo da Décima Elegia, asas a bater no limiar da vigília, vindo para apagar com os pés as pistas do mercado branco de seu próprio exílio... Voltado para o leste, o rosto negro a vigiar, de alguma barragem ou muro de pedra de textura fina e cor de terra nas planícies da Prússia, da Polônia, léguas de prado à espera, tal como Tchitcherine a cada mês agora se torna mais tenso, mais alisado pelo vento em seu flanco ocidental, vendo a História e a Geopolítica aproximá-los cada vez mais do confronto, à medida que os rádios gritam mais e mais alto, os condutos novos estremecem à noite ao contato dos dedos, cheios de raiva hidrelétrica, subindo, atravessando cânions e gargantas vazias, de dia os céus ficam abarrotados de dosséis que desabam, brancos como visões de džurts celestiais de homens brancos, jocosos e ainda desajeitados, mas ficando, a cada configuração nova que se forma, cada vez menos lúdicos...

Lá vão Tchitcherine e seu fiel companheiro quirguiz Džaqyp Qulan, pelos duros cafundós afora. O cavalo de Tchitcherine é uma versão equina do cavaleiro — um appaloosa dos Estados Unidos chamado Cobra. Outrora Cobra viveu de pensão. No ano retrasado, estava na Arábia Saudita, recebendo todo mês um cheque enviado por um magnata do petróleo texano totalmente doido (ou, para quem gosta de sistemas paranoicos, horrorosamente racional), para ficar fora do circuito dos rodeios americanos, onde naquele tempo o famoso cavalo xucro Meia-Noite vivia jogando jovens em cima de cercas ao sol. Mas aqui o Cobra não é selvagem como Meia-Noite, e sim metodicamente homicida. Pior ainda, é imprevisível. Quando alguém o monta, ele pode ficar indiferente, ou dócil como uma donzela. Mas pode também, sem aviso prévio, dar um suspiro profundo e matar o cavaleiro com um simples gesto de casco, um serpentear de cabeça em direção ao momento certo e ao ponto exato no chão em que a morte espera. Não há como prever: por vezes passa meses sem dar qualquer problema. Até agora ignorou Tchitcherine. Mas já partiu para cima de Džaqyp Qulan três vezes. Duas vezes o quirguiz escapou por pura sorte, e da terceira ele se agarrou à montaria com unhas e dentes até conseguir lhe impor uma certa disciplina. Mas cada vez que Tchitcherine sobe a encosta e se aproxima de estaca a que Cobra fica amarrado, ele leva consigo, junto com os arreios e o pedaço de tapete velho com que cobre o lombo do animal, a dúvida, o medo de que o quirguiz não tenha conseguido amansá-lo da última vez. Que Cobra esteja apenas esperando a hora...

Estão se afastando da ferrovia: indo em direção contrária às zonas mais simpáticas da Terra. Estrelas brancas e pretas explodem nas ancas e no lombo do appaloosa. No centro de cada um desses astros há um círculo nítido de vazio, sem cor, e quirguizes parados à beira-estrada, ao sol do meio-dia, olham para esses círculos e depois viram a cabeça, sorrindo, para o horizonte atrás deles.

Estranha, estranha a dinâmica do petróleo, estranhos os desígnios dos magnatas do petróleo. Cobra viu muita coisa mudar desde seus tempos de Arábias, a caminho de Tchitcherine, que talvez seja sua outra metade — muito ladrão de cavalo, muita estrada difícil, confiscos por este governo ou aquele, fugas para terras cada vez mais remotas. Desta vez, enquanto faisões quirguizes dispersam-se ao ouvirem os ruídos dos cascos, aves grandes como perus, plumagem preto e branco com manchas vermelho-sangue em torno dos olhos, desta vez, subindo em direção à serra, Cobra segue rumo ao que talvez seja a derradeira aventura, já quase esquecido dos narguilés nos oásis enfumaçados, os homens barbudos, as selas trabalhadas, nacaradas e laqueadas, as rédeas de couro de cabra trançado, as mulheres na garupa gemendo de delícia subindo encostas caucasianas na escuridão, levadas pela lascívia, pela tempestade, em trilhas quase invisíveis... aqui só restam rastros vagos neste descampado terminal: sombras se apagando, passando, sumindo em meio à debandada dos faisões. O ímpeto cresce à medida que os dois cavaleiros seguem em frente. O cheiro noturno das matas aos poucos desaparece. Esperando, lá fora no sol que ainda não é deles, está a... A... Esperando por eles, a criatura inimaginada e imensa, ardendo...

... mesmo agora, em sonhos de adulta, ainda vem a Galina angustiada o cavaleiro alado, Sagitário vermelho saído dos cartazes revolucionários da infância. Longe dos trapos, da neve, das ruas dilaceradas, ela se encolhe aqui, no pó asiático, nádegas em arco voltadas para o céu, aguardando o primeiro toque dela — da *coisa*... Cascos de aço, dentes de aço, silvo de grandes penas roçando-lhe a espinha... bronze sonoro de estátua equestre na praça, e o rosto dela cravado na terra sísmica...

"Ele é um soldado", Luba referindo-se a Tchitcherine, "e está longe da terra dele." Enviado para os confins do Oriente, e tocando para a frente em silêncio, impassível, claramente sob o efeito de alguma maldição oficial. Os boatos são tão extravagantes quanto esta terra é indolente. No cassino os cabos falam sobre uma mulher: uma extraordinária cortesã soviética que usava corpetes de pelica branca e todos os dias de manhã raspava as pernas perfeitas até a virilha. Versão moderna de Catarina, a magnífica, a dos arminhos, a que fodia com os cavalos. Os amantes dela iam desde ministros até os capitães Tchitcherines da vida, sendo estes, naturalmente, os mais fiéis. Enquanto neo-Potemkins aprofundavam-se no Ártico por ela, lobos hábeis e tecnocráticos erguendo aldeias em plena tundra, abstrações urbanas totais saídas do gelo e da neve, o bravo Tchitcherine estava na capital, encafuado na dacha dela, brincando de pescador e peixe, terrorista e Estado, explorador e fronteira do mundo verde-onda. Quando a atenção das autoridades por fim voltou-se para Tchitcherine, ele não foi condenado à morte, nem sequer ao exílio — apenas as possibilidades abertas a sua carreira estreitaram-se: era assim que corriam os vetores naqueles tempos. Ásia Central por boa parte dos seus melhores anos de vida, ou adido em algum lugar como a Costa Rica (bem que ele *queria* que fosse a Costa Rica, algum dia — trocar este purgatório por praias pródigas, noites verdejantes — que saudade do mar, quantos sonhos com olhos escuros e líquidos como os seus, olhos coloniais, olhando do alto de sacadas de pedra podre...).

Ao mesmo tempo, circulam outros boatos que o associam ao lendário Wimpe, chefe de vendas da Ostarzneikunde GmbH, subsidiária da IG. Como é de conhecimento geral que os representantes da IG no estrangeiro são na verdade espiões alemães, ligados a um escritório em Berlim denominado "NW7", essa história sobre Tchitcherine não é muito verossímil. Se fosse de fato verdade, Tchitcherine não estaria ali — não seria possível que sua vida fosse poupada em favor desta vida sonâmbula nos postos avançados do Oriente.

Sem dúvida, é *possível* que ele tenha conhecido Wimpe. Suas vidas, por algum tempo, correram bem próximas no tempo e no espaço. Wimpe era um Verbindungsman em estilo clássico, com um toque de entusiasmo doentio: encantador, belo de uma beleza que avançava em patamares e terraços de força: olhos cinzentos simpáticos, nariz vertical granítico, boca que jamais tremia, queixo incapaz de fantasias... ternos escuros, imaculados cintos de couro e abotoaduras de prata, sapatos de couro de cavalo que reluziam sob as claraboias dos saguões czaristas e sobre o concreto soviético, sempre elegante, normalmente correto, bem informado, apaixonado por química orgânica, sua especialidade e, segundo alguns, sua religião.

"Imagine uma partida de xadrez", nos seus primeiros tempos na capital, tentando encontrar uma comparação que interessasse os russos, "uma partida extravagante." E demonstrando em seguida, quando a plateia era receptiva (tinha reflexos de vendedor, sabia seguir automaticamente as linhas de menor indiferença), de que modo cada molécula tinha tantas possibilidades abertas a sua frente, possibilidades de ligação, ligações de forças diferentes, desde o carbono, o mais versátil, "a Catarina, a Grande, da tabela periódica", até os atomozinhos de hidrogênio, numerosos, movendo-se só um quadrado de cada vez, tal qual os peões... e a oposição brutal do xadrez dando lugar, neste jogo químico, a figuras de dança em três dimensões, "quatro até, se preferirem", e uma concepção radicalmente diferente de vitória e derrota... Schwärmerei, murmuravam seus colegas outrora na Alemanha, buscando desculpas para trocar de interlocutor. Porém Tchitcherine teria ficado. Tolo e romântico, teria continuado a ouvir o alemão, até mesmo instigando-o a prosseguir.

Como esta aproximação entre os dois poderia ter passado despercebida? Aos poucos, à medida que o caso se desdobrava, à sua maneira reprimida e anêmica, a cadeia de comando soviética, solícita como uma família oitocentista, começaria a tomar medidas simples no sentido de manter os dois afastados. Terapia conservadora. Ásia Central. Mas durante aquelas semanas de informações vagas e frágeis, antes que os observadores pudessem entender para onde a coisa estava caminhando... que caras e coroas tilintariam nos bolsos escuros desta indeterminação? Desde seus primeiros tempos como representante de indústria farmacêutica, a especialidade de Wimpe eram as benzilisoquinoleínas ciclizadas. As mais importantes eram os alcaloides de ópio e suas inúmeras variantes. Isso mesmo. As salas interiores do escritório de Wimpe — uma suíte num hotel velho — eram cheias de amostras, uma profusão extraordinária de narcóticos alemães, Wimpe, o djim do Ocidente, levantando os frascos um para um, exibindo-os para o deslumbramento do pequeno Tchitcherine: "Eumecon, solução de morfina a 2%... Dionine (aqui nós acrescentamos um grupo de etil à morfina, como você vê)... Holopon e Nealpon, Pantopon e Omnopon, todos misturas de alcaloides de ópio como cloretos solúveis... e Glycopon, como glicerofostatos... Eis aqui o Eucodal — uma codeína com dois hidrogênios, uma hidroxila, um cloreto" — gesticulando no ar em torno de seu punho básico — "pendurados em pontos diferentes da molécula." Nessas drogas, os penduricalhos e detalhes eram fundamentais — "Tal como os franceses fazem nos vestidos deles, nicht war? uma fitinha aqui, uma fivelinha ali, para dar um realce a um modelo mais severo... Ah, isso aqui? Trivalin!" Uma das joias de sua linha. "Morfina, cafeína e cocaína, tudo em solução, como os valeriáceos. Valeriana, ja — raiz e rizoma: quem sabe algum parente seu mais velho tomava como tônico para o sistema nervoso... um pouco de passamanaria, por assim dizer — uma bainha enfeitando essas moléculas nuas."

O que Tchitcherine teria a dizer? Tchitcherine estava mesmo ali? sentado no quarto sórdido, ao som dos cabos do elevador a ranger e bater nas paredes, e na rua, muito raramente, uma drójqui que passava se sacolejando sobre os paralelepípedos velhos e enegrecidos, com o estalar de um chicote? Ou então enquanto a neve batia nas janelas encardidas? Para aqueles que o mandariam para a Ásia Central, o que seria ir longe demais? Bastaria sua presença pura e simples nestes aposentos para uma condenação automática à morte... ou haveria ainda, mesmo a esta altura dos acontecimentos, uma margem de tolerância suficiente para que ele pudesse dizer algo em defesa própria?

"Mas uma vez resolvido o problema da dor... a dor apenas... além... abaixo deste nível zero de sensação... ouvi dizer..." Ele ouviu dizer. Não é lá a maneira mais sutil de entrar na questão, e olhe que Wimpe certamente conhecia todas as abordagens possíveis. Alguns militares são apenas diretos, enquanto outros são de tal modo afoitos que para eles nem se coloca a possibilidade de "contenção" — é uma completa loucura, eles não apenas jogam cavalos contra canhões como também eles próprios lideram o ataque. É magnífico, mas não é guerra. Espere até o front oriental. Bastará sua primeira ação para que Tchitcherine ganhe fama de louco suicida. Da Finlândia ao mar Negro, os chefes militares alemães sentirão por ele um desdém cavalheiresco. Uns chegarão a perguntar-se a sério se esse sujeito tem um mínimo de decência militar. Hão de capturá-lo e perdê-lo, feri-lo, dá-lo por morto em batalha, e ele seguirá em frente, impetuoso, um boneco de neve enlouquecido atravessando os pântanos gelados — não haverá compensação para o vento, nenhuma modificação do desenho aerodinâmico ou ogiva mortal de suas cargas de parabélum que seja capaz de derrubá-lo. Ele gostava, tal como Lenin, da tática napoleônica do *on s'engage, et puis, on voit*, e quanto a seguir em frente — bem, aquele quarto de hotel do homem da IG talvez tenha sido um de seus primeiros ensaios. Tchitcherine tem todo um talento para envolver-se com indesejáveis, inimigos secretos da ordem, as sobras contrarrevolucionárias da humanidade: não é uma coisa planejada, é algo que simplesmente acontece, ele é uma supermolécula gigantesca, com tantas ligações possíveis a qualquer momento, solto na corrente dos eventos... na dança das coisas... por mais que... os outros se grudem a ele, e a farmacologia da tchitcherina seja desse modo alterada, seus efeitos colaterais, revelados ao longo do caminho, não podem necessariamente ser calculados antecipadamente. Chu Piang, o factótum chinês do džurt vermelho, sabe algo a respeito disso. Na primeira vez que Tchitcherine apareceu lá para trabalhar, Chu Piang percebeu — e tropeçou no esfregão, menos para desviar a atenção do que para comemorar o encontro. Chu Piang tem também uma ou outra ligação disponível. É um monumento vivo ao sucesso da política comercial britânica dos últimos cem anos. O golpe clássico ainda é famoso hoje em dia, pela pureza fria de sua execução: trazer ópio da Índia, introduzi-lo na China — oi, Fong, isso aqui é ópio, oi, ópio, esse aqui é o Fong — ah, eu comê isso! — não, não, Fong, você *fumar* isso, assim, viu? e logo Fong volta querendo mais, e mais, e desse modo cria-se uma demanda inelástica pela droga, depois convence-se a China a proibir a substância, e em seguida envolve-se a China em duas ou três guerras desastrosas pelo direito dos seus comerciantes de vender o ópio, o qual agora já é apresentado como sagrado.

Você ganha, a China perde. Negócio da China. Chu Piang, um monumento a tudo isso, hoje em dia atrai caravanas inteiras de turistas que vêm só para vê-lo, de preferência quando ele está Sob o Efeito... "Observem, senhoras e senhores, a típica tez acinzentada..." Ficam todos olhando para a fácies sonhadora, homens atentos com costeletas e chapéus pérola nas mãos, as mulheres levantando a barra da saia para proteger-se desses horrendos bichinhos asiáticos a saltitar microscopicamente pelas tábuas do assoalho, enquanto o guia turístico indica objetos de interesse com seu ponteiro de metal, um instrumento extraordinariamente fino, mais fino até que um florete, muitas vezes movendo-se mais rápido do que a vista é capaz de acompanhar — "Sua Necessidade, podem observar, mantém a forma sob qualquer espécie de tensão. Não há moléstia física, não há escassez de fornecimento que possa afetá-la..." todos aqueles olhos mansuetos, rasos, acompanhando-lhe os gestos delicadamente, como acordes de um piano numa sala pequeno-burguesa... a Necessidade inelástica torna luminoso este ar estagnado: é um lingote sem preço, do qual podem ainda ser cunhadas moedas de ouro, e efígies de grandes administradores. Ver este brilho vale a viagem, a longa viagem de trenó, a travessia da estepe congelada num imenso trenó fechado, do tamanho de uma barca, todo recoberto de enfeites vitorianos de péssimo gosto — dentro dele há níveis para as diferentes classes de passageiros, salões aveludados, cozinhas bem fornidas, um jovem doutor Maledetto que todas as damas adoram, um menu elegante que contém tudo desde MilleFeuilles à la Fondue de la Cervelle até La Surprise du Vèsuve, salas de estar espaçosas equipadas com estereótipos e uma biblioteca de diapositivos, privadas de carvalho polido avermelhado, com entalhes feitos à mão representando rostos de sereias, folhas de acanto, formas vespertinas e florais para fazer o defecante lembrar-se de seu lar na hora em que mais falta sente dele, agora que as vísceras quentes pairam terrivelmente próximas à neve e ao gelo cristalino passando a toda velocidade, neve e gelo que também podem ser vistos do andar panorâmico, vistas de uma alvura horizontal, os campos nevados da Ásia, sob um céu de um metal muito mais vil que este que viemos apreciar...

Chu Piang também os observa, enquanto eles entram, olham e saem. São figuras oníricas. São divertidas. Fazem parte do efeito do ópio: só surgem quando ele está sob o efeito. Chu tenta não fumar haxixe aqui, só o mínimo que a polidez exige. A fantasmagoria daquela substância dura e resinosa do Turquestão é para russos, quirguizes e outros bárbaros — Chu prefere as lágrimas da papoula. Os sonhos são melhores, não tão geométricos, tão sujeitos a transformar tudo — o ar, o céu — em tapetes persas. Chu prefere situações, viagens, comédias. Encontrar o mesmo apetite em Tchitcherine, aquele emissário de Moscou de corpo atarracado e olhos latinos, faz qualquer um tropeçar no esfregão, espuma a sibilar pelo chão, balde a estabacar-se como um gongo, de espanto. De prazer!

Não demora para que estes dois miseráveis delinquentes comecem a sair de fininho para se encontrar nos arredores da cidade. É um escândalo local. Chu, de algum desvão recôndito no fundo dos trapos imundos que pendem de seu corpo doentio e amarelado, retira uma gosma negra repulsiva e malcheirosa embrulhada num pedaço de página arrancada do *Enbekši Qazaq* de 17 de agosto do ano passado. Tchitcherine pega o cachimbo — na condição de ocidental, cabe a ele o lado tecnológico da coisa —, um pequeno implemento queimado e de mau aspecto, com um padrão repetido em vermelho e amarelo, de metal britânico, comprado de segunda mão por um punhado de copeques no bairro dos leprosos de Bucara, a esta altura já quebrado em dois pedaços, é claro. O intrépido capitão Tchitcherine. Os dois opiômanos acocoram-se atrás de um vestígio de parede que o último terremoto demoliu e entortou. De vez em quando passa um ou outro homem a cavalo, alguns percebendo a presença dos dois, outros não, mas todos em silêncio. No alto, o céu está apinhado de estrelas. Ao longe, no campo, o vento agita o capim, e ondas o atravessam, lerdas como carneiros. É um vento suave, a levar embora as últimas fumaças do dia, os odores de ervas e jasmim, de águas paradas, poeira que desce... um vento que Tchitcherine jamais vai relembrar. Assim como não consegue agora fazer nenhuma associação entre aquela mistura bruta de quarenta alcaloides com as moléculas lapidadas, facetadas, polidas e laminadas que o vendedor Wimpe mostrou-lhe certa vez, uma por uma, contando-lhe as histórias de cada uma...

"Onirina e Metonirina. Variações relatadas por Laszlo Jamf na revista da ACS, no ano retrasado. Jamf estava mais uma vez emprestado, desta vez como químico, aos americanos, cujo Conselho Nacional de Pesquisas havia iniciado um programa ambicioso de exploração da molécula da morfina e seus potenciais — um Plano Decenal, que coincidia, muito curiosamente, com o estudo clássico das macromoléculas sendo realizado por Carothers, o Grande Sintetizador, na du Pont. Se há alguma ligação? Claro que há. Mas não se fala sobre isso. O CNP está sintetizando moléculas novas todos os dias, a maioria delas a partir de pedaços da molécula da morfina. A du Pont está ligando grupos de amidas, formando cadeias enormes. Os dois programas parecem ser complementares, não é? O vício americano da repetição modular, combinado com o que seja talvez nossa principal linha de pesquisa: a busca de uma substância capaz de matar uma dor intensa sem causar dependência.

"Os resultados não têm sido animadores. Pelo visto, estamos esbarrando num dilema constitutivo da Natureza, bem semelhante ao princípio de Heisenberg. Há um paralelismo quase completo entre a analgesia e a dependência. Quanto maior o poder que tem uma substância de anular a dor, maior o desejo que sentimos por ela. Ao que parece, não se pode ter uma das propriedades sem ter a outra também, tal como um físico de partículas não pode especificar a posição de uma partícula sem impossibilitar a determinação da velocidade dela —"

"Isso eu poderia ter lhe explicado. Mas por quê —"

"*Por quê*. Meu caro capitão. *Por quê?*"

"O dinheiro, Wimpe. Jogar dinheiro fora numa busca fadada ao fracasso como essa —"

Um toque de homem para homem na dragona abotoada do militar. Um sorriso de meia-idade cheio de Weltschmerz. "Toma-lá-dá-cá, Tchitcherine", sussurra o vendedor. "Uma questão de equilibrar as prioridades. Pesquisador é mão de obra barata, e até mesmo uma IG tem o direito de sonhar, de alimentar esperanças impossíveis... Pense no que representaria a descoberta de uma droga assim — abolir a dor racionalmente, sem o custo adicional da dependência. Um custo de *mais-valia* — certamente há alguma coisa em Marx e Engels" — tranquilizando o freguês — "que explique isso. Uma demanda como a 'dependência', não tendo nada a ver com a dor real, com as necessidades econômicas reais, sem qualquer relação com a produção ou o trabalho... precisamos de menos incógnitas como essas, e não mais. Sabemos como produzir a dor real. As guerras, é claro... as máquinas nas fábricas, os acidentes industriais, os automóveis feitos para serem perigosos, os venenos nos alimentos, na água, mesmo no ar — são quantidades diretamente ligadas à economia. Nós as conhecemos, e sabemos como controlá-las. Mas e a 'dependência'? Nuvens, fantasmas. Não há dois peritos que concordem nem mesmo quanto à definição do termo. 'Compulsão'? E quem não se sente compelido a nada? 'Tolerância'? 'Vício'? O que querem dizer esses termos? Só temos milhares de teorias acadêmicas confusas. Uma economia racional não pode depender de imponderáveis psicológicos. Seria impossível *planejar*..."

Que premonição começa a latejar no joelho direito de Tchitcherine? Que conversão direta de dor em ouro?

"Você é mesmo tão ruim assim, ou está só fazendo gênero? Você realmente ganha dinheiro com a dor?"

"Os médicos ganham dinheiro com a dor, e ninguém seria capaz de criticar sua nobre missão. No entanto, basta o Verbindungsman pôr a mão na sua maleta que todo mundo começa a gritar e fugir. Pois bem — existem poucos viciados no nosso meio. Já a profissão da medicina está cheia deles. Mas nós vendedores acreditamos na dor real, no alívio real — somos cavaleiros a serviço deste Ideal. Para os propósitos do nosso mercado, tudo tem que ser real. Caso contrário, meu patrão — e nosso pequeno cartel econômico é o modelo da própria estrutura das nações — se perde em sonhos e ilusões, e um belo dia desaparece no caos. O seu patrão também, aliás."

"O meu 'patrão' é o Estado soviético."

"Sim?" Wimpe disse "*é* o modelo", e não "será". Causa espanto eles já terem ido tão longe, se é que foram mesmo — apesar de tantas diferenças ideológicas etc. Wimpe, porém, sendo muito mais cínico, teria sido capaz de admitir ainda mais verdades antes de começar a se sentir constrangido. Sua paciência com as teorias econômicas do Exército Vermelho adotadas por Tchitcherine talvez fosse suficientemente ampla. O fato é que se despediram de modo amistoso. Wimpe foi enviado aos Estados Unidos (para a Chemnyco de Nova York) pouco depois que Hitler se tornou chanceler. Então suas relações com Tchitcherine, segundo os mexericos de caserna, cessaram em caráter definitivo.

Mas isso tudo são boatos. Não há como confiar na cronologia. Há contradições. Perfeito para passar um inverno na Ásia Central, se por acaso você não se chama

Tchitcherine. Se você *é* Tchitcherine, bem, isso o coloca numa posição mais estranha. Não é? Você tem que atravessar o inverno munido apenas de suspeitas paranoicas a respeito do motivo pelo qual você está aqui...

É por causa de Enzian, só pode ser o desgraçado do Enzian. Tchitcherine já esteve no arquivo Krasnii, verificou os diários, o livro de bordo da viagem épica e azarada do almirante Rojdestvenski, uma parte do qual ainda é confidencial 20 anos depois. E agora ele sabe. E se está tudo no arquivo, então Eles sabem, também. Mocinhas núbeis e vendedores de drogas constituem motivos razoáveis para enviar um homem para o Oriente em qualquer período da história. Mas Eles não seriam quem são, nem estariam onde estão, se não houvesse um toque do dantesco em Suas concepções de expiação. O talião puro e simples talvez baste para a situação de guerra, mas a política do entreguerras exige simetria e uma ideia mais elegante de justiça, a ponto mesmo de se fazer passar, com um toque de decadência, por misericórdia. A coisa é mais complicada que a execução em massa, mais difícil e menos satisfatória, mas há equilíbrios que Tchitcherine desconhece, grandes como a Europa, talvez do tamanho do mundo, que não podem ser muito perturbados, entre uma guerra e outra...

Tudo indica que, em dezembro de 1904, o almirante Rojdestvenski, comandando uma frota de 42 belonaves russas, adentrou o porto de Lüderitzbucht no Sudoeste Africano. Isto foi quando a guerra russo-japonesa estava no auge. Rojdestvenski estava a caminho do Pacífico, para render a outra frota russa que estava imobilizada pelos japoneses em Porto Artur havia meses. Saindo do mar Báltico, contornando Europa e África, cruzando todo o oceano Índico e depois subindo a costa da Ásia, a frota estaria realizando uma das mais espetaculares viagens marítimas da história: sete meses e 30 000 quilômetros, até chegar, num dia de início de verão, nas águas entre o Japão e a Coreia, onde um certo almirante Togo, que estava à espreita, sairia de trás da ilha de Tsuxima e, antes que o dia terminasse, botaria na bunda de Rojdestvenski. Apenas quatro navios russos chegariam em Vladivostok — quase todos os outros teriam sido afundados pelos solertes nipônicos.

O pai de Tchitcherine era artilheiro na nau capitânia, *Suvorov*. A frota ficou uma semana em Lüderitzbucht, tentando pegar carvão. As tempestades laceravam o pequeno e congestionado porto. O *Suvorov* a toda hora abalroava seus próprios navios carvoeiros, abrindo rombos em seus cascos, destruindo muitas de suas próprias peças de artilharia de doze libras. Borrascas varriam o convés, pó de carvão grudava-se a tudo, homens e aço. Os marinheiros trabalhavam dia e noite, com holofotes acesos no tombadilho à noite, carregando sacos de carvão, catacegos na luzerna, suando, tossindo, reclamando. Alguns enlouqueceram, uns poucos tentaram o suicídio. Tchitcherine pai, após dois dias dessa vida, passou ausente sem autorização, e assim permaneceu até tudo quase terminar. Encontrou uma jovem herero que havia se desgarrado do marido durante o levante contra os alemães. Ele não havia planejado, sequer sonhado, nada semelhante ao abandonar o navio. O que sabia ele sobre a África? Tinha uma esposa em São Petersburgo, e um filho que mal sabia se desvirar no berço. Até então, Kronstadt era o lugar mais distante que conhecia. Só queria descansar um pouco, e do jeito que as coisas estavam caminhando... com base no que o preto e branco do carvão e dos arcos voltaicos estavam prestes a dizer... não havia cor, e a irrealidade que a acompanhava — porém uma irrealidade *familiar*, que adverte Tudo Isso Está Sendo Encenado Para Ver O Que Eu Vou Fazer De Modo Que Não Posso Dar Um Único Passo Em Falso... no último dia de sua vida, cercado de ferro japonês sibilante vindo de navios invisíveis na distância e na névoa, ele pensará nos rostos lentamente carbonizantes de homens que ele julgara conhecer, homens se transformando em carvão, carvão antigo que brilhava, cada cristal, no cuspinhar rouquenho das velas de Jablotchkov, cada floco formado com perfeição... uma conspiração do carbono, se bem que Tchitcherine jamais pensava em "carbono", era do poder que ele fugia, a sensação de excesso de poder sem sentido, fluindo errado... ali ele sentia cheiro de Morte. Assim, esperou até que o mestre se virasse para acender um cigarro, e então simplesmente foi se afastando, andando — estavam todos tão negros, de um negro artificial, que era fácil passar despercebido — e encontrou em terra firme o negrume honesto da moça herero, tão séria, que lhe pareceu um sopro de vida depois de um longo confinamento, e ficou com ela nas fímbrias da cidadezinha plana e patética, perto da ferrovia, numa casa de um só cômodo construída com árvores tenras, engradados, juncos, barro. Chovia, ventava. Os trens gritavam, bufavam. O homem e a mulher ficavam na cama, tomando kari, feita de batata, ervilha e açúcar, cujo nome em herero quer dizer "bebida da morte". Era quase Natal, e ele deu à moça uma medalha que havia ganho num exercício de tiro no Báltico, muitos anos antes. Quando ele se foi, já haviam revelado seus nomes um ao outro, e aprendido umas poucas palavras uma na língua do outro — medo, feliz, dormir, amor... os primórdios de um novo idioma, talvez, um pidgin de que eles dois fossem talvez os únicos falantes na face da Terra.

Mas Tchitcherine foi embora. Seu futuro era a frota do Báltico, isso nem ele nem a moça questionavam. A tempestade passou, a neblina cobriu o mar. Tchitcherine se foi, enfiado num compartimento escuro e fétido abaixo da linha da água do *Suvorov*, bebendo sua vodca natalina, contando histórias sobre os bons tempos que ele passara num lugar onde o chão não jogava, à margem do veld seco, com uma coisa boa e quente em torno de seu pênis que não era seu próprio punho. Ele já começava a descrever a moça como uma nativa promíscua e voluptuosa. É a mais velha história de marinheiros que há. Ao contá-la, ele já não era Tchitcherine e sim uma multidão de um rosto só, antes e depois dele, todos perdidos, mas nem todos azarados. A moça talvez estivesse mesmo num promontório vendo os encouraçados cinzentos dissolver-se um por um na névoa do Atlântico Sul, mas mesmo se você preferir alguns acordes de *Madame Butterfly* neste trecho, ela provavelmente estava era batalhando, ou então dormindo. Sua vida não ia ser fácil. Tchitcherine a deixara grávida, e a criança nasceu alguns meses depois da morte do artilheiro, perto dos rochedos íngremes e florestas verdes de Tsuxima, ao cair da tarde de 27 de maio.

Os alemães registraram o nascimento e o nome do pai (ele o havia escrito para ela, como os marinheiros costumam fazer — dera à moça seu nome) no arquivo central de Windhoek. Mãe e filho receberam um passe de viagem para poderem voltar à aldeia de origem dela, pouco depois. Num recenseamento feito pelo governo colonial para saber quantos nativos haviam sido mortos no levante, pouco depois que Enzian foi devolvido a sua aldeia pelos bosquímanos, sua mãe é dada como morta, porém seu nome está nos registros. Um visto com data de dezembro de 1926, permitindo a entrada de Enzian na Alemanha, e mais tarde um pedido de cidadania alemã, estão arquivados em Berlim.

Não foi fácil reunir todos esses pedaços de papel. O ponto de partida de Tchitcherine fora apenas uma ou duas palavras na documentação do Almirantado. Mas isso foi no tempo de Feodora Alexandrevna, a tal do corpete de pelica, e Tchitcherine tinha um pouco mais de facilidade de acesso do que agora. Além disso, o tratado de Rapallo estava em vigor, de modo que havia muitas linhas abertas para Berlim. Aquele estranho pedaço de papel... em seus momentos de grandiosidade pessoal mais mórbida, ele não tem nenhuma dúvida de que seu xará e o judeu assassinado montaram um complexo teatro em Rapallo, e que o verdadeiro e único objetivo de tudo aquilo era revelar a Vaslav Tchitcherine a existência de Enzian... a vida de caserna no Oriente, como certas drogas, deixa essas coisas extraordinariamente claras...

Porém, desgraçadamente, parece que o obsessivo é seu próprio pior inimigo. O dossiê sobre Enzian que Tchitcherine preparou (ele até verificou as informações que os soviéticos tinham sobre o então tenente Weissmann e suas aventuras políticas no Südwest) foi reproduzido por algum apparatchik entusiástico e colocado dentro do dossiê de *Tchitcherine*. E assim ficou-se sabendo, apenas um ou dois meses depois, que alguém igualmente anônimo havia determinado a transferência de Tchitcherine para Baku, para participar da primeira sessão plenária do VTSK NAT (Vsesoinznii Tsentral'nii Komitet Novogo Tiurkskogo Alfavita — Novo Alfabeto Túrquico), onde ele foi imediatamente nomeado para a Comissão Ƣ.

Ƣ parece ser uma espécie de G, uma oclusiva uvular sonora. A diferença entre ela e o G comum é coisa que Tchitcherine jamais conseguirá aprender. Aliás, as Missões de Letras Estranhas foram todas reservadas para imprestáveis como ele. Shatsk, o famigerado fetichista nasólatra de Leningrado, que leva um lenço de cetim negro aos congressos do Partido e — acredite-se ou não — mais de uma vez não conseguiu conter-se e chegou mesmo a *acariciar* os narizes de funcionários poderosos, está aqui — banido para a Comissão O, onde ele a toda hora se esquece de que O, no NAT, é Œ, e não o F russo, deste modo atrasando o andamento e semeando confusão em todas as reuniões de trabalho. A maior parte do tempo ele passa tentando conseguir uma transferência para a Comissão Ƣ — "quer dizer", chegando-se para perto, ofegante, "ou então só N, ou até mesmo M, qualquer coisa...". Radnitchni, um trocista impetuoso e imprevisível, inventou uma tal Comissão ... — sendo ... o xuá, ou vogal neutra — no qual ele lançou um projeto megalomaníaco de substituir todas as vogais faladas na Ásia Central — e por que parar por aí, por que não até mesmo uma ou duas consoantes? — pelo tal xuá... o que não admira, levando-se em conta as imitações e resoluções vazias pelas quais ele se responsabilizou no passado, para não falar numa conspiração brilhante — ainda que impraticável — cujo objetivo era acertar uma torta de uva na cara de Stalin, sendo que seu envolvimento nessa travessura só foi comprovado o suficiente para que ele fosse transferido para Baku, em vez de sofrer coisa bem pior.

Naturalmente, Tchitcherine é atraído para este círculo de incorrigíveis. E em pouco tempo, quando não é Radnitchni que está elaborando um plano de infiltrar-se num campo de petróleo e disfarçar uma torre de perfuração em um pênis colossal, é Tchitcherine que vaga pelo bairro árabe da cidade, à espera, com o infame toxicômano ucraniano Bugnogorkov da Comissão K Glótico (sendo o K normal representado por Q, enquanto o C é pronunciado como uma espécie de *tch*), de um traficante de haxixe, ou então esquivando-se das investidas nasais de Shatsk. Vem-lhe à mente a possibilidade de que na verdade ele esteja trancado em alguma enfermaria psiquiátrica militar em Moscou, e que aquela sessão plenária não passe de uma alucinação. Aqui todo mundo parece ter um parafuso a menos.

O mais preocupante de tudo é a disputa de poder, na qual ele acabou sendo envolvido, com um tal Igor Blobadjian, representante do Partido na prestigiosa Comissão G. Blobadjian está fanaticamente tentando roubar os Ꞁs da comissão de Tchitcherine e transformá-los em Gs, valendo-se para tal de termos de empréstimo. No reembolsável ensolarado e sufocante, os dois homens, separados por bandejas de zapekanka e sopa de frutas georgiana, trocam olhares debochados.

Uma crise explode em torno de qual o tipo de G a ser usado na palavra "estenografia". Este termo desperta fortes reações emocionais aqui. Um dia, de manhã, Tchitcherine constata que todos os lápis de sua sala de reuniões desapareceram misteriosamente. Em represália, ele e Radnitchni entram escondidos na sala de reuniões de Blobadian na noite seguinte, com serras, limas e maçaricos, e reformam o alfabeto de sua máquina de escrever. Na manhã seguinte, há uma cena divertida. Blobadjian corre de um lado para o outro, gritando, num faniquito interminável. Tchitcherine está na sua sala de reunião, dá-se início à sessão, PLOFT! mais de vinte linguistas e burocratas caem de bunda no chão. Os ecos se prolongam por nada menos que dois minutos. Tchitcherine, no chão, observa que pedaços de pés de todas as cadeiras foram serrados e colados de novo com cera, e os pés foram envernizados em seguida. É o que se chama de trabalho profissional. Seria Radnitchni um agente duplo? Já passou a hora de gozações bem-humoradas. Agora Tchitcherine tem que agir sozinho. Cuidadosamente, à luz de uma lanterna, na calada da noite, quando as manipulações de letras mais costumam produzir outros tipos de iluminação, Tchitcherine translitera a sura inicial do sagrado Alcorão para o proposto NAT, e faz com que o texto circule entre os arabistas durante a sessão, assinado por Igor Blobadjian.

Isso é uma provocação séria. Os tais arabistas são um bando de fanáticos. Estão fazendo um lobby frenético em favor de um Novo Alfabeto Túrquico composto de letras arábicas. Chegam a se atracar nos corredores com cirilistas empedernidos, e comenta-se, à boca pequena, que há uma campanha que visa boicotar, em todo o mundo islâmico, o alfabeto latino. (No fundo, ninguém é muito favorável a um NAT cirílico. Os soviéticos ainda carregam nas costas um velho fardo czarista. Na Ásia Central, há hoje em dia muita resistência contra qualquer coisa que possa ser interpretada como russificação, e a aparência da língua impressa é uma delas. As objeções contra o alfabeto arábico passam pela ausência de símbolos que representem as vogais e a falta de correspondência biunívoca estrita entre sons e caracteres. Assim, por exclusão, chegou-se ao alfabeto latino. Porém os arabistas não desistem. Insistem em propor escritas arábicas reformadas — basicamente a partir de um modelo que foi ratificado em Bucara em 1923 e usado com sucesso pelos usbeques. As vogais e ditongos palatais e velares do casaque falado podem ser assinalados através de diacríticos.) E há também todo um aspecto religioso nessa questão. Usar um alfabeto não arábico é visto como um pecado contra Deus — afinal de contas, a maioria dos povos túrquicos é muçulmana, e a escrita arábica é a escrita do Islã, é a escrita com que o verbo de Alá desceu na Noite do Poder, a escrita do Alcorão —

Do *quê*? Será que Tchitcherine sabe o que está fazendo com esta sua falsificação? É mais do que uma blasfêmia, é uma convocação à guerra santa. Assim, Blobadjian é perseguido pelo bairro miserável de Baku por um magote de arabistas histéricos, brandindo cimitarras, fazendo caretas horrendas. As torres de perfuração assistem a tudo, sentinelas, vazias como esqueletos, na escuridão. Corcundas, leprosos, hebefrênicos e mutilados de todas as variedades emergem de seus esconderijos para apreciar o espetáculo. Refestelam-se, recostados nos flancos metálicos enferrujados dos equipamentos de refinaria, todo seu céu comum um mosaico de cores primárias. Ocupam as câmaras e celeiros e bolsões de vazio administrativo que sobraram pós-Revolução, quando os emissários da Shell holandesa foram convidados a retirar-se, e os engenheiros ingleses e suecos voltaram todos para suas terras. Agora Baku vive um período de calmaria, de economias. Todo o dinheiro que a família Nobel arrancou destes campos petrolíferos foi para o fundo dos prêmios Nobel. Novos poços estão sendo abertos em outros lugares, entre o Volga e os Urais. Aqui é tempo de retrospecto, de refinar a história recente que é bombeada, negra e fétida, de outras camadas da mente da Terra...

"Entre aqui, Blobadjian — depressa." Logo atrás vêm os arabistas, ululantes, estrídulos, implacáveis, em meio às estrelas alaranjadas que pairam nas torres de perfuração.

A porta se bate. A última portinhola é trancada. "Espere aí — o que é isso?"

"Vamos. Chegou a hora da sua viagem."

"Mas eu não quero —"

"Você não quer ser mais um infiel massacrado. Tarde demais, Blobadjian. Vamos lá..."

A primeira coisa que ele aprende é a variar seu índice de refração. Pode escolher qualquer coisa entre a transparência e a opacidade. Depois que passa o entusiasmo inicial da experimentação, ele escolhe um efeito de ônix pálido, estriado.

"Ficou bom em você", murmuram seus guias. "Agora vamos, depressa."

"Não. Quero fazer Tchitcherine pagar pelo que ele fez."

"Tarde demais. Você não vai mais fazer Tchitcherine pagar por coisa nenhuma."

"Mas ele —"

"Ele é um blasfemador. O Islã tem seus próprios mecanismos para cuidar de casos assim. Anjos e sanções, e interrogatórios cautelosos. Esqueça-se dele. Para ele, o fim será diferente."

Como é alfabética a natureza das moléculas! Isso se percebe aqui: encontram-se comissões dedicadas à estrutura molecular que são muito semelhantes às das plenárias do NAT. "Veja: elas são retiradas do fluxo grosseiro — lapidadas, limpadas, retificadas, tal como você outrora redimia suas letras do fluxo impuro e mortal da fala humana... Estas são nossas letras, nossas palavras: também elas podem ser moduladas, quebradas, reagrupadas, redefinidas, copolimerizadas uma à outra em cadeias mundiais que vêm à tona aqui e ali após longos silêncios moleculares, como as partes visíveis de uma tapeçaria."

Blobadjian constata que o Novo Alfabeto Túrquico é apenas uma versão de um processo bem mais velho — e menos autoconsciente — do que ele jamais sonhou. Pouco a pouco, a rivalidade acirrada entre ꞁ e G esvai-se, vai para o monturo de triviais lembranças da infância. Vagos casos passados. Ele já transcendeu este nível — outrora um burocrata ranzinza de lábio superior tão claramente demarcado quanto o de um chimpanzé, é agora um aventureiro, vivendo uma jornada só sua, passando por uma corrente subterrânea, sem se preocupar nem um pouco em saber para onde ela o está levando. Ele até perdeu, a uma distância infinita rio acima, o orgulho por ter certa vez sentido pena de Vaslav Tchitcherine, que jamais verá as coisas que Blobadjian está vendo...

E os textos continuam avançando sem ele. Mensageiros correm entre as fileiras de mesas, levantando galés lambuzadas de tinta. Impressores nativos fazem cursos intensivos com peritos trazidos de Tíflis por via aérea para aprender a compor textos no NAT. Cartazes impressos são afixados nas cidades, em Samarkand e Pishpek, Verney e Tashkent. Nas calçadas e muros começam a aparecer os primeiros slogans com letra de imprensa, as primeiras inscrições de "foda-se" da Ásia Central, as primeiras pichações de "mate o comissário de polícia" (e não é que alguém vai e mata mesmo! esse alfabeto é bom de verdade!) e assim a magia que os xamãs, soltos no vento, sempre conheceram, agora começa a atuar de modo político, e Džaqyp Qulan ouve o fantasma de seu próprio pai linchado com uma pena na mão, arranhando o papel, praticando As e Bs...

Porém mais ou menos neste momento, eis que Tchitcherine e Džaqyp Qulan estão atravessando uma serra baixa e chegando, do outro lado, à aldeia que estavam procurando. O povo está reunido num círculo: o dia inteiro foi de comemorações. Brasas vivas ardem em fogueiras. No meio da multidão abriu-se um pequeno espaço, e duas vozes jovens ouvem-se até mesmo de longe.

É um ajtys — um duelo de cantores. O rapaz e a moça estão no centro da aldeia, encenando um jogo do tipo "é, eu até que gosto de você, se bem que você tem umas coisas assim meio esquisitas, por exemplo...", enquanto a melodia emerge de qobyz e dombra tangidos e dedilhados. As pessoas riem de todos os versos engraçados. É uma coisa que exige destreza: trocam-se estrofes de quatro versos, sendo que o primeiro, o segundo e o último versos têm que rimar, embora o número de sílabas não seja fixo, desde que caiba no fôlego do cantor. Mesmo assim, é difícil. E a coisa descamba para insultos. Em certas aldeias, os duelistas passam anos sem se falar depois de um ajtys. Quando Tchitcherine e Džaqyp Qulan surgem em cena em suas montarias, a moça está fazendo troça do cavalo de seu adversário, que é um pouco — quer dizer, não é nada sério, não, mas é meio assim pesadão... é, gordo, mesmo. *Muito* gordo. E o garoto está começando a se incomodar. Está irritado. Em resposta, ele se sai com uma história de reunir todos os parentes e amigos dele e arrasar com a garota e a família dela também. Tudo mundo faz "hmmm". Ninguém ri. Ela sorri um sorriso tenso e canta:

Você anda bebendo muito qumys,
O que ouço agora são palavras do qumys —
Onde estava você na noite em que meu irmão
Perguntava quem roubara o seu qumys?

Iiih... O irmão mencionado ri às bandeiras despregadas. O garoto cantor não achou muita graça, não.

"Essa coisa às vezes demora." Džaqyp Qulan desmonta e começa a esticar as pernas. "É aquele ali."

Um velhíssimo aqyn — cantor itinerante casaque — está cochilando ao pé da lareira com um copo de qumys a sua frente.

"Você tem certeza de que ele —"

"Ele vai contar tudo cantando. Ele conhece bem aquela região. Se não fizesse isso, estaria traindo sua profissão."

Os dois se sentam e recebem copos de leite de égua fermentado, com um pouco de carneiro, lepeshka, alguns morangos... O rapaz e a moça continuam duelando com suas vozes — e Tchitcherine se dá conta, de repente, de que breve alguém vai vir aqui para anotar um desses desafios no Novo Alfabeto Túrquico que ele ajudou a criar... e que é assim que esta tradição vai desaparecer.

De vez em quando Tchitcherine olha de relance para o velho aqyn, que apenas parece estar dormindo. Na verdade, ele irradia para os cantores uma certa orientação. É bondade. É uma coisa que se percebe de modo tão inconfundível quanto o calor que emana das brasas.

Lentamente, pouco a pouco, os insultos dos dois jovens vão se tornando mais suaves, mais engraçados. O que poderia ter se tornado um apocalipse na aldeia agora transformou-se numa cooperação cômica, como se os dois fossem comediantes de vaudeville. Estão fora de si, representando para o prazer da plateia. A última palavra é da garota.

Você falou em casamento?
O que houve aqui foi um casamento —
Este círculo cálido de canção,
Ruidoso como qualquer casamento...

E eu gosto de você, apesar de uma ou duas coisas — Por algum tempo, a festa vai ganhando ímpeto. Bêbados gritam, mulheres falam, criancinhas entram e saem das cabanas com passos hesitantes, o vento sopra um pouco mais forte. Então o cantor itinerante começa a afinar seu dombra, e o silêncio asiático retorna.

"Você vai anotar tudo?" pergunta Džaqyp Qulan.

"Em estenografia", responde Tchitcherine, com um G um pouco glótico.

A CANÇÃO DO AQYN

Vim dos confins do mundo,
Vim dos pulmões do vento,
Tendo visto uma coisa tão tremenda
Que nem Džambul seria capaz de cantá-la.
Com um medo tão aguçado no peito
Que corta o mais forte metal.

As antigas histórias relatam
Num tempo anterior a Qorqyt,
Que arrancou da madeira de Syrghaj
O primeiro qobyz, e a canção primeira —
Dizem que numa terra distante
Fica o lugar do Lume Quirguiz.

Num lugar onde não há palavras,
E os olhos brilham como velas na noite,
E o rosto de Deus é uma presença
Detrás da máscara do céu —

Junto à rocha alta e negra no deserto
No tempo dos dias derradeiros.

Se o lugar não fosse tão distante,
Se as palavras existissem, e fossem ditas,
Então o Deus seria talvez um ícone de ouro,
Ou uma página num livro de papel.
Porém Ele vem em forma de Lume Quirguiz —
Não há maneira outra de conhecê-Lo.

O rugido de Sua voz é surdez,
O brilho de Sua luz é cegueira.
Ronca o chão do deserto,
E Seu rosto não se pode suportar.
E homem algum é o mesmo
Depois de ver o Lume Quirguiz.

Pois eu que lhes falo O vi
Num lugar mais antigo que a treva,
Onde nem sequer Alá pode penetrar.
Como veem, minha barba é um campo de gelo,
Ando amparado com a ajuda de um bastão,
Mas essa luz nos transforma em crianças.

E agora meus passos já não me levam longe,
Pois como um bebê preciso aprender a andar.
E minhas palavras chegam a seus ouvidos
Como o balbucio sem sentido de um bebê.
Pois o Lume Quirguiz levou meus olhos,
Agora sinto a Terra inteira como um bebê.

É para o norte, são seis dias de viagem,
Atravessando gargantas íngremes, sem cor,
Depois cruzando o deserto pedregoso
Até a montanha cujo pico é um džurt branco.
E quem por lá passa sem perigo
É encontrado pelo lugar da rocha negra.

Mas quem não quer nascer de novo
Que fique junto à sua cálida fogueira,
E junto à sua esposa, em sua tenda,

Que o Lume jamais o encontrará,
E seu coração ficará pesado com a idade,
E seus olhos só se fecharão de sono.

"Peguei tudo", diz Tchitcherine. "Vamos embora, camarada." Partem outra vez, dando as costas às fogueiras que morrem, aos sons das cordas tangidas, da aldeia em festa, que o vento traga pouco a pouco.

E adentram as gargantas. Ao longe, ao norte, um píncaro branco pisca aos últimos raios do sol. Cá embaixo já é quase noite.

Tchitcherine chegará ao Lume Quirguiz, porém não vai renascer. Não é um aqyn, e seu coração não está preparado. Ele O verá pouco antes do amanhecer. Então ficará 12 horas deitado de rosto para cima, no deserto, uma cidade pré-histórica maior que Babilônia envolta em sono mineral um quilômetro atrás e abaixo dele, enquanto a sombra da rocha alta, que termina numa ponta, dança do oeste para o leste, e Džaqyp Qulan cuida dele, preocupado como criança e boneca, e a espuma seca nos pescoços dos dois cavalos. Mas algum dia, como as montanhas, como as jovens exiladas em seu amor seguro, em seu desconhecimento dele, como os terremotos matinais e o vento que impele as nuvens, passados um expurgo, uma guerra, e milhões e milhões de almas desaparecidas, Tchitcherine mal conseguirá lembrar-se d'Ele.

Mas na Zona, escondido dentro da Zona estival, o Foguete aguarda. Tchitcherine será atraído da mesma maneira outra vez...

Semana passada, em algum lugar do setor britânico, Slothrop, tendo feito a burrice de beber da água de um laguinho ornamental no Tiergarten, adoeceu. Todo berlinense sabe muito bem que tem que ferver a água antes de bebê-la, se bem que alguns têm o hábito de usar várias coisas para fazer chá, como por exemplo bulbos de tulipas, o que não é uma boa ideia. Diz-se que o centro do bulbo é um veneno letal. Mas eles insistem. Uma vez Slothrop — ou o Homem-Foguete, como ele em breve se tornará conhecido — resolveu alertá-los a respeito de coisas como bulbos de tulipa. Dar-lhes uns ensinamentos sensatos, como um bom americano. Mas fica desesperado com eles, sempre escondidos por trás de seus véus de sofrimento europeu: Slothrop os arranca um por um, mas sempre fica aquele, o impenetrável...

Assim, lá está ele, debaixo das árvores com suas copas cheias, estivais, floridas, muitas delas derrubadas no chão, ou despedaçadas — poeira fina das trilhas de cavalo elevando-se nos raios de sol por força própria, fantasmas de cavalos ainda fazendo seus passeios matinais pelo parque em plena paz. Slothrop passou a noite em claro, tem sede, deita de bruços e bebe do poço, apenas um vagabundo abastecendo-se de água... Idiota. Vômitos, câimbras, diarreia, quem é ele para falar mal dos bulbos de tulipas? Consegue arrastar-se até um porão vazio, em frente a uma igreja destruída, enrosca-se todo e passa os dias que se seguem febril, estremecendo, cagando uma merda mole que arde como ácido — perdido, sozinho com aquele típico vilão nazista de filme apertando-lhe as tripas — entom, focê fai cagarr agorra, ja? Não sabe mais se algum dia voltará a ver Berkshire. Mamãe, mamãe! A Guerra terminou, por que é que eu não posso voltar pra casa agora? Nalline, o reflexo de sua Estrela de Ouro iluminando seus vários queixos como um ranúnculo, sorri irônica junto à janela e não responde...

Um mau pedaço. Alucinações com Rolls-Royces e botas na calçada à noite, vindo pegá-lo. Na rua, mulheres de lenços amarrados na cabeça, apáticas, cavam valas para os canos de ferro preto empilhados no meio-fio. O dia inteiro elas conversam, turno após turno, até escurecer. Slothrop jaz no espaço em que o sol dá as caras em seu porão durante meia hora, antes de ir visitar outros em suas pobres poças de calor — não leve a mal não, mas tenho que ir embora, tenho compromissos, até amanhã se não chover, ha, ha...

Uma vez Slothrop acorda ao som de um destacamento americano marchando rua abaixo, com uma voz de negro contando — *âp* dois, *âp* dois, *âp* dois, *squer'* direit'... uma espécie de melodia folclórica alemã que sobe um pouco na palavra "direita" — Slothrop visualiza o jeito de balançar o braço e a cabeça para a esquerda quando ele pisa forte com o pé esquerdo, tal como ensinam nas aulas de ordem-unida... imagina o homem sorrindo. Por um minuto, tem a ideia alucinada de correr para a rua e pedir-lhes que o levem de volta, pedir asilo político nos Estados Unidos. Mas está fraco demais. Estômago fraco, ânimo fraco. Permanece deitado, ouvindo os passos ritmados, a voz, até desaparecerem na distância, o som de seu país morrendo aos poucos... Tal como os fantasmas da Nova Inglaterra, os deslocados de guerra dos velhos tempos vagando sem eira nem beira pelas estradas de sua memória, amontoando-se nos telhados dos trens de carga do olvido, mochilas e bolsos de refugiados cheios de panfletos que ninguém leu, procurando outro anfitrião: abandonaram de vez este tal de Homem-Foguete. Em algum lugar entre o ardor em sua cabeça e o ardor em seu cu, se é que possível separar um do outro, e ao ritmo da marcha dos soldados, Slothrop elabora uma fantasia em que Enzian, o africano, o encontra outra vez — vem oferecer-lhe uma saída.

Porque parece que há algum tempo eles de fato se encontraram outra vez, perto dos juncos à margem de um pântano ao sul da capital. O Homem-Foguete, barbado, sujo, fedendo, inquieto, indo até os subúrbios, em meio a sua gente: há uma névoa cobrindo o sol, e um fedor pútrido de pântano pior que o do Slothrop. Só duas ou três horas de sono nos últimos dois dias. Ele esbarra por acaso nos homens do Schwarzkommando, dragando o brejo em busca de pedaços de foguete. Aves escuras em formação riscam o céu. Os africanos têm um ar de membros de alguma Resistência: aqui e ali um pedaço de uniforme da Wehrmacht ou da SS, roupas de civis em farrapos, apenas uma insígnia usada por todos, num lugar bem visível, um disco de aço pintado de vermelho, branco e azul, assim:

Adaptada da insígnia que os soldados alemães usavam no Sudoeste Africano quando foram para lá em 1904 para esmagar o levante dos herero — com a qual se prendia metade da aba larga do chapéu à copa. Para os herero da Zona tornou-se uma coisa profunda, Slothrop imagina, talvez até meio mística. Embora reconheça as letras — Klar, Entlüftung, Zündung, Vorstufe, Hauptstufe, as cinco posições da chave de disparo do carro de controle do A4 — ele não diz nada a Enzian.

Estão sentados numa encosta comendo pão com salsicha. Crianças da cidade zanzam para todos os lados. Alguém armou uma barraca de campanha, alguém trouxe barris de chope. Uma banda improvisada, uma dúzia de metais, os músicos enfiados em uniformes vermelhos e dourados, ornados de borlas, desfiados, toca trechos de *Os mestres cantores*. Fumaça de gordura paira no ar. Coros de bebedores ao longe de vez em quando explodem em gargalhadas ou em música. É a festa do Foguete: uma comemoração nova neste país. Logo o povo vai se dar conta da proximidade entre o aniversário de Wernher von Braun e o equinócio da primavera, e o mesmo impulso germânico que outrora fez barcos de flores vagarem de aldeia em aldeia e encenou batalhas entre a jovem Primavera e o velho e lívido Inverno em breve erigirá estranhas torres florais nas clareiras e prados, e o jovem Cientista se apresentará com a velha Gravidade ou algum outro bufão, e as crianças vão achar graça, e rir...

Os homens do Schwarzkommando, afundados na lama até os joelhos, estão inteiramente absortos em sua tarefa. O A4 que estão prestes a recuperar foi utilizado na última e desesperada batalha de Berlim — um lançamento abortivo, uma ogiva que não explodiu. Em torno de sua sepultura estão enfiando escoras de madeira, uma cadeia humana retirando lama em baldes e caixas e depois despejando-a na margem, perto do lugar onde estão os rifles e mochilas.

"Então Marvy tinha razão. Vocês não foram desarmados."

"Não sabiam onde nos encontrar. Nós fomos uma surpresa para eles. Mesmo agora existem facções poderosas em Paris que não acreditam na nossa existência. Eu mesmo, às vezes, não tenho muita certeza, não."

"Como assim?"

"Bem, eu acho que a gente está mesmo aqui, mas só em termos estatísticos. Uma coisa como aquela pedra está ali com 100% de certeza — ela sabe que está lá, ela e todo mundo também. Mas a possibilidade de que nós estejamos aqui agora é de pouco mais de 50% — basta uma pequena mudança nas probabilidades e schnapp! a gente some, assim sem mais nem menos."

"Que conversa estranha, Oberst."

"Não para quem esteve onde nós estivemos. Há quarenta anos, no Südwest, fomos quase exterminados. Sem motivo. Você é capaz de entender isso? *Sem moti-*

vo. Não conseguíamos encontrar conforto nem mesmo na Teoria da Vontade Divina. Eram alemães com nomes e reputações, homens de uniforme azul que matavam de modo desajeitado e não sem um certo sentimento de culpa. Missões de matar, todos os dias. Isso durou dois anos. As ordens vinham de um ser humano, um carniceiro escrupuloso chamado von Trotha. O polegar da piedade jamais pressionou sua balança.

"Temos uma palavra que costumamos sussurrar, uma mantra para épocas que ameaçam ser ruins. Mba-kayere. Talvez dê certo para você. Mba-kayere. Quer dizer: "Sou deixado de lado". Para aqueles que escaparam de von Trotha, quer dizer também que aprendemos a nos colocar de fora de nossa própria história e olhar para ela sem sentir muita coisa. Um pouco esquizoide. Uma consciência do aspecto estatístico da nossa existência. Creio que um dos motivos que nos aproximou tanto do Foguete foi esta consciência viva de como a existência do Aggregat 4, tal como a nossa, é contingente, sempre à mercê de coisas pequenas... poeira que se acumula num platinado e interrompe o contato elétrico... uma camada de gordura que não é sequer visível, óleo que veio dos dedos de alguém, dentro de uma válvula de oxigênio líquido, que dispara assim que a coisa acende e explode tudo — já vi isso acontecer... chuva que faz uma bucha inchar no servo-motor ou entra num interruptor: corrosão, um curto-circuito, um sinal que se perde, Brennschluss cedo demais, e o que era vivo volta a ser um mero Aggregat, um agregado de pedaços de matéria morta, não mais algo capaz de se mover, algo que tem um Destino de forma definida — pare de fazer isso com as suas sobrancelhas, Scuffling. Acho que aqui eu meio que virei nativo, só isso. Passe algum tempo aqui na Zona que você vai começar a pensar no Destino também."

Um grito vem do brejo. Pássaros espiralam para cima, redondos e gordos, grãos grossos de pimenta neste céu de paelha. Criancinhas param de correr, a banda de música silencia no meio de um compasso. Enzian levanta-se e aproxima-se, com passos largos, do lugar onde os outros estão se reunindo.

"Was ist los, meinen Sumpfmenschen?" Os outros, rindo, enchem as mãos de lama e começam a jogá-la no Nguarorerue, que se abaixa, se esquiva, pega um pouco de lama também e começa a jogá-la de volta. Os alemães à margem assistem à cena impassíveis, polidamente disfarçando o mal-estar com aquela falta de disciplina.

No meio das pranchas, as pontas enlameadas de dois pinos de ajuste emergem do brejo, com quatro metros de lama entre uma e outra. Enzian, salpicado, pingando, o sorriso branco avançando alguns metros a sua frente, passa por cima das escoras, entra no buraco e agarra uma pá. O momento virou uma cerimônia rude: Andreas e Christian aproximaram-se, um de cada lado, para ajudá-lo a cavucar e limpar, até cerca de trinta centímetros da superfície de um estabilizador vertical ficarem expostos. A Determinação do Número. O Nguarorerue acocora-se e raspa a lama, revelando uma parte de uma barra, um 2 branco e um 7.

"Outase." E os outros fecham as caras.

Slothrop tem uma ideia. "Você pensou que fosse der Fümffachnullpunkt", diz a Enzian logo em seguida, "o dos cinco zeros, não é mesmo? Ha, *haaa!*" Sífu, sífu —

Jogando as mãos para cima: "É um loucura. Acho que ele não existe."

"Probabilidade zero?"

"Acho que vai depender do número de pessoas que estiverem procurando. A sua gente também está?"

"Não sei. Só ouvi por acaso. Eu não tenho gente nenhuma."

"Schwarzgerät, Schwarzkommando. Scuffling: imagine que existe em algum lugar uma lista alfabética, uma lista de alguém, usada por algum serviço de informações, por exemplo. Algum país, tanto faz. Mas imagine que nesta lista os dois nomes, Negrinstrumento, Negrocomando, por acaso estavam lá, justapostos. Só isso, uma coincidência alfabética. Nós não teríamos que existir na verdade, nem nós nem ele, é ou não é?"

O pântano perde-se na distância, com manchas de luz sob o céu nublado leitoso. Sombras negativas lampejam brancas por trás das bordas de tudo. "É, isso aqui já é tudo meio sinistro, Oberst", diz Slothrop. "E você não ajuda nem um pouco."

Enzian está olhando fixamente para o rosto de Slothrop, com uma espécie de sorriso sob a barba.

"Está bem. Então *quem* é que o está procurando, hein?" Sendo enigmático, não responde — será que esse cara está *querendo* ser provocado? "O tal major Marvy", opina Slothrop, "e-e o tal do Tchitcherine também!"

Ha! Funcionou. Como uma continência, um estalar de botas, o rosto de Enzian assume de supetão um ar de perfeita neutralidade. "Você me faria um favor", começa ele, depois resolve mudar de assunto. "Você esteve lá na Mittelwerke. Como são as relações entre o pessoal do Marvy e os russos?"

"Excelentes, ao que parece."

"Algo me diz que as Potências ocupantes acabam de fechar um acordo a respeito de uma frente popular contra o Schwarzkommando. Não sei quem você é, nem de que lado você está. Mas eles estão tentando acabar conosco. Estou vindo agora de Hamburgo. Tivemos problemas. A coisa foi disfarçada de ataque de deslocados de guerra, mas o governo militar britânico estava por trás de tudo, e ainda teve cooperação russa."

"Lamento. Posso ajudar?"

"Não seja afoito. Vamos esperar para ver. A única coisa que se sabe sobre você é que você a toda hora aparece."

À hora do entardecer, as aves negras descem, aos milhões, e pousam nos galhos das árvores mais próximas. As árvores ficam pesadas de aves negras, galhos como dendritos do Sistema Nervoso a engordar, nas profundezas das trevas chilreantes dos nervos, preparando-se para alguma mensagem importante...

Mais tarde, em Berlim, no porão, em meio aos delírios da febre, merda vazando dele a um ritmo de litros por hora, fraco demais para conseguir mais do que esboçar pontapés pro forma nas ratazanas que correm a sua volta, olhos fixos no nada, tentando fazer de conta que elas agora não têm uma posição diferente, mais valiosa, entre os berlinenses, nos pontos mais baixos do gráfico de sua saúde mental, quando o sol desaparece tão completamente que é como se não fosse voltar nunca mais, o coração aparvalhado de Slothrop diz: O Schwarzgerät não é nenhum Graal, meu chapa, não é esse o sentido do G em Imipolex G. E você não é nenhum cavaleiro andante. No máximo, um Tannhäuser, o Cantor Bobalhão — você já esteve debaixo daquela montanha em Nordhausen, já cantou uma ou duas músicas acompanhado por um cavaquinho, e você não acha que está numa lama movediça de pecado aqui, Slothrop? talvez não a mesma coisa que William Slothrop, o qual passou boa parte do ano de 1630 vomitando do alto do tombadilho do *Arbella* imagens dela que sobrevivem num número indeterminado de cópias de filmes aqui e ali por toda a Zona, e até mesmo além-mar... Todos os técnicos bondosos que colocaram filtros de gel magenta no spot voltado para ela foram ou para a guerra ou para a cova, e não lhe resta nada mais que o sol indiferente de Deus, com todo seu poder de descorar, seu terror... Sobrancelhas pinçadas reduzidas a riscos de caneta, cabelos longos com mechas grisalhas, mãos pesadas de anéis de todas as cores, opacidades e feiuras, com seus conjuntos Chanel escuros de antes da guerra, sem chapéu, de echarpe, sempre uma flor, ela é assombrada por sussurros noturnos da Europa Central, carregados pelo vento, como as cortinas de pele de Berlim, mais e mais fantasmagóricos em torno de sua beleza destruída, já gorda, quanto mais ela e Slothrop se estreitam...

É assim que se encontram: uma noite Slothrop está atacando uma horta no parque. Milhares de pessoas vivendo ao ar livre. Ele contorna suas fogueiras, sorrateiro — Tudo que Slothrop quer é um punhado de verduras aqui, uma cenoura ou beterraba de forragem ali, só para se manter em pé. Quando o veem jogam nele pedras, paus — uma vez, não faz muito tempo, jogaram uma velha granada de mão que não explodiu mas o fez cagar-se todo ali mesmo.

Esta noite ele está zanzando em algum lugar perto da Grosse Sterne. O toque de recolher já foi há muito tempo. Odores de fumaça de madeira e podridão pairam sobre a cidade. Em meio a cabeças pulverizadas de margraves e eleitores de pedra, fazendo reconhecimento de um possível canteiro de repolhos, Slothrop de repente sente um cheiro inconfundível não não pode ser é sim é um BASEADO! E-está queimando aqui por perto. Verde com laivos dourados, das encostas de er-Rif, flores de vapor resinosas e estivais cativam-lhe as narinas, atraem-no em meio a arbustos e capim maçarocado, por sob as árvores arrebentadas e o que houver pousado em seus galhos.

Não dá outra: no oco de um tronco arrancado, longas raízes protuberando para os lados como num cenário para duendes, Slothrop encontra um certo Emil ("Säure") Bummer, outrora o gatuno e traficante mais famigerado da República de Weimar, flanqueado por duas belas moçoilas, passando-lhes uma alegre estrelinha alaranjada. Velho tarado. Slothrop chega até eles antes que os três se deem conta de sua presença. Bummer sorri, levanta o braço e oferece a beata a Slothrop, que a recebe com unhas compridas e sujas. Oba. Acocora-se.

"Was ist los?" diz Säure. "Caiu do céu para nós um bocadão de kif. Alá sorriu para nós, aliás sorriu para todo mundo, nós é que demos sorte de estar bem na linha de visão dele..." Seu apelido, que quer dizer "ácido" em alemão, ele ganhou nos anos 20, quando andava para todo lado com uma garrafinha de schnapps, e sempre que se via em apuros convencia as pessoas de que o que havia dentro dela era ácido nítrico espumante. Säure apresenta mais um gordo cigarro de fumo marroquino. Eles o acendem com o fiel Zippo de Slothrop.

Trudi, a loura, e Magda, a bávara voluptuosa, passaram o dia saqueando um depósito de figurinos de óperas wagnerianas. Há um capacete pontudo com chifres, uma longa capa de veludo verde, calças de couro de veado.

"Pôôô", diz Slothrop. "Bacana essa roupa, hein!"

"É pra você", Magda sorri.

"Aahh... não. Você consegue um preço melhor no Tauschzentrale..."

Porém Säure insiste. "Você já reparou, quando você está completamente aloprado, que nem agora, e você quer que uma pessoa apareça, ela sempre aparece?"

As garotas brandem a brasa do baseado, vendo seu reflexo no capacete reluzente mudar de forma, profundidade, tom de cor... hmm. Slothrop dá-se conta de que, uma vez retirados os chifres, esse capacete ficaria igualzinho ao nariz do Foguete. E se ele conseguisse encontrar uns pedaços triangulares de couro, e desse um jeito de costurá-los nas botas de Tchitcherine... isso, e-e pusesse na capa um R maiúsculo grande, escarlate — É um momento tão momentoso quanto aquele em que Tonto, após a lendária emboscada, tenta —

"Raketemensch!" grita Säure, agarrando o capacete e desaparafusando os chifres. Os nomes por si só podem ser vazios, porém *o ato de nomear...*

"Você também teve a mesma ideia?" Ah, estranho. Säure coloca com cuidado o capacete na cabeça de Slothrop. Cerimoniosamente as moças jogam-lhe a capa sobre os ombros. Enquanto isso, patrulhas de observação de duendes mandam mensageiros dar a informação a seu povo.

"Bom. Agora escute uma coisa, Homem-Foguete, eu estou com um probleminha."

"Hein?" Slothrop estava tendo uma fantasia de Homem-Foguete em grande escala, em que as pessoas lhe traziam comida, vinho e donzelas em quatro cores com muito saltitar e muito cantarolar, "la, la, la, la", e bifes florescendo nessas tílias avariadas, e perus assados caindo sobre Berlim como granizo macio, batatas-doces e-e marshmallows derretidos, fervilhando, brotando do chão...

"Tem do outro?" Trudi quer saber. Slothrop, ou o Homem-Foguete, entrega-lhe meio maço murcho.

O baseado a toda hora dá uma volta completa: riscos de luz neste abrigo de raízes. Todo mundo esquece o que estava falando. Há um cheiro de terra. Insetos vêm à tona, arejando o solo. Magda acendeu um dos cigarros de Slothrop para ele, e levando-o aos lábios ele sente gosto de batom de framboesa. Batom? Quem é que tem batom hoje em dia? Afinal, em que espécie de trambique essa gente aqui está metida?

Berlim está tão escura que dá para ver estrelas, as estrelas de sempre, só que nunca antes dispostas com tanta clareza. É possível também formar constelações novas. "Ah", lembra-se Säure, "eu tinha um problema..."

"Estou com muita fome", ocorre a Slothrop.

Trudi está falando a Magda a respeito de seu namorado Gustav, que quer morar dentro do piano. "Só dava pra ver os pés dele de fora, e ele ficava dizendo: 'Vocês todos me odeiam, vocês odeiam este piano!'" As duas riem.

"Tangendo as cordas", diz Magda, "não é? Ele é tão paranoico!"

Trudi tem pernas grandes, louras, prussianas. Pelinhos claros, mínimos, dançam à luz das estrelas, sob as saias, pelas sombras de seus joelhos, atrás deles, estrelinhas a cintilar... O toco de árvore projeta-se sobre eles todos e os protege, um neurônio gigante, dendritos que se estendem pela cidade, pela noite adentro. Vêm sinais de todas as direções, e provavelmente do passado também, quem sabe até do futuro...

Säure, que é do tipo que nunca consegue esquecer-se por completo dos negócios, põe-se de pé, agarrando-se a uma raiz até sua cabeça escolher um lugar para recostar-se. Magda encostou o ouvido na entrada do capacete do Homem-Foguete e está batendo nele com um pau. É como um gongo, ecoando em acordes. Mas as notas não se harmonizam: é um som muito *doido*...

"Não sei que horas são", Säure Bummer olhando a sua volta. "Não era para a gente estar no Chicago Bar? Ou isso foi ontem?"

"Esqueci", Trudi ri.

"Escute, Kerl, eu realmente tenho que falar com aquele americano."

"Querido Emil", cochicha Trudi, "não se preocupe. Ele vai estar no Chicago."

Resolvem adotar um sistema complexo de disfarces. Säure dá a Slothrop seu paletó. Trudi fica com a capa verde. Magda calça as botas de Slothrop, e ele fica de meias, carregando os sapatinhos dela nos bolsos. Passam algum tempo catando objetos plausíveis, gravetos para acender fogo e verduras, para pôr dentro do capacete, e Säure o carrega. Magda e Trudi ajudam Slothrop a vestir as calças de couro de veado, as duas de joelhos, tão bonitinhas, acariciando as pernas e a bunda dele. Tal como numa mesa de bilhar, nestas calças não há uma bolsa adequada para caber as bolas, e quando Slothrop fica de pau duro a dor é terrível.

"Vocês é que se deram bem." As garotas riem. Slothrop, pomposo, vai mancando atrás de todo mundo, com uma rede de riscos entrelaçados atravessando-lhe o campo de visão como se fosse chuva, as mãos virando pedra, e saem do Tiergarten, passando por tílias e nogueiras bombardeadas, chegando às ruas, ou ao que resta delas. Patrulhas de todas as nações se aproximam, e esse quarteto de patetas a toda hora tem que se jogar no chão, tentando não rir demais. As meias de Slothrop estão encharcadas de orvalho. Tanques manobram na rua, mastigando estrias paralelas de asfalto e pó de pedra. Duendes e dríades brincam nos espaços abertos. Em maio os bombardeios os libertaram das pontes e árvores, e agora eles estão plenamente urbanizados. "Ah, aquele chato", diz o duende pré-adolescente a respeito de um outro que não está tão por dentro das coisas quanto ele, "ele até hoje *não saiu da árvore.*" Estátuas mutiladas jazem sob o efeito de sedação mineral: torsos de mármore de burocratas de sobrecasaca, caídos pálidos nas sarjetas. É, bem, estamos aqui no coração de Berlim, pois é, hum, meio que, meu Deus do céu que diabo é —

"Cuidado", aconselha Säure, "aqui a coisa está meio borrachuda."

"Mas o que é isso?"

Bem, o que é — é? o que é "é"? — é King Kong, ou uma criatura mais ou menos do mesmo tipo, de cócoras, claramente dando uma cagada, bem no meio da rua! na maior! e-e sendo ignorado por caminhões e caminhões de recrutas russos com uns bonezinhos espertos e sorrisos apatetados que passam tranquilamente — "Ei!" Slothrop tem vontade de gritar, "olha lá aquele macaco gigantesco! ou seja lá o que for. Ei, pessoal? Vocês..." Mas não faz isso, felizmente. Olhando com mais atenção, percebe que o monstro acocorado é na verdade o prédio do Reichstag, arrebentado, pichado, queimado, enegrecido em todas as curvas e protuberâncias voltadas para o lado da explosão, por dentro todo rabiscado a giz com iniciais em caracteres cirílicos, e muitos nomes de camaradas mortos em maio.

Berlim está cheia de sustos assim. Tem uma enorme efígie de Stalin que Slothrop seria capaz de jurar que é uma menina que ele namorou em Harvard, o bigode e o cabelo apenas detalhes secundários como se fossem maquiagem, mas é a *cara* da como-é-mesmo-o-nome-dela... mas antes que ele consiga ouvir direito a algaravia de vozinhas — depressa, depressa, ponha no lugar, ele está quase virando a esquina — eis que surgem, colocados lado a lado na calçada, uns pães enormes, ainda crus, massa deixada para crescer sob panos brancos limpos — puxa, todo mundo morto de fome: todos têm a mesma ideia ao mesmo tempo, oba! *Massa crua!* pães para aquele *monstro* lá atrás... ah, não, não era monstro não, era o prédio do Reichstag, então isso aí não é pão, não... agora já dá para ver que são cadáveres, retirados dos escombros de hoje, cada um dentro de seu saco de dormir militar, cuidadosamente etiquetado. Mas não foi apenas uma ilusão de ótica, não. Eles estão mesmo crescendo, estão transubstanciados, e sabe-se lá o quê, passado o verão e chegando o inverno da fome, estaremos comendo na época do Natal?

O que o famigerado Femina representa para o tráfico de cigarros em Berlim, o Chicago é para os drogados. Mas se no Femina as transações começam por volta do meio-dia, no Chicago as coisas só ficam mais animadas depois do toque de recolher das dez. Slothrop, Säure, Trudi e Magda entram pela porta dos fundos, saindo de um grande maciço de ruínas e escuridão com um pontinho de luz aqui e outro acolá, como se estivessem no campo. Lá dentro, oficiais e soldados do serviço de saúde correm de um lado para o outro com frascos de substâncias cristalinas brancas, pilulazinhas róseas, ampolas transparentes do tamanho de bolas de gude. Cédulas de marcos da Ocupação e do Reich trocam de mãos. Alguns dos comerciantes são puro entusiasmo químico, outros estão aqui estritamente a negócios. Fotos enormes de John Dillinger, posando com a mãe, com os amigos, com seu fuzil-metralhadora, enfeitam as paredes. As luzes e as discussões são mantidas em tons suaves, pois nunca se sabe quando a polícia militar vai passar lá fora.

Sentado numa cadeira de encosto de metal, mãos peludas dedilhando delicadamente um violão, um marinheiro americano com ar de orangotango canta, em ritmo $^{3}/_{4}$ em estilo *country*:

O SONHO DO VICIADO

Essa noite sonhei que eu estava fumando
Num narguilezão que era todo pra mim
Quando de repente saiu dele um gênio
Que piscou o olho, dizendo assim:
"Venho atender todos os teus desejos",
E fez para mim uma grande mesura.
"Meu chapa", eu disse, "tu sabe o que eu quero?
O que eu quero mesmo é muita loucura!"
Com um grande sorriso, tomou minha mão,
E saímos voando no céu de azeviche,
E a primeira coisa que vi ao chegar
Foi uma enorme montanha de haxixe!
Árvores às margens do rio Romilar
Carregadim de comp'midos amarelos,
E à sombra dos galhos frondosos e fartos
Um verdadeiro mar de cogumelos!
E vieram garotas em câmara lenta,
Papoulas enfiadas nos penteados,
As lindas mãozinhas cheias de cocaína
E maços inteiros de baseados.
Passamos os dias cheirando e fumando,
Bebericando chá de noz-moscada,
Tomando peiote como se fosse água,
E de vez em quando dando uma trepada.
Ah, eu não queria mesmo outra vida,
Porém quando eu estava assim, indefeso,
O tal do gênio, sabe,
puxou uma carteira pra mim

E sem mais nem menos gritou: "Teje preso!"
Me trouxe de volta pr'esse mundo frio,
Uma grande prisão onde quer que se vá...
E eu sonho com a minha amada Drogalândia...
Será que algum dia inda volto pra lá?

O cantor é o marinheiro Bodine, do destróier americano *John E. Badass*, e é ele o contato que Säure veio aqui encontrar. O *Badass* está atracado em Cuxhaven e Bodine meio que passou ausente, tendo chegado em Berlim anteontem pela primeira vez desde as primeiras semanas da ocupação americana. "A coisa está preta, rapaz", geme ele. "Potsdam, eu não acreditei quando fui lá. Se lembra como que era na Wilhelmplatz? Relógio, vinho, joia, máquina fotográfica, heroína, casaco de pele, tudo o que se pode imaginar. E estava todo mundo *cagando* pra tudo, se lembra? Pois vá lá agora pra ver. É segurança russo pra tudo que é lado. Uns caras grandalhões e mal-encarados. Não se pode nem chegar perto."

"Não é lá que está acontecendo alguma coisa?" indaga Slothrop. Ele ouviu falar. "Uma conferência ou coisa que o valha?"

"Estão decidindo como é que vão repartir a Alemanha", diz Säure. "Todas as Potências. Deviam convidar os alemães, Kerl, há séculos que a gente não faz outra coisa."

"Lá não entra mais nem um mosquito, rapaz", diz Bodine, sacudindo a cabeça, habilmente enrolando um baseado com uma mão só, num papel de cigarro que antes ele rasgou, com um gesto de virtuosismo despretensioso, ao meio.

"Ah", sorri Säure, abraçando o ombro de Slothrop, "mas será que o *Homem-Foguete* não consegue?"

Bodine olha para ele, incrédulo. "Esse aí é o Homem-Foguete?"

"Mais ou menos", diz Slothrop, "mas não sei se eu estou mesmo querendo ir lá em Potsdam, não..."

"Se você soubesse!" exclama Bodine. "Olha só, meu chapa, agora mesmo, a menos de 25 quilômetros daqui, tem *seis quilos!* de haxixe do Nepal, purinho, dubão! Consegui com um amigão meu que veio das bandas da China, Birmânia e Índia, com selo do governo e o caralho, eu mesmo enterrei em maio, tão bem escondido que ninguém vai conseguir achar sem mapa. É só você ir lá de avião ou de outro jeito qualquer, só ir e pegar."

"Só isso."

"Um quilo pra você", oferece Säure.

"Eles vão cremar junto comigo. Um bando de russo parado em volta da fogueira ficando doidão."

"Vai ver", diz a moça mais decadente que Slothrop já viu em toda a sua vida, com sombra índigo fluorescente em torno dos olhos e os cabelos presos numa rede de couro preto, "que o americano bonitinho não é chegado a um chocolate verde. Ha, ha, ha..."

"Um milhão de marcos", suspira Säure.

"Onde que você vai arranjar —"

Levantando um dedo travesso, inclinando-se em sua direção: "Eu mesmo imprimo".

E é verdade. Saem todos do Chicago, caminham quase um quilômetro atravessando montes de entulho, passando por trilhas que ninguém consegue ver no escuro, só Säure, chegando por fim a um porão sem casa em cima onde há arquivos, uma cama, um lampião a óleo e uma prensa. Magda fica bem juntinho de Slothrop, suas mãos dançando sobre a ereção dele. Trudi, inexplicavelmente, apegou-se a Bodine. Säure começa a girar uma roda barulhenta, e folhas de Reichsmarks começam a sair do outro lado, milhares e milhares. "As chapas e o papel são autênticos. O único detalhe que falta é um encrespadinho nas bordas. Tinha uma máquina para fazer isso que ninguém lembrou de roubar."

"Hã", diz Slothrop.

"Ah, vamos lá", diz Bodine. "Poxa, Homem-Foguete. Você não quer fazer mais nada."

Eles ajustam as folhas enquanto Säure as corta com uma guilhotina comprida e reluzente. Estendendo um grosso maço de notas de 100: "Dá pra você voltar amanhã. Nenhum serviço é demais para o Homem-Foguete".

Um ou dois dias depois, Slothrop vai se dar conta do que devia ter respondido naquele momento: "É, mas até duas horas atrás eu nem era o Homem-Foguete". Porém naquele momento sente-se seduzido pela ideia de um quilo de haxixe e um milhão de marcos quase de verdade. Não há nada de que ele esteja fugindo, não é? Assim, aceita um adiantamento de dois mil e passa o resto da noite com Magda, rotunda e gemebunda, enquanto Trudi e Bodine se divertem na banheira, e Säure sai de novo, numa nova missão, naquele vazio das três da manhã que lhes comprime, oceânico, o espaço interior exaltado...

Säure zanzando, olhos vermelhos, ranzinza, com um bule de chá fumegante. Slothrop sozinho na cama. O traje de Homem-Foguete o aguarda numa mesa, junto com o mapa do tesouro do marinheiro Bodine — ah. Ah. Será que Slothrop vai mesmo ter que levar essa missão até o fim?

Lá fora, passarinhos assobiam arpejos escala acima, acompanhando a manhã. Caminhões e jipes cuspinham nas lonjuras. Slothrop, já sentado, toma chá e tenta raspar o esperma seco de suas calças, enquanto Säure explica o plano. O pacote está enterrado debaixo de um arbusto ornamental à frente de uma vila na Kaiserstrasse, em Neubabelsberg, a velha capital cinematográfica da Alemanha. Fica em frente a Potsdam, do outro lado do Havel. A prudência recomenda evitar a Avus Autobahn. "Tente passar pela barreira logo depois de Zehlendorf. Suba até Neubabelsberg pelo canal."

"Por quê?"

"É uma estrada para VIPs — civil não entra. Essa aqui, que atravessa o rio e leva a Potsdam."

"Ora. Mas aí eu vou precisar de um barco."

"Ha! E você quer que um alemão saiba improvisar? Não, não — isso é um problema *para o Homem-Foguete*! Ha-ha!"

"Hãã." A tal vila fica de frente para o Griebnitz See. "Por que não vir pelo lago?"

"Você teria que passar por baixo de umas pontes. Muito bem guardadas. É tiro na certa. Talvez — talvez até mesmo morteiros. É muito estreito perto de Potsdam. Você não ia ter como escapar." Ah, nada como o humor germânico de manhã cedo. Säure entrega a Slothrop um cartão do Chefe de Pessoal do Exército, uma passagem e um passe impresso em inglês e russo. "O sujeito que forjou estes documentos já entrou e saiu de Potsdam com eles mais de dez vezes desde que começou a Conferência. Para você ver como ele bota fé no trabalho dele. O passe bilíngue é especial, só para a Conferência. Mas não vá perder tempo com turistadas, pedindo autógrafos a celebridades —"

"Me diga uma coisa, Emil — se você tem esses documentos e eles são tão bons, por que você mesmo não vai lá?"

"Não é a minha *especialidade*. Meu negócio é tráfico. Só um velho frasco de ácido — e mesmo o ácido é faz de conta. Pirataria é coisa para os *Homens-Foguete*."

"Então o Bodine."

"Ele já está voltando para Cuxhaven. Ele vai ficar muito decepcionado quando voltar semana que vem e descobrir que justamente o Homem-Foguete pediu arrego."

"Ah." Porra. Slothrop olha um pouco para o mapa, depois tenta aprendê-lo de cor. Calça as botas, gemendo. Embrulha o capacete na capa, e os dois, vigarista e otário, saem andando pelo setor americano.

O céu azul fervilha de cirros, mas cá embaixo ainda paira o Berliner Luft, com um cheiro de morte inescapável. Milhares de cadáveres caídos na primavera ainda jazem sob essas montanhas de entulho, montanhas amarelas, vermelhas e amarelas e branquicentas.

Cadê a cidade que Slothrop via outrora nos jornais da tela e nas páginas da *National Geographic*? A Nova Arquitetura Alemã não era só parábolas — havia também os espaços — o necropolismo do alabastro branco ao sol, feito para conter colheitas humanas a fervilhar até onde a vista alcança, não fazendo sentido sem elas. Se existe uma Cidade Sacramental, a cidade como sinal externo e visível de doença ou saúde interna e espiritual, então talvez tenha existido, até mesmo aqui, alguma continuidade de sacramento, atravessando a terrível superfície de maio. O vazio de Berlim nesta manhã é um mapa invertido da capital alva e geométrica de antes da destruição — os campos de pousio semeados de entulho, o mesmo peso excessivo de concreto nu... só que aqui tudo foi virado do avesso. As avenidas retas feitas para paradas militares viraram caminhos tortuosos por entre pilhas de pedregulho, formas agora orgânicas, moldadas, como trilhas de bodes, pelas leis do menor desconforto. Agora os civis estão do lado de fora, os uniformes do lado de dentro. Facetas lisas de prédios foram substituídas por entranhas irregulares de concreto arrebentado, todo o rococó pedregoso que se ocultava por trás das fachadas. O dentro ficou de fora. Quartos sem teto abertos para o céu, quartos sem paredes lançados sobre um mar de ruínas em proas, em gáveas... Velhos com latas nas mãos catando guimbas no chão, os pulmões fora dos peitos. Anúncios de abrigos, roupas, de perdidos e tomados, outrora classificados, dobrados bürgerlich dentro dos jornais, para ser lidos com tranquilidade nas salas graciosas e laqueadas, agora estão colados com selos de efígies de Hitler, azuis, laranja e amarelos, soltos no vento, quando venta, grudados nas árvores, portas, paus pregados, pedaços de parede — frangalhos brancos, descorados, escrita quase ilegível, trêmula, manchada, milhares não vistos, não lidos, levados pelo vento. Nas refeições dominicais do Winterhilfe, as pessoas sentavam-se do lado de fora, sob as árvores hibernais cobertas de suásticas, mas agora o lado de fora passou para dentro, e esses domingos duram a semana inteira. O inverno está voltando. Toda Berlim passa as horas do dia tentando fazer de conta que não. Árvores cobertas de cicatrizes estão cheias de folhas outra vez, passarinhos recém-chocados aprendem a voar, mas o inverno está lá, por debaixo da aparência de verão — a Terra virou-se para o outro lado enquanto dormia, e os trópicos se inverteram...

Como se as paredes do Chicago Bar tivessem sido trazidas para fora, fotos gigantescas estão pregadas na Friedrichstrasse — rostos mais altos que uma pessoa. Slothrop reconhece Churchill e Stalin com facilidade, mas não sabe direito quem é o outro. "Emil, quem é esse cara de óculos?"

"O presidente americano. Mister Truman."

"Deixe de bobagem. Truman é o vice-presidente. O presidente é Roosevelt."

Säure arqueia a sobrancelha. "Roosevelt morreu na primavera. Logo antes da rendição."

Os dois se enredam numa fila de pão. Mulheres de casacos de pelúcia gastos, criancinhas agarradas a bainhas desfiadas, homens com bonés e jaquetões escuros, rostos velhos barbados, testas brancas como pernas de enfermeiras... Alguém tenta agarrar a capa de Slothrop, e há uma rápida disputa de puxa-para-cá-puxa-para-lá.

"Lamento", diz Säure, quando conseguem safar-se.

"Por que ninguém me avisou?" Slothrop estava entrando no colegial quando FDR estava entrando na Casa Branca. Broderick Slothrop afirmava odiá-lo, mas o jovem Tyrone achava-o corajoso, com a poliomielite e tudo. Gostava de sua voz no rádio. Quase o viu uma vez, em Pittsfield, mas Lloyd Nipple, o garoto mais gordo de Mingeborough, estava bem na sua frente, e Slothrop só conseguiu ver duas rodas e os pés de uns homens de terno num estribo de automóvel. De Hoover ele ouvira falar, vagamente — tinha algo a ver com casebres e aspiradores de pó —, mas Roosevelt era o *seu* presidente, o único que ele jamais conhecera. Tinha-se a impressão de que ele seria eternamente reeleito, um mandato após o outro. Mas alguém resolvera dar fim a isso. Então o presidente de Slothrop fora dormir, tranquilo e silencioso, enquanto o menino que outrora imaginara seu rosto nas costas da camiseta larga de Lloyd estava pintando o sete na Riviera, ou na Suíça, vagamente cônscio de que ele próprio também estava sendo extinto...

"Disseram que foi um derrame", diz Säure. Sua voz está vindo de uma direção estranha — digamos, diretamente debaixo, enquanto a larga necrópole começa a voltar-se para dentro, estreitando-se e prolongando-se num Corredor, que Slothrop conhece, ainda que não pelo nome, uma deformação do espaço que se oculta dentro de sua vida, latente, como uma doença hereditária. Um grupo de médicos com máscaras brancas que só deixam os olhos de fora, olhos gélidos e adultos, marcham pelo corredor, em direção ao lugar onde jaz Roosevelt. Levam estojos negros reluzentes. O metal tilinta dentro do couro negro, tilinta como se quisesse dizer, tal como num número de ventriloquia, me ajudem a sair daqui... Fosse lá quem fosse, posando de capa negra em Yalta com os outros líderes, exprimiu lindamente a ideia das asas da Morte, ricas, macias e negras como o manto do inverno, preparou uma nação inteira de espectadores para o fim de Roosevelt, um ser que Eles montaram, e que Eles agora iriam desmontar...

Alguém aqui está cuidando com perícia da paralaxe, da escala, das sombras, que apontam todas para o lado certo, alongando-se com o cair da tarde — mas não, Säure não pode ser de verdade, tal como não podem ser de verdade esses figurantes de preto, esperando em fila algum bonde hipotético, duas fatias de salsicha (claro, claro), as dez crianças seminuas entrando e saindo correndo desse cortiço queimado, tão extraordinariamente detalhado — sem dúvida, Eles têm um orçamento e tanto. Veja toda esta desolação, tudo construído e depois reduzido a pedaços outra vez, desde pedaços do tamanho de corpos até grãos de poeira (favor pedir pelo Número do Calibre), enquanto aquela famosa fragrância Meio-Dia em Berlim, essência da putrefação humana, é borrifada no cenário por uma mão, enorme como um cavalo inchado num beco, bombeando um nebulizador gigantesco...

(Segundo o relógio de Säure, comprado no mercado negro, é quase meio-dia. Das 11 da manhã até o meio-dia é a Hora Má, em que a mulher de branco com o chaveiro sai de sua montanha e pode aparecer a você. Tenha cuidado, se isso acontecer. Se não puder libertá-la de um encantamento que ela jamais especifica qual é, você será punido. Ela é a linda donzela que oferece a Flor-Maravilha, e a velha feia com dentes compridos que encontrou você naquele sonho e não disse nada. A Hora é dela.)

P-38s negros voam em formação, ruidosos, uma grade em movimento contra o céu pálido. Slothrop e Säure encontram um café com mesas na calçada, bebem vinho com água, rosado, comem pão com um pouco de queijo. O velho traficante apresenta um charo, e os dois sentam-se ao sol e o passam um para o outro, oferecendo um trago ao garçom, sabe-se lá? é assim que se fuma até mesmo cigarro normal hoje em dia. Passam jipes, bicicletas, caminhões de soldados. Moças com vestidos frescos de verão, laranja e verde, como sorvetes de frutas, entram e sentam-se às mesas, sorrindo, sorrindo, olhando o tempo todo a sua volta, à procura de fregueses.

Säure deu um jeito de fazer Slothrop falar sobre o Foguete. Não é de modo algum a especialidade de Säure, é claro, se bem que ele anda antenado para o assunto. Se há uma demanda, deve haver um preço. "Nunca consegui entender esse fascínio. A gente vivia ouvindo falar nele pelo rádio. Era o nosso Programa do Capitão Meia-Noite. Mas acabamos ficando desiludidos. Queríamos acreditar, mas não víamos quase nada que alimentasse nossa fé. Cada vez menos. Só sei que desgraçou o mercado de cocaína, Kerl."

"Como assim?"

"Alguma coisa do tal foguete precisava de permanganato de potássio, não é?"

"Bomba da turbina."

"Pois é, sem essa Purpurstoff não se pode traficar pó honestamente. Honestamente? Não, é uma questão de *realidade*. No inverno passado não se encontrava um mísero cm^3 de permanganato em toda a porra do Reich, Kerl. Ah, só você vendo a malhação que houve. Amigo malhando amigo, sabe? Mas, afinal, qual o amigo que nunca teve vontade — para usar uma imagem que você há de compreender — de *jogar uma torta* na sua cara? Hein?"

"Obrigado." Espere aí. Ele está falando sobre *nós*? Está se preparando para —

"Assim", prosseguindo, "toda Berlim foi tomada por um gigantesco filme do Gordo e o Magro, mudo, mudo... por causa da escassez de permanganato. Não sei que outras economias podem ter sido afetadas pelo A4. Não foi só jogar tortas, não foi só a anarquia de um mercado, não — foi uma irresponsabilidade química! Argila, talco, cimento, até mesmo — para você ver a que ponto a coisa foi — farinha! Leite em pó, roubado de bebezinhos! Coisas que valiam até mais que cocaína — mas a ideia era fazer o sujeito de repente ficar com o nariz cheio de leite, ha-ha-ha-háàá!" interrompendo-se por um minuto, "e isso *valia o prejuízo!* Sem o permanganato não havia como ter certeza de nada. Um pouco de novocaína para anestesiar a língua, alguma coisa para dar um gosto amargo, e pronto, dava para ganhar uma fortuna com bicarbonato de sódio. O permanganato é a pedra de toque. Você leva ao microscópio, põe umas gotas na substância em questão, que se dissolve — e então você vê de que modo ela sai da solução, como ela se recristaliza: a cocaína aparece primeiro, nas bordas, depois os acréscimos, a procaína, a lactose, nas outras posições bem conhecidas — um alvo roxo, com o círculo externo valendo mais pontos e o centro não valendo nada. Um antialvo. Bem diferente do alvo do A4, *hein, Homem-Foguete?* Essa sua máquina não era exatamente amiga dos viciados, não. Para que você quer o tal foguete? Para o seu país usar contra a Rússia?"

"Eu não quero foguete nenhum. O que você quer dizer com 'meu país'?"

"Desculpe. Só quis dizer que parece que os russos estão loucos por esse foguete. Vários contatos que eu tinha espalhados pela cidade foram levados. Interrogados. Eles sabem tanto a respeito de foguetes quanto eu — nada. Mas o Tchitcherine acha que a gente sabe."

"Ah, não. Ele de novo?"

"É, ele está em Potsdam no momento. Dizem que está. Se instalou num dos velhos estúdios de cinema."

"Grande notícia, Emil. Sortudo do jeito que eu sou..."

"Que cara é essa, Homem-Foguete?"

"Quer ver uma pior ainda?" E Slothrop pergunta a Säure se ele ouviu falar alguma coisa sobre o Schwarzgerät.

Säure não chega a gritar *Aaai!* e sair correndo pela rua, mas uma válvula dentro dele faz ííí, e alguma coisa estala e muda de direção. "Sabe uma coisa?", balançando a cabeça e mudando de posição na cadeira, "vá conversar com der Springer. Ja, vocês dois vão se entender muito bem. Eu sou só um gatuno aposentado, tentando dar um jeito de fazer com que minhas últimas décadas de vida sejam como as do Sublime Rossini: confortáveis. Agora, não mencione meu nome não, está bem, meu chapa?"

"Mas quem é esse tal de der Springer, e onde é que eu vou encontrá-lo, Emil?"

"Ele é o cavalo que salta perpetuamente..."

"Eta!"

"... pelo tabuleiro da Zona — é isso que ele é. Tal como o Homem-Foguete voa por cima dos obstáculos." Ri um riso antipático. "Uma grande dupla. Como é que eu posso saber onde ele está? Ele pode estar em qualquer lugar. Ele está em todos os lugares."

"Zorro? O Besouro Verde?"

"A última vez que eu soube dele, ele estava lá para o norte, fazendo a rota hanseática. Vocês vão se encontrar. Não se preocupe." Abruptamente Säure levanta-se para ir embora, dando ao Homem-Foguete mais um baseado para depois, ou para dar sorte. "Tenho que me encontrar com uns oficiais do serviço de saúde. A felicidade de mil clientes está em suas mãos, meu jovem. A gente se encontra na minha casa. Glück."

Assim, a Hora Má exerceu sua bruxaria. A palavra errada foi Schwarzgerät. Agora a montanha fechou-se outra vez, trovejando, atrás de Slothrop, e por um triz não lhe arrebentou o calcanhar, e quem sabe só daqui a vários séculos a tal da Mulher Branca vai aparecer outra vez. Merda.

O nome escrito no passe especial é "Max Schlepzig". Slothrop, sentindo-se cheio de energia, resolve se fazer passar por artista de vaudeville. Um ilusionista. Fez um bom aprendizado com Katje, sua toalha de mesa de damasco, seu corpo mágico, a cama no salão, cem soirées fantastiques...

Chega a Zehlendorf no meio da tarde, com seu traje de Homem-Foguete, pronto para atravessar a barreira. As sentinelas russas esperam sob um arco de madeira pintado de vermelho, portando Suomis ou Degtiarovs, submetralhadoras enormes com pentes redondos. E lá vem um tanque Stalin, se arrastando pesado, um soldado de capacete e orelheira em pé no reparo da peça de 76 mm, gritando num walkie-talkie... hã, bem... Do outro lado do arco tem um jipe russo com dois oficiais dentro, um falando muito sério no microfone do rádio, e o ar entre eles está tenso de palavras russas, transmitidas na velocidade da luz, tecendo uma rede para pegar Slothrop. Claro, não é? Ele joga a capa para trás, pisca um olho, inclina o capacete e sorri. Com um gesto de prestidigitador, apresenta o cartão, a passagem e o passe bilíngue, e vem com uma história de que vai dar um espetáculo para as autoridades em Potsdam.

Uma das sentinelas pega o passe e entra em sua guarita para dar um telefonema. Os outros ficam olhando para as botas de Tchitcherine. Ninguém diz nada. O telefonema demora um tempo. Couro marcado, barbas da véspera, malares ao sol. Slothrop está tentando se lembrar de umas poucas mágicas que ele sabe fazer com cartas de baralho, meio que para quebrar o gelo, quando a sentinela põe a cabeça para fora. "Stiefeln, bitte."

Botas? Que diabo eles querem com — *iáááááá!* As botas, sim. Sabemos fora de qualquer dúvida quem é que está do outro lado da linha, não sabemos? Slothrop chega a ouvir as peças metálicas dentro do corpo do outro tilintando de felicidade. No céu enfumaçado de Berlim, um pouco à esquerda da Funkturm, na palha de aço da distância, surge uma foto de página inteira da revista *Life*: é Slothrop, com seu uniforme de Homem-Foguete, com o que parece ser uma salsicha comprida e rígida, com um diâmetro enorme, sendo enfiada em sua boca, com tanta força que seus olhos estão envesgando um pouco, embora a mão ou lá o que seja que segura a salsicha monstruosa não apareça na foto. HOMEM-FOGUETE SE DÁ MAL, diz a legenda — "A mais nova celebridade da Zona, logo após decolar, 'se fode'".

Be-e-em, Slothrop descalça as botas, a sentinela leva-as para dentro da guarita — os outros encostam Slothrop no arco e o revistam, não encontrando nada além do baseado que Säure lhe deu, o qual eles confiscam. Slothrop aguarda de meias, tentando não pensar no que vai acontecer agora. Olhando a sua volta à procura de um esconderijo, talvez. Nada. Campo de tiro livre em 360 graus. Cheiros de asfalto fresco e óleo de armas. O jipe, verdete cristal, aguarda: a estrada de Berlim, no momento, deserta... Providência, ei, *Providência*, cadê você, foi tomar um chope, hein?

Nada disso. As botas reaparecem, sentinela sorridente atrás delas. "Stimmt, Herr Schlepzig." Como será ironia em russo? Esses caras são inescrutáveis para Slothrop. Tchitcherine não iria levantar suspeitas pedindo para ver aquelas botas. Não, não podia ser ele do outro lado da linha. Provavelmente algum procedimento de rotina para evitar contrabando, só isso. Agora Slothrop está sendo possuído por aquilo que o Livro das Mudanças chama de Insensatez da Juventude. Sacode a capa mais umas vezes, fila um cigarro balcânico curto e grosso de uma das sentinelas, e parte, em direção ao sul. O jipe dos oficiais continua onde estava. O tanque desapareceu.

Jubilee Jim, vendedor ambulante,
Piscando pras moças, de Stockbridge a Lee —
Tem broche pra usar com vestido de festa,

Chicote de couro, um dólar à vista,
Olá pessoal, chegou o Jubi-lee!

Três quilômetros adiante, Slothrop chega ao canal mencionado por Säure: desce por uma trilha debaixo da ponte onde está úmido e fresco por um minuto. Segue ao longo da margem, procurando um barco para roubar. Garotas de frente-única e short pegam sol, peles douradas e morenas, deitadas nesta grama onírica. A tarde com nuvens suaviza-se em bordas de vento, crianças ajoelhadas junto à água brincam com anzóis, dois pássaros sobrevoam o canal um atrás do outro, em mergulhos rasantes e subidas até a tempestade suspensa de uma copa verde de árvore, onde pousam e se põem a cantar. Com a distância, a luz forma uma lenta névoa cor de linho cru, e a carne das meninas, não mais tingida pelo sol zenital, com luz mais suave redesperta em tons mais cálidos, tênues sombras de músculos nas coxas, tensos filamentos de células epidérmicas a dizer me toque... fique... Slothrop segue em frente — passando por olhos que se abrem, sorrisos que irrompem como mansas madrugadas. O que é que ele tem? Fique aqui, ora. Mas por que ele segue adiante?

Há uns poucos barcos, amarrados à terra, mas sempre vigiados por alguém. Por fim Slothrop chega a um botezinho de fundo chato, remos a postos, pronto para partir, só um cobertor encosta acima, par de sapatos de salto alto, paletó de homem, arvoredo próximo. Assim, Slothrop sobe no barco e solta as amarras. Divirtam-se — um pouco maldoso — que *eu* não posso, mas por outro lado eu posso roubar o barco de vocês! Ha!

Rema até o fim da tarde, descansando por longos intervalos, realmente está fora de forma, a capa sufoca-o num cone de suor, tanto que ele termina tendo de tirá-la. Patos nadam a uma distância desconfiada, água escorrendo dos bicos de um laranja vivo. A superfície do canal estremece ao vento do entardecer, o pôr do sol em seus olhos risca a água com listras vermelhas e douradas: cores régias. Destroços destacam-se da água, chumbo e ferrugem vermelhas amadurecendo nesta luz, cascos cinzentos amassados, rebites descascando, cabos soltos apontando histéricos para todos os pontos cardeais, vibrando inaudivelmente ao sabor da brisa. Passam barcas vazias, à deriva, melancólicas. Uma cegonha sobrevoa, indo para casa, e de repente surge o arco da ponte da autoestrada Avus adiante. Se avançar mais, Slothrop volta para o setor americano. Ele desvia a rota num ângulo, atravessando o canal, chega à margem oposta e segue em direção ao sul, tentando evitar a barreira soviética que, segundo o mapa, fica em algum ponto a sua direita. Muita movimentação no lusco-fusco: guardas russos, tropas de elite com bonés verdes, marchando, a cavalo e em caminhões, rostos impassíveis. Sente-se a impedância do dia que morre, as espirais de arame farpado estremecendo, Potsdam avisando: mantenha distância... mantenha distância... Quanto mais perto, mais intenso o campo formado em torno daquela conferência internacional do outro lado do Havel. Bodine tem razão: não entra nem um mosquito. Slothrop sabe, mas mesmo assim segue em frente, sorrateiro, buscando os eixos de suspeita menos sensíveis, andando em zigue-zague, rumando, inofensivo, para o sul.

Invisível. A coisa é mais fácil de se acreditar quanto mais se persiste em seguir adiante. Em algum momento, na madrugada de são João, entre meia-noite e uma da manhã, entrou semente de samambaia em seus sapatos. Ele é o jovem invisível, a criança trocada pelas fadas, com sua armadura. O amiguinho da Providência. *Eles* estão preocupados com as formas de perigo que a Guerra lhes ensinou — fantasmas que alguns deles agora talvez estejam fadados a carregar pelo resto de suas vidas. Ótimo para Slothrop, também — são ameaças que nada têm a ver com ele. Eles continuam no espaço geográfico, estabelecendo prazos, dando autorizações, e os únicos seres que podem violar este espaço são logo capturados e paralisados nas histórias em quadrinhos. É o que eles pensam. Não sabem que o Homem-Foguete está aqui. A toda hora passam por ele, e ele permanece sozinho, ensombrado por veludo e pele de veado — se o veem, sua imagem é imediatamente relegada aos cafundós do cérebro, onde permanece exilada ao lado de outras criaturas da noite...

Por fim Slothrop vira à direita de novo, em direção ao poente. Ainda tem que atravessar aquela superautoestrada. Tem alemão que há 10, 20 anos não consegue voltar para casa porque ficou do lado errado de uma Autobahn que foi construída. Nervoso, pés agora plúmbeos, Slothrop aproxima-se da margem da Avus de fininho, escutando o ronco do tráfego lá em cima. Cada motorista acha que controla seu carro, cada um acha que tem um destino só seu, mas Slothrop sabe que não é nada disso. Os motoristas estão na estrada hoje porque Eles os querem lá, formando uma barreira letal. Uma terra cheia de Fritz von Opels amadores, o que promete uma bela de uma corrida para Slothrop — rosnando rumo à famosa curva inclinada em S onde loucos varridos com capacetes brancos e óculos de proteção negros outrora pilotavam como bruxos suas máquinas aerodinamizadas pelo vento (olhos admirados de coronéis de uniforme de gala, esposas de coronéis com chapéus de feltro à Garbo, todos bem protegidos em suas torres brancas e no entanto participando da aventura do dia, cada um aguardando a hora de emergir em sua própria superfície o magma de violência submerso...).

Slothrop solta os braços da capa, deixa que passe um Porsche esguio e gris, depois sai na disparada, as lanternas do automóvel lambendo-lhe uma perna enquanto os faróis de um caminhão do exército que vem voando já atingem a outra, acertando a gruta de um de seus olhos, transformando-o num relâmpago azul. Slothrop corre gingando para um lado, e grita "Hauptstufe!" que é o grito de guerra do Homem-Foguete, e levanta os dois braços e o leque verde-mar do forro de seda da capa, ouve freios sendo acionados, continua correndo, chega rolando ao canteiro central, enfia-se no meio dos arbustos enquanto o caminhão passa deslizando e para. Vozes por algum tempo. O que dá a Slothrop tempo para recuperar o fôlego e desenrolar a capa do pescoço. Por fim o caminhão vai embora. Na pista que vai para o sul o trânsito está mais lento hoje, e ele consegue atravessar correndo devagar, depois desce a encosta do lado oposto e sobe outra vez, enfiando-se no meio das árvores. Puxa! Atravessa estradas largas com um salto só!

É, Bodine, o seu mapa é perfeito neste trecho, menos quanto a um detalhe trivial que você meio que, bem, se esqueceu de mencionar, por que será?... É que cerca de 150 casas em Neubabelsberg foram requisitadas e isoladas para uso dos representantes dos Aliados presentes à Conferência de Potsdam, e o simpático marinheirinho escondeu o haxixe *exatamente lá*. Arame farpado, holofotes, sirenes, seguranças que já não lembram mais como é que se faz para sorrir. Graças a Deus, no caso a Säure Bummer, que ele tem seu passe especial. Placas feitas com estêncil cheias de setas com dizeres do tipo ALMIRANTADO, MINISTÉRIO DAS RELAÇÕES EXTERIORES, DEPARTAMENTO DE ESTADO, ESTADO-MAIOR... Tudo iluminado como uma estreia em Hollywood. Um tremendo ir e vir de civis com ternos, longos, smokings, entrando e saindo de limusines BMW com bandeiras de todos os países junto aos para-brisas. Folhas mimeografadas cobrem as pedras do calçamento e entopem as sarjetas. Dentro das guaritas das sentinelas há pilhas de máquinas fotográficas confiscadas.

Certamente deve vir aqui todo tipo de artista maluco. Ninguém fica muito espantado de ver o capacete, a capa, a máscara. Com um dar de ombros ambíguo, dão telefonemas e fazem uma que outra pergunta desinteressada, mas acabam deixando Max Schlepzig passar. Um bando de jornalistas americanos passa num ônibus de turismo, portando garrafas de Moselle liberado, e lhe oferece uma carona por um trecho. Logo estão discutindo que celebridade será ele. Uns acham que é Don Ameche, outros Oliver Hardy. Celebridade? Que história é essa? "Ora", diz Slothrop, "vocês não estão é me reconhecendo com essa roupa. Eu sou o Errol Flynn." Nem todo mundo acredita, porém assim mesmo ele consegue dar alguns autógrafos. Quando Slothrop salta, os jornalistas estão discutindo as candidatas do concurso de Miss Ouro do Reno 1946. Os partidários de Dorothy Hart são os que argumentam mais alto, mas a maioria está com Jill Darnley. Aquela conversa não faz o menor sentido para Slothrop — só daqui a meses ele verá um anúncio de cerveja mostrando as seis beldades, e vai dar por si torcendo por uma moça chamada Helen Rückert: uma loura com sobrenome holandês que lembra vagamente alguém que ele conhece...

A casa na Kaiserstrasse 2 é em estilo alto prussiano caipira, de um marrom cor de vômito, um tom que a iluminação gélida não torna nem um pouco mais atraente. É mais bem guardada do que qualquer outra casa ali. Por que será? pergunta-se Slothrop. Então vê a placa com o nome atual da casa.

"Ah, não. Só pode ser sacanagem." Por alguns momentos, fica parado na rua, estremecendo e xingando o marinheiro Bodine, idiota, cretino, agente da morte. Diz a placa: CASA BRANCA. Bodine o trouxe direto àquele sujeito de óculos, elegante, cuja efígie contemplava a Friedrichstrasse naquela manhã — àquele rosto que silenciosamente entrou em cena substituindo o rosto que Slothrop não chegou a ver e agora jamais verá.

As sentinelas, com rifles a tiracolo, estão tão silenciosas quanto ele. As dobras de sua capa assumem um tom de bronze corroído naquela luz. Atrás da vila há um som de água corrente. Música irrompe de repente, apagando o outro som. Uma festa. Por isso o deixaram entrar com tanta facilidade. Estarão à espera deste mágico, este convidado atrasado? Glamour, fama. Ele poderia entrar correndo, jogar-se aos pés de alguém e pedir anistia. E terminar ganhando um contrato para o resto da vida com uma rede de estações de rádio, o-ou até mesmo com um estúdio de cinema! Piedade é isso aí, é ou não é? Vira-se, tentando assumir um ar de tranquilidade, e vai discretamente saindo da luz, procurando um caminho que leve à tal água.

A margem do Griebnitz See está escura, à luz das estrelas, cheia de arame farpado, fervilhando de sentinelas inquietas. As luzes de Potsdam, acumuladas e espalhadas, tilintam do outro lado da água negra. Slothrop tem que entrar na água até a altura da bunda para poder passar o arame, e esperar até que as sentinelas se reúnam em torno de um cigarro numa das extremidades de sua ronda para subir correndo, capa desfraldada, encharcado, até a vila. O haxixe de Bodine está enterrado ao lado da casa, debaixo de um certo arbusto de zimbro. Slothrop acocora-se e começa a cavar com as mãos.

Lá dentro a coisa está animada. Vozes femininas cantam "Don't sit under the apple tree", e se não são as Andrews Sisters, podiam perfeitamente ser. São acompanhadas por uma banda de música de dança com um seção de madeira gigantesca. Risos, tilintar de copos, balbúrdia poliglota de vozes, uma típica noite aqui na grande Conferência. O haxixe está embrulhado em papel laminado dentro de um saco já meio podre. O cheiro é ótimo. Ah, porra — como é que ele foi se esquecer de trazer um cachimbo?

Na verdade, foi até bom. Acima de Slothrop, à altura de seus olhos, há um terraço, com uma espaldeira de pessegueiros carregados de flores leitosas. Quando ele está de cócoras, apalpando o saco, portas de vidro se abrem e alguém vem respirar um pouco de ar fresco no terraço. Slothrop imobiliza-se, pensando *invisível, invisível*... Passos aproximam-se, e sobre a balaustrada debruça-se — bem, pode parecer inverossímil, mas é Mickey Rooney. Slothrop o reconhece imediatamente, o filho desmiolado do juiz Hardy, em três dimensões, em carne e osso, de smoking, com cara de quem não está entendendo nada. Mickey Rooney olha para o Homem-Foguete com um saco de haxixe na mão, uma aparição úmida de capacete e capa. Com o nariz à altura dos reluzentes sapatos pretos de Mickey Rooney, Slothrop olha para a sala iluminada atrás dele — vê um sujeito que parece um pouco o Churchill, um monte de mulher de vestido de baile, com decotes tão baixos que mesmo daquele ângulo dá para ver mais peito do que num espetáculo no Minsky's... e talvez, talvez ele veja de relance até mesmo o tal presidente Truman. Ele *sabe* que está olhando para Mickey Rooney, embora esteja claro que Mickey Rooney, onde quer que vá depois, reprimirá a lembrança do fato de que uma vez viu Slothrop. É um momento extraordinário. Slothrop acha que deveria dizer alguma coisa, porém os centros cerebrais que lhe regulam a fala se recusam terminantemente a funcionar. Ele não sabe por quê, mas "Ih, você é o Mickey Rooney" não lhe parece um comentário muito apropriado. Assim, ficam os dois absolutamente imóveis, enquanto a noite da vitória passa a seu redor, e os figurões na sala inundada de luz elétrica amarela continuam tramando sem suspeitar de nada.

Slothrop é o primeiro a quebrar o encantamento: leva um dedo à boca e sai de fininho, contornando a vila em direção ao lago, deixando Mickey Rooney ainda com os cotovelos apoiados na balaustrada, ainda olhando.

Contornando o arame farpado, esquivando-se das sentinelas, caminhando rente à água, balançando o saquinho pelo barbante, Slothrop tem a vaga esperança de encontrar outro barco e voltar remando pelo Havel — claro! Por que não? É só quando ouve conversas ao longe vindo de uma outra vila que lhe ocorre a possibilidade de ele estar entrando na parte russa daquele trecho de casas cercadas.

"Humm", reflete Slothrop, "bem, nesse caso, melhor eu —"

Lá vem aquela salsicha outra vez. Vultos a meio metro dali — é como se tivessem emergido da água. Slothrop dá meia-volta, vê-se diante de um rosto largo, escanhoado, cabelos penteados para trás, leoninos, dentes de aço reluzentes, olhos negros e suaves como os olhos de Carmen Miranda —

"É", inglês cochichado sem o mais leve sotaque, "você foi seguido desde o começo." Já outros agarraram os braços de Slothrop. No alto do braço esquerdo ele sente uma coisa aguda, quase indolor, bem familiar. Antes que possa mover as cordas vocais já está longe, sobre a Roda, agarrando-se apavorado ao pontinho branco, cada vez menor, que é ele próprio, na primeira lufada da anestesia, pairando cai não cai sobre a boca do abismo da Morte...

Uma noite suave, toda lambuzada de estrelas douradas, o tipo de noite que outrora, nos pampas, Leopoldo Lugones gostava de descrever. O submarino balança silencioso na superfície. Os únicos ruídos são o do motor do "bode", de vez em quando irrompendo abaixo do convés, bombeando para fora a água que entra, e El Ñato no tombadilho a ré, com seu violão, tocando tristes e milongas de Buenos Aires. Beláustegui está lá embaixo, às voltas com o gerador. Luz e Felipe dormem.

Junto aos reparos das armas de 20 mm, Graciela Imago Portales espreguiça-se, melancólica. No seu tempo, era a idiota urbana de B.A., não ameaçando ninguém, amiga de todo mundo de ponta a ponta, desde Cipriano Reyes, que interveio em seu favor uma vez, à Acción Argentina, para a qual ela trabalhou antes de a organização ser fechada pela polícia. Era particularmente querida pelos literatos. Diz-se que Borges dedicou-lhe um poema ("El laberinto de tu incertidumbre/ Me trama con la disquietante luna...")

A tripulação que sequestrou este submarino é composta por todos os tipos de loucura argentina. El Ñato vive usando gírias gaúchas do século XIX — os cigarros são "pitos", as guimbas são "puchos", o que ele bebe não é caña e sim "la tacuara", e quando está bêbado está "mamao". Às vezes Felipe é obrigado a bancar o intérprete para ele. Felipe é um jovem poeta difícil cheio de entusiasmos desagradáveis, sendo um deles todo um elenco de ideias românticas e irreais a respeito dos gaúchos. Vive puxando o saco de El Ñato. Beláustegui, que faz as vezes de maquinista do navio, é de Entre Ríos, um positivista na velha tradição regional. E para um profeta da ciência até que ele sabe manejar uma faca muito bem — um dos motivos pelos quais El Ñato ainda não partiu para cima do bolchevique ateu da Mesopotâmia. É uma tensão constantemente a atuar sobre a solidariedade entre eles, mas está longe de ser a única. Luz no momento está com Felipe, embora oficialmente seja namorada de Squalidozzi — depois que Squalidozzi desapareceu em sua viagem a Zurique ela se engraçou pelo poeta, por conta de uma recitação pungente dos "Pavos reales" de Lugones, numa noite idílica ao largo de Matozinhos. Para esta tripulação, a nostalgia é como o enjoo: é só a esperança de morrer dela que os mantém vivos.

Porém Squalidozzi voltou, em Bremerhaven. Tinha acabado de ser perseguido por todo o território do que restava da Alemanha pelo Serviço de Informações Militares britânico, sem saber por quê.

"Por que você não foi pra Genebra e tentou se encontrar conosco?"

"Eu não queria levá-los até Ibargüengoitia. Mandei outra pessoa."

"Quem?" quis saber Beláustegui.

"Nunca soube o nome dele." Squalidozzi coçou a cabeça desgrenhada. "Talvez tenha sido burrice minha."

"Não teve mais contato com ele?"

"Nenhum."

"Então eles devem estar nos vigiando", Beláustegui irrita-se. "Seja ele quem for, estão de olho nele. Você realmente tem um faro ótimo para julgar as pessoas."

"O que é que você queria que eu fizesse? Que primeiro eu o levasse ao psiquiatra? Ficasse pesando as possibilidades? Parasse umas semanas para *pensar* sobre o problema?"

"Ele tem razão", El Ñato levantando o punho cerrado. "Mulher é que fica pensando, analisando. Homem tem é que seguir em frente, encarando a Vida de frente."

"Você dá nojo", disse Graciela Imago Portales. "Você não é um homem, é um cavalo suado."

"Obrigado", disse El Ñato, com uma mesura, pleno de dignidade gaúcha.

Ninguém estava gritando. A conversação, encerrada naquele espaço noturno de aço, era cheia de *esses* surdos e ipsilones palatais, a pungência peculiar e relutante do espanhol argentino, fruto de anos de frustrações, autocensura, complicados circunlóquios para evitar a verdade política — incorporando o Estado aos músculos da língua, na intimidade úmida logo atrás dos lábios... pero ché, no sós argentino...

Na Baviera, Squalidozzi andava às cegas pelos arredores de uma cidadezinha, apenas minutos à frente de um Rolls-Royce com uma cúpula sinistra no teto, de perspex verde-opaco. O sol acabava de se pôr. De repente ele ouviu disparos, cascos de cavalos, vozes nasaladas e metálicas falando inglês. Porém a cidadezinha pitoresca parecia deserta. Que história é essa? Entrou num labirinto de tijolos que havia sido uma fábrica de gaitas. Pedaços de bronze que jamais viriam a soar jaziam no meio do pó da fundição. Contra uma parede alta recém-pintada de branco percutiam sombras de cavalos e cavaleiros. Assistiam, sentados em bancadas e engradados, uma dúzia de indivíduos que Squalidozzi identificou na mesma hora como gângsteres. Brasas de charutos ardiam, e mulheres sussurravam em alemão. Os homens comiam salsichas, arrancando as peles com dentes brancos, bem tratados, que brilhavam à luz do projetor. Usavam as luvas Caligari que agora no verão estavam na moda na Zona: brancas cor de osso, fora as quatro linhas de um violeta-escuro que formavam um leque nas costas, do pulso aos ossos na base dos dedos. Todos usavam ternos quase tão claros quanto os dentes. Depois de Buenos Aires e Zurique, Squalidozzi achou aquilo uma extravagância. As mulheres cruzavam as pernas a toda hora: tensas como víboras. Havia no ar um cheiro de capim, um cheiro de folhas queimando, que o argentino não conhecia: para ele, morto de saudades da terra natal, o odor de mate recém-preparado após um dia difícil no hipódromo era o único termo de comparação. As janelas apinhadas davam para o pátio da fábrica, onde uma brisa de verão passava suave. A luz do projetor faiscava azul pelas janelas vazias afora, como se fosse fôlego tentando produzir uma nota. As imagens tornavam-se rombudas de vingança. "Eh!" gritavam os marginais com seus ternos de malandro, luvas brancas agitando-se para cima e para baixo. Bocas e olhos escancarados, como crianças.

Terminou o rolo, mas o espaço continuou escuro. Um vulto enorme de terno branco levantou-se, espreguiçou-se e andou até o ponto exato onde Squalidozzi estava acocorado, em pânico.

"Estão atrás de você, amigo?"

"Por favor —"

"Não, não. Venha. Venha assistir conosco. É do Bob Steele. Esse é gente boa. Aqui você está protegido." Assim, Squalidozzi descobriu que os gângsteres sabiam que ele estava nas redondezas havia dias: podiam inferir seus movimentos, embora não o vissem diretamente, com base na movimentação da polícia, que era perfeitamente visível. Blodgett Waxwing — pois era ele — usou a analogia de uma câmara de Wilson, a trilha de vapor deixada por uma partícula de alta velocidade...

"Não entendi."

"Acho que eu também não, meu caro. Mas a gente tem que ficar de olho em tudo, e no momento toda a turma mais avançada está empolgada com a tal de 'física nuclear'."

Depois do filme, Squalidozzi foi apresentado a Gerhardt von Göll, também conhecido por seu *nom de pègre*, "Der Springer". Ao que parece, o pessoal de von Göll e Waxwing estava no meio de uma conferência de negócios itinerante, cruzando as estradas da Zona em comboio, trocando de caminhão e ônibus com tanta frequência que não havia tempo para dormir de verdade, só para cochilos rápidos — no meio da noite, no meio de um campo, quando menos se esperava, era preciso sair correndo, trocar de veículo e pegar uma estrada diferente. Sem destino, sem itinerário fixo. Os veículos eram, em sua maioria, providenciados pelo traficante de automóveis Edouard Sanktwolke, que era capaz de fazer ligação direta em qualquer coisa que andasse em cima de rodas ou de lagartas de trator — tinha até um estojo de ébano feito sob medida cheio de pás de rotor, cada uma em seu nicho de veludo, uma de cada marca, modelo e ano diferente, caso o dono do alvo tivesse removido essa peça vital.

Squalidozzi e von Göll se entenderam de saída. Esse diretor de cinema transformado em atravessador resolvera usar seus lucros exorbitantes para financiar todos os seus filmes futuros. "É a única maneira de ter direito ao corte final, ¿verdad? Me diga, Squalidozzi, você é puro demais para isso? Ou será que o seu projeto anarquista aceitaria uma ajudinha?"

"Depende do que você vai querer de nós."

"Um filme, é claro. O que você gostaria de fazer? Que tal *Martín Fierro*?"

A alma do negócio é manter o freguês satisfeito. Martín Fierro não é apenas o herói gaúcho de um grande poema épico argentino. No submarino ele é considerado um santo anarquista. Há anos que o poema de Hernández está presente no pensamento político argentino — cada um tem a sua interpretação, citando trechos com veemência, tal como os políticos italianos do século XIX brandiam citações de *Os noivos*. A coisa remonta à velha polaridade básica da Argentina: Buenos Aires versus as províncias, ou — segundo Felipe — governo central versus anarquismo gaúcho, do qual ele se tornou o principal teórico. Ele usa um desses chapéus de aba redonda com bolas penduradas, e adquiriu o hábito de fazer hora junto às escotilhas, à espera de Graciela — "Boa noite, minha flor. Não vai dar um beijinho no seu Bakunin gaúcho?"

"Para mim, você parece mais um Gaucho Marx", rosna Graciela, e deixa Felipe voltar para o roteiro que está preparando para von Göll, com base no exemplar de *Martín Fierro* de El Ñato, que o uso constante há muito tempo transformou num maço de folhas soltas, cheirando a vários cavalos diferentes, o nome de cada um dos quais El Ñato, *mamao*, repete, entre lágrimas...

Uma planície ensombrada ao crepúsculo. Planura imensa. Câmara mantém ângulo baixo. Gente entrando em cena, lentamente, uma por uma ou em grupos pequenos, atravessando a planície devagar, rumo a um lugarejo à margem de um riacho. Cavalos, bois, fogueiras contra um fundo cada vez mais escuro. Ao longe, no horizonte, surge uma figura solitária a cavalo, e vai se aproximando, mais e mais, enquanto aparecem os créditos. A partir de um certo ponto percebemos que ele leva às costas um violão: é um payador, um cantor errante. Por fim desmonta do cavalo e junta-se aos homens sentados em torno da lareira. Após a refeição e uma rodada de caña ele começa a dedilhar as três cordas mais graves, a bordona, e canta:

Aqui me pongo a cantar
al compás de la vigüela,
que el hombre que lo desvela
una pena estrordinaria,
como la ave solitaria
con el cantar se consuela.

E assim, enquanto o gaúcho canta, sua história se desenrola — uma montagem de sua juventude na estância. Então vem o exército e ele é recrutado. Levam-no para a fronteira para matar índios. É nessa época que o general Roca está promovendo sua campanha de abrir os pampas exterminando o povo que lá vive: transformando as aldeias em campos de trabalhos forçados, colocando uma parcela maior do país sob o controle de Buenos Aires. Martín Fierro em pouco tempo toma nojo por aquele trabalho. É contra tudo aquilo que ele sabe que é direito. Torna-se um desertor. Mandam um pelotão em sua busca, e ele consegue convencer o sargento que o comanda a passar para seu lado. Juntos, atravessam a fronteira, fugindo, e vão viver no meio do mato, com os índios.

Isso é a Primeira Parte. Sete anos depois, Hernández escreveu *La vuelta de Martín Fierro*, em que o gaúcho se rende: é reassimilado pela sociedade cristã, abre mão de sua liberdade em troca da Gesellschaft constitucional sendo promovida na época por Buenos Aires. Um final bem moralista, completamente contrário ao da Primeira Parte.

"O que devo fazer?" von Göll quer saber. "As duas partes, ou só a primeira?"

"Bem", começa Squalidozzi.

"Eu sei o que *você* quer. Mas talvez seja melhor fazer dois filmes, se o primeiro der um dinheiro bom. Mas será que vai?"

"Claro que vai."

"Uma coisa tão antissocial?"

"Mas é tudo aquilo em que a gente acredita", protesta Squalidozzi.

"Mas até mesmo os gaúchos mais livres acabam se rendendo, você sabe. É assim que são as coisas."

É assim que é Gerhardt von Göll, pelo menos. Graciela o conhece: há linhas de ligação, sinistras conexões de sangue e veraneios em Punta del Este, através de Anilinas Argentinas, a filial da IG em Buenos Aires, passando pela Spottbilligfilm AG em Berlim (outra empresa da IG), que vendia filme virgem com desconto a von Göll, em particular a "Emulsão J", um filme estranho, lento, inventado por Laszlo Jamf, que de algum modo conseguia, mesmo à luz normal do dia, tornar a pele humana transparente até uma profundidade de meio centímetro, revelando o rosto imediatamente abaixo da superfície. Esta emulsão foi utilizada com abundância na obra imortal de von Göll, *Alpdrücken*, e talvez até venha a ser empregada em *Martín Fierro*. A única parte da epopeia que realmente fascina von Göll é um duelo musical entre o gaúcho branco e El Moreno. Aquilo tem boas possibilidades de enquadramento. Com a Emulsão J, ele poderia passar por baixo da cor da pele dos antagonistas, fazer fusões entre filme normal e Emulsão J, por exemplo, desfocando e entrando em foco, ou por meio de uma cortina — como ele adora cortinas! —, passando de um para o outro de mil e uma maneiras interessantes. Desde que ele descobriu que o Schwarzkommando realmente está na Zona, levando vidas verdadeiras, paracinemáticas, que nada têm a ver com ele nem com as cenas com o pseudo-Schwarzkommando que ele filmou na Inglaterra no inverno passado para a Operação Asa Negra, Springer vive num constante êxtase controlado de megalomania. Está convencido de que de algum modo foi seu filme que os fez existir na realidade concreta. "É minha missão", ele proclama para Squalidozzi, com a profunda humildade de que só um diretor de cinema alemão é capaz, "semear sementes de realidade na Zona. O momento histórico o exige, e sou obrigado a ser um instrumento dele. Minhas imagens, por algum motivo, foram escolhidas para a encarnação. O que posso fazer pelo Schwarzkommando também posso fazer pelo seu sonho de pampas e céu... Posso derrubar as cercas, as paredes do seu labirinto, posso levá-lo de volta ao Jardim que você retém na memória..."

Sua loucura claramente infectou Squalidozzi, que terminou voltando para o submarino e contaminando os outros. Pelo visto, era por isso que todos estavam esperando. "Africanos!" sonhava em voz alta Beláustegui, ele que normalmente era tão terra a terra, numa reunião de trabalho. "E se for mesmo verdade? E se conseguimos voltar ao mundo que existia antes de os continentes se separarem?"

"De volta à Gondwanalândia", cochichou Felipe. "Quando o rio da Prata ficava junto ao Sudoeste africano... e os refugiados mesozoicos pegavam a barca não para Montevidéu, mas para Lüderitzbucht..."

O plano é dar um jeito de chegar à Charneca de Lüneburg e fazer uma pequena estância lá. Von Göll ficou de encontrar-se com eles no lugar. Junto aos reparos, Graciela Imago Portales sonha. Será que von Göll é uma concessão suportável? Há bases piores que um filme. As aldeias-fachada do príncipe Potemkin terão sobrevivido à passagem de Catarina? A alma do gaúcho sobreviverá aos processos mecânicos de iluminação e gravação? Ou será que alguém há de vir, mais cedo ou mais tarde, von Göll ou outro qualquer, para filmar a Segunda Parte e desmontar o sonho?

No céu, ao longe, desliza o Zodíaco, um espetáculo setentrional que ela jamais conheceu na Argentina, lento como um ponteiro de horas... De repente uma explosão de estática vem do alto-falante, e Beláustegui está gritando: "Der Aal! Der Aal!" A enguia? pergunta-se Graciela. A *enguia*? Ah, sim, o torpedo. Ah, Beláustegui é igual a El Ñato, sente-se na obrigação, sabe-se lá por quê, de usar a gíria de submarinos alemã, isto aqui é precisamente uma torre de Babel marítima — o *torpedo*? Por que é que ele está gritando "o torpedo"?

Por um bom motivo: porque o submarino acaba de aparecer na tela de radar do navio americano *John E. Badass* (sorria, submarino!) como um pip não identificado, "skunk" em linguajar de OR, e o *Badass*, num ato reflexo de força de pós-guerra, agora está se aproximando a toda velocidade. Hoje a recepção está perfeita, o retorno está "lisinho como pele de bebê", confirma Spyros Telangiecstasis, o operador do radar. Dá para ver até os Açores. Uma noite de verão suave e fluorescente em alto-mar. Mas o que é isso aqui na tela de repente, deslocando-se depressa, a cada volta, separado do pip original como uma gota de luz, pequenino porém inconfundível, seguindo em direção ao centro imóvel do radar, cada vez mais perto —

"Bravobravobravo!" grita uma voz assustada ao sonar pelos fones. Isso quer dizer: torpedo inimigo a caminho. Cafeteiras despencam, réguas paralelas e compassos de medidores deslizam sobre o vidro do equipamento de derrota estimada, enquanto a lata velha aderna, seguindo uma trajetória de evasão que já era obsoleta no tempo do governo Coolidge.

O pálido túnel da esteira de Der Aal deve cruzar com o zigue-zague desesperado do *Badass* mais ou menos pelo través. O que intervém é a droga Onirina, em forma de cloreto. A máquina da qual ela emergiu foi a cafeteira do refeitório do *John E. Badass*. O brincalhão marujo Bodine — quem senão ele? — borrifou nos grãos de hoje uma dose cavalar da célebre droga de Laszlo Jamf, descolada na mais recente ida de Bodine a Berlim.

A propriedade de modulação temporal característica da Onirina foi uma das primeiras a ser descobertas pelos pesquisadores. "Ela é vivenciada", escreve Shetzline em seu estudo clássico, "subjetivamente... ããh... bem. Digamos que... é como enfiar uma cunha de esponja prateada *direto dentro do cérebro*!" Assim, no suave retorno do radar, as duas trajetórias fatais se cruzam no espaço, mas não no tempo. Nem de longe, he, he! O alvo do torpedo de Beláustegui era um velho derrelito enferrujado, vagando ao sabor das correntes e ventos, porém trazendo à noite uma espécie de crânio: um anúncio de vazio metálico, de sombra, que já assustou até positivistas mais firmes que Beláustegui. E o que foi detectado pelo radar do *Badass* acabou se revelando um cadáver, de cor escura, talvez de um norte-africano, o qual a tripulação gastou meia hora disparando o canhão de popa do destróier para reduzir a pedaços enquanto a belonave passava de fininho a uma distância protegida, com medo da peste.

Agora, que mar é esse que vocês cruzaram, exatamente, e que mar é esse em que vocês mergulharam até o fundo mais de uma vez, alerta, cheios de adrenalina, mas assim mesmo presos, intimidados pelas epistemologias dessas ameaças que os paranoiparalizam de todo, presos dentro dessa panela de aço, amolecendo, reduzindo-se a um mingau desvitaminado dentro da sopa de suas próprias palavras, seu hálito submarino desperdiçado? Foi necessário um caso Dreyfus para que os sionistas começassem a agir: o que será preciso para expulsar vocês do seu panelão de sopa? Será que já aconteceu? Terá sido o ataque seguido da fuga de ainda há pouco? Vocês vão mesmo para Lüneberg, e fundar logo sua povoação, e ficar à espera do seu Diretor?

□□□□□□□

À sombra de um salgueiro alto à margem de um canal, dentro de um jipe, encontram-se Tchitcherine e seu motorista Džabajev, um casaque adolescente viciado em drogas, espinhento e sempre de cara fechada, que se penteia igual ao crooner americano Frank Sinatra e que, no momento, está olhando contrariado para uma fatia de haxixe e dizendo a Tchitcherine: "Mas o senhor devia ter pego mais do que isso".

"Só peguei o equivalente ao valor que ele dá à sua própria liberdade", explica Tchitcherine. "Cadê o cachimbo, hein?"

"E como é que *o senhor* sabe qual o valor que ele dá à liberdade dele? Sabe o que eu acho? Acho que a maluquice da Zona está pegando no senhor também." O tal de Džabajev é mais um cupincha que um motorista, na verdade, de modo que ele tem um certo grau de imunidade para questionar a sabedoria de Tchitcherine.

"Olhe aqui, seu camponês, você leu aquela transcrição. Ele é um sujeito solitário e infeliz. Cheio de problemas. Para nós, ele é mais útil solto na Zona, crente que está livre, mas seria melhor para ele se estivesse trancafiado em algum lugar. Ele nem sabe o que *é* a liberdade, quanto mais qual o valor dela. Por isso sou *eu* que fixo o preço, o que aliás não tem importância nenhuma."

"Muito autoritário", diz o rapaz, debochado. "Cadê os fósforos?"

Mas é triste. Tchitcherine gosta de Slothrop. Sente que, em qualquer período normal da história, eles dois poderiam tranquilamente tornar-se amigos. As pessoas que usam fantasias malucas têm um certo savoir-vivre — para não falar num certo desvio de personalidade — que ele admira. Quando era menino, em Leningrado, sua mãe lhe costurou à mão uma fantasia para usar num teatrinho na escola. Tchitcherine era o lobo. No momento em que vestiu a cabeça, em frente ao espelho junto ao ícone, passou a conhecer-se a si próprio. Ele era o lobo.

Aquela sessão de amitol sódico incomoda-lhe o forro do córtex cerebral, como se fosse ele quem sentisse a ressaca. No fundo, bem no fundo — além da política, do sexo, dos terrores da infância... um mergulho na treva nuclear... O negro é recorrente na transcrição: a cor negra. Slothrop jamais mencionou Enzian pelo nome, nem o Schwarzkommando. Porém falou sobre o Schwarzgerät. E também juntou "schwarz-" a alguns substantivos estranhos, nos fragmentos em alemão que surgiram. Negramulher, Negrofoguete, Negrossonho... Esses neologismos parecem ser criados inconscientemente. Haverá uma raiz única, mais profunda, num nível aonde ninguém jamais chegou, do qual as Negropalavras de Slothrop apenas parecem florescer separadas? Ou será que, via idioma, ele pegou a mania alemã de dar nome às coisas, subdividir mais e mais a Criação, analisando, criando uma distância insuperável entre nomeador e coisa nomeada, chegando mesmo a introduzir a matemática das combinações, jungindo substantivos já estabelecidos para criar compostos novos, a brincadeira alucinada, interminável, de um químico cujas moléculas são palavras...

Pois bem, o homem é um enigma. Quando Geli Tripping avisou-o de sua presença na Zona, o interesse de Tchitcherine foi apenas o suficiente para que ele lhe dedicasse uma vigilância rotineira, a ele tal como a dezenas de outros. O único detalhe estranho, que foi se tornando cada vez mais estranho, era que ele parecia estar sozinho. Até o momento, Slothrop não conseguiu registrar, identificar, descobrir nem liberar o menor farelo de um A4, a mais tênue informação sobre o foguete. Slothrop não presta contas ao GOPE, nem à SOIC, nem ao ECFB, nem à IT, nem a nenhuma organização americana correspondente — aliás, a nenhuma agência dos Aliados. No entanto, ele é um dos Fiéis: um dos caçadores de pedaços que percorrem diligentemente as trajetórias dos A4 desde Hoek van Holland até a Baixa Saxônia. Peregrinos seguindo um caminho de milagres, cada pedacinho uma relíquia sagrada, cada fragmento de manual um versículo das Escrituras.

Mas não é qualquer peça de foguete que interessa a Slothrop. Ele está se contendo, se guardando para uma coisa absolutamente única. Será o Negrofoguete? Será o 00000? Enzian está procurando por ele, e pelo misterioso Schwarzgerät. É bem provável que Slothrop, impelido por seu Negrofenômeno, reagindo a suas necessidades ainda que ele próprio não tenha consciência delas, volte repetidamente, ciclo após ciclo, a Enzian, até a missão ser resolvida, as equipes de busca serem dissolvidas, o equipamento encontrado. É só uma intuição forte: não é coisa que Tchitcherine jamais vá colocar no papel. Do ponto de vista operacional, ele está tão sozinho aqui quanto Slothrop — prestando contas, quando chega de fato a fazer tal coisa, diretamente à comissão especial de Malenkov subordinada ao Conselho de Comissários do Povo (a ligação com o TSAGI é mais uma fachada). Mas Slothrop lhe pertence. Ele vai ser seguido, sim senhor. Se o perderem, ora, vão achá-lo de novo. Pena que não se pode motivá-lo pessoalmente a pegar Enzian. Mas Tchitcherine não é bobo a ponto de achar que todos os americanos são tão fáceis de explorar quanto o major Marvy, com suas reações viscerais à cor negra...

É uma pena. Tchitcherine e Slothrop poderiam ter fumado haxixe juntos, trocado observações sobre Geli e outras moças das ruínas. Ele poderia ter cantado as músicas americanas que sua mãe lhe ensinou, acalantos de Kiev, estrelas, namorados, flores brancas, rouxinóis...

“A próxima vez que a gente encontrar aquele inglês”, diz Džabajev, olhando curioso para suas próprias mãos sobre o volante, “ou americano, ou lá o que seja, veja se o senhor consegue descobrir onde é que ele arranjou esse haxixe, hein?”

“Anote isso”, ordena Tchitcherine. Os dois começam a gargalhar como loucos, ali à sombra do salgueiro.

Slothrop volta a si em episódios que se fundem com sono e do sono emergem, conversas cadenciadas e serenas em russo, mãos apalpando-lhe o pulso, as costas largas e verdes de alguém saindo do recinto... É uma sala branca, um cubo perfeito, embora por algum tempo ele não consiga reconhecer cubos, paredes, em decúbito horizontal, qualquer coisa que seja demasiadamente espacial. Apenas a certeza de que mais uma vez lhe injetaram amitol sódico. *Essa* sensação ele conhece muito bem.

Está deitado numa cama de lona, ainda vestido de Homem-Foguete, capacete no chão junto à sacola de haxixe — *ah*. Embora o gesto lhe exija uma coragem sobre-humana em face das dúvidas sobre a possibilidade de mover-se, ele consegue virar-se para o lado e dar uma olhada na droga. Um dos pacotes de papel laminado parece menor. Ele passa uma ou duas horas nervosas desfazendo o embrulho para constatar, tal como previra, a presença de um corte recente, verde vivo contra o marrom do bloco de haxixe. Passos soam na escada de metal lá fora, e uma porta pesada é empurrada no andar de baixo. Merda. Slothrop, deitado dentro do cubo branco, sente-se grogue, pés cruzados, mãos atrás da cabeça, não tem vontade de ir a lugar nenhum em particular... Cochila e sonha com pássaros, uma densa revoada de emberizas-das-neves, um cair de folhas de pássaros, em meio à neve densa que desce. Slothrop está em Berkshire. É pequeno, e segura a mão do pai. O tapete de aves balança, impelido para cima, para o lado, pela tempestade, depois para baixo outra vez, à procura de comida. "Tadinhos", diz Slothrop, e sente o pai apertar-lhe a mão através da luva de lã. Broderick sorri. "Eles estão bem. Os coraçõezinhos deles batem muito, muito rápido. O sangue e as penas deixam eles muito bem aquecidos. Não se preocupe, meu filho. Não se preocupe..." Slothrop acorda outra vez no quarto branco. No silêncio. Levanta a bunda e faz uns exercícios débeis de bicicleta, depois relaxa de novo, sentindo a gordura flácida que deve ter se acumulado na barriga no tempo que passou fora de órbita. Há um reino invisível de banha, um milhão de células sem eira nem beira, e elas todas sabem quem ele é — assim que Slothrop fica desacordado as danadas se ouriçam todas, gritando com horrendas vozinhas agudas de Mickey Mouse, oi pessoal! vamolá, vamo pro Slothrop, o babacão não faz nada o dia todo, largado na cama, vamolá, oba! "Tome isso", murmura Slothrop, "e-e mais isso!"

Braços e pernas aparentemente funcionando, ele se levanta, gemendo, põe o capacete na cabeça, agarra o saco de haxixe e sai pela porta, a qual estremece toda, tal como as paredes, quando ele a abre. Ah-ah! Tudo de lona. É um cenário de cinema. Slothrop vê que está num estúdio velho, caindo aos pedaços, escuro, só uns riscos de sol amarelo entrando por uns furinhos no alto. Passarelas enferrujadas, que rangem sob seu peso, negras luzes de Klieg queimadas, a fina rede de teias de aranha que os finos raios de sol transformam em gráficos... A poeira acumulou-se nos cantos, e por cima dos restos de outros cenários: ninhos de amor pseudogemütlich, boates de paredes inclinadas cheias de vasos de palmeiras, ameias wagnerianas de papel-machê, pátios de ásperos cortiços expressionistas em preto e branco, com proporções que não obedecem a nenhuma escala humana, deformados segundo as leis da perspectiva para o uso de lentes rígidas que se voltaram para eles uma única vez. Reflexos de luz pintados nos cenários que perturbam Slothrop, o qual a toda hora encontra aqueles leves riscos amarelos e levanta a vista depressa, depois olha a seu redor, tentando encontrar fontes luminosas inexistentes, cada vez mais agitado à medida que prolonga sua incursão pelo estúdio abandonado, as vigas do teto a quinze metros de altura quase perdidas nas sombras, tropeçando nos ecos de seus próprios passos, espirrando com a poeira que seus pés levantam. Os russos foram embora, sem dúvida, mas Slothrop não está sozinho aqui. Ele desce uma escada de metal, atravessando teias rotas, irritando as aranhas, deslocando suas presas secas, pisando ferrugem, e ao chegar embaixo sente um puxão súbito em sua capa. Ainda meio zonzo por causa da injeção, sua única reação é recuar violentamente. O que o detém é uma mão enluvada, pelica reluzente esticada sobre ossinhos bem delineados. Uma mulher com um vestido parisiense negro, uma íris roxa e amarela no peito. Mesmo através da capa de veludo Slothrop sente o tremor de sua mão. Olha para olhos com um suave contorno como se de cinza negra, grãos separados de pó no rosto, visíveis onde poros ficaram expostos ou o pó foi removido por lágrimas. É assim que ele conhece Margherita Erdmann, sua escura lareira estival, seu salvo-conduto para recordações manchadas de pavor do Inflazionszeit — sua filha, sua indefesa Lisaura.

Ela está de passagem: mais uma entre milhões de desarraigados. Procurando a filha, Bianca, indo para o leste, rumo a Swinemünde, se os russos e poloneses não a impedirem de seguir viagem. Veio a Neubabelsberg por motivos sentimentais — há anos que não vê os velhos estúdios. Nos anos 20 e 30, trabalhou aqui como atriz, aqui e em Templehof e Staaken também, mas este lugar sempre foi seu favorito. Aqui foi dirigida pelo grande Gerhardt von Göll em dezenas de filmes de horror vagamente pornográficos. "Desde o começo eu sabia que ele era um gênio. Eu era apenas uma criatura nas mãos dele." Nunca teve potencial de estrela, ela admite sem rodeios, não era nenhuma Dietrich, nem vampe à la Brigitte Helm. Mas tinha algo que lhes interessava — eles (Slothrop: "Eles?" Erdmann: "Não sei...") a chamavam de Anti-Dietrich: não uma demolidora de homens, e sim uma boneca — lânguida, exausta... "Assisti a todos os nossos filmes", relembra ela, "alguns deles seis ou sete vezes. Eu ficava o tempo todo parada. Nem meu rosto se mexia. Ach, aqueles closes intermináveis, esgazeados... era como se fosse sempre o mesmo quadro, repetido sem parar. Mesmo quando fugia — eu estava sempre sendo perseguida, por monstros, loucos, criminosos — mesmo assim eu era tão —" — as pulseiras brilham — "impassível, tão... monumental. Quando não estava correndo, eu normalmente estava amarrada ou acorrentada a alguma coisa. Venha. Vou lhe mostrar." Levando Slothrop ao que resta de uma câmara de tortura, dentes de madeira caídos da roda de um ecúleo, gesso das falsas pedras descascado e lascado, poeira subindo, archotes mortos e frios e tortos na parede. Corre as correntes de madeira, que já perderam quase toda a tinta prateada, por entre os dedos enluvados. "Este cenário foi usado em *Alpendrücken*. Naquele tempo o Gerhardt ainda gostava de iluminação exagerada." Um pó prateado se acumula nas finas pregas das luvas quando ela tira a poeira do ecúleo, para depois deitar-se nele. "Assim", levantando os braços e insistindo para que Slothrop prenda os grilhões de lata em seus pulsos e tornozelos. "A luz vinha de cima e de baixo ao mesmo tempo, de modo que todo mundo tinha duas sombras: a de Caim e a de Abel, dizia Gerhardt. Foi o auge de sua fase simbolista. Mais tarde ele passou a usar mais luz natural, a filmar mais ao ar livre." Foram a Paris, a Viena. A Herrenchiemsee, nos Alpes da Baviera. Von Göll sonhava em fazer um filme sobre Ludwig II. Por causa disso, quase foi parar na lista negra. O ídolo da época era Frederico. Era considerado antipatriótico dizer que um governante alemão podia ser louco. Mas o ouro, os espelhos, a imensidão de enfeites barrocos deixaram o próprio von Göll meio amalucado. Especialmente aqueles *corredores compridos*... "Metafísica de corredor" é o nome que os franceses dão a esse estado. Veteranos de corredores ainda hoje riem quando relembram von Göll, já há muito tempo sem filme virgem para trabalhar, ainda enquadrando paisagens douradas na dolly, com um sorriso pateta nos lábios. Mesmo usando filme ortocromático, os tons cálidos transpareciam em preto e branco, se bem que o filme acabou nunca sendo lançado, é claro. *Das Wütend Reich*, como é que eles iriam engolir uma coisa dessas? Infindáveis negociações, homenzinhos elegantes com suásticas nas lapelas entrando no estúdio, interrompendo as filmagens, esbarrando de cara nas paredes de vidro. Eles teriam aceito qualquer coisa no lugar de "Reich", até mesmo "Königreich", mas von Göll fincou pé. Estava na corda bamba. Para compensar, começou imediatamente a filmar *Boa sociedade*, o qual, segundo dizem, encantou Goebbels de tal modo que ele assistiu ao filme três vezes, rindo e cutucando o sujeito sentado a seu lado, que era talvez Adolf Hitler. Margherita fazia o papel da lésbica no café, "a de monóculo, que no final é morta a chicotadas pelo travesti, lembra?" Pernas pesadas em meias de seda que brilham agora de um brilho duro, como se polido à máquina, joelhos lisos roçando um contra o outro à medida que as lembranças se acumulam, excitando-a. E a Slothrop também. Ela sorri, olhando para a braguilha de couro de veado, cada vez mais tensa. "Ele era lindo. Para ele, tanto fazia dar ou comer. Você me lembra ele um pouco. Especialmente... essas botas... *Boa sociedade* foi nosso segundo filme, mas este", *este?* "*Alpdrücken* foi o primeiro. Acho que a Bianca é filha dele. Foi concebida quando estávamos nesta filmagem. Ele fazia o papel do Grande Inquisidor que me torturava. Ah, nós éramos os queridinhos do Reich — Greta Erdmann e Max Schlepzig, Maravilhosamente Juntos —"

"Max Schlepzig", repete Slothrop, olhos esbugalhados, "ah, não fode. *Max Schlepzig?*"

"Não era o nome verdadeiro dele. Erdmann também não era o meu. Mas qualquer coisa que contivesse a palavra Terra era politicamente aceitável — Terra, Solo, Povo... um código. Que eles, arregalando os olhos, sabiam decifrar... Max tinha um nome judeuzérrimo, Não-Sei-Que-Céu, e o Gerhardt achou mais prudente ele usar um nome diferente."

"Greta, uma pessoa também achou prudente *eu* me chamar Max Schlepzig." Mostra o passe que lhe foi dado por Säure Bummer.

Ela olha para o passe, depois para Slothrop por um instante. Está tremendo outra vez. Uma mistura de desejo e medo. "Eu sabia."

"Sabia o quê?"

Desviando a vista, submissa. "Sabia que ele estava morto. Ele desapareceu em 38. Ah, Eles não dormem no ponto, não é?"

Tendo aprendido, na Zona, como são as psicoses passapórticas dos europeus, Slothrop sente vontade de tranquilizá-la. "Este passe é forjado. O nome foi escolhido de modo aleatório. O sujeito que o fez deve ter se lembrado de algum filme antigo de Schlepzig."

"Aleatório." Um sorriso trágico, teatral, primícias de um queixo duplo, um joelho dobrado até onde o permitem os grilhões. "Outra palavra de faz de conta. A assinatura no seu cartão é do Max. Lá na casa da Stefania, à margem do Vístula, tenho uma caixa de aço cheia de cartas dele. Então eu não conheço aquele zê latino, riscado no meio, à maneira dos engenheiros, e a flor que ele fazia com o gê no final? Pode procurar por toda a Zona que você não vai encontrar o tal 'falsário'. Eles não iam deixar que você o encontrasse. Eles querem você aqui, agora."

Pois bem. O que acontece quando dois paranoicos se encontram? Um cruzamento de solipsismos. Claramente. Os dois padrões criam um terceiro: um moiré, um novo mundo de sombras fluentes, interferências... "Me querem aqui? Para quê?"

"Para mim." Sussurrando com lábios escarlate entreabertos, úmidos... Hum. Bem, o pau está duro. Ele senta-se no ecúleo, abaixa-se, beija-a, por fim desamarra as calças e as abaixa o bastante para libertar a pica, que salta para fora, estremecendo um pouco, no estúdio um pouco frio. "Ponha o capacete."

"O.K."

"Você é muito cruel?"

"Não sei."

"Você podia tentar ser? Por favor. Ache alguma coisa para bater em mim. Só um pouquinho. Só para esquentar." Nostalgia. A dor da volta ao lar. Ele olha a sua volta, examina os instrumentos inquisitoriais, grilhões, anjinhos, arreios de couro, até encontrar um açoite em miniatura, um chicote de duende da Floresta Negra, cabo negro laqueado com uma orgia em baixo-relevo, tranças forradas de veludo para doer mas não tirar sangue. "Isso, perfeito. Agora aqui, do lado de dentro das minhas coxas..."

Mas alguém já instruiu Slothrop. Algo... que sonha sonhos prussianos, hibernando entre seus prados, em quaisquer vergões cursivos que aguardam na carne do céu deles, tão árido, tão incapaz de proteger, que aguardam a hora de serem chamados... Não. Não — Slothrop ainda diz "deles", mas sabe a verdade. Os prados agora são dele, o céu é dele... a crueldade é dele.

Todas as correntes e grilhões de Margherita estão tilintando, a saia negra levantada até a cintura, as meias esticadas em cúspides clássicas pelos suspensórios da estrutura negra de osso que ela usa por baixo das roupas. Quantos pênis ocidentais não subiram de um salto, no decorrer de um século, diante da visão deste ponto singular no alto de uma meia feminina, esta transição de seda para pele nua e suspensório! Para um não-fetichista é fácil falar em condicionamentos pavlovianos com um sorriso irônico e dar o assunto por encerrado, mas todo entusiasta de lingerie que faz jus a seu próprio sorriso lascivo é capaz de lhe dizer que há muito mais em jogo aqui — uma cosmologia: de nódulos e cúspides e pontos de osculação, beijos matemáticos... *singularidades*! Pense em agulhas de catedrais, minaretes sagrados, o ruído das rodas do trem na encruzilhada seguindo pela estrada que você não escolheu... picos de serras apontando pontiagudos para o céu, como os que os turistas contemplam em Berchtesgaden... as bordas das lâminas de barbear, sempre contendo mistérios poderosos... espinhos de roseiras que nos picam quando menos esperamos... até mesmo, segundo o matemático russo Friedmann, o ponto infinitamente denso a partir do qual o atual Universo expandiu-se... Em cada um desses casos, a passagem do ponto para o não-ponto encerra uma luminosidade e um enigma que faz com que algo dentro de nós salte e cante, ou então se recolha apavorado. Contemplando o A4 apontado para o céu — no instante antes que a última chave seja acionada —, vendo aquele ponto singular bem no alto do Foguete, onde fica o detonador... Será que todos esses pontos implicam, tal como o do Foguete, um aniquilamento? O que é aquilo, no céu, detonando acima da catedral? sob a borda da lâmina, embaixo da rosa?

E o que aguarda Slothrop, que surpresa desagradável, acima das bordas das meias de Greta? desfiando-se de repente, o risco pálido a fluir coxa abaixo, sobre os acidentes do joelho, até sumir de vista... O que o aguarda após o estalido do veludo contra a pele de Greta, longas listras vermelhas sobre fundo branco, os gemidos dela, a flor cor de equimose que grita em seu peito, o tilintar das correntes que a prendem? Ele tenta não rasgar as meias da sua vítima, nem acertar com o chicote muito perto da vulva tensa, que estremece, desprotegida, entre as coxas escancaradas e retesadas, em meio a movimentos musculares tão eróticos, contidos, "monumentais" quanto qualquer vestígio em prata de seu corpo sobre filme. Ela goza uma vez, depois talvez mais uma antes de Slothrop largar o chicote e subir nela, cobrindo-a com as dobras de sua capa, ele, o pseudo-Schlepzig dela, a mais recente lembrança de Katje dele... e dão início à foda, o falso ecúleo gemendo sob seus corpos, Margherita sussurrando *Ah meu Deus como você me machuca* e também *Ah, Max*... e na hora exata em que Slothrop está prestes a gozar, o nome da filha dela: filtrado entre dentes perfeitos, uma nítida extrusão de dor que não é fingida, ela grita, *Bianca*...

□□□□□□□

... isso, sua puta — isso, sua putinha — sua *puta* fodida, você está gozando e não pode se conter vou chicotear você de novo até você *sangrar*... Toda a fachada de Pökler assim, dos olhos aos joelhos: inundados com a imagem dessa noite, a vítima deliciosa amarrada em seu ecúleo, enchendo a tela do cinema — closes de seu rosto contorcido, mamilos extraordinariamente eretos sob o vestido de seda, demonstrando a falsidade de seus gemidos de dor — *puta!* ela gosta... e Leni não é mais a esposa séria, fonte rancorosa de força, e sim Margherita Erdmann deitada debaixo dele, por baixo para variar, enquanto Pökler enfia mais uma vez, enfia nela mais uma vez, isso, sua puta, isso...

Só depois ele tentou determinar a data. Curiosidade mórbida. Duas semanas depois da última menstruação dela. Naquela noite ele saíra do cine Ufa na Friedrichstrasse de pau duro, pensando tal como todo mundo apenas em chegar em casa, foder alguém, fodê-la e reduzi-la a um estado de submissão... Meu Deus, como Erdmann era bonita. Quantos outros homens, saindo do cinema e voltando à realidade de Berlim, da Depressão, não terão levado consigo a mesma imagem de *Alpdrücken* ao ir ter com alguma noiva gorda e desenxabida? Quantas crianças espectrais não seriam concebidas em Erdmann naquela noite?

Para Pökler, a ideia de Leni engravidar nunca fora uma possibilidade concreta. Porém agora, olhando para trás, ele não tinha dúvida de que tinha sido naquela noite, a noite de *Alpdrücken*, que Ilse fora concebida. Era tão raro eles treparem agora. Não era difícil determinar a data. *Foi assim que aconteceu. Um filme. Claro. Não foi nisso que transformaram minha filha — num filme?*

Nesta noite, sentado no porão da Nikolaikirche, com sua cúpula em forma de cebola, junto à lareira, ele escuta o mar. Estrelas pairam nos espaços da grande Roda, para ele tão precárias quando velas, quanto o último cigarro da noite. O frio cresce na praia. Espectros de crianças — alvos assobios, lágrimas que nunca escorrem — viajam no vento do outro lado da parede. Pedaços retorcidos de papel crepom desbotado voam rente ao chão e esbarram em seus sapatos velhos. A poeira, sob uma lua recém-parida, cintila como neve, e o Báltico rasteja como a geleira que o nutre. O coração de Pökler dá de ombros dentro de sua rede escarlate, elástica, cheio de expectativa. Ele espera Ilse, sua filha cinematográfica, voltar para Zwölfkinder, como ela faz todos os verões, nesta época.

Cegonhas dormem entre os cavalos de duas ou três patas, as engrenagens enferrujadas, o teto rachado do carrossel, suas cabeças estremecendo com as correntes de ar e a aridez da África, delicadas cobras pretas trinta metros abaixo, serpenteando ao sol por entre as pedras e declives do terreno. Enormes cristais de sal, já cinzentos, se espalham pelas fendas da calçada, pelas rugas do cachorro com olhos redondos feito pires em frente da prefeitura, a barba do bode da ponte, a boca do duende embaixo. A porca Frieda procura um lugar novo onde aninhar-se e cochilar até passar o vento. A bruxa de gesso, o arame já visível na altura dos seios e das cadeiras, debruça-se sobre o forno, o gesto de cutucar um João corroído eternamente petrificado. Os olhos de Maria estão para sempre escancarados, sem jamais piscar, cílios pesados de sal estremecendo ao sabor das hordas de vento que vêm do mar.

Se há um fundo musical para isso tudo, vem das seções de cordas e madeiras ao vento, em pé ao longo da praia, com camisas muito alvas e gravatas pretas, um organista de capa junto ao quebra-mar — ele próprio quebrado, marcado pelas marés — cujas linguetas e tubos reúnem e dão forma aos espectros ressoantes daqui, as recordações à luz das velas, todos os vestígios, partículas e ondas, dos sessenta mil que passaram, já incluídos na lista de recrutamento, uma ou duas vezes por aqui. Você alguma vez passou as férias em Zwölfkinder? Deu a mão a seu pai no trem vindo de Lübeck, olhando para seus próprios joelhos ou os de outras crianças como você, cabelo em tranças, roupas passadas, cheirando a goma, graxa de sapatos, caramelo? Ouviu o tilintar das moedas na sua bolsa enquanto a Roda girava, escondeu o rosto na lapela de lã do casaco dele ou ajoelhou-se no assento, olhando para o oceano, tentando ver a Dinamarca? Teve medo quando o anão tentou abraçá-la, seu vestido a fez coçar-se na tarde quente, o que você disse, o que você sentiu quando passaram meninos correndo, um roubando o boné do outro, sem dar atenção a você?

Ela deve ter sido uma criança que sempre esteve na lista de alguém. Ele é que evitava pensar nisso. Mas o tempo todo ela estampava sua decepção no rosto fechado, no passo relutante, e se Pökler não precisasse tanto de sua proteção talvez tivesse se dado conta de que ela não era capaz de proteger coisa alguma, nem mesmo o ninho mofino deles. Pökler não conseguia conversar com ela — era como discutir com seu próprio fantasma de dez anos antes, o mesmo idealismo, a fúria adolescente — coisas que outrora o encantavam — uma mulher de fibra! — mas que terminou lhe parecendo sinal de compulsão, até mesmo, ele era capaz de jurar, de um desejo de ser destruída...

Ela saía para trabalhar em seu grupo de teatro de rua sempre achando que não ia voltar mais, porém ele nunca acreditou nisso. Esquerdistas e judeus nas ruas, sem dúvida, barulhentos, desagradáveis, mas a polícia há de mantê-los em seus lugares, ela só vai correr riscos se quiser... Mais tarde, depois que ela foi embora, ele ficou um pouco bêbado uma manhã, um pouco sentimental, e saiu finalmente, pela primeira e última vez, na esperança de que, quem sabe, graças às pressões do Destino, ou à hidrodinâmica das multidões, eles voltassem a se encontrar. Encontrou uma rua cheia de uniformes pardos e verdes, cassetetes, couro, placas balançando-se em todos os sentidos menos o longitudinal, dezenas de civis em pânico. Um policial tentou acertá-lo, mas Pökler esquivou-se, e o golpe atingiu um velho, algum trotskista barbudo e empedernido... ele via o cabo de aço trançado sob a camada de borracha preta, um sorriso meticuloso nos lábios do policial no ato de levantar a arma, a mão livre segurando a lapela do lado oposto num gesto algo feminino, a luva de couro da mão do cassetete desabotoada na altura do punho, os olhos piscando no último instante, como se os nervos do cassetete fossem seus também e pudessem machucar-se ao atingir o crânio do velho. Pökler conseguiu correr até uma entrada, nauseado de medo. Outros policiais vieram correndo tal como correm certos dançarinos, cotovelos junto às ilhargas, antebraços levantados num ângulo preciso. Terminaram dispersando a multidão com mangueiras. Mulheres escorregavam como bonecas nas pedras lisas do calçamento, nos trilhos dos bondes, o esguicho forte atingindo-as no ventre ou na cabeça, o vetor branco e brutal dominando-as. Qualquer uma delas poderia ser Leni. Pökler, em seu vão de porta, estremeceu, assistindo. Não podia voltar à rua. Mais tarde ficou pensando na textura, na rede de fendas entre as pedras do calçamento. A única segurança que havia era na escala das formigas, correndo pelas ruas da Formilândia, solas de botas estalando como trovão negro, e ele e seus vizinhos caminhando em silêncio, em multidão, pelas ruas cinzentas, cada vez mais escuras... Pökler sabia como encontrar segurança entre as abscissas e ordenadas internas dos gráficos: encontrar os pontos de que necessitava não correndo a curva em si, não sobre pedra alta, vulnerável, porém percorrendo pacientemente os xis e ipsilones, P (atü), W (m/s), Ti (° K), sempre seguindo os ângulos retos, seguros, ao longo das linhas desmaiadas...

Quando começou a sonhar com o Foguete com uma certa frequência, às vezes não era um foguete de verdade, e sim uma rua que ele sabia ficar num determinado bairro, uma rua numa certa área da rede que continha algo que ele julgava ser-lhe necessário. As coordenadas estavam bem claras, porém a rua lhe escapava. Com o passar dos anos, à medida que o Foguete ia ficando pronto, prestes a se tornar operacional, as coordenadas mudavam do *x* e *y* cartesianos do laboratório para o azimute e raio das armas empregadas na prática: uma vez ajoelhou-se no chão do banheiro de sua velha pensão em Munique, cônscio de que se se voltasse exatamente para um determinado ponto cardeal sua prece seria ouvida: ele estaria protegido. Usava um manto de brocado dourado e laranja. Era a única luz do recinto. Depois saiu andando pela casa, sabendo que havia gente dormindo em todos os quartos, porém sentindo-se abandonado. Foi acender uma luz — mas no ato de acionar o interruptor deu-se conta de que o quarto já estava iluminado, e que havia acabado de apagar tudo, *tudo*...

O A4-finalmente-operacional não lhe surgira de súbito. Sua concretização não fora um clímax. O objetivo nunca fora esse.

"Estão usando você para matar gente", disse-lhe Leni, da maneira mais explícita possível. "É só isso que eles sabem fazer, e você está ajudando eles."

"Todos nós vamos usar *ele* um dia, para ir embora da Terra. Para transcender."

Ela riu. Pökler falando em "transcender"?

"Algum dia", esforçando-se sinceramente, "eles não vão mais ter que matar. As fronteiras vão desaparecer. Vamos ter todo o espaço sideral..."

"Ah, você é cego", cuspindo-lhe na cara sua cegueira tal como o fazia todos os dias, isso e mais "Kadavergehorsamkeit", uma linda palavra que ele não pode mais imaginar sendo dita por qualquer outra voz que não a dela...

Mas não era verdade que ele obedecia como um cadáver. Ele era politizado, até certo ponto — no campo de foguetes, política era o que não faltava. O Departamento de Armamentos do Exército estava demonstrando cada vez mais interesse pelos fogueteiros amadores da Verein für Raumschiffahrt, e a VfR havia recentemente começado a mostrar ao exército os relatórios de seus experimentos. As empresas e as universidades — segundo o exército — não queriam arriscar capital nem mão de obra desenvolvendo uma coisa tão fantástica quanto um foguete. O exército não podia recorrer senão a inventores e clubes privados como a VfR.

"Porra nenhuma", disse Leni. "Eles estão todos mancomunados. Mas isso você não consegue entender."

Dentro da Sociedade, as opções eram claras. Sem dinheiro, a VfR estava morrendo à míngua — o exército tinha dinheiro, e já os estava financiando indiretamente. Ou bem eles construíam o que o exército queria — artefatos práticos — ou então continuavam tocando para a frente numa pobreza crônica, sonhando com viagens a Vênus.

"De onde que você acha que o exército tira esse dinheiro?" perguntou Leni.

"Que diferença faz? Dinheiro é dinheiro."

"*Não!*"

O major Weissmann era uma das várias eminências pardas que gravitavam em torno do campo, um homem que sabia falar, dando todos os sinais de compreensão e razoabilidade, tanto para os tipos sensatos como para os idealistas maníacos. Todas as coisas para todos os homens, um novo tipo de militar, misto de vendedor e cientista. Pökler, que tudo via e permanecia impassível, certamente sabia que o que se passava nas reuniões da VfR era o mesmo jogo que estava sendo jogado na rua violenta e perigosa de Leni. Toda a sua formação havia estimulado sua capacidade de enxergar analogias — em equações, em modelos teóricos — e no entanto ele insistia em pensar que a VfR era alguma coisa muito especial, preservada contra o tempo. E sabia também, de cara, o que acontece com os sonhos que não dispõem de financiamento. Assim, aos poucos, Pökler deu-se conta de que, ao recusar-se a tomar partido, terminara se tornando o melhor aliado de Weissmann. O olhar do major sempre mudava quando se voltava para Pökler: seu rosto um tanto afetado relaxava, assumindo uma expressão que Pökler já vira, refletida em espelhos e vitrines, em seu próprio rosto quando estava com Leni. O olhar vazio de quem tem total confiança no outro. Weissmann estava tão seguro em relação ao papel de Pökler quanto Pökler em relação ao de Leni. No entanto, Leni terminou indo embora. Pökler talvez não tivesse tanta força de vontade.

Ele se via como um homem prático. No campo de foguetes falava-se em continentes, cercos — anos antes do Estado-Maior, já haviam pensado na necessidade de uma arma que quebrasse ententes, que saltasse como um cavalo de xadrez por cima dos Panzers, de pelotões de infantaria, até mesmo da Luftwaffe. Países plutocráticos ao oeste, comunistas ao leste. Espaços, modelos, estratégias de jogos. Pouca paixão, pouca ideologia. Homens práticos. Enquanto os militares espolinhavam-se em vitórias ainda não conquistadas, os engenheiros balísticos tinham que pensar de modo não fanático nos reveses alemães, na derrota alemã — o desgaste sofrido pela Luftwaffe e o declínio de seu poder, as retiradas em vários fronts, a necessidade de armas de mais alcance... Mas os outros é que tinham o dinheiro, os outros é que davam as ordens — tentando sobrepor seus desejos e suas disputas a algo que tinha uma vitalidade própria, uma tecnologia que jamais chegariam a compreender. Enquanto o Foguete estivesse na etapa de pesquisa e desenvolvimento, não seria necessário que eles acreditassem que ele era possível. Mais tarde, quando o A4 estivesse se tornando operacional, quando eles se vissem diante de um verdadeiro foguete-por-vir, as lutas pelo poder começariam a sério. Pökler tinha consciência disso. Eram homens atléticos, desprovidos de inteligência, de visão, de imaginação. Porém tinham poder, e era difícil para ele não vê-los como seres superiores, ainda que lhe inspirassem um certo desprezo.

Mas Leni não tinha razão: ninguém o estava usando. Pökler era uma extensão do Foguete, muito antes de ele ser construído. Isso ela já havia percebido. Quando Leni o deixou, Pökler desmontou. Pedaços dele foram carregados para dentro do Hinterhof, dos bueiros, pelo vento. Ele não conseguia mais sequer ir ao cinema. Saía muito raramente depois do trabalho, e ia tentar pescar pedaços de carvão no Spree. Bebia cerveja na sala gelada, iluminado pela luz outonal que lhe chegava após atravessar pobrezas e fracassos, nuvens cinzentas, paredes de pátios, canos de esgoto, cortinas sujas de gordura, já totalmente desprovida de esperança quando por fim o atingia, sentado em sua cadeira, chorando. Ele chorava todos os dias, alguma hora do dia, durante um mês, até que teve uma infecção no nariz. Ficou de cama e suou até a febre passar. Então mudou-se para Kummersdorf, perto de Berlim, para ajudar seu amigo Mondaugen no campo de foguetes.

Temperaturas, velocidades, pressões, configurações de estabilizador e fuselagem, estabilidades e turbulências foram aos poucos substituindo as coisas que haviam feito Leni ir embora. Pela manhã viam-se florestas de pinheiros e abetos pelas janelas, e não um triste pátio urbano. Estaria ele abandonando o mundo, entrando para uma ordem monástica?

Uma noite ele tocou fogo em vinte páginas de cálculos. Símbolos de integrais estremeciam como cobras encantadas, dês curvilíneos marchavam cômicos feito corcundas em direção ao fogo e dissolviam-se em cinza. Mas foi essa sua única recaída.

De início ele ajudava a equipe de propulsão. Ninguém ainda era especializado em nada. Isso foi só depois, quando se instauraram a burocracia e as paranoias, e os organogramas transformaram-se em plantas de prisões. Kurt Mondaugen, engenheiro eletrônico cuja área era rádio, conseguiu resolver problemas de refrigeração. Pökler acabou reprojetando os instrumentos utilizados para medir pressões locais. A prática então adquirida veio a se tornar útil mais tarde em Peenemünde, quando muitas vezes era preciso chumbar centenas de tubos de medição a partir de um modelo com apenas 4 ou 5 centímetros de diâmetro. Pökler ajudou a elaborar a solução Halbmodelle: partir o modelo ao meio longitudinalmente e montá-lo na parede da câmara de teste, fazendo os tubos passarem por ela para todos os manômetros do lado de fora. Quem já morou num cortiço em Berlim, pensou ele, sabe aproveitar uma meia ração... mas foi um raro momento de orgulho. Ninguém, na verdade, podia afirmar que uma ideia era 100% sua, pois uma inteligência coletiva estava atuando, e a especialização tinha pouca importância — as divisões de classe menos ainda. O espectro social ia desde von Braun, um aristocrata prussiano, até os Pöklers da vida, que andavam pela rua comendo maçãs — no entanto estavam todos à mercê do Foguete: não apenas do perigo de explosões e peças cadentes, mas também de seu mutismo, seu peso morto, seu mistério obstinado e palpável...

Naquela época, a maior parte dos financiamentos e das atenções convergiam para o grupo de propulsão. O problema era fazer uma coisa se levantar do chão sem explodir. Houve alguns pequenos desastres — a carcaça de alumínio de um motor queimava, alguns tipos de injetores causavam combustão espontânea e o motor em chamas gritava, tentando espatifar-se — e então, em 34, um mais sério. O doutor Wahmke resolveu misturar peróxido com álcool *antes* da injeção na câmara de combustão, para ver no que dava. A chama da ignição saltou para trás pelo guia e chegou ao tanque. A explosão demoliu a bancada, matando o doutor Wahmke e mais dois. Primeiro sangue, primeiro sacrifício.

Kurt Mondaugen achou que aquilo era um sinal. Um desses místicos alemães que passaram a adolescência lendo Hesse, Stefan George e Richard Wilhelm, dispostos a aceitar Hitler com base numa metafísica de Demian, ele parecia encarar o combustível e o oxidante como membros de um par de opostos, o princípio masculino e o feminino unindo-se no ovo místico da câmara de combustão: criação e destruição, fogo e água, positivo químico e negativo químico —

"Valência", protestou Pökler, "um estado das órbitas externas, só isso."

"Pense nisso", retrucou Mondaugen.

E mais Fahringer, entendido em aerodinâmica, que andava pelas matas de Peenemünde, todo zen, com seu arco e esteira de palha para praticar respiração, retesamento e relaxamento, vez após vez. Aquilo era uma indelicadeza, no momento em que seus colegas estavam enlouquecendo com o que denominavam "Folgsamkeitfaktor", o problema de fazer com que o eixo mais longo do Foguete seguisse a tangente à sua trajetória em todos os pontos. O Foguete para esse tal de Fahringer era uma flecha japonesa gorda. Era necessário de algum modo fundir-se com o Foguete, a trajetória e o alvo — "não por força de vontade, mas por uma entrega, abrindo mão do papel de disparador. O ato é indiviso. Você é ao mesmo tempo agressor e vítima, foguete e trajetória parabólica e..." Pökler nunca conseguiu entender essas conversas. Mas Mondaugen o entendia. Mondaugen era o bodhisattva aqui, voltando do exílio no Kalahari, com as revelações que porventura tivesse tido lá, de volta ao mundo de homens e nações para representar um papel que havia escolhido deliberadamente, mas sem jamais explicar por quê. No Südwest ele não tinha diário, não mandava cartas para a Alemanha. Houve um levante dos Bondelswaartz em 1922, e distúrbios generalizados no país. Sem poder dar continuidade a seus experimentos com o rádio, buscou refúgio, com algumas dezenas de brancos, na vila de um proprietário de terras da região chamado Foppi. O lugar era uma fortaleza, cercado de todos os lados por ravinas profundas. Após alguns meses sitiado, vivendo uma vida desregrada, "movido por um intenso sentimento de nojo por tudo que era europeu", Mondaugen saiu sozinho para o meio do mato e terminou vivendo com os ovatjimba, o povo do aardvark, que são os mais pobres dos herero. Eles o aceitaram sem perguntas. Ali, tal como aqui, Mondaugen via-se como uma espécie de radiotransmissor, e acreditava que o que quer que estivesse irradiando no momento não representava nenhuma ameaça para os ovatjimba. Em seu eletromisticismo, o tríodo era tão básico quanto a cruz no cristianismo. Encare-se o ego, o eu que sofre uma história individual no tempo, como a grade. O Eu mais profundo e verdadeiro é o feixe entre o catodo e a placa. O feixe puro e constante. Os sinais — dados sensoriais, sentimentos, lembranças a relocalizar-se — são colocados na grade, e eles modulam o feixe. Vivemos vidas que são formas ondulatórias constantemente mudando ao longo do tempo, ora positivas, ora negativas. É só nos momentos de grande serenidade que se pode encontrar o estado puro, livre de informações, do sinal zero.

"Em nome do catodo, do anodo e da grade santa?" disse Pökler.

"Sim, gostei", sorriu Mondaugen.

O mais próximo do zero de todos eles era talvez Enzian, o africano, o protegido do major Weissmann. No Versuchsanstalt, chamavam-no — quando ele não estava por perto — de "monstro de Weissmann", provavelmente menos por racismo do que por conta da impressão que os dois causavam, Enzian trinta centímetros mais alto que Weissmann, um homem meio calvo, com ar de professor, que tinha que virar a cabeça para cima para olhar para o africano através de lentes grossas como fundos de garrafas, e era obrigado a dar pequenos saltos de vez em quando para acompanhar seu passo enquanto caminhavam pelo asfalto ou pelos laboratórios e escritórios, Enzian dominando todos os recintos e paisagens naquela fase inicial da construção do Foguete... A imagem mais nítida que Pökler guarda dele é a primeira, na sala de testes de Kummersdorf, cercado de cores elétricas — frascos verdes de nitrogênio, um espesso emaranhado de canos vermelhos, amarelos e azuis, o rosto cor de cobre de Enzian, com a mesma expressão de serenidade que de vez em quando surgia no de Mondaugen — vendo num dos espelhos a imagem de um motor de foguete atrás da divisória de segurança: no ar viciado daquela sala, tensa de ansiedades do último instante, ânsia de nicotina, preces desatinadas, Enzian estava *em paz*...

Pökler mudou-se para Peenemünde em 1937, junto com 90 outros. Estavam invadindo a própria Gravidade, e era preciso estabelecer uma cabeça de praia. Em toda a sua vida, Pökler nunca trabalhara tanto, nem mesmo quando era operário em Berlim. A equipe de vanguarda passou a primavera e o verão convertendo uma pequena ilha, Greifswalder Oie, numa estação de testes: recapeando estradas, passando cabos e fios telefônicos, instalando alojamentos, latrinas e depósitos, escavando casamatas, preparando concreto, carregando uma infinidade de engradados de ferramentas, sacos de cimento, tambores de combustível. Usavam uma velha barca para transportar carregamentos do continente para Oie. Pökler lembra-se do interior das cabines mal iluminadas, com pelúcia vermelha gasta e verniz arranhado, as peças de metal jamais lustradas, o som asmático do apito, cheiros de suor, cigarro e óleo diesel, o tremor dos músculos dos braços e pernas, as brincadeiras cansadas, a exaustão ao final de cada dia, seus calos recém-formados que o sol poente tingia de dourado...

Naquele verão, o mar a maior parte do tempo estava tranquilo e azul, mas no outono o tempo virou. Veio uma chuva do norte, a temperatura despencou, o vento devastava as barracas de depósito, ondas gigantescas batiam a noite toda. Até uma distância de cinquenta metros da praia, a água ficava branca de espuma. Das cristas das ondas vinham nuvens de água salgada. Pökler, acantonado numa cabana de pescador, voltava para casa após suas caminhadas no final da tarde coberto por uma fina máscara de sal. A mulher de Ló. Que catástrofe ele havia ousado olhar para trás para ver? Ele sabia.

Naquele outono ele voltou à infância, ao cachorro ferido. Durante aquelas caminhadas úmidas e solitárias, pensava em Leni: imaginava situações em que voltariam a se encontrar, em ambientes chiques ou dramáticos — ministério, saguão de teatro — duas ou três mulheres belas e cheias de joias a seu redor, generais e industriais apressando-se a acender seus cigarros americanos e ouvir as soluções que ele propunha com facilidade para problemas que Leni só compreendia vagamente. A fantasia mais gratificante era a que Pökler costumava ter na privada — ele batia os pés no chão, fanfarras dançavam em seus lábios quando lhe vinha aquela agradável sensação de expectativa...

Porém o fardo de seu velho eu pobre e berlinense persistia. Pökler falava com ele, tentava entendê-lo, e mesmo assim ele não se dissolvia nem fugia, porém continuava a mendigar em todos os vãos de porta de sua vida, implorando em silêncio com os olhos, com as mãos que tinham perfeita consciência de seu trabalho culposo. Ocupações estéreis em Peenemünde e companhia agradável no bar de Herr Halliger na Oie — tudo para fazer hora até chegar o tempo bom para os testes de lançamento — e Pökler mais vulnerável do que jamais estivera na vida. As noites frias e sem mulher, os carteados e partidas de xadrez, as noitadas de cerveja só com homens, os pesadelos dos quais era preciso escapar sozinho porque agora não havia mais nenhuma outra mão que o sacudisse, ninguém para abraçá-lo quando as sombras apareciam na corrediça da janela — tudo isso dominou-o naquele novembro, talvez com sua conivência. Um reflexo protetor. Porque alguma coisa assustadora estava acontecendo. Porque uma ou duas vezes, nas madrugadas densas de efedrina, dizendo ja, ja, stimmt, ja para alguma imagem que havia não dentro de sua cabeça porém *em cima* dela, que ele sentia balançar-se lá no alto, passando pelas bordas de seu campo de visão, balançando-se e quase equilibrando-se — ele tinha uma sensação de esvaecimento... uma assunção de Pökler para dentro dos cálculos, desenhos, gráficos, até mesmo de algum equipamento já montado... a cada vez, assim que isso acontecia, ele entrava em pânico, e recolhia-se ao baluarte de acordar Pökler, coração disparado, mãos e pés doendo, respiração tensa concentrada num *hãã* — Alguma coisa estava atrás dele, para pegá-lo, alguma coisa aqui, entre os papéis. O medo da extinção denominado Pökler sabia que era o Foguete, que o Foguete o chamava. Embora soubesse também que numa extinção como aquela ele se libertaria da solidão e do fracasso, mesmo assim não estava de todo convencido... Assim, ele caçava, como uma válvula automática com uma entrada ruidosa, por todo o Zero, entre os dois desejos, identidade pessoal e salvação impessoal. Mondaugen via tudo. Via dentro do coração de Pökler. Em sua compaixão, não tinha conselhos para dar ao amigo, o que não era de admirar. Pökler teria que encontrar sozinho o caminho para seu sinal zero, sua trajetória verdadeira.

Em 38, a base de Peenemünde já estava tomando forma, e Pökler mudou-se para o continente. Apoiando-se apenas no tratado de Stodda sobre turbinas a vapor e um ou outro dado relevante oriundo das universidades de Hanôver, Darmstadt, Leipzig e Dresden, o grupo de propulsão estava testando um motor de foguete com empuxo de $^1/_2$ tonelada, pressão da combustão de 10 atmosferas e duração de 60 segundos. Estavam conseguindo velocidades de escape de 1800 metros por segundo, mas o valor-meta era 2000. Era o que chamavam de "número mágico", e a expressão era para ser tomada literalmente. Assim como certos especuladores da bolsa de valores sabem quando devem parar de comprar, sentindo por instinto não os números impressos mas as *taxas de mudança*, sabendo na pele, com base na primeira e na segunda derivada, quando entrar, continuar e sair, assim também há reflexos de engenheiro que indicam, a qualquer momento, o que pode ser realizado no equipamento em operação, dados os recursos disponíveis — o que é "viável". O dia em que a velocidade de 2000 m/s se tornou viável, o A4 de repente passou a ser uma possibilidade concreta. O perigo agora era ser seduzido por abordagens excessivamente sofisticadas. Ninguém estava imune a este risco. Praticamente todos os engenheiros, inclusive Pökler, propuseram pelo menos um projeto monstruoso, uma cabeça de górgona cheia de canos e tubos serpenteantes, arapucas complicadas para controlar a pressão, solenoides em cima de válvulas-piloto em cima de válvulas auxiliares em cima de válvulas de reserva — centenas de páginas de nomenclatura sobre válvulas vinham impressas como apêndices dessas propostas malucas, todas prometendo imensas diferenças de pressão entre o interior da câmara e a saída do bico de escape — lindo, desde que você acreditasse piamente que aqueles milhões de peças móveis iam se comportar direitinho todas juntas. Mas para conseguir um motor que fosse mesmo confiável, que os militares pudessem usar no campo para matar gente, o verdadeiro problema de engenharia agora era manter tudo o mais simples possível.

O modelo sendo disparado no momento era o A3, batizado não com champanhe mas com frascos de oxigênio líquido pelos técnicos brincalhões. Agora estava-se começando a dar mais ênfase à guiagem que à propulsão. A telemetria dos voos experimentais ainda era rudimentar. Os termômetros e barômetros eram isolados num compartimento à prova d'água junto com uma câmara de filmar. Durante o voo, a câmara fotografava os ponteiros dos medidores. Depois do voo o filme era recuperado com os dados. Os engenheiros ficavam assistindo a projeções de filmes em que só apareciam mostradores de instrumentos. Enquanto isso, os Heinkels estavam soltando modelos de ferro do Foguete a altitudes de 7 000 metros. A queda era fotografada por cineteodolitos Askania montados no chão. Nas projeções diárias, assistiam-se aos trechos em que, a uma altura de 1 000 metros, o modelo rompia a barreira do som. Essa estranha ligação entre a mente alemã e a observação de imagens imóveis exibidas em rápida sucessão, para imitar o movimento, persiste há no mínimo dois séculos — desde que Leibniz, ao inventar o cálculo, usou a mesma abordagem para decompor as trajetórias de balas de canhão no ar. E agora Pökler estava prestes a ter a prova de que essas técnicas haviam sido estendidas de imagens filmadas para vidas humanas.

Pökler voltara para seu alojamento por volta da hora do pôr do sol, cansado ou preocupado demais para sentir o impacto das fornalhas de cores das flores do jardim, as mudanças cotidianas sofridas pelo perfil da Estação contra o céu, até mesmo a ausência dos ruídos do campo de testes hoje. Sentia o cheiro do mar, e quase conseguiu imaginar-se como uma pessoa que passa o ano inteiro num balneário, mas raramente vai à praia. De vez em quando, em Peenemünde-Oeste, um avião de combate decolava ou pousava, o ruído dos motores reduzido pela distância a um ronronar tranquilo. Uma brisa de fim de tarde vinha do mar. Apenas o sorriso de um colega que morava num cubículo próximo ao seu, o qual estava descendo as escadas na hora em que Pökler subia, indicava que alguma coisa estava acontecendo. Ele entrou em seu cubículo e viu-a sentada na cama, uma bolsa de viagem de lona com estampado de florzinhas junto aos pés, a saia puxada até os joelhos, os olhos ansiosamente, fatalmente, fixos nos dele.

"Herr Pökler? Eu sou sua —"

"Ilse. Ilse..."

Ele deve tê-la pegado no colo e beijado, e depois fechado as cortinas. Curioso reflexo. Ilse tinha uma fita de veludo marrom nos cabelos. Pökler lembrava de seus cabelos mais claros, mais curtos — mas cabelo cresce, e escurece. Olhou para o rosto dela de esguelha, e todo o seu vazio ecoou. O vácuo de sua vida ameaçou partir-se num jato forte de amor. Tentou conservá-lo com amarras de suspeita, procurando semelhanças com o rosto que ele vira anos antes caído sobre os ombros da mãe, olhos ainda inchados de sono, Leni de capa de chuva, saindo por uma porta que ele imaginava que jamais voltaria a se abrir — fingindo não encontrar semelhança alguma. Talvez fingindo. Seria de fato o mesmo rosto? Pökler esquecera-o de todo com o passar dos anos, aquele rosto gordo e informe de criança... Agora tinha medo até de pegá-la, medo de que seu coração estourasse. Perguntou: "Há quanto tempo você está esperando?".

"Desde a hora do almoço." Ela havia comido na cantina. O major Weissmann a trouxera de trem de Stettin, e haviam jogado xadrez. O major Weissmann jogava muito devagar, e não haviam terminado a partida. O major Weissmann comprara balas para ela, e pedira-lhe que dissesse a Pökler que lamentava não pode esperar até que ele chegasse —

Weissmann? Mas que história era essa? Uma fúria hesitante, latejante, foi crescendo dentro de Pökler. Então eles sabiam de tudo — esse tempo todo. Sua vida era tão desprovida de segredos quanto aquele cubículo miserável, com sua cama, cômoda e luz de cabeceira.

Assim, para colocar entre si próprio e aquele retorno impossível, Pökler dispunha de sua raiva — para protegê-lo de um amor que ele não podia mesmo arriscar-se a sentir. O jeito era interrogar sua filha. A vergonha que sentia era aceitável, a vergonha e o frio. Mas ela deve ter percebido, pois agora estava imóvel, menos os pés nervosos, a voz tão baixa que ele perdia parte das respostas que lhe dava.

Haviam-na enviado ali de um lugar nas montanhas, onde era frio até no verão — cercado de arame farpado e luzes fortes que ficavam a noite toda acesas. Não havia meninos — só meninas, mães, velhas morando em alojamentos, dormindo em beliches, às vezes duas dividindo a mesma enxerga. Leni estava bem. Às vezes vinha um homem de uniforme preto ao alojamento e a Mutti ia com ele, e só voltava dias depois. Quando voltava não queria falar, nem mesmo abraçar Ilse como costumava fazer. Às vezes chorava e pedia que a menina a deixasse a sós. Ilse ia brincar com Johanna e Lilli debaixo do alojamento vizinho. Haviam cavado um esconderijo ali, na terra, cheio de bonecas, chapéus, vestidos, garrafas velhas, revistas ilustradas — coisas encontradas perto do arame farpado, a pilha de tesouros, como elas diziam, um grande monturo que estava sempre fumegando, dia e noite: dava para ver o brilho avermelhado pela janela do beliche de cima, onde ela dormia com Lilli nas noites em que Leni não estava...

Mas Pökler quase não lhe dava atenção, pensava no único dado importante: que ela estava num lugar definido, localizável no mapa, com autoridades que podiam ser contatadas. Seria possível encontrá-la de novo? Idiota. Será que ele conseguiria dar um jeito de negociar sua libertação? Algum homem, algum comunista, certamente a fizera parar lá...

Kurt Mondaugen era o único em quem ele podia confiar, embora Pökler soubesse antes mesmo de conversar com ele que o papel assumido por Mondaugen o impediria de ajudá-lo. "Eles chamam de campos de reeducação. São administrados pela SS. Eu poderia falar com Weissmann, mas talvez não adiante."

Ele conhecera Weissmann no Südwest. Haviam passado juntos o cerco da vila de Foppl: Weissmann fora uma das pessoas que terminara levando Mondaugen a ir viver no meio do mato. Porém tinham se reaproximado aqui, entre os foguetes, ou pelas razões de um santo que viveu sob o sol do deserto, razões que Pökler jamais poderia entender, ou por conta de alguma ligação que sempre existira entre os dois...

Estavam no telhado ensolarado de um dos prédios de montagem, Oie estava claramente visível a dez quilômetros de distância, o que significava que o tempo ia mudar amanhã. Em algum lugar estavam martelando aço, em golpes ritmados, um som purificado como o canto de um pássaro. Peenemünde azul estremecia a seu redor, para todos os lados, um sonho de massas de concreto e aço refletindo o calor do meio-dia. O ar estremecia como camuflagem. Por trás do sol, alguma coisa parecia transcorrer em segredo. A qualquer momento a ilusão sobre a qual se sustentavam se dissolveria, e eles cairiam na terra. Pökler olhava para o pântano, sentindo-se impotente. "Tenho uma coisa a fazer. Não é?"

"Não. Você tem que esperar."

"Isso não é justo, Mondaugen."

"Não."

"E a Ilse? Ela vai ter que voltar?"

"Não sei. Mas ela está aqui agora."

Assim, como sempre, Pökler optou pelo silêncio. Se tivesse feito outra opção, no tempo em que ainda havia tempo, talvez todos estivessem salvos agora. Talvez até fora do país. Agora, tarde demais, quando por fim ele queria agir, não havia mais nada a fazer.

Bem, na verdade ele não passava muito tempo remoendo velhas neutralidades. Aliás, ele não estava muito certo de que as havia deixado para trás, mesmo.

Passeavam, ele e Ilse, pela praia batida pelas ondas — davam de comer aos patos, exploravam as florestas de pinheiros. Permitiram até que Ilse assistisse a um lançamento. Aquilo era uma mensagem para Pökler, mas ele só a entendeu mais tarde. O sentido da mensagem era que não havia violação da segurança: *não havia ninguém para quem ela pudesse contar aquilo que tivesse alguma importância.* O ruído do Foguete os fez estremecer. Pela primeira vez ela se aproximou dele, e abraçou-o. Pökler sentiu que estava se apegando a ela. O motor foi desligado cedo demais, e o Foguete foi cair em Peenemünde-Oeste, no território da Luftwaffe. A coluna de fumaça suja atraiu os carros de bombeiros com suas sirenes, os caminhões cheios de operários, um desfile enlouquecido. Ilse respirou fundo e apertou a mão dele. "Foi você que fez ele fazer isso, Papi?"

"Não, não era para cair desse jeito. Era para voar alto, fazer uma curva comprida", traçando com a mão uma parábola que abrangia os campos de teste, os prédios de montagem, reunindo-os com o gesto tal como a cruz traçada no ar pelo padre divide em quatro partes a congregação atrás dele...

"Para onde ele vai?"

"Para onde a gente quiser que ele vá."

"Será que um dia vou poder ir dentro dele? Eu caibo, não é?"

Ela fazia cada pergunta. "Um dia", respondeu Pökler. "Talvez um dia, para a Lua."

"A *Lua*..." como se ele fosse lhe contar uma história. Como não veio história nenhuma, ela própria inventou uma. O engenheiro do cubículo vizinho tinha um mapa da Lua pregado à parede de fibra compensada, e Ilse passava horas examinando-o, escolhendo um lugar para morar. Passando pelos raios brilhantes de Kepler, a solidão acidentada das montanhas do sul, as vistas espetaculares de Copérnico e Eratóstenes, Ilse escolheu uma craterinha bonita no mar da Tranquilidade chamada Maskeline B. Eles a ajudariam a construir uma casa bem na beira, Mutti e ela e Pökler, uma janela dando para montanhas douradas e outra para o mar amplo. E a Terra verde e azul no céu...

Deveria Pökler ter-lhe explicado o que eram os "mares" da Lua na realidade? Explicado que não havia ar para respirar? Sua própria ignorância o assustava, sua inépcia como pai... À noite, no cubículo, com Ilse enroscada a poucos metros dele numa cama de vento do exército, um esquilinho cinzento debaixo do cobertor, ele se perguntava se não seria mesmo melhor para ela estar sob a guarda do Reich. Tinha ouvido falar na existência dos campos de prisioneiros, mas não via nada sinistro nisso: acreditava na palavra do governo, na palavra "reeducação". *Eu fiz tudo errado na minha vida... lá tem gente qualificada... pessoas com formação... conhecem as necessidades das crianças...* olhando para os reflexos das luzes elétricas daquele trecho de Peenemünde a formar um mapa em seu teto de prioridades, sonhos abandonados, as boas graças dos fantasistas no poder em Berlim, enquanto Ilse às vezes lhe cochichava histórias sobre a lua onde ela iria viver, até que Pökler se transferia em silêncio para um mundo que não era aquele, de modo algum: um mapa sem fronteiras nacionais, inseguro e fascinante, onde voar era tão natural quanto respirar — mas vou cair... não, levantando, olhe para baixo, nada a temer, desta vez é bom... isso, voando perfeitamente, está dando certo... sim...

Pökler talvez esteja apenas testemunhando esta noite — ou então faz mesmo parte dela. Não lhe disseram qual das duas opções é a verdadeira. Olhe para isto. Está prestes a ser enviado a Friedrich August Kekulé von Stradonitz seu sonho de 1865, o grande Sonho que revolucionou a química e viabilizou a IG. Para que o material certo chegue ao sonhador certo, tudo e todos envolvidos devem estar no lugar exato do desenho. Que bom que Jung nos deu a ideia de um manancial comum onde todos vão beber seus sonhos. Mas como é que cada um de nós, como indivíduo, recebe exatamente e apenas o que necessita? Isso não implica a existência de algum painel de distribuição? uma burocracia? Não é apropriado a IG frequentar sessões espíritas? Eles devem se sentir muito à vontade com a burocracia do outro lado. O sonho de Kekulé está no momento sendo encaminhado, passando por pontos que descrevem um arco em meio ao silêncio, relutando em viver no momento movente, uma luz imperfeita e humana, aqui interferindo com as decisões binárias solenes desses agentes, que neste momento dão permissão à Serpente cósmica, com o esplendor violeta de suas escamas, um brilho que claramente *não* é humano, para passar — sem sentimento, sem espanto (depois de algum tempo aqui dentro — seja lá o que *isso* signifique neste lugar — esses arquétipos todos acabam ficando muito parecidos, ah, é claro que tem os recém-contratados, esse pessoal de terno de riscado no primeiro dia, sabe, "Iiih! Olha lá — é a... a *Árvore da Criação*! Hein? Não é mesmo? Puxa vida!" mas em pouco tempo eles se acalmam, contêm os reflexos de Intenção de Boquiabrir, a autocrítica, sabe, é uma técnica extraordinária, não era para funcionar, mas não é que funciona mesmo?...). Mas vamos ver qual era o problema do Kekulé. Ia ser arquiteto, depois terminou tornando-se um dos titãs da química, boa parte da ala orgânica deste utilíssimo prédio foi erguida para todo o sempre sobre seus ombros — não só do ponto de vista da IG, mas do Mundo, se é que não é tudo a mesma coisa, he, he... Mais uma vez, foi a influência de Liebig, o grande professor de química que deu nome à rua de Munique onde Pökler morava quando estudava na T.H. Liebig estava na Universidade de Giessen quando Kekulé entrou como aluno. Ele inspirou ao jovem a ideia de mudar de área. Assim, Kekulé trouxe à química um olhar de arquiteto. Foi uma mudança de importância crítica. O próprio Liebig parece ter assumido o papel de portão, ou de demônio distribuidor, tal como propôs seu contemporâneo mais jovem Clerk Maxwell, ajudando a concentrar a energia num recinto favorecido da Criação em detrimento de todos os outros (testemunhas disseram posteriormente que Clerk Maxwell imaginava seu Demônio menos como um recurso prático para discutir um conceito de termodinâmica do que como uma parábola sobre a *existência real* de pessoas como Liebig... podemos fazer uma ideia do quanto a repressão já havia aumentado àquela altura vendo como Clerk Maxwell sentiu-se obrigado a dar seu alerta em código... aliás, alguns teóricos, os mesmos que veem significados sinistros até mesmo na famosa frase da senhora Clerk Maxwell — "Hora de ir para casa, James, você está começando a se divertir" —, lançaram a hipótese extrema de que as próprias Equações de Campo contêm um alerta funesto: como prova disso citam a intimidade perturbadora que as Equações têm com o comportamento do circuito de integral dupla do sistema de guiagem do foguete A4, o mesmo somatório duplo de densidades de corrente que levou o arquiteto Etzel Ölsch a projetar para o arquiteto Albert Speer uma fábrica subterrânea em Nordhausen precisamente com esta forma simbólica...). O jovem ex-arquiteto Kekulé pôs-se a procurar entre as moléculas de sua época as formas ocultas que ele sabia existirem, formas que preferia não encarar como estruturas físicas reais e sim como "fórmulas racionais" que demonstravam as relações que se davam nas "metamorfoses", o curioso termo oitocentista que ele usava no sentido de "reações químicas". Porém Kekulé tinha a capacidade de visualizar. Ele *viu* as quatro ligações de carbono, formando um tetraedro — ele *mostrou* de que modo os átomos de carbono se ligavam, um ao outro, formando longas cadeias... Porém quando chegou ao benzeno embatucou. Sabia que havia seis átomos de carbono com um de hidrogênio ligado a cada um — mas não conseguia enxergar a forma. Até que teve seu sonho: até que foi levado a ver a forma, para que outros fossem seduzidos por sua beleza física, e começassem a encará-la como um plano, uma base para novos compostos, novos arranjos, para que surgisse todo um ramo de química aromática e se aliasse ao poder secular, e descobrisse novos métodos de síntese, e surgisse uma indústria alemã de pigmentos que se tornaria a IG...

Kekulé sonha com a Grande Serpente que morde a própria cauda, a Serpente sonhadora que contorna o Mundo. Mas a mesquinhez, o cinismo com que esse sonho há de ser usado. A Serpente que anuncia: "O Mundo é uma coisa fechada, cíclica, ressoante, que eternamente retorna", será entregue a um sistema cujo único propósito é *violar* o Ciclo. Tomando e não dando nada em troca, exigindo que "produtividade" e "rendimentos" aumentem constantemente, o Sistema retirando do resto do Mundo imensas quantidades de energia para manter sua pequena fração desesperada sempre dando lucro: e não apenas a maior parte da humanidade — a maior parte do Mundo, animal, vegetal e mineral, é devastada nesse processo. O Sistema pode ou não compreender que está apenas correndo contra o tempo. E que o próprio tempo é um recurso artificial, que só tem valor para o próprio Sistema, o qual mais ou cedo ou mais tarde fatalmente há de morrer uma morte catastrófica, quando sua dependência para com a energia se tornar tão grande que o resto do Mundo não for mais capaz de satisfazê-la, arrastando com ele almas inocentes de todos os níveis da cadeia da vida. Viver dentro do Sistema é como atravessar o país num ônibus dirigido por um louco suicida... embora seja até simpático, viva fazendo pilhérias pelo alto-falante — "Bom dia, senhoras e senhores, estamos entrando em Heidelberg, vocês conhecem o velho refrão, 'Deixei meu coração em Heidelberg', pois bem, tem um amigo meu que deixou as duas *orelhas* aqui! Mas não me levem a mal, não, é uma cidade muito legal, as pessoas são simpáticas, maravilhosas — quer dizer, quando não estão duelando. Agora, falando sério, elas tratam a gente muito bem, eles não apenas dão a você a chave da cidade, mas dão também um porrete!" u.s.w. Enquanto isso, você vê pelas janelas um campo onde a luz está sempre mudando — castelos, montes de pedras, luas de cores e formas diferentes vão passando. Há paradas nas horas mais imprevistas da madrugada, por motivos que não são explicados: você salta do ônibus para esticar as pernas em pátios iluminados por refletores onde há velhos sentados em torno de mesas debaixo de eucaliptos enormes cujo cheiro enche a noite, manuseando baralhos velhos e engordurados, descartando espadas e copas e trunfos sob uma luz trêmula enquanto atrás deles o ônibus espera, em ponto morto — *os passageiros devem voltar a seus lugares* e embora você sinta vontade de ficar aqui mesmo, aprender aquele jogo, encontrar sua velhice em torno desta mesa, não adianta: ele está esperando junto à porta do ônibus com seu uniforme bem passado, Senhor da Noite, está verificando sua passagem, sua identidade, seus documentos de viagem, e são os condões do comércio que dominam esta noite... ele faz que sim com a cabeça para você, e nesse momento você vê de relance seu rosto, seus olhos enlouquecidos, obsessivos, e então você se lembra, durante alguns instantes terríveis de taquicardia, que sem dúvida tudo isso vai terminar em sangue, em choque, sem dignidade — mas no momento você está no meio desta viagem... junto ao lugar onde você está sentado, no alto, onde deveria haver um anúncio, há uma citação de Rilke: "Uma vez, uma vez só..." Um dos slogans prediletos d'Eles. Não há retorno, não há salvação, não há Ciclo — não é assim que Eles, nem Seu brilhante empregado Kekulé, resolveram entender a Serpente. Não: o que a Serpente significa é — veja só — que os seis átomos de carbono do benzeno na verdade formam um círculo fechado, *igualzinho à tal cobra com o rabo enfiado na boca,* ENTENDEU? "O Ciclo aromático que conhecemos hoje", o velho professor de Pökler, Laszlo Jamf, nesse ponto de sua falação removia do bolso da calça um hexágono de ouro com a cruz de malta alemã no centro, uma medalha de honra da IG Farben, e diz, com seu senso de humor de velhinho adorável, que para ele aquela cruz não representa a Alemanha e sim a tetravalência do carbono, "mas *quem*", levantando as mãos abertas, uma em cada palavra, como um regente de banda, "quem, enviou, o *Sonho*?" Nunca se sabe direito até que ponto as perguntas de Jamf são puramente retóricas. "Quem mandou esta serpente nova para nosso jardim estragado, já sujo demais, superpovoado demais, para ser visto como lugar da inocência — a menos que a inocência seja a passagem neutra e silenciosa de nossa era para as maquinarias da indiferença — coisa que a Serpente de Kekulé viera para — não para destruir, mas para definir para nós sua perda... tínhamos recebido certas moléculas, certas combinações e não outras... usávamos o que encontrávamos na Natureza, sem questionar, talvez com vergonha — porém a Serpente sussurrou: '*É possível modificá-las,* novas moléculas podem ser criadas a partir dos destroços das que foram dadas...' Alguém aqui pode me dizer o que mais ela cochichou para nós? Vamos — quem sabe? Você. Me diga, *Pökler* —"

Seu nome desabou sobre ele como um trovão, e é claro que não era o doutor Jamf de verdade, e sim um colega que morava no mesmo corredor que havia ficado de plantão naquela manhã. Ilse estava escovando os cabelos e sorrindo para ele.

Seu trabalho diurno havia começado a melhorar. Os outros estavam menos distantes, e olhavam-no nos olhos com mais frequência. Haviam sido apresentados a Ilse, e ficaram encantados com ela. Se Pökler viu qualquer outra coisa no rosto deles, fingiu não ver.

Então, um dia voltou de Oie no final da tarde, um pouco bêbado, um pouco ansioso-entusiasmado com o lançamento do dia seguinte, e encontrou seu cubículo vazio. Ilse, sua bolsa de lona florida, as roupas que ela costumava deixar largadas sobre a cama de vento, tudo havia desaparecido. Não restava nada, apenas uma miserável folha de papel log-log (que Pökler achava ótimo para domar o terror das curvas exponenciais, reduzindo-os à mansa linearidade), o mesmo tipo de papel em que ela desenhara sua casa da Lua. "Papi, me mandaram voltar. Talvez eles me deixem ver você outra vez. Espero que sim. Adoro você. Ilse."

Kurt Mondaugen encontrou Pökler deitado na cama de vento, cheirando o que ele imaginava ser o cheiro dos cabelos dela no travesseiro. Por algum tempo ele ficou meio enlouquecido, falando em matar Weissmann, sabotar o programa de foguetes, abandonar seu emprego e pedir asilo na Inglaterra... Mondaugen permaneceu sentado, escutando tudo aquilo, tocando Pökler uma ou duas vezes, fumando seu cachimbo, até que por fim, às duas ou três da manhã, Pökler já havia discutido diversas alternativas irreais, chorado, xingado, furado a divisória que separava seu cubículo do de seu vizinho, cujos roncos tranquilos tornaram-se claramente audíveis. A essa altura já mais tranquilo, assumindo uma atitude de superioridade de engenheiro — "São uns idiotas, nem sabem distinguir um seno de um cosseno e ficam querendo me ensinar a..." — concordou que tinha que esperar, sim, deixar que eles fizessem o que quisessem...

"Se eu marcasse uma reunião com Weissmann", sugeriu Mondaugen, "você conseguiria se comportar com tato? com tranquilidade?"

"Não. Com ele, não... Ainda não."

"Então me avise quando você achar que está pronto. *Quando* você estiver pronto, vai saber se comportar." Teria ele adotado um tom de autoridade? Certamente percebia o quanto Pökler estava precisado de alguém que lhe impusesse autoridade. Leni aprendera a dominar o marido com o rosto, sabia as marcas cruéis que ele esperava ver em sua boca, os tons de voz de que tinha necessidade... quando ela foi embora, deixou em casa um criado desempregado prestes a adotar o primeiro senhor que o chamasse, apenas uma

VÍTIMA NO VÁCUO!

Nur.... ein... Op-fer!
Sehr ins Vakuum,
("Será que ninguém vai se aproveitar de mim?")
Wird niemand ausnut-zen mich, auch?
("Só um escravo desprovido de senhor")
Nur ein Sklave, ohne Her-rin (ya-ta-ta-ta)
("E-e quem que é que quer a tal da liberdade?")
Wer zum Teufel die Freiheit, braucht?

(Agora todo mundo junto, todos vocês aí, seus masoquistas, especialmente os que estão sem companhia, que vão passar a noite a sós com aquelas fantasias que têm cara de que jamais vão se realizar — juntem-se a seus irmãos e irmãs, mostrem que estão vivos e são sinceros, tentem quebrar a barreira do silêncio, tentem estabelecer contato mútuo...)

Ah, as noites de Berlim estão tão frias,
Eu vou ao bar e as mesas estão vazias!
Ah, quando a noite chega
É uma tragédia grega
Ser VÍTIMA NO VÁCUO sem ninguém!

Os dias se passavam, todos muito parecidos para Pökler. Idênticos mergulhos matinais numa rotina tão morta quanto o inverno. Ele aprendeu a pelo menos manter uma fachada tranquila. Aprendeu a sentir o movimento palpável rumo à guerra que é característico dos programas de armamentos. De início simula a depressão ou a ansiedade não específica. Pode haver espasmos no esôfago e sonhos irrecuperáveis. Você se pega escrevendo recados para você mesmo assim que se levanta de manhã: mensagens razoáveis, tranquilizadoras, dirigidas ao louco varrido interior — 1. É uma combinação. 1.1 É uma grandeza escalar. 1.2 Seus aspectos negativos se distribuem de modo isotrópico. 2. Não é uma conspiração. 2.1 Não é um vetor. 2.11 Não é dirigido a ninguém. 2.12 Não é dirigido a *mim*... u.s.w. O café começa a ficar com um gosto cada vez mais metálico. Cada prazo agora é uma crise, cada uma mais intensa que a anterior. Por trás deste emprego como outro qualquer parece haver alguma coisa vazia, alguma coisa terminal, alguma coisa cada dia mais perto de se manifestar... ("O novo planeta Plutão", ela sussurrara há muito tempo, deitada na escuridão malcheirosa, seu lábio superior alongado, lábio de Asta Nielsen, tão giboso naquela noite quanto a lua que a governava, "Plutão é meu signo agora, presa com força em suas garras. Ele se move tão devagar, tão devagar, e tão distante... mas vai explodir. É a fênix sinistra que cria seu próprio holocausto... *ressurreição deliberada*. Uma encenação. Sob controle. Nada de Graça, nada de intervenção divina. Uns dizem que é o planeta do nacional-socialismo, Brunhübner e aquela turma, todos tentando puxar o saco de Hitler agora. Eles não sabem que o que estão dizendo é *literalmente* verdadeiro... Você está acordado? Franz...")

À medida que a guerra se aproximava, o jogo de prioridades e politicagens se tornava cada vez mais sério, exército versus Luftwaffe, Departamento de Armamentos versus Ministério das Munições, SS — dadas as suas aspirações — versus todo mundo, e até mesmo um descontentamento surdo que iria crescer nos anos seguintes até transbordar numa revolta palaciana contra von Braun, por causa de sua juventude e de uma série de testes fracassados — embora Deus soubesse que isso era coisa que não faltava, era a matéria-prima de toda a política de base de testes... De modo geral, porém, os resultados dos testes estavam ficando cada vez mais positivos. Era impossível não pensar no Foguete sem pensar em *Schicksal*, num crescimento em direção a uma forma predestinada e talvez um pouco sobrenatural. As equipes lançaram uma série não controlada de A5s, fazendo alguns descer de paraquedas, chegando a uma altitude de oito quilômetros quase à velocidade do som. Embora os responsáveis pela guiagem ainda tivessem muito chão pela frente, a essa altura já haviam passado a utilizar pás de grafite, haviam conseguido reduzir as oscilações de rotação a cerca de cinco graus e estavam razoavelmente satisfeitos com a estabilidade do Foguete.

Em algum momento durante o inverno, Pökler começou a achar que já seria capaz de enfrentar uma reunião com Weissmann. Encontrou o homem da SS em guarda por trás de óculos que eram como escudos wagnerianos, pronto para picos inaceitáveis — raiva, acusação, um momento de violência no trabalho. Era como um encontro com um estranho. Não se falavam desde os tempos de Kummersdorf, na velha Raketenflugplatz. Nesse quarto de hora em Peenemünde, Pökler sorriu mais do que havia sorrido no decorrer de todo o ano anterior: falou de sua admiração pelo trabalho de Poehlmann, que estava desenvolvendo um sistema de refrigeração para a propulsão.

"E os pontos quentes?" perguntou Weissmann. Era uma pergunta razoável, mas era também uma *intimidade*.

Ocorreu a Pökler que aquele homem não estava nem um pouco interessado em problemas de aquecimento. Era um jogo, como Mondaugen lhe havia avisado — tão ritualizado quanto o jiu-jítsu. "Temos densidades de fluxo", Pökler sentia-se como costumava sentir-se quando cantava, "da ordem de três milhões de kcal/m²h °C. A refrigeração regenerativa é a melhor solução provisória que encontramos até agora, mas o Poehlmann tem uma abordagem nova" — explicando com giz e quadro-negro, tentando adotar uma postura profissional — "ele acha que se usarmos uma camada de álcool *dentro* da câmara vamos conseguir reduzir a transferência de calor consideravelmente."

"Vocês vão injetar o álcool."

"Correto."

"Quanto do combustível vai ser redirecionado? Como isso vai afetar a eficiência do motor?"

Pökler tinha os dados à mão. "No momento, os problemas técnicos da injeção estão complicados, mas se os prazos de entrega forem cumpridos..."

"E o processo de combustão em duas etapas?"

"Vamos precisar de mais volume, uma turbulência melhor, mas tem também uma queda de pressão não isotrópica, que reduz nossa eficiência... Estamos tentando uma série de abordagens. Se a gente tivesse um financiamento mais generoso..."

"Ah. Isso aí não é meu departamento. Nós também bem que queríamos mais financiamento." Os dois riram, cientistas e cavalheiros sofrendo juntos sob a mesma burocracia pão-duro.

Pökler sabia que estava negociando sua filha e Leni: que as perguntas e respostas não eram exatamente mensagens codificadas com outro sentido, e sim uma espécie de avaliação pessoal de Pökler. Esperava-se dele um certo tipo de comportamento — não apenas desempenhar um papel, mas vivê-lo. Qualquer desvio em direção a ciúme, metafísica ou imprecisão seria imediatamente detectado: ou bem sua trajetória seria corrigida ou bem deixariam que ele caísse. No decorrer do inverno e da primavera, as sessões com Weissmann viraram uma rotina. Pökler aos poucos foi assumindo seu novo disfarce — Gênio Adolescente Prematuramente Envelhecido — e constatando que o personagem com frequência assumia controle dele, levando-o a ficar mais tempo estudando as obras de referência e dados sobre lançamentos, colocando em sua boca falas que ele jamais seria capaz de planejar antecipadamente: uma linguagem delicada, erudita, obcecada por foguetes, que o surpreendia.

No final de agosto recebeu a segunda visita. Deveria ser "Ilse voltou", mas Pökler não tinha certeza. Como antes, ela veio sozinha, sem ser anunciada — correu até ele, beijou-o, chamou-o de Papi. Mas...

Mas seu cabelo, para começar, estava indubitavelmente castanho-escuro, e o corte era diferente. Os olhos eram mais elípticos, diferentes, a tez menos clara. Parecia ter crescido trinta centímetros. Mas nessa idade as crianças crescem muito depressa, não é mesmo? Se é que ela estava mesmo "nessa idade"... No momento em que a abraçava, os sussurros perversos começaram. Será a mesma? Será que mandaram uma criança diferente? Por que você não olhou com mais atenção da outra vez, Pökler?

Dessa vez ele perguntou quanto tempo ela ia poder ficar.

"Eles vão me dizer. E vou tentar avisar você." E teria ele tempo para recalibrar aquele esquilinho que sonhava em morar na Lua de modo a transformá-la nessa criatura morena, pernilonga, sulista, desajeitada, cuja necessidade de um pai era tão tocante, tão evidente para Pökler mesmo naquele segundo (ou primeiro, ou terceiro?) encontro?

Praticamente nenhuma notícia de Leni. As duas haviam se separado, disse Ilse, durante o inverno. Ela ouvira dizer que a mãe fora transferida para outro campo. Certo. Apresentar um peão e retirar a rainha: Weissmann, esperando para ver como Pökler iria reagir. Dessa vez ele fora longe demais: Pökler amarrou os sapatos e calmamente foi procurar o homem da SS, encurralou-o em sua sala, denunciou-o diante de um painel de representantes do governo, figuras bondosas e apagadas, um discurso que chegou a um clímax eloquente no momento em que ele jogou tabuleiro e peças na cara arrogante e perplexa de Weissmann... Pökler é impetuoso, sim, um rebelde — mas, Generaldirektor, é o tipo de energia e franqueza de que precisamos —

A criança de repente o abraçou, para beijá-lo de novo. De graça. Pökler esqueceu-se de seus problemas e apertou-a contra o peito por muito tempo, sem falar...

Mas naquela noite, no cubículo, apenas o som da respiração dela — nada de sonhos lunares este ano — vindo da cama de vento, Pökler ficou pensando acordado, uma filha uma impostora? mesma filha duas vezes? duas impostoras? Começando a passar em revista as combinações possíveis para uma terceira visita, uma quarta... Weissmann, os que havia por trás dele, tinham milhares de crianças a sua disposição. Com a passar dos anos, à medida que elas fossem se tornando mais núbeis, viria Pökler a apaixonar-se por uma delas — chegaria ela à oitava casa para tornar-se rainha também, substituindo a Leni esquecida? O Adversário sabia que a desconfiança de Pökler seria sempre mais forte do que qualquer temor de estar cometendo incesto... Eles poderiam inventar regras novas, complicar o jogo indefinidamente. Como poderia ser flexível a esse ponto um homem tão vazio quanto Pökler se sentia naquela noite?

Kot — era ridículo — ele não a vira de todos os ângulos no velho apartamento na cidade? Carregada, dormindo, chorando, engatinhando, rindo, esfomeada. Muitas vezes chegava em casa cansado demais para conseguir ir até a cama, e ficava deitado no chão com a cabeça debaixo da única mesa, enroscado, derrotado, sem saber se sequer conseguiria dormir. A primeira vez que Ilse notou, ela passou por cima dele, de gatinhas, e ficou sentada a olhá-lo por muito tempo. Ela jamais o vira imóvel, na horizontal, de olhos fechados... Pökler estava quase dormindo. Ilse deu-lhe uma mordida na perna, tal como mordia cascas de pão, cigarros, sapatos, qualquer coisa que pudesse ser alimento. — Eu sou o seu pai. — Você é inerte e comestível. Pökler deu um grito e afastou-se dela, rolando no chão. Ilse começou a chorar. Ele estava cansado demais para pensar em disciplina. Foi Leni que finalmente veio acalmá-la.

Pökler conhecia todos os choros de Ilse, seus primeiros balbucios, as cores de sua merda, os sons e formas que a tranquilizavam. Ele deveria saber se aquela menina era mesmo sua filha ou não. Mas não sabia. Haviam acontecido coisas demais nesse ínterim. Um excesso de história, de sonho...

Na manhã seguinte, o líder de seu grupo lhe deu um passe de licença e um contracheque contendo um abono de férias. Nenhuma restrição geográfica, porém um limite temporal de duas semanas. Tradução: Você vai voltar? Pökler fez sua mala, e foi com Ilse pegar o trem de Stettin. Os galpões e prédios de montagem, os monolitos de concreto, os guindastes de aço que formavam o mapa de sua vida foram se distanciando, fundindo-se em grandes sombras roxas, isoladas umas das outras em meio ao pântano, numa paralaxe longínqua. Ele ousaria não voltar? Seria capaz de pensar tantas jogadas à frente?

Deixara que Ilse resolvesse para onde iriam. Ela escolheu Zwölfkinder. Era final de verão, quase o final da paz. As crianças sabiam o que estava por vir. Brincando de refugiadas, lotavam os vagões de trem, silenciosas, mais sérias do que Pökler havia imaginado. Ele era obrigado a conter o impulso de começar a falar descontroladamente cada vez que Ilse desviava os olhos da janela e os voltava em sua direção. Pökler via a mesma coisa nos olhos de todas as crianças: ele era um estranho para elas, para Ilse, e cada vez mais estranho, e não sabia como fazer reverter este movimento...

Num Estado corporativista, é necessário haver um lugar para a inocência e suas inúmeras utilidades. Na criação de uma versão oficial da inocência, a cultura infantil é de grande valor. Jogos, contos de fadas, lendas da história, toda a parafernália do faz de conta pode ser adaptada e até mesmo concretizada num lugar físico, como Zwölfkinder. Com o passar dos anos aquilo se tornara um verdadeiro balneário para crianças. Um adulto só podia entrar na cidade acompanhado de uma criança. Havia um prefeito-mirim, doze vereadores-mirins. Crianças recolhiam os papéis, cascas de frutas e garrafas largadas na rua, crianças atuavam como guias turísticos no Tierpark, no Tesouro dos Nibelungos, avisando a todos que se mantivessem em silêncio durante a impressionante encenação da cerimônia em que Bismarck foi nomeado príncipe e chanceler do império, no equinócio da primavera de 1871... policiais-mirins admoestavam os adultos que encontravam sozinhos, desacompanhados de crianças. As pessoas que realmente mandavam na cidade — certamente não seriam as crianças — ficavam bem escondidas.

Um final de verão, um florir tardio, retrospectivo... Pássaros voavam por toda parte, o mar emanava calor, o sol brilhava até tarde. Crianças erradas agarravam-lhe a mão por engano e andavam a seu lado por vários minutos até se darem conta de que haviam pegado o adulto errado, e depois se afastavam, olhando para trás e sorrindo. A Montanha de Vidro faiscava ao sol quente, rosa e branca, o rei dos duendes e sua rainha desfilavam diariamente ao meio-dia com um esplêndido séquito de anõezinhos e fadas, distribuindo bolo, sorvete, balas. Em cada encruzilhada ou praça havia um conjunto tocando — marchas, canções folclóricas, hot jazz, Hugo Wolf. Chovia criança feito confete. Nos bebedouros, onde jorrava refrigerante no fundo das bocas de dragões, leões e tigres, formavam-se filas de crianças, cada uma aguardando seu momento de perigo, debruçada na sombra, onde pairavam cheiros de cimento molhado e água velha, dentro da boca da fera, para refrescar-se. No céu girava uma enorme roda-gigante. De Peenemünde até lá, haviam viajado 280 quilômetros — por coincidência, este viria a ser o raio de ação do A4.

Em meio a tudo que havia para escolher — Roda, mitos, animais selvagens, palhaços — Ilse foi parar no Panorama Antártico. Dois ou três meninos pouco mais velhos que ela perambulavam pela falsa Antártida, embrulhados em casacos de pele de foca, empilhando pedras e fincando bandeiras no calor úmido de agosto. Só de olhar para eles Pökler suava. Uns poucos cães de puxar trenó sofriam à sombra das sastrugi de papel-machê sujo, sobre a neve de gesso que já começava a rachar. Um projetor oculto lançava imagens de auroras austrais numa cortina translúcida. Meia dúzia de pinguins empalhados pontuavam a paisagem.

"Quer dizer que agora você quer morar no Polo Sul. Quer dizer que você desistiu com tanta facilidade" — *Kot* — idiota, não devia ter dito isso — "da Lua?" Até então ele havia conseguido não submetê-la a interrogatórios. Naquela Antártida de araque, sem entender o que a atraíra até lá, desconfortável, encharcado de suor, aguardava a resposta da menina.

Ela teve (ou seria "Eles tiveram"?) pena dele. "Ah", dando de ombros, "quem é que vai querer viver na Lua?" Nunca mais tocaram no assunto.

Quando voltaram ao hotel, uma recepcionista de oito anos deu-lhes a chave, os dois subiram num elevador cheio de rangidos operado por uma criança de uniforme, e chegaram a um quarto ainda morno do calor do dia. Ela fechou a porta, tirou os sapatos e foi para sua cama. Pökler desabou na cama dele. A menina veio tirar-lhe os sapatos.

"Papi", desamarrando os cadarços muito séria, "posso dormir do seu lado essa noite?" Com uma das mãos pousada na panturrilha nua de Pökler. Seus olhares se encontraram por meio segundo. Uma série de incertezas mudaram de lugar nesse momento para ele, e de repente fizeram sentido. Para sua vergonha, a primeira sensação foi orgulho. Pökler não sabia que ele era tão vital para aquele programa. Mesmo naquele momento inicial, estava vendo a coisa do ponto de vista d'Eles — todas as manias entram no dossiê, jogador inveterado, fetichista com tara por pés, fanático por futebol, tudo é importante, tudo pode ser usado. No momento, temos que mantê-los satisfeitos, ou pelo menos neutralizar seus focos de infelicidade. Você pode não entender qual é o trabalho deles na verdade, no nível dos dados, mas afinal de contas você é um administrador, um líder, o *seu* trabalho é conseguir resultados... Pois bem, o Pökler falou numa "filha". É, nós sabemos que é revoltante, nunca se sabe o que eles têm trancado lá dentro junto com aquelas equações todas, mas por ora temos que deixar de lado os juízos de valor, depois da guerra haverá tempo para voltar aos Pöklers e seus segredos sujos...

Ele a golpeou na cabeça com a mão aberta, um golpe ruidoso e terrível. Com isso pôs para fora a raiva. Então, antes que ela tivesse tempo de gritar ou falar, arrastou-a para a cama, a seu lado, as mãozinhas aparvalhadas já desabotoando as calças dele, o vestido branco puxado para cima da cintura. Por baixo ela não usava nada, passara o dia inteiro sem nada por baixo... *como eu sempre desejei você*, ela cochichava enquanto o arado paterno encaixava-se no sulco filial... e após horas alucinantes de incesto vestiram-se em silêncio, e saíram na ponta dos pés na primeira fímbria da madrugada carnal, com todas as coisas de que jamais precisariam guardadas na bolsa de lona florida, passando por crianças adormecidas condenadas ao fim do verão, por monitores e guardas ferroviários, chegando por fim aos navios de pescadores à beira--mar, onde um velho marujo, uma figura paternal com chapéu de capitão, recebeu--os a bordo de seu barco e os escondeu no porão, o navio deu a partida e ela acomodou-se no beliche e chupou-o horas a fio enquanto o motor roncava, até que o capitão gritou: "Venham cá, venham ver a sua nova terra!" Cinzenta e verde, em meio à névoa, era a Dinamarca. "É, aqui é terra de um povo livre. Boa sorte para vocês dois!" Os três então, no tombadilho, se abraçaram...

Não. O que Pökler fez foi optar por acreditar que ela queria conforto aquela noite, queria não estar sozinha. Apesar do jogo d'Eles, da perversidade palpável d'Eles, embora ele tivesse tão poucos motivos para confiar em "Ilse" quanto n'Eles, movido não pela fé nem pela coragem, mas pelo instinto de autoconservação, Pökler optou por acreditar nisso. Mesmo em tempo de paz, com recursos ilimitados, não lhe teria sido possível assegurar-se da identidade dela, prová-la com a precisão de fio de lâmina, tolerância zero, que seu olho de engenheiro exigia. Os anos que Ilse teria passado entre Berlim e Peenemünde estavam perdidos num tal emaranhado, para toda a Alemanha, que seria impossível estabelecer uma cadeia de eventos reais com segurança, impossível confirmar até mesmo a cisma de Pökler de que em algum lugar no imenso cérebro de papel do Estado uma perversão específica lhe fora atribuída e devidamente registrada. Para cada órgão do governo o Partido Nazista criava uma duplicata. Comissões repartiam-se, fundiam-se, brotavam por geração espontânea, desapareciam. Se um homem pedisse para ver seu dossiê, ninguém o atenderia —

Na verdade, não estava claro para ele sequer que havia feito uma escolha. Mas foi nesses momentos, no quarto cheio de zumbidos e cheiros de verão, onde ninguém ainda acendera a luz e o chapéu de palha redondo dela era uma lua frágil sobre a colcha, com as luzes da Roda lentamente vertendo verde e vermelho vez após vez no escuro lá fora, e uma turma de meninos cantando na rua um refrão de antes do tempo deles, aquele tempo vendido e cruelmente manipulado — Juch-heierasas-sa! o tempo-tempo-ra! — que tabuleiro e peças e desenhos finalmente formaram uma imagem clara, e Pökler deu-se conta de que, enquanto ele estivesse jogando o jogo, aquela teria que ser Ilse — sua filha verdadeira, tão verdadeira quanto ele conseguisse torná-la. Foi o momento real de concepção, em que, com anos de atraso, ele se tornou pai dela.

Passaram o resto das férias passeando por Zwölfkinder, sempre de mãos dadas. Lanternas que se balouçavam, penduradas em trombas de cabeças de elefantes no alto de pilares, iluminavam-lhes o caminho... caminhavam por pontes frágeis por cima de panteras, macacos, hienas... andando de trenzinho, passando por entre pernas de cano corrugado de dinossauros de malha de aço, chegando a um pequeno deserto africano onde de duas em duas horas, pontualmente, os nativos traiçoeiros atacavam o acampamento das bravas tropas do general von Trotha, todos de azul, todos os papéis representados por meninos exuberantes, um espetáculo patriótico adorado por crianças de todas as idades... no alto da gigantesca Roda tão nua, tão despida de graça, cuja existência voltava-se para uma única missão: elevar e assustar...

Na última noite — embora ele não soubesse que era a última, pois Ilse seria levada embora de modo tão abrupto e invisível quanto da outra vez — foram mais uma vez ver os pinguins empalhados e a neve falsa, enquanto a aurora austral artificial reluzia a sua volta.

"No ano que vem", apertando a mão dela, "a gente volta aqui, se você quiser."

"Ah, sim. Todo ano, Papi."

No dia seguinte ela desapareceu, tragada pela guerra vindoura, deixando Pökler sozinho numa terra de crianças, para voltar a Peenemünde, sozinho...

E assim a coisa vem se repetindo há seis anos. Uma filha por ano, cada uma cerca de um ano mais velha, cada vez começando quase do zero. A única continuidade é o nome dela, e Zwölfkinder, e o amor de Pökler — um amor que é como a persistência da imagem na retina, pois Eles o usaram com o fim de criar para ele a imagem em movimento de uma filha, exibindo-lhe apenas aqueles quadros estivais, deixando-lhe a tarefa de construir a ilusão de uma criança única... que diferença faria a escala de tempo, um vinte e quatro avos de segundo ou um ano (não mais, pensava o engenheiro, do que num túnel aerodinâmico, ou um oscilógrafo com um cilindro de velocidade regulável...)?

À noite, do lado de fora do túnel aerodinâmico de Peenemünde, Pökler saiu e ficou parado junto à grande esfera, 12 metros de altura, ouvindo as bombas implacáveis evacuando o ar da esfera branca, cinco minutos de vácuo crescente — então uma arfada tremenda: 20 segundos de fluxo supersônico... então a queda do obturador, e as bombas recomeçando mais uma vez... ele ouve, e entende aquilo como seu próprio ciclo de amor obturado, esvaziando-se ao longo do ano para duas semanas de agosto, um ciclo trabalhado com os mesmos cuidados de engenheiro. Ele sorri, e brinda, e troca piadas de caserna com o major Weissmann, enquanto o tempo todo, por trás da música e da risadaria, ouve a carne das peças movidas na escuridão e no inverno pelos pântanos e serras do tabuleiro... vê os resultados dos testes sucessivos com os Halbmodelle no túnel, demonstrando o modo como a força normal líquida seria distribuída pelo comprimento do Foguete, para centenas de números de Mach diferentes — vê o verdadeiro perfil do Foguete deformado e caricaturado, um foguete de cera, acorcundado como um golfinho na altura do calibre 2, afilando-se em direção à cauda, a qual então estica-se para cima, absurdamente, chegando a um ponto alto com uma elevação pequena atrás — e vê de que modo seu próprio rosto poderia ser plotado, não em luz e sim em forças líquidas atuando sobre ele, forças oriundas do fluxo do Reich e coação e amor que ele atravessa... e sabe que seu rosto há de sofrer a mesma degradação, tal como a morte afunda o rosto no crânio...

Em 43, estando em Zwölfkinder, Pökler não assistiu ao ataque aéreo dos ingleses a Peenemünde. Ao voltar à estação, assim que viu os alojamentos dos "trabalhadores estrangeiros" em Trassenheide destruídos, corpos ainda sendo escavados dos escombros, uma terrível suspeita surgiu, uma suspeita que ele não conseguiu conter depois. Weissmann estava *preservando-o* para alguma coisa: algum destino especial. De algum modo ele soubera de antemão que haveria um bombardeio inglês naquela noite, desde 39 ele sabia, e por isso determinara a tradição de uma licença em agosto, todos os anos, mas sempre com o fim de proteger Pökler daquela única noite terrível. Uma ideia não muito sensata... um pouco paranoica, sim, sim... porém continuava a roncar em seu cérebro, e ele sentia-se transformando em pedra.

Fumaça emergia da terra, árvores estorricadas caíam, diante de seus olhos, bem perto do mar. Subia uma poeira fina a cada passo dado, embranquecendo as roupas, fazendo dos rostos máscaras de pó. Quanto mais subia-se a península, menor a destruição. Um estranho gradiente de morte e destruição, do sul para o norte, em que os mais pobres e indefesos sofriam mais — tal como o gradiente que correria de leste para oeste em Londres, um ano depois, quando os foguetes começassem a cair. A maioria das mortes ocorreram entre os "trabalhadores estrangeiros", eufemismo que designava os prisioneiros civis trazidos de países sob ocupação alemã. O túnel aerodinâmico e a casa de medições estavam intatos, a fábrica de componentes apenas ligeiramente danificada. Os colegas de Pökler estavam diante do alojamento dos cientistas, que tinha sido atingido — espectros zanzando na névoa matinal ainda não dissipada, lavando-se em baldes de cerveja porque a distribuição de água ainda não fora restabelecida. Olhavam muito sérios para Pökler, sem conseguir, vários deles, conter a expressão de acusação.

"Eu é que gostaria de não ter assistido a isso."

"O doutor Thiel morreu."

"Como estava o país das fadas, Pökler?"

"Lamento", disse ele. Não era sua culpa. Os outros permaneceram calados: alguns observando, outros ainda em estado de choque.

Então apareceu Mondaugen. "Estamos exaustos. Você podia ir comigo até a pré-produção? Temos que separar um monte de coisas, e precisamos de ajuda." Foram andando, cada um em sua nuvem de poeira. "Foi terrível", disse Mondaugen. "Todos nós estamos muito tensos."

"Eles falam como se *eu* tivesse soltado as bombas."

"Você está se sentindo culpado porque não estava aqui?"

"Estou tentando entender por que não estava aqui. Só isso."

"Porque estava em Zwölfkinder", respondeu o esclarecido. "Não vá inventar complicações."

Ele resolveu tentar seguir esse conselho. Afinal, inventar complicações era tarefa de Weissmann, não era? Weissmann é que era o sádico, ele que era responsável por inventar novas variações para o jogo, num crescendo rumo a uma crueldade máxima em que Pökler seria reduzido a nervos e tendões, todas as convoluções de seu cérebro achatadas à luz das velas negras, nenhum lugar para esconder-se, inteiramente no poder de seu senhor... o momento em que ele por fim se define para si próprio... Era o que Pökler sentia aguardando-o agora, um quarto que nunca vira, uma cerimônia que não podia decorar antecipadamente...

Houve alarmes falsos. Uma vez Pökler quase teve certeza, durante uns testes realizados em Blizna. Haviam se deslocado para o leste, avançando sobre território polonês, para disparar sobre a terra. Os tiros dados em Peenemünde caíam todos no mar, e não havia como observar a reentrada do A4. Blizna era um projeto quase exclusivamente da SS: uma parte dos desígnios imperiais do general de divisão Kammler. Àquela altura, o Foguete estava com um problema sério na fase terminal: o veículo explodia em pleno ar antes de atingir o alvo. Cada um tinha uma sugestão. Talvez fosse excesso de pressão no tanque de oxigênio líquido. Talvez o Foguete, por ser 10 toneladas mais leve ao descer, com a perda de combustível e oxidante, ficasse instável com o deslocamento do centro de gravidade. Ou talvez o problema fosse no isolamento do tanque de álcool, o qual permitia que resíduos de combustível queimassem na reentrada. Era por isso que Pökler estava ali. Ela agora não estava mais no grupo de propulsão, nem estava mais trabalhando como projetista — estava na seção de Materiais, providenciando a obtenção de diversos plásticos para isolamento, absorção de choques, vedação — muito interessante. As ordens que levou para Blizna eram tão estranhas que deviam ser coisa de Weissmann: no dia em que Pökler foi sentar-se no ponto exato da campina polonesa onde o Foguete deveria cair, ele não tinha mais dúvida quanto a isso.

Campos verdejantes de centeio e relevo suave numa extensão de quilômetros: Pökler estava numa pequena trincheira, na área-alvo de Sarnaki, apontando o binóculo em direção ao sul, a Blizna, como todo mundo: à espera. Erwartung no retículo, centeio recém-brotado ondulando, sua penugem suave penteada pelo vento... veja este campo, extensão do Foguete em espaço matinal: os muitos tons de verde-floresta, casas rústicas polonesas em branco e marrom, enguias escuras de rios refletindo o sol nas curvas... e bem no centro de tudo, lá embaixo, no santíssimo X, Pökler, crucificado, invisível à primeira vista, mas no instante seguinte... *agora* começando a definir-se à medida que a queda vai ganhando momento —

Mas como pode ele acreditar na realidade do Foguete lá no alto? Os insetos zumbem, o sol está quase quente, ele contempla a terra vermelha com milhões de caules a balouçar-se e por pouco não entra num transe leve: em mangas de camisa, os joelhos ossudos apontando para cima, o paletó cinzento amarrotado que há anos não vê um ferro de passar dobrado debaixo de sua bunda para absorver o orvalho. Os outros com quem Pökler veio estão espalhados pelo campo em torno do Ponto Zero, garridos ranúnculos nazistas — de seus pescoços pendem binóculos de correias de couro de cavalo, a equipe do Askania mexe no equipamento, e um dos agentes de ligação da SS (Weissmann não veio) a toda hora olha para o relógio, depois para o céu, depois para o relógio, e o cristal se torna, em breves relances efêmeros, um círculo nacarado unindo a hora e o céu lanoso.

Pökler coça a barba grisalha de anteontem, morde os lábios tão rachados que dão a impressão de que ele passou a maior parte do fim do inverno ao ar livre: tem um ar hibernal. Em torno de seus olhos, ao longo dos anos, cresceu uma melancólica rede de capilares estourados, sombras, rugas, pés-de-galinha, um chão que se formou nos olhos simples e diretos de seus tempos de juventude e pobreza... não. Mesmo naquele tempo já havia alguma coisa em seus olhos, alguma coisa que os outros viam e sabiam que podiam usar, e descobriram como usar. Alguma coisa que Pökler jamais notou. Ele passou boa parte de sua vida olhando-se no espelho. Realmente, devia lembrar-se...

A explosão no ar, se ocorrer, será visível dali. Abstrações, matemática, modelos, isso tudo é muito bom, mas quando a coisa realmente chega ao ponto em que todo mundo está arrancando os cabelos atrás de uma solução, o jeito é fazer isto: instalar-se exatamente no lugar do alvo, com umas valas malfeitas e rasas à guisa de abrigo, e assistir o silencioso desabrochar ígneo dos últimos instantes, para ver o que houver para ver. Como a possibilidade de um lançamento perfeito é infinitesimalmente pequena, é claro, o lugar mais seguro é o centro do alvo. Os foguetes são como projéteis de artilharia: dispersam-se em torno do ponto mirado dentro de uma elipse gigantesca — a Elipse de Incerteza. Pökler, porém, embora confie como qualquer cientista na incerteza, não se sente muito seguro aqui. Afinal, é o esfíncter latejante de seu próprio cu que está exatamente em cima do Ponto Zero. E não é apenas uma questão de balística. Há também que considerar Weissmann. Muitos químicos e especialistas em materiais entendem tanto de isolamento quanto Pökler... por que motivo teria ele sido escolhido, se não... em algum ponto de seu cérebro, dois focos convergem e se fundem num só... elipse zero... um ponto único... uma ogiva carregada em segredo, abrigos especiais para todos os outros... sim, é isso que ele quer... todas as tolerâncias na guiagem cooperam para um tiro perfeito, exatamente em cima de Pökler... ah, Weissmann, este seu final de jogo não tem sutileza — mas nunca houve espectadores e juízes, esse tempo todo, e quem foi que disse que o fim não haveria de ser brutal? A paranoia inunda Pökler, chega até as têmporas, até o topo da cabeça. Talvez ele tenha se cagado, não tem certeza. Seu pulso lateja no pescoço. Suas mãos e seus pés doem. Os guardiões louros de terno preto o vigiam. Suas insígnias de metal reluzem. O sol matinal derrama-se sobre as serras baixas. Todos os binóculos voltam-se para o sul. O Aggregat está a caminho, nada pode ser mudado agora. Nenhuma outra pessoa aqui importa-se com o santuário do momento, os mistérios finais: foram anos demais de racionalidade. A pilha de papéis cresceu demais, foi longe demais. Pökler não consegue conciliar, de jeito nenhum, seu sonho de vítima perfeita com a necessidade que lhe foi incutida de tocar o trabalho para a frente — nem consegue ver de que modo essas duas coisas podem ser a mesma. O A4, afinal de contas, tem que poder ser posto em uso muito em breve, esta taxa de fracassos *tem* que ser baixada, e é por isso que quem veio está aqui, e se está havendo uma cegueira coletiva nesta manhã, neste campo polonês, se ninguém, nem mesmo o maior paranoico, consegue ver nada que não os Requisitos explícitos, certamente não se trata de uma cegueira exclusiva deste tempo, deste lugar, onde os olhos colados aos binóculos negros estão apenas esperando que a "virgem relutante" do dia — termo jocoso com que os foguteiros batizaram os foguetes problemáticos — se faça anunciar... para observar onde, na proa ou na popa, o problema se localiza, a forma de uma trilha de vapor, o som da explosão, qualquer coisa que possa ajudar...

Em Sarnaki, segundo os relatórios, o foguete desceu aquele dia com o ruído duplo de sempre, um risco de condensação branca no céu azul: outra explosão prematura. Fragmentos de aço caíram a trinta metros do Ponto Zero, rasgando o campo de centeio como se fosse granizo. Pökler viu a explosão, tanto quanto os outros. Nunca mais foi enviado ao campo. Os agentes da SS o viram levantar-se, espreguiçar-se e lentamente afastar-se junto com os outros. Weissmann receberia seu relatório. Novas variedades de tortura viriam.

Mas no interior da vida de Pökler, nos relatórios de sua alma, sua sofrida alma alemã, a base de tempo se estendeu e desacelerou: o Foguete Perfeito continua lá no alto, ainda descendo. Ele continua esperando — até agora, sozinho em Zwölfkinder, esperando por "Ilse", pela volta deste verão e, junto com ele, uma explosão que o pegue de surpresa...

Na primavera, quando os ventos de Peenemünde mudaram para o sudoeste, e os primeiros pássaros voltaram, Pökler foi transferido para a fábrica subterrânea de Nordhausen, nos montes Harz. Após o bombardeio britânico as atividades em Peenemünde entraram em declínio. O plano — mais uma vez, de Kammler — agora era dispersar as unidades de teste e produção pelo território da Alemanha, de modo a prevenir outro ataque dos Aliados, que talvez viesse a ser fatal. As funções de Pökler na Mittelwerke eram rotineiras: materiais, aquisições. Ele dormia num beliche junto a uma parede de pedra dinamitada pintada de branco, com uma lâmpada que passava a noite toda acesa acima de sua cabeça. Sonhava que a lâmpada era agente de Weissmann, uma criatura cujo filamento luminoso era sua alma. Tinha com ela longos diálogos nos sonhos, de cuja substância jamais se lembrava depois. A lâmpada lhe explicava detalhadamente a trama — era uma coisa mais vasta e ambiciosa do que ele jamais seria capaz de imaginar, em muitas noites parecia ser pura música, sua consciência atravessava aquela paisagem sonora acuada, observando, submissa, ainda precariamente a salvo, mas não por muito tempo.

Nessa época corriam boatos de um estranhamento crescente entre Weissmann e seu "monstro", Enzian. A essa altura, o Schwarzkommando havia se afastado da estrutura da SS, tal como a própria SS se afastara do exército alemão. Seu poder agora decorria não das armas, mas de informações e perícia. Pökler gostou de saber que Weissmann estava tendo seus problemas, mas não imaginava como poderia aproveitar-se deles. Quando chegou a ordem de ir para Nordhausen, tivera um momento de desespero. Teria o jogo sido adiado? Talvez jamais voltasse a ver Ilse. Porém veio um memorando dizendo-lhe que fosse ter com Weissmann em sua sala.

Os cabelos de Weissmann, em suas têmporas, estavam grisalhos e despenteados. Pökler observou que uma das pontas da armação dos óculos dele estava presa no lugar com um clipe de papel. Sua mesa era um caos de documentos, relatórios, obras de referência. Causou surpresa a Pökler vê-lo com um ar menos diabólico do que atarantado, como qualquer funcionário público sob pressão. Seus olhos estavam voltados para Pökler, porém as lentes os distorciam.

"Você está ciente de que essa transferência para Nordhausen é voluntária."

Pökler compreendeu, com alívio e dois segundos de amor, sim, por seu protetor, que o jogo continuava. "Vai ser uma experiência nova."

"É?" Em parte um desafio, mas em parte uma manifestação de interesse, também.

"Produção. Aqui a gente trabalha mais com pesquisa e desenvolvimento. Para nós, nem é uma arma, é um 'laboratório voador', como disse uma vez o doutor Thiel —"

"Você sente falta do doutor Thiel?"

"Sinto. Ele não era da minha seção. Eu não o conhecia bem."

"Uma pena ele ser atingido no bombardeio. Todos nós andamos numa Elipse de Incerteza, não é?"

Pökler permitiu-se olhar para a mesa caótica, um olhar rápido o bastante para ser entendido tanto como manifestação de nervosismo quanto como uma réplica — Weissmann, pelo visto você tem a sua própria Elipse — "Ah, normalmente eu nem tenho tempo de me preocupar. Pelo menos a Mittelwerke é subterrânea."

"Os lugares táticos não são."

"Será que eu vou ser mandado —"

Weissmann deu de ombros e brindou Pökler com um sorriso largo e falso. "Meu caro Pökler, como é que se pode prever para onde você vai? Vamos ver no que isso vai dar."

Mais tarde, na Zona, sua culpa transformada numa coisa sensual, que lhe formigava nos olhos e membranas como uma alergia, Pökler pensaria que não lhe teria sido possível, mesmo naquele dia no escritório de Weissmann, ignorar a verdade. Que ele conhecia a verdade com os cinco sentidos, porém permitira que todos os dados fossem classificados erroneamente, onde não o incomodassem. Sabia de tudo, porém não fizera a única coisa que poderia tê-lo redimido. Devia ter estrangulado Weissmann ali mesmo, à sua mesa, sentindo as corrugações daquela garganta magra e do pomo de adão deslizando sob suas mãos, os óculos de lentes grossas escorregando lentamente enquanto os olhinhos se turvavam, impotentes, diante daquele que lhes extinguia a luz pela última vez...

Pökler ajudava com sua própria cegueira. Sabia a respeito de Nordhausen, e do campo de Dora: ele *via* — os corpos desnutridos, os olhos dos prisioneiros estrangeiros sendo obrigados a trabalhar às quatro da manhã na escuridão, num frio de rachar, uniformes listrados, milhares de pés se arrastando. Ele sabia também, sabia desde o início, que Ilse estava vivendo num campo de reeducação. Mas foi só em agosto, quando o comunicado de licença chegou como sempre em seu envelope de papel Kraft sem nada escrito, e Pökler foi para o norte percorrendo quilômetros cinzentos de uma Alemanha que ele não mais reconhecia, desfigurada por explosões e queimadas, aldeias devastadas pela guerra e charneca roxa chuvosa, e encontrou-a por fim a sua espera no saguão do hotel em Zwölfkinder com a mesma sombra em seus olhos (como ele poderia não ter percebido até então? aquelas orbes imersas na dor) que ele finalmente conseguiu associar os dois dados. Durante meses, enquanto seu pai, do outro lado das paredes ou arames farpados, cumpria diligente suas obrigações, ela era prisioneira a poucos metros dele, espancada, talvez estuprada... Se maldizia Weissmann, então precisava também maldizer a si próprio. Weissmann era tão habilidoso em sua crueldade quanto Pökler o era como engenheiro, com o dom de Dédalo que lhe permitia colocar um labirinto tão comprido quanto necessário entre ele próprio e a inconveniência do envolvimento emocional. Eles lhe haviam vendido conveniência, em grande quantidade, a crédito, e agora estavam cobrando a dívida.

Tentando, um pouco tarde, abrir-se para a dor que deveria ter sentido, questionou-a agora. Ela sabia o nome do seu campo? Sabia, Ilse confirmou — ou fora instruída a responder — que era Dora. Na noite antes de partir para ir ter com Pökler, ela havia assistido a um enforcamento. Os enforcamentos eram sempre ao cair da tarde. Ele queria que ela contasse como fora? Queria ouvir os detalhes...?

Ela estava morta de fome. Passaram os primeiros dias comendo, comendo tudo que estava à venda em Zwölfkinder. Menos que no ano anterior, e muito mais caro. Mas aquela ilha de inocência ainda era uma prioridade alta, de modo que havia alguma coisa.

Este ano, porém, havia menos crianças. O engenheiro e a menina tinham praticamente o lugar inteiro a sua disposição. A Roda e a maior parte dos outros brinquedos estavam parados. Escassez de gasolina, informou-lhes um guarda-mirim. Aviões da Luftwaffe roncavam no céu. Quase todas as noites as sirenes tocavam, e eles viam os holofotes acenderem-se em Wismar e Lübeck, e por vezes ouviam as bombas. O que Pökler estava fazendo naquele mundo onírico, naquela mentira? Seu país aguardava a hora de ser esmagado entre uma invasão vinda do leste e outra do oeste: em Nordhausen a histeria atingira níveis épicos quando os primeiros foguetes foram para o campo, prestes a realizar profecias de engenheiros tão antigas quanto o tempo de paz. Por que, naquele momento crítico, haviam concedido uma licença a Pökler? Quem mais, àquela altura, estava recebendo licença? E o que "Ilse" estava fazendo ali? já não estava grandinha para histórias de fadas? os seios recém-brotados já visíveis sob o vestido, os olhos quase vazios, olhando sem muito interesse para um ou outro menino destinado ao Volkssturm, meninos mais velhos, que também pouco se interessavam por ela. Sonhavam com as ordens que tinham de cumprir, com explosões colossais, com a morte — se chegavam mesmo a vê-la, era de soslaio... *seu Pai há de domá-la... os dentes dela vão morder o poste...* algum dia vou ter um rebanho inteiro deles só para mim... mas primeiro tenho que encontrar meu capitão... em algum lugar nessa Guerra... primeiro eles têm que me libertar deste lugarzinho...

Quem era aquele, que acabava de passar — quem era aquele garoto esguio que passou como um raio à frente dela, tão louro, tão branco que era quase invisível na névoa quente que descera sobre Zwölfkinder? Será que ela o viu, e sabia que era sua própria segunda sombra? Ilse foi concebida porque seu pai viu um filme chamado *Alpdrücken* uma noite e ficou de pau duro. Pökler, excitado como estava, não percebeu o sutil simbolismo gnóstico do diretor naquela iluminação que provocava duas sombras, a de Caim e a de Abel. Mas Ilse, alguma Ilse, sobreviveu a sua mãe cinematográfica, ao final do filme, e o mesmo se deu com as sombras das sombras. Na Zona, tudo estará sob a Antiga Ordem, dentro da luz e do espaço dos cainistas: não por nenhum preciosismo göllerista, mas porque a Dupla Luz estava sempre presente, fora de todo e qualquer filme, e aquele cineasta conversa-fiada foi aparentemente o único da época a percebê-la e utilizá-la, embora ignorasse de todo, naquele momento tal como agora, o que ele estava mostrando àquela nação de basbaques... Assim, naquele verão Ilse passou por si própria, absorta demais em algum meio-dia interior, desprovido de sombras, para perceber a interseção, ou para interessar-se por ela.

Dessa vez, ela e Pökler quase não conversaram: foram as férias mais silenciosas que passaram juntos. Ilse caminhava pensativa, cabeça baixa, cabelos ocultando o rosto como um capuz, as pernas morenas chutando o lixo que a equipe de limpeza, desfalcada, não havia recolhido. Seria a fase por que estava passando, ou estaria ela se ressentindo de ser obrigada a passar uns dias com um engenheiro velhusco e desinteressante num lugar que ela já era grande demais para frequentar havia muitos anos?

"Você no fundo não queria estar aqui, não é?" Estavam sentados à margem de um riacho poluído, jogando pão para os patos. O estômago de Pökler estava virado, de tomar imitação de café e comer carne passada. Sua cabeça doía.

"Se não fosse isso aqui, seria o campo", o rosto virado, teimoso. "No fundo não tenho vontade de estar em lugar nenhum. Estou me lixando."

"Ilse."

"Você gosta daqui? Preferia estar debaixo da sua montanha? Você conversa com os gnomos, Franz?"

"Não, eu não *gosto* de lá" — *Franz?* — "mas eu tenho, eu tenho meu trabalho..."

"Sei. Eu também tenho o meu. Meu trabalho é ser prisioneira. Sou uma prisioneira profissional. Sei conseguir favores, sei roubar, sei delatar, sei —"

A qualquer momento ela diria... "Por favor — *pare*, Ilse —" dessa vez Pökler ficou histérico e deu um tabefe na menina. Os patos, assustados com o estampido, deram meia-volta e foram se afastando. Ilse olhou para ele, sem lágrimas, olhos presos, cômodo após cômodo, às sombras de uma velha casa de antes da guerra onde ele seria capaz de perambular anos a fio, ouvindo vozes, encontrando portas, caçando a si próprio, a vida que poderia ter sido... Não conseguia suportar a indiferença dela. Quase perdendo o controle, Pökler cometeu então seu ato de coragem. Abandonou o jogo.

"Se você não quiser voltar ano que vem", embora "ano que vem" àquela altura já não significasse quase nada na Alemanha, "não precisa vir. Seria até melhor você não vir."

Ela sabia perfeitamente o que ele havia feito. Levantou um joelho e nele apoiou a testa, pensou um pouco. "Eu vou voltar", disse ela, muito baixinho.

"Você?"

"É. Vou, sim."

Então ele soltou-se de todo, de todos os controles. Entregou-se ao vento de seu isolamento prolongado, com um tremor terrível. Chorou. Ela tomou-lhe as mãos. Os patos na água assistiam. O mar esfriava sob o sol enevoado. Vinha o som de um acordeão de algum ponto da cidade. De trás de estátuas míticas em decomposição, crianças malsinadas gritavam uma para a outra. O verão terminava.

De volta à Mittelwerke, Pökler tentava, tentava com insistência, entrar no campo Dora e encontrar Ilse. Não se importava mais com Weissmann. Todas as vezes os guardas da SS eram delicados, compreensivos, intransponíveis.

A carga de trabalho agora era inacreditável. Pökler dormia menos de duas horas por noite. As notícias da guerra só chegavam até os subterrâneos da fábrica sob forma de boatos e escassez de materiais. Antes a filosofia de abastecimento era a "triangulação" — três fontes possíveis para cada peça, para o caso de uma delas ser destruída. Quando alguma coisa não vinha de um determinado lugar, ou atrasava mais do que o normal, sabia-se que fábricas tinham sido bombardeadas, que estradas de ferro haviam sido destruídas. Mais para o final, a solução era tentar fabricar muitos dos componentes ali mesmo.

Quando Pökler tinha tempo para pensar, mergulhava no enigma cada vez mais denso do silêncio de Weissmann. Para provocá-lo, ou provocar a lembrança dele, Pökler fazia questão de conversar com os oficiais no destacamento de segurança do major Förschner, atrás de notícias. Todos tratavam Pökler como apenas um chato. Tinham ouvido boatos segundo os quais Weissmann não estaria mais lá e sim na Holanda, comandando uma bateria de foguetes. Enzian desaparecera por completo, juntamente com muitos homens-chave do Schwarzkommando. Pökler tinha cada vez mais certeza de que dessa vez o jogo havia mesmo terminado, que a guerra havia pegado todos eles, criando novas prioridades de vida ou morte, de modo que não havia mais tempo livre para torturar um insignificante engenheiro. Agora Pökler podia relaxar um pouco, atravessar a rotina do dia, esperar pelo fim, até mesmo permitir-se a esperança de que em breve os milhares de presos do campo Dora fossem libertados, inclusive Ilse, uma Ilse aceitável...

Porém na primavera ele viu Weissmann de novo. Acordou um dia, de um sonho com uma suave Zwölfkinder que era ao mesmo tempo Nordhausen, uma cidade de gnomos que produziam foguetes de brinquedo para ir à Lua, e lá estava a cara de Weissmann junto ao beliche, olhando para ele. Parecia dez anos mais velho, e Pökler quase não o reconheceu.

"Não temos muito tempo", cochichou Weissmann. "Venha comigo."

Atravessaram a azáfama branca e insone dos túneis, Weissmann caminhando com passos lentos e rígidos, os dois calados. Num dos escritórios havia outros seis esperando, juntamente com alguns homens da SS e do SD. "Já conseguimos permissão dos seus grupos", disse Weissmann, "para liberá-los para trabalhar num projeto especial. É segurança máxima. Vocês vão para um alojamento separado, com refeitório separado, e não vão falar com ninguém que não esteja aqui nesta sala." Todos olharam a sua volta para ver quem estava ali. Ninguém conhecido. Olharam de novo para Weissmann.

Ele queria que fizessem uma modificação num dos foguetes, apenas num. Seu número de série tinha sido removido, e cinco zeros foram pintados em seu lugar. Pökler entendeu de imediato que era para isso que Weissmann estava preservando-o esse tempo todo: era seu "destino especial". Aquilo não fazia sentido para ele: teria que projetar um deslizador de plástico, de um determinado tamanho, com certas propriedades isolantes, para a seção de propulsão do foguete. O engenheiro de propulsão era quem mais estava trabalhando no projeto, redesenhando as linhas de vapor e combustível, relocalizando componentes. Fosse o que fosse o novo foguete, ninguém o via. Corriam boatos de que ele estava sendo produzido em outro lugar, e que seu apelido era Schwarzgerät, por estar imerso em total segredo. Até mesmo seu peso era informação confidencial. Terminaram em menos de duas semanas, e o "Vorrichtung für die Isolierung" foi enviado para o campo. Pökler apresentou-se ao supervisor de antes, e a velha rotina recomeçou. Nunca mais viu Weissmann.

Na primeira semana de abril, quando as unidades americanas estavam sendo aguardadas a qualquer momento, a maioria dos engenheiros estavam fazendo as malas, trocando endereços com colegas, tomando brindes de despedida, zanzando pelos espaços vazios. Havia uma atmosfera de formatura. Era difícil não assobiar "Gaudeamus igitur". De repente aquela vida enclausurada ia terminar.

Um jovem guarda da SS, um dos últimos a partir, encontrou Pökler no refeitório empoeirado, entregou-lhe um envelope e foi-se embora sem dizer palavra. Era a licença de sempre, esvaziada pela morte iminente do governo — e uma permissão de viagem para Zwölfkinder. No lugar onde deveriam estar as datas alguém rabiscara, de modo quase ilegível: "Depois que cessarem as hostilidades". No verso, com a mesma letra (a de Weissmann?), um recado para Pökler. *Ela foi solta. Estará lá a sua espera.* Ele compreendeu que aquilo era uma forma de pagamento por ter trabalhado no 00000. Por quanto tempo Weissmann o havia mantido na reserva, só para ter à mão um perito em plásticos confiável quando chegasse a hora?

No último dia, Pökler saiu dos túneis pela extremidade sul. Havia caminhões por toda parte, todos eles em ponto morto, um cheiro de adeus no ar primaveril, árvores altas verdejantes nas encostas ao sol. O Obersturmbannführer não estava em seu posto quando Pökler entrou no campo Dora. Ele não estava procurando Ilse — quer dizer, não exatamente. Talvez achasse que devia por fim procurá-la. Não estava preparado. Tinha os dados, sim, mas não sabia, com os sentidos nem com o coração...

Os cheiros de merda, morte, suor, doença, mofo, mijo, o hálito de Dora, envolveu-o enquanto ele caminhava, olhando para os cadáveres nus sendo retirados agora que os americanos estavam tão próximos, para serem empilhados à frente dos crematórios, os pênis dos homens balançando, seus dedos dos pés redondos e brancos como pérolas... cada rosto tão perfeito, tão individual, lábios tensos em sorrisos de caveiras, toda uma plateia silenciosa suspensa no momento final da piada... e os vivos, empilhados, dez em cada colchão de palha, os mais fracos chorando, tossindo, derrotados... Todos os vácuos de Pökler, todos os seus labirintos, tinham sido do outro lado do muro. Enquanto ele vivia, fazendo desenhos em papel, esse reino invisível prosseguira, nas trevas exteriores... o tempo todo... Pökler vomitou. Chorou um pouco. Os muros não se dissolveram — nenhum muro de prisão jamais se dissolve em lágrimas, nem diante da descoberta, em cada enxerga, de que os rostos são rostos que ele conhece, afinal, que lhe são tão queridos quanto ele próprio, e portanto ele não pode deixar que voltem para aquele silêncio... Mas o que fazer? Como guardá-los? A impotência, a rotação especular da dor, sacode-o por dentro, é terrível, como um coração disparado, e quase não lhe deixa a possibilidade de uma boa raiva, nem de virar a cara...

No lugar mais escuro e fedorento Pökler encontrou uma mulher deitada, uma mulher qualquer. Ficou meia hora sentado, segurando sua mão esquelética. Ela estava respirando. Antes de partir, tirou sua aliança de ouro e colocou-a no dedo fino da mulher, e depois dobrou-lhe a mão, para que a aliança não escorregasse e caísse. Se ela sobrevivesse, aquele ouro lhe valeria algumas refeições, ou um cobertor, ou uma noite num quarto, ou uma viagem para casa...

□□□□□□□

De volta a Berlim, uma tremenda tempestade despencando sobre a cidade. Margherita levou Slothrop para uma frágil casa de madeira perto do Spree, no setor russo. Um tanque Königstiger incendiado guarda a entrada, tinta enegrecida, esteiras destroçadas fora das rodas, o cano monstruoso de 88 cm caído, apontando para o rio cinzento e sibilante, pontuado de chuva sibilante.

Dentro da casa há morcegos aninhados entre os caibros, restos mortais de camas cheirando a mofo, cacos de vidro e merda de morcego no chão de madeira nua, janelas fechadas com tábuas salvo no lugar por onde saía a chaminé do fogão, a qual está caída no assoalho. Numa cadeira de balanço há um casaco de algodão, uma nuvem cinzenta. No chão ainda se vê a tinta velha de algum pintor, salpicos enrugados de carmim, amarelo-açafrão, azul-cinza, deformações em negativo de algum quadro cujo paradeiro é ignorado. Pendurado num canto, um espelho embaçado, com flores e pássaros pintados na moldura em tinta branca, reflete as imagens de Margherita e Slothrop e a chuva vista pela porta aberta. Uma parte do teto, destruída quando o Tigre-Rei morreu, foi coberta por cartazes de papelão, encharcados e manchados, todos idênticos, nos quais aparece uma figura de capa e chapéu largo, com a legenda DER FEIND HÖRT ZU. Há meia dúzia de goteiras.

Greta acende um lampião de querosene. A chama aquece a luz chuvosa com um punhado de amarelo. Slothrop acende o fogão, enquanto Margherita se enfia debaixo da casa, onde constata que há um grande estoque de batatas. Puxa, Slothrop não vê uma batata há meses. Tem um saco de cebola também, tem até vinho. Ela cozinha, e os dois caem de boca nas batatas. Depois, sem maiores parafernálias nem conversas, trepam até adormecerem. Mas algumas horas depois Slothrop acorda e fica deitado, pensando para onde vai agora.

Bem, procurar o tal Säure Bummer, assim que essa chuva amainar, para lhe entregar o haxixe. Mas e depois? Slothrop e o S-Gerät e o mistério Jamf/Imipolex tornaram-se estranhos um para o outro. Na verdade, ele não pensa nessas coisas já faz algum tempo. Hmm... quanto tempo mesmo? Aquele dia em que ele foi ao tal café com o Säure, e eles fumaram aquele baseado... ah, foi anteontem, não foi? As goteiras pingam, encharcando o assoalho, e Slothrop percebe que está perdendo a razão. Se há algo de confortante — religioso, até — na paranoia, há também a antiparanoia, em que nada tem ligação com nada, um estado que quase ninguém consegue suportar por muito tempo. Pois bem, Slothrop sente agora que está entrando na parte antiparanoica de seu ciclo, sente que toda a cidade a sua volta está destelhada, vulnerável, descentrada, tal como ele, e não há nada mais do que cartazes do Inimigo Atento entre ele e o céu chuvoso.

Ou bem Eles o colocaram ali por um motivo, ou bem ele está ali só por estar. Pensando bem, talvez fosse até melhor haver o tal *motivo*...

A chuva começa a diminuir por volta de meia-noite. Ele deixa Margherita dormindo e sai pela cidade fria com seus cinco quilos, guardando para seu próprio uso o quilo de que Tchitcherine tirou uma lasca. Soldados russos cantam em seus acantonamentos. A dor salgada de um acordeão chora atrás deles. Bêbados surgem alegres, mijando no meio de becos calçados com paralelepípedos. Algumas ruas têm uma capa de lama que é como carne. Crateras de obuses estão cheias de água, que brilha à luz das equipes noturnas que trabalham removendo entulho. Cadeira Biedermeier estraçalhada, pé de bota sem par, armação de óculos de aço, coleira de cachorro (olhos à margem da trilha serpenteante à procura de um sinal, de uma chama), rolha de vinho, vassoura estilhaçada, bicicleta com uma roda só, exemplares do *Tägliche Rundschau* jogados no lixo, maçaneta de calcedônia pintada de azul há muitos anos com ferrocianida ferrosa, teclas de piano espalhadas (todas brancas, uma oitava inteira começando em si, mais precisamente — ou H, para adotar a nomenclatura alemã — as notas do rejeitado modo lócrio), o olho preto e amarelo de algum animal empalhado... A noite esparramada. Cães, assustados e estremecendo de frio, correm para trás de muros quebrados que parecem curvas de gráficos. De algum lugar vem um vazamento de gás que por um minuto confunde-se com os cheiros de morte e fim de chuva. Edifícios de apartamentos eviscerados ostentam fileiras de janelas enegrecidas. Pedaços de concreto pendem de barras de ferro retorcidas como espaguete negro, enormes nacos pesados que estremecem ameaçadores lá no alto quando algum passante roça no prédio... O Zelador da Noite, de rosto tranquilo, paira por trás de olhos e um sorriso neutros, enrodilhado e pálido, acima da cidade, a cantarolar seus acalantos roucos. Nos tempos da Inflação, os jovens passavam o tempo assim, sozinhos na rua, sem ter para onde escapar do negrume do inverno. As moças ficavam até tarde às portas das casas, ou sentadas em bancos de praça à luz dos lampiões à beira dos rios, esperando clientes, mas os rapazes passavam sem parar, ignorados, recurvos com suas ombreiras excessivas, dinheiro sem nenhuma relação com as coisas que podia comprar, inchando, câncer de papel nas suas carteiras...

A entrada do Chicago Bar está sendo guardada por dois de seus descendentes, garotos com ternos à George Raft, grandes demais para seus corpos, tão grandes que jamais ficarão bem neles. Um tosse sem parar, em espasmos decrescentes incontroláveis. O outro lambe os lábios e olha fixamente para Slothrop. Marginais. Quando ele menciona o nome de Säure Bummer, eles se colocam ao mesmo tempo à frente da porta, fazendo que não com as cabeças. "Olhe, eu tenho que entregar uma encomenda pra ele."

"Não conheço."

"Não dá pra eu deixar um recado?"

"Ele não está aqui." O tossidor tenta acertar-lhe um soco, mas Slothrop dá um passo para o lado, rapidamente toureia-o com sua capa, estica a perna e passa uma rasteira no garoto, que cai xingando, todo enrolado em seu chaveiro comprido, enquanto seu comparsa enfia a mão dentro do paletó para tirar uma arma, Slothrop imagina, de modo que lhe dá um chute no saco, e gritando "Fick nicht mit der Raketemensch!" para que eles não o esqueçam, meio assim tipo aiô Silver, salta para as sombras, por entre os montes de madeira, pedra e terra.

Toma uma trilha que lhe parece ser a que seguiu com Säure naquela noite — a toda hora se perde, entra em labirintos sem janelas, emaranhados de arame farpado decorados com suvenires das chuvas letais de maio, depois num pátio de caminhões esburacado do qual leva meia hora para conseguir sair, um terreno recoberto de borracha, graxa, aço e gasolina derramada, pedaços de veículos apontando para o céu ou para a terra, tal como num cemitério de automóveis americano em tempo de paz, formando rostos estranhos, pardos, feito os das capas do *Saturday Evening Post*, só que não são engraçados e sim sinistros... é, sim, é mesmo o *Saturday Evening Post*: são rostos de mensageiros com tricornes na cabeça, vindos por longas estradas, passando por olmos, lendas de Berkshire, viajantes perdidos no limiar da tarde. Vêm com uma mensagem. Mas, olhando-se fixamente para seus rostos, eles se desfazem. Dissolvem-se em máscaras atemporais que revelam todo o seu significado, tudo de imediato, na superfície.

Slothrop leva uma hora para encontrar o porão de Säure. Mas está escuro, e está vazio. Ele entra, acende a luz. Pelo visto, houve uma batida ou o ataque de uma gangue adversária: a guitarra sumiu, há roupas jogadas para todos os lados, algumas delas muito esquisitas: por exemplo, um terno de vime, de vime *amarelo* ainda por cima, com articulações nas axilas, cotovelos, joelhos e virilhas... ah, bem, Slothrop vasculha o lugar rapidamente, olhando dentro dos sapatos, aliás alguns deles não são bem sapatos e sim luvas para os pés, com os dedos separados, mas não costurados e sim *moldados* numa substância desagradável, uma espécie de resina furta-cor, como a que é usada para fazer bolas de boliche... atrás dos restos do papel de parede, dentro da corrediça enrolada no alto da janela, em meio às hachuras de duas ou três cédulas falsas largadas pelos saqueadores — quinze minutos de busca, sem encontrar nada... e o objeto branco sobre a mesa olhando para ele, de suas sombras arregaladas, o tempo todo. Ele sente o olhar da coisa antes de vê-la por fim: uma peça de xadrez de cinco centímetros de altura. Um cavalo branco, moldado em plástico — e-e espere até Slothrop descobrir que *tipo* de plástico é, rapaz!

É um crânio de cavalo: o oco das órbitas dos olhos vão até quase a base. Dentro de uma das órbitas há um papel de cigarro bem enrolado com um recado de Säure. "Raketemensch! Der Springer me pediu para eu lhe entregar isto, o símbolo dele. Guarde-o — com isto ele saberá quem você é. Estou na Jacobistrasse 12, 3er Hof, número 7. Até +. Eu. Eu?" Ora, "Até +" era o modo como John Dillinger sempre encerrava suas cartas. Neste verão, todo mundo está usando isso na Zona. É assim que as pessoas mostram como se sentem em relação a certas coisas...

Säure deixou-lhe também um mapa mostrando como chegar até o lugar onde ele está. É bem no setor inglês. Gemendo, Slothrop sai do porão e volta para a lama da madrugada. Quando já está perto do portão de Brandemburgo, começa a cair uma garoa fina outra vez. Pedaços do portão ainda estão espalhados pela rua — marcada por obuses, inclinada contra o céu nublado, seu silêncio é colossal, desfigurada, quando Slothrop a contorna, a Carruagem brilhando feito carvão, móvel e imobilizada, estamos no século XXX e o bravo Homem-Foguete acaba de pousar aqui para visitar as ruínas, os vestígios, neste deserto alto, de uma antiga ordem europeia...

A Jacobistrasse e a maior parte do bairro, um bairro de cortiços, sobreviveram intatas aos conflitos de rua, juntamente com a escuridão interior, alvenaria de sombras que persiste dia e noite. O número 12 é um quarteirão inteiro de cortiços construídos antes da Inflação, cinco ou seis andares e uma mansarda, cinco ou seis Hinterhöfe aninhados um dentro do outro — caixas de um presente dado por um gozador, no centro de tudo apenas um último pátio vazio com o mesmo cheiro de comida e lixo e mijo, velho de décadas. Ha, ha!

Slothrop vai seguindo em direção à primeira porta em arco. As luzes da rua projetam a sombra de sua capa sobre uma sucessão de arcos semelhantes, cada um deles com um nome em tinta desbotada, Erster-Hof, Zweiter-Hof, Dritter-Hof, u.s.w., com a mesma forma que a entrada da Mittelwerke, em parábola, porém lembrando mais uma boca escancarada, articulações de cartilagem recuando, esperando, esperando a hora de engolir... acima da boca dois olhos quadrados, brancos de organdi, íris negras como piche, olham para ele do alto... rindo como ri há tantos anos, sem parar, um riso gordo e percussivo, como peças pesadas de cerâmica rolando ou se esbarrando dentro d'água na pia. Um riso idiota, sou só eu, grandalhão e geométrico como sempre, tá nervoso por quê, hein? vamos, pode entrar... Porém a dor, os vinte, vinte e cinco anos de dor paralisados naquela goela comprida... velho pária, passivo, agora viciado em sobrevivência, esperando o tempo passar, esperando por otários vulneráveis como Slothrop para se expor a eles, rindo e chorando e tudo em silêncio... a tinta está descascando do Rosto, queimado, doente, moribundo há muito tempo, e como é que Slothrop pode simplesmente ir entrando numa garganta tão esquizoide? Ora, porque é isso que o poderoso e vigilante Estúdio quer que ele faça, natürlich: Slothrop é o personagem jovem de hoje: o que o leva a passar a noite em movimento, a ele e aos outros, berlinenses solitários que só saem nessas horas evacuadas, sem lar e sem destino, é a necessidade inexplicada d'Eles de manter alguma população marginal nesses lugares pálidos e preteridos, por motivos certamente econômicos, se bem que, sabe-se lá, talvez além disso emocionais...

Também Säure está em movimento, só que lá dentro, rondando seus sonhos. Parece ser um cômodo único, grande e escuro, cheio de fumaça de tabaco e kif, montinhos de gesso esfarelado onde paredes foram derrubadas, esteiras de palha espalhadas pelo chão, um casal numa delas dividindo um último cigarro em silêncio, alguém roncando em outra... piano de cauda Bosendorfer Imperial reluzente sobre o qual Trudi, trajando apenas uma camisa do exército, debruça-se, musa desesperada, pernas nuas compridas e esticadas, "*Por favor* venha se deitar Gustav, já é quase dia". A única resposta é um dedilhar mal-humorado das cordas mais graves. Säure está deitado de lado, perfeitamente imóvel, uma criança encolhida, rosto há muito tempo trabalhado por saltos de janelas do segundo andar, "massagens" dadas por punhos de sargentos, femininos e enluvados, nas delegacias, luz vespertina dourada no hipódromo de Karlshorst, luz negra das calçadas dos bulevares à noite finamente enrugadas como couro esticado sobre pedra, luz branca de vestidos de cetim, copos empilhados reluzentes à frente de espelhos de bares, Us lineares nas entradas das estações de metrô apontando para o céu num magnetismo suave, pedindo anjos de aço de exaltação, de lânguida rendição — rosto que, adormecido, fica velhíssimo, entregue à história da cidade...

Seus olhos se abrem — por um momento Slothrop é apenas um vulto escuro de dobras verdes, capacete reluzente, dados visuais ainda por juntar. Então vem o sorriso simpático, o movimento de cabeça, está tudo bem, ja, oi Homem-Foguete, was ist los? Se bem que o velho viciado empedernido não é educado o bastante para não abrir o saco imediatamente e olhar, olhos como dois buracos de mijo num monte de neve, para ver o que há lá dentro.

"Imaginei que você estivesse em cana, sei lá."

E Säure saca o cachimbinho marroquino e começa a achatar um pedacinho gordo de haxixe, cantarolando a conhecida rumba

Essa coisinha do Mar-rôcos
Que deixa os meus amigos lô-cos,

"Ah. Pois é, o Springer caguetou a nossa fábrica de marcos. Probleminhas passageiros, você sabe."

"Não sei, não. Eu pensava que vocês dois fossem unha e carne."

"Nada disso. E ele circula em órbitas mais altas." É muito complicado ter que se virar com dinheiro de ocupação impresso pelo exército americano que já está sendo recolhido no teatro mediterrâneo, quando as forças de ocupação aliadas relutam em aceitar Reichsmarks. Além disso Springer tem um problema de balança de pagamentos, ele andou especulando muito com libras esterlinas, e...

"Mas", diz Slothrop, "mas... hãã... e o meu milhão de marcos então, Emil?"

Säure chupa a chama amarela que dança na borda do fornilho. "Foi para onde se enroscam as madressilvas." Exatamente o que Jubilee Jim Fisk disse à comissão parlamentar que investigava a sua tentativa, em parceria com Jay Gould, de açambarcar o mercado do ouro em 1869. Essas palavras fazem Slothrop lembrar-se de Berkshire. Apenas com base nelas, ocorre-lhe que Säure não pode estar do lado dos Bandidos. Seja lá quem Eles forem. O jogo deles é sempre extinguir, jamais lembrar.

"Bem, posso vender no varejo o que ficou comigo", arrisca Slothrop. "Em troca de dinheiro de ocupação. É estável, não é?"

"Você não ficou zangado. Você realmente não ficou zangado."

"O Homem-Foguete está acima dessas bobagens, Emil."

"Tenho uma surpresa pra você. Posso lhe arranjar o tal Schwarzgerät que lhe interessa."

"Você?"

"O Springer. Eu pedi a ele, para você."

"Não fode. Sério? Puxa, obrigadão, hein! Como que eu posso..."

"Dez mil libras esterlinas."

Slothrop perde toda uma porção de fumaça já tragada. "Obrigado, Emil..." Conta a Säure os problemas que teve com Tchitcherine, e também que viu o famoso Mickey Rooney.

"Homem-Foguete! Homem do Espaço! Bem-vindo a nosso planeta virginal. Nós só queremos que nos deixem em paz aqui, está bem? Se vocês nos matarem, por favor não comam nossos corpos. Se comerem, favor não digerir. Deixem a gente sair do outro lado, que nem diamantes na merda de contrabandistas..."

"Escute" — lembrando-se agora da dica que Geli lhe deu há tanto tempo em Nordhausen — "o seu amigo Springer lhe disse que anda frequentando Swinemünde, ou algum lugar assim?"

"Só o preço do seu instrumento, Rak. Metade do dinheiro adiantado. Ele disse que ia gastar pelo menos isso para localizar o bicho."

"Quer dizer que ele nem sabe onde que está. Porra, ele pode estar enrolando a nós todos, jogando verde na esperança de encontrar alguém que seja otário bastante pra lhe adiantar uma grana."

"Ele costuma cumprir o prometido. Você não teve nenhum problema com aquele passe que ele forjou, não é?"

"Ééééé —" Ah. Ah, é, ah-ah, eu estou mesmo pra lhe perguntar sobre aquele detalhe do Max Schlepzig — "Pois bem." Porém nesse ínterim Trudi abandonou Gustav no piano e veio sentar-se, esfregando as bochechas no veludo das calças de Slothrop, as pernocas nuas sussurrando uma contra a outra, os cabelos se derramando, a camisa semidesabotoada, e Säure a certa altura da conversa virou-se para o lado e, com um gemido, adormeceu de novo. Trudi e Slothrop recolhem-se para um colchão bem afastado do Bosendorfer. Slothrop recosta-se suspirando, tira o capacete e deixa que Trudi, grandalhona, doce, saftig, se satisfaça com ele. Suas juntas estão doídas com a chuva e a perambulação pela cidade, ele está meio zonzo, os beijos de Trudi estão lhe proporcionando uma sensação extraordinária de bem-estar, aqui nesta casa vale tudo, não há sentidos e órgãos privilegiados, todos estão igualmente em jogo... talvez pela primeira vez em sua vida, Slothrop não se sente obrigado a ficar de pau duro, o que aliás é muito bom, porque o intumescimento parece que está se dando menos no seu pênis do que no... ah, essa não, é constrangedor, mas... pois bem, na verdade é o *nariz* dele que parece estar ficando duro, o muco começa a fluir, é sim, trata-se de um caso de ereção nasal, e Trudi certamente percebeu, como é que poderia deixar de... e quando ela pousa os lábios sobre aquele focinho latejante e enfia um metro de língua lasciva em uma de suas narinas... ele sente cada papila gustativa rosada enquanto ela penetra ainda mais fundo, empurrando para os lados as membranas do vestíbulo e os pelos de modo a abrir lugar para a cabeça, depois os ombros e... bem, metade dela já entrou, mais ou menos — enfiando os joelhos, agarrando-se com mãos e pés aos pelos, ela por fim consegue pôr-se de pé dentro do grande salão vermelho onde há uma luminosidade bem agradável, nem paredes nem teto, só um dégradé de tons de rosa-concha e primavera para todos os lados...

Adormecem na sala cheia de roncos, acordes graves vindos do piano, e o tamborilar milípede da chuva nos pátios lá fora. Slothrop acorda no auge da Hora Má, Trudi está em algum outro cômodo com Gustav, com um tinir de xícaras de café, uma gata de cara branca e corpo malhado tenta pegar moscas junto à janela suja. Lá fora, à margem do Spree, a Mulher Branca está à espera de Slothrop. Ele não se sente particularmente disposto a sair dali. Trudi e Gustav entram com café e meio baseado, e todo mundo fica conversando.

Gustav é compositor. Há meses que ele está envolvido numa discussão candente com Säure a respeito de quem é melhor, Beethoven ou Rossini. Säure é a favor de Rossini. "Não sou pró-Beethoven enquanto Beethoven", argumenta Gustav, "mas sim na medida em que ele representa a dialética germânica, a incorporação de um número cada vez maior de notas à escala, culminando com a democracia dodecafônica, em que todas as notas recebem a mesma atenção. Beethoven foi um dos arquitetos da liberdade musical — ele submeteu-se às exigências da história, apesar de sua surdez. Enquanto Rossini estava se aposentando aos 36 anos de idade, correndo atrás de rabo de saia e engordando, Beethoven levava uma vida cheia de tragédia e grandeza."

"E daí?" é a resposta habitual de Säure a esse raciocínio. "O que é que você preferia fazer? A questão", interrompendo o costumeiro grito indignado de Gustav, "é que as pessoas se sentem *bem* quando ouvem Rossini. Quando você ouve Beethoven, você só sente vontade de invadir a Polônia. 'Ode à Alegria', o cacete. O cara não tinha nem senso de humor. Vou lhe dizer uma coisa", brandindo o punho magro de velho, "tem mais Sublime na parte do tambor de *La gazza ladra* do que em toda a Nona Sinfonia. Em Rossini, o importante é que os amantes sempre terminam juntos, o isolamento termina, e, quer queira, quer não queira, esse é o único grande movimento centrípeto do Mundo. Em meio a todas as maquinarias da cobiça, da mesquinhez, do abuso do poder, *o amor ocorre*. Toda a merda se transmuda em ouro. As paredes são derrubadas, as galerias são escaladas — ouça!" Era uma noite no início de maio, e o bombardeio final de Berlim estava em andamento. Säure tinha de gritar a plenos pulmões. "A italiana está em Argel, o barbeiro está quebrando a louça, a gralha está roubando tudo que há para roubar! O Mundo todo está confluindo..."

Nesta manhã chuvosa, no silêncio, tudo indica que a dialética germânica de Gustav chegou ao fim. Ele acaba de receber a notícia, a qual veio de Viena via alguma rede de informações de músicos, de que Anton Webern morreu. "Morto a tiros, em maio, pelos americanos. Uma coisa absurda, acidental, para quem acredita em acidentes — um cozinheiro de rancho da Carolina do Norte, um desses soldados recrutados na última hora, com um 45 que ele mal sabia usar, tarde demais para a

Segunda Guerra, mas não para Webern. A desculpa para dar a busca era que o irmão de Webern estava atuando no mercado negro. E quem não está? Você imagina o mito que isso não vai virar daqui a mil anos? Os jovens bárbaros vindo para assassinar o Último Europeu, que ocupava a extremidade de um processo iniciado por Bach, uma expansão da perversão polimorfa da música até todas as notas serem verdadeiramente iguais... Para onde se poderia ir depois de Webern? Foi o momento da liberdade máxima. Tudo tinha mesmo que desabar. Outro Götterdämmerung —"

"Seu garoto idiota", Säure aparece vindo das ruas de Berlim, arrastando uma fronha cheia de camarões de maconha recém-chegados da África do Norte. Totalmente desmazelado — olhos vermelhos e empapuçados, braços gorduchos de bebê totalmente sem pelos, braguilha semiaberta sem metade dos botões, os cabelos brancos e a camisa azul ambos sujos de uma gosma verde nojenta. "Caí num buraco de obus. Vamos, depressa, enrole um."

"Que você quer dizer com 'garoto idiota'?" indaga Gustav.

"Me refiro a você e a suas dialéticas musicais", berra Säure. "Quer dizer que terminou tudo mesmo? Ou vamos ter que começar da capo com Carl Orff?"

"Nunca pensei nisso", diz Gustav, e por um momento fica claro que Säure também soube da morte de Webern e está tentando, à sua maneira sorrateira, animar Gustav.

"O que é que você tem contra *Rossini*?" grita Säure, acendendo o baseado. "*Hein?*"

"Eca", exclama Gustav, "eca, eca, Rossini", e pronto, começa tudo outra vez, "seu dinossauro. Por que é que ninguém mais frequenta as salas de concerto? Acha que é por causa da guerra? Não é nada disso, eu lhe explico, meu velho — é porque as salas de concerto estão cheias de gente como você! *Assim* de gente como você! Cochilando, peidando, sorrindo com cuidado para a dentadura não sair do lugar, pigarreando e escarrando dentro de sacos de papel, bolando tramas cada vez mais engenhosas contra seus próprios filhos — e também contra os filhos *dos outros*! Vão para os concertos junto com outros patifes de cabelo branco, e é aquele tremendo fundo sonoro de velho com peito chiando, intestino roncando, arrotando, se coçando, chupando, gemendo, a ópera inteira cheia de gente assim, sentada e em pé, cambaleando pelos corredores, dependurados das torrinhas, e sabe o que eles todos estão *ouvindo*, Säure, hein? Estão ouvindo Rossini! Se babando todos com um pot-pourri de melodiazinhas previsíveis, apoiando os cotovelos nos joelhos e resmungando, 'Vamos lá, Rossini, vamos tirar essa bobajada pretensiosa toda do caminho, a gente quer mais é *melodias bem bonitas*!' É uma coisa tão vergonhosa quanto comer um vidro inteiro de creme de amendoim de uma vez só. E lá vem a saltitante tarantela de *Tancredi*, e aí eles batem com o pé no chão de felicidade, estalam a língua e batucam com a bengala — 'Ah, *isto*, sim!'"

"É mesmo uma melodia *fantástica*", Säure grita. "Fume mais um pouco que eu vou tocar para você aqui no Bosendorfer."

Enquanto ele toca sua tarantela, que é de fato uma excelente melodia, Magda entra, molhada da chuva da manhã, e começa a enrolar baseados para todo mundo. Entrega um a Säure para que ele o acenda. Säure para de tocar e fica um bom tempo olhando para o charo. Balançando a cabeça de vez em quando, sorrindo ou franzindo o cenho.

Gustav debocha, mas na verdade Säure é mesmo um expoente da difícil arte da papiromancia, a capacidade de prever o futuro contemplando o modo como as pessoas enrolam baseados — a forma, a lambida, as rugas e amassados ou a ausência deles no papel. "Em breve você vai se apaixonar", diz Säure, "veja, esta linha aqui."

"É comprida, não é? Quer dizer que —"

"Comprimento costuma ser intensidade. Não duração."

"Breve mas gostoso", suspira Magda. "Fabelhaft, was?" Trudi vem até ela e a abraça. Aquilo é uma cena de Mutt e Jeff, Trudi de salto alto é uns bons trinta centímetros mais alta que a outra. Elas têm consciência da imagem que projetam, e andam juntas pela cidade sempre que podem, para intervir, ainda que por apenas um minuto, nas cabeças das pessoas.

"E então, o que você achou dessa coisa?" pergunta Säure.

"*Hübsch*", reconhece Gustav. "Um pouco *stahlig*, e talvez um toque infinitesimal de *Bodengeschmack* por trás do *Körper*, que é, sem dúvida, *süffig*."

"Pois eu diria que é *spritzig*", discorda Säure, se é que está mesmo discordando. "De modo geral, mais *bukettreich* do que a safra do ano passado, você não acha?"

"Ah, até que para fumo Haut Atlas esse aqui tem lá sua *Art*. Sem dúvida pode-se dizer que é *kernig*, até mesmo — tal como se fala no que há de *sauber* na variedade que prevalece na região de Oued Nfis — genuinamente *pikant*."

"Na verdade, eu diria que a origem é alguma encosta meridional de Jebel Sarho", diz Säure — "observe o *Spiel*, um tanto *glatt* e *blumig*, até mesmo um toque de *Fülle* em sua audácia *würzig* —"

"Não, não, não, *Fülle* também já é exagero, o Esmeralda de El Abid do mês passado é que tinha *Fülle*. Este aqui, porém, é claramente mais *zart* que aquele."

A verdade é que os dois estão tão zonzos que nenhum deles sabe do que está falando, o que não faz muita diferença, porque neste momento ouve-se uma batida fortíssima na porta e muitos achtungs vindos lá de fora. Slothrop grita e corre até a janela, sobe no telhado e desce do outro lado, por um cano galvanizado, no pátio seguinte, mais próximo da rua. Dentro da sala de Säure o pau está comendo. Entrou a polícia de Berlim, reforçada por PMs americanos na qualidade de consultores.

"Mostre os seus papéis!" berra o chefe da operação.

Säure sorri e exibe um maço de papéis Zig-Zag, recém-importados de Paris.

Vinte minutos depois, em algum lugar no setor americano, Slothrop está passando por um cabaré onde PMs aparvalhados fazem hora do lado de dentro e do lado de fora, e de algum lugar vem o som de um rádio ou vitrola tocando um pot-pourri de Irving Berlin. Slothrop passa todo encolhido, paranoico, estão tocando "God bless

America", e-e "This is the Army, Mister Jones", e são as versões estadunidenses da canção de Horst Wessel, embora lá na Jacobistrasse seja Gustav quem está esbravejando (ele não está a fim de acabar que nem Anton Webern) para um tenente-coronel americano apatetado: "Uma parábola! Uma arapuca! Vocês nunca foram imunes ao simplismo do arco sinfônico germânico, coisa de filisteu, tônica para dominante etc. Grandiosidade! Gesellschaft!"

"Teutônica?" exclama o coronel. "Dominante? A guerra acabou, meu chapa, que história é essa?"

Dos campos encharcados do Mark vem uma garoa fria no vento. Cavalarianos russos estão atravessando a Kurfürsterdamm, tocando uma manada de vacas para a matança, mugindo, enlameadas, pestanas peroladas de chuva fina. No setor soviético, moças com rifles a tiracolo sobre os seios que pulsam debaixo da roupa de lã policiam o trânsito com flâmulas de um laranja vivo. Escavadeiras rosnam, caminhões esforçam-se para derrubar paredes já semidestruídas, criancinhas aplaudem cada vez que os tijolos úmidos desmoronam. Serviços de chá de prata tintinam em terraços com palmeiras onde água goteja, garçons de preto dão meia-volta e inclinam a cabeça. Um carro aberto passa espirrando água, dois oficiais russos amedalhados, cada um acompanhado de sua senhora, ambas com vestidos de seda e chapelões de aba mole, com fitas soltas ao vento. No rio, patos com cabeças de um verde reluzente deslizam entre as ondulações circulares formadas pelos outros patos. Sai fumaça de madeira pelo cano amassado da casa de Margherita. Ao entrar, a primeira coisa que Slothrop vê é um sapato de salto alto voando bem em direção a sua cabeça. Ele se esquiva na hora H. Margherita está ajoelhada na cama, ofegante, olhar fixo. "Você me abandonou."

"Eu tinha umas coisas pra fazer." Examina umas latas tampadas numa prateleira acima do fogão, encontra flores secas de trevo para fazer chá.

"Mas você me deixou sozinha." Seus cabelos levantados formam uma nuvem cinzenta em torno do rosto. Ela é acossada por ventos interiores que ele jamais sentiu.

"Só por um tempinho. Quer chá?" E vai em direção à porta da rua com uma lata vazia.

"Um tempinho, é? Pelo amor de Deus, você nunca ficou sozinho?"

"Claro." Pegando água num barril de recolher chuva junto à porta. Deitada, ela toda treme, o rosto se contorce, impotente.

Slothrop põe a lata no fogo para ferver a água. "Você estava ferrada no sono. Aqui não é seguro? É isso que você quer dizer?"

"Seguro." Um riso terrível. Ele não gosta quando ela ri assim. A água começa a crepitar. "Você sabe o que eles fizeram comigo? O que eles botaram em cima dos meus seios? *As coisas de que eles me xingaram?*"

"Quem, Greta?"

"Quando você saiu eu acordei. Eu chamei, mas você não voltou. Quando viram que você tinha ido embora mesmo, eles entraram..."

"Por que você não tentou ficar acordada?"

"*Eu estava acordada!*" O sol, ligado o interruptor, irrompe de repente. A luz áspera a obriga a virar o rosto.

Enquanto ele prepara o chá, Greta, sentada na cama, xinga-o em alemão e italiano, com uma voz à beira da histeria. Slothrop lhe entrega uma xícara. Ela a derruba de sua mão.

"Olhe, se acalme, ouviu?" Senta-se ao lado dela e sopra seu chá. A xícara que ela recusou fica onde caiu. A mancha escura e fumegante se espalha pelas tábuas de madeira. Ao longe, o trevo se eleva e se dispersa: um fantasma... Depois de algum tempo, ela segura a mão de Slothrop.

"Desculpe por ter deixado você sozinha."

Ela começa a chorar.

E chora o dia inteiro. Slothrop adormece, de vez em quando emerge do sono atraído pelos soluços de Greta, e sente sua presença, sempre em contato, alguma parte dela, alguma parte dele... Num sonho, seu pai veio procurá-lo. Slothrop estava perambulando às margens do Mungahannock à hora do pôr do sol, perto de uma velha fábrica de papel abandonada no final do século passado, em ruínas. Uma garça eleva-se em silhueta contra o laranja luminoso e moribundo do céu. "Meu filho", uma torre de palavras desabando sobre eles repetidamente, "o presidente morreu há três meses." Slothrop levanta-se e o xinga. "Por que o senhor não me disse? Papai, eu adorava ele. O senhor queria era me vender para a IG. O senhor me vendeu." Os olhos do velho enchem-se de lágrimas. "Ah, meu filho..." tentando segurar-lhe a mão. Porém o céu está escuro, a garça desapareceu, o esqueleto vazio da fábrica e a cheia do rio de águas negras, tudo está dizendo *é hora de ir embora*... então o pai desaparece também, sem tempo para despedir-se, embora seu rosto permaneça, Broderick que o vendeu, por muito tempo depois que ele desperta, e a tristeza que Slothrop fez estampar-se nele, menino bobo e desbocado. Margherita está debruçada sobre ele, tirando as lágrimas que pingaram no seu rosto com as pontas das unhas. As unhas são muito afiadas, e hesitam quando chegam perto dos olhos de Slothrop.

"Tenho medo", ela cochicha. "Tudo. Meu rosto no espelho — quando era menina, eles me diziam para não me olhar no espelho demais senão eu ia acabar vendo o diabo atrás do vidro... e..." olhando de relance para o espelho orlado de flores brancas atrás deles, "temos que cobri-lo, por favor, vamos cobri-lo... é lá que eles... *principalmente à noite* —"

"Calma." Slothrop encosta-se nela o máximo que pode. Segura seu corpo. O tremor é forte, e talvez impossível de conter: depois de algum tempo também ele está tremendo, no mesmo ritmo. "Por favor, se acalme." O que quer que seja que a atormenta precisa de contato físico, bebe contato insaciavelmente.

A intensidade dessa sede o assusta. Slothrop julga-se responsável pela segurança dela, e muitas vezes sente-se preso numa armadilha. De início ficam juntos dias a fio, até ele ser obrigado a sair para comprar, ou procurar, comida. Slothrop dorme pouco.

Dá por si mentindo por reflexo — "Está tudo bem", "Não há por que se preocupar." Às vezes consegue ficar um pouco a sós junto ao rio, pescando com um pedaço de barbante e um grampo de cabelo de Margherita. Fisga um peixe por dia, dois quando tem sorte. São peixes estranhos, qualquer coisa encontrada nadando em Berlim hoje em dia é um recurso derradeiro para qualquer um. Quando Greta chora dormindo por tanto tempo que ele não consegue mais suportar, Slothrop é obrigado a acordá-la. Tentam conversar, ou trepar, embora ele tenha cada vez menos vontade, e isso a faz sentir-se pior ainda por achar que está sendo rejeitada, o que é de fato o que está acontecendo. Uma boa surra parece confortá-la, e além disso substitui a obrigação de dar no couro. Às vezes ele está cansado demais até para isso. Ela o provoca o tempo todo. Uma noite Slothrop coloca diante dela um peixe grelhado, uma criatura doentia, amarelenta, com o cérebro defeituoso. Ela não consegue comer, vai passar mal se comer.

"Você tem que comer."

Ele vira a cabeça para o lado, primeiro para um, depois para o outro.

"Ah, meu Deus, que aporrinhação, escute aqui, sua babaca, você não é a única pessoa que sofreu, não — você tem saído de casa ultimamente?"

"Claro. A toda hora eu esqueço o quanto *você* deve ter sofrido."

"Puta merda, vocês alemães são malucos, vocês todos acham que o mundo está contra vocês."

"Eu não sou alemã", ela se lembra de repente, "sou lombarda."

"Não é a Alemanha mas chegou perto, meu bem."

Com um sibilo, narinas dilatadas, ela agarra a mesinha e a joga longe, pratos, talheres, o peixe *ploft* contra a parede, onde começa a escorregar em direção ao lambri, mesmo depois da morte se dando mal em todas. Os dois estão sentados em duas cadeiras retas, um metro e meio de espaço perigosamente vazio entre eles. Estamos no cálido e romântico verão de 45, e apesar da rendição o que prevalece ainda é a cultura da morte: o que vovó chamava de "crime de paixão" tornou-se, agora que não há mais paixão em relação a quase nada, a técnica mais utilizada para resolver disputas interpessoais.

"Vá limpar."

Ela leva o polegar, de unha pálida e roída, aos incisivos superiores e o puxa para fora com uma gargalhada, aquele delicioso riso Greta Erdmann. Slothrop, trêmulo, está a ponto de dizer: "Você não sabe o quanto você está perto de —" Então, por acaso, vê o rosto dela. É claro que ela sabe. "O.K., O.K." Slothrop joga roupa de baixo de Greta para todos os lados até encontrar a cinta preta que está procurando. As presilhas metálicas produzem pequenos vergões escuros e curvos por cima dos mais antigos, já esmaecidos, nas nádegas e coxas. Ela só resolve ir limpar o peixe quando Slothrop começa a tirar sangue. Ao terminar, ela se ajoelha e beija-lhe as botas. Não era bem o que ele queria não, mas chegou perto, meu bem.

A cada dia ela chega mais perto, e Slothrop tem medo. Nunca viu nada parecido. Quando vai à cidade ela lhe pede, implorando, que a amarre com as meias, braços e pernas estendidos, às quatro colunas da cama. Às vezes ela sai de casa e desaparece por alguns dias, e volta falando sobre PMs negros que bateram nela com cassetetes, que lhe botaram no cu, dizendo que ela adorou, tentando despertar uma reação racial/sexual, algo um pouco bizarro, um pouco diferente...

Seja o que for que ela tem, Slothrop está pegando. Entre as ruínas ele vê agora uma escuridão nas bordas de todas as formas quebradas, *aparecendo por detrás delas*. A luz se aninha nos cabelos de Margherita como pombas negras. Ele olha para suas mãos de giz, e das bordas de cada dedo a treva escorre e salta. Na Alexanderplatz, no céu, ele já viu a mandala KEZVH de Oberst Enzian, e o rosto de Tchitcherine em mais de um PM. Na fachada do Titania-palast, em néon vermelho, por entre as névoas de uma noite, ele leu MORRA, SLOTHROP. Num domingo, à margem do Wannsee, uma frota de velas todas inclinadas para o mesmo lado, pacientes, oníricas, em direção ao vento, passando para sempre para a margem oposta, uma multidão de garotinhos com chapéus de soldados feitos com velhos mapas militares dobrados planejavam afogá-lo e sacrificá-lo. Slothrop só escapou murmurando *Hauptstufe* três vezes.

A casa perto do rio é um espaço fechado que atua como uma suspensão de molas para o dia e o tempo, só permitindo um suave ciclo de luz e calor, descendente à tarde e ascendente de manhã, chegando ao ápice ao meio-dia, porém tudo atenuado, o terremoto do dia lá fora reduzido a uma leve oscilação.

Quando ouve tiros vindo das ruas cada vez mais distantes, Greta pensa nos estúdios blimpados do início de sua carreira, e toma as explosões como deixas para que os cenários titânicos de seus sonhos sejam invadidos por mil extras: dóceis, tocados como um rebanho pelos tiros de rifle, subindo e descendo, formando cenas que o Diretor considere pitorescas — um rio de rostos, maquiados de amarelo, com lábios brancos, para compensar as deficiências do filme utilizado na época, suando migrações amarelas tiradas vez após vez, sem fugir de nada, para lugar nenhum...

Manhã cedo. O bafo de Slothrop sai branco no ar. Ele acaba de despertar de um sonho. Primeira Parte de um poema, com xilogravuras ilustrando o texto — uma mulher vai a uma exposição de cães onde também se levam fêmeas para emprenhar. Ela levou seu pequinês, aliás uma cadela, com um nome ridículo, Mimsy ou Gugu ou coisa parecida, para copular com um macho. Está fazendo hora num jardim, com outras senhoras de classe média, quando de algum lugar ali perto vem o som de sua cadela gozando. O som se prolonga por um tempo muito maior do que seria apropriado, e de repente a mulher se dá conta de que aquele som é sua própria voz, aquele grito interminável de prazer canino. As outras, por delicadeza, fingem não perceber. Ela sente vergonha, mas não pode fazer nada, pois está impelida por uma necessidade de ir atrás de alguma outra espécie animal para foder. Chupa o pênis de um vira-lata multicolorido que tenta cobri-la na rua. Num campo vazio, junto a uma cerca de arame farpado, fogos hibernais nas nuvens, um cavalo alto a obriga a ajoelhar-se, passiva, e beijar-lhe os cascos. Gatos e visons, hienas e coelhos, a fodem dentro de automóveis, perdidos na noite nas florestas, junto a um poço num deserto.

Quando começa a Segunda Parte, ela descobre que está grávida. Seu marido, um vendedor de telas para portas, sujeito burrão e complacente, entra num acordo com ela: a promessa dela não fica explicitada, mas em troca, daqui a nove meses, ele a levará onde ela quiser ir. Assim, quando a criança já está perto de nascer, ele está no rio, um rio americano, num barco a remo, remando, levando-a para o lugar onde ela quer ir. A cor-chave desta seção é o violeta.

Na Terceira Parte ela está no fundo do rio. Afogada. Mas todas as formas de vida estão dentro de seu útero. "Usando-a como uma sereia" (verso 7), eles a carregam por essas profundezas verdes. "Mais fundo, mais fundo, até sair./ O velho Squalidozzi, lavrador do abissal,/ Ao fim de um dia de trabalho/ Vê o ventre verde dela em meio às algas" (versos 10-13), e a traz de volta para a superfície. Ele é um Netuno clássico, com barba e tudo, rosto velho e sereno. Do corpo da mulher jorra um fluxo de criaturas de todos os tipos, polvos, alces, cangurus, "Quem saberá dizer quanta vida/ De seu ventre emergiu nesse dia?". Squalidozzi vê apenas uma pequena parte daquela abundância extraordinária enquanto a traz de volta à superfície. Lá em cima é um lago verde, tranquilo e ensolarado, com margens cobertas de grama, à sombra de salgueiros. Insetos esvoaçam e zumbem. Agora a cor-chave é o verde. "E então, ao chegar ao sol/ Seu cadáver adormeceu na água/ E nas profundezas do verão/ As criaturas seguiram em seu caminho/ Cada uma a seu amor respectivo/ No ápice da tarde/ Enquanto o rio pacífico fluía..."

Slothrop não consegue tirar esse sonho da cabeça. Põe uma isca em seu anzol, acocora-se na margem, joga a linha de pesca no Spree. Pouco depois acende um cigarro do exército e permanece imóvel durante um bom tempo, enquanto a neblina vai passando branca por entre as casas ribeirinhas, e do alto vem o zumbido de aviões de guerra invisíveis, e cães latem pelas ruelas.

□□□□□□□

Quando esvaziado de gente, o interior é cinza-metálico. Quando cheio, é verde, um verde ácido, agradável. O sol entra por escotilhas na antepara superior (o *Rücksichtslos* aqui está perpetuamente inclinado num ângulo de 23°27'), e há uma fileira de bacias de aço nas anteparas inferiores. Na extremidade de cada banheiro há uma cafeteira e um cineminha de manivela. As mulheres mais velhas, menos glamourosas e menos teutônicas estão todas nas máquinas dos marinheiros. As mulheres realmente boazudas e douradas, racialmente puras, ficam nas dos oficiais, natürlich. Mais um exemplo do tal fanatismo nazista.

O próprio *Rücksichtslos* é produto de um outro tipo de fanatismo: o do especialista. Este navio aqui é uma Latrinave, triunfo da mania germânica de subdividir. "Se a casa é orgânica", argumentavam os ardilosos proponentes da Latrinave, "a família mora na casa, a família é orgânica, a casa é um sinal externo e visível, entende?", totalmente céticos em relação ao que diziam por trás dos óculos escuros e debaixo dos cabelos à escovinha, maquiavélicos e jovens, ainda não inteiramente maduros para a paranoia, "e se o banheiro faz parte da casa — a casa é orgânica, ha-ha", cantando, ralhando, apontando para o engenheiro louro de cara redonda, cabelos partidos ao meio e penteados para trás, cheios de brilhantina, que cora de vergonha e olha para os próprios joelhos em meio aos dentes simpáticos e sorridentes de seus colegas tecnólogos porque estava quase se esquecendo desse detalhe (Albert Speer, ele mesmo, terno cinzento com uma mancha de giz na manga, bem no fundo, mãos na cintura, recostado na parede, extraordinariamente parecido com o ator de filmes de faroeste Henry Fonda, já esqueceu essa história de organicidade da casa, e ninguém aponta para ele, privilégios da hierarquia). "Então a Latrinave está para a Kriegsmarine assim como o banheiro está para a casa, ha-ha!" [Hilaridade generalizada, ou talvez almirantizada.] O *Rücksichtslos* era para ser a capitânia de toda uma Geschwader de Latrinaves. Porém as quotas de aço foram desviadas da Marinha para o programa do foguete A4. É, parece mesmo estranho, mas Degenkolb nessa época era o chefe da Comissão do Foguete, não esqueçam, e não lhe faltavam poder nem vontade para intervir em todas as forças armadas. Assim, o *Rücksichtslos* é um exemplar único, ó colecionadores de belonaves velhas, e se vocês estão a fim é melhor correr, que a GE já veio dar uma olhada. Que bom que os bolcheviques não ficaram com ele, é ou não é, Charles? Charles, neste ínterim, parece estar tomando notas profusas em sua prancheta, mas na verdade anota observações sobre o momento que passa, como *Está todo mundo olhando para mim*, ou *O tenente Rinso está planejando me matar*, e, é claro, esta velha favorita, *Ele também é um deles e uma noite dessas eu vou pegá-lo*, pois bem, a essa altura o colega de Charles, Steve, já esqueceu dos russos e interrompeu sua inspeção de uma válvula de descarga para olhar bem de perto o tal do *Charles*, não se pode escolher sua equipe de busca se você acabou de sair da escola, e aqui estou eu, neste cu do mundo, não sou muito mais do que um moleque de recados para esse — mas o que é que esse cara é, veado? E *eu*, o que sou eu? O que é que a GE quer que eu seja? Isso aqui é uma espécie obscura de punição infligida pela empresa, talvez até, meu Deus, um *exílio* permanente? Eu faço carreira, eles podem me obrigar a ficar aqui 20 anos se quiserem, e ninguém nunca vai nem saber, é só classificar tudo como "custos fixos". Sheila! Como é que eu vou dizer isso pra Sheila? Nós estamos noivos. Ó aqui a foto dela (cabelo ondulado como mar agitado, caindo sobre a cara à Rita Hayworth, olhos que, se a foto fosse em cores, teriam pálpebras amarelas com bordas rosadas, e uma boca que é como um pão de cachorro-quente num *outdoor*). Levei ela lá pra Buffalo Bayou,

Foi lá na beira do lago
Que o mosquito cabeçudo
Fez o maior estrago!
Entrou no vestido dela,
Deu um sorriso banguela,

E o tempo fechou em Buffalo Bayou!
Mosquito, abaixa o facho,
Va-mo-lá!
Tatá-tatá, tatá-tatá
Foi bem na beira do lago,
Todo mundo!

Ah, cê sabe, né, quando a gente é moço e educado ["Todo mundo" no caso é uma Latrinave cheia de rapazes de Schenectady, muito inteligentes, de óculos de tartaruga e botas de inverno, todos eles cantando por trás deste recitativo] e vai à igreja todo domingo, né, é muito triste de repente ser atacado por um bando de mosquitos texanos, pode dar um revertério de 20 anos. Pois tem garotos iguaizinhos a vocês andando por aí, você pode até ter visto um deles na rua hoje e nem percebeu, com mentalidade de recém-nascido, só porque aqueles mosquitos fizeram com ele uma coisa inominável. E a gente atacou de inseticida, e-e bombardeou o pântano com citronela, e não adiantou nadinha, gente. Eles se reproduzem mais depressa do que a gente consegue matar eles, e quer dizer que a gente vai só botar o rabo entre as pernas e deixar eles soltos lá em Buffalo Bayou onde a minha namorada Sheila teve que assistir o comportamento asqueroso desses... troços, quer dizer então que a gente vai deixar eles existirem?

— E:
O tempo fechou em Buffalo Bayou!
Mosquito, abaixa o facho,
Tará, tará —
Mosquito, abaixa o facho!

É, realmente é difícil dizer qual dos dois é mais paranoico. Muita cara de pau do Steve falar mal do Charles desse jeito. Entre os grafites hilários dos matemáticos visitantes,

$$\int \frac{1}{(ovo)} \, d\,(\text{ovo}) = \log \text{ovo} + c = \text{logo você}$$

esse tipo de coisa, eles vão seguindo pelo banheiro estreito, em forma de salsicha, dois jovens velhos, seus passos no tombadilho de aço vão morrendo até sumir, seus vultos tornam-se mais e mais transparentes na distância até que não é mais possível vê-los. Só resta o compartimento vazio, os raios em forma de S nos cineminhas, as duas fileiras de espelhos, uma refletindo a outra, moldura após moldura, numa curva de raio imenso. Até o fim desse segmento de curva, tudo é considerado parte do espaço do *Rücksichtslos*. De modo que é um navio bem gordote. Que leva sua própria preferência de passagem consigo. "O moral da tripulação", cochicham as raposas nas reuniões do Ministério, "superstições de marinheiros. Espelhos à meia-noite. *Nós* sabemos, não é?"

Já os banheiros dos oficiais têm acabamento em veludo vermelho. A decoração é à Manual de Segurança, década de 30. Isto é, as paredes são cobertas com foto-grafites de Desastres Horríveis da História Naval Alemã. Colisões, explosões de paióis, afundamentos de submarinos, o tipo de coisa perfeita para um oficial que está tentando dar uma cagada. As Raposas pensaram em tudo. Os oficiais comandantes têm suítes completas, com chuveiro ou banheira afundada privé, manicuras (a maioria delas voluntárias da BDM), sauna, mesa de massagem. Para compensar, porém, todas as anteparas, e mais o teto, são ocupados por enormes fotos de Hitler em diversas atividades lúdicas. O papel higiênico! O papel higiênico ostenta em cada quadrado uma caricatura, Churchill, Eisenhower, Roosevelt, Chiang Kai-shek, havia até mesmo um desenhista na tripulação sempre a postos para ilustrar papel em branco por encomenda, para os mais exigentes que estão sempre à procura de coisas diferentes. Efígies de Wagner e Hugo Wolf ornavam os alto-falantes na sala do operador de rádio. Os cigarros eram de graça. A vida era boa a bordo da Latrinave *Rücksichtslos*, indo de Swinemünde a Helgoland, para onde quer que fosse preciso ir, camuflada em tons de cinza, estilo fim de século, com proas de sombras nítidas pelo través, de modo que não se sabia para que lado estava indo. No navio, cada um vivia em seu canto, cada um tinha seu armário e sua chave, suas pin-ups, suas prateleiras de livros enfeitando os compartimentos... e havia até espelhos unilaterais para o sujeito poder ficar à vontade, pênis pendendo em direção à gélida água do mar em sua própria privada, escutar seu Receptor Popular VE-301 e assistir ao rush da tarde, o vaivém de pés e vozes, os jogos de cartas nos banheiros coletivos, o vendedor entronizado num assento de porcelana de verdade recebendo visitas, alguns esperando em fila do lado de fora (filas silenciosas, compenetradas, um pouco como filas de bancos), advogados latrinários atendendo os clientes, visitas de todos os tipos indo e vindo, tripulantes de submarinos entrando acorcundados, olhos nervosos a toda hora virando para cima, marinheiros de destróieres rindo das cloacas coletivas (cloacas *gigantescas*! que percorriam o navio de ponta a ponta, até mesmo, reza a lenda, entrando no espaço do espelho, grandes o bastante para nelas caberem 40 ou 50 bundas aflitas lado a lado, enquanto um rio constante de água salgada corria embaixo), tocando fogo em pedaços de papel higiênico, era o que eles mais gostavam de fazer, soltando o papel em chamas rio abaixo e morrendo de rir quando os usuários enfileirados um por um saltavam de seus buracos gritando e segurando os cus assados e inalando um cheiro de pentelho chamuscado. Não que a própria tripulação da Latrinave também não fizesse suas brincadeirinhas de mau gosto de vez em quando. Quem jamais se esquecerá dos bombeiros-encanadores Höpmann e Kreuss, os quais, no auge da epidemia de ptomaína de 1943, desviaram o cano de esgoto para o sistema de ventilação do camarote do imediato? O imediato, veterano da Latrinave, riu bem-humorado da brincadeira engenhosa de Höpmann e Kreuss e transferiu os dois para um quebra-gelo, onde os dois Escatotécnicos Espertos se dedicaram à tarefa de erigir monolitos vagamente toletiformes de gelo e neve por todo o Ártico. De vez em quando, num banco de gelo flutuante carregado para o sul por alguma corrente marítima, um deles aparece, em todo o seu esplendor espectral, despertando a admiração de todos.

Um bom navio, uma boa tripulação, Feliz Natal e mãos à obra. Horst Achtfaden, ex-empregado da Elektromechanische Werke, Karlshagen (outro nome-disfarce da estação de testes de Peenemünde), na verdade não tem tempo para nostalgias navais. Com espiões técnicos de três ou quatro países atrás dele, teve o azar terrível de ser apanhado pelo Schwarzkommando, que, ao que parece, agora constitui uma verdadeira nação à parte. Os negros o internaram no banheiro do comandante. Achtfaden já viu a voluptuosa Gerda com sua boá executar o mesmo número 178 vezes (ele forçou a caixa de moedas, de modo que não é mais necessário colocar um níquel dentro para fazer o cineminha funcionar) desde que o colocaram ali, e a coisa já não tem a menor graça. O que é que eles querem? Por que é que estão ocupando um navio abandonado no meio do canal de Kiel? Por que é que os britânicos não fazem alguma coisa?

Encare a coisa assim, Achtfaden: esta Latrinave é um túnel aerodinâmico, só isso. Se a análise tensorial serve para a turbulência, há de servir para a história. Tem que haver nódulos, pontos críticos... tem que haver superderivadas do fluxo abundante e insaciável que possam ser igualadas a zero para que os pontos críticos sejam encontrados... 1904 foi um deles — foi em 1904 que o almirante Rojdestvenski atravessou metade do planeta com sua frota para dar apoio a Porto Artur, desse modo colocando no mundo o homem que mantém você prisioneiro no momento, Enzian, foi o ano em que os alemães praticamente exterminaram os herero, o que deu a Enzian certas ideias estranhas a respeito da sobrevivência, foi o ano em que a Agência de Alimentos e Remédios nos Estados Unidos tirou a cocaína da fórmula da Coca-Cola, o que gerou uma geração de ianques alcoólatras e tanatólatras idealmente equipados para combater na Segunda Guerra Mundial, e foi o ano em que Ludwig Prandtl propôs o conceito de camada limite, que foi o que realmente deu a partida na aerodinâmica e colocou você aqui, agora. 1904, Achtfaden. Ha, ha! Está aí uma peça que lhe pregaram melhor do que qualquer cu chamuscado, é ou não é? E não adianta nada ter consciência disso. Você não pode nadar contra a corrente, pelo menos não nas atuais circunstâncias, o máximo que você pode fazer é identificar o ano e *sofrer*, Horst, meu chapa. Ou então, se você conseguir deixar de lado Gerda e sua boá, eis uma ideia: ache um coeficiente não dimensional para você. Você está dentro de um túnel aerodinâmico, não é mesmo? Você é especialista em aerodinâmica. Portanto —

Coeficientes, ja, ja... Achtfaden joga-se desconsolado na privada escarlate, para portadores de doenças venéreas, a última da fileira. Ele sabe tudo sobre coeficientes. Em Aachen, uma vez, por algum tempo, ele e seus colegas estiveram colocados na atalaia mais avançada: contemplando a terra dos bárbaros pela janelinha minúscula de Hermann e Wieselsberger. Tremendas compressões, sombras losângicas a contorcer-se feito cobras. Muitas vezes a picada era maior que o próprio modelo — a necessidade de medir interferia nas observações. Isso já devia ter sido uma pista. Ninguém na época estava escrevendo sobre o fluxo supersônico. Era um assunto cercado por mitos, e por um terror puro, primitivo. O professor Wagner de Darmstadt previa que, em velocidades acima de Mach 5, o ar se liquefaria. Se as frequências de elevação e rolamento por acaso se igualassem, a ressonância faria com que o projétil entrasse em oscilações violentas. Ele entraria num movimento em espiral e se destruiria. Chamávamos isso de "movimento lunar". Chamávamos de "lápis de Bingen" a esteira de vapor que ficava no céu. Apavorados. As sombras de Schlieren dançavam. "Eles rezam não apenas pelo pão de cada dia", dissera Stresemann, "mas também pela ilusão de cada dia." Nós, olhando através do vidro espesso, tínhamos nosso choque de cada dia — nosso Diário do Espanto, o único jornal que muitos de nós líamos.

Você entra — acaba de chegar na cidade, aqui no coração de Peenemünde, e então, como é que a gente se diverte por essas bandas? carregando a sua valise de provinciano contendo umas poucas camisas, um exemplar do *Handbuch*, talvez o *Lehrbuch der Ballistik* de Cranz. Você decorou Ackeret, Busemann, von Kármán e Moore, alguns trabalhos do Congresso Volta. Porém o terror não passa. Isto é mais rápido que o *som*, que as palavras que ela pronunciou no quarto tão cheio de sol, o jazz-band no rádio quando você não conseguia dormir, os *Heils* roucos em meio aos pálidos geradores e vindo de cima, lá das galerias cheias de executivos... os gomerenses assobiando das ravinas elevadas (quedas fantásticas, íngremes, assobiando debruçados sobre o precipício, para uma aldeia de brinquedo séculos, quilômetros abaixo...) e enquanto isso você está sentado no painel da popa do navio KdF, sozinho, isolado da turma que dança em torno do mastro no tombadilho branco, os corpos queimados de sol cheios de cerveja e canções, panças ao sol, e você ouvindo protoespanhol, cochichado, vindo das montanhas que cercam Chipuda... Gomera foi o último pedaço de terra firme onde Colombo aportou antes de chegar à América. Teria ele ouvido os cochichos também, naquela última noite? Haveria uma mensagem para ele? Uma advertência? Seria ele capaz de entender os pastores de cabras prescientes na escuridão, em meio aos azeviches e as árvores-da-cera das Canárias, esverdeados no último crepúsculo da Europa?

Em aerodinâmica, porque no começo só se tem a coisa no papel, usam-se coeficientes adimensionais: razões entre isto e aquilo — centímetros, gramas, segundos, o do numerador e o do denominador sendo cortados juntos. Assim, podem-se utilizar modelos, preparar um fluxo de ar para medir o que se quer medir, pegar os resultados obtidos no túnel aerodinâmico e aumentá-los proporcionalmente às condições reais, sem esbarrar em muitas incógnitas, porque esses coeficientes valem para *todas* as dimensões. Tradicionalmente são batizados em homenagem a pessoas — Reynolds, Prandtl, Péclet, Nusselt, Mach — e a questão aqui é a seguinte: e um número de Achtfaden? Há alguma possibilidade de ele vir a existir um dia?

Não muita. Os parâmetros se reproduzem como mosquitos no pântano, mais depressa do que se pode derrubá-los. Fome, transigência, dinheiro, paranoia, memória, conforto, culpa. A culpa recebe um sinal de menos para Achtfaden, muito embora venha se tornando uma mercadoria importante na Zona. Em pouco tempo vai ter muito ocioso vindo do mundo inteiro para Heidelberg, para se graduar em culpa. Haverá bares e boates especializados em clientes culpados. Campos de extermínio virarão atrações turísticas, estrangeiros armados de máquinas fotográficas virão em bandos, estremecendo de culpa gozosa. Que pena — isso não é para Achtfaden, não, que dá de ombros para todas as suas réplicas especulares estendendo-se da popa à proa — ele só trabalhou no projeto até o ponto em que o ar estava fino demais para fazer alguma diferença. Pergunte ao Weuchensteller, pergunte ao Flaum, e ao Fibel — foram eles que trabalharam com a reentrada. Pergunte à equipe de guiagem, foram eles que apontaram o projétil para o alvo...

"Você não acha uma coisa meio esquizoide", em voz alta, dirigindo-se a todos os Achtfadens de frente e de costas, "dividir um perfil de voo em segmentos de responsabilidade? Era meio bala, meio flecha. Era *ele* que exigia isso, não nós. Pois bem. Talvez você usasse um fuzil, um rádio, uma máquina de escrever. Algumas máquinas de escrever em Whitehall, no Pentágono, mataram mais civis do que nosso pequeno A4 jamais seria capaz de matar. Ou bem você está absolutamente sozinho, sozinho com a sua própria morte, ou bem você participa do empreendimento maior, e participa da morte dos outros. Não somos todos um só? Qual a sua opção", Fahringer agora, zumbindo e atenuado pelos filtros da memória, "o carrinho ou o carrão?", louco Fahringer, único membro do clube de Peenemünde que se recusava a usar o distintivo de pena de faisão na fita do chapéu porque não conseguia matar, que era visto às tardes na praia sentado em posição de lótus olhando fixamente para o sol poente, e que foi o primeiro em Peenemünde a ser levado pela SS, carregado num dia ao meio-dia para dentro da neblina, o jaleco transformado em bandeira branca de rendição, por fim obscurecido pelos uniformes negros, couro e metal de sua escolta. Deixando uns poucos bastões de incenso, um exemplar das *Chinesische Blätter für Wissenschaft und Kunst*, fotos de uma esposa e filhos de cuja existência ninguém sabia... seria Peenemünde sua montanha, sua cela, seu jejum? Teria *ele* encontrado seu caminho sem culpa, sem a culpa tão na moda agora?

"*Atmen... atman...* não apenas respirar, mas também a alma, o hálito de Deus...", uma das poucas vezes que Achtfaden se lembra de ter conversado com ele a sós, diretamente, "*atmen* é um verbo genuinamente ariano. Agora me fale sobre a velocidade dos gases de escape."

"O que é que você quer saber? 2 000 metros por segundo."

"Me diga como ela se altera."

"Permanece quase constante, enquanto se dá a combustão."

"E no entanto a velocidade relativa muda drasticamente, não é? De zero para Mach 6. Você não entende o que está acontecendo?"

"Não, Fahringer."

"O Foguete criando seu próprio vento... não há vento sem os dois, Foguete e atmosfera... mas dentro do tubo de Venturi, o hálito — furioso e flamejante — sempre flui à mesma velocidade constante... será que você não entende mesmo?"

Bobagem. Ou então um *koan* que Achtfaden não tem condições de apreender, um enigma transcendental que poderia levá-lo a algum momento de iluminação... uma coisa quase tão boa quanto:

— O que é que voa?

— Los!

Elevando-se do Wasserkuppe, os rios Ulster e Haune inclinam-se em formas cartográficas, vales e montanhas verdejantes, os quatro que ele largou lá embaixo recolhendo os amortecedores de corda, apenas um levantando a vista, protegendo os olhos com a mão — Bert Fibel? mas o que importa o nome, desta perspectiva? Achtfaden procura a tempestade — *debaixo, através* do trovão, ao som de uma melodia marcial em sua cabeça — amontoando-se em penhascos cinzentos à direita, os raios azulando todas as montanhas, a carlinga enchendo-se de luz por um instante... bem na margem. Bem aqui, na interface, o ar estará se elevando. Você vai acompanhar a borda da tempestade, com um sexto sentido — o sentido do voo, que não está localizado em lugar nenhum, que domina todos os nervos do seu corpo... desde que você permaneça bem na margem entre a planície clara e a loucura de Donar ele não há de lhe falhar, seja o que for o que voa, este impulso que leva rumo à — será mesmo a liberdade? Será que só se percebe a prisão que é a gravidade quando se chega à interface do trovão?

Não há tempo para debruçar-se sobre enigmas. Lá vem o Schwarzkommando. Achtfaden perdeu tempo demais com a voluptuosa Gerda, com suas lembranças. Lá vêm eles descendo as escadas, falando depressa sua fala totalmente incompreensível cheia de uga-bugas, isso aqui é uma selva linguística, e ele tem medo. O que é que eles querem? Por que não o deixam em paz — eles têm sua vitória, o que será que querem com o pobre Achtfaden?

Querem o Schwarzgerät. Quando Enzian pronuncia a palavra em voz alta, é redundante. Já está ali no seu porte, na linha dos lábios. Os outros lhe dão apoio, fuzis a tiracolo, meia dúzia de rostos africanos, invadindo os espelhos com sua escuridão, seus olhos vermelhos, azuis e brancos, pesados de veias.

"Eu só estava envolvido numa parte pequena. Uma coisa trivial. Sério."

"A aerodinâmica não é trivial", Enzian calmo, sem sorrir.

"Havia outros da seção de Gessner. Desenho mecânico. Eu sempre trabalhei na oficina do professor-doutor Kurzweg."

"Quem eram os outros?"

"Não lembro."

"Hum."

"Não me bata. Por que é que eu iria esconder alguma coisa? É a verdade. Eles nos mantinham isolados. Eu não conhecia ninguém em Nordhausen. Só uns poucos da minha seção. Juro. O pessoal do S-Gerät era totalmente desconhecido para mim. Antes do dia em que todos nós conhecemos o major Weissmann, eu nunca tinha visto nenhum deles. Ninguém usava o nome verdadeiro. Todos receberam codinomes. Personagens de filmes, alguém comentou. Os outros da aerodinâmica eram 'Spörri' e 'Hawasch'. Eu era chamado 'Wenk'."

"O que você fazia?"

"Controle do peso. Eles só queriam que eu calculasse a mudança ocorrida no centro de gravidade para um dispositivo de um determinado peso. O peso em si era secretíssimo. Quarenta e tantos quilos. 45? 46?"

"Números de referência", diz Andreas, por cima do ombro de Enzian.

"Não me lembro. Era a seção da cauda. Lembro que a carga era assimétrica em relação ao eixo longitudinal. Perto da Pá III. Era a pá usada para controle de rotação —"

"Disso já sabemos."

"Vocês teriam que falar com 'Spörri' ou 'Hawasch'. Eram eles que trabalhavam com esse problema. Falem com o pessoal de guiagem." *Por que é que eu fui dizer —*

"Por que é que você disse isso?"

"Não, não, não era serviço meu, só isso, guiagem, ogiva, propulsão... perguntem a eles. Perguntem aos outros."

"Você quis dizer outra coisa. Quem era que trabalhava na guiagem?"

"Eu já disse. Eu não sabia o nome de ninguém." O refeitório coberto de poeira nos últimos dias. As máquinas nas salas adjacentes, que outrora martelavam os tímpanos impiedosamente, como uma talhadeira, dia e noite, estão silenciosas. Os algarismos romanos dos relógios de ponto olham das paredes dos cubículos, entre as vidraças das janelas. Tomadas de telefone com fios de borracha preta pendem das prateleiras altas, cada conexão caindo sobre uma mesa, todas as mesas absolutamente vazias, cobertas com uma poeira salgada que desce do teto, não há telefones para ligar nas tomadas, não há mais nada a dizer... O rosto de seu amigo da mesa ao lado, o rosto abatido e insone agora mais fino e sem lábios do que nunca, que uma vez vomitara cerveja sobre as botas de caminhar de Achtfaden, cochichando agora: "Eu não pude ir com von Braun... ir para os americanos, a coisa ia simplesmente continuar como antes... eu quero é que acabe de uma vez, só isso... Adeus, 'Wenk'".

"Jogue ele no esgoto", sugere Andreas. São todos tão negros, tão confiantes...

Devo ser o último... ele já deve estar com alguém... o que é que esses africanos vão poder fazer com um nome... eles poderiam ter conseguido o nome com qualquer um...

"Ele era meu amigo. Nós nos conhecemos antes da guerra, em Darmstadt."

"Nós não vamos machucá-lo. Não vamos machucar você. Queremos o S-Gerät."

"Närrisch. Klaus Närrisch." Um novo parâmetro para seu autocoeficiente agora: traição.

Ao sair do *Rücksichtslos*, Achtfaden ouve atrás dele, metálica, vindo de um outro mundo, pontilhada de estática, uma voz de rádio. "Oberst Enzian. M'okamanga. M'okamanga. M'okamanga." Há urgência e gravidade naquela palavra. Achtfaden para junto ao canal, em meio a destroços de aço e anciãos no crepúsculo, esperando para ver para que lado ir. Mas onde está agora a voz elétrica que vai chamá-lo?

Partiram de barca pelo canal Spree-Oder, finalmente rumo a Swinemünde, onde Slothrop vai ver se a pista de Geli Tripping pode ajudá-lo a encontrar o Schwarzgerät, e Margherita vai encontrar um bando de refugiados do regime de Lublin vindos de iate, entre os quais deverá estar sua filha Bianca. Há trechos do canal que ainda estão bloqueados — à noite ouvem-se as equipes de demolição russas explodindo os navios naufragados com TNT — porém Slothrop e Greta, como sonhadores, conseguem um calado baixo o bastante para transpor qualquer obstáculo que a Guerra tenha largado em seu caminho. A chuva vem e vai. O céu começa a nublar por volta do meio-dia, assumindo um tom de cimento fresco — então vem o vento, cada vez mais forte e frio, e por fim uma chuva que é quase de gelo desce enviesada, entrando pela frente da barca. Abrigam-se sob encerados, entre fardos e barris, em meio a cheiros de piche, madeira e feno. Nas noites de céu limpo, noites de rãs e pererecas, os olhos dos viajantes dançam acompanhando estrelas cadentes e sombras beira-canal. As margens são ladeadas por salgueiros. À meia-noite sobe uma neblina que obscurece até o lume do cachimbo do barqueiro, a palmilhar de popa a proa a embarcação sonhadora. Essas noites, olorosas e densas como fumaça de cachimbo, são tranquilas e boas para dormir. A loucura de Berlim ficou para trás, Greta parece ter menos medo, quem sabe tudo de que eles precisavam mesmo era só uma viagem...

Porém uma tarde, descendo o suave declive do Oder rumo ao mar Báltico, vislumbram uma cidadezinha balneária, branca e vermelha, devastada em largas extensões carbonizadas pela Guerra, e Greta agarra-se ao braço de Slothrop.

"Já estive aqui..."

"É?"

"Logo antes da invasão da Polônia... estive aqui com o Sigmund... no balneário..."

Na margem, por trás de guindastes e grades de aço, elevam-se fachadas do que outrora foram restaurantes, pequenas fábricas, hotéis, agora queimados, sem janelas, cobertos do pó de sua própria substância. O nome da cidade é Bad Karma. A chuva que caiu ainda há pouco listrou as paredes, os pináculos de lixo, as ruelas de paralelepípedos. Crianças e velhos aguardam no cais, esperando para puxar espias de barcas. Pequenas nuvens negras de fumaça emergem da chaminé de um vapor branco. Encanadores trabalham ruidosos dentro do casco. Greta olha fixamente para o barco. Sua garganta retesa-se. Ela sacode a cabeça. "Eu pensava que fosse o navio de Bianca, mas não é, não."

Perto do cais, a barca gira em direção à costa, agarrando-se a uma escada de ferro fixada à pedra velha por cavilhas enferrujadas, de cada uma das quais desce uma mancha amarelada em forma de leque. No casaco de Margherita uma gardênia cor-de-rosa começou a tremer. Não é o vento. Ela repete sem parar: "Tenho que ver...".

Há velhos debruçados sobre as grades, fumando cachimbos, olhando para Greta ou apreciando o rio. Vestem trajes cinzentos, calças boca de sino, chapelões de copa redonda. A praça do mercado está animada e organizada: os trilhos de bonde reluzem, há um cheiro de rua recém-lavada a mangueira. Nas ruínas, os lilases sangram sua cor, seu excesso de vida, sobre pedras e tijolos quebrados.

Fora uns poucos vultos de preto, sentados ao sol, o balneário está vazio. Margherita agora já está tão apavorada quanto estava em Berlim. Slothrop segue atrás dela, com seu traje de Homem-Foguete, sentindo que carrega um fardo. Um dos lados da Sprudelhof é ocupado por uma arcada cor de areia: colunas de areia e sombras escuras. Bem à frente dela há uma faixa de terra onde foram plantados ciprestes. De grandes chafarizes de pedra pesada jorra água a sete metros de altura, projetando sobre o chão liso do pátio sombras espessas e nervosas.

Mas quem é aquela, parada, tão rígida, junto à fonte central? E por que Margherita está petrificada? O sol apareceu, há outras pessoas olhando, porém até mesmo Slothrop está arrepiado, nas costas e ilhargas, um arrepio subindo atrás do outro, chegando aos dois lados do maxilar... a mulher está de casaco preto, lenço de crepe cobrindo os cabelos, a carne das panturrilhas grossas quase roxa por trás das meias pretas, está só, debruçada sobre as águas de uma maneira bem fixa, olhando para os dois enquanto eles tentam se aproximar dela... porém aquele *sorriso*... a uma distância de dez metros de pátio varrido, o sorriso tornando-se confiante no rosto muito branco, todo o mal-estar de uma Europa morta e desaparecida reunido ali nos olhos negros como suas roupas, negros e sem luz. *Ela os conhece.* Greta virou-se, tentando esconder o rosto no ombro de Slothrop. "Junto ao chafariz", ela está mesmo cochichando isto? "ao pôr do sol, aquela mulher de preto..."

"Vamos. Está tudo bem." Pronto, recomeçaram aquelas histórias de Berlim. "Ela é só uma paciente fazendo estação de águas aqui." Idiota, idiota — antes que ele possa detê-la Greta safa-se dele, com um grito contido e medonho no fundo da garganta, e sai correndo, um tloque-tloque desesperado de saltos altos sobre a pedra, rumo à sombra dos arcos da Kurhaus.

"Ei", Slothrop, sentindo-se nauseado, aborda a mulher de preto. "Que história é essa, hein, moça?"

Porém seu rosto agora está diferente, é apenas o rosto de mais uma mulher em meio às ruínas, um rosto que ele teria ignorado, deixado de lado. Ela sorri, sim, mas daquela maneira forçada e pro forma que ele conhece. "Zigaretten, bitte?" Slothrop lhe dá uma guimba comprida que estava guardando e sai procurando Margherita.

A arcada está vazia. Todas as portas da Kurhaus estão trancadas. No alto há uma claraboia de vidros amarelos, muitos deles quebrados. Corredor abaixo, manchas vagas de sol vespertino se arrastam, cheias de pó de argamassa. Slothrop sobe um lanço de escadas quebrado que termina no céu. Há pedaços de pedra nos degraus. Do patamar superior o balneário se espraia até o campo distante: belas árvores, nuvens de cemitério, rio azul. Greta não está em parte alguma. Mais tarde ele vai deduzir aonde ela foi. A essa altura, já estará a bordo do *Anubis*, e a percepção tardia só terá o efeito de fazê-lo sentir-se ainda mais impotente.

Continua procurando por ela até que escurece e ele se vê perto do rio outra vez. Senta-se num café ao ar livre enfeitado com lâmpadas amarelas, toma cerveja, come spätzle com sopa, esperando. Quando ela surge é num fade-in tímido, como deve ter surgido uma ou duas vezes nos filmes de Gerhardt von Göll, não exatamente se movendo, porém mais como se a própria visão de Slothrop fosse se aproximando do close silencioso dela, e por fim estabilizando-se, no momento em que Slothrop termina a cerveja e amassa o cigarro. Ela não apenas não toca no assunto da mulher junto ao chafariz como também possivelmente já se esqueceu do incidente.

"Fui até o observatório", diz ela por fim, "para olhar para o rio. Ela está vindo. Vi o navio dela. Está só a um quilômetro daqui."

"O quê?"

"Bianca, a minha filha, e meus amigos. Imaginei que já estivessem em Swinemünde há muito tempo. Mas hoje em dia ninguém mais respeita os horários..."

E, tal como ela prevê, após mais duas xícaras amargas de café de avelã e outro cigarro, lá vem um alegre amontoado de luzes, vermelhas, verdes e brancas, rio abaixo, e o longínquo chiar de um acordeão, o ronco de um contrabaixo, o som de mulheres rindo. Slothrop e Greta vão até o cais, e por entre a névoa que já começa a subir da água divisam um iate, quase da cor da névoa, um chacal dourado com asas sob o gurupés, conveses cheios de gente rica de traje a rigor, conversando. Muitas pessoas já viram Margherita. Ela acena, eles apontam ou retribuem o gesto, e chamam-na pelo nome. É uma aldeia itinerante: passou o verão inteiro singrando por estas planícies tal como os navios dos vikings mil anos atrás, só que passivamente, e não saqueando: buscando uma fuga que ainda não está definida com clareza.

O barco se aproxima do cais, a tripulação baixa uma escada de acesso. Passageiros sorridentes do meio da escada já estendem mãos enluvadas e cheias de anéis para Margherita.

"Você vem?"

"Hãã... É pra eu ir?"

Ela dá de ombros e vira-lhe as costas, cuidadosamente sobe a bordo, a saia esticada brilhando por um instante à luz amarelada do café. Slothrop vacila, resolve segui-la — no último momento algum gozador recolhe a escada e o barco se afasta, Slothrop grita, perde o equilíbrio e cai no rio. Cai de cabeça: o capacete de Homem-Foguete o arrasta direto para o fundo. Livra-se do capacete e sobe à tona, narinas ardendo, visão turvada, o barco branco recuando, embora os hélices girem em sua direção, já começando a puxar-lhe a capa, de modo que ele tem de desfazer-se dela também. Com algumas braçadas de costas, consegue afastar-se, e cauteloso contorna o painel da popa, onde lê em letras negras: ANUBIS *Ïwinoujïcie*, tentando manter distância dos hélices. Do outro lado do iate pende uma corda à qual ele consegue agarrar-se. A banda do iate está tocando polcas. Três senhoras bêbadas, com tiaras e gargantilhas engastadas com pérolas, paradas junto às cordas salva-vidas, observam Slothrop subindo a corda. "Vamos cortar", grita uma delas, "para ver ele cair de novo!" "Isso mesmo, vamos!" concordam as outras. Meu Deus. Uma delas tem um cutelo de açougueiro na mão, e está mesmo animadíssima, em meio às gargalhadas das amigas, quando então alguém agarra o tornozelo de Slothrop. Ele olha para baixo e vê, saindo de uma vigia, dois pulsos esguios com pulseiras de prata e safiras, iluminadas de dentro como se fossem de gelo, e o rio oleento a fluir lá embaixo.

"Aqui." Voz de menina. Slothrop desliza para baixo enquanto ela lhe puxa os pés, até ele sentar-se na vigia. Do alto vem um baque forte, a corda despenca e as três senhoras irrompem em gargalhadas histéricas. Slothrop espreme-se pela vigia, esguichando água, cai num beliche superior ao lado de uma garota de seus 18 anos, com um vestido longo cheio de lantejoulas, cabelos tão louros que chegam a ser brancos, e os primeiros malares que já fizeram Slothrop ficar de pau duro só de olhar para eles. Alguma coisa, sem dúvida alguma, deve estar acontecendo com seu cérebro aqui...

"Hã..."

"Hm." Os dois se entreolham, enquanto a água continua escorrendo de Slothrop. Por fim ele fica sabendo que o nome dela é Stefania Procalowska. Seu marido, Antoni, é o proprietário do *Anubis*.

Ora, marido, vejam só. "Olhe", diz Slothrop, "estou totalmente encharcado."

"Já percebi. Deve ter algum traje a rigor aqui que sirva em você. Vá se enxugar que eu tento arranjar alguma coisa. Pode usar o banheiro, lá tem tudo."

Slothrop despe o que resta do traje de Homem-Foguete, toma um banho de chuveiro, usando um sabonete de verbena no qual encontra uns dois pentelhos pálidos de Stefania, e está se barbeando quando ela volta, trazendo-lhe roupas secas.

"Quer dizer que você está com a Margherita."

"Não tenho muita certeza, não. Ela achou a tal filha dela?"

"Ah, sim — já estão em altas conversas com o Karel. Esse mês ele está bancando produtor de cinema. Você sabe como é o Karel. E é claro que *ela* quer que a Bianca vire atriz de cinema mais que qualquer outra coisa na vida."

"Hãã..."

Stefania a toda hora dá de ombros, e todas as lantejoulas sacolejam-se. "Margherita quer que ela tenha uma carreira de verdade. É sentimento de culpa. Ela acha que a carreira dela foi só uma série de filmes de sacanagem. Imagino que você esteja sabendo como foi que ela ficou grávida da Bianca."

"Max Schlepzig, ou coisa parecida."

"Coisa parecida — isso mesmo. Você nunca viu *Alpdrücken*? Naquela cena, depois que o Grande Inquisidor termina, os homens-chacais vêm estuprar e desmembrar a condessa prisioneira. Von Göll deixou as câmaras rodarem direto. Claro que houve cortes antes da distribuição, mas o trecho cortado acabou na coleção particular do Goebbels. Eu já assisti — é de dar medo. Todos os homens nessa cena usam capuzes negros ou máscaras de feras... lá em Bydgoszcz virou jogo de salão nas festas ficar especulando quem seria o pai da criança. A gente tem que passar o tempo. Eles projetavam o filme e faziam perguntas a Bianca, e ela tinha que responder sim ou não."

"Sei." Slothrop continua passando loção no rosto.

"Ah, a Margherita já tinha corrompido a menina muito antes de ela vir ficar conosco. Nem vou me espantar se a Bianca dormir com Karel esta noite. Meio que uma iniciação ao mundo do cinema, não é? É claro que terá que ser tudo uma questão de negócios — é o mínimo que uma mãe pode fazer. O problema da Margherita é que ela sempre se divertia demais, toda acorrentada naquelas câmaras de tortura. Era só assim que ela gostava. Você vai ver. Ela e Thanatz. E seja lá o que Thanatz trouxe na valise dele."

"Thanatz."

"Ah, ela não lhe contou." Rindo. "Miklos Thanatz, o marido dela. Eles dois se encontram de vez em quando. Mais para o final da guerra, eles organizaram um espetáculo itinerante para os soldados no front — um casal de lésbicas, um cachorro, um baú cheio de figurinos de couro e equipamentos, uma bandinha. Eles se apresentavam para as tropas da SS. Campos de concentração... o circuito do arame farpado, sabe? E depois na Holanda, nas bases de foguetes. É a primeira vez que eles se encontram desde a rendição, de modo que se eu fosse você eu não faria muitos planos de ficar com ela..."

"Ah, é, pois é, eu não sabia, não." Bases de foguetes? A mão da Providência surge em meio às estrelas, fazendo para Slothrop o gesto de aqui-ó.

"Enquanto eles excursionavam, a Bianca ficou conosco, em Bydgoszcz. Ela deu um pouco de trabalho às vezes, mas é mesmo uma criança encantadora. Eu nunca joguei o jogo do pai com ela. Acho que Bianca nunca teve pai. Foi partenogênese, ela é pura Margherita, se é que 'pura' é a palavra adequada."

O traje a rigor serve em Slothrop perfeitamente. Stefania o leva por uma escada com meia-laranja até o tombadilho. O *Anubis* agora passa por um campo iluminado pelas estrelas, com um horizonte rasgado aqui e ali por um moinho de vento, montes de feno, abrigos para porcos, uma fileira de árvores plantadas numa colina como proteção contra o vento... Há navios que podemos sonhar em corredeiras terríveis, contra correntes... nosso desejo é vento e motor...

"Antoni." Stefania levou Slothrop até uma figura enorme, com uniforme de faxina da cavalaria polonesa e uma boca cheia de dentes de psicopata.

"Americano?" apertando com força a mão de Slothrop. "Bravo. Com você agora não falta mais quase nada. Este é o navio de todas as nações. Temos até um japonês a bordo. Um ex-oficial de ligação de Berlim que não conseguiu exatamente sair de lá via Rússia. Você vai encontrá-lo no bar do outro convés. Qualquer coisa que você encontrar andando por aí" — abraçando Stefania — "menos esta aqui, é de quem pegar."

Slothrop despede-se, conclui que os dois querem ficar a sós e encontra a escada que leva ao bar. O bar está todo enfeitado com festões de flores e lâmpadas, pululando de convidados bem vestidos, os quais, com o acompanhamento da banda, estão justamente começando a cantar esta canção animada:

BEM-VINDO A BORDO

Bem-vindo a bordo, venha com toda a corda,
Que a nossa regra é botar para quebrar —
Ninguém se lembra como a orgia começou,
Mas todos sabem como é que vai acabar!
Não faz marola, que aqui ninguém é carola,
Deixe de lado o que é aporrinhação e zanga —
No nosso barco todo mundo faz barulho,
No nosso barco todo mundo solta a franga!

Aqui tem me-nina que já é concu-bina,
Tem mãe de família com o homem da fi-lha,
Grandes ere-ções, e as predile-ções
Mais esquisitas que você já viu —
Venha também para o nosso navio,
No nosso *Titanic* ninguém entra em pânic'
Por conta de um mero ice*berg* submerso —
Com canto e com dança, em prosa e em verso,
A festa vai ter o maior happy end —
Bem-vindo a bordo, vem logo, my friend!

Pois bem, tem casais gemendo juntos dentro dos escaleres, um bêbado apagado no toldo acima da cabeça de Slothrop, sujeitos gorduchos com luvas brancas e magnólias rosa nos cabelos dançando juntinho e sussurrando em vênedo. Mãos-bobas apalpam dentro de vestidos de cetim. Garçons de pele parda e olhos suaves circulam com bandejas contendo as substâncias e parafernálias mais diversas. A banda toca um pot-pourri de foxtrotes americanos. O barão de Mallakastra salpica um sinistro pó branco dentro do copo de Mme. Sztup. É a mesma merda que estava rolando lá na festa de Raoul de la Perlimpinpin, e ocorre a Slothrop que talvez seja ainda a mesma festa.

Ele vê de relance Margherita com a filha, mas é tamanha a densidade de convivas em torno delas que não dá para chegar perto. Slothrop sabe que tem um fraco, um fraco muito forte, por menininhas bonitas, de modo que é até bom não poder aproximar-se, pois a tal da Bianca é de fechar o comércio: 11 ou 12 aninhos, morena, lindíssima, com um vestido de chiffon vermelho, meias de seda e sandálias de salto alto, cabelos presos num penteado complexo e impecável, entremeados de um colar de pérolas, e brincos de cristal pendendo dos lóbulos minúsculos... socorro, socorro. Por que é que essas coisas vivem acontecendo com ele? Já está até lendo o obituário na *Time* — Morreu: Homem-Foguete, 20 e muitos anos, na Zona, de concupiscência.

A mulher que tentou jogar Slothrop de volta no mar com um cutelo está agora sentada num cabeço, segurando um meio litro de algum líquido que já está penetrando e escurecendo a orquídea que o enfeita. Ela está contando a todos uma história sobre Margherita. Seu penteado tem uma forma tal que dá a impressão de ser uma peça de carne. O drinque de Slothrop — supostamente uísque irlandês com água — chega, e ele se aproxima da roda para ouvir a narrativa.

"... o Netuno dela está aflito. O dela e o de todo mundo, segundo alguns, aliás. Ah. Mas enquanto moradores *deste* planeta, normalmente. A Greta viveu, a maior parte do tempo, *em Netuno* — a aflição dela era mais direta, mais pura, mais límpida do que as daqui.

"Ela descobriu a Onirina num dia em que seu fornecedor inglês de Cloridina a deixou na mão. À margem do Tâmisa, enquanto gerânios de luz flutuavam no céu lentissimamente — luz brônzea, cor de pele bronzeada e tom de pêssego, flores estilizadas pairando em meio às nuvens, morrendo ali, regenerando-se ali — enquanto isso acontecia com a luminosidade do dia, ele caiu. Uma queda de algumas horas, menos extravagante que a de Lúcifer, mas tal como essa outra queda fazia parte de um plano maior. Greta estava destinada a descobrir a Onirina. Toda trama leva alguma assinatura. Umas são de Deus, outras se fazem passar por divinas. Trata-se de um tipo muito sofisticado de falsificação. Mas é a mesma mesquinhez, a mesma mortalidade, de um cheque forjado. Só que é mais complexo. Os membros têm nomes, tal como os Arcanjos. Mais ou menos comuns, nomes dados por homens, cuja segurança pode ser quebrada, e os nomes aprendidos. Mas esses nomes não são mágicos. Eis a chave, a diferença. Ditos em voz alta, mesmo com a mais pura intenção mágica, *eles não funcionam*.

"Assim, ele caiu em desgraça. Assim, não havia Cloridina. Assim, ela por acaso conheceu o V-Mann Wimpe na rua, em Berlim, sob uma marquise de teatro cujas lâmpadas conscientes talvez tenham assistido à cena, um pitoresco grupo de extras, testemunhas de encontros sérios e históricos. Assim, ela chegou à Onirina, e a face de seu aflito planeta de origem na mesma hora mudou."

Onirina Jamf Imipolex A4...

"Essa idiota", observa uma voz junto ao cotovelo de Slothrop, "conta essa história cada vez pior."

"Perdão?" Slothrop olha para o lado e defronta-se com Miklos Thanatz, bastas barbas, sobrancelhas protuberantes e cheias como asas de gaviões, bebendo absinto em um caneco de suvenir no qual, em cores que as luzes coloridas do tombadilho tornam sinistras, uma Morte ossuda e sorridente está prestes a surpreender um casal na cama.

Não é difícil fazê-lo falar sobre o Foguete — "Para mim", diz ele, "o A4 é uma espécie de Menino Jesus, com uma infinidade de comissões de Herodes dispostas a matá-lo no berço — prussianos, para alguns dos quais, no fundo, a artilharia ainda é uma inovação perigosa. Se você estivesse lá... no primeiro minuto a gente ficava dócil sob aquela... realmente, ele tinha uma espécie de carisma no sentido weberiano do termo... alguma força jubilosa — e *profundamente* irracional — que a burocracia estatal jamais conseguiu rotinizar, contra a qual ela sempre foi fraca demais... até que eles resistiram a ela, mas ao mesmo tempo permitiram que acontecesse. Não se pode imaginar alguém *escolher* um papel desses. Mas a cada ano, por algum motivo, eles são mais e mais numerosos."

Porém a expedição com os fogueteiros do general Kammler é o assunto que exerce sobre Slothrop um fascínio perverso; é isso que ele quer — quer? — saber, "É, eu até estive lá em Nordhausen, sabe, vi aqueles pedaços todos. Mas nunca vi um A4 completamente montado. Deve ser uma coisa, hein?"

Thanatz está levantando o caneco para que seja enchido de novo. O garçom, impassível, verte um fio d'água sobre uma colher para tornar o absinto verde-leitoso enquanto Thanatz acaricia-lhe as nádegas, depois se afasta. Não está muito claro se Thanatz estava pensando no que dizer em resposta. "É, abastecido, vivo, pronto para disparar... quinze metros de altura, trêmulo... e depois aquele rugido fantástico, viril. Os ouvidos quase explodiam. Cruel, duro, enfiando-se nas virginais vestes azuis do céu, meu caro. Ah, é tão fálico. Você não acha?"

"Hãã..."

"Hm, ja, você certamente esteve com o pessoal da artilharia, tipos sérios como você. Mais estudiosos que os da infantaria ou dos Panzers, atentos às raias do fanatismo. Ah, com as honrosas exceções de praxe, é claro. A gente vive para as honrosas exceções... Havia um rapaz." Reminiscência de bêbado? Estará inventando isso? "O nome dele era Gottfried. A paz de Deus, que eu espero que ele tenha encontrado. Para nós, não tenho tal esperança. Somos pesados na balança e nossa deficiência é constatada, e o Açougueiro estava com o dedão d'Ele no prato... você me acha blasé. Eu também me achava, até aquela semana terrível. Foi uma época de dissolução, a retirada pelos campos de petróleo de Niedersächsisch. Então me dei conta de que eu era uma criança tenra. O comandante da bateria se autodenominava 'Blicero'. Estava começando a falar tal como canta o capitão de *Wozzeck*, a voz irrompendo de repente nos registros mais altos da histeria. A vaca estava indo para o brejo, e ele recaiu numa versão ancestral de si próprio, gritava com o céu, passava horas num transe rígido, os olhos virados para dentro do crânio. Subindo sem avisar para aquele registro absurdo de coloratura. Ovais brancas vazias, olhos de estátua, com a chuva cinzenta atrás deles. Ele havia partido de 1945, religado os nervos à terra pré-cristã que atravessávamos em nossa fuga, voltado à Urstoff do alemão primitivo, a mais miserável e apavorada criatura de Deus. Talvez, após tantas gerações, nós tenhamos nos cristianizado de tal modo, estejamos tão enfraquecidos com a Gesellschaft e nossas obrigações determinadas pelo célebre 'Contrato', o qual aliás nunca existiu, que nós, até mesmo nós, ficamos horrorizados diante de uma reversão como essa. Mas no fundo, brotando do silêncio, a Urstoff desperta, e canta... e no último dia... é vergonhoso... durante aquele dia todo, eu tive uma ereção... não me julgue... foi uma coisa fora de meu controle... *tudo* estava fora de controle —"

Mais ou menos nesse ponto são interrompidos por Margherita e Bianca, desempenhando o papel de mãe de starlet e filha relutante. Cochichos para o regente da banda, convidados amontoando-se alegres em torno de um espaço vazio onde agora Bianca está parada, fazendo beicinho, o vestidinho vermelho deixando a descoberto metade das coxas esguias, anáguas de renda preta aparecendo debaixo da barra, certamente vai ser uma coisa sofisticada, urbana e licenciosa, mas o que estará ela fazendo com o dedo pousado junto à covinha da bochecha, assim — quando então inicia a introdução da banda, e aquela saliva que prenuncia o vômito começa a inundar a boca de Slothrop, juntamente com a horrível convicção de que ele não vai saber o que fazer para suportar os minutos que se seguem.

Não apenas a música que ela está cantando é "O navio Pirulito" como também, sem a menor vergonha, ela está *ronronando*, numa imitação perfeita da pequena Shirley Temple — captando cada inflexão infantil, cada balançar de cachinhos, o mesmo sorriso sem motivo, o mesmo passo de dança hesitante... os bracinhos delicados estão ficando mais gordos, o vestido mais curto — estará alguém manipulando a iluminação? Porém as gordurinhas assexuais de bebê não alteraram os olhos, que permanecem tal como antes: zombeteiros, negros, os olhos de Bianca...

Muitos aplausos e bravos ébrios quando por fim o número termina. Thanatz abstém-se de aplaudir, sacudindo a cabeça paterna, as grandes sobrancelhas franzidas. "Ela nunca vai se tornar mulher se continuar com isso..."

"E *agora, liebling*", Margherita com um sorriso raro, e um tanto falso, "vamos ouvir 'Biscoitinhos na minha sopa'!"

"Eu é quero mergulhar meu biscoitinho nessa sopa!" grita um gaiato no meio da multidão.

"Não", geme a menina.

"Bianca —"

"Sua puta", o salto alto ressoa no tombadilho de ferro. É uma encenação. "Você já não me humilhou o bastante?"

"Ainda não", pulando sobre a filha, agarrando-a pelos cabelos e sacudindo-a. A menininha cai de joelhos, debatendo-se, tentando escapar.

"Ah, que maravilha", exclama a dama do cutelo, "a Greta vai castigá-la."

"*Eu* é que adoraria", murmura uma mulata estonteante de tomara que caia, chegando-se para a frente para ver melhor, batendo no rosto de Slothrop com sua piteira incrustada de joias, roçando as ancas acetinadas na coxa dele. Alguém entregou a Margherita uma régua de aço e uma cadeira império de ébano. Ela deita Bianca à força em seu colo, levanta-lhe a saia e as anáguas, puxa para baixo a calcinha de renda branca. Um lindo par de nádegas infantis elevam-se como luas. O rego tenro tensiona-se e relaxa, o elástico das ligas contrai-se e afrouxa-se enquanto ela bate as pernas, as meias de seda esfregam-se uma contra a outra, um sibilo erótico que se torna audível agora que a plateia está silenciosa e passou a recorrer ao tato, mãos buscando seios e virilhas, pomos de adão latejando, línguas umedecendo lábios... onde está aquele velho monumento ao masoquismo que Slothrop conheceu em Berlim? É como se Greta estivesse descarregando agora toda a dor que armazenou nas últimas semanas sobre as nádegas nuas da filha, pele tão delicada que as marcas de centímetros e os números brancos deixam sua imagem em negativo contra os vergões vermelhos a cada golpe, desenhando um reticulado oblíquo de dor na carne de Bianca. As lágrimas descem seu rosto invertido e avermelhado, misturando-se com o rímel, pingando sobre as pálidas superfícies crocodilianas dos sapatos da mãe... os cabelos desprenderam-se e pendem sobre o tombadilho, escuros, salpicados de aljôfares minúsculos. A mulata recuou, apertando-se contra Slothrop, e pôs a mão para trás para acariciar-lhe o pau duro, que só está protegido do mundo exterior por uma calça de smoking folgada que não é sua. Todo mundo está meio excitado, Thanatz está sentado no balcão e um dos vênedos de luvas brancas está abocanhando seu pau, o qual ainda não foi desembainhado. Dois garçons estão ajoelhados no tombadilho chupando a genitália suculenta de uma loura com um vestido de veludo cor de vinho, a qual nesse ínterim está lambendo os saltos altos dos sapatos luzidios de uma idosa senhora trajada de organza limão que está pondo algemas de prata forradas de feltro nos punhos de seu acompanhante, um major da artilharia iugoslava de uniforme de gala, ajoelhado com nariz e língua bem enfiados nas nádegas contundidas de uma pernilonga bailarina parisiense, que para ajudá-lo levanta a saia de seda com os dedos dóceis enquanto sua companheira, uma sueca alta, divorciada, com corselete de couro apertado e botas russas pretas, desabotoa a parte de cima do vestido da amiga e começa a açoitar-lhe os peitos nus habilmente com meia dúzia de caules de rosas, vermelhas como as gotas de sangue que brotam e logo escorrem das pontas de seus mamilos duros, pingando dentro da boca ávida de um outro vênedo que está sendo masturbado por um banqueiro holandês aposentado, o qual está sentado no tombadilho e cujos sapatos e meias acabam de ser retirados por duas adoráveis garotinhas, aliás gêmeas, trajando idênticos vestidos de voile com um estampado de florzinhas, e agora os dois dedões dos pés do banqueiro estão cada um deles instalado numa pequena fenda coberta de suave penugem, enquanto as duas, curvadas por cima das pernas dele, beijam-lhe o ventre murcho, colocando as lindas bundinhas gêmeas na posição exata para que os ânus recebam as picas dos dois garçons que, se você ainda se lembra, estavam chupando a tal loura suculenta de vestido de veludo alguns metros atrás no rio Oder...

Quanto a Slothrop, ele termina gozando entre os peitos redondos e trêmulos de uma jovem vietnamita com cabelos cor de pele de leoa e olhos esmeralda de cílios espessos como pelos, e seu esperma esguicha no oco formado à altura da garganta da moça, que está com o pescoço dobrado, espalhando-se por todos os brilhantes de seu colar, os quais continuam a arder, eternos, por entre a névoa de seu sêmen — e pelo menos ele tem a *impressão* de que todo mundo gozou junto, mas como que uma coisa dessas poderia acontecer? Ele percebe que a única pessoa que não está participando, além de Antoni e Stefania, parece ser o oficial de ligação japonês, sentado a sós, um convés acima, assistindo. Sem se masturbar nem nada, só olhando, vendo o rio, vendo a noite... pois é, esses japoneses são mesmo inescrutáveis.

Depois de algum tempo, há uma retirada geral de membros de orifícios, todos voltam a beber, drogar-se e conversar, e muitos começam a se afastar para dormir um pouco. Aqui e ali permanece um ou outro casal ou trio. Um saxofonista encaixou o pavilhão de seu saxofone em dó entre as coxas esparramadas de uma bela matrona de óculos escuros, isso mesmo, óculos escuros à noite, Slothrop está mesmo no meio de um bando de degenerados — o músico está tocando "Chattanooga choo choo", e aquelas vibrações estão enlouquecendo a mulher. Uma moça com um enorme pênis artificial de vidro dentro do qual filhotes de piranha nadam em um líquido decadente à base de lavanda diverte-se entre as nádegas de um gordo travesti com meias de renda e uma pele de zibelina tingida. Uma condessa montenegrina está sendo fodida simultaneamente no coque e no umbigo por dois octagenários só de botas de montar, absortos numa discussão técnica aparentemente em latim eclesiástico.

Ainda faltam horas para que apareça o sol, neste momento ainda sob o ventre vasto e indecifrável da Rússia. A neblina desce, e os motores desaceleram. A quilha do navio branco passa por destroços vários. Cadáveres da primavera presos entre essas ruínas se contorcem e debatem quando o *Anubis* passa sobre eles. Sob o gurupés, o chacal dourado, único ser a bordo capaz de enxergar na neblina, olha sempre em frente, rio abaixo, em direção a Swinemünde.

Slothrop está sonhando com Llandudno, onde foi uma vez quando estava de licença e passou uns dias chuvosos na cama tomando bitter com a filha do comandante de um rebocador. Foi também lá que Lewis Carroll escreveu *Alice no País das Maravilhas*. Por isso puseram uma estátua do Coelho Branco em Llandudno. O Coelho Branco está falando com ele, uma conversa séria e crucial, mas quando Slothrop sobe de volta ao estado de vigília ele esquece tudo, como sempre. Está deitado, olhando para cima, vendo condutos, cachimbos forrados de amianto, canos, manômetros, tanques, interruptores, flanges, junta-manilhas, válvulas e todo o matagal de sombras por eles projetados. Um barulho infernal. Sol filtrado por escotilhas, sinal de que já é manhã. Num canto de seu campo de visão, vê um vermelho esvoaçante.

"Não conte para a Margherita. Por favor." A tal Bianca. Cabelos até as cadeiras, faces esfogueadas, olhos quentes. "Ela me mata."

"Que horas são?"

"O sol já nasceu há muito tempo. Por que você quer saber?"

Por que ele quer saber? Hum. Talvez seja melhor dormir de novo. "Sua mãe está zangada com você por algum motivo?"

"Ah, ela está maluca, acaba de me acusar de estar tendo um caso com o Thanatz. *Total* loucura, é claro, somos apenas bons amigos, mais nada... se ele prestasse um *pingo* de atenção em mim ela saberia disso."

"Pelo menos na sua bunda ela estava prestando atenção ontem à noite, menina."

"Ah, meu Deus", levantando o vestido, virando-se para também poder ver Slothrop por cima do ombro. "Ainda estou sentindo *até* agora. Deixou marca?"

"Só você chegando mais perto."

Ela se aproxima dele, sorridente, pé ante pé. "Eu fiquei vendo você dormir. Você é muito bonito, sabia? A mamãe disse também que você é cruel."

"Veja só." Debruça-se para a frente e morde-lhe de leve uma nádega. Bianca estrebucha, mas não se afasta.

"Hm. Tem um fecho ecler aí, será que você podia..." Ela dá de ombros e retorce o corpo enquanto ele baixa o fecho, o tafetá vermelho se abre e revela uma ou duas manchas roxas começando a formar-se nas nádegas, que são perfeitas, lisas como creme. Bianca já é pequena, e ainda por cima está usando um espartilhozinho preto, que reduz sua cintura ao diâmetro de uma garrafa de conhaque e empurra os seios de pré-pré-debutante para cima, formando dois pequenos crescentes alvos. Alças de cetim, enfeitadas com um complexo bordado pornográfico, percorrem as coxas sustentando as meias, que no alto são de renda alençon negra. As pernas nuas roçam de leve no rosto de Slothrop. Agora ele começa a dar mordidas gigantescas, mordidas de tarado por bundas, enquanto começa a dedilhar os lábios da boceta e o clitóris, os pezinhos de Bianca mudando de posição numa dança nervosa e as unhas escarlate cravando fundo nas pernas por baixo das meias enquanto ele estala chupões, nebulosas vermelhas, nas áreas sensíveis. Ela cheira a sabonete, flores, suor, xoxota. Os cabelos longos caem à altura dos olhos de Slothrop, finos e negros, as pontas quebradas sussurrando contra as costas alvas, ora encobrindo-as, ora descobrindo-as, como se fosse chuva... ela se vira, cai de joelhos e põe-se a desabotoar as calças pregueadas dele. Debruçando-se para a frente, prendendo os cabelos atrás das orelhas, a meninha põe a cabeça do pau de Slothrop dentro da boca vermelha. Os olhinhos brilham por entre as samambaias dos cílios, mãos que são como filhotes de rato percorrem-lhe o corpo, desabotoando, acariciando. Uma criança tão esguia: a garganta engolindo, quase gemendo quando ele lhe agarra os cabelos e os retorce... ela já sabe perfeitamente o que fazer. Sabe exatamente quando tirar o pau da boca e pôr-se de pé, as sandálias parisienses de salto alto plantadas uma de cada lado dele, gingando, cabelos pendendo lentamente para a frente, emoldurando-lhe o rosto, tal como o espartilho negro emoldura o púbis e o ventre. Levantando os bracinhos nus, Bianca levanta também os cabelos longos, joga a cabeça para o lado para fazê-los escorrer pelas costas, percorre-os lentamente com os dedinhos afiados como agulhas, obrigando-o a esperar, passando pelo cetim, por todos os ganchos e rendas, até as coxas. Então o rosto, ainda redondo como rosto de bebê, enormes olhos com sombras noturnas, volta-se para Slothrop, e ela se ajoelha, vai introduzindo o pênis em seu corpo, lentamente apertando-se contra ele, torturante, até estar inteiramente preenchida, até o fundo...

Agora uma coisa, bem, meio *esquisita* acontece. Não que Slothrop tenha consciência disso agora, enquanto acontece, não — mas depois ele vai ter a impressão de que — parece loucura, mas era como se ele, sabe, estivesse *dentro de seu próprio pau.* Se é que você pode imaginar uma coisa dessas. Isso mesmo, totalmente dentro de seu próprio órgão metropolitano, todos os outros tecidos coloniais esquecidos e entregues a sua própria sorte, braços e pernas aparentemente *enroscados* em vasos e dutos, o esperma rugindo cada vez mais feroz, prestes a explodir, em algum lugar debaixo de seus pés... a luz avermelhada e vespertina da boceta chega até ele num único raio que vem da abertura no alto, refratada pelos sucos límpidos que fluem a sua volta. Ele está encerrado aqui dentro. Tudo está prestes a gozar, a gozar um orgasmo incrível, e ele está indefeso aqui, em plena *proeza*... carne vermelha ecoando... uma extraordinária sensação de quem *espera para subir*...

Ela galopa, aquela gracinha de amazona, rosto virado para o teto, estremecendo de alto a baixo, costureiros tesos, duros como cabos de aço, peitinhos infantis pulando para fora do decote... Slothrop puxa Bianca para junto de si pelos mamilos e morde cada um deles com muita força. Passando os braços em torno do pescoço de Slothrop, abraçando-se a ele, Bianca começa a gozar, e logo ele também, e aquele jorro duplo dá fim à sensação de expectativa, retira-o do alto da torre e lança-o dentro dela com uma singular detonação tátil. Anunciando o vazio, o que haveria de ser senão a voz imperial do Aggregat?

Em algum lugar na imobilidade do depois encontram-se o coração dela, um chapinzinho na neve, os cabelos dela, cobrindo os rostos dos dois, a linguinha dela lambendo-lhe as têmporas e os olhos sem parar, pernas de seda roçando-lhe as ilhargas, omoplatas levantando-se como asas cada vez que ela o abraça. O que foi que aconteceu naquela hora? Slothrop pensa que está a ponto de chorar.

Os dois estão abraçados. Ela fala sobre um plano de esconder-se.

"Muito bem. Mas vai ter uma hora que vamos ter que desembarcar, em Swinemünde ou onde quer que seja."

"Não. A gente pode fugir. Eu sou uma criança, sei me esconder. Posso esconder você também."

Ele sabe que ela pode. Sabe, sim. Aqui mesmo, agora mesmo, debaixo da maquiagem e da lingerie exótica, ela *existe*, amor, invisibilidade... Para Slothrop, isso é uma descoberta e tanto.

Porém os braços dela estão inquietos em torno de seu pescoço, apreensivos. Por um bom motivo. É claro que Slothrop vai ficar por um tempo, porém mais cedo ou mais tarde há de ir embora, e assim ele tem que ser considerado, em última análise, um dos perdidos da Zona. O báculo do papa jamais há de florescer, tal como o pau de Slothrop.

Assim, quando se desenrosca dela, ele o faz de modo extravagante. Cria uma burocracia de partida, inoculações contra o esquecimento, vistos carimbados com mordidas amorosas... mas voltar é coisa em que ele já não pensa. Endireitando a gravata-borboleta, alisando as lapelas de cetim do paletó, abotoando as calças, reassumindo o uniforme do dia, dá as costas a ela e começa a subir a escada. O último momento em que os dois se entreolharam já é coisa do passado...

Sozinha, ajoelhada no aço pintado, Bianca sabe, tal como sua mãe, que o horror virá no mais claro da tarde. E, como Margherita, tem suas piores visões em preto e branco. A cada dia sente-se mais próxima do limiar de algo. Muitas vezes sonha com a mesma viagem: uma ida de trem de uma cidade bem conhecida a outra, àquela mesma luz nacarada e enrugada que os filmes usam para representar chuva vista por uma janela. Num vagão-leito, ditando sua história. Ela se sente finalmente capaz de contar um horror que vivenciou em pessoa, contá-lo com clareza, de modo que os outros possam revivê-lo. Isso talvez faça com que ela não cruze o limiar, o limiar da escuridão prateada e salgada que vai comendo pelas bordas as fímbrias de sua consciência... quando estava deixando crescer as franjas, nos quartos escuros, seus próprios cabelos, junto aos olhos, eram como uma presença estranha... Agora em suas torres arruinadas os sinos repicam sem parar no vento. Cordas desfiadas pendem soltas lá onde não se veem mais capuzes pardos acima da pedra. O vento dela impede até que se acumule poeira. A luz do dia é velha: é tarde, faz frio. Horror na hora mais clara da tarde... velas no mar, tão pequenas e distantes que nada representam... Água demasiadamente férrea e fria...

O olhar de Bianca — esta imobilidade cada vez mais profunda — já partiu o coração de Slothrop, que tudo vê: partiu e partiu, aquele mesmo olhar quando ele passou de carro, oculto em penumbras de musgo e colônia em ruínas, de bombas de gasolina esguias, encimadas por cilindros nublados, de anúncios de Moxie em placas metálicas genciana e dulcamara como o sabor que estavam ali para vender, pregados nos celeiros descorados pela chuva e o sol, vistos por sabe-se lá quantas Últimas Vezes pelo retrovisor, todas elas perdidas dentro de metal e combustão, conferindo aos alvos do dia muito mais realidade do que qualquer coisa que pudesse surgir de surpresa, via Lei de Murphy, onde a salvação talvez residisse... Perdido, perdido vez após vez, passando pela pobre Becket, inundada quando a barragem quebrou, subindo e descendo as encostas pardas e sulcadas, ancinhos enferrujando na tarde, céu de um cinza-arroxeado, escuro como goma mascada, névoa começando a fazer investidas brancas no ar, voltando-se para a terra, meio centímetro, um centímetro... ela olhou-o uma vez, claro que ele ainda se lembra, da extremidade de um balcão de lanchonete, fumaça de grelha espalhando-se pela janela, paciente como graxa de sapato contra a chuva para o punhado enxadrezado, acorcundado e fungante lá dentro, da jukebox uma faísca rápida no balir de um trombone, uma seção de madeiras, lançando notas de swing precisamente no sulco entre o ponto médio silencioso e o compasso seguinte, saltando-o *pá* (hum) *pá* (hum) *pá* tão exatamente no sulco que a gente sabia que era antes, mas *sentia* que era depois, vocês dois, nas duas extremidades do balcão, sentiam isso, sentiam sua idade entregue a um novo tipo de tempo que talvez os tenha levado a perder o resto, as expectativas desencantadas dos velhos que, numa indiferença bifocal e mucosa, viam vocês dançando o lindy hop e saltando para dentro do buraco aos milhões, tantos milhões quanto fosse necessário... Claro que Slothrop perdeu-a, e continuou perdendo-a — era uma exigência americana — pelas janelas do ônibus Greyhound, passando por pedra chanfrada, verde e olmo-dobrada até o fim da percepção, ou, num sentido mais sinistro, da vontade (antes você sabia o que essas palavras queriam dizer), ela seguiu em frente, imperturbável, demasiadamente d'Eles, nenhuma possibilidade de um espectro estival bege na beira-estrada *dela*...

Deixando Slothrop para seus reflexos citadinos e meias do time de remo de Harvard — ambos por acaso anéis vermelhos, grilhões de histórias em quadrinhos (uma revistinha que praticamente nunca circulou, encontrada por acaso ao entardecer junto a um monte de areia em Berkshire. O nome do herói — ou ser — era Relógio de Sol. Ele nunca aparecia em nenhum quadrinho o bastante para se saber se era humano ou não. Vinha de e sumia para "o outro lado do vento", o que para os leitores queria dizer "o outro lado de algum fluxo, mais ou menos plano e vertical: uma parede em constante movimento" — e do lado de lá havia um mundo diferente, onde o Relógio de Sol fazia coisas que eles jamais poderiam compreender).

Coisas distantes, sim, muito distantes. Sem dúvida. Se se aproximam demais a lembrança dela começa a doer. Mas a obsessão à Eurídice, o impulso de *trazer de volta*... se bem que seria tão mais fácil deixá-la por lá mesmo, em meio a fétidas sopas de hálito de carbureto e canários mortos, e sair e ter conforto o bastante para tentar apenas um fac-símile razoável — "Por que trazê-la de volta? Por que tentar? É só a diferença entre a tampa de caixa verdadeira e a que você desenha para Eles." Não. Como é que ele pode acreditar nisso? É o que Eles querem fazê-lo acreditar, mas como? Não há diferença entre uma tampa de caixa e sua imagem, certo, toda a economia deles se baseia *nisso*... mas *ela* tem que ser mais que uma imagem, um produto, uma promessa de pagar...

De todos os pais putativos — Max Schlepzig e os extras mascarados em um lado do filme, Franz Pökler e certamente outros pares de mãos atuando por cima da fazenda das calças, naquela noite do *Alpdrücken*, do outro — Bianca está mais próxima, neste último momento possível abaixo do convés, atrás do chacal voraz, mais próxima, tendo entrado em cores deslumbrantes, de você, largado sozinho na sua cadeira, sem jamais ameaçar em nenhuma fileira de torre ou diagonal de bispo a noite toda, você, absolutamente vedado ao amor aquialvo da mãe dela, você, sozinho, dizendo *claro que eu conheço eles*, omitido, rindo *contem comigo*, incapaz, pensando *provavelmente uma puta*... Ela gosta de você, mais que de todos os outros. Você nunca mais vai vê-la. Por isso alguém tem que lhe dizer isso.

Na metade da subida, Slothrop é surpreendido por uma dentadura a reluzir numa escotilha escura. "Eu estava espiando. Espero que o senhor não se importe." Pelo visto é o tal japonês de novo, o qual se apresenta como tenente Morituri, da marinha imperial japonesa.

"Éé́é, eu..." por que é que Slothrop está falando arrastado desse jeito? "vi o senhor espiando... ontem à noite também..."

"O senhor pensa que eu sou voyeur. Aposto que pensa. Mas não é isso, não. Quer dizer, eu não me excito. Mas quando eu fico olhando as pessoas, eu me sinto menos só."

"Ora, porra, tenente... então por que não... participar também? *Eles* estão sempre atrás de... companhia."

"Ah, não", sorrindo um daqueles grande sorrisos poliédricos japoneses, "aí eu me sentiria ainda *mais* só."

Mesas e cadeiras foram colocadas debaixo do toldo listrado de laranja e vermelho no convés a ré. Slothrop e Morituri estão praticamente sozinhos ali, fora algumas moças de maiô de duas peças aproveitando para se bronzear antes que o sol vá embora. Cúmulos-nimbos acumulam-se bem à frente. Ouve-se o trovão ao longe. O ar está despertando.

Um comissário traz café, creme de leite, mingau e laranjas. Slothrop olha para o mingau desconfiado. "Eu quero", diz o tenente Morituri, agarrando a tigela.

"Ah, tudo bem." Slothrop observa que este japonês tem um bigodão de pontas viradas. "Ah-ah, entendi. Gosta de mingau, hein? É um anglófilo latente — isso mesmo, está até enrubescendo." Apontando e gritando, ah-ah, ah-ah.

"O senhor descobriu o meu segredo. É verdade. Há seis anos que estou do lado errado."

"Alguma vez tentou fugir?"

"Para descobrir como vocês são na verdade? Ah, não. E se a filia virar fobia? Onde que eu ficaria então?" Ri e cospe uma semente de laranja para o lado. Conta que treinou algumas semanas na escola de camicases em Formosa, mas foi eliminado. Ninguém jamais lhe explicou por quê. Algo a ver com a atitude dele. "Simplesmente acharam que minha atitude não era boa", suspira ele. "Por isso me mandaram de volta para cá, via Rússia e Suíça. Desta vez pelo Ministério de Propaganda." Ele passava a maior parte do tempo assistindo a filmes sobre os Aliados à procura de trechos que poderiam ser inseridos em jornais da tela para fazer com que o Eixo se saísse bem e os seus inimigos se saíssem mal. "Tudo que sei sobre a Grã-Bretanha é o que vi nesses filmes."

"Pelo visto, o pessoal aqui ficou com uma visão distorcida das coisas por causa dos filmes alemães."

"Está se referindo a Margherita. Pois foi assim mesmo que ficamos nos conhecendo! Um amigo comum na Ufa. Eu estava de férias em Bad Karma — logo antes da invasão da Polônia, veja só. Aquela cidadezinha onde o senhor pegou o navio. Era um balneário. Eu o vi caindo n'água. Depois subiu a bordo. Vi também Margherita espiando-o. Por favor, não se ofenda, Slothrop, mas talvez seja melhor se afastar dela no momento."

"Não há por que me ofender. Sei que tem alguma coisa esquisita acontecendo agora." Fala a Morituri do incidente no Sprudelhof, da fuga de Margherita diante da aparição de negro.

O tenente faz que sim, sorri, retorce metade do bigode fazendo a ponta afiada apontar para um dos olhos. "Ela não lhe contou o que aconteceu lá? Puxa, rapaz, é melhor você ficar sabendo..."

A história do tenente Morituri

A guerra tem uma espécie de efeito retroativo sobre os dias que a antecedem imediatamente. Quando se olha para trás, vê-se que estavam cheios de barulho e gravidade. Porém somos condicionados a esquecer. Para que a guerra se torne mais importante, é claro, mas mesmo assim... a maquinaria oculta não será mais fácil de ver nos dias que conduzem ao evento? Há preparações, problemas a serem resolvidos... e muitas vezes as bordas são levantadas por um instante, e vemos coisas que não eram para ser vistas...

Tentaram convencer Margherita a não ir para Hollywood. Ela foi, e fracassou. Rollo estava presente quando ela voltou, para impedir que o pior acontecesse. Durante um mês ele confiscou objetos pontiagudos, impediu-a de sair do andar térreo e afastou-a de todas as substâncias químicas, o que fez com que Margherita dormisse pouco. Cochilava e logo acordava histérica. Tinha medo de adormecer. Medo de não saber voltar depois.

Rollo não era lá muito inteligente. Tinha boas intenções, mas depois de um mês com Margherita constatou que não aguentava mais. Na verdade, todos ficaram surpresos de ver que ele aguentara tanto tempo. Greta foi entregue a Sigmund, nem um pouco melhor do que estava antes, mas talvez nem um pouco pior, também.

O problema era o lugar onde Sigmund estava morando, uma monstruosidade cercada de ameias e cheia de correntes de ar nos Alpes da Baviera, com vista para um laguinho frio. Parte da obra remontava à queda do Império Romano. Foi para lá que Sigmund a levou.

Não sei de onde ela tirou a ideia de que tinha sangue judeu. Na época, as coisas estavam ficando muito feias, como todos sabem. Margherita vivia apavorada, com medo de que fosse "descoberta". Ela via a Gestapo em cada lufada de vento que entrava, em meio a mil ventos de dilapidação. Sigmund passava noites inteiras conversando com ela, tentando acalmá-la. Nisso teve tão pouco sucesso quanto Rollo. Foi mais ou menos nessa época que os sintomas dela surgiram.

Por mais psicogênicas que fossem essas dores, tiques, urticárias e náuseas, o sofrimento era real. Acupuntores vinham de Berlim de zepelim, chegando no meio da noite com estojos de veludo cheios de agulhas de ouro. Analistas vienenses, santos indianos, batistas americanos entravam e saíam do castelo de Sigmund, hipnotizadores de salão e curandeiros colombianos dormiam no tapete à frente da lareira. Nada adiantava. Sigmund foi ficando alarmado, e daí a pouco estava alucinando com tanta frequência quanto Margherita. Provavelmente foi ela quem sugeriu Bad Karma. Naquele verão, o lugar era famoso pela sua lama quente e oleosa, negra como azeviche, que borbulhava suavemente, contendo vestígios de rádio. Ah. Todo mundo que já esteve doente desse jeito pode imaginar a esperança que ela sentiu. Aquela lama curaria qualquer coisa.

Onde estavam todos no verão antes da Guerra? Sonhando. Naquele verão, o verão em que o tenente Morituri veio para Bad Karma, os balneários estavam apinhados de sonâmbulos. Não havia nada para ele fazer na embaixada. Propuseram-lhe umas férias até setembro. Ele deveria ter imaginado que alguma coisa estava prestes a acontecer, porém limitou-se a tirar férias em Bad Karma — passava os dias bebendo Pilsener Urquelle no café junto ao lago no Parque do Pavilhão. Era um estranho, boa parte do tempo bêbado, bobo de cerveja, e não falava praticamente nada de alemão. Mas o que estava vendo a sua frente certamente estaria acontecendo por toda a Alemanha. Um frenesi premeditado.

Margherita e Sigmund caminhavam pelas mesmas alamedas de magnólias, escarrapachavam-se em espreguiçadeiras com rodas para assistir a concertos de músicas patrióticas... quando chovia, jogavam cartas num dos salões da Kurhaus. À noite apreciavam as queimas de fogos — fontes, foguetes que babavam fagulhas, estrelas amarelas que explodiam sobre o céu da Polônia. Aquela estação onírica... Não havia ninguém em todos os balneários que fosse capaz de ler alguma coisa nos desenhos formados pelos fogos. Eram apenas luzes alegres, nervosas como as fantasias que cintilavam de um olho ao outro, roçando na pele como os leques de penas de avestruz de 50 anos atrás.

Quando foi que Sigmund percebeu pela primeira vez as ausências de Margherita, ou então quando foi que elas se tornaram para ele algo mais que uma rotina? Ela sempre lhe dava explicações plausíveis: uma consulta com um médico, um encontro inesperado com uma velha amiga, um cochilo no banho de lama, enquanto o tempo corria célere. Talvez tenham sido esses sonos inauditos que acabaram por torná-lo desconfiado, depois de tudo por que ele havia passado por causa das insônias de Margherita no Sul. As histórias sobre as crianças nos jornais locais não poderiam ter lhe causado nenhuma desconfiança, não naquela época. Sigmund só lia as manchetes, e mesmo assim raramente, só para preencher uma hora vazia.

Morituri os via com frequência. Encontravam-se, trocavam mesuras e Heil Hitler, e o tenente tinha alguns minutos para praticar seu alemão. Fora os garçons e barmen, eram as únicas pessoas com quem ele conversava. Junto às quadras de tênis, aguardando em fila na casa de banhos na arcada fresca, num *corso* aquático, uma batalha floral, uma fête veneziana, Sigmund e Margherita quase não mudavam, ele com seu — assim Morituri o considerava — Sorriso Americano, em torno do tubo de âmbar do cachimbo apagado... a cabeça que era como um enfeite natalino de carne... isso fazia tanto tempo... ela com os óculos de sol amarelos e chapéus à Greta Garbo. Nela só as flores mudavam de um dia para o outro: ipomeia, flor de amendoeira, dedaleira. Morituri passou a aguardar como uma expectativa agradável esses encontros cotidianos. Sua mulher e suas filhas estavam do outro lado do mundo, ele estava exilado num país que o confundia e oprimia. Tinha necessidade da civilidade passante dos zoológicos, das palavras de guia turístico. Conscientemente, olhava com olhos muito abertos, tão curioso quanto eles. Todos eles, com seu aplomb europeu, o fascinavam: as velhas com chapéus de plumas brancas nas espreguiçadeiras, os ex-combatentes da Grande Guerra, serenos como hipopótamos de molho em suas banheiras de aço, seus secretários afeminados palrando estridentes como macacos por toda a Sprudelstrasse, enquanto do outro lado dos arcos de tílias e nogueiras vinha o rugido incessante do dióxido de carbono na fonte fervilhante, emergindo da solução em grandes esferas trêmulas... mas quem mais o fascinava eram Sigmund e Margherita. "Pareciam tão deslocados ali quanto eu. Todos nós temos antenas, sintonizadas para identificar nossos semelhantes, não é?"

Uma manhã, por acaso, encontrou-se com Sigmund, sozinho, uma estátua de tweed apoiada na bengala à porta do Inhalatorium, com cara de quem está perdido, de quem não tem para onde ir, não tem desejos. Sem premeditação, começaram a conversar. A ocasião era perfeita. Acabaram se afastando dali, caminhando por entre a multidão de estrangeiros doentes, enquanto Sigmund lhe falava de seus problemas com Greta, as fantasias judaicas dela, suas ausências. Na véspera ele a pegara em flagrante numa mentira. Ela havia chegado muito tarde. Suas mãos tremiam um pouco, um tremor que não passava. Sigmund começara a notar certas coisas. Os sapatos sujos de lama negra seca. Uma costura de seu vestido alargada, quase descosturada, embora ela estivesse perdendo peso. Mas ele não tivera coragem de encostá-la contra a parede.

Morituri, que lia sempre os jornais, para quem a ligação brotara como um monstro das efervescências domadas do Trinkhalle, mas que não tinha palavras, em alemão nem em outra língua qualquer, para contar a Sigmund, Morituri, o tenente cervejista, começou a segui-la. Ela jamais olhava para trás, mas sabia que o japonês estava lá. No baile semanal do Kursall o tenente sentiu, pela primeira vez, uma certa relutância neles todos. Os olhos de Margherita, olhos que ele estava acostumado a ver oculto por trás de óculos escuros, agora nus, ardendo, terríveis, jamais se desviavam de seu rosto. A Kur-Orchestra tocava trechos da *Viúva alegre* e *Os segredos de Suzanne*, música fora de moda, e no entanto, quando anos depois Morituri ouvia aquelas melodias na rua, no rádio, elas sempre lhe traziam de volta o gosto jamais escrito daquela noite, os três à beira de uma profundeza que nenhum deles seria capaz de sondar... uma última reprise dos anos 30 europeus que ele não chegara a conhecer... o que para Morituri é também uma sala específica, um salão na tarde: moças esguias de vestido longo, olhos cercados de rímel, homens com rostos muito bem escanhoados, lisura de astro de cinema... aqui não eram operetas, e sim músicas para dançar, sofisticadas, tranquilizadoras, um pouco "modernas", linhas melódicas avançadas que mergulhavam com elegância... uma sala no andar de cima, sol de fim de tarde entrando, tapetes espessos, vozes que não diziam nada de pesado nem complexo, sorrisos informados e condescendentes. Naquela manhã ele despertou numa cama macia, e agora anseia por uma noite num cabaré, dançando canções populares de amor, tocadas nesse mesmo estilo amaneirado e sofisticado. O salão vespertino, com suas lágrimas contidas, fumaça e paixões cuidadosas é uma estação intermediária entre o conforto da manhã e o da noite: era a Europa, era o medo da morte, fumacento e urbano, e — o mais perigoso de tudo — eram os olhos escrutáveis de Margherita, aquele encontro perdido no Kursaal, olhos negros em meio a joias amontoadas e generais velhos cochilando, no rugido da Brodelbrunnen lá fora, preenchendo os vazios da música tal como as máquinas iriam em breve preencher o céu.

Na noite seguinte, Morituri seguiu-a pela última vez. Pelos caminhos costumeiros, sob as árvores de sempre, passando pelo laguinho com peixes ornamentais que o fazia pensar no Japão, atravessando o campo de golfe, os últimos homens de bigodes brancos do dia subindo bancas com esforço, os caddies em posição de sentido, figuras alegóricas ao brilho do entardecer, os maços de tacos em silhuetas fascistas... Naquele dia a tarde desceu sobre Bad Karma pálida e violenta: o horizonte era uma catástrofe bíblica. Greta estava toda de preto, um chapéu com véu cobria-lhe a maior parte dos cabelos, uma bolsa com alça comprida pendia-lhe do ombro. À medida que seus itinerários possíveis foram se reduzindo a um só, e Morituri ia caindo nas armadilhas que a noite colocava em seu caminho, ele se enchia de profecia como se de vento: onde Margherita ia em suas ausências, de que modo as crianças daquelas manchetes tinham —

Haviam chegado à margem da poça de lama negra: aquela presença subterrânea, antiga como a Terra, parcialmente cercada no balneário, devidamente rotulada... A oferenda de hoje seria um menino, que havia ficado para trás depois que todos os outros se foram. Seu cabelo era neve fria. Morituri só ouvia fragmentos do que eles diziam. De início o menino não teve medo dela. Talvez não a tivesse reconhecido com base em seus pesadelos. Teria sido sua única esperança. Mas eles haviam tornado impossível essa saída, os administradores alemães. Morituri, de uniforme, esperava, desabotoando a túnica para poder mover-se, embora não quisesse fazê-lo. Certamente estariam todos repetindo esse ato interrompido de outras eras...

A voz dela começou a subir, e o menino a tremer. "Você já está no exílio há muito tempo." Era um estampido forte na penumbra. "Venha para casa, venha comigo", gritou ela, "voltar para a sua gente." Agora ele tentava escapar, mas a mão dela, a mão enluvada, a garra dela já o prendera pelo braço. "Seu judeuzinho de merda. Não tente fugir de mim."

"Não..." mas subindo bem no final, numa pergunta provocadora.

"E você sabe quem eu sou, sim. Meu lar é a forma da Luz", agora num tom falso de atriz de vaudeville, carregando no sotaque de iídiche, "eu ando por toda a Diáspora procurando crianças desgarradas. Eu sou Israel. Eu sou a Chekiná, rainha, filha, noiva e mãe de Deus. E vou levar você de volta, seu caco de vaso quebrado, mesmo que tenha que puxar você pelo seu pênis circuncidado..."

"*Não*..."

Então o tenente Morituri realizou o único ato de heroísmo que se conhece de toda a sua carreira. Não consta sequer de sua ficha. Ela estava puxando o menino, que se debatia, uma mão enluvada enfiada entre as pernas dele. Morituri avançou. Por um momento os três ficaram a balançar, presos um no outro. Uma cinzenta estátua nazista: o nome poderia ser "A Família". Sem aquela imobilidade da escultura grega: todos se mexiam. A imortalidade não era a questão aqui. Isso os tornava diferentes. Não era a sobrevivência, além da apreensão dos sentidos — nada a legar. Fadados ao fracasso, como a aventura de d'Annunzio em Fiume, como o próprio Reich, como as pobres criaturas de quem o menino por fim se desprendeu, e saiu correndo no crepúsculo.

Margherita desabou à margem da grande lagoa negra. Morituri ajoelhou-se a seu lado enquanto ela chorava. Foi terrível. O que o trouxera ali, o que havia compreendido e entrado em ação de modo tão automático, agora voltou a adormecer. Seu ser condicionado, verbal, uniformizado, assumiu o controle outra vez. Ajoelhado, estremecendo, nunca tivera tanto medo antes. Foi ela que o ajudou a voltar para o balneário.

Ela e Sigmund partiram de Bad Karma naquela noite. Talvez o menino estivesse assustado demais, a luz fraca demais, Morituri talvez tivesse protetores poderosos, pois naquela cidadezinha ele era uma figura totalmente visível — porém a polícia não veio procurá-lo. "Jamais me ocorreu procurar a polícia. No fundo do coração, eu sabia que ela era uma assassina. Talvez você me condene por isso. Mas eu sabia a quem eu a estaria entregando, e daria no mesmo, fosse ou não em mãos oficiais, você entende." O dia seguinte era primeiro de setembro. Não havia mais como as crianças desaparecerem misteriosamente.

A manhã escureceu. A chuva cuspinha enviesado, por baixo do toldo. O prato de mingau acabou permanecendo intato diante de Morituri. Slothrop sua, olhando fixamente para os restos mortais de uma laranja, de cores vivas. "Escute", ocorre a seu cérebro ágil, "e a Bianca, hein? Você acha que ela corre perigo com a tal Greta?"

Cofiando o bigodão, "O que você quer dizer? Está perguntando se ela pode ser salva?"

"Ora, seu japonês, pare com isso —"

"Mas afinal, de que é que *você* pode salvá-la?" Seus olhos arrancam Slothrop de sua posição confortável. Agora a chuva está tamborilando no toldo, respingando das bordas em rendas límpidas.

"Espere aí. Ah, porra, aquela *mulher* ontem na Sprudelhof —"

"Sim. Lembre que Greta também viu você subindo do rio. Agora pense em todo o folclore sobre radioatividade em que essa gente acredita — essas pessoas que vão de uma estação de águas à outra, o ano todo. É a Graça. É a água benta de Lourdes. Essa misteriosa radiação que cura tanta coisa — não seria ela a cura *definitiva*?"

"Hãã..."

"Eu observei o rosto dela quando ela entrou no navio. Eu estive com ela no limiar de uma noite radioativa. Eu sei o que ela viu dessa vez. Um daqueles meninos — preservado, nutrido pela lama, pelo rádio, crescendo, fortalecendo-se, enquanto lentamente, viscosas e lerdas, as correntes o transportavam por baixo da terra, ano após ano, até que por fim, homem feito, ele chegasse ao rio, emergisse da radiância negra dela própria para encontrá-la de novo, Chekiná, noiva, rainha, filha. E mãe. Tão maternal quanto a lama e a uraninita incandescente —"

Quase exatamente acima de suas cabeças, o trovão de repente esmaga um ovo ofuscante de som. Em algum momento, no meio do estrondo, Slothrop murmurou: "Deixe de bobagem".

"Você vai correr o risco de tentar descobrir?"

Quem é esse, ah *claro*, é um tenente japonês, olhando para mim desse jeito. Mas onde estão os braços de Bianca, sua boca indefesa... "Bem, dentro de um ou dois dias estaremos em Swinemünde, não é?" falando para não — então levante dessa mesa, seu babaca —

"Vamos só seguir em frente, mais nada. No final, não faz diferença."

"Escute, você tem duas filhas, como é que você pode dizer uma coisa dessas? É só isso que você quer, 'seguir em frente'?"

"Quero que termine logo a guerra no Pacífico para eu poder voltar para casa. Já que você perguntou. Agora é a estação da chuva das ameixas, a Bai-u, quando todas as ameixas estão amadurecendo. Tudo que eu quero é voltar para Michiko e as meninas, e quando chegar lá, nunca mais vou sair de Hiroxima. Acho que você ia gostar da minha cidade. Fica em Honxu, na costa do mar Interior, muito bonita, tamanho ideal, grande o bastante para ter animação de cidade grande, pequena o bastante para dar a serenidade de que um homem precisa. Mas as pessoas não estão voltando, estão abandonando os lares, sabe —"

Porém nesse momento desfaz-se um dos nós que prende o toldo, pesado de chuva, à armação, a corda branca desamarra-se depressa, desenrolando-se na chuva. O toldo afunda, canalizando água para cima de Slothrop e Morituri, que fogem para o convés inferior.

Acabam separando-se em meio a uma multidão festiva e recém-desperta. Praticamente a única coisa em que Slothrop consegue pensar agora é como chegar a Bianca. No final do corredor, atrás de dezenas de rostos vazios, ele vê Stefania toda de branco, de cardigã e calças compridas, chamando-o com um gesto. Slothrop leva cinco minutos para conseguir ir até ela, e chega lá com um alexânder na mão, um chapéu de papel na cabeça, um papel grudado com fita às suas costas com os dizeres "me chute" em baixo-pomerânio, marcas de batom em três tons de carmim e um charuto negro italiano que alguém teve a bondade de acender para ele.

"Quem o vê acha que você é a pessoa mais sociável do mundo", saúda-o Stefania, "mas a mim você não engana, não. Por trás dessa máscara alegre esconde-se o rosto de um Jonas."

"Quer dizer que, hãã —"

"É a Margherita. Trancou-se no banheiro. Está histérica. Ninguém consegue tirá-la lá de dentro."

"E por isso você está olhando para mim. E o Thanatz?"

"Thanatz sumiu, e Bianca também."

"Puta merda."

"Margherita acha que foi você que deu sumiço nela."

"Eu, não." E faz um resumo rápido da narrativa do tenente Morituri. Stefania perde parte de seu elã, de sua invulnerabilidade. Ela morde uma unha.

"É, houve boatos. Sigmund, antes de desaparecer, contou o suficiente para deixar as pessoas com uma pulga atrás da orelha, mas não chegou a entrar em detalhes. Era o estilo dele. Escute, Slothrop: você acha que Bianca está correndo perigo?"

"Vou tentar descobrir." Nesse momento é interrompido por um rápido chute na bunda.

"Você é um azarado", grita uma voz atrás deles. "Sou o único neste navio que lê baixo-pomerânio."

"Você é um azarado", Stefania concorda.

"Eu só queria uma viagem de graça a Swinemünde."

Porém Stefania diz, com razão: "Só existe uma viagem que é de graça. Enquanto não chega a hora dela, comece a trabalhar para pagar esta. Vá falar com Margherita."

"Você quer que *eu* — ora!"

"Não queremos que aconteça alguma coisa."

Uma das Ordens Gerais deste navio. Nada poderá acontecer. Pois bem, Slothrop delicadamente coloca o que resta de seu charuto entre os dentes de Mme. Procalowska e deixa-a tirando suas baforadas, punhos cerrados enfiados nos bolsos da suéter.

Bianca não está na praça de máquinas. Slothrop anda de um lado para o outro sob a luz pulsante das lâmpadas, em meio a massas envoltas em amianto, queimando-se uma ou duas vezes em lugares onde falta o isolamento, olhando dentro de cantos escuros, sombras, pensando em seu próprio isolamento ali naquele navio. Só máquinas e barulho. Volta em direção à escada. Um pedaço de vermelho a sua espera... não, é só o vestido dela, com uma mancha úmida de seu sêmen ainda na barra... preservada pela umidade da atmosfera aqui. Sou uma criança, eu sei me esconder, e posso esconder você. "Bianca", ele chama. "Bianca, saia do esconderijo."

Em torno da porta do banheiro, Slothrop encontra um sortimento de vagabundos e bêbados bloqueando o corredor, juntamente com um amontoado de garrafas e copos, mais um círculo de cocainômanos sentados no chão, pássaros de cristal voando para dentro de florestas de pelos nasais na ponta de um punhal de ouro e rubis. Slothrop força passagem, encosta na porta e chama Margherita pelo nome.

"Vá embora."

"Você não precisa sair daí. Só quero que me deixe entrar."

"Eu sei quem você é."

"Por favor."

"Eles foram muito espertos de mandar você como se fosse o pobre Max. Mas agora não funciona mais."

"Eu não tenho mais nada a ver com Eles. Juro. Preciso de você, Greta." Conversa. Precisa para quê?

"Então Eles vão matá-lo. Vá embora."

"Eu sei onde a Bianca está."

"O que foi que você fez com ela?"

"Eu — você me deixa entrar?" Após um minuto inteiro de silêncio, ela deixa. Um ou dois engraçadinhos tentam entrar junto, mas Slothrop bate a porta e a tranca outra vez. Greta está usando apenas um corpete preto. No alto das coxas aparecem tufos de pelos negros encaracolados. Seu rosto está pálido, velho, tenso.

"Onde é que ela está?"

"Escondida."

"Escondeu-se de você?"

"D'Eles."

Uma olhadela rápida dirigida a Slothrop. Excesso de espelhos, lâminas, tesouras, luzes. Excesso de branco. "Mas *você* é um d'Eles."

"Pare com isso. Você sabe que não sou."

"É, sim. Você saiu do rio."

"Foi porque eu caí dentro dele, Greta."

"Então foram Eles que fizeram você cair."

Slothrop a observa enquanto ela brinca nervosamente com mechas de seu próprio cabelo. O *Anubis* começou a jogar um pouco, mas o enjoo que ele começa a sentir tem a ver com a cabeça, não com o estômago. Quando Greta começa a falar, a náusea vai tomando conta dele: uma enchente de lama negra e reluzente de náusea...

□□□□□□□

Sempre fora fácil para os homens dizer-lhe quem ela devia ser. As outras meninas da sua geração cresceram se perguntando "quem sou eu?". Para elas, era uma questão dolorosa e conflituosa. Para Gretel, mal chegava a ser uma questão. Tinha tantas identidades que nem sabia o que fazer com todas elas. Algumas dessas Gretels são superfícies apenas esboçadas — outras são mais profundas. Muitas têm dons incríveis, antigravidade, sonhos proféticos... imagens desfocadas cercam seus rostos, brilhando no ar: a própria luz está chorando lágrimas, chorando desse modo estilizado, à medida que ela é transportada pelas cidades mecânicas, as paredes de meteorito cobertas por colgaduras em pleno ar, todos os ocos e reentrâncias vazios como ossos, e a sombra que cai sobre tudo, reluzindo negra... ou então detém-se em posturas rígidas, olhar fixo, vestidos longos, símbolos alquímicos, véus fluindo de barretes de couro empilhados, concêntricos, como um capacete de ciclista, com torre de craqueamento e hélice de obsidiana, correias de transmissão e cilindros, estranhas passagens para dirigíveis sob arcos, solenes, por respiradouros e gigantescas nadadeiras na névoa da cidade...

Em *Weisse Sandwüste von Neumexiko* ela interpretou uma vaqueira. Antes de mais nada perguntaram-lhe: "Sabe montar?". "Claro", foi a resposta. Em toda a sua vida, o máximo que se aproximara de um cavalo fora nas valas à beira-estrada no tempo da guerra, mas ela precisava daquele trabalho. Quando chegou a hora, jamais lhe ocorreu a ideia de sentir medo daquela fera que pulsava entre suas coxas. Era um cavalo americano chamado Cobra. Fosse ou não treinado, era perfeitamente capaz de fugir com ela, até mesmo de matá-la. Porém saltaram por toda a tela, cheios de fogo sagitário, Gretel e o tal potro, e o sorriso dela jamais recuou.

Eis um dos véus que ela deixou cair, uma escuma branca e fina, um resíduo cáustico de uma noite recente em Berlim. "Enquanto você dormia, saí de casa. Fui até a rua, sem sapatos. Encontrei um cadáver. Um homem. Barba grisalha de uma semana, terno cinzento velho..." Estava deitado no chão, imóvel e muito branco, atrás de um muro. Ela se deitou a seu lado e abraçou-o. Havia geada. O corpo rolou em direção a ela e as rugas permaneciam congeladas no pano. Ela sentiu a barba espetar-lhe a face. O cheiro não era pior que o de carne fria saída da geladeira. Ela ficou deitada, abraçando-o, até amanhecer.

"Me conte como é na sua terra." O que a teria despertado? Botas na rua, uma escavadeira mecânica madrugadora. Ela mal consegue ouvir seus próprios sussurros cansados.

Cadáver responde: "Moramos muito abaixo da lama negra. Dias de viagem". Embora não pudesse fazê-lo mover os membros com tanta facilidade quanto se fosse um boneco, podia fazê-lo dizer e pensar exatamente o que ela queria.

Por um momento ficou a imaginar — não exatamente com palavras — se era assim que sua própria mente macia se sentiria sob os dedos d'Aqueles que...

"Hm, é confortável aqui embaixo. De vez em quando você capta alguma coisa vinda d'Eles — um ronco distante, a silhueta implícita de alguma explosão, transmitida até aqui através da terra sobre nossas cabeças... mas nunca nada de *muito próximo*. É tão escuro que as coisas brilham. Nós voamos. Não existe sexo. Porém há fantasias, até mesmo muitas das que outrora associávamos ao sexo — que usávamos para modular a energia sexual..."

No papel de Lotte Lüstig, uma debutante um tanto confusa, viu-se numa enchente, disfarçada de faxineira, descendo o rio numa banheira com o rico *playboy* Max Schlepzig. O sonho de toda garota. O nome do filme era *Jugend Herauf*! (um trocadilho bem-humorado, é claro, com a expressão, comum na época, "*Juden heraus!*"). Na verdade, todas as cenas na banheira eram truques de filmagem — ela não estava *no rio* dentro da banheira com Max, tudo foi feito com dublês, e na cópia final só aparece uma tomada de cena bem distante e indistinta. As figuras estão escurecidas e deformadas, parecendo macacos, e há algo de estranho na luminosidade, como se toda a cena estivesse gravada em um metal escuro, como chumbo. O dublê de Greta era na verdade um italiano chamado Blazzo, com uma peruca loura comprida. Chegaram a namorar por uns tempos. Mas Greta só ia para a cama com Blazzo se ele pusesse a *peruca*!

No rio, a chuva açoita: já se ouvem as corredeiras aproximando-se, ainda invisíveis, porém reais, inevitáveis. E os dublês sentem um medo estranho, espécie de cócegas, agora que estão talvez realmente perdidos, que talvez não haja câmara alguma na margem atrás das garatujas finas e cinzentas dos salgueiros... toda a equipe, os técnicos de som, os maquinistas, os iluminadores, foram embora... ou então nem mesmo vieram... e o que foi que as correntes acabam de jogar contra nossa concha branca como a neve? e o que foi aquele baque, tão rígido, tão surdo?

Bianca normalmente é prateada, ou então incolor: milhares de vezes enquadrada, peneirada através de vidros, deformada em todas as interfaces de Protars duplos e triplos, Angulons da Schneider, Collinears da Voigtländer, Orthostigmats da Steinheil, Turner-Reichs da Gundlach de 1895. Pois Greta é sempre filha de sua alma, uma alma inesgotável... Filha única, espécie de echarpe que chega à altura da cintura, sempre vulnerável ao vento. Chamá-la de extensão do ego da mãe é, naturalmente, expor-se ao mais feroz sarcasmo. Porém Greta consegue, de vez em quando, ver Bianca em outras crianças, espectral como uma dupla exposição... claramente, sim, claramente, em Gottfried, o jovem queridinho e protegido do capitão Blicero.

"Baixe minhas alças um minuto. Está bastante escuro? Olhe. Thanatz disse que eles eram luminosos. Que ele conhecia cada um deles de cor. Estão muito brancos hoje, não estão? Humm. Compridos e brancos, como teias de aranha. Tenho na bunda, também. E no lado de dentro das coxas..." Muitas vezes, mais tarde, depois que o sangue estancava e ele aplicava o álcool, Thanatz ficava sentado com ela deitada sobre seus joelhos, e ele lia as feridas nas costas dela, como uma cigana lê as linhas de uma mão. Ferida da vida, ferida do coração. Cruz mística. Que fortunas e fantasias! Ele ficava tão exaltado depois das chicotadas... Tão exaltado com a ideia de que eles *iam* conseguir vencer, escapar... Adormecia antes que o êxtase, a esperança, o abandonassem. Era nesses momentos que ela mais o amava, pouco antes de adormecer, ela com as costas em chama, a cabecinha dele pesando-lhe sobre o peito, enquanto célula por célula suas feridas cicatrizavam durante a noite. Ela sentia-se quase protegida...

Cada vez que o chicote a atingia, a cada golpe, em sua impossibilidade de fugir, vinha a ela uma única visão, uma apenas, para cada ápice de dor. O Olho no alto da pirâmide. A cidade do sacrifício, vultos com vestes cor de ferrugem. A mulher de negro à espera no fim da rua. O rosto encapuzado da Dinamarca sofredora, debruçada sobre a Alemanha. As brasas vermelhas como cerejas caindo na noite. Bianca com traje de dançarina espanhola, acariciando o cano de uma arma...

Num dos campos de lançamento, no bosque de pinheiros, Thanatz e Gretel encontraram uma velha estrada que ninguém mais utilizava. Pedaços de calçamento apareciam aqui e ali em meio à vegetação rasteira. Tinha-se a impressão de que, se seguissem por aquela estrada, chegariam a uma cidadezinha, um povoado, um posto avançado... não estava nada claro o que iriam encontrar. Porém o lugar estaria abandonado há muito.

Deram-se as mãos. Thanatz estava com um casaco velho de camurça verde, com reforços nos cotovelos. Gretel estava com seu casaco de pelo de camelo e um lenço branco na cabeça. Em certos trechos a velha estrada estava coberta com uma camada tão espessa de agulhas de pinheiros que seus passos eram silenciados.

Chegaram a um trecho em declive onde anos atrás a estrada tinha sido levada embora. A encosta estava coberta de cascalho preto e branco, e terminava num rio que eles ouviam mas não viam. Um carro velho, um Hannomag Storm, estava preso ali, embicado para baixo, uma das portas arrombada. A carroceria metálica, de um cinza-arroxeado, estava limpa como o esqueleto de um veado. Em algum lugar naquele bosque estava a presença que fizera aquilo. Contornaram o carro destruído à distância, com medo de chegar perto do vidro em teia de aranha, a dura mortalidade nas sombras do banco da frente.

Restos de casa apareciam entre as árvores. Nesse momento a luminosidade baixou, embora ainda não fosse meio-dia e a mata não estivesse mais cerrada naquele trecho. No meio da estrada, cagalhões gigantescos surgiram, recém-cagados, trançados como corda — escuros, cheios de nós. Que ser poderia tê-los deixado ali?

No mesmo instante, ela e Thanatz se deram conta de que havia horas estavam caminhando pelas ruínas do que fora outrora uma cidade grande, não uma ruína antiga, porém uma destruição ocorrida quando eles dois já haviam nascido. À sua frente o caminho fazia uma curva, penetrava nas árvores. Porém alguma coisa se colocara agora entre eles e o que quer que houvesse depois da curva: invisível, impalpável... algum *monitor*. Dizendo: "Nem mais um passo. Chega. Nem um. Agora voltem".

Era impossível seguir em frente. Os dois estavam apavorados. Viraram, sentindo a presença atrás deles, e se afastaram depressa.

De volta ao Shußstelle, encontraram Blicero em sua loucura final. Os troncos das árvores na pequena clareira fria estavam nus, a casca fora arrancada, e sangravam gotas de goma, arrancadas pela explosão do foguete.

"Ele poderia nos banir. Blicero era uma divindade local. Não precisaria nem de um pedaço de papel. Mas ele queria que todos nós ficássemos. Ele nos deu o melhor do que havia, camas, comida, bebidas, drogas. Alguma coisa estava sendo planejada, alguma coisa que envolvia o rapaz Gottfried, isso era tão nítido quanto o cheiro de resina, bem cedo naquelas manhãs azuis e enevoadas. Mas Blicero não nos dizia nada.

"Chegamos à Charneca. Havia campos petrolíferos e terra enegrecida. *Jabos* sobrevoavam, losângicos, nos caçando. Blicero havia se transformado num outro animal... um lobisomem... mas sem o menor vestígio de humanidade nos olhos: toda ela havia morrido aos poucos, dia após dia, e fora substituída por sulcos cinzentos, veias vermelhas que formavam desenhos inumanos. *Ilhas*: ilhas coaguladas no mar. Às vezes até mesmo as linhas topográficas, aninhadas num ponto comum. 'É o mapa da minha *Ur-Heimat*', imagine um grito tão silencioso que é quase um cochicho, 'o Reino do Senhor Blicero. Uma terra branca.' De repente compreendi: ele agora estava vendo o mundo em *regiões míticas*: elas tinham seus mapas, montanhas de verdade, rios e cores. Não era a Alemanha que ele atravessava. Era um espaço só seu. Mas ele estava nos levando consigo! Minha boceta intumesceu-se de sangue diante do perigo, as possibilidades de sermos aniquilados, delicioso jamais saber quando a coisa aconteceria porque espaço e tempo pertenciam a Blicero... Ele não utilizava as estradas, não atravessava pontes e planícies. Navegávamos pela Baixa Saxônia, de uma ilha a outra. Cada campo de lançamento era mais uma ilha, num mar branco. Cada ilha tinha seu cume no centro... seria a posição do próprio Foguete? o momento da decolagem? Uma odisseia alemã. Qual seria a última, a ilha-lar?

"Eu sempre esqueço de perguntar a Thanatz que fim levou Gottfried. Permitiram que Thanatz continuasse com a bateria. Mas eu fui levada embora, num Hispano-Suiza, com o próprio Blicero, num dia nublado, levada para uma fábrica petroquímica que havia dias nos vigiava numa roda no horizonte, torres negras e truncadas na distância, amontoadas, uma chama sempre ardendo no alto de uma chaminé. Era o Castelo: Blicero olhou para lá e ia falar quando eu disse: 'O Castelo'. A boca sorriu depressa, porém ausente: os olhos lupinos, enrugados, haviam transcendido até esses momentos domésticos de telepatia, avançando em seu setentrião animal, rumo a uma persistência à margem da morte que nem posso imaginar, células resistentes com o menor vestígio de vida possível dentro delas, movidas a gelo, ou menos que isso. Ele me chamava de Katje. 'Você vai ver que o seu truque não vai mais funcionar. Agora não funciona mais, Katje.' Não fiquei com medo. Era uma loucura que eu podia compreender, ou então a alucinação dos velhos muito velhos. A cegonha prateada voava de asas para baixo contra o nosso vento, testa baixa e pernas para trás, coque occipital prussiano: em suas superfícies reluzentes surgiam agora remoinhos negros de limusines e carros oficiais na entrada do escritório central. Vi um avião pequeno, de dois lugares, na entrada do estacionamento. Achei familiares os rostos dos dois homens dentro dele. Eu já os vira em filmes, o poder e a gravidade estavam estampados neles — eram homens importantes, porém só reconheci um: o Generaldirektor Smaragd, de Leverkusen. Um homem idoso que andava de bengala, um espírita famoso antes da Guerra e, ao que tudo indicava, ainda agora. 'Greta', ele sorriu, tentando pegar minha mão. 'Ah, estamos todos aqui.' Porém só ele foi delicado. Estavam todos esperando por Blicero. Uma reunião de nobres no Castelo. Entraram na sala de reuniões. Fiquei com um assistente chamado Drohne, testa alta, cabelos grisalhos, constantemente ajeitando a gravata. Ele conhecia todos os meus filmes. Fomos ver as máquinas. Pelas janelas da sala de reuniões eu os via sentados a uma mesa redonda, com alguma coisa no centro. Algo cinzento, plástico, reluzente, luz bailando em sua superfície. 'O que é?' perguntei, sedutora. Drohne me afastou dos outros para não ser ouvido. 'Acho que é para o F-Gerät', cochichou ele."

"*F?*" pergunta Slothrop. "F-Gerät, você tem certeza que é isso?"

"Ou outra letra qualquer."

"S?"

"Está bem, S. São como crianças aprendendo a falar, com essas palavras que eles mesmo inventam. Para mim, parecia um ectoplasma — uma coisa que haviam materializado sobre a mesa, por força de sua vontade coletiva. Todos os lábios estavam imóveis. Era uma sessão espírita. Percebi então que Blicero havia cruzado uma fronteira comigo. Me inserira por fim em seu espaço nativo, sem o menor tremor de dor. Eu estava livre. Homens amontoavam-se atrás de mim no corredor, bloqueando o caminho de volta. A mão de Drohne suava, molhava minha manga. Ele era especialista em plásticos. Dando um peteleco numa máscara africana transparente, aproximando o ouvido — 'Está ouvindo? O som do poliestireno...' e entrando em êxtase diante de um pesado cálice de metil-metacrilato, uma réplica do Santo Graal... Estávamos ao lado de um reator. Havia um cheiro forte de thinner no ar. Bastões de alguma espécie de plástico transparente saíam sibilando de um extrusor na parte de baixo da torre e entravam em um recipiente de esfriamento, ou num cortador. O calor era forte ali dentro. Pensei numa coisa muito profunda, negra e viscosa, abastecendo aquela fábrica. Do lado de fora vinha um ruído de motores. Estariam todos indo embora? O que eu estava fazendo ali? Serpentes de plástico rastejavam incessantemente à esquerda e à direita. As ereções de meu acompanhante ameaçavam sair pelos orifícios das roupas. Eu podia fazer o que bem entendesse. Negro radiante e profundo. Ajoelhei-me e comecei a desabotoar as calças de Drohne. Porém dois outros homens me agarraram pelos braços e me arrastaram para um depósito. Outros vieram atrás, ou entraram por outras portas. Amplas cortinas de estireno ou vinil, de todas as cores, opacas e transparentes, pendiam do teto, enfileiradas. Brilhavam como auroras boreais. Tive a impressão de que por detrás delas havia uma plateia, esperando que alguma coisa acontecesse. Drohne e os outros me deitaram num colchão inflável de plástico. A minha volta havia um tremor no ar, ou na luz. Alguém disse 'butadieno', e eu entendi *puta dinheiro*... O plástico farfalhava e estalava a nossa volta, nos encerrando naquela brancura espectral. Tiraram minhas roupas e me vestiram um traje exótico de polímero preto, muito apertado na cintura, aberto na virilha. Aquilo parecia vivo sobre minha pele. 'Couro e cetim são coisa do passado', Drohne estremecia. 'Isto é Imipolex, o material do futuro.' Eu não seria capaz de descrever o perfume, nem a sensação de luxo. No instante em que o plástico encostou em meus mamilos, eles se incharam de desejo de serem mordidos. Eu queria apertar aquilo contra minha boceta. Nunca, nem antes nem depois, usei nada que me excitasse tanto quanto o Imipolex. Prometeram-me sutiãs, corpetes, meias, vestidos do mesmo material. Drohne havia prendido um gigantesco pênis de Imipolex em cima de seu próprio membro. Esfreguei meu rosto nele, era delicioso... Havia um abismo entre meus pés. Coisas, lembranças, não havia mais como distinguir uma da outra, despencavam em minha consciência. Uma torrente. Eu estava evacuando isso tudo, para dentro de um vazio... a partir de meu vértice alucinações espiraladas, coloridíssimas, se desenrolavam... balangandãs, tiradas espirituosas, bibelôs... eu estava abrindo mão de tudo. Sem ficar com nada. Então era isso a 'submissão' — largar todas essas coisas?

"Não sei quanto tempo me mantiveram ali. Dormi, acordei. Homens surgiam e sumiam. O tempo perdera o significado. Uma manhã me vi do lado de fora da fábrica, nua, na chuva. Ali não crescia nada. Alguma coisa fora derramada no chão, formando um amplo leque que se estendia por quilômetros. Algum resíduo que lembrava piche. Tinha que voltar a pé até o campo de lançamento. Não havia mais ninguém lá. Thanatz havia deixado um bilhete, pedindo-me que tentasse ir a Swinemünde. Alguma coisa certamente teria acontecido naquele local. Havia um silêncio na clareira que eu só sentira uma vez antes. Uma vez, no México. O ano em que estive na América. Estávamos no coração da floresta. Encontramos uma escada de pedra coberta de trepadeiras, cogumelos, séculos de abandono. Os outros subiram até o alto, mas eu não consegui. Foi tal como naquele dia com Thanatz no bosque de pinheiros. Senti que havia um silêncio esperando por mim lá no alto. Não por eles, mas só por mim... o meu silêncio individual..."

No passadiço do *Anubis*, a tempestade golpeia o vidro com força, grandes nadadeiras úmidas surgindo aleatórias da noite *ploft!* a forma viva visível apenas durante a fímbria irisada do som — só mesmo um certo tipo de louco, ou ao menos um oficial de cavalaria polonês, para permanecer nessa pose por trás de um anteparo tão fino, contemplando cada golpe em toda sua musculosidade. Atrás de Procalowski o clinômetro oscila para a frente e para trás, acompanhando o balanço da embarcação: um pêndulo onírico. À luz da tempestade, seu rosto está negro, tão negro quanto seus olhos, negro como o gorro inclinado num ângulo másculo de marujo acima dos sulcos de sua testa. A luz aglomera-se, límpida, profunda, sobre a face do equipamento de rádio... estende-se suave pelo mostrador do pelórus... jorra pelas vigias para dentro do rio branco. Inexplicavelmente, a tarde está se prolongando mais do que deveria. A luz do dia vem morrendo há horas demais. Santelmos começam a lampejar em meio ao cordame. A tempestade sacode cordas e cabos, a noite nublada embranquece e enche-se de longos espasmos de som. Procalowski fuma um charuto e examina cartas náuticas da Oder Haff.

Tanta luz. Estarão os russos espiando da margem, esperando na chuva? Estará este trecho de rio sendo devidamente riscado, X por X, em algum campo de plástico russo, lá dentro, onde as teias de aranha alvejam as janelas alemãs em que não é mais necessário que ninguém monte guarda, onde grama fosforescente serpenteia nos A-scopes e aquela folga que a gente sente através da manivela nos dentes invisíveis é a diferença entre acertar e errar o alvo... Vaslav — esse pip que você está vendo ali será mesmo um navio? Na Zona, hoje em dia, há uma infinidade de simulações — ondas estacionárias na água, aviões de imitação para servir de alvo, tão conhecidos que os operadores já lhes puseram apelidos, balões imprevisíveis, restos de outros teatros da guerra (tambores de óleo brasileiros, engradados de uísque com o destino — Fort-Lamy — estampado em estêncil), observadores de outras galáxias, episódios de fumaça, momentos de albedo elevado — os alvos de verdade são até raros. Muita confusão aqui para a maioria dos substitutos e marujos recrutados na última hora. Só os operadores mais calejados ainda conseguem conservar o sentido do que é apropriado: durante seus turnos, o verde elétrico a tremeluzir por períodos que, de início, pareciam não terminar mais, vieram a compreender o que é distribuição... aprenderam uma piedade visual.

Qual a probabilidade de o *Anubis* estar nesse estuário hoje? Ele está inevitavelmente, comme il faut, atrasado: deveria ter chegado a Swinemünde há semanas, porém o Vístula estava interditado pelos soviéticos. Os russos chegaram mesmo a colocar um guarda a bordo do navio branco por algum tempo, até que as damas anubianas os seduziram o tempo suficiente para recolher os cabos de amarração — e assim a última longa reprise de território polonês estava ali, logo além dos prados d'água ao norte, mensagens de rádio seguindo-os um dia em linguagem não cifrada, no dia seguinte em código, uma situação incipiente e informe, oscilando entre o silêncio de verdugo e a Grande Hora. Há razões internacionais para criar-se um Caso *Anubis* agora, e também razões contra, e as discussões se arrastam, remotas demais para ser entendidas, e as ordens são mudadas a cada hora.

Arfando e balançando furiosamente, o *Anubis* segue rumo ao norte. Relâmpagos riscam todo o horizonte, e explodem trovões que fazem os militares a bordo pensar num tiroteio cerrado, prenúncio de batalhas que eles já não sabem mais se viveram de fato ou se ainda estão sonhando, se podem acordar a qualquer momento em plena guerra e morrer... Os conveses desabrigados reluzem, lisos, nus. Lixo de festa entope os ralos. Uma fumaça rançosa de gordura escorre da vigia da cozinha e se mistura à chuva. O salão de jogo foi preparado para bacará, e na praça de caldeiras estão passando filmes de sacanagem. Vai começar o quarto das 20 às 24 horas. O navio branco, como a alma de um lampião de querosene recém-aceso, se estabiliza na rotina da noite.

Os convidados cambaleiam da proa à popa, os trajes a rigor enfeitados com rosáceas de vômito. Damas deitadas na chuva, mamilos eretos, arquejam sob a seda encharcada. Comissários deslizam nos tombadilhos levando Dramamine e bicarbonato de sódio em salvas de prata. Aristocratas deitam cargas ao mar ao longo dos cabos de vaivém. Lá vem Slothrop, descendo ao convés corrido por uma escada de mão, jogado de uma a outra corda de portaló, não se sentindo lá muito esperto. Ele perdeu Bianca. Roda o navio todo de um lado para o outro, vez após vez, e não consegue achá-la, tal como não consegue entender que motivo o terá levado a separar-se dela hoje de manhã.

Tem importância, mas quanta? Agora que Margherita falou-lhe em prantos, separados pela lira sem cordas e o abismo amargo de uma privada de navio, sobre seus últimos dias com Blicero, Slothrop sabe muito bem que, afinal de contas, é o S-Gerät que o está seguindo — o foguete e a pálida ubiquidade plástica de Laszlo Jamf. Que se ele é ao mesmo tempo caçador e caça, bem, é também o peixe e a isca. A questão do Imipolex foi plantada para ele por alguém, lá no Cassino Hermann Goering, com a esperança de que florescesse numa completa *Imipolectique* com força própria na Zona — mas Eles sabiam que Slothrop cairia direitinho. Pelo visto, há necessidades sub-slothrópicas que Eles conhecem muito bem, e ele não conhece: isso, de cara, parece ser humilhante, porém agora há uma pergunta ainda mais incômoda: *De que é que eu preciso tanto?*

Ainda um mês atrás, se tivesse um ou dois dias de paz, ele poderia ter retornado à tarde de setembro, ao pau duro dentro das calças, firme como uma vara rabdomântica, tentando apontar para o que estava pairando no céu para todos. Rabdomancia de foguetes é um dom, e Slothrop tinha esse dom, padecia dele, tentando encher o corpo até os poros e folículos com uma concupiscência palpitante... entrar, ser enchido... correr atrás de... ver... começar a gritar... abrir braços pernas boca cu olhos narinas sem esperança de piedade na intenção da coisa que paira no céu, mais pálida que o mais pálido Jesus comercial...

Porém hoje em dia alguma espécie de espaço contra o qual ele nada pode abriu-se atrás de Slothrop, pontes que talvez pudessem servir para o retorno agora caíram para todo o sempre. Ele já não teme tanto a possibilidade de trair os que confiam nele. Sente as obrigações menos imediatamente. Há, na verdade, uma perda geral de emoção, um entorpecimento que deveria preocupá-lo, mas ele não...

Não consegue...

Emissões russas crepitam no rádio no navio, e a estática vem em cortinas como se de chuva. Luzes começam a surgir na margem. Procalowski vai até uma chave geral e corta todas as luzes do *Anubis*. O santelmo brota de vez em quando das pontas dos mastros e vergas, esvoaçando alvo como agulhões em torno das antenas e estais.

O navio branco, camuflado na tormenta, vai passar pelas grandes ruínas de Stettin em silêncio. A chuva vai estiar um pouco a bombordo, revelando uns poucos últimos guinchos quebrados e armazéns carbonizados, tão molhados e reluzentes que quase dá para lhes sentir o cheiro, e o começo de um pântano cujo cheiro se sente mesmo, onde não vive ninguém. E depois a margem vai de novo se tornar invisível, como se estivessem em alto-mar. A Oder Haff vai alargar-se em torno do *Anubis*. Nenhum navio-patrulha vai aparecer nesta noite. Ondas de cristas brancas vão emergir da treva e espatifar-se contra a proa, e água salgada escorrerá da boca do chacal dourado... O conde Wafna vai cambalear a ré, trajando só uma gravata-borboleta branca, as mãos cheias de fichas vermelhas, brancas e azuis que se derramam sobre o tombadilho, e ele jamais vai trocá-las... a condessa Bibescue, sonhando junto ao castelo de proa com a Bucareste de quatro anos atrás, o terror de janeiro, a Guarda de Ferro no rádio gritando *Viva a Morte!*, e os corpos de judeus e esquerdistas pendurados nos ganchos do matadouro da cidade, pingando sobre tábuas cheirando a carne e couro, e seus peitos sendo chupados por um menino de 6 ou 7 anos com um terninho de veludo de calças curtas, os cabelos úmidos dos dois ao vento, juntos, confundindo-se tal como seus gemidos agora, vai desaparecer numa brancura súbita a explodir sobre a proa... e meias de seda vão desfiar, e vestidos de seda sobre anáguas de rayon formar moirés farfalhantes... paus duros broxar sem aviso prévio, botões de osso tremer de pavor... luzes acender-se outra vez, convés se tornar um espelho ofuscante... e não muito depois, Slothrop vai achar que a viu, que encontrou Bianca outra vez — cílios escuros cerrados e rosto encharcado de chuva, ele a verá perder o equilíbrio no tombadilho escorregadio, no momento exato em que o *Anubis* balança todo para bombordo, e mesmo a essa altura dos acontecimentos — mesmo à distância em que está — Slothrop dará um salto em direção a ela sem pensar, escorregando enquanto ela desaparece sob os cabos-guias alvos como giz, cambaleando tentará voltar, mas logo será atingido nos rins e com a maior facilidade cairá da amurada, e tchauzinho *Anubis*, com todo seu carregamento fascista, e já não há mais navio, nem mesmo céu negro enquanto a chuva atinge seus olhos em rápidas agulhadas, e ele chora, sem pedir socorro, apenas um lacrimoso *puta merda*, lágrimas que nada acrescentam à desolação espumante a que foi reduzida a Oder Haff nessa noite...

As vozes são alemãs. Parece uma sumaca de pescadores, por algum motivo desprovida de redes e retrancas. Carregamento empilhado no tombadilho. Um jovem de rosto rosado olha para Slothrop, debruçado sobre a amurada, balançando-se para a frente e para trás. "Ele está de traje a rigor", gritando para a casa do leme. "Isso é bom ou mau? Você não é ligado ao governo militar, é?"

"Meu Deus, garoto, eu estou me afogando. Se você quiser eu assino uma declaração." Bem, isso corresponde a "oi, meu chapa" em alemão. O rapaz estende uma mão rosada cuja palma está recoberta de cracas e o puxa para dentro do navio, as orelhas congeladas, muco salgado jorrando das narinas, cai num tombadilho de madeira com o fedor acumulado de muitas gerações de peixes e arranhões vivos deixados por carregamentos mais sólidos. A sumaca segue viagem, com um tremendo ímpeto de aceleração. Slothrop rola para um lado e para o outro, encharcado, a ré. Atrás deles um grande arco de espuma ergue-se ereto em desafio à chuva. Gargalhadas insanas emergem da casa do leme. "Me diga, quem ou o que está no comando deste navio, hein?"

"Minha mãe", o rapazinho rosado de cócoras a seu lado, com uma expressão impotente e envergonhada. "O terror dos altos-mares."

A tal senhora, de bochechas de maçã, é Frau Gnahb, e o nome de seu filho é Otto. Nos momentos mais afetuosos, ela se refere ao garoto como "o silencioso Otto", o que lhe parece engraçadíssimo, mas essa piada datada ressalta sua idade. Enquanto Slothrop tira o smoking e o pendura para secar, embrulhando-se num velho cobertor do exército, mãe e filho lhe explicam de que modo traficam com artigos do mercado negro ao longo de toda a costa do mar Báltico. Quem mais estaria navegando numa noite de tempestade como esta? Slothrop tem uma cara que inspira confiança, e as pessoas lhe contam tudo. No momento, estão indo a Swinemünde pegar um carregamento que será entregue amanhã na costa de Usedom.

"Conhece um sujeito de terno branco", evocando Geli Tripping, alguns séculos atrás, "que está diariamente por volta de meio-dia na Strand-Promenade de Swinemünde?"

Frau Gnahb toma uma pitada de rapé e sorri. "Todo mundo conhece. É o cavalo branco do mercado negro, tal como eu sou a rainha do comércio costeiro."

"Der Springer, certo?"

"O próprio."

O próprio. No bolso da calça Slothrop ainda traz o cavalo de xadrez que lhe foi dado pelo velho Säure Bummer. Por ele Springer o reconhecerá. Slothrop dorme na casa do leme, umas duas ou três horas, durante as quais Bianca enfia-se debaixo do cobertor junto com ele. "Agora você está mesmo na Europa", ela sorri, abraçando-o. "Ah, que maravilha", Slothrop repete sem parar, com uma voz igualzinha à de Shirley Temple, incontrolável. É constrangedor pra burro. Quando ele acorda é dia claro, gaivotas berrando, cheiro de óleo combustível nº 2, estrondo de barris de vinho rolando pelas pranchas, sendo descarregados. Estão em Swinemünde, ancorados junto às cinzas dos armazéns do cais. Frau Gnahb está supervisionando uma operação de descarregamento. Otto lhe oferece uma lata cheia de Bohnenkaffee legítimo, fervendo. "Tanto tempo que eu não tomo", Slothrop queimando a boca.

"Mercado negro", ronrona o Silencioso Otto. "É um bom trabalho."

"Eu também trabalhei nisso por uns tempos..." Ah, sim, e largou o que restava do haxixe de Bodine, aliás uma boa quantidade, puta que o pariu, lá no *Anubis*, que burrice. Olhe lá o açucareiro dançando com o bolo de chocolate —

"Bela manhã", comenta Otto.

Slothrop veste o smoking, amassado, encolhido e quase seco, e desembarca com Otto para procurar Der Springer. Pelo visto, foi o próprio que fretou a sumaca por hoje. Slothrop olha para todos os lados na esperança de ver o *Anubis*, mas nada. Nas lonjuras, guindastes se avultam, como esqueletos, contemplando do alto a destruição que se abateu tão de súbito sobre este porto. O ataque russo ocorrido na primavera ainda complicou mais a situação. O navio branco pode estar escondido atrás de qualquer um desses montes de destroços. Vamos, apareça, apareça...

A tempestade passou, hoje a brisa está suave e o céu encarneirado forma um padrão de interferência perfeito, cinza e azul. Em algum lugar, máquinas militares escavam e estalam. Homens e mulheres gritam em russo, perto e longe. Otto e Slothrop esquivam-se deles em becos ladeados por restos de casas com estrutura de madeira, cada andar mais avançado para a frente que o anterior, prestes a se encontrar no céu após séculos inclinando-se imperceptivelmente. Homens de bonés pretos, sentados nos alpendres, espiam as mãos que passam, atentos para cigarros. Numa pracinha, feirantes instalaram suas barracas, estacas de madeira e lona velha e manchada cintilando quando a brisa a sacode. Soldados russos, encostados em postes ou bancos, conversam com garotas de saias de camponesa e meias brancas até os joelhos, todos quase tão imóveis quanto estátuas. Há carroças de feirantes desatreladas, línguas abertas encostadas no chão, o chão delas coberto de aniagem e restos de produtos. Cães farejam entre as trilhas em negativo das esteiras dos tanques. Dois homens de uniforme azul-escuro caminham munidos de mangueira e vassoura, limpando o lixo e a pedra pulverizada com água do mar bombeada do porto. Duas menininhas correm sem parar em volta de um quiosque vermelhíssimo coberto de cromos de Stalin. Trabalhadores com bonés de couro, piscando, com caras matinais, vão de bicicleta rumo ao cais, marmitas penduradas nos guidons. Pombos e gaivotas disputam restos de comida nas sarjetas. Mulheres de sacolas vazias passam rápidas feito fantasmas. Uma única árvore tenra na rua canta, carregada de pássaros invisíveis.

Tal como Geli lhe disse, na avenida beira-mar coberta de restos de metal, chutando pedras, olhando para o mar, olhos passeando pela areia à cata de um possível relógio ou par de óculos com armação de ouro, à espera de quem apareça, está O Tal. Cerca de 50 anos, olhos gélidos e sem cor, cabelos abundantes nos lados da cabeça, penteados para trás.

Slothrop exibe rapidamente o cavalo de plástico. Der Springer sorri e faz uma mesura.

"Gerhardt von Göll, às suas ordens." Trocam um aperto de mãos, se bem que a de Slothrop está comichando de modo desagradável.

Gaivotas gritam, ondas se achatam na areia. "Hã", diz Slothrop, "eu tenho um problema de audição, sabe, você podia — Gerhardt von o que mesmo?" Este céu encarneirado está cada vez menos parecido com um moiré e mais com um tabuleiro de xadrez. "Acho que temos uma amiga em comum. A Margherita Erdmann. Estive com ela ontem a noite. Pois é..."

"Ela era para estar morta." Pega Slothrop pelo braço, e todos começam a caminhar à beira-mar.

"M-mas você era para ser um diretor de cinema."

"Mesma coisa", acendendo cigarros americanos para todo mundo. "Mesmo problema de controle. Só que mais intenso. Para alguns ouvidos musicais, a dissonância na verdade é uma forma mais elevada de consonância. Soube o que aconteceu com Anton Webern? Uma tristeza."

"Foi um equívoco. Ele era inocente."

"Ah. Claro que era. Mas os equívocos também fazem parte da vida — tudo se encaixa. A gente vê *de que modo* a coisa se encaixa, ja? aprende padrões, se adapta a ritmos, um dia você não é mais ator, mas está livre, do outro lado da câmara. Nenhuma chamada dramática para comparecer ao escritório — é só acordar um dia e se dar conta de que Rainha, Bispo e Rei não passam de aleijões esplêndidos, e os peões, até mesmo os que conseguem chegar na última fileira, estão condenados a se arrastar em duas dimensões, e que Torre alguma jamais há de subir ou descer — não: *é só o Springer que tem o dom de voar!*

"É isso aí, Springer", diz Otto.

Quatro cabos russos saem de um monte de fachadas de hotel destruídas, rindo, do outro lado da avenida, passam pelo muro, descem até a água, onde ficam jogando seixos, chutando as ondas, cantando um para o outro. Não tem muitos atrativos para um marinheiro de folga a tal de Swinemünde. Slothrop conta a von Göll o que sabe sobre Margherita, tentando não resvalar para o pessoal. Mas parte de sua ansiedade a respeito de Bianca deve ter transparecido. Von Göll sacode-lhe o braço, um tio bondoso. "Ora, ora. Eu se fosse você não me preocupava tanto. Bianca é uma menina esperta, e a mãe dela não é nenhuma deusa exterminadora."

"Você me tranquiliza, Springer."

O Báltico, de um cinza-Wehrmacht inquieto, sussurra ao longo da praia. Von

Göll levanta um invisível chapéu tirolês para umas anciãs de preto que saíram aos pares para pegar sol. Otto tenta pegar gaivotas, correndo com as mãos para a frente em posição de estrangular, como num filme mudo, mas jamais consegue agarrar nenhuma. Pouco depois junta-se a eles um cidadão acorcundado, com nariz empelotado, barbicha de uma semana avermelhada e grisalha, impermeável de couro grande demais para ele, sem calças por baixo. Seu nome é Närrisch — Klaus Närrisch, o especialista em aerodinâmica que Horst Achtfaden caguetou para o Schwarzkommando, o mesmíssimo. Carrega pelo pescoço um peru morto, ainda não depenado. Enquanto caminham por cima de pedaços pequenos e grandes de Swinemünde e da batalha que ali rugiu na primavera, os habitantes da cidade começam a emergir das ruínas, aproximando-se mais e mais do flanco de von Göll virado para a terra, todos de olho na ave morta. Springer põe a mão dentro do paletó branco, saca uma 45 do exército americano e, como quem não quer nada, faz menção de testar a arma. Imediatamente o séquito que o acompanha é reduzido à metade.

"Hoje eles estão mais famintos", observa Närrisch.

"É verdade", responde o Springer, "mas hoje eles são menos numerosos."

"Puxa", exclama Slothrop, "que comentário mais filho da puta."

Springer dá de ombros. "Seja compassivo. Mas também não vá elaborar fantasias sobre eles. Pode me desprezar e exaltar essa gente, mas não esqueça que somos nós que nos definimos mutuamente. Eleitos e preteridos, vivemos um desígnio cósmico de treva e luz, e — com toda a humildade — eu sou um dos raros que são capazes de compreender a coisa *in toto*. Assim, pense e me diga, com toda a sinceridade, meu jovem, de que lado você prefere estar. Enquanto eles sofrem na sombra perpétua, é... sempre...

TEMPO BOM (FOXTROTE)

— tempo bom pra quem faz mercado negro,
Porque tem sempre ouro e prata a brilhar!
Desde o Mar de Coral até o Báltico, é geral,
Dinheiro é a mola que faz tudo funcionar,
Desde o fim até o começo, tudo, tudo tem seu preço,
Todo decote sabe a hora de baixar —
Na hora H ninguém reluta, até a mãe da gente é puta,
Assim Deus fez o mundo, e não vai nunca mudar...
Pois é sempre tempo bom pra quem faz mercado negro,
Porque não faltam ouro e prata pra brilhaaar!

Närrisch e Otto cantando com ele a três vozes, enquanto os ociosos e famintos de Swinemünde a tudo assistem, pálidos como gado paciente. Porém seus corpos permanecem implícitos: cabides de arame para ternos e vestidos de antes da guerra, antigos e brilhosos de sujeira, de tempo.

Saindo da avenida beira-mar, param numa esquina enquanto um destacamento da infantaria russa, acompanhado de cavalarianos, passa diante deles. "Puxa, não para de vir gente", comenta Otto. "Onde é o circo?"

"Costa acima, garoto", diz Närrisch.

"O que é que tem costa acima?" indaga Slothrop.

"*Cuidado*", alerta Närrisch, "*ele é um espião.*"

"Não me chame de 'garoto'", rosna Otto.

"Espião, o caralho", diz Slothrop.

"Ele é gente boa", Springer distribuindo tapinhas nos ombros para todos, o próprio Herr Gemütlich, "todo mundo já sabe quem ele é. Não está nem armado." Dirigindo-se a Slothrop: "Pode vir conosco, costa acima. Talvez seja interessante pra você". Porém Slothrop não é bobo, não. Ele percebe que todo mundo o olha de um jeito estranho, até mesmo o Springer.

Em meio a outros carregamentos que serão levados costa acima encontram-se seis coristas, vestidas de plumas e lantejoulas por baixo dos casacos velhos para economizar espaço na bagagem, uma pequena orquestra em diversos níveis de estupor alcoólico, mumumuitas caixas de vodca e uma trupe de chimpanzés amestrados. A mãe pirata de Otto está com um desses macacos encurralados dentro da casa do leme, onde os dois estão se digladiando, a Frau com seus insultos e ele tentando atingi-la com uma casca de banana. O empresário, G. M. B. Haftung, um sujeito ulceroso, busca atrair a atenção de Otto. Ele é famoso por sempre dirigir seus apelos à pessoa errada. "Esse que está com ela é o Wolfgang! Ele vai matar sua mãe!" Wolfgang é o chimpanzé mais esperto de todos, um pouco instável, faz uma boa imitação de Hitler mas não consegue se concentrar em nada por muito tempo.

"Bem", vagamente, "melhor ele se cuidar com a minha mãe."

Agora que ela está emoldurada em sua escotilha losângica, fica bem mais claro como a velha é viajada: está debruçada, cantarolando, com um tremendo sorriso cheio de dentes, direto para o tal Wolfgang, toda derretida: "Deine *Mut*ter...".

"Puxa, mas ela nunca viu um bicho desses antes", Slothrop virando-se para Otto, surpreendendo o rapaz com um rosto cheio de, digamos assim, homicídio simpático, "não é...?"

"Ach, ela é fantástica. Ela sabe por instinto *exatamente* como insultar *qualquer* um. Não interessa se é animal, vegetal — uma vez eu a vi insultando até mesmo uma *pedra*."

"Ah, peraí..."

"Sério! Ja. Um monte enoooorme de entulho felsítico, ano passado, perto da costa da Dinamarca, e ela ficou criticando a", prestes a explodir numa dessas gargalhadas impiedosas que fazem a gente recuar, "*estrutura cristalina* da pedra, uns vinte minutos. Incrível."

As coristas já conseguiram forçar e abrir uma das caixas de vodca. Haftung, ajeitando para trás os cabelos no alto da cabeça que agora só existem em sua memória, vem correndo para gritar com elas. Meninos e meninas, de todas as idades, esfarrapados e macilentos, vêm subindo a prancha do bota-ló, fazendo estiva. Silhuetas contra o céu claro, os chimpanzés balançam-se de mastros e antenas, sobrevoados por gaivotas que olham atentas. O vento aumenta, logo uma ou outra onda branca vai começar a lamber o porto. Cada criança carrega um fardo ou caixa de forma, cor e tamanho diferentes. Springer assiste, pincenê preso diante dos olhos de ágata, conferindo seu estoque com a ajuda de um caderno de capa de couro verde, scargots em molho de alho, uma grosa... três caixas de conhaque... bolas de tênis, duas dúzias... uma Victrola... filme, *Deu a louca no Pierre*, três rolos... binóculos, sessenta unidades... relógios de pulso... u.s.w., uma marca de "confere" para cada criança.

Por fim está tudo armazenado no porão, os chimpanzés adormeceram, os músicos acordaram, as garotas cercam Haftung xingando-o e apertando-lhe as bochechas. Otto caminha ao longo das amuradas, recolhendo as cordas à medida que as crianças as soltam. Quando a última corda é arrancada, o laço em pleno ar ainda emoldurando uma microvista dos destroços de Swinemünde, Frau Gnahb, sentindo pelos pés que o barco se desprendeu da terra, dá a partida de seu modo habitual, quase perdendo um chimpanzé no convés a ré e derrubando as seis vedetes de Haftung, as quais formam um encantador emaranhado de pernas, bundas e peitos.

Contracorrentes puxam o barco pelo funil cada vez mais largo do Swine, em direção ao mar. Logo antes do quebra-mar, onde água jorra espumando em fendas abertas por bombas debaixo d'água na primavera *cuidado*, Frau Gnahb, impassível, dá uma guinada no leme, vai direto em direção à barca de Sassnitz *vuuu* desvia na hora exata, rindo dos passageiros boquiabertos, a cambalear junto à amurada. "Por favor, mãe", o silencioso Otto implora à janela da casa do leme. Em resposta, a boa mulher começa a cantar a plenos pulmões uma sanguinolenta

Canção marítima

Eu sou a Rainha Pirata do Báltico, sou foda e falo grosso —
O último que quis me fazer de besta virou um monte de osso.
Os peixinhos nadam e cantam dentro do crânio do falecido:
"Não tentes foder com Frau Gnahb se não queres ser fodido!"

Já encarei couraçado, já chumbei muita chalupa,
Já afoguei de uma só vez mais de cem filhos da puta —
Cruzo com o Navio Fantasma, e ouço gritar o maldito:
"Quero distância de Frau Gnahb, pois não quero ser fodido!"

Nesse ponto ela agarra a roda do leme e acelera. Agora estão indo a toda em direção ao costado de um navio mercante semissubmerso: ferro negro côncavo salpicado de zarcão, cada rebite enferrujado, cada chapa corroída cada vez mais próxima, crescendo — Essa mulher é claramente uma desequilibrada. Slothrop fecha os olhos e se agarra a uma corista. Com um grito exuberante vindo da casa do leme, o barquinho vira de repente para bombordo, evitando a colisão por pouco mais que algumas demãos de tinta. Otto, em plena fantasia de morte, vem cambaleando aos trambolhões em direção à amurada. "É o senso de humor dela", explica, ao passar. Slothrop estende o braço e agarra-o pela suéter, enquanto a garota segura Slothrop pela aba do smoking.

"Ela se mete em alguma coisa meio ilegal", Otto um instante depois, recuperando o fôlego, "e vocês veem o que acontece. Não sei mais o que fazer com ela."

"Pobre menino", sorri a garota.

"É, mas..." diz Otto.

Slothrop afasta-se, sempre satisfeito quando vê dois jovens se conhecendo, e vai juntar-se a von Göll e Närrisch no convés a ré. Frau Gnahb guinou para noroeste, chafurdando. Logo estão subindo a costa, singrando o Báltico, cheio de listras brancas e cheirando a sal.

"Pois bem. Para onde que a gente está indo, pessoal?" indaga Slothrop, cheio de jovialidade.

Närrisch arregala os olhos. "Aquela é a ilha de Usedom", explica von Göll, delicado. "De um lado dela fica o mar Báltico. É também cercada por dois rios: o Swine e o Peene. Acabamos de sair do rio Swine. Estávamos em Swinemünde. Swinemünde quer dizer 'boca do rio Swine'."

"Está bom, está bom."

"*Nós* estamos indo para um lugar do outro lado da ilha de Usedom, um lugar que fica na boca do rio Peene."

"Deixe eu ver... nesse caso, o nome do lugar deve ser... espere aí... Peenemünde, certo?"

"Muito bem."

"E então?" Uma pausa. "Ah. Ah, a *tal* Peenemünde."

Närrisch, por acaso, trabalhava lá. A ideia de que o lugar está ocupado pelos russos certamente há de lhe dar o que pensar.

"Tinha uma fábrica de oxigênio líquido, eu estava de olho nela também", diz Springer, também um pouco chateado, "eu queria abrir uma rede — ainda estamos tentando pegar a lá de Volkenrode, no velho Instituto Goering."

"Tem um monte de gerador de oxigênio líquido lá em Nordhausen", Slothrop tentando ajudar.

"Obrigado. Está com os russos também, como você deve saber. Eis o problema: se a coisa não fosse contra a Natureza, eu até diria que eles não sabem o que querem. As estradas que vão para o leste vivem dia e noite apinhadas de caminhões russos, cheios de material. Estão saqueando tudo. Mas ainda não dá pra entender o que é que eles pretendem, só se sabe que a ordem é pegar tudo e levar pra casa."

"Puxa vida", intervém Slothrop, esperto, será que eles já encontraram o tal do S-*Gerät*, hein, senhor von Göll?"

"Ah, que gracinha", sorri o Springer.

"Ele é da OSS", geme Närrisch, "eu já disse que a gente devia era apagar o sujeito."

"Um S-Gerät hoje em dia sai por £10 000, cinquenta por cento adiantado. Está interessado?"

"Não. Mas ouvi dizer lá em Nordhausen que o senhor já tem um."

"Não tenho."

"Gerhardt —"

"*Ele é gente boa*, Klaus." Aquele olhar, Slothrop já foi alvo dele antes, um vendedor de carro avisando o sócio *esse aqui é um panaca completo, Leonard, faça o favor de não espantar o sujeito, ouviu?* "A gente espalhou essa história de propósito em Stettin. Para ver como reagia um certo coronel Tchitcherine."

"Caralho. Ele outra vez? Ele vai reagir, sim."

"Pois é para descobrir se vai mesmo que estamos indo para Peenemünde."

"Oba." Slothrop conta então sobre o incidente em Potsdam, e diz que, segundo Geli, Tchitcherine estava menos interessado em foguetes do que em levar a cabo uma certa trama contra o tal Oberst Enzian. Se os dois atravessadores estão interessados, eles não demonstram.

A conversa agora descambou para aquele tipo de recapitulação vazia, cheia de nomes, em que a mãe de Slothrop, Nalline, adorava se espraiar nas tardes — Helen Trent, Stella Dallas, Maria Nobre dos Anzóis Carapuça...

"Tchitcherine é uma figura complexa. É quase como se... ele visse Enzian como... um outro lado de si próprio — uma versão negra de alguma coisa que há dentro dele. Uma coisa que ele precisa... liquidar."

NÄRRISCH: Você acha que pode haver alguma... razão *política*?

VON GÖLL (sacudindo a cabeça): Não sei não, Klaus. Desde aquela história lá na Ásia Central —

NÄRRISCH: Você está se referindo —

VON GÖLL: É... o Lume Quirguiz. Sabe, uma coisa gozada — ele nunca *quis* ser visto como imperialista —

NÄRRISCH: Nenhum *deles* nunca quer. Mas tem a garota...

VON GÖLL: A pequena Geli Tripping. Que acha que é bruxa.

NÄRRISCH: Mas você acha que ela pretende mesmo pôr em prática esse... esse plano de procurar o Tchitcherine?

VON GÖLL: Acho que... *Eles*... pretendem...

NÄRRISCH: Mas Gerhardt, ela está mesmo apaixonada por ele —

VON GÖLL: Ele não anda namorando ela, é ou não é?

Närrisch: Não acredito que você esteja tentando dizer que —

"Espere aí", interrompe Slothrop, "que diabo de conversa é essa, hein?"

"Paranoia", retruca Springer, irritado (como reagem sempre as pessoas quando estão jogando um jogo que gostam de jogar e são interrompidas). "Você não ia entender."

"Me desculpem, que eu tenho que dar uma vomitada", uma tirada clássica entre reprovados em escolas de boas maneiras como nosso Tyrone, o Terrível, e até muito esperta em terra firme, mas não aqui, quando o Báltico está fazendo todo mundo enjoar. Os chimpanzés estão todos vomitando, solidários, debaixo de um encerado. Slothrop junta-se a um bando infeliz de músicos e coristas na amurada. Eles lhe ensinam sutilezas do ofício, como não vomitar contra o vento e esperar a hora em que o navio está indo em direção ao mar, tendo Frau Gnahb manifestado a esperança de que ninguém vomite em seu navio, com aquele tipo de sorriso glacial que o doutor Mabuse provocava num dia bom. Sua voz ressoa da casa do leme, cantando a plenos pulmões sua canção marítima. "Öööööö", é o acompanhamento de Slothrop, junto à amurada.

E assim segue o navio da Rainha Pirata do Báltico, subindo a costa de Usedom, sob um céu nevoento e estival. Na praia, colinas verdejantes se sucedem em degraus suaves: acima delas, uma serra coberta de pinheiros e carvalhos. Pequenos balneários com praias brancas e molhes desolados sucedem-se pelo través, com uma lentidão reumática. Navios de aparência militar, provavelmente vedetas-torpedeiras russas, aparecem de vez em quando, imóveis na água. Nenhum deles contesta a passagem da Frau. O sol ora some, ora sai, e por um instante vivo todo o convés fica amarelo em torno das sombras das pessoas. Há um momento no final da tarde em que todas as sombras apontam na mesma direção és-nordeste em que os foguetes de teste eram sempre lançados de Peenemünde em direção ao mar. A hora exata, que varia ao longo do ano, chama-se Meio-Dia do Foguete... e o som que nesse momento enche o ar só pode ser comparado, para seus devotos, a uma sirene que soasse ao meio-dia, uma sirene na qual toda a cidade acreditasse... as vísceras ressoando, duras feito pedra...

Antes mesmo de ver o lugar, dá para senti-lo. Mesmo caído sobre a amurada, rosto encostado numa defensa que cheira a piche, olhos lacrimejando e as tripas jogando como o mar. Mesmo desolado e queimado após a passagem de Rossokovksi e o exército bielorrusso, na primavera. É um rosto. Nos mapas, é um crânio ou rosto corroído visto de perfil, voltado para o sudoeste: uma lagoa pantanosa no lugar do olho, a cavidade do nariz e da boca na entrada do Peene, logo abaixo da central elétrica... o desenho lembra um pouco um personagem de Wilhelm Busch, um velho bobalhão em quem meninos levados vivem pregando peças. Roubando álcool de cereais de seus tanques, rabiscando palavrões em extensões de cimento fresco, até mesmo entrando sorrateiros no meio da noite para disparar um foguete...

Prédios baixos, agora calcinados, imagens em cinza de redes de camuflagem queimadas no concreto (tiveram apenas um minuto para brilhar, como a manta de seda de um bürger — para iluminar este espaço fechado costeiro, esta sala de engenheiro cheia de formas pesadas e tons neutros... não terá sido apenas um brilho rápido? não há necessidade de justificar, nada de admonitório, de novos níveis a serem atingidos... mas quem seria aquele, observando tão discreto e delicado por cima do modelo? rosto com todas estas cores berrantes de pôr do sol de cromo, olhos por trás de lentes com armação negra as quais, tal como as redes de fogo, percebe-se agora, serviram de camuflagem para ninguém menos que o Ciclista do Céu, a negra e fatal silhueta belle-époque sobre o peito luminoso do céu, do Meio-Dia do Foguete de hoje, duas explosões circulares dentro da hora do rush, no leito de morte da luz do céu. Como o ciclista rodopia lá no alto, terminal e sereno! No tarô ele é conhecido como o Louco, mas aqui na Zona eles o chamam de Esperto. Estamos em 1945. Ainda é cedo, ainda há inocência. Em parte).

Treliça carbonizada impotente: o que antes era madeira agora apenas sedimenta-se, sem força. Vultos humanos esverdeados surgem de relance nas ruínas. A escala aqui confunde. Os soldados parecem maiores do que deveriam ser. Jardim zoológico? Tiro ao alvo? Ora, um pouco dos dois. Frau Gnahb vai se aproximando da terra, jogando ao longo da costa pantanosa a meia força. Os sinais de ocupação vão aumentando: estacionamentos de caminhões, barracas, um curral cheio de cavalos malhados, alazões, brancos como neve, vermelhos como sangue. Patos selvagens brotam numa explosão, molhados, do meio de um juncal verdejante — sobrevoam o barco e, à altura da popa, mergulham nas águas revoltas da esteira, onde ficam grasnando, em rápidas incursões. No alto do céu, ao sol, uma águia plana em voo ascendente. Crateras de bombas e obuses, de bordas lisas, contêm água azul do mar. Quartéis perderam os telhados nos bombardeios: expostos, no sentido da espinha e das costelas, os ossos dessas criaturas que, quando inteiras, encerravam metade dos Jonas da Europa destruída. Porém árvores — faias e pinheiros — já começam a crescer outra vez nas clareiras abertas e aplainadas para a construção de alojamentos e escritórios — pelas fendas do calçamento, por toda parte a vida encontra pontos de apoio, e brota o verde verão de 45, e as florestas continuam se adensando no alto das serras.

Passando agora pelos destroços enegrecidos das Oficinas de Desenvolvimento, a maior parte deles espalhados ao nível do rés do chão. Em série, algumas estilhaçadas e quebradas, outras quase encobertas pelas dunas, Närrisch, reverente, as aponta uma por uma, volumes concretos das Plataformas de Testes, uma via-sacra, VI, V, III, IV, II, IX, VIII, I, por fim as plataformas do próprio Foguete, de onde ele por fim alçou voo, VII e X. Árvores que outrora os ocultavam do mar agora estão reduzidas a caules de carvão.

Contornando a curva norte da península, as Plataformas de Testes e terraplenagem se afastando — agora à altura de Peenemünde-Oeste, o antigo território da Luftwaffe. Ao longe, a estibordo, os barrancos de Greifswalder Oie estremecem através da névoa azulada. Rampas de concreto usadas para testar o V-1 ou a bomba voadora apontam para o mar. Passam por pistas de decolagem pontilhadas de crateras e montes de entulho e Messerschmitts destruídos, por toda a península: contornando o arco do crânio, depois para o sul novamente, rumo ao Pene, ali — acima das colinas suaves, a quilômetros da proa de bombordo, a torre de tijolo vermelho da catedral de Wolgast, e mais perto ainda, na meia dúzia de chaminés da central elétrica, de onde não sai mais fumaça para pairar sobre Peenemünde, sobreviveram às letais cargas de compressão de março... Cisnes brancos deslizam por entre os juncos, e faisões sobrevoam os pinheiros altos no interior da ilha. Um motor de caminhão, em algum lugar, desperta com um ronco.

Frau Gnahb faz uma curva fechada com o barco, atravessa uma passagem estreita, chega à doca. Uma tranquilidade estival paira sobre todas as coisas: vagões inertes nos trilhos, um soldado recostado num tambor de óleo de topo laranja tentando tocar um acordeão. Talvez só fazendo hora. Otto larga a mão de sua corista. Sua mãe desliga os motores, e ele salta rapidamente para a doca e se afasta correndo. Então faz-se uma pausa breve: fumaça de óleo diesel, aves do pântano, ócio silencioso...

Um carro militar, contornando um armazém, derrapa e para, e da porta de trás salta um major ainda mais gordo que Duane Marvy, porém com um rosto mais simpático, vagamente oriental. Cabelos grisalhos que lembram lã de carneiro caem-lhe em espirais em torno da cabeça. "Ah! von Göll!" braços estendidos, olhos enrugados molhados de — serão mesmo lágrimas? "von Göll, meu grande amigo!"

"Major Jdaev", Springer acena com a cabeça, descendo tranquilo a prancha, enquanto toda uma tropa em traje de faxina surge atrás do major, meio estranho esse pessoal andar armado de submetralhadora e mosquetão só para fazer trabalho de estiva...

Claro. Antes que qualquer um deles tenha tempo de se mexer, os soldados saltam e formam um cordão de isolamento em torno de Jdaev e o Springer, armas prontas para ser usadas. "Não se assustem", Jdaev acenando e sorrindo, caminhando de costas para o carro com o braço em torno do Springer, "estamos detendo seu amigo só um pouquinho. Vocês podem prosseguir com seu trabalho. Ele vai voltar para Swinemünde com toda a segurança."

"Que diabo", Frau Gnahb sai resmungando da casa do leme. Haftung aparece, cheio de tiques, enfiando e tirando a mão de vários bolsos diferentes: "Quem é que estão prendendo? E o meu contrato? Vai acontecer alguma coisa conosco?" O carro se afasta. Recrutas começam a subir no barco.

"Merda", observa Närrisch.

"Você acha que estão prendendo ele mesmo?"

"Acho que é a reação do Tchitcherine, manifestando interesse. Tal como você disse."

"Aah, que é isso —"

"Não, não", mão na manga, "ele tem razão. Você é inofensivo."

"Obrigado."

"Bem que eu o avisei, mas ele riu. 'Outro salto, Närrisch. Eu tenho que viver saltando, é ou não é?'"

"Bem, o que é que você quer fazer agora? Soltá-lo?"

Agitação a meia-nau. Os russos levantaram o encerado e encontraram, cobertos de vômito, os chimpanzés, que também avançaram na vodca. Haftung pisca e estremece. Wolfgang, em decúbito dorsal, mama no gargalo uma garrafa que segura com os pés. Alguns dos macacos estão dóceis, outros estão querendo briga.

"Não sei, não, mas..." Slothrop gostaria muito que o sujeito parasse de falar desse jeito, "pelo menos *isso* eu devia fazer por ele."

"Pois eu não devo nada a ele", Slothrop, esquivando-se de uma súbita golfada amarela de vômito de chimpanzé. "Ele devia saber se cuidar melhor."

"Quem o ouve falando, até pensa, mas *no fundo*, mesmo, ele não é paranoico. E nesse trabalho que ele faz, isso é uma deficiência fatal."

Um dos chimpanzés dá uma mordida na perna de um cabo soviético. O cabo grita, leva a mão à sua Tokarev e dispara a arma sem mesmo levantá-la dos quadris, mas a essa altura o macaco já pulou para uma adriça. Uma dúzia de macacos, muitos levando garrafas de vodca, vão em massa em direção à prancha de desembarque. "Não deixem eles fugirem", berra Haftung. O trombonista, sonolento, põe a cabeça para fora de uma escotilha e pergunta o que está acontecendo, e seu rosto é pisoteado por três pares de pés de solas rosadas antes que ele tenha tempo de apreender a situação. As garotas, lantejoulas faiscando ao sol da tarde, plumas estremecendo, estão sendo perseguidas da popa à proa por soldados russos babões. Frau Gnahb puxa o apito a vapor, desse modo assustando os chimpanzés remanescentes, os quais se juntam aos outros na corrida rumo à rampa. "Peguem eles", implora Haftung, "alguém faça alguma coisa." Slothrop dá por si entre Otto e Närrisch, sendo empurrado para fora do navio por soldados correndo atrás de macacos e garotas ou tentando se apossar dos carregamentos. Em meio a ruídos de coisas caindo na água, palavrões e gritinhos femininos, coristas e músicos aparecem e correm de um lado para o outro. É difícil entender que merda está acontecendo ali.

"Escute." Frau Gnahb inclinada para o lado.

Slothrop percebe que ela aperta o olho, com um ar maroto. "A senhora tem um plano."

"Vocês podem usar uma ação diversionária."

"O quê? O quê?"

"Macacos, músicos, coristas. Não falta nada. Enquanto isso, vocês três vão lá e pegam Der Springer."

"A gente pode se esconder", Närrisch olhando para os lados, com ar de gângster. "Ninguém vai perceber. Ja, ja! O barco pode seguir viagem, como se *nós* estivéssemos *a bordo!*"

"Eu, não", diz Slothrop.

"Ha! Ha!" diz Frau Gnahb.

"Ha! Ha!" diz Närrisch.

"Eu espero a nordeste", prossegue a mãe louca, "no canal entre a ilhota e aquele negócio triangular ali na marinha d'água."

"A Plataforma de Testes X."

"Gostei do nome. Acho que até lá a maré já subiu. Façam uma fogueira. Otto! Largar!"

"Zu Befehl, Mutti!"

Slothrop e Närrisch vão correndo para trás de um depósito, encontram um vagão de carga fechado e escondem-se dentro dele. Ninguém repara neles. Chimpanzés correm em todas as direções. Os soldados que os perseguem parecem já estar de saco cheio. Em algum lugar o clarinetista faz escalas em seu instrumento. O motor do barco rosna cada vez mais alto, os hélices começam a rodar. Logo em seguida, Otto e sua garota entram no vagão, ofegantes.

"Bem, Närrisch", Slothrop julga que é o caso perguntar, "para onde você acha que o levaram, hein?"

"Pelo que eu vi, o Bloco Quatro e todos aqueles prédios para o sul estavam abandonados. Imagino que ele esteja no prédio de montagem perto da Plataforma de Testes VII. Debaixo daquela elipse grande. Lá tem túneis e salas subterrâneas — ideal para um quartel-general. Parece que a maior parte da construção sobreviveu, embora o Rossokovski tivesse ordens de arrasar tudo."

"Você tem uma arma?" Närrisch faz que não com a cabeça. "Eu também não. Que merda de atravessador que você me saiu, hein? Não tem arma?"

"Eu trabalhava em guiagem inercial. Arma de fogo pra mim é atraso."

"M-mas então a gente vai usar o quê? Massa cinzenta?"

Pelas frestas do vagão, vê-se que o céu está escurecendo, as nuvens ficando laranja, tangerina, tropicais. Otto e sua garota estão cochichando num canto. "Não conte com esse", Närrisch irritado. "É só sair de perto da mãe cinco minutos que ele vira um Casanova."

Otto, muito sério, está explicando à moça sua teoria a respeito da Conspiração das Mães. Nem sempre encontra uma jovem que o ouça com seriedade. As Mães se reúnem uma vez por ano, secretamente, em convenções gigantescas, e trocam informações. Receitas, jogos, frases-chave para usar com os filhos. "O que é que a sua dizia para fazê-la sentir-se culpada?"

"'Comi o pão que o diabo amassou!'" diz a garota.

"Exato! E ela preparava aqueles pratos de forno horríveis, c-com batata e cebola —"

"E presunto! Pedacinhos de presunto —"

"Está vendo? *Não pode* ser coincidência! Elas organizam um concurso, de Mãe do Ano, com quesitos como amamentação, troca de fraldas, tudo cronometrado, pratos de forno, ja — e mais para o final da coisa elas começam a usar *os filhos*. Vem o Promotor do Estado no palco. 'Daqui a pouco, Albrecht, vamos trazer a sua mãe. Eis uma Luger, carregada. O Estado garante a você absoluta imunidade legal. Faça o que você quiser fazer — qualquer coisa. Boa sorte, meu rapaz.' As pistolas são carregadas com cartuchos de festim, natürlich, mas o pobre rapaz não sabe disso. Só as mães em quem os filhos atiram se qualificam para as finais do concurso. Nesse ponto entram em cena os psiquiatras, e os juízes, munidos de cronômetros, ficam vendo quanto tempo os filhos levam para desmontar. 'Ora, Olga, sua Mutti tinha ou não tinha razão quando desmanchou o seu namoro com aquele poeta cabeludo?' 'Nós sabemos que você e sua mãe são... ah, *muito próximos*, Hermann. Lembra aquela vez que ela pegou você em flagrante *se masturbando com a luva dela*? Hein?' Enfermeiros ficam a postos para arrastar os filhos, se babando todos, gritando, tendo convulsões clônicas. Por fim só resta uma Mãe no palco. Eles colocam na cabeça dela o tradicional chapéu com flores e lhe entregam o globo e o cetro, nesse caso uma carne assada dourada e um chicote, e a orquestra toca *Tristão e Isolda*."

Eles saem bem no final do crepúsculo. Apenas uma sonolenta tarde de verão em Peenemünde. Uma revoada de patos passa no céu, rumo ao oeste. Não há nenhum russo por perto. Uma lâmpada solitária arde acima da entrada do depósito de cargas. Otto e sua garota andam de mãos dadas ao longo do cais. Para o norte e para o sul, o Báltico continua desenrolando compridas ondas brancas. "O que está havendo?" pergunta o clarinetista. "Tome uma banana", tocador de tuba com a boca cheia tem um bom cacho enfiado no pavilhão de seu instrumento.

Já é noite quando eles partem. Caminham rumo ao interior da ilha, os salvadores do Springer, seguindo a ferrovia. Dos dois lados da pista de cinzas elevam-se pinheiros altos. Adiante, gordos coelhos pintados correm, só as pintas brancas se veem, não há por que supor que os coelhos são o que são. Hilde, a amiga de Otto, emerge da mata, graciosa, com o boné do rapaz cheio de frutinhas redondas, azuladas, doces. Os músicos estão enfiando garrafas de vodca em todos os bolsos disponíveis. Aquilo vai ser a refeição desta noite, e Hilde ajoelhou-se sozinha diante dos pés das frutinhas e, num sussurro, deu graças para todos eles. Do pântano vem o coaxar das primeiras pererecas, e também os guinchos de alta frequência emitidos por um morcego em plena caça, e um pouco de vento nas copas das árvores mais altas. E também, mais ao longe, um ou dois tiros.

"Será que estão atirando nos meus macacos?" Haftung nervoso. "Cada um vale 2000 marcos. Como é que eu vou recuperar esse dinheiro?"

Uma família de ratos atravessa os trilhos correndo, passando bem por cima dos pés de Slothrop. "Eu estava esperando só um grande cemitério. Acho que não."

"Quando viemos, só desmatamos o estritamente necessário", Närrisch relembra. "A maior parte da mata ficou, os animais... provavelmente ainda tem veados por aí. Daqueles grandes, com chifres escuros. E as aves — narceja, galeirão, ganso selvagem — o barulho dos testes expulsava todas elas para o mar, mas depois que a coisa terminava elas voltavam outra vez."

Antes de chegarem ao campo de pouso, são obrigados a se dispersar no bosque duas vezes, primeiro por causa de uma patrulha de segurança, depois porque vem uma maria-fumaça bufando de Peenemünde-Leste, o farol perfurando uma névoa fina, soldados munidos de automáticas nos estribos e escadas. Aço rangendo na noite, homens jogando conversa fora, nenhuma tensão. "Mas eles podem estar atrás da gente", sussurra Närrisch. "Vamos."

Atravessam um trecho de mata, depois, cuidadosos, chegam ao campo de pouso descampado. Uma foice afiada de lua despontou. Macacos passam correndo na luz branquicenta, arrastando os braços. Uma travessia nervosa. Cada um aqui é um alvo perfeito, não há cobertura alguma, só os aviões bombardeados nas pistas, relíquias — traves enferrujadas, tinta queimada, asas enterradas na terra. As luzes dos antigos prédios da Luftwaffe brilham para os lados do sul. De vez em quando um caminhão passa ronronando pela estrada do outro lado do campo de pouso. Do quartel vêm vozes cantando, de algum lugar um rádio. O noticiário da noite. Longe demais para ouvir as palavras, ou sequer distinguir o idioma, apenas o tom monótono: as notícias, Slothrop, continuam, sem você...

Conseguem atravessar a pista alcatroada e chegar até a estrada, acocoram-se dentro de uma vala de drenagem e ficam atentos para qualquer veículo. De repente, à esquerda, luzes amarelas de um avião, em fila dupla, estendendo-se em direção ao mar, subindo e descendo duas, três vezes, até estabilizarem-se. "Alguém chegando", opina Slothrop.

"Mais provavelmente indo embora", diz Närrisch. "Melhor a gente se apressar."

De volta ao bosque de pinheiros, seguindo por uma estrada de terra batida rumo à Plataforma de Testes VII, começam a recolher coristas e chimpanzés desgarrados. O cheiro de pinho os envolve: agulhas velhas caídas à margem da estrada. Ladeira abaixo, luzes aparecem à medida que as árvores rareiam, e então a área das Plataformas de Testes se descortina à vista. O prédio de montagem terá uns trinta metros de altura — tapa as estrelas. Há uma faixa vertical de luz, uma porta aberta, e luzes se espalham do lado de fora. Närrisch agarra o braço de Slothrop. "Parece o carro do major. E o motor está ligado." Muitos holofotes também, instalados no alto de cercas com arame farpado em cima — e mais o que parece ser uma divisão de segurança andando de um lado para o outro.

"É agora", Slothrop meio nervoso.

"Xxx." Ruído de avião, um caça monomotor, voando em círculos para pousar, poucos metros acima dos pinheiros. "Temos pouco tempo." Närrisch reúne os outros e dá suas ordens. As garotas vão na frente, cantando, dançando, seduzindo os bárbaros sequiosos de mulher. Otto vai tentar inutilizar o carro, Haftung vai reunir todo mundo depois para voltarem ao barco.

"Peito e bunda", resmungam as garotas. "Peito e bunda, para vocês a gente é só isso."

"Ah, calem a boca", rosna G. M. B. Haftung, sua maneira normal de lidar com a criadagem.

"Enquanto isso", Närrisch prossegue, "eu e Slothrop vamos tentar pegar o Springer. Quando conseguirmos, vamos dar um jeito de fazer com que eles deem uns tiros. Isso vai ser o sinal para *vocês* darem no pé."

"Ah, sim, tem que ter uns tirinhos", diz Slothrop, "e-e que tal isto?" Acaba de ter uma ideia brilhante: falsos coquetéis Molotov, uma variação sobre um velho tema de Säure Bummer. E levanta uma garrafa de vodca, apontando para ela e sorrindo.

"Mas isso aí não pega fogo."

"Mas eles vão *pensar* que é gasolina", começando a arrancar penas de avestruz da roupa da garota mais próxima. "E imagine só como nós vamos nos sentir seguros."

"Felix", o clarinetista pergunta ao tubista, "o que diabo a gente está fazendo no meio desse pessoal?" Felix está comendo uma banana e vivendo o presente. Pouco depois ele se embrenha no bosque junto com o resto da orquestra, e lá ficam rodando em círculos, tocando seus instrumentos. Hilde e Slothrop estão preparando Coquetéis Vodcotov, as outras garotas, Zitz und Arsch, se afastam, descendo a encosta.

"Para a gente poder ameaçar mesmo", Närrisch, "só se tiver fósforos. Quem tem fósforos?"

"Eu não tenho."

"Eu também não."

"Ih, meu isqueiro está sem pedra."

"Kot", Närrisch levantando aos mãos para cima, "Kot", entrando no bosque, onde esbarra em Felix com sua tuba. "Você também não tem fósforos."

"Tenho um Zippo", responde Felix, "e dois Corona Coronas, do clube dos oficiais americanos de —"

Um minuto depois, Närrisch e Slothrop, cada um ocultando com a mão em concha a brasa de seu havana, caminham bem devagarinho, sorrateiros, feito dois gatos num desenho animado, em direção à Plataforma de Testes VII, cada um com uma garrafa-bomba presa no cinto e um pavio de pena de avestruz a oscilar na brisa marítima. O plano é transpor a lombada de areia, com arbustos e pinheiros no alto, que há em torno da Plataforma de Testes, e entrar no Prédio de Montagem pelos fundos.

O tal do Närrisch é um cara do cacete, e sabe tudo em matéria de guiagem, e todo dia, ao Meio-Dia do Foguete, lá rola morte e rola muita sacanagem... Porém Närrisch conseguiu não participar de quase nada disso.

Na verdade, jamais se viram duas pessoas tão desqualificadas para tomar de assalto um Lugar Santo desde o tempo em que Tchitcherine e Džaqyp Qulan, metendo bronca pelas estepes rumo ao norte, saíram em busca do Lume Quirguiz. Isso já lá vão uns dez anos. O que dá a esse passatempo a mesma vulnerabilidade à quebra de recordes que caracteriza o beisebol, outro desporto pleno de sinistros prenúncios brancos.

A Tomada de Lugares Santos em breve se tornará o passatempo mais popular da Zona. Está prestes a chegar ao auge. Logo estarão em ação mais aficionados, adeptos, mágicos de todas as categorias e ordens, do que jamais houve na história do jogo. O sol dignificará todas as atividades, desde que honradas e marcadas pelo verdadeiro espírito esportivo. A curva de Gauss embarrigará em direção à excelência. E pernas de pau como Närrisch e Slothrop já serão cartas fora do baralho.

Slothrop, como já vimos, pelo menos desde o episódio do *Anubis*, começou a diluir-se, dissipar-se. "A densidade pessoal", Kurt Mondaugen em sua sala em Peenemünde a não muitos passos daqui, enunciando a Lei que virá a imortalizar seu nome, "é diretamente proporcional à largura de banda temporal."

"Largura de banda temporal" é a largura do seu presente, o seu *agora*. É o velho "t" considerado como variável dependente. Quanto mais você rumina sobre o passado e o futuro, maior a sua largura de banda, mais sólida a sua persona. Porém quanto mais estreita a sua concepção do Agora, mais tênue você se torna. A coisa pode chegar ao ponto de você não conseguir se lembrar do que estava fazendo há cinco minutos, ou mesmo — é o caso de Slothrop agora — do que você está fazendo *aqui*, na base desta colossal lombada curva...

"Hã", vira-se ele, boca-mole, para Närrisch, "o que é que a gente está..."

"O que é que a gente está o quê?"

"O quê?"

"Você começou a dizer 'o que é que a gente está...', e aí parou."

"Ah. Pô, sei lá por que foi que eu disse isso."

Quanto a Närrisch, ele está totalmente ligado no serviço. Ele nunca viu esta grande Elipse de outra maneira que não aquela que lhe foi ensinada. Greta Erdmann, por outro lado, viu as eminências cor de ferrugem aqui curvar-se, exatamente como fizeram antes, na expectativa, rostos cobertos por capuzes, indevassáveis capuzes do Nada... cada vez que Thanatz baixava o chicote em sua pele, ela era transportada, mais uma penetração rumo ao Centro: cada lategada entrava mais um pouco... até que um dia, Greta sabe, ela poderá *vislumbrar a coisa pela primeira vez*, e daí para a frente se tornará uma necessidade vital, um alvo fundamental... p-p-p-*pleft* a armação negra e esqueletal das caixas-d'água no alto, curvadas à grande borda, visível acima das árvores numa luz desoladora, roxo-contusão, tal como os crepúsculos de Peenemünde no tempo frio que é bom para lançamentos... uma boa olhadela, do alto de algum dique conhecido nos Países Baixos, para um céu a fluir num tom tão uniforme e amarelento de marrom que o sol pode estar em qualquer lugar atrás das nuvens, e as cruzes dos moinhos de vento a girar podem ser os raios da bicicleta do terrível Ciclista, o Ciclista de Slothrop, suas duas explosões lá no alto, seu ciclista celestial —

Não, mas mesmo *Isso* apenas lampeja rapidamente pelas superfícies lobulares slothropianas e dissolve-se nelas, desaparecendo. Assim passa para ele mais uma negligência... e também com certeza agrava-se sua condição de Preterido... Não há motivo para esperar-se qualquer Eureca inesperado da parte de Slothrop. Lá está ele, escalando as paredes de um honesto plexo cerimonial, sustentado numa visão razoável do que é o meio-dia sem sombras e do que não é. Mas ah, Ovo do qual nasceu o Foguete voador, umbigo do céu de rádio de 50 metros, todos os fantasmas apropriados do lugar — perdoai sua insensibilidade, sua neutralidade que a tudo atenua. Perdoai o punho que não cerra em seu peito, o coração incapaz de tensionar-se em qualquer saudação... Perdoai-o tal como perdoastes Tchitcherine diante do Lume Quirguiz... Dias melhores virão.

Slothrop está escutando, ao longe, uma tuba e um clarinete peripatéticos, acompanhados agora por trombone e saxofone-tenor, tentando tirar uma melodia... e as explosões de gargalhadas que vêm dos soldados e das garotas... parece que está havendo uma festa lá embaixo... quem sabe até com direito a um strip-tease ou coisa que o valha... "Escute, por que é que a gente não, hãã... como é mesmo que você se —" Närrisch, espantalho de couro, tentando fazer de conta que não vê nada de estranho no comportamento de Slothrop, decidiu desmontar sua bomba: desarrolha a vodca e passa o gargalo sob as narinas antes de tomar um gole. Sorri um sorriso cínico de vendedor para Slothrop. "Tome." Silêncio sob o muro branco.

"Ah, sim, eu estava achando que era gasolina, mas é de mentirinha, de modo que é vodca mesmo, não é?"

Mas logo além da lombada, lá embaixo na arena, o que teria sido aquilo agora mesmo, esperando neste luar quebrado, tinta de camuflagem das aletas até a ogiva, numa linha torta de dentes de serra... quer dizer então que ele nunca mais vai encontrar você? Nem mesmo nos piores momentos da sua noite, com palavras escritas a lápis na sua página a apenas um Δt das coisas que elas representam? E por dentro a vítima se contorce, dedilha rosários, bate na madeira, eiva qualquer Palavra Operacional. Será que nunca virão buscar você, agora?

Perto das caixas-d'água, começam a subir, em direção à beira. Areia entra nos sapatos e desce a encosta sibilando. No alto, olham para trás, para o bosque, e veem de relance a pista iluminada, o monomotor já pousado, cercado de sombras do pessoal de terra abastecendo, checando, virando o avião. Península abaixo, luzes brilham em manchas, curvas, zigue-zagues, mas deste lado, das velhas Oficinas de Desenvolvimento para o sul, é tudo negro como breu.

Afastando galhos de pinheiros, descem a lombada de novo, em direção ao Ovo, já espoliado de seus equipamentos alemães, há muito convertido em um depósito de veículos dos russos. A quina do imenso Prédio de Montagem, à medida que eles descem, vai se elevando no céu, separada deles por um hiato de cem metros de jipes e caminhões. À direita, uma estrutura para testes de três ou quatro andares, com telhado de metal corrugado arredondado, e debaixo dela uma escavação alongada como um V raso. "Duto de resfriamento", segundo Närrisch. "Provavelmente eles estão lá embaixo. Vamos ter que entrar por aqui."

Na metade da descida, chegaram à casa da bomba, incorporada à lombada, que bombeava a água fria para resfriar o calor terrível gerado pelos lançamentos. Agora não há mais nada lá dentro, tudo é oco e escuro. Slothrop mal dá dois passos além da soleira quando esbarra em alguém.

"Desculpe", mas não sai com muita tranquilidade, não.

"Ah, tudo bem." Sotaque russo. "Não tem problema." Ele obriga Slothrop a recuar para trás, iih, um sargento *muito* mal-encarado que parece ter uns dois metros de altura.

"Bem, ah —" e nesse momento Närrisch entra e esbarra nos dois.

"Ah." Närrisch olha para o sargento e pisca os olhos várias vezes. "Sargento, está ouvindo essa música? Por que não está no Prédio de Montagem, junto com os seus camaradas? Pelo que estou sabendo, lá tem um bom número de fräuleins muito sapecas, *divertindo* o pessoal", cutucadazinha aqui, "todas elas muito pouco vestidas."

"Imagino que isso deve ser divino", responde a sentinela, "para *certas* pessoas."

"Kot..." Era uma vez uma tática.

"E além disso, é proibido entrar aqui, seus bobões."

Com um suspiro, Närrisch eleva nos ares sua garrafa e a baixa, *poft*, na nuca da sentinela, tendo o efeito de derrubar-lhe o forro do capacete. "Mui-to *feio*", o russo, meio irritado, se abaixa para pegar o forro. "Sabe, eu *devia* deter vocês *dois*."

"Chega de papo", rosna Slothrop, brandindo seu charuto aceso e seu "coquetel Molotov". "Me entregue essa arma aí, Ivan, se não quiser virar uma *tocha viva*!"

"Você é *mau*", diz a sentinela, emburrando, tirando a arma do coldre um pouco depressa demais — Slothrop esquiva-se para o lado, mira seu tradicional e rápido chute na virilha, erra o alvo mas consegue derrubar a arma, e Närrisch tem a presença de espírito de jogar-se no chão para pegá-la. "Bobos", geme o russo, "ah, bobos, feios, chatos..." e sai saltitante pela noite afora.

"Dois minutos", Närrisch já dentro da casa da bomba. Slothrop pega a automática dele e segue-o, correndo cada vez mais depressa pelo corredor em declive. Seus pés batem mais rápido, mais sonoros, no concreto, até chegar a uma porta de metal: detrás dela vem a voz de Springer, cantando e falando com voz engrolada, como um bêbado. Slothrop destrava sua arma e Närrisch entra de supetão. Uma auxiliar loura e bonita, de botas negras e óculos de aros de metal, está anotando em estenografia tudo que diz Springer, o qual, satisfeito e pomposo, está apoiado num cano de água fria de um metro e vinte de altura que percorre o cômodo de ponta a ponta.

"Largue esse lápis", ordena Slothrop. "Muito bem — onde está o tal de major Jdaev?"

"Ele está em reunião. Se quiser deixar recado —"

"Está drogado", grita Närrisch, "deram alguma droga a ele! Gerhardt, Gerhardt, fale comigo!"

Slothrop reconhece os sintomas. "É amitol sódico. Tudo bem. Vamos embora."

"O major deve voltar a qualquer momento. Estão na sala de guarda, fumando. Quer deixar um número de telefone para contato?"

Slothrop colocou-se debaixo de um dos braços de Springer, Närrisch do outro, quando então ouvem-se batidas fortes à porta.

"Fumando? Fumando o quê?"

"Por aqui, Slothrop."

"Ah." Saem arrastando Springer por uma outra porta, que Slothrop depois tranca com ferrolho e bloqueia com um arquivo pesado, e continuam em frente carregando Springer, subindo uma escada, chegando a um corredor longo e reto, iluminado por seis ou sete lâmpadas, sendo que os espaços entre elas estão muito escuros. Dos dois lados, do chão ao teto, correm maços espessos de cabos de monitorização.

"Estamos ferrados", Närrisch ofegante. Dali até o bunker de monitorização são 150 metros, e a única proteção é o escuro entre as lâmpadas. É só os caras levantarem as armas e saírem atirando.

"Ela se vintém diante de nada, a heteroclética", exclama Gerhardt von Göll.

"Tente andar", Slothrop se cagando, "vamos, rapaz, é *vida ou morte*!" Ecos ribombantes atrás deles no túnel. Um disparo abafado de automática. Outro. De repente, duas poças de luz tênue adiante, surge Jdaev de súbito, voltando para sua sala. Com ele está um amigo, que sorri quando vê Slothrop a quarenta metros de distância, um enorme sorriso de aço. Slothrop solta Springer e corre para a próxima luz, arma a postos. Os russos olham para ele sem entender. "Tchitcherine! Ei."

Ficam parados, encarando-se, cada um em seu círculo de luz. Slothrop se dá conta de que está com a arma apontada para eles. Sorri, meio que pedindo desculpas, baixa o cano, aproxima-se. Jdaev e Tchitcherine, após uma discussão que parece desnecessariamente comprida, resolvem pôr as mãos ao alto.

"Homem-Foguete!"

"Oi."

"O que você está fazendo com esse uniforme fascista?"

"Você tem razão. Acho que vou entrar para o Exército Vermelho também." Närrisch deixa Springer encostado numa fileira de cabos de borracha e prata, escorregando lentamente para baixo, e vem ajudar Slothrop a desarmar os dois russos. Lá atrás, os soldados ainda estão tentando arrombar a porta.

"Vocês querem tirar a roupa aqui? Aliás, Tchitcherine, o que você achou daquele haxixe, hein?"

"Bem", tirando as calças, "a gente estava agorinha mesmo lá no *budka* fumando... Homem-Foguete, o seu timing é fantástico. Ele não é incrível, Jdaev?"

Slothrop despe seu traje a rigor. "Agora, só não vale é ficar de pau duro, ouviu?"

"Falando sério. O seu Schwarzphänomen."

"Deixe de bobagem."

"Você nem sabe que ele existe. Mas é ele que coreografa você. O meu está sempre tentando me destruir. Era *isso* que a gente devia trocar, e não o uniforme."

A questão dos disfarces se complica. A túnica de Jdaev, com o *pogoni* com estrelas de ouro nos ombros, é jogada sobre as costas do Springer, que agora está cantarolando um pot-pourri de Kurt Weill para todos os presentes. Jdaev veste o terno branco do Springer, e depois ele e Tchitcherine são amarrados com seus próprios cintos, e-e gravatas. "Agora — a ideia", explica Slothrop, "é a seguinte: você, Tchitcherine, vai se fazer passar por mim, e o major aí —" Nesse ponto a porta lá atrás se abre com um estrondo, duas figuras com sinistras submetralhadoras Suomi, com tambores do tamanho dos de Gene Krupa, vêm voando. Slothrop, vestido de Tchitcherine, coloca-se bem debaixo da lâmpada e faz um gesto dramático, apontando para os dois oficiais amarrados. "Seja convincente", murmura para Tchitcherine. "Vou ter que confiar em você, mas olhe que tenho um excelente vocabulário passivo, vou saber o que você está dizendo."

Tchitcherine está até disposto a colaborar, mas a coisa está meio confusa. "Quem é mesmo que eu sou?"

"Ah, porra... escute, é só dizer para eles irem lá na casa da bomba, que é urgente." Slothrop faz gestos e mexe os lábios de modo sincronizado enquanto Tchitcherine fala. Parece estar dando certo. Os dois batem continência e voltam pela porta que acabam de arrombar.

"Aqueles macacos", Tchitcherine sacode a cabeça. "Aqueles macacos pretos! Como é que você sabia, Homem-Foguete? É claro que *você* não sabia, mas o Schwarzphänomen sabia. Um toque de gênio. Os dois me olhando pela janela. E eu pensei — bem, você sabe: pensei exatamente o que você pensou que eu ia pensar..."

Mas a essa altura Slothrop já está longe demais para ouvi-lo. Springer está conseguindo andar, ainda que aos trambolhões. Chegam até o bunker de monitorização sem encontrar ninguém. Por uma porta de vidro à prova de bala, por trás dos reflexos das imagens dos dois, está a velha estrutura de testes, janelas quebradas, camuflagem em desenhos expressionistas alemães, cinza e preto, recobrindo-a. Os dois soldados, é claro, estão lá fuçando a casa da bomba, sem encontrar nada. Por fim entram e desaparecem outra vez, e Närrisch abre a porta. "Depressa." Saem sorrateiros, para a arena.

Levam algum tempo para subir a encosta e sumir no meio do bosque. Otto e Hilde aparecem. Retiraram uma parte do rotor do carro de Jdaev. Agora são quatro para tentar arrastar Gerhardt von Göll, peso morto e balbuciante, os poucos metros de encosta arenosa acima, sem dúvida o sistema de propulsão mais mal projetado que já passou por esta plataforma de testes. Otto e Hilde puxam o Springer pelos braços, Närrisch e Slothrop empurram-no pela bunda. Mais ou menos na metade da subida Springer solta um tremendo peido que ecoa durante minutos naquela elipse histórica, como se para mostrar ao respeitável público suas impressões anais a respeito do A4...

"Seu merda", rosna Slothrop.

"Um corcel verde e ereto de planetoide e osso", concorda o Springer.

Já não vem mais nenhum ruído de música e conversa do Prédio de Montagem, substituído que foi por um silêncio desagradável. Por fim ultrapassam a crista da lombada e se embrenham no bosque, onde Springer apoia a testa num tronco de árvore e começa a vomitar copiosamente.

"Närrisch, então a gente está arriscando a nossa pele por esse *porco*?"

Mas Närrisch está ocupado apertando a barriga do amigo. "Gerhardt, você está bem? Quer que eu faça alguma coisa?"

"Maravilha", Springer engasgado, vômito escorrendo queixo abaixo. "Ahh. Sensação ótima."

Logo aparecem chimpanzés, músicos e coristas. Todos voltando para o ponto de encontro. Passando pela última duna, chegando ao triângulo de cinzas compactas da Plataforma de Testes X, e o mar. Por algum tempo os músicos tocam uma espécie de marcha. Passada a marinha d'água, a maré deixou-lhes uma faixa de areia. Mas nada de Frau Gnahb. Haftung está de mãos dadas com um macaco. Felix sacode a tuba para tirar o cuspe. Uma corista de cabelos cor de mel, cujo nome ele até agora não descobriu, abraça Slothrop. "Estou com medo."

"Eu também." Slothrop a abraça.

De repente, esporro total — sirenes histéricas, holofotes vasculhando o bosque, motores de caminhões, ordens berradas. Os resgatadores saem da plataforma e acocoram-se entre os juncos.

"Recolhemos uma automática e duas pistolas", Närrisch cochicha. "Eles vão vir do sul atrás de nós. Basta um lá em cima para detê-los. Começa a conferir seus armamentos.

"Você está maluco", sussurra Slothrop, "eles vão matar você." Tremenda comoção agora na Plataforma de Testes VII. Surgem faróis, um depois do outro, na estrada que leva até lá.

Närrisch dá um tapinha no queixo de Springer. Não está muito claro se Springer o está reconhecendo ou não. "Lebe wohl", seja como for, Springer... Nagants enfiadas nos bolsos do sobretudo, automática nos braços, Närrisch sai correndo acocorado pela praia, e não olha para trás.

"Cadê o barco?" Haftung em pânico. Os patos, alarmados, grasnam um para o outro. O vento agita o capim. Quando passam os holofotes, os troncos dos pinheiros no alto da encosta brilham forte, terríveis... e, às costas de todos, o Báltico treme e flui.

Tiros vêm do alto da encosta — e depois, talvez a resposta de Närrisch, uma descarga de pistola automática. Otto abraça sua Hilde apertado. "Alguém aqui lê código morse?" a garota ao lado de Slothrop pergunta, "porque tem uma luzinha piscando ali, está vendo, na ponta daquela ilhota? já faz alguns minutos." São três pontos, ponto, ponto, mais três pontos. Repetidamente.

"Hm, SEES", observa Felix.

"Vai ver que não são pontos", diz o saxofone-tenor, "e sim *traços*."

"Gozado", diz Otto, "nesse caso daria OTTO."

"É o seu nome", diz Hilde.

"Mamãe!" grita Otto, correndo para dentro da água e acenando para a luz. Felix começa a emitir notas de tuba em direção ao pisca-pisca, e o resto da orquestra o acompanha. Sombras de juncos riscam a areia, lançadas pelos holofotes. Ouve-se um motor de barco se aproximando. "Lá vem ela", Otto pulando na água rasa.

"Ei, Närrisch", Slothrop apertando a vista, tentando vê-lo naquela luz fraca demais, "volte pra cá." Ninguém responde. Mas os tiros continuam.

Luzes apagadas, o barco se aproxima a toda velocidade, Frau Gnahb resolveu atropelar Peenemünde? não, agora ela joga o navio para ré — mancais guincham, hélices espirram gêiseres, o barco guina para a orça e para.

"Todos a bordo", ela berra.

Slothrop está chamando Närrisch. Frau Gnahb joga todo seu peso sobre o apito. Mas nada. "Merda, eu tinha que pegá-lo" — Felix e Otto agarram Slothrop por trás e o arrastam para o navio chutando e xingando. "Eles vão matar o Närrisch, seus babacas, me soltem —" Vultos escuros surgem no alto da duna entre eles e a Plataforma de Testes VII, um brilho alaranjado lampeja na seção mestra, um segundo depois ouvem-se tiros de fuzil.

"A *gente* é que eles vão matar." Otto empurra Slothrop amurada acima e joga-se atrás dele. Agora os holofotes encontram o barco e o espetam na escuridão. Os tiros estão mais altos ainda — mamilos e salpicos na água, balas no convés.

"Todo mundo aí?" a Frau exibe os caninos num esgar. "Ótimo, ótimo!" Um último macaco chega à amurada. Haftung segura-lhe a mão e ele fica dependurado, os pés na água, por algum tempo, enquanto o barco sai na disparada, e só então o chimpanzé consegue passar para dentro. Os tiros os acompanham até caírem a uma distância inofensiva, e por fim não se ouvem mais.

"Ei, Felix", diz o saxofone-tenor, "será que a gente arruma trabalho lá em Swinemünde?"

John Dillinger, no final, encontrou alguns segundos de estranha piedade nas imagens de cinema que não haviam ainda de todo se esvaecido de suas retinas — Clark Gable, impenitente, caminhando rumo à cadeira elétrica, vozes suaves do metálico corredor da morte *até mais, Blackie*... recusando uma comutação da pena oferecida por seu velho amigo, agora governador de Nova York, William Powell, babaca condescendente magricela sem queixo, Gable só querendo acabar com aquilo o mais depressa possível — "Morrer como a gente vive — de repente, sem ficar espichando a coisa —" enquanto Melvin Purvis, aquele baixinho escroto, plantado diante do Biograph Theatre, acendia o charuto fatal e já sentia entre os lábios o pênis da aclamação oficial — e os covardes federais, diante do sinal, mataram Dillinger com sua precisão de veados... o condenado ainda teve tempo de mudar um pouco de personalidade — do modo como a gente sente, por algum tempo depois, nos músculos do rosto e da voz, que a gente *era* Gable, as sobrancelhas irônicas, a cabeça orgulhosa, reluzente, serpentina — o que ajudou Dillinger a suportar a emboscada, e a morte.

Närrisch agora, acocorado dentro de uns poucos metros de cano de drenagem quebrado, depois de se agachar atrás da parede da Plataforma de Testes VII, agora sentindo o cheiro de água de chuva velha, tentando não respirar muito alto para não ser traído por nenhum eco — Närrisch não vai ao cinema desde *Der Müde Tod*. Já faz tanto tempo que nem se lembra mais como o filme terminava, a última cena rilkeana, o Morte cansado levando embora o casal apaixonado, de mãos dadas, em meio aos miosótis. De lá não virá ajuda alguma. Hoje Närrisch chegou à última Thompson de sua vida, estrangeira e superaquecida... e bolhas nos dedos que, ele sabe, não vão incomodá-lo amanhã. Não há fontes de misericórdia que não a arma dura, os dedos ardentes — triste fim para um bom especialista em guiagem, que sempre fez jus a seu bom salário... Tivera outras propostas... poderia ter ido para o leste com o Institute Rabe, ou para o oeste, para a América, a seis dólares por dia — porém Gerhardt von Göll lhe prometia glamour, fortuna, uma boazuda a seu lado, mas por que não uma boazuda de cada lado? — depois da pobre vida linear de Peenemünde, quem seria capaz de jogar a primeira pedra?

Jamais foi necessário apreender o Plano inteiro... realmente, seria pedir demais de uma pessoa... não é verdade? Essa estratégia do S-Gerät pela qual ele vai fazer questão de morrer hoje — o que ele sabe a respeito da intenção *verdadeira* de Springer no caso? Para Närrisch, é razoável que ele, sendo o menor, seja o sacrificado, se isso ajudar Springer a sobreviver, mesmo que seja por apenas mais um dia... pensamento de tempo de guerra, ja, ja... mas é tarde demais para mudar...

Teria o programa do S-Gerät em Nordhausen jamais dado a entender que tantas pessoas, nações, empresas, comunidades de interesse acabariam envolvidas? É claro que ele sentia-se lisonjeado de ter sido escolhido para trabalhar na modificação da guiagem, por menor que fosse... realmente, não merecia aquele tratamento especial... fosse como fosse, era seu primeiro momento histórico, e, ressentido, imaginava que seria também o último, até o encontro com a equipe de recrutamento de Springer, no período mais chuvoso de junho... Reuniões em cafés e entradas de cemitérios nos arredores de Braunschweig (arcos de estuque, trepadeiras gotejando sobre colarinhos finos) sem guarda-chuva, mas com aquela luz, a esperança sob uma redoma lá dentro — um campo, coberto de linhas de força, para expandir, para encher, para mantê-lo em boa saúde e de bom humor... Berlim! O Chicago Cabaret! “Cocaína — ou cartas?” (uma velha fala de cinema que os atiradores adoravam usar naquele verão)... o *Sucesso*!

Porém aquela coisa luminosa e ressonante dentro dele acabou levando-o até ali: dentro de um cano, apenas alguns minutos pela frente...

A ideia era ter sempre consigo uma quantidade fixa. Por vezes usava-se uma ponte de Wien, sintonizada numa determinada frequência At, assobiando, agourenta, dentro dos corredores elétricos... enquanto lá fora, segundo a tradição nesses assuntos, em algum lugar uma quantidade B estaria lentamente se formando, crescendo, à medida que o Foguete ganhava velocidade. Assim, até a velocidade do Brennschluss, "v_1*", impelido a choques elétricos, tal como um rato, por este labirinto estreitíssimo de espaço livre — sim, os sinais de rádio vindos do chão entravam no corpo do Foguete, e por reflexo — no sentido literal de sinais elétricos percorrendo um arco reflexo — as superfícies de controle estremecem, recolocando-o de volta na trajetória no instante em que começasse a desviar-se dela (como é que você conseguiu até aqui evitar aquela inatenção radiante, embevecido pelo vento, a altitude... os incêndios inimagináveis a seus pés?)... assim, para aquela passagem difícil, tudo era feito dentro da mais intensa e dolorosa *expectativa*, B sempre crescendo, formando uma crista de onda visível, uma onda que silencia todas as criaturas pequenas e modula o ar a um tremor frio... Sua quantidade A — reluzente, constante, carregada como outrora devem ter carregado para o transporte noturno o Graal, com aquele senso de humor antiquado e militar e sardônico... e um belo dia, pela manhã, o lábio superior coberto com uma sombra cinza e metálica, um *bigode de vinte e quatro horas*, o sinal fatal, terrível, ele que fazia a barba todos os dias, aquilo queria dizer que era o Último Dia — e, além disso, com apenas o sexto sentido implacável, metade fé, metade sinal bem recebido, que o B de Muitos Índices logo além do horizonte elétrico estava realmente se aproximando, talvez dessa vez como "B_{iw}", o ângulo de precessão do giroscópio, movendo-se invisível, porém *sensível*, terrivelmente excitante, para além da moldura de metal rumo ao ângulo A_{iw} (e é assim que eles lhe dão os contatos: de modo a fechar, você há de entender, naquele ângulo exato). Ou então como "B_{iL}", outro circuito integrante, não da velocidade do giroscópio, mas do fluxo de corrente, desviada da bobina a girar dentro dos polos, o pêndulo "acorrentado"... eles pensavam assim, os da Equipe de Projeto, em termos de cativeiro, proibição... a atitude deles em relação a seu equipamento era mais brutal, mais soldadesca, do que a da maioria dos engenheiros... Sentiam-se membros de uma elite impiedosa, Driwelling, e Schmeil, as luzes fluorescentes brilhando em sua testa calva noite após noite... Dentro dos cérebros tinham em comum uma eletrodecoração antiquada — capacitores variáveis de vidro, querosene como dielétrico, placas de latão e capas de ebonite, galvanômetros Zeiss com milhares de parafusos de ajuste com roscas finas, miliamperímetros Siemens instalados em superfícies de ardósia, terminais designados por algarismos romanos, Ohms-Padrão de fio de manganês em óleo, a velha Thermosäule Gülcher que funcionava com gás de aquecimento, gerava 4 volts, níquel e antimônio, funis de amianto em cima, tubos de mica...

Aquela vida não era mais honesta que uma vida de gângster? Uma amizade mais limpa... menos traiçoeira, ao menos... Naquele tempo a gente *via* de que modo tinha que se integrar... a própria máquina determinava isso... tudo era tão claro, a paranoia era toda voltada para o inimigo, nunca para nós mesmos...

— E a SS?

— Ah, eles eram o inimigo, eu diria... [Risos.]

Não, Klaus, não se dissolva, por favor, não se dissolva em sonhos de delicados interrogatórios soviéticos que vão terminar em algum leito de arminho, num estupor recendente a vodca, você sabe que isso é bobagem...

O B, B índice N de Närrisch, está quase chegando — quase prestes a queimar o último véu suspirante e tornar-se igual a "A" — igual ao único fragmento de si próprio deixado por eles para atravessar o momento, o irredutível boneco de estireno alemão, mais surrado, menos autêntico do que qualquer eu mais antigo... uma quantidade desprezível nesta última luz... esta tatuagem de botas de caçadores, e ferrolhos de fuzis em encaixes bem lubrificados...

Lá vêm Enzian, Andreas e Christian, anfetamínicos, entrando aos trancos no subsolo — uniformes cinza, sapatos de jornal, calças arregaçadas, mãos e antebraços nus reluzindo de óleo de motor e graxa de engrenagem, com mosquetões para exibir poder. Mas nenhum dos Vazios está aqui para vê-los. É tarde demais. Apenas a cama muda, e a elipse marrom que o sangue dela deixou no colchão rasgado. E os salpicos de anil nos cantos, debaixo da cama... a assinatura, o desafio dos Vazios.

"Onde é que *ela* —" Christian está no limiar da fúria. Basta uma palavra impensada para que ele saia disposto a matar o primeiro Vazio que encontrar. Maria, sua irmã, está, estava, talvez —

"Melhor a gente", Enzian já saindo pela porta, "onde que, hã... o marido dela, sabe..."

"Pavel." Christian quer ver seus olhos, mas Enzian não se vira.

Pavel e Maria queriam ter a criança. Então Josef Ombindi e sua gente começaram a fazer suas visitas. Aprenderam esses hábitos de urubu com os missionários cristãos. Eles têm listas de todas as mulheres em idade fértil. Qualquer gravidez, eles começam a voar em círculos, entrar em sintonia, fazer voos rasantes. Lançam mão de ameaças, casuísmos, sedução física — há todo um arsenal de técnicas. O anil é o abortivo preferido deles.

"A refinaria", arrisca Andreas Orukambe.

"Você acha? Mas ele não jurou que não ia mais fazer isso?"

"É, mas depois dessa..." O irmão da moça olha para ele com uma dureza de punhos cerrados. *Enzian, sua besta, você realmente está por fora...*

Voltam a suas motos e partem outra vez. Diques secos bombardeados, costelas de armazéns reduzidas a carvão, fatias cilíndricas de submarinos que jamais chegaram a ser montados, passam por eles na escuridão. Membros de uma equipe de segurança britânica fazem suas rondas, porém pertencem a um outro mundo, estanque. O G-5 britânico ocupa seu próprio espaço, sua própria Zona, congruentes porém não idênticos ao espaço e à Zona que esses sérios quadros do Schwarzkommando atravessam ruidosamente em suas motos sem silenciosos no meio da noite.

Separações estão ocorrendo. Cada Zona alternativa se afasta rapidamente de todas as outras, numa aceleração implacável, desvio para o vermelho, fugindo do Centro. A cada dia, o retorno mítico com que Enzian sonhava parece menos possível. Outrora era necessário conhecer uniformes, insígnias, símbolos nas fuselagens dos aviões, para observar fronteiras. Mas agora escolhas demais já foram feitas. A raiz única se perdeu, durante a desolação de maio. Cada pássaro tem seu galho agora, e cada um deles é a Zona.

Uma multidão de deslocados de guerra perambulam junto às ruínas de um chafariz, uns vinte deles, olhos de cinza riscados em rostos brancos como sal. Os herero passam por eles contornando-os, sobem metade de uma escadaria de degraus rasos e longos que se fundem com a ladeira, dentes da arcada superior se chocando com os da inferior, corpos das motos guinchando agudo, subindo e descendo degraus, passando por explosões inarticuladas de fôlego eslavo. Cinza e sal. Um caminhão de som surge atrás de um muro a cem metros dali: a voz, com formação universitária e cansada da mensagem, recita: "Deixem as ruas livres. Vão para suas casas". Deixem o — vão para *o quê?* Deve haver algum engano, deve ser para alguma outra cidade...

Brrrr debaixo de um oleoduto apoiado em cavaletes que desce à esquerda rumo à água, enormes planges aparafusadas, amolecidas pela ferrugem e a sujeira oleosa. Ao longe, no porto, um navio-tanque, jogando sereno como uma rede de estrelas... *Vruuuum* ladeira acima rumo a um baluarte de traves e vigas e chaminés e canos e dutos e enrolamentos e revestimentos e isolamentos destruídos, emaranhados, fundidos, queimados, reconfigurados por todos os bombardeios, pedrinhas do chão manchadas de graxa, passando a quilômetro e meio por minuto e espere aí, espere aí, "*reconfigurados*", hein?

Surge — não, *irrompe*, como irrompe aquela luz que você sempre teme que algum dia venha a explodir uma noite numa hora profunda demais para que a coisa possa ser despachada com meras explicações — irrompe na consciência de Enzian o que lhe parece uma intuição extraordinária. Este amontoado de escória em que ele está prestes a entrar agora, esta ex-refinaria, a Jamf Ölfabriken Werke AG, *não é de modo algum uma ruína. Está em perfeitas condições de funcionamento*. Apenas aguardando que as ligações corretas sejam feitas, sejam acionadas... foi modificada, precisamente, *deliberadamente*, por um bombardeio que não foi hostil, e sim parte de um plano aceito desde o início pelos dois adversários — "*adversários?*"... sim, e se, agora, nós — está bem, e se nós formos mesmo os cabalistas daqui, os magos-eruditos da Zona, havendo em algum lugar dela um Texto, a ser esmiuçado, anotado, glosado, masturbado até ficar mole, exaurido de sua última gota... pois bem, nós todos imaginamos — natürlich! — que esse Texto sagrado não poderia senão ser o Foguete, orururumo orunene o excelso, o ascendente, o morto, o refulgente, o grande (as crianças dos herero da Zona já estão modificando "orunene" para "omunene", o irmão mais velho)... nossa Torá. Por que não? As simetrias, as latências, o *charme* do

Foguete nos encantava e seduzia enquanto o verdadeiro Texto persistia, em algum outro lugar, em sua treva, a nossa treva... mesmo aqui, tão longe do Südwest, não somos poupados da antiga tragédia das mensagens perdidas, uma maldição que jamais nos deixará em paz...

Porém, se o estou atravessando agora, o Texto Verdadeiro, se é mesmo ele... ou se o passei hoje em algum lugar na devastação de Hamburgo, respirando pó de cinza, sem me dar conta de nada... se o que a IG construiu aqui não era de modo algum a forma final da coisa, porém apenas uma disposição de fetiches, chamarizes para evocar ferramentas especiais que eram os bombardeiros da oitava Força Aérea *sim* os aviões dos "Aliados" então foram todos, em última análise, construídos pela IG, via diretor Krupp, através de suas conexões na Inglaterra — o bombardeio era o exato processo industrial de conversão, cada liberação de energia localizada com exatidão no espaço e no tempo, cada onda de choque planejada de antemão de modo a criar *precisamente os destroços de agora* e desse modo decodificar o Texto, assim codificando, recodificando, redecodificando o Texto sagrado... Se está em perfeitas condições de funcionamento, então ele foi feito para quê? Os engenheiros que o construíram como uma refinaria não sabiam que ainda havia outras etapas pela frente. O projeto deles estava "pronto", e eles não precisavam mais pensar naquilo.

Isso quer dizer que a Guerra nunca foi política, a política era mero teatro, tudo isso só para desviar a atenção das pessoas... secretamente, a Guerra estava sendo determinada pelas necessidades da tecnologia... por uma conspiração entre seres humanos e técnicas, por algo que precisava da explosão de energia de uma guerra, gritando "O dinheiro que se dane, é a própria vida de(o)(a)(s) [inserir aqui o nome da Nação em questão] que está em jogo", mas querendo dizer na verdade *o dia já quase raiou, preciso da minha dose de sangue desta noite, minhas verbas, verbas, aah, mais, mais...* Os verdadeiros gritos eram gritos de alocações e prioridades, não entre firmas — a coisa apenas foi feita de modo a dar tal impressão — e sim entre diferentes Tecnologias, Plásticos, Eletrônica, Aviões, e suas necessidades, que só são apreendidas pela elite dominante...

Sim, mas a tecnologia só faz reagir às circunstâncias (quantas vezes esse argumento já não terá sido iterado, insistente e insípido como uma redução de Gauss, principalmente entre os membros mais jovens do Schwarzkommando), "Está tudo muito bem, é muito fácil falar em segurar o monstro pelo rabo, mas você acha que nós teríamos o Foguete se alguém, um alguém específico dotado de nome e pênis, não tivesse *resolvido* despejar uma tonelada de amatol a uma distância de 500 quilômetros e fazer um quarteirão cheio de civis ir pelos ares? Pode pôr T maiúsculo em tecnologia, divinizá-la se isso o faz sentir-se menos responsável — mas isso, meu irmão, coloca você no mesmo barco que os castrados, os eunucos que guardam o harém de nossa Terra roubada para os tesões entorpecidos e sem prazer dos sultões humanos, a elite humana que não tem nenhum direito de estar onde está —"

Temos que procurar aqui fontes de poder e redes de distribuição que nossos professores jamais imaginaram, ou que foram incentivados a ignorar... temos que encontrar metros cujas escalas o mundo desconhece, criar nossos próprios esquemas, recolher feedback, estabelecer conexões, reduzir a margem de erro, tentar aprender a verdadeira função... até pôr o dedo em que trama inimaginável? Aqui em cima, na superfície, alcatrões de hulha, hidrogenação, síntese, eram todas funções falsas, fachadas para ocultar a missão verdadeira, *planetária*, sim, que talvez tenha levado séculos para se realizar... esta fábrica destruída, aguardando seus cabalistas, seus novos alquimistas, que descubram a Chave, que ensinem o mistério aos outros...

E se não for exatamente a Jamf Ölfabriken Werke? se for a fábrica da Krupp em Essen, ou a Blohm & Voss aqui mesmo em Hamburgo ou em alguma outra pseudorruína, em outra cidade? Em outro *país*? IAAAGGGGHHHHH!

É, é uma conversa estimulante, sim, Enzian anda devorando o estoque de Pervitin dos nazistas que sobrou como quem come pipoca no cinema, e a essa altura a maior parte da refinaria — cujo nome, aliás, é uma homenagem ao famoso descobridor da Onirina — já ficou para trás, e Enzian já embarcou em algum outro terror paranoico, falando, falando, embora o vento e o motor de cada moto o impeçam de conversar.

Ouve-se aqui, ao fundo, um pianinho meio à Hoagy Carmichael

Sou desoxifedrinômano e não tenho medo de nada,
Ando com os bolsos cheios de felicidade,
Atravessando a Zona, assustando os vira-latas,
Distribuindo sonhos por toda a cidade...
Tirei as válvulas do rádio,
Fiz isso só de pirraça —
Não gasto um tostão em jornal, isso não,
Eu faço o meu de graça...

A Boca se mexe a todo vapor,
E ninguém, mas ninguém, mesmo, escuta —
Você é muito espertinho, e eu lhe dou um tchauzinho
Sem graça, seu filho da puta!

A distância de ti não me anfeta-a-mínima,
Quando ouvir o meu nome, se encante —
Na treva da cela, ah triste donzela,
Tudo será como antes
(Acenda uma vela)
Tu-do será como antes...

Ontem à noite, em seu diário, Enzian escreveu: "A Boca ultimamente tem trabalhado demais. Dela sai pouca coisa que tenha alguma serventia para alguém. Uma defesa. Meu Deus, meu Deus. Então eles estão realmente me pegando. Por favor, *não quero* pontificar desse jeito... Eu sei como é minha voz — já ouvi em Peenemünde, anos atrás, no ditafone de Weissmann... cromo e baquelita... muito aguda, antipática, Schnauze de berlinense... todo mundo deve se arrepiar por dentro toda vez que começo a falar...

"Talvez eu vá amanhã. Sei ficar sozinho. Tenho menos medo da solidão do que deles. Eles tiram tudo — mas nunca *usam* o que tiram. O que eles acham que podem tirar de mim? Não querem meu patriarcado, não querem meu amor, não querem minhas informações, nem meu trabalho, nem minha energia, nem o que eu tenho... Não tenho *nada*. Não existe mais dinheiro — ninguém aqui vê dinheiro há meses, não, não pode ser dinheiro... cigarros? Nunca tenho cigarros suficientes...

"Se eu os deixasse, para onde eu poderia ir?"

Agora, em meio aos tanques, contra o vento da tarde, derrapando neste deserto sintético, tudo de um negrume uniforme... O motor de Christian parece estar falhando de vez em quando, quase afogando. Decisão imediata: se o motor dele pifar, ele que ande a pé. Menos mal se Pavel estiver lá, se não, pegar Christian na volta e arranjar um caminhão para vir depois consertar... simplificar a vida, é esta a característica fundamental de um grande líder, Enzian.

Mas a moto de Christian não pifa, e Pavel acaba que está lá, sim, mais ou menos. Quer dizer, não "lá" no sentido que Enzian, em seu atual estado mental, consideraria por muito tempo. Mas presente, sim, juntamente com um extraordinário agregado de amigos que sempre aparecem quando ele vem cheirar Leunagasolin, gente como, bem, a Criatura de Musgo, o verde mais vivo que se pode imaginar, mais ardente que fluorescente, quietinha num canto do campo, mexendo-se um pouco de vez em quando, como um bebê... e que tal o Gigante d'Água, um visitante de dois quilômetros de altura feito de água fluente, que gosta de dançar, contorcendo-se da cintura para cima, os braços soltos levantados. Quando o pessoal de Ombindi levou Maria para procurar o médico deles em Hamburgo, vozes começaram a chamar — vozes dos Fungos Pigmeus que dão nos tanques, na interface entre o combustível e a água no fundo, começaram a chamá-lo. "Pavel! Omunene! Por que você não volta, para nos ver? Temos saudades de você. Por que não nos procurou mais?" Não tem muita graça ficar cá embaixo na Interface, competindo com as bactérias que passam por eles em sua terra de luz, esta aristocracia celular, aproximando-se da camada de hidrocarbonetos, cada um para pegar sua parte da abundância de Deus — deixando seus dejetos, um murmúrio verde, uma confusão instável de vozes divergentes, um limo que com o passar dos dias se torna cada vez mais denso, mais venenoso. De fato, é deprimente ser pigmeu, amontoado com milhares de outros, centenas de milhares, e ter que viver do outro lado disso tudo. Você diz "outro lado"? O que você quer dizer? Que outro lado? Na gasolina? (Pigmeus Amontoados, jocosos, ao som de um bordão bem conhecido:) Não, não, não! — Na água, então? (P.A.:) Não, não, não! — Bem, vocês vão ter que me explicar, por favor, senão eu baixo minha cueca! Referimo-nos, explicam os Pigmeus, juntando as cabecinhas de modo a formar uma espécie de couve-flor simétrica, e assumindo um tom melancólico, cantando a capela, como garotos em volta de uma fogueira acompanhando Bing Crosby com boné de beisebol (é verdade, essas Leunahalluziationen às vezes são mesmo muito estranhas, mais estranhas ainda que um choque cultural, isso aqui é um *meta*choque, isso, rostos brancos três-sigmas num ritual cujo mistério é mais profundo que a luz setentrional no Kalahari...) referimo-nos ao outro lado da coisa toda, todo o ciclo bactéria-hidrocarboneto-dejeto. Daqui dá para vermos a Interface. É um arco-íris comprido, a maior parte dele azul-anil, se isso ajuda alguma coisa — azul-anil e verde-trevo (Bing, regendo, eleva todos aqueles rostinhos irlandeses, todos vítimas de lavagem cerebral, à luz da fogueira, num crescendo emocionante) verde-piscina... gasolina... intestina... submarina... diminuindo, porque a essa altura Pavel já estava a caminho da refinaria, esquecendo de 2 semanas e meia de tortura que ele mesmo se impôs, os homens de Ombindi atrás dele junto aos canos de lã de vidro da caldeira, homens e mulheres todos querendo acariciá-lo, pressioná-lo de ambos os lados da Querela do Suicídio Tribal, Enzian reclamando, tão envolvido com o Foguete, tão acirrado em seu conflito com o russo, que não se interessa por nada que vá além de seu próprio umbigo... e Pavel tentando fugir disso tudo, do hálito de Mukuru, tentando apenas ser um homem bom —

A Criatura de Musgo se mexe. Ela se aproximou muito, assustadoramente, desde a última vez que Pavel olhou. Uma súbita torrente de vermelho-cereja uniforme desce a encosta à sua direita (havia montanhas? De onde vieram essas *montanhas*?) e de súbito ele compreende, além de qualquer engodo ou esperança, que foi parar no Norte, que ao inalar o hálito do primeiro ancestral ele foi transportado para a terra terrível, como certamente sabia que ia acontecer, passo a passo no decorrer dos últimos anos, impossível voltar-se (o que quer dizer *voltar-se*? não sei nem para que lado devo me mexer... não sei nem *como* me mexer...) é tarde demais, foram quilômetros demais, mudanças demais.

E agora sua cabeça na mira de Christian a 300 metros. De repente, esta terrível ramificação: as duas possibilidades já começam a afastar-se à velocidade do pensamento — uma nova Zona agora, quer Christian atire ou não — pular, escolher —

Enzian se esforça ao máximo — desvia o cano da arma com um tapa, diz algumas palavras desagradáveis para o jovem vingador. Porém os dois homens viram os ramos novos. A Zona, mais uma vez, acaba de mudar, e eles já estão na nova...

Sobem em suas motos até o lugar onde Pavel está cheirando gasolina sintética, na encosta da colina bege sem luz, sob os tanques lesmando alvamente em direção aos céus, lá está ele, um dos clientes mais satisfeitos da IG...

Será que Pavel sabe alguma coisa que só ele sabe? Se a IG queria que isto fosse uma fachada para alguma outra coisa, por que não o hálito de Mukuru?

Enzian é capaz de projetar-se de volta no Erdschweinhöhle, abrindo um novo arquivo sobre a IG — vendo-o engordar mais e mais à medida que vão surgindo as interligações, a auditoria dos livros progride, as testemunhas se apresentam — não propriamente avançam, mas andam para o lado, ao menos, sempre nas sombras... E se, no final das contas, não for o Foguete, não for a IG? Ora, nesse caso ele vai ter que passar para alguma outra coisa, não é? — a fábrica da Volkswagen, as companhias farmacêuticas... e se não for nem na Alemanha, então ele terá de começar na América, ou na Rússia, e se morrer antes de encontrarem o Texto Verdadeiro a ser estudado, então terá que haver máquinas para que outros levem adiante a tarefa... Está aí uma ótima ideia — juntar todo o pessoal do Erdschweinhöhle, levantar-se e dizer, *Meu povo, eu tive uma visão*... não não, mas sem dúvida será preciso contar com uma equipe maior, se a busca vai ser tão grande assim, um discreto desvio de recursos até então aplicados no Foguete, diversificando embora dando a impressão de estar havendo apenas crescimento orgânico... e quem deverá ser envolvido na tarefa? Christian — será que ele pode usar o rapaz agora, a raiva de Christian, será que *Ela* é que utilizará Christian, para ajudar a combater Ombindi... porque se a missão do Schwarzkommando na Zona só foi de fato revelada neste momento, então algo terá de ser feito a respeito de Ombindi, os Vazios, a doutrina do Zero Final. Uma equipe maior implicará mais herero na Zona, e não menos — para que mais informações sejam levantadas a respeito do inimigo, mais conexões estabelecidas, será necessário expor o povo mais ao perigo, e portanto a tribo terá de aumentar. Haverá uma alternativa? não... ele preferiria ignorar Ombindi, mas as necessidades dessa nova Demanda não lhe permitirão essa facilidade... a Demanda é tudo...

Em algum lugar, nos confins desérticos do Mundo, está a chave que nos levará de volta, que nos devolverá nossa Terra e nos restituirá a liberdade.

Andreas está conversando com Pavel, o qual ainda está com seus companheiros estranhamente iluminados, brincando disso e daquilo. Pouco depois, com amor e subterfúgios, ele consegue o endereço do médico ligado a Ombindi.

Enzian sabe quem ele é. “Saint Pauli. Vamos lá. A sua moto está com problema, Christian?”

“Não me venha com conversa mole”, explode Christian, “você está se lixando pra mim, está se lixando pra minha irmã, ela morrendo lá e você aqui encaixando-a nas suas equações — não me venha com essa conversa de pai espiritual, porque dentro desse seu ego você nem mesmo nos odeia, você é indiferente, você não tem mais nenhuma *ligação* conosco —” Brande o punho cerrado diante do rosto de Enzian. Está chorando.

Enzian permanece impassível, deixa. Dói. Ele deixa. E sua humildade não é só política. Ele sente a verdade básica que há no que Christian disse — talvez não toda ela, não toda ao mesmo tempo, mas o bastante.

“Agora você se ligou. Vamos procurar minha irmã?”

Lá está a boa Frau, debruçada sobre Slothrop, esticando-se do pé da cama: olho vivo e atrevido como olho de papagaio, branco e protuberante, sobre braços e pernas velhos e espinhosos, lenço preto acima do topete, luto por todos seus mortos hanseáticos, sob as pesadas esquadras de ferro, sob as ondas cinzentas do Báltico, mortos sob as esquadras de ondas, as pradarias do mar...

Pouco depois o pé de Gerhardt von Göll cutuca Slothrop de modo não muito carinhoso. O sol já nasceu, todas as coristas foram embora. Otto resmunga andando pelo convés com vassoura e esfregão, limpando a merda de chimpanzé da véspera. Swinemünde.

O Springer voltou a ser o mesmo sujeito animado de sempre. "Ovos frescos e café na casa do leme — vá lá. Nós vamos embora daqui em quinze minutos."

"É, mas pode tirar o 'nós', meu chapa."

"Mas eu preciso da sua ajuda." Springer está com um belo terno de tweed, bem Saville Row, perfeitamente ajustado —

"O Närrisch precisava da sua ajuda também."

"Você não sabe do que está falando." Os olhos dele são bolas de gude de aço que nunca perdem. Quando ri (e nessa hora aparece o letreiro: *Tranquilizando os trouxas*), é um riso Mitteleuropäisch, sem alegria. "Está bem, está bem. Quanto você quer?"

"Tudo tem preço, não é?" Mas Slothrop não está sendo nobre, não, o que há é que ele acaba de descobrir qual é seu preço, e precisa ajustar essa conversa, dar-lhe um segundo para respirar e desenvolver-se.

"Tudo."

"O que você propõe?"

"Uma piratariazinha de leve. Pegue um pacote para mim enquanto eu lhe dou cobertura." Olha para o relógio, representando seu papel.

"Está bem. Me arrume uma baixa que eu vou com você."

"Uma o quê? Uma baixa? Pra *você*? Ha! Ha! Ha!"

"Você devia rir mais, Springer. Você fica uma gracinha."

"Que tipo de baixa, Slothrop? Com direito a promoção honorária, é? Ah, ah-ha! Ha! Ha!" Como Adolf Hitler, Springler tem muita sensibilidade para aquilo que os alemães chamam de Schadenfreude, a felicidade causada pela desgraça alheia.

"Pare com isso. Estou falando sério."

"É *claro* que está, Slothrop!" E ri mais.

Slothrop espera, observa, tomando seu ovo quente, embora não se sinta nem um pouco ladino hoje.

"O Närrisch tinha ficado de ir comigo hoje. Agora o jeito é apelar para você. Ha! Ha! Onde é que você quer que seja entregue, essa — ha! — baixa, hein?"

"Cuxhaven." Ultimamente Slothrop anda nutrindo uma vaga fantasia de tentar contatar o pessoal da Operação Tiro pela Culatra, para ver se eles o ajudam a sair. Ao que parece, são a única conexão inglesa com o Foguete que resta. Slothrop já sabe que não vai dar certo. Ele e Springer marcam um encontro assim mesmo.

"Vá num lugar chamado Putzi's. Fica na estrada de Dorum. Os comerciantes de lá lhe dizem onde é."

Assim, lá vão eles outra vez — passando pelo abraço úmido dos molhes, entrando no Báltico, crista a crista, nimbo acumulando-se sobre nimbo, no alegre navio de piratas, num dia já borrascoso e feio, piorando ainda mais. Springer, parado junto à porta da casa do leme, grita para se fazer ouvir apesar do barulho do mar agitado que lambe a proa e o tombadilho. "Para onde ele está indo?"

"Se é para Copenhague", o rosto de Frau Gnahb, queimado de vento, rugas de sorriso permanentes em torno dos olhos e da boca, radiante como o sol, "não deve estar mais de uma hora a nossa frente..."

A visibilidade hoje está tão baixa que não dá para ver a costa de Usedom. Springer põe-se ao lado de Slothrop na amurada, e ficam os dois a olhar para o nada, respirando o cheiro pesado do tempo ruim.

"Ele está bem, Slothrop. Ele já passou por outras piores. Há dois meses, em Berlim, caímos numa emboscada, bem na porta do Chicago. Ele atravessou o fogo cruzado de três Schmeissers para propor um negócio aos nossos concorrentes. Não sofreu um arranhão."

"Springer, ele estava lá trocando tiros com metade do exército russo."

"*Eles* não vão matar o Närrisch, não. Sabem quem ele é. Um sujeito que trabalhava em guiagem, que era o braço direito do Schilling, que entende mais sobre integração de circuitos do que qualquer outra pessoa que não esteja internada em Garmisch. Os russos estão oferecendo salários fantásticos — melhores que os dos americanos — e vão deixar que ele continue na Alemanha, trabalhando em Peenemünde ou na Mittelwerke, tal como antes. Ele pode até fugir, se é isso que ele quer, temos contatos muito bons para isso —"

"Mas e se atiraram nele?"

"Não. Não era para eles atirarem nele."

"Springer, isso aqui não é um filme, porra."

"Ainda não. Talvez ainda não. Melhor aproveitar enquanto pode. Algum dia, quando existir filme mais rápido, equipamento leve que caiba no bolso a preços acessíveis a todos, e não for mais necessário usar spots e microfones suspensos, *então*... então..." *Agora podemos ver, a boreste de nossa proa, a mítica ilha de Rügen.* Os penhascos de giz brilham mais que o céu. Há névoa nos braços de mar, e entre os carvalhos verdes. Ao longo das praias pairam fiapos de neblina cor de pérola.

Nossa comandante, Frau Gnahb, segue rumo a Greifswalder Bodden e vasculha os compridos braços de mar em busca de sua presa. Após uma hora (solos humorísticos de fagote enquanto vemos closes da velha fora da lei bebendo alguma horrenda papa de batata fermentada do gargalo de um galão, enxugando os lábios na manga, arrotando) *de busca infrutífera, nossos piratas modernos seguem rumo ao alto-mar outra vez, e depois bordejam a costa oriental da ilha.*

Cai uma chuvinha leve. Otto traz impermeáveis para todos, e uma garrafa térmica cheia de sopa quente. Nuvens de dez tons de cinza deslizam pelo céu. Grandes massas enevoadas de rocha, barrancos íngremes, rios em gargantas profundas, cinza e verde, e agulhas de giz branco na chuva, vão passando — o Stubbenkammer, o Assento do Rei, e por fim, a bombordo, o cabo Arkona, onde as ondas quebram na base dos penhascos e, no alto deles, árvores de troncos brancos balançam ao vento... *Os antigos eslavos erigiram aqui um templo a Svetovid, deus da fertilidade e da guerra. O velho Svetovid tinha um bocado de outras identidades — Triglav, de três cabeças, Porevit, de cinco cabeças, Rugevit, de SETE cabeças! Conte essa a próxima vez que disserem que você tem duas caras! Pois bem, quando Arkona se afasta da alheta de bombordo —*

"Lá está ele", grita Otto, em cima da casa do leme. Longe, muito longe, seguindo rumo ao alto-mar, além do Wissow Klinken (a pálida chave de calcário com que a Divina Providência está hoje vasculhando as celas do coração de Slothrop), quase invisível na chuva, tremula minúsculo o alvo abantesma de um navio...

"Tome a marcação", diz Frau Gnahb, agarrando a roda do leme e firmando bem os pés no convés. "Queremos *rumo de colisão*!" Otto acocora-se junto ao pelórus, estremecendo.

"Tome, Slothrop."

Luger? Caixa de munição? "O que..."

"Chegou hoje de manhã junto com os ovos."

"Você não me disse —"

"Talvez ele esteja um pouco ansioso. Mas é um realista. Eu e a sua amiga Greta o conhecemos em Varsóvia, nos velhos tempos."

"Springer — me diga, Springer, que navio é esse?" Springer lhe entrega um binóculo. Em letras douradas, atrás do chacal dourado na proa alva como um espectro, lê o nome que já conhece. "O... K.", tentando olhar nos olhos de Springer através da chuva, "você sabia que eu estava a bordo. Você está armando uma fria pra mim, não está?"

"*Quando* que você esteve a bordo?"

"Ah, não me venha..."

"Escute, quem ia pegar esse pacote hoje era o Närrisch. Não era você. A gente nem *conhecia* você. Será que você não consegue parar de enxergar conspirações pra todos os lados? Eu não controlo os russos, e não fui eu que fiz o Närrisch cair —"

"Você acha que eu engulo essa inocência toda, é?"

"Parem de discutir, seus imbecis", berra Frau Gnahb, "e *não atrapalhem*!"

Preguiçoso e espectral, o *Anubis* aproxima-se mais e mais, porém tão nebuloso quanto antes. Springer pega um megafone na casa do leme e grita: "Bom dia, Procalowski — permissão para subir a bordo".

A resposta é um tiro. Springer joga-se no convés, o impermeável é um rio amarelo agitado, deita-se de costas com o megafone virado para cima, concentrando chuva dentro de sua boca: "Então vamos sem permissão mesmo —". Fazendo sinal para Slothrop aproximar-se: "Prepara-se para subir no navio". Para Frau Gnahb: "Vamos atracar com peia".

"Tudo bem, mas", basta olhar para o sorriso mau que agora ilumina o rosto da mãe de Otto para entender que o que a motiva não é dinheiro, "quando é que eu vou *abalroar*?"

Sozinhos no mar com o *Anubis*. Slothrop começou a suar, um suor desagradável. A costa verde e rochosa de Rügen é o pano de fundo da cena, subindo e descendo ao sabor da borrasca. *Zonggg* mais um tiro cascavelando na antepara. "Abalroar", ordena o Springer. A tempestade engrossa de verdade. Frau Gnahb, felicíssima da vida, cantarolando, rodopia a roda, os raios se confundem, a proa a jogar aponta para a meia-nau. O costado liso do *Anubis* aproxima-se de repente — será que a Frau vai querer vará-lo como se fosse um aro de papel? Rostos vistos pelas vigias, cozinheira descascando batatas à porta da cozinha, bêbado de sobrecasaca dormindo no convés em plena chuva e deslizando ao sabor do jogo do navio... ah — ja, ja, uma tigela grande com desenho de flores azuis cheia de batatas cortadas junto ao cotovelo dela, uma janela, flores de ferro fundido num trepadeira espiral pintada de branco, cheiro suave de repolho e panos de pratos debaixo da pia, um avental frouxo à frente e teso atrás, cordeiros junto às suas pernas, e ja o pequeno, ah, ja, lá vem o pequeno — ah — lá vem *lá vem* O PEQUENO — AHH —

OTTO! enfia o bico do navio no *Anubis*, um barulho filhodamãe nos ouvidos *Otto*...

"Todos a postos." Springer já está em pé. Procalowski está se afastando e aumentando a velocidade. Frau Gnahb aproxima-se de novo pela alheta a boreste, seu barco estremecendo na esteira do iate. Otto distribui croques, usados há muito nos portos hanseáticos, ferro marcado, aparência bem funcional, enquanto a Mutti segue em frente a toda velocidade. Casais postaram-se sob toldos a bordo do *Anubis* para assistir ao espetáculo, apontando, rindo, acenando com alegria. Moças de seios nus perolados de chuva sopram beijos enquanto a banda toca, num arranjo de Guy Lombardo, "Correndo entre os pingos de chuva".

Bucaneiro experimentado, Slothrop sobe a escada escorregadia, brandindo seu croque, dando corda, de olho no tal Otto — enrolar, rodopiar como um laço, ffflup — clac. Springer e Otto na proa e na popa estão puxando ao mesmo tempo, com força, enquanto os barcos se batem, quicam, se batem... mas o *Anubis*, branco e mole, diminui a velocidade, refestela-se, entrega-se... Otto prende sua corda nos cunhos da proa e no corrimão trabalhado do iate — depois corre à popa, os tênis espirrando água, deixando marcas listradas que a água logo recobre, para repetir a operação na popa. Um rio recém-criado ruge, branco e violento, correndo para trás entre os dois navios. Springer já está no convés do iate. Slothrop enfia a Luger no cinto e vai atrás.

Springer, com os clássicos gestos de cabeça vistos em tantos filmes de gângster, faz sinal para que ele vá até o passadiço. Slothrop atravessa um mar de mãos estendidas apalpando, saudando em russo estropiado, bafos alcoólicos, até chegar à escada de bombordo — sobe, entra de fininho no passadiço. Porém Procalowski está só, sentado na cadeira do comandante fumando um dos *amis* de Springer com o quepe empurrado para trás, e Springer está justamente chegando na chave de ouro de mais uma de suas incontáveis piadas porcas alemãs.

"Que diabo, Gerhardt", Procalowski apontando com o polegar. "Quer dizer que o Exército Vermelho está trabalhando pra você também?"

"Oi de novo, Antoni." As três estrelas prateadas em cada uma de suas dragonas brilham simpáticas, mas não adianta.

"Não conheço você." Para o Springer: "Tudo bem. Está na praça de máquinas. Do lado de boreste, atrás do gerador", e ao ouvir essa deixa Slothrop sai de cena.

Ao descer a escada, encontra Stefania vindo pela passagem. "Oi. Desculpe a gente se encontrar de novo desse jeito."

"Oi, eu sou a Stefania", com um sorriso instantâneo ao passar, "tem bebida no convés acima desse, divirta-se", e já saiu na chuva. O quê?

Slothrop desce por uma escotilha, começa a subir em direção à praça de máquinas. Lá em cima, em algum lugar, três sinos tocam, lentamente, um pouco ocos, com um pequeno eco. É tarde... *tarde*. Ele se lembra onde está.

Assim que pisa no convés, todas as luzes se apagam. Os ventiladores vão morrendo aos poucos, até o silêncio. A praça de máquinas fica um convés abaixo. Terá ele que agir no escuro?

"Não posso", em voz alta.

"Pode, sim", responde uma voz perto de seu ouvido. Ele sente o hálito. Leva um golpe preciso na base do pescoço. Luz espirala na escuridão. O braço esquerdo ficou dormente. "Vou lhe deixar o outro", cochicha a voz, "para você poder descer até a praça de máquinas."

"Espere —" Parece o bico de uma sapatilha, surgindo do nada, hesitando por um segundo no ar, acariciando-lhe a carne macia por baixo do queixo — e em seguida chutando-o para cima, trincando-lhe a língua entre os dentes.

A dor é terrível. Ele sente gosto de sangue na boca. Suor acumula-se junto aos olhos.

"Vá logo." Quando Slothrop hesita, é beliscado com força no pescoço. Ah, como dói... ele se agarra à escada, cego como a noite, começando a chorar... então lembra-se da Luger, mas antes que consiga pegá-la leva um chute brutal entre o quadril e a virilha. A arma cai no convés de aço. Slothrop está ajoelhado com um dos joelhos, tateando, quando o sapato pousa de leve em seus dedos. "Você vai precisar dessa mão para segurar-se à escada, lembra-se? *Lembra-se?*" Então o sapato é levantado, mas em seguida chuta-o na axila. "Levante-se, vamos."

Slothrop chega à próxima escada, e com um braço só, sem jeito, vai descendo. Sente a escotilha de aço elevar-se a seu lado. "Só tente voltar depois que fizer o que tem que fazer."

"Thanatz?" A língua de Slothrop dói. O nome sai desajeitado. "Morituri?" Não há resposta. Slothrop sobe um degrau.

"Não, não. Eu continuo aqui."

À medida que desce, trêmulo, degrau por degrau, aos poucos vai voltando a sentir o braço. Como pode descer? Como pode subir? Tenta concentrar-se na dor. Seus pés finalmente atingem o aço plano. Cegueira. Move-se para boreste, chocando-se a cada passo com beiras à altura da canela, pontas agudas... *Eu não quero... como é que posso... esticar a mão para trás... mãos nuas... e se...*

Um súbito gemido à sua direita — um som mecânico — ele dá um salto, tragando ar gelado por entre os dentes, os nervos das costas e dos braços latejando, a dormência sumindo e voltando, pulsando... ele chega a uma barreira cilíndrica... talvez seja o gerador... abaixa-se e começa a — Sua mão aperta tafetá engomado. Retira a mão de repente, tenta pôr-se de pé, dá com a cabeça com força contra alguma coisa pontiaguda... quer voltar de gatinhas para a escada, mas perdeu completamente o senso de direção... agacha-se, gira num círculo, devagar... *deixe passar deixepassar...* Porém suas mãos, apalpando o convés, retornam ao cetim escorregadio.

"Não." Sim: colchetes. Quebra uma unha, tentando abri-los, mas eles persistem... renda que se mexe, certa como cobra, emaranhando-se, enroscando-se em cada dedo...

"*Não...*" Semiergue-se, de cócoras, avança e esbarra em algo pendurado do alto. Coxas pequenas e gélidas envoltas em seda molhada roçam-lhe o rosto. Cheiram a mar. Ele se afasta, e cabelos longos e úmidos açoitam-lhe o rosto. Não importa para que lado ele tente voltar-se agora... mamilos gelados... a fenda profunda das nádegas dela, perfume e merda e cheiro de maresia... e o cheiro de... *de...*

Quando as luzes voltam a se acender, Slothrop está de joelhos, respirando com cuidado. Sabe que terá de abrir os olhos. Agora o recinto fede a luz contida — com possibilidades mortais para a luz — enquanto o corpo, em momentos de grande tristeza, sentirá sua real oportunidade de sofrer dor: verdadeira, terrível, imediatamente aquém do limiar... O embrulho de papel pardo está a três centímetros de seu joelho, enfiado atrás do gerador. Mas é o que está dançando branquimorto e rubro nas bordas de sua visão... e as escadas que sobem dali, estarão mesmo tão vazias quanto parecem estar?

De volta no navio da Frau, Springer está abrindo uma garrafa de champanhe, cortesia do *Anubis*, destorcendo o arame luzente e disparando a rolha numa salva de despedida. As mãos de Slothrop tremem, e ele derrama a maior parte de sua taça. Antoni e Stefania, do passadiço, contemplam a separação dos dois navios, o céu do Báltico visível no fundo de seus olhos. Os cabelos brancos dela em filamentos de espuma, suas faces de névoa esculpida... homem-nuvem, esposa-névoa, vão minguando, distantes, silenciosos, de volta para o coração da tempestade.

A Frau segue para o sul, ao longo da outra costa de Rügen, rumo aos estreitos via o Bug. A tempestade prossegue, enquanto escurece. "Vamos parar em Stralsund", o rosto da comandante rabiscado de sombras verde-graxa, luz azul, com o balanço do lampião de óleo na casa do leme.

Slothrop decide que vai saltar lá. Seguir para Cuxhaven. "Springer, você acha que apronta os papéis para mim a tempo?"

"Não posso garantir nada", diz Gerhardt von Göll.

Em Stralsund, no cais, à luz do lampião e na chuva, eles se despedem. Frau Gnahb beija Slothrop, e Otto lhe dá um maço de Lucky Strike. O Springer levanta a vista de seu caderno verde, acena com a cabeça auf Widersehen por cima do pincenê. Slothrop caminha, passa pela prancha de desembarque, chega à Hafenplatz úmida, pé de marinheiro tentando compensar o jogo que já não há mais, passa por retrancas e mastaréus e tarrafas de guinchos, passa por uma tripulação trabalhando no turno da noite, descarregando as barcaças rangedoras em vagões de madeira, cavalos cinzentos e arqueados beijando as pedras nuas de grama... adeus em seus bolsos aquecendo as mãos vazias...

Que báculo papal florescerá por mim?
Ela me chama, com seu monte, suas sedas,
'Scravos de corpos untados, langues promessas
De suplícios que sobem aos céus, atingindo
A pureza da própria luz — grilhões que cantam,
Açoites que trilham luz. Agora, à mercê
Das intempéries, seu chamado me confronta
Em cada curva, enquanto a noite desce suave.

Nenhuma sorte de Lisaura às minhas costas,
Fiz minha derradeira confissão, agnóstico,
Ajoelhado na radiância desta joia...
Aqui, ao vento último que me enregela,
Não há canção, desejo, culpa nem lembrança:
Pentáculo, nem taça, nem Loucura santa...

O general Pudding morreu em meados de junho, vítima de uma infecção devastadora de *E. coli*. Nos estertores, gemia baixinho: "Minha baiguinha dói..." repetidamente. Foi logo antes de o dia raiar, tal como ele desejara. Katje continuou na "Aparição Branca" por algum tempo, vagando pelos corredores desmobilizados, fumacentos e silenciosos nas extremidades de todas as treliças esvaziadas de gaiolas no laboratório, ela própria parte da rede cor de cinza, da poeira cada vez mais espessa, das janelas sujas de moscas.

Um dia encontrou as latas de filmes, empilhadas de qualquer jeito por Webley

Silvernail no que fora outrora uma sala de música, ocupada agora apenas por um cravo Wittmaier vergonhosamente abandonado, linguetas e bicos de pena quebrados, cordas semitonando-se para o agudo ou o grave e corroídas pelas facas impiedosas do tempo a infiltrar-se em todos os cômodos. Naquele dia, Pointsman estava por acaso em Londres, trabalhando na Décima Segunda Casa, frequentando longos almoços alcoólicos com diversos industriais. Estaria se esquecendo dela? Ela ganharia a liberdade? Quem sabe já não estava livre?

No meio do vazio da "Aparição Branca" Katje encontra um projetor, coloca um rolo de filme, focaliza a imagem numa parede com manchas de umidade, junto a uma paisagem de um vale setentrional, cheio de aristocratas abobalhados. Vê uma moça de cabelos brancos na casinha do Pirata, um rosto tão estranho que reconhece os quartos medievais antes de reconhecer-se a si própria.

Quando foi que eles — ah, sim, no dia em que Osbie Feel estava preparando os cogumelos *Amanita*... Fascinada, assiste a vinte minutos de ela-própria numa fuga pré-Pisciana. Para que diabos teriam usado isso? A resposta está na mesma lata, e não demora para que ela a encontre — o polvo Grigori em seu tanque, assistindo ao filme de Katje. Cena após cena: tela piscando, corta para o polvo G., olhando fixamente — cada cena com sua data datilografada, assinalando os progressos dos reflexos condicionados da criatura.

Emendado no final disso tudo, por motivos inexplicáveis, surge o que parece ser um teste de Osbie Feel — logo quem — diante das câmaras. Há uma trilha sonora. Osbie está improvisando um roteiro que ele escreveu, cujo título é:

ÂNSIA DE VICIADO

"Começa com Nelson Eddy ao fundo, cantando:

Ai, tenha cuidado
Com a ânsia de viciado!
Você que está de bem com a vida
Vira inteirinho uma imensa ferida
Por culpa da ÂNSIA DE VICIADO!

"Eis que senão quando entram na cidade dois caubóis cansados, Basil Rathbone e S. Z. ('Cuddles') Sakall. Na entrada da cidade, impedindo o caminho deles, está o Anão que fez o papel principal no filme *Monstros*. Aquele que tem sotaque alemão. Ele é o xerife. Usa uma estrela dourada enorme que cobre quase o peito todo. Rathbone e Sakall param os cavalos, com um sorriso meio sem graça no rosto.

"RATHBONE: Isso aí *não pode* ser realidade, é ou não é?

"SAKALL: Ho, ho! É clarro que é rrealidade, seu ficiado de merrda, quem manda focê cairr de boca naquele *cacto* esquissito que a gente encontrrou na estrrada. Focê devia erra terr fumado aquela errva gostosa, eu lhe disse —

"RATHBONE (com seu Sorriso Nervoso e Doentio): Por favor — não vá bancar a mãe judia comigo. Eu sei o que é e o que não é real.

"(Nesse ínterim, o Anão está fazendo um monte de poses de machão durão, brandindo umas Colts enormes.)

"SAKALL: Quando focê já estiverr nesta trrilha — e focê sabe muito bem de que trrilha estou falando, nom sabe, seu moleque? — pelo tempo que *eu* estou, focê fai saberr quando um xerrife anom é de ferrdade e quando que é só uma alucinaçom.

"RATHBONE: Eu não sabia que existiam essas duas classes de seres. Certamente você já deve ter visto xerifes anões por todo este Território, senão você não iria inventar essa categoria. M-mas será que não? Porque você é tão escorregadio que é capaz de qualquer coisa.

"SAKALL: Focê esqueceu do 'seu felhaco'.

"RATHBONE: Seu velhaco.

"Os dois riem, sacam as armas e trocam uns tirinhos de brincadeira. O Anão corre de um lado para o outro, furioso, gritando com voz aguda e forte sotaque teutônico alguns clichês de filme de bangue-bangue, como 'Esta cidade é pequena demais para nós dois!'.

"SAKALL: É, nós dois estamos fendo esse aí. Isso querr dizerr que é de ferrdade.

"RATHBONE: Alucinação coletiva também não é um fenômeno desconhecido em nosso mundo, parceiro. É o que posso afirmar baseado na minha experiência.

"SAKALL: *Baseado?* Ho, ho! Se fosse mesmo uma aluninaçom — eu nom estou dizendo que é, feja bem — nom serria de baseado, e sim de peiote. Ou quem sabe de estrramônio...

"Essa interessante conversação se prolonga por uma hora e meia. Não há cortes. O Anão permanece ativo por todo esse tempo, reagindo aos muitos argumentos sutis, alguns deles fascinantes. De vez em quando os cavalos cagam no pó da estrada. Não está claro se o Anão sabe que o que está sendo discutido é a sua realidade. Mais uma das sofisticadas ambiguidades deste filme. Por fim, Rathbone e Sakall concordam que a única maneira de resolver a disputa é matar o Anão, que percebe a intenção dos dois e sai correndo pela rua aos gritos. Sakall ri tanto que cai do cavalo dentro de uma gamela, e o filme termina com um close de Rathbone, com seu sorriso incerto. A música vai morrendo aos poucos:

Você que está de bem com a vida
Vira inteirinho uma imensa ferida
Por culpa da ÂNSIA DE VICIADO!"

Há um curto epílogo em que Osbie comenta que, naturalmente, é preciso dar-se um jeito de inserir o tema *Ânsia* no enredo, para justificar o título, mas o filme termina no meio de um "hãã...".

A essa altura, Katje está perplexa, mas já deu para ela perceber que aquilo é uma mensagem. Alguém, um amigo oculto na "Aparição Branca" — talvez o próprio Silvernail, cuja fidelidade a Pointsman e sua turma não é das mais fanáticas — colocou o teste de Osbie Feel ali de propósito, para que ela o encontrasse. Ela rebobina o filme e o projeta outra vez. Osbie olha direto para a câmara: de cara para ela, sem as suas habituais bobeiras de drogado, está *representando*. Não há dúvida. É uma mensagem, em código, que depois de não muito tempo ela consegue decodificar. Digamos que Basil Rathbone representa o jovem Osbie. S. Z. Sakall pode ser o senhor Pointsman, e o xerife anão é toda a Trama grandiosa, embrulhada num pequeno pacote, diminuto, um alvo nítido. Pointsman argumenta que é uma coisa real, mas Osbie sabe a verdade. Pointsman termina na gamela de água estagnada, e a trama/Anão desaparece, assustada, no pó. Uma profecia. Uma cortesia. Katje volta a sua cela aberta, reúne seus poucos pertences numa bolsa e sai da "Aparição Branca", passando pelas sebes de topiaria descuidadas, já recuperando as formas da realidade, passando pelos loucos dos tempos da paz, que retomaram o prédio, sentados pacíficos ao sol. Uma vez, perto de Scheveningen, ela caminhou pelas dunas, passou pelas instalações hidráulicas, pelos quarteirões de prédios de apartamentos novos construídos para substituir os cortiços demolidos, o concreto ainda fresco por trás das fôrmas, com a mesma esperança de fuga no coração — caminhou, uma sombra vulnerável, há tanto tempo, rumo a seu encontro com o Pirata junto ao moinho de vento conhecido como "O Anjo". Onde estará ele agora? Continuará morando em Chelsea? Estará ainda vivo?

Ao menos Osbie está em casa, mastigando ervas, fumando maconha e cheirando cocaína. O que lhe resta de seu estoque da guerra. Uma grande despedida. Está sem dormir há três dias. Abre um sorriso largo quando vê Katje, uma explosão de sol em cores primárias a irradiar-se de seu rosto, agita no ar a agulha que acaba de retirar da veia, aperta entre os dentes um cachimbo do tamanho de um saxofone e põe na cabeça um chapéu de caçador americano, o qual não afeta de modo algum a explosão de sol.

"Sherlock Holmes. Basil Rathbone. Acertei", ofegante, largando do alto a bolsa.

A aura pulsa, faz uma mesura modesta. Ele é também de aço, é couro cru e suor. "Bom, bom. Tem também o filho de Frankenstein na história. Se pudesse, eu teria sido mais direto, mas —"

"Cadê o Prentice?"

"Saiu para arranjar um meio de transporte." Osbie a leva a um quarto dos fundos onde há telefones, um quadro de avisos de cortiça cheio de pedaços de papel espetados, escrivaninhas cobertas de mapas, horários, *Introdução ao povo herero moderno*, histórias de empresas, carretéis de arame para gravação sonora. "Ainda não estamos muito bem organizados, não. Mas a gente chega lá, meu amor, a gente chega lá."

Isto é o que ela acha que seja? Quantas vezes sonhou e acordou afastando a ideia para o lado porque não adianta sonhar, sonhar tão alto assim? Dialeticamente, mais cedo ou mais tarde, alguma contraforça teria que surgir... decerto ela não foi política o suficiente: não o bastante para conservar a fé na contraforça... mesmo com todo o poder do outro lado, acreditar que um dia ela viria mesmo...

Osbie pegou duas cadeiras dobráveis: agora lhe entrega um maço de folhas mimeografadas, um maço até bem gordo, "Tem uma ou duas coisas aqui que você devia ficar sabendo. A gente até não queria apressar você. Mas a gamela está esperando".

E aos poucos, depois que as modulações de Osbie fluíram pelos recintos em demonstrações esplêndidas (se bem que um tanto desconcentradoras) de vermelho-buganvília e pêssego, ao que parece ele se estabiliza na figura do herói não muito prático de um livro infantil vitoriano, pois responde, após ela fazer a pergunta pela centésima vez: "No Parlamento da Vida, chega a hora, simplesmente, de uma divisão. Estamos agora nos corredores que escolhemos, seguindo em direção à Plateia...".

Querida mamãe, hoje eu mandei umas duas pessoas pro Inferno...

Fragmento, supostamente do *Evangelho de Tomé*
(Papiro de Oxyrhynchus, número mantido em segredo)

Quem imaginaria que tanta gente estaria aqui? Não para de chegar gente, atravessando essa estrutura perturbadora, reunida em grupos, caminhando a sós em meditação, ou examinando as pinturas, os livros, os objetos expostos. Parece um museu imenso, um lugar em diversos níveis, com alas novas que são geradas como se fossem de tecido vivo — se bem que se a coisa toda cresce em direção a uma forma final, os que estão aqui dentro não podem vê-la. Em algumas das salas só se pode entrar assumindo-se o risco, e há guardas a postos junto a todas as entradas para informar as pessoas do fato. A movimentação entre essas passagens se dá sem atrito, é fluente e rápida, muitas vezes impetuosa, como se sobre patins perfeitos. Partes das longas galerias se abrem para o mar. Há cafés onde as pessoas podem sentar-se para apreciar o pôr do sol — ou a alvorada, conforme a hora do turno ou do simpósio em questão. Carros fantásticos de doces passam, do tamanho de caminhões de mudança: a pessoa tem que *entrar* neles, procurar entre as inumeráveis gavetas, cada uma delas cheia de delícias mais gosmentas e doces que a anterior... mestres-cucas aguardam com conchas de sorvete para atender o cliente sacaromaníaco e preparar-lhe a toque de caixa bolo com sorvete e suspiro, de qualquer tamanho ou sabor, levado ao forno por uns instantes... há botes de baklava recheados de gelatina com creme, coroados de chocolate meio-amargo, amêndoas quebradas, cerejas do tamanho de bolas de pingue-pongue e pipocas com marshmallow e manteiga, e milhares de tipos de doces moles, de alcaçuz a nozes, sendo confeccionados em mesas com tampos de pedra, e puxa--puxa preparado à mão, por vezes dando a volta na esquina, saindo por janelas, entrando por outro corredor — ah... perdão, meu senhor, dava para segurar isso aqui um momento? obrigado — e o gozador cai fora, deixando o Pirata Prentice aqui, recém-chegado e ainda sem entender direito o que está se passando, segurando uma extremidade de um fio de puxa-puxa cuja outra extremidade pode estar em qualquer lugar... bem, o jeito é ir procurá-la... andar por aí com uma cara meio irônica, enrolando metros de puxa-puxa na mão, de vez em quando enfiando um pouco na boca — hum, pasta de amendoim com melado — pois o caminho labiríntico acaba sendo, como a rodovia nº 1 no trecho que passa pelo centro de Providence, uma trajetória escolhida de propósito para que o recém-chegado tenha uma visão geral da cidade. Esse golpe do puxa-puxa, ao que parece, é uma espécie de tradição aqui, pois de vez em quando o Pirata cruza com algum outro novato... muitas vezes dá trabalho desenredar o puxa-puxa de um do do outro, o que também foi planejado como uma maneira simpática e espontânea de fazer com que os novos se conheçam. Agora o passeio turístico leva o Pirata a um pátio aberto, onde uma pequena multidão aglomerou-se ao redor de um dos representantes do Erdschweinhöhle, numa discussão animadíssima com um executivo de publicidade a respeito de, veja só, a Questão da Heresia, que já é uma pedra no sapato desta Convenção, e talvez venha a ser o rochedo contra o qual todo o evento vai acabar se despedaçando. Artistas de rua passam: acrobatas autodidatas dando cambalhotas num chão que parece perigosamente duro e escorregadio, coros de trombetas de brinquedo cantarolando pot-pourris de operetas de Gilbert e Sullivan, um rapaz e uma moça que dançam não ao rés do chão, porém subindo e descendo, normalmente nas escadarias mais íngremes, sempre que há alguma fila...

Enrolando sua bola de puxa-puxa, que já está se tornando um trambolho e tanto, o Pirata passa pelo chamado Corredor do Eucatex: o qual reúne os escritórios de todas as Comissões, com o nome de cada uma escrito em estêncil acima da porta — A4... IG... COMPANHIAS DE PETRÓLEO... LOBOTOMIA... AUTODEFESA... HERESIA...

"Naturalmente, você está vendo isso tudo com olhos de soldado", ela é bem jovem, blasée, usa um chapeuzinho ridículo que está na moda, o rosto limpo e firme o bastante para garantir o perfil de ombros largos, cintura alta e pescoço curto que todas elas estão adotando agora. Ela caminha a seu lado com passos longos e graciosos, balançando os braços, jogando a cabeça para trás — estende a mão e pega um pouco de puxa-puxa, tocando a mão dele ao fazê-lo.

"Para você, é tudo um jardim", arrisca ele.

"É. Talvez você não seja tão mosca-morta quanto parece."

Ah, como elas o incomodam, essas mulheres independentes ainda na adolescência, a animação delas chega a ser maldade,

Parece mentira, mas é ver-da-de,
A animação delas chega a ser mal-da-de,
Não dá nem pra adivinhar a i-da-de...

Olhe o jeitinho dela quando pas-sa,
Gastando grana como nin-guém,
Rindo de tudo que ela acha gra-ça,
Até você se animar tam-bém!

Não adianta só ouvir dizer,
Essas garotas, tem que ver pra crer!
Jovem ou moço, hoje, na ver-da-de,
Todo mundo tem nove meses de i-da-de!

De onde
será que veio
essa banda de
suingue? A
garota está pu-
lando de cima
para baixo, ela
quer dançar
o jitterbug,
ele vê que ela
quer perder a
gravidade —

Hoje o mundo deita e ro-la,
Não tem ninguém na gai-o-la,
Deixe que essa anima-ção
Domine o seu cora-ção!

O único escritório que não encosta fisicamente nos outros no Corredor do Eucatex, que fica separado dos outros de propósito, num casebre de metal corrugado, com uma chaminé de fogão saindo do telhado, pedaços de carros enferrujados espalhados pelo quintal, pilhas de madeira sob uma lona cor de chuva, estragada, um trailer habitável com os pneus e uma das rodas tortas no tleque-tleque da chuva fria... ADVOGADO DO DIABO é o que está escrito na ripa, sim senhor lá dentro fica o jesuíta que atua nessa função, está aqui para pregar, como seu colega Teilhard de Chardin, contra o retorno. Aqui para dizer que a massa crítica não pode ser ignorada. Uma vez que os meios de controle técnicos atingem uma certa dimensão, um certo grau de *interligação*, as possibilidades de liberdade desaparecem de uma vez por todas. A palavra perde o significado. É com sólidos argumentos que o padre Rapier defende sua posição, e não sem seus momentos de grande eloquência, momentos em que ele próprio fica visivelmente emocionado... nem é preciso estar presente, aqui no escritório, pois os visitantes podem acompanhar pelo rádio de qualquer ponto da Convenção suas falações passionais, que muitas vezes ocorrem no meio da celebração do que os gozadores mais por dentro das coisas já estão chamando de "Missa Crítica" (pegou o trocadilho? Muita gente não pegava em 1945, a Bomba Cósmica ainda palpitava de tenrura, ainda não fora revelada ao Povo, de modo que só se ouvia a expressão "massa crítica" em papos entre pessoas altamente por dentro). "Creio que existe uma terrível possibilidade agora, no Mundo. Não podemos varrê-la para baixo do tapete, temos que encará-la de frente. É possível que Eles não morram. Que agora esteja dentro das possibilidades d'Eles continuar para todo o sempre — embora nós, naturalmente, continuemos morrendo como sempre. A Morte é a fonte do poder d'Eles. Não foi difícil para nós perceber isso. Se viemos ao mundo uma vez, uma vez apenas, então claro está que viemos ao mundo para pegar o que pudermos pegar. Se Eles pegaram muito mais, e não só da Terra mas também de nós — bem, então não há por que se ressentir d'Eles, já que Eles estão tão fadados a morrer como nós, não é? Todos no mesmo barco, todos sob a mesma sombra... sim... sim. Mas isso é mesmo verdade? Ou será apenas a melhor, e a mais cuidosamente divulgada, de todas as mentiras d'Eles, conhecidas e desconhecidas?

"Temos que tocar em frente sob a possibilidade de que morremos *apenas* porque Eles querem: porque Eles precisam do nosso terror para a sobrevivência d'Eles. Nós somos a colheita d'Eles...

"Isso deverá mudar radicalmente a natureza da nossa fé. Pedir que mantenhamos a fé na mortalidade d'Eles, na ideia de que Eles também choram, e têm medo, e sentem dor, fé em que Eles apenas fingem que a Morte é servidora d'Eles — fé em que a Morte nos domina a todos — é pedir uma coragem que eu sei estar além dos limites de minha própria humanidade, ainda que não me caiba falar por outrem... Porém em vez de dar esse salto de fé nós preferimos voltar, lutar: exigir daqueles para quem morremos nossa própria imortalidade. Talvez Eles, embora não morram mais na cama, ainda possam morrer de morte violenta. Caso contrário, nós podemos ao menos aprender a negar-Lhes nosso medo da Morte. Para cada tipo de vampiro existe um tipo de cruz. E ao menos as coisas físicas que Eles tomaram da Terra e de nós podem ser desmontadas, demolidas — devolvidas ao lugar de onde tudo veio.

"Acreditar que cada um d'Eles morrerá pessoalmente é também acreditar que o sistema d'Eles também morrerá — que alguma possibilidade de renovação, alguma dialética, ainda está atuando na História. Afirmar a mortalidade d'Eles é afirmar o Retorno. O que estou fazendo é apontar para certos obstáculos à afirmação do Retorno..." Aquilo parece ser uma retração, e o padre dá a impressão de estar com medo. O Pirata e a moça estão a ouvi-lo do lado de fora de uma sala onde o Pirata tenciona entrar. Não está claro se a garota entraria com ele. Não, ele acha isso pouco provável. É exatamente o tipo de sala que ele temia que fosse. Buracos irregulares nas paredes, de onde claramente foram arrancadas coisas outrora ali instaladas, foram recobertos com gesso de qualquer maneira. Os outros, que lhe parecem estar a sua espera, passam o tempo com jogos em que a dor é a mercadoria expressa, como queda de dedos e pedra-papel-tesoura. Do recinto ao lado vem um barulho de água e risinhos masculinos que ecoam um pouco nos ladrilhos. "E *agora*", ouve-se um locutor de rádio fluente anunciar, "é hora de — 'Largue o sabão!'" Aplausos e risos histéricos, que se prolongam desagradavelmente.

"'Largue o sabão'?" Sammy Hilber-Spaess aproxima-se da divisória fina e põe o nariz na extremidade para ver.

"Vizinhos barulhentos", comenta o cineasta alemão Gerhardt von Göll. "Será que esse tipo de coisa não para nunca?"

"Oi, Prentice", diz um negro que o Pirata não reconhece, "pelo visto somos ex-colegas." Quem é esse, quem são esses — O nome dele é St.-Just Grossout. "Durante a maior parte da guerra, a Firma tentou me infiltrar no Schwarzkommando. Nunca vi ninguém mais tentando fazer isso. Pode parecer paranoia, mas acho que eu era mesmo o único..." Essa violação gritante das normas de segurança, se é isso de fato, deixa o Pirata meio espantado.

"Você acha que dava para — me fazer um relatório disso tudo?"

"Ah, Geoffrey. Ah, meu caro." Lá vem Sammy Hilbert-Spaess, que acabou de assistir às folias do chuveiro, sacudindo a cabeça, olhos levantinos empapuçados que continuam voltados para o nariz, "Geoffrey, até você conseguir um resumo, a situação toda já mudou. A gente podia resumir o máximo, tanto quanto você quisesse, mas você iria perder tanto detalhe que não ia valer a pena, não ia, mesmo. Melhor olhar a sua volta, Geoffrey. Olhe bem e veja quem está aqui."

Para sua surpresa, o Pirata se vê diante de Sir Stephen Dodson-Truck, com a melhor cara que já teve na vida. O homem está *ativamente em paz*, como um bom samurai — cada vez que ele Os enfrenta achando que vai morrer, sem apreensão nem remorso. É uma mudança espantosa. O Pirata começa a sentir esperanças. "Quando foi que você mudou?" Sabe que Sir Stephen não vai se ofender com a pergunta. "Como foi que aconteceu?"

"Ah, não, não vá deixar se enganar por *esse* aí!" quem poderia ser esse, com um topete lambuzado de brilhantina quase da altura de seu próprio rosto, através do qual se vê a alma martelada, amolecida de um lutador que não apenas caiu do alto como também usou o tempo da queda para pensar a fundo no que estava acontecendo. É Jeremiah ("Piedoso") Evans, o conhecido delator político de Pembroke. "Não, o nosso querido Stevie *ainda* não está pronto para ser canonizado, não; não é verdade, meu caro?" Dando-lhe tapinhas simpáticos nas bochechas: "Hein? hein? hein?".

"Não se eu tiver que andar com gente da sua laia", responde o cavaleiro, mal-humorado. Mas é difícil dizer quem está provocando quem, pois o Evans Piedoso agora começa a cantar, e como canta mal o cidadão, a vergonha de seu povo, aliás —

Tenha pena do pobre caguete
Que saiu de uma xota, igualzinho a vocêêêê —
Ah, não seja brutal
Que o deduro é mortal
E também é capaz de sofrêê...
E se a vida parece difícil,
Imagine pra ele como é que não está:
Será mesmo mais feio
Se vender por dinheiro
Que uma vida tão besta levar?

"Acho que não vou gostar daqui, não", o Pirata, com uma suspeita desagradável apossando-se de sua consciência, olhando ao redor, nervoso.

"O pior de tudo é a vergonha", diz-lhe Sir Stephen. "Aguentar a sensação. Depois o passo seguinte — bem, estou falando como se fosse macaco velho, mas na verdade eu só fui até aí, até a vergonha. No momento, estou participando do exercício 'Natureza da Liberdade', sabe, me perguntando a mim mesmo se tem *alguma* ação minha que seja minha de verdade, ou se só faço o que Eles querem que eu faça... independente do que eu *acredito*, entende?... Vivo remoendo o velho problema do controle-por-rádio-implantado-na-cabeça-ao-nascer — como uma espécie de koan, imagino. Está me enlouquecendo, mas enlouquecendo mesmo, no sentido clínico. Fico achando até que é exatamente esse o objetivo da coisa. E quem sabe o que há de vir *depois*? Meu Deus. Só vou descobrir, é claro, depois que eu sair dessa... Não estou querendo desanimar logo de saída —"

"Não, não, eu estava pensando era em outra coisa — vocês todos fazem parte do meu Grupo ou coisa parecida? Eu fui *designado* para isso aqui?"

"Foi. Você está começando a entender por quê?"

"Acho que estou." Ainda por cima, essas pessoas, afinal, são pessoas que matam outras pessoas: e o Pirata sempre foi uma delas. "Eu esperava — ah, bobagem, um pouco de piedade... mas eu estava no cinema vinte-e-quatro-horas, ali na esquina de Gallaho Mews, no cruzamento com aquela rua extra, aquela que nem sempre dá pra gente ver porque ela forma um ângulo esquisito... Cortei um dobrado pra passar, veneno, um dobrado metálico... cheiro azedo de panela queimada... eu só queria um lugar pra me sentar um pouco, e eles nem querem saber quem você é, o que é que você come, quanto tempo você dorme, quem você — com quem você fica..."

"Prentice, tudo bem, falando sério", é o St.-Just Grossout, que os outros chamam de "Sem-Juízo" quando querem interrompê-lo, durante os momentos aqui em que não há nada a fazer senão um pouco de bagunça.

"Eu... simplesmente não consigo... quer dizer, se é verdade mesmo", um riso que lhe dói, no fundo da traqueia, "então eu desertei à toa, não foi? Quer dizer, se é que eu desertei mesmo..."

Ele ficou sabendo ao assistir um jornal da tela governamental. DE ESPIÃO A HISTRIÃO, o título cintilante anunciava para todos os convalescentes reunidos ali para mais uma longa noite de cinema não programado — via-se uma pequena multidão olhando para uma vitrine empoeirada, em algum lugar tão nos cafundós do East End de Londres que só mesmo os moradores de lá sabem que existe... salão de dança com chão entortado por um bombardeio, fazendo uma ladeira como uma encosta de serra, mas traiçoeiro de se andar como uma rede de acrobata, colunas de estuque retorcidas inclinadas para dentro, poço de elevador de latão pendendo torto do teto. Bem à frente havia uma criatura seminua, repulsiva e peluda, mais ou menos humana, palidíssima, estrebuchando por trás dos cacos da vidraça, esgarçando as feridas do rosto e do abdome, tirando sangue, coçando e arranhando com unhas negras de sujeira. "Todos os dias, no Smithfield Market, Lucifer Amp dá esse espetáculo. Não causa muito espanto. Muitos soldados e marinheiros desmobilizados recorrem ao serviço público para garantir a subsistência. O que torna extraordinário o caso do senhor Amp é que ele trabalhava para a *Executiva de Operações Especiais*..."

"É até divertido, sabe?" à medida que a câmara se aproxima para pegar um close do indivíduo, "levei só uma semana para pegar o jeito da coisa..."

"O senhor agora se sente integrado ao ambiente, mais do que antes — ou as pessoas ainda não aceitam o senhor aí?"

"Elas — ah, as pessoas são maravilhosas. Fantásticas. Não, com *elas* eu não tenho o menor problema, não."

Nesse ponto, do banco na diagonal de bispo atrás do Pirata, vieram um cheiro de álcool e um hálito morno, acompanhados de um tapinha no ombro. "Ouviu? 'Trabalhava' para a S.O.E. Ninguém jamais saiu da Firma vivo, ninguém na história — e ninguém jamais há de sair." Um sotaque de classe dominante, o tipo de sotaque a que o Pirata talvez aspirasse nos tempos da sua juventude vadia. Quando resolveu olhar para trás, o visitante já tinha ido embora.

"Encare a coisa como um defeito ou um mal crônico, Prentice, como qualquer outro, como não ter uma perna ou um braço, ou sofrer de malária... mesmo assim, a gente ainda pode viver... aprende a se virar, o defeito se torna uma parte da rotina —"

"*Ser ag—*"

"Nada sério. 'Ser a—'?"

"Ser agente duplo? 'Se virar?'" Ele olha para os outros, computando. Todo mundo aqui parece ser *pelo menos* agente duplo.

"É... você está aqui agora, aqui conosco", cochicha Sammy. "Tire a sua vergonha e a sua fungação do caminho, meu jovem, que aqui ninguém fica muito tempo *nessa*."

"É uma *sombra*", exclama o Pirata, "é trabalhar numa sombra para sempre."

"Mas e a liberdade?" retruca Evans, o Piedoso. "Eu não confio nem em mim, não é? Mais liberdade que isso é impossível, não é? A pessoa poder ser vendida por qualquer um? Até por ela mesma, hein?"

"*Eu não quero isso não —*"

"Você não tem opção", responde Dodson-Truck. "A Firma sabe muito bem que você veio pra cá. Vão querer que você mande um relatório completo. Ou voluntário ou então de alguma outra maneira."

"Mas eu não seria capaz... eu jamais diria a eles —" Os sorrisos que estão lhe exibindo agora são propositadamente cruéis, para ajudá-lo um pouco. "Vocês não, vocês realmente não confiam em mim?"

"Claro que não", responde Sammy. "Você — realmente — confiaria em um de nós?"

"Não, não", sussurra o Pirata. Um de seus pesadelos se realizando. Seu e de mais ninguém. Mas ainda assim é uma passagem que Eles podem tocar com tanta facilidade quanto a de qualquer cliente. Inesperadamente, parece que o Pirata começou a chorar. Ele nunca antes chorou em público desse jeito. Mas compreende onde está, agora. Será possível, no final das contas, morrer na obscuridade, sem ter ajudado ninguém: sem amor, desprezado, sem a confiança de ninguém, sem jamais ser inocentado — ficar lá embaixo, em meio aos Preteridos, tendo perdido sua pobre honra, impossível de localizar e de redimir.

Está chorando por pessoas, coisas e lugares deixados para trás: por Scorpia Mossmoon, morando em St. John's Wood entre partituras, receitas novas, um pequeno canil cheio de Weimaraners cuja pureza racial ela é capaz de fazer qualquer coisa para preservar, e o marido, Clive, que aparece de vez em quando, Scorpia morando a apenas alguns minutos deles de metrô porém perdida para todo o sempre para o Pirata, nem ele nem ela jamais terão oportunidade de mudar outra vez... por pessoas que ele teve de trair enquanto trabalhava para a Firma, ingleses e estrangeiros, por Ion tão ingênuo, por Gongylakis, pela Moça-Macaca e os cafetões de Roma, por Bruce que se deu mal... por noites nas serras dos partigiani quando ele estava integrado com o cheiro das árvores vivas, apaixonado pela beleza enfim inegável da noite... por uma moça lá dos Midlands chamada Virginia, e pelo filho deles que jamais nasceu... por sua mãe morta e seu pai moribundo, pelos inocentes e otários que *vão* confiar nele, pobres rostos fadados ao fracasso como cães que nos observavam tão simpáticos por detrás das cercas de arame nos depósitos de cachorros abandonados... chora pelo futuro que antevê, porque o faz sentir-se tão desesperado e frio. Ele vai passar de um grande momento a outro, montando guarda nas reuniões dos Eleitos, testemunhando um teste da nova Bomba Cósmica — "Bem", um rosto velho e sábio, ao entregar-lhe os óculos de lentes negras, "eis a sua Bomba..." virando-se então para ver seu amarelo denso explodindo na praia, a léguas de ondas de Pacífico dali... tocando famosos assassinos, sim, tocando suas mãos e rostos humanos... descobrindo um dia há quantos anos, em que estágio inicial do jogo, foi assinado o contrato de aluguel de sua vida. Ninguém sabe exatamente quando virá o golpe — todas as manhãs, antes de abrirem os mercados, antes de os leiteiros começarem suas rondas, Eles fazem a nova atualização, e resolvem que aflição bastará ao dia. Todos os dias o nome do Pirata aparecerá numa lista, e numa certa manhã estará bem perto do início. Ele tenta encarar essa realidade, embora lhe cause um terror tão puro, tão frio, que por um minuto tem a impressão de que vai desmaiar. Depois, tendo recuado um pouco, criando ânimo para a própria investida, julga que já se fartou da vergonha, tal como Sir Stephen lhe disse, sim, já passou pela velha vergonha, e agora tem medo, cheio de preocupação apenas por seu próprio rabo, seu precioso, seu condenado, seu único rabo...

"Aqui tem lugar pra gente morta?" Ele ouve a pergunta antes de vê-la perguntando-a. Não entende muito bem como ela entrou ali. De todos os outros emanam eflúvios de inveja masculina, um sentimento gélido de recusa do tipo mulher-a-bordo-de-navio-dá-azar. E eis que o Pirata se vê sozinho com ela e sua pergunta. Estende-lhe a bola de puxa-puxa que está carregando, bobo como Gaguinho entregando a bomba-relógio do anarquista de volta a ele. Mas nada de doce agora. Estão aqui para trocar dor e algumas verdades, só que no estilo dispersivo da época:

"Ora", mas em que confusão idiota ela acha que se meteu? "você não está morta, não. Aposto que nem em sentido figurado."

"Eu queria saber era se eu posso trazer os meus mortos comigo", explica Katje. "Afinal, *eles* são as minhas credenciais."

"Eu simpatizo bastante com Frans van der Groov. Seu antepassado. O dos dodós."

Não está muito claro o que ela quer dizer com "meus mortos". "Eu me refiro àqueles que devem sua condição de mortos diretamente a mim. Além disso, se Frans entrasse aqui vocês todos iam ficar só olhando pra ele, fazendo questão que ele compreendesse o quando ele era culpado. O mundo do coitado tinha uma abundância inesgotável de dodós — por que dar a ele aulas sobre genocídio?"

"Sobre *esse* assunto você até que podia lhe ensinar alguma coisa, não é, mocinha?" debocha Evans, o desafinado caguete galês.

O Pirata está partindo para cima de Evans, os braços afastados do tronco, como um arruaceiro de botequim do faroeste, quando Sir Stephen intervém: "Esse tipo de conversa tem aqui o tempo todo, Prentice, nós aqui já estamos calejados. Melhor você começar a aprender a usar isso em seu favor. Ninguém sabe quanto tempo vamos ter que ficar aqui, é ou não é? E a moça aí, ao que parece, sabe se proteger muito bem. Ela não quer que você brigue por causa dela".

É, ele tem razão. Katje pôs sua mão quente no braço do Pirata, sacudindo a cabeça duas vezes com risinhos constrangidos, "Seja como for, é um prazer vê-lo aqui, capitão Prentice".

"É só você que tem prazer em me ver. Pense nisso."

Ela se limita a levantar as sobrancelhas. Realmente, que comentário mais escroto. O remorso, ou algum desejo retardado de ser puro, invade sua corrente sanguínea como uma droga.

"Mas —" percebendo atônito que está começando a *desabar*, como uma pilha de fuzis, em torno dos pés dela, capturado por seu campo gravitacional, as distâncias foram abolidas, formas ondulatórias imensuráveis, "Katje... *se eu pudesse jamais trair você* —"

Ele desabou: ela perdeu a superfície, e olha para ele, espantada.

"Mesmo se o preço fosse... trair os outros, feri-los... ou mesmo matar gente — então não teria importância quem, nem quantos, não, se eu pudesse ser a sua segurança, Katje —"

"Mas esses, esses são os pecados que poderiam não acontecer nunca." Agora estão barganhando como dois cafetões. Será que fazem ideia da impressão que causam? "*Isso* é fácil de jurar, não lhe custa nada."

"Então, até os pecados que cometi", ele insiste, "sim, eu cometeria tudo outra vez."

"Mas isso também é impossível — de modo que é tão fácil quanto a outra jura."

"Eu sei me repetir", mais duro do que ela pretendia que ele fosse.

"Ah, pense...", os dedos dela leves nos cabelos dele, "*pense* nas coisas que você fez. Pense em todas as suas 'credenciais', e nas minhas —"

"Mas esse é o único meio que temos agora", exclama ele, "nosso dom da má-fé. Vamos ter que construir tudo com base nele... negociar, tal como os promotores negociam a sua liberdade."

"Filosofias." Ela sorri. "Você nunca foi assim."

"Deve ser consequência de estar o tempo todo em movimento. Nunca senti tamanha *imobilidade* como aqui..." Agora estão se tocando, sem pressa, nenhum dos dois tendo ainda conseguido digerir a surpresa... "Meu irmãozinho" (o Pirata compreende a ligação que ela fez) "saiu de casa com dezoito anos. Eu gostava de vê-lo dormindo à noite. Os cílios longos... tão inocente... eu ficava horas vendo... Ele chegou até Antuérpia. Não demorou e já estava fazendo ponto perto das igrejas junto com os outros. Você entende o que eu quero dizer? Rapazes católicos. Seguidores. Muitos deles viraram alcoólatras cedo. Cada um escolhia um padre em particular, e virava o seguidor dele, fiel como um cão — literalmente esperavam a noite toda para falar com o padre, para pegá-lo ainda recém-saído da cama, dos lençóis, dos cheiros íntimos que ainda permaneciam nas dobras de suas roupas... ciúmes loucos, disputas cotidianas pelo favoritismo, pelas boas graças deste ou daquele padre. Louis começou a frequentar as reuniões dos rexistas. Foi a um estádio de futebol e ouviu Degrelle dizer à multidão que era preciso deixar-se levar pela inundação, era preciso agir, agir, que o resto se resolveria por si só. Pouco tempo depois, meu irmão estava na rua com sua vassoura, junto com os outros jovens culpados e sarcásticos, todos de vassoura na mão... e pronto, já havia entrado para o Rex, o 'reino das almas completas', e a última vez que tive notícias dele, Louis estava vivendo com um homem mais velho chamado Philippe. Perdi contato com ele. Houve uma época em que nós dois éramos muito próximos. As pessoas pensavam que éramos gêmeos. Quando Antuérpia começou a ser bombardeada com foguetes, eu sabia que não podia ser um acidente..."

É, bem, o Pirata é protestante. "Mas nunca entendi a solidariedade da sua Igreja... vocês se ajoelham, e ela toma conta de vocês... quando na verdade vocês agem politicamente para ter todo aquele ímpeto que os leva para cima —"

"Isso você nunca teve, não é?" Ela está olhando para ele *mesmo* — "nenhuma dessas desculpas maravilhosas. *Nós fizemos tudo que fizemos sozinhos.*"

Não, pensando bem, não há como se livrar da vergonha — aqui isso é impossível — é necessário engoli-la com todas as suas quinas afiadas, sua feiura, e conviver com a dor, todos os dias.

Quando dá por si, o Pirata está abraçado a ela. Não para ser confortado. Mas se quer não se arrastar pela catraca acima dente a dente, é necessário fazer uma pausa de quando em quando, para fazer um breve contato humano. "Como era lá fora, Katje? Eu vi uma convenção organizada. Outros viram um jardim..." Mas ele já sabe o que ela vai dizer.

"Não havia nada lá fora. Era um lugar árido. Eu tinha passado a maior parte do dia procurando um sinal de vida. Foi então que ouvi vocês aqui dentro." Enquanto conversam, vão até uma sacada, uma grade graciosa, ninguém pode vê-los nem de fora nem de dentro: e lá embaixo, nas ruas, ruas perdidas para eles dois agora, está o Povo. Por lá passa, para o Pirata e Katje, um breve segmento de uma crônica muito mais longa, a obra anônima intitulada *Como vim a amar o povo*. "Chamava-se Brenda, seu rosto era a ave sob o sorriso protetor do carro na chuva naquela manhã, ela se ajoelhou e praticou uma felação em mim, e eu ejaculei em seus seios. Chamava-se Lily, ela completou 67 anos em agosto passado, lê os rótulos de garrafas de cerveja em voz alta, copulamos na posição inglesa tradicional, e ela me deu tapinhas nas costas cochichando: 'Amigo'. Chamava-se Frank, cabelos crespos em torno do rosto, olhos um tanto penetrantes porém agradáveis, roubava coisas de almoxarifados do exército americano, me enrabou e quando gozou dentro de mim eu gozei também. Chamava-se Frangibella, era negra, cara toda cheia de espinhas, queria dinheiro para comprar droga, sua entrega era uma víbora estrebuchando em meu coração, pratiquei cunilíngua nela. Chamava-se Allan, nádegas bronzeadas, eu perguntei onde foi que você encontrou o sol, ele respondeu o sol está aí logo na esquina, eu o deitei numa almofada e o sodomizei e ele gritou de amor até que eu, meu pistão intensamente lambuzado, explodi por fim. Chamava-se Nancy, tinha seis anos, fomos atrás de um muro perto de uma cratera cheia de ruínas, ela ficou se esfregando em mim, suas coxinhas alvas como o leite entravam e saiam de dentro das minhas, os olhos dela estavam fechados, suas narinas claras arfavam para cima, para trás, sem parar, o amontoado de entulho formava um barranco íngreme bem ao nosso lado, oscilávamos na beira, sem parar, deliciosamente. Chamava-se —" é, isso tudo e muito mais vai passando para nosso casal, o bastante para que eles entendam que a intenção do voluptuoso Anônimo é nada menos que um plano megalomaníaco de fazer sexo com todos os indivíduos que compõem o Povo do *Mundo* — e que quando todos, de modo um tanto milagroso, tiverem sido devidamente provados, *isso* será uma definição aproximada de "amar o Povo".

"Tomem essa, seus hipócritas do Partido Trabalhista", o Pirata tentando levar a coisa para o lado do humor, mas sem conseguir. Agora está segurando Katje como se a qualquer momento a música fosse começar e eles então se pusessem a dançar.

"Mas o Povo jamais vai amar você", ela cochicha, "nem a mim. Por mais que bem e mal mudem de sentido pra ele, nós *sempre* seremos maus. Você sabe onde isso nos coloca?"

Ele sorri, sim, um sorriso torto de quem está sorrindo de modo teatral pela primeira vez na vida. Sabendo que é um gesto sem retorno, da mesma categoria terminal que o gesto de sacar uma arma, vira o rosto para o alto e olha através de todos os níveis levemente superpostos acima, habitados por toda espécie de alma criminosa, todas as cores comerciais desagradáveis, de água-marinha a bege, desoladas como sol num dia em que você queria chuva, toda a atividade ruidosa e agitada de todos esses níveis, estendendo-se além do que o Pirata e Katje veem agora, ele levanta seu rosto comprido, seu rosto culpado, seu rosto permanentemente escravizado para a ilusão do céu, para a realidade da pressão e do peso que vêm do alto, a dureza, a crueldade absoluta, enquanto Katje aperta seu rosto contra a planície fácil entre o ombro e o peitoral dele, com uma expressão de trégua, de horror com o qual se entrou em détente, e à medida que o pôr do sol avança, o tipo de pôr do sol que tinge as fachadas dos prédios de cinza-claro por algum tempo, para uma espécie de suave farelo incolor de luz balindo sobre as curvas externas, no estranho brilho de forja que perdura para os lados do poente, a ansiedade dos pedestres que observam na pequena vitrine o obscuro ourives atrás do fogo trabalhando e não lhes dando atenção, temerosos porque a luz parece que desta vez vai embora para não mais voltar, e mais temerosos ainda porque o fim da luz não é uma coisa individual, *todo mundo que está na rua viu também*... à medida que escurece, a orquestra dentro deste recinto até começa a tocar uma música, seca e adstringente... e não é que os candelabros foram mesmo acesos, afinal... nos fornos amadurecem empadões de vitela, os drinques são por conta da Casa, e as redes estão cheias de bêbados,

> Todo mundo está ocupado neste entardecer!
> Quantas calçadas não pisamos ao amanhecer?
> Quantos amigos não deixamos sozinhos a sofrer?
> Fiquemos juntos um momento,
> Cantando esta canção por um dia...
> Todos dançam ao entardecer,
> Espantando o pesadelo com alegria...

E os dois dançam, sim: embora o Pirata nunca tivesse conseguido dançar antes muito bem... sentem-se perfeitamente entrosados com todos os outros enquanto bailam, e se jamais vão poder sentir-se de todo à vontade, mesmo assim não estão mais em posição de Descansar... assim se dissolvem agora, na corrida, no turbilhão desta Preterição dançante, e seus rostos, os rostos queridos e cômicos que assumiram para este baile, morrem aos poucos, tal como morre a inocência, num flerte grave, esforçando-se para ser simpática...

A neblina adensa-se nas gargantas das gassen estreitas. No ar, um cheiro de água salgada. As ruas de paralelepípedos estão úmidas da chuva de ontem. Slothrop acorda nas ruínas de uma oficina de serralheiro, sob fileiras de chaves sujas de fuligem cujas fechaduras correspondentes foram todas destruídas. Sai de casa trôpego, encontra uma bomba-d'água num pátio entre paredes de tijolo e janelas de caixilhos onde não há ninguém olhando para fora, põe a cabeça debaixo do bico e bombeia, encharcando-se até achar que basta. Um gato marrom, miando faminto, fica a vigiá-lo, de uma porta a outra. "Desculpe, meu chapa." Pelo visto, eles dois vão ficar sem café da manhã.

Slothrop veste as calças de Tchitcherine e sai da cidade, afastando-se das torres rombudas, das cúpulas de cobre verde-corrosão que pairam na névoa, das cumeeiras altas e telhas vermelhas, pega uma carona com uma mulher que conduz uma carroça vazia. O vento agita o topete cor de mel do cavalo, e a neblina se fecha após a passagem da carroça.

Hoje a paisagem é semelhante à que os vikings devem ter visto, ao singrar este grande prado inundável rumo ao sul, desimpedido até Bizâncio, toda a Europa Oriental um mar aberto para eles: as fazendas se estendem, cinza e verdes, como ondas... lagoas que parecem não ter limites bem definidos... ver outras pessoas contra este céu oceânico, mesmo soldados, é um alívio, como ver velas após uma longa travessia marítima...

As Nacionalidades estão em movimento. É uma grande correnteza sem fronteiras a fluir. Volksdeutsch vindos do outro lado do Oder, expulsos pelos poloneses e seguindo em direção ao acampamento de Rostock, poloneses fugindo do regime de Lublin, outros voltando para suas casas, os olhos de uns e de outros, quando se encontram, ocultos sob as saliências dos malares, olhos muito mais velhos do que aquilo que os forçou a se deslocar, estonianos, letões, lituanos voltando para o norte, toda a sua lã de inverno enrolada em fardos escuros, sapatos em frangalhos, as canções são difíceis demais para cantar, não há sentido em conversar, gente dos Sudetos e da Prússia Oriental indo e vindo de Berlim e dos campos para deslocados de guerra de Mecklenburg, tchecos e eslovacos, croatas e sérvios, toscos e gheghes, macedônios, magiares, valáquios, circassianos, espanhóis, búlgaros mexidos no caldeirão do Império e transbordando, colidindo, cortando as distâncias, deslizando, apáticos, indiferentes a todo ímpeto que não o mais profundo, a instabilidade tão abaixo de seus pés que não se pode dar-lhe forma, pulsos e tornozelos brancos incrivelmente descarnados a destacar-se dos pijamas listrados de prisioneiros, passos leves como passos de aves neste pó interiorano, caravanas de ciganos, eixos e cavilhas quebrando, cavalos morrendo, famílias abandonando à beira-estrada veículos que servirão de abrigo noturno para outras, pelas Autobahns brancas e quentes, trens abarrotados de alemães nos vagões que atravessam os viadutos, dando passagem para comboios militares, bielorrussos sofridos seguindo para o oeste, ex-prisioneiros de guerra casaques marchando para o leste, ex-combatentes da Wehrmacht oriundos de outras partes da velha Alemanha, tão estrangeiros na Prússia quanto qualquer cigano, carregando suas mochilas surradas, embrulhados nos cobertores do exército que ainda guardam, os triângulos verde-claros de agricultor costurados à altura do peito em cada túnica oscilando, a uma certa hora do poente, como chamas de velas numa procissão religiosa — hoje supostamente seguindo para Hanôver, supostamente catando batatas no caminho, já faz um mês que andam atrás dessas inexistentes plantações de batatas — "Saqueadas", um ex-corneteiro mancando com um pedaço comprido de uma dormente à guisa de bengala, seu instrumento, curiosamente intato e reluzente, a tiracolo, "devastadas pela SS, Bruder, ja, todas as plantações de batata, e por quê? Álcool. Não é pra beber, não — álcool pros foguetes. Batatas que a gente podia estar comendo, álcool que a gente podia estar bebendo. Não dá pra acreditar." "O quê, os foguetes?" "Não, a SS, catando batatas!" olhando a sua volta para ver se alguém ri. Mas aqui não há ninguém para seguir os floreios de seu coração menos solene. Esses homens eram infantes, sabem cochilar entre um passo e outro — a alguma hora da madrugada vão sair de forma e da pista, um precipitado momentâneo da química industrial destas noites inquietas, enquanto o fervilhar invisível prossegue, os longos vórtices espalhados — ternos listrados com cruzes pintadas nas costas, uniformes da marinha e do exército esfarrapados, turbantes brancos, meias descasadas, sapatos sem meias, vestidos xadrez, grossos xales de tricô com bebês dentro, mulheres com calças de soldado rasgadas à altura do joelho, cães pulguentos latindo e correndo em bandos, carrinhos de bebês transportando pilhas de móveis leves de compensado arranhado, gavetas ajustadas à mão que nunca mais vão entrar em gaveteiro algum, galinhas roubadas vivas e mortas, trompas e violinos em estojos pretos surrados, colchas, harmônios, relógios de pêndulo, caixas de ferramentas de carpintaria, relojoaria, cirurgia e trabalhos com couro, retratos de filhas rosadas com vestidos brancos, santos sangrando, arrebóis marítimos salmão e violeta, malas contendo boás com olhos de conta, bonecas que sorriem com lábios violentamente vermelhos, soldadinhos Allgeyer de três centímetros de altura pintados de creme, dourado e prateado, punhados de ágatas centenárias mergulhadas em mel que adoçou línguas de bisavós há muito transformados em pó, depois banhadas em ácido sulfúrico para queimar o açúcar em faixas, variando de marrom a negro, imortais interpretações ao piano registradas em rolos Vorsetzer, lingerie preta com lacinhos, talheres de prata com enfeites de flores e uvas, garrafas ornamentais de cristal facetado, xícaras Jugendstil em forma de tulipa, fios de contas de âmbar... e as populações se deslocam, atravessando o campo aberto, uns mancando, outros marchando, arrastando-se, sendo carregados, levando consigo os detritos de uma ordem, uma ordem europeia e burguesa que, eles ainda não sabem, foi destruída para sempre.

Quando Slothrop tem cigarros, ele é um alvo fácil, quando alguém tem comida esta é repartida entre todos — às vezes uma partida de vodca se há uma concentração de tropas ali perto, as latas de lixo contêm produtos de todo tipo, cascas de batata e de melão, pedaços de barras de chocolate que servem para adoçar, nunca se sabe o que entra nesses alambiques de deslocados de guerra, você acaba bebendo os dejetos de alguma força de ocupação. Slothrop entra e sai de dezenas de grupos de migrantes silenciosos e famintos, sempre provocando rígidas contrações benzedrínicas nos rostos — o problema é que não há um único rosto que ele possa realmente ignorar, são todos muito *fortes*, como rostos de espectadores de uma corrida, cada um deles dizendo *Não, eu — olhe para mim, comova-se, pegue sua câmara fotográfica, sua arma, sua pica*... Slothrop arrancou todas as insígnias do uniforme de Tchitcherine para chamar menos atenção, mas quase ninguém está interessado em insígnias...

Boa parte do tempo ele fica sozinho. Entra em casas de fazendas, vazias na noite, e dorme no feno, ou, quando há um colchão (o que é raro), numa cama. Acorda com o sol brilhando em alguma lagoa cercada de verde pontilhado de flores de tomilho ou mostarda, uma salada que sobe a encosta até os pinheiros na névoa. Tomateiros tenros e dedaleiras roxas nos quintais, enormes ninhos de aves construídos sob os beirais dos telhados de colmo, corais de passarinhos de manhã e logo, um dia, quando o verão revira-se pesadamente no céu, o clangor das garças em migração.

Numa fazenda num vale ao sul de Rostock, Slothrop entra na casa para se abrigar da chuva do meio-dia e adormece numa cadeira de balanço na varanda, onde sonha com Tantivy Mucker-Maffick, seu amigo de outrora. Ele voltou, afinal, contra todas as expectativas. Estão em algum lugar no interior da Inglaterra, um campo axadrezado verde-escuro e amarelo-palha extraordinariamente vivo, menires antiquíssimos em lugares altos, onde desde cedo paga-se tributo à morte e ao governo, onde as moças saem à noite para ficar nuas no alto dos morros e cantar. Membros da família de Tantivy e amigos seus vieram todos, numa comemoração discreta de sua volta. Todo mundo sabe que é apenas uma visita: ele só está "aqui" de modo condicional. Em algum momento, se as pessoas pensarem muito no que está acontecendo, tudo vai desabar. Um trecho do gramado foi preparado para servir de pista de dança, veio uma banda da aldeia, muitas das mulheres estão de branco. Após uma certa confusão a respeito da programação do dia, a reunião tem início — ao que parece, é em algum lugar subterrâneo, não exatamente uma sepultura ou cripta, nada de sinistro, um lugar cheio de parentes e amigos que cercam Tantivy, o qual parece uma presença *verdadeira*, não afetada pelo tempo, nítida, colorida... "Ora, Slothrop."

"Ah — por onde você andou, companheiro?"

"'Aqui'."

"'''Aqui'''?"

"É, isso mesmo, você entendeu — a um ou dois graus de afastamento, mas andando nas mesmas ruas que você, lendo os mesmos jornais, reduzido ao mesmo espectro de cores..."

"Então você não —"

"*Eu* não *fiz* nada. Houve uma mudança."

As cores aqui — revestimento de pedra, convidados com flores nas lapelas, cálices estranhos nas mesas — têm um ressaibo de sangue derramado e enegrecido, de uma suave carbonização nas partes vazias das cidades às quatro da tarde num domingo... ficam mais nítidos os contornos do terno de Tantivy, um terno de gigolô com um corte estrangeiro abominável, uma coisa que ele seria incapaz de usar...

"Acho que não temos muito tempo... é uma merda, eu sei, é muito egoísmo, mas estou tão sozinho agora, e... fiquei sabendo que logo depois que a coisa acontece, às vezes, a pessoa ainda continua por aí um tempo, meio que cuidando de um amigo que está 'aqui'..."

"Às vezes." Ele está sorrindo: porém sua serenidade e distanciamento são a extensão de um grito de impotência fora do alcance de Slothrop.

"Você está cuidando de mim?"

"Não, Slothrop. Não de você..."

Slothrop está sentado na cadeira de balanço velha e gasta, contemplando a linha dos morros e o sol que acaba de sair detrás da última nuvem de tempestade, dourando os campos molhados e as medas de feno. Quem passou e o viu dormindo, o rosto branco e atormentado caído sobre o peito do uniforme enlameado?

As fazendas em que Slothrop se instala são assombradas, mas bem assombradas. O madeirame range à noite, honesto e rígido. Vacas não ordenhadas mugem de dor em campos distantes, outras vêm e se embriagam de forragem fermentada, esbarrando nas cercas e montes de feno onde Slothrop sonha, soltando muuuus com tremas ébrios nos us. No alto dos telhados, as cegonhas em preto e branco, pescoços longos recurvados para o céu, cabeças invertidas e olhando para trás, batem bicos em saudação e no amor. À noite vêm os coelhos, furtivos, comer o que resta de bom nos quintais. As árvores, agora — Slothrop está muito atento para as árvores, finalmente. Quando se vê cercado por elas, passa algum tempo tocando-as, examinando-as, sentado em total silêncio perto delas, compreendendo que cada árvore é uma criatura, vivendo sua vida individual, cônscia do que se passa a seu redor, e não apenas um pedaço de madeira para ser derrubado. A família de Slothrop ganhou dinheiro matando árvores, amputando-as das raízes, partindo-as em pedaços, reduzindo-as a polpa e branqueando-a até transformá-la em papel, para depois trocar esse papel por outros pedaços de papel como forma de pagamento. "Isso é uma loucura completa." Sacode a cabeça. "Tem loucura na minha família." Levanta a cabeça. As árvores estão quietas. Sabem que ele está ali. Provavelmente sabem também o que ele está pensando. "Desculpem", diz ele. "Não posso fazer nada, essas pessoas estão todas fora do meu alcance. O que é que eu posso fazer?" Um pinheiro de médio porte ali perto acena balançando sua copa, e sugere: "Da próxima vez que você vir uma madeireira trabalhando aqui, vá a um dos tratores que não estiverem sendo vigiados e retire o filtro de óleo. É isso que você pode fazer".

Lista Parcial de Pedidos Feitos à Estrela da Tarde Neste Período:

Que eu encontre aquele galinheiro de que a velha me falou.
Que Tantivy esteja mesmo vivo.
Que essa porra dessa espinha nas minhas costas desapareça.
Que eu vá para Hollywood quando tudo isto terminar para que Rita Hayworth me veja e se apaixone por mim.
Que a paz deste dia permaneça quando eu acordar amanhã.

Que aquela baixa esteja à minha espera em Cuxhaven.
Que Bianca esteja bem, e-e —
Que eu consiga dar uma cagada em breve.
Que aquilo ali seja apenas uma estrela cadente.
Que estas botas aguentem pelo menos até Lübeck.
Que o tal Ludwig encontre o lemingue dele e seja feliz e me deixe em paz.

Ah, o Ludwig. Slothrop o encontra uma manhã à margem de algum lago azul e anônimo, um garoto de oito ou nove anos de uma obesidade espantosa, olhando para a água, chorando, estremecendo todo em grandes ondas de gordura. O nome de seu lemingue é Ursula, uma fêmea, que fugiu de casa. Ludwig veio atrás dela lá de Pritzwalk, ao norte. Está convencido de que Ursula está indo rumo ao Báltico, mas teme que ela confunda um desses lagos com o mar, e pule dentro do lago por engano —

"*Um lemingue*, garoto?"

"Estou com ela há dois anos", ele chora, "ela sempre foi tão boazinha, nunca tentou — Não sei. Acho que deu alguma coisa nela."

"Deixe de bobagem. Um lemingue nunca faz nada sozinho. Só junto com uma multidão. A coisa é contagiante. É porque eles se reproduzem demais, Ludwig, a coisa vem em ciclos, quando a população deles é grande demais eles entram em parafuso e saem correndo em busca de comida. Isso eu aprendi na faculdade, eu sei do que estou falando. Estudei em Harvard. Vai ver que a tal Ursula saiu atrás de um namorado, sei lá."

"Ela teria me avisado."

"Sinto muito."

"Os russos não sentem coisa nenhuma."

"Eu não sou russo, não."

"Foi por isso que você arrancou todas as insígnias?"

Os dois se entreolham. "Bem, hã, você precisa de ajuda para procurar o seu lemingue?"

O tal do Ludwig talvez não seja cem por cento da cabeça. Ele é capaz de arrancar Slothrop da cama no meio da noite, acordando metade do acampamento de deslocados de guerra, assustando os cães e os bebês, absolutamente convicto de que Ursula está ali perto, perto do círculo do fogo, olhando para ele, vendo-o, mas não como antigamente. Leva Slothrop a destacamentos de tanques soviéticos, a montes de ruínas cheios de ondulações como o mar, que despencam em volta e, se bobear, em cima da gente na hora em que a gente pisa nelas, e leva-o também a pântanos movediços onde os juncos se quebram quando a gente tenta agarrar-se a eles, e onde há um fedor de catástrofes da proteína. Trata-se ou de uma fé enlouquecida ou então de alguma coisa um pouco mais tétrica: por fim Slothrop dá-se conta de que se há alguém ali com impulsos suicidas não é Ursula, é *Ludwig* — peraí, vai ver que o tal do lemingue nem existe!

No entanto... não é que uma ou duas vezes Slothrop tem a impressão de que viu alguma coisa? alguma coisa disparando a sua frente em ruas cinzentas e estreitas, ladeadas por umas parcas árvores tenras em uma dessas cidades fortificadas prussianas, lugares onde a guerra era a única indústria e o único significado de tudo, quartéis e muros de pedra agora abandonados — o-ou então, acocorado à margem de uma lagoa, vendo as nuvens, alvas caranguejas contra a margem oposta tão verdejante, enevoada e distante, e muito ao longe, recebendo instruções secretas das águas cujos movimentos, na estação dos lemingues, são oceânicos, irresistíveis, tão lentos, aparentemente tão sólidos que se pode andar sobre sua superfície sem perigo...

"Foi isso que Jesus quis dizer", sussurra o fantasma do primeiro ancestral americano de Slothrop, William, "quando caminhou pelo mar da Galileia. Ele o viu do ponto de vista do lemingue. Sem os milhões que afundaram e se afogaram, não seria possível haver nenhum milagre. O único que conseguiu foi apenas o outro lado da coisa: a última peça do quebra-cabeça, cuja forma já havia sido criada pelos Preteridos, como o último espaço vazio na mesa."

"Peraí. Naquele tempo vocês não tinham quebra-cabeça."

"Ah, foda-se."

William Slothrop era uma figura estranha. Partiu de Boston rumo ao oeste, no mais puro estilo imperial, em 1634 ou 35, enojado com a máquina eleitoral dos Winthrop, convencido de que ele sabia pregar tão bem quanto qualquer membro dos altos escalões da hierarquia, muito embora não tivesse sido oficialmente ordenado. Os contrafortes dos montes Berkshire eram um obstáculo para todo mundo na época, mas não para William. Ele simplesmente foi subindo. Foi um dos primeiros europeus a chegar lá. Depois de se estabelecer em Berkshire, ele e seu filho John começaram a criar porcos — descia o grande talude tocando seus porcos, numa longa caminhada até Boston, como se fossem carneiros ou vacas. Quando chegavam no mercado, os animais estavam tão magrinhos que já pouco valiam, mas William na verdade estava mais interessado na viagem que no dinheiro. Adorava a estrada, a mobilidade, os encontros fortuitos do dia — índios, caçadores de peles, raparigas, montanheses — mais que tudo, adorava estar com seus porcos. Eram uma ótima companhia. Apesar do folclore e das injunções bíblicas, William terminou por admirar a nobreza e liberdade pessoal daqueles bichos, seu dom de encontrar conforto na lama num dia de calor — caminhar pela estrada acompanhado de um bando de porcos era tudo que Boston não era, e pode-se imaginar como era o final de uma dessas viagens para William — os animais sendo pesados e mortos, a triste e solitária caminhada de volta. Claro que ele entendia a coisa como uma parábola — sabia que a cena horrorosa de gritos e sangue no final da jornada contrabalançavam à perfeição todos os ruídos alegres dos porcos, seus olhos bondosos de pálpebras rosadas e tranquilas, seus sorrisos, seus movimentos graciosos na longa travessia. Era um pouco cedo ainda para Isaac Newton, mas as ideias de ação e reação já estavam no ar. William certamente vivia à espera do único porco que não morreria, que validaria todos os outros que tiveram de morrer, todos os seus porcos de Gerasa que haviam corrido para a morte tal como os lemingues, possuídos não por demônios mas pela confiança nos homens, que os homens sempre traíam... possuídos por uma inocência que eles não conseguiam perder... pela crença de que William era apenas um porco de uma espécie diferente, em casa na Terra, compartilhando o mesmo dom da vida...

William escreveu um longo panfleto sobre o assunto, intitulado *Da preterição*. Só pôde publicá-lo na Inglaterra, e foi um dos primeiros livros que foram não apenas proibidos como também cerimoniosamente queimados em Boston. Ninguém queria ouvir falar em todos aqueles Preteridos, os muitos que Deus deixa de lado quando escolhe uns poucos para salvar. William defendia a santidade desses "segundos Cordeiros" sem os quais não haveria eleitos. Está na cara que os Eleitos de Boston ficaram putos dentro de suas calças quando leram isso. Mas tinha mais. Segundo William, o que Jesus era para os Eleitos, Judas Iscariotes era para os Preteridos. Tudo na Criação tem sua contraparte igual e oposta. Como poderia Jesus ser uma exceção? Como poderíamos sentir por ele outra coisa que não o horror que inspira o antinatural, o extracriacional? Pois bem, se ele é o filho do homem, e se o que sentimos não é horror e sim amor, então temos que amar Judas também. Certo? Como William conseguiu não ser queimado por heresia, ninguém sabe. Certamente tinha costas quentes. Acabaram expulsando-o da Colônia da Baía de Massachusetts — por uns tempos ele pensou em ir para Rhode Island, mas acabou concluindo que também não tinha muitas afinidades com os antinomianos. Assim, terminou voltando para a Velha Inglaterra, coberto não exatamente de opróbrios, mas de andrajos, e foi lá que morreu, em meio a lembranças das serras azuladas, dos milharais verdes, das reuniões com os índios regadas a cânhamo e tabaco, das moças dos sobrados levantando os aventais, rostos bonitos, cabelo esparramado no chão de madeira, enquanto lá embaixo, nos estábulos, os cavalos escoiceavam e os bêbados berravam, das partidas de manhã cedo, os lombos de seus animais reluzindo como pérolas, as boas-noites resfolegantes de uma centena de porcos sob as estrelas novas no capim ainda quente de sol, acomodando-se para dormir...

Teria sido William o caminho que a América não escolheu na encruzilhada, o ponto exato em que o país pulou para o lado errado? E se a heresia slothropiana tivesse tido tempo de se consolidar e prosperar? Quem sabe não teria havido menos crimes em nome de Jesus e mais piedade em nome de Judas Iscariotes? Tyrone Slothrop tem a impressão de que talvez haja um caminho de volta — talvez aquele anarquista que ele conheceu em Zurique tivesse razão, talvez por algum tempo todas as cercas estejam derrubadas, todas as estradas tenham o mesmo valor, todo o espaço da Zona esteja limpo, despolarizado, e em algum lugar dentro daquele deserto haja um único sistema de coordenadas para orientar o caminho sem eleitos, sem preteridos, sem nem sequer nacionalidades que sejam capazes de foder com todo o processo... Essas são as perspectivas intelectuais que se descortinam na cabeça de Slothrop enquanto ele segue atrás de Ludwig. Estará ele vagando a esmo ou sendo conduzido? O único controle agora é a porra do lemingue. Se é que existe mesmo. O garoto mostra a Slothrop as fotos que leva na carteira: Ursula, olhos luzidios e tímidos, espiando debaixo de uma pilha de folhas de repolho... Ursula numa gaiola enfeitada com uma fita gigantesca e um selo com suástica e tudo, primeiro prêmio num concurso de animais de estimação da Juventude Hitlerista... Ursula e o gato da família, entreolhando-se desconfiados sobre um chão de ladrilhos... Ursula, patas dianteiras inertes e olhos sonolentos, no bolso do uniforme de lobinho nazista de Ludwig. Há sempre uma parte de seu corpo que sai borrada na foto, rápida demais para o obturador. Mesmo sabendo, desde que ela era pequena, o que ia acontecer mais cedo ou mais tarde, mesmo assim Ludwig sempre a amou. Talvez ele ache que o amor é capaz de impedir que a coisa aconteça.

Slothrop jamais saberá. Perde-se do gorducho maluco numa aldeia perto do mar. Moças de saias rodadas e lenços estampados nos cabelos catam cogumelos nos bosques, e esquilos vermelhos sobem as faias, rápidos como relâmpagos. As ruas se curvam nos limites da cidade, demais para ser mero efeito de perspectiva — aqui é espaço de grande-angular, espaço de vilarejo. Aglomerados de lampiões pendem dos postes. As pedras do calçamento são pesadas, cor de areia. Cavalos de tração pegam sol balançando as caudas.

Num beco perto da Michaeliskirche, uma menininha vem cambaleando sob uma enorme pilha de casacos de pele de contrabando, só as pernas morenas visíveis. Ludwig berra, apontando para o casaco no alto da pilha. Algo pequeno e cinzento faz parte do colarinho. Olhos amarelos artificiais com um brilho malsão. Ludwig corre, gritando Ursula, Ursula, tentando agarrar o casaco. A menina responde com uma torrente de xingamentos.

"Você matou minha lemingue!"

"Tire a mão, seu idiota." Um cabo de guerra entre as manchas difusas de sol e sombra no beco. "Não é um lemingue, é uma raposa."

Ludwig interrompe a gritaria o tempo suficiente para olhar. "Ela tem razão", observa Slothrop.

"Desculpe", Ludwig fungando. "Eu estou meio nervoso."

"Então, dava pra me ajudar a carregar isso até a igreja?"

"Claro."

Cada um pega um pedaço da pilha, e os dois seguem a menina pelas gassen de pedras irregulares, entram por uma porta lateral, descem vários lances de escada até um porão da Michaeliskirche. Ali, à luz dos lampiões, o primeiro rosto que Slothrop vê, debruçado sobre um fogão, tomando conta de uma panela que ferve, é o rosto do major Duane Marvy.

IAAAGGGGHHHH — Slothrop levanta sua braçada de roupas, prestes a largá-las no chão e sair correndo, mas o major é todo sorrisos. "Oi, camarada. Chegou na hora exata de provar o Chili Atômico de Duane Marvy! Sente aí — ou então se ajoelhe, né? *Iaah*-ha-ha-ha! A fulaninha aqui", rindo e atacando de mão-boba a garota que junta seu fardo ao enorme estoque de peles que ocupa a maior parte do espaço deste recinto, "ela às vezes é meio indiscreta. Espero que você não fique achando que a gente está fazendo alguma coisa de ilegal. Quer dizer, aqui na sua zona, não é?"

"Absolutamente, major", tentando caprichar no sotaque russo, que acaba saindo igual ao de Bela Lugosi. E Marvy já estendeu seu passe, a maior parte dele em manuscrito, com um ou outro carimbo aqui e ali. Slothrop olha para a parte em alfabeto cirílico no final da página e identifica a assinatura de Tchitcherine. "Ah. Já trabalhei com o coronel Tchitcherine em uma ou duas ocasiões."

"E então, já soube do que aconteceu lá em Pênis-mundo? Uma cambada de sacana foi lá e sequestrou o Der Springer bem debaixo do nariz do coronel. Pode crer. Sabe o Der Springer? Tremendo filho da mãe, camarada. O sacana está metido em tudo, acaba que não sobra quase nada prum frila como eu ou o Chiclitz Sangrento."

Chiclitz Sangrento, a quem a mãe, a senhora Chiclitz, deu o nome de Clayton, está este tempo todo barricado atrás de uma pilha de mantos de visom com uma 45 apontada para a barriga de Slothrop. "Esse aí é gente boa, meu chapa", diz Marvy. "Vocês podiam era arranjar mais uma champanhota aí pra gente, é ou não é?" Chiclitz é mais ou menos tão gordo quanto Marvy e usa óculos de tartaruga, e seu cocuruto é tão lustroso quanto seu rosto. Um põe o braço no ombro do outro, dois gordos sorridentes. "Ivan, nós dois juntos valemos 10 000 calorias por dia, aqui", apontando para as duas barrigas com o polegar e piscando. "O Chiclitz vai ser o Rei Netuno", e os dois desabam numa gargalhada. Mas é verdade. O fato é que Chiclitz bolou uma maneira de faturar em cima dos deslocamentos de tropas. Ele está prestes a conseguir com os Serviços Especiais um contrato de exclusividade para a realização das festas comemorando a passagem do Equador em todos os navios-transportes de tropas que vão de um hemisfério ao outro. E o próprio Chiclitz vai ser o Rei Netuno no maior número de viagens possível — faz parte do contrato. Ele sonha com as gerações futuras de bucha para canhão, todos ajoelhados no chão, vindo um por um beijar-lhe a barriga enquanto ele come coxas de peru e toma sorvete, limpando os dedos nos cabelos dos marinheiros de primeira viagem. Oficialmente, ele é um dos industriais americanos que está com a Força Territorial, vasculhando a engenharia alemã, especialmente as armas secretas. Nos Estados Unidos ele é dono de uma fábrica de brinquedos em Nova Jersey. Quem não lembrará do popularíssimo Sangue-San, o boneco japonês que a gente enche de ketchup e depois espeta com uma baioneta em diversos pontos de acesso, quando então ele se desmancha em 82 pedaços realistas de plástico macio que se espalham por toda a sala? e-e do Nego Safado, o jogo em que você tem que atirar no negro que roubou a melancia antes que ele tenha tempo de pular a cerca, um desafio para os reflexos de meninos e meninas de todas as idades? No momento, sua empresa está voando em céu de brigadeiro, mas Chiclitz está pensando no futuro. Por isso meteu-se nessa transação com peles, utilizando a Michaeliskirche como depósito de toda a região. "Tenho que cortar os custos. Tenho que acumular capital, o bastante para me aguentar", vertendo champanhe em cálices de comunhão banhados em ouro, "até a gente ver pra que lado as coisas estão caminhando. Eu por mim acho que essas bombas-voadoras têm um grande futuro pela frente. Vão fazer o maior sucesso."

A velha igreja cheira a vinho derramado, suor americano e cordite recém-queimada, mas são intrusões recentes que não chegaram a abolir o cheiro católico que ainda predomina — incenso, cera, os balidos de rebanhos submissos acumulados há séculos. Entram e saem crianças, trazendo e levando peles, conversando com Ludwig e por fim levando-o para ver os vagões de carga no pátio de embarque.

Cerca de 30 crianças trabalham para Chiclitz. "Meu sonho", ele confessa, "é levar essa gurizada toda para os Estados Unidos, para Hollywood. Acho que elas vão ter futuro no cinema. Já ouviu falar em Cecil B. De Mille, o produtor? Meu cunhado é *assim* com ele. Acho que eu consigo ensinar essas crianças a cantar, sei lá, um coro infantil, e aí negociar um pacote com o De Mille. Ele pode usá-las em cenas bem grandiosas, cenas religiosas, cenas de orgias —"

"Ha!" exclama Marvy, babando champanhe, arregalando os olhos. "Você está *sonhando*, rapaz! Você vende esses guris para o Cecil B. De Mille e eu garanto que o que eles vão fazer não é cantar, não. Ele vai é escravizar todos eles — pôr esses guris a ferros pra eles ficarem fazendo trabalho braçal no estúdio, carregando coisas, conferindo estoques, de vez em quando sendo enrabados pelos funcionários mais tarados."

"Isso!" explode Chiclitz. "Quem confere a ferros, a ferros será ferrado!"

Nos arredores da cidade encontram-se os restos mortais de uma bateria de A4, abandonada pelos soldados ao fugirem para o sul, tentando escapar das tenazes formadas por soldados ingleses de um lado e russos do outro. Marvy e Chiclitz vão até lá dar uma olhada, e convidam Slothrop para ir junto. Mas primeiro há que provar o tal Chili Atômico de Duane Marvy, o qual é nada menos que um teste de virilidade. A garrafa de champanhe está ali perto, mas beber dela é tomado como sinal de fraqueza. Em outros tempos Slothrop teria sido levado a cair nessa como um patinho, mas agora ele nem cogita a possibilidade de experimentar. Enquanto os dois americanos, cegos, narinas em fogo, vazando quantidades incríveis de ranho, sofrem o que o *Guia da Zona para pães-duros* qualifica, apropriadamente, como "um Götterdämmerung das mucosas", Slothrop fica tomando champanhe como se fosse refrigerante, balançando a cabeça, sorrindo e murmurando *da, da* de vez em quando, só para parecer mais autêntico.

Saem num carro do exército, um Ford verde de cara sorridente. Assim que se coloca diante do volante, Marvy se transforma num dipsomaníaco com presas protuberantes — *vvvvrrruummmm* deixando na pista uma quantidade de borracha suficiente para abastecer de camisas de vênus uma divisão inteira, de zero a 110 antes que dê tempo de o eco morrer, tentando atropelar ciclistas à esquerda e à direita, desencadeando estouros de boiadas, enquanto Chiclitz "Sangrento", uivando de felicidade, uma garrafa de champanhe em cada mão, o incita — Marvy canta a plenos pulmões

"San Antonio Rose", sua canção favorita, Chiclitz grita pela janela admoestações do tipo "Não fodeis com o Fodão senão sereis fodidos vós próprios", o que leva algum tempo para dizer e só tem o efeito de arrancar algumas confusas saudações fascistas das velhas e criancinhas à beira-estrada.

Os restos da bateria estão num terreno queimado onde já começa a brotar capim novo, dentro de um arvoredo de faias e amieiros. Estandes de metal camuflado pairam silenciosos em meio a uma multidão espectral de dentes-de-leão tardios, cabeças cinzentas acenando juntas à espera do vento luminoso que as despedaçará e levará seus fragmentos rumo ao mar, até a Dinamarca, para todos os pontos da Zona. Tudo foi saqueado. Os veículos estão reduzidos aos esqueletos vazios de seus primeiros esboços, embora ainda haja um vago cheiro de gasolina e graxa no ar. Miosótis brotam em tons violentos de azul e de amarelo em meio ao emaranhado de cabos e mangueiras. Andorinhas fizeram um ninho dentro do carro de controle, e uma aranha começa a preencher com sua teia a treliça do Meillerwagen. "Puta merda", exclama o major Marvy. "Os veados dos russos roubaram *tudo*, leve a mal não, camarada." Saem chutando ervas verdes e roxas, latas de comida enferrujadas, serragem velha e lascas de madeira. Estacas de agrimensura, cada uma ainda com um trapo branco pregado em cima, se estendem num pontilhado em direção ao transmissor do sinal de guiagem, a 12 quilômetros dali. Para o leste. Pelo visto, eram os russos que eles estavam tentando deter...

Do carro de controle empoeirado vêm laivos de vermelho, branco e azul. Slothrop genuflecte. A mandala do Schwarzkommando: KEZVH. Levanta a vista e vê que Marvy lhe dirige um sorriso maroto.

"Ora, mas é claro. Como que eu não percebi! Você não tem nenhuma *insígnia*... v-você é que nem o CIC soviético! É ou não é?" Slothrop devolve-lhe o olhar fixo. "Peraí. Peraí. Quem é que você está tentando pegar? Hein?" O sorriso desaparece. "Epa. Espero que não seja o coronel Tchitcherine. Que esse é um russo *bom*, você sabe, não é?"

"Dou-lhe minha palavra", levantando a mandala, cruz diante de vampiro, "que meu único interesse é resolver o problema desses demônios negros."

O sorriso volta, acompanhado de uma mão gorducha pousada no braço de Slothrop. "E então, você está pronto pra rodar por aí com eles, assim que os seus camaradas chegarem?"

"Rodar? Acho que não —"

"*Ah*, você entendeu, sim. Ora, os *crioulos* estão todos aí acampados perto da cidade! Escute aqui, Ivan, vai ser uma *delícia*. Passei o dia todo hoje limpando a minha Colt", acariciando a arma em seu coldre. "Vou fazer um boné tipo Davy Crockett pra mim com o couro de um deles, e não preciso nem dizer o que é que vai ficar pendurado atrás do boné, é ou não é, hein? Hein?" O que Chiclitz "Sangrento" acha tão engraçado que quase engasga de tanto rir.

"Na verdade", Slothrop inventa enquanto fala, "minha missão é coordenar as informações", seja lá o que isso quer dizer, "em operações como esta. Estou aqui para fazer o reconhecimento da posição do inimigo."

"Inimigo, mesmo", concorda Chiclitz. "Eles têm armas, o caralho. A única coisa que crioulo tem direito de segurar é uma *vassoura*!"

Marvy franze o cenho. "Você, você não quer que a gente vá lá com você agora, não é? A gente até explica como se chega lá, mas você está de *porre* se está pensando em ir lá sozinho. Por que não espera até a noite? A coisa está marcada pra começar por volta de meia-noite, não é? Você pode esperar."

"É essencial que eu recolha certas informações de antemão", tremenda cara de pau, isso mesmo... "Não é necessário dizer-lhes o quanto esta missão é importante..." Pausa significativa à Lugosi, "para *todos* nós."

E desse jeito ele consegue informações sobre a localização do Schwarzkommando e uma carona de volta para a cidade, onde os dois comerciantes pegam duas Fräuleins assanhadas e vão na maior zorra em direção ao poente. Slothrop fica parado levando fumaça do cano de descarga deles, murmurando.

Da próxima vez não vai ser essa moleza não, seu babaca...

Slothrop leva uma hora para ir a pé até o acampamento, atravessando um campo amplo cuja cor se adensa agora, como se tinta verde estivesse fluindo e impregnando a terra... ele percebe a sombra de cada folha de relva estendendo-se em direção à sombra a leste... uma luz pura, cor de leite, descreve uma curva acima do sol já quase posto, carne branca transparente, esbatendo-se através de muitos azuis, até um tom de aço escuro no zênite... por que ele está aqui, fazendo o que está fazendo? Será isso ideia do lemingue Ursula também, meter-se nas brigas dos outros quando devia estar mas era... seja lá o que for... hãã...

Isso! Claro, o que aconteceu com o Imipolex G, e o tal do Jamf e-e o tal do S-Gerät, aqui tenho que bancar o detetive durão, sair sozinho e vencer todos os obstáculos, vingar meu amigo que Eles mataram, recuperar minha carteira de identidade e encontrar a tal arma misteriosa mas, putz, é QUE NEM ESTAR —

> PROCURANDO UMA AGULHA NUM PALHEEEEI-RO!
> Prr-procurando não-sei-quê ao luar,
> (Não-sei-que-lá) preciso de vocêêêê!

Pés sussurrando em meio à erva e o capim, cantarolando exatamente no mesmo modo ofegante, queixo para cima, que nem Fred Astaire, matutando sobre a possibilidade de conseguir encontrar Ginger Rogers de novo aqui ainda neste doce mundo...

Então, de repente — não, não, espere, agora é hora de planejar tudo friamente, pesar as opções, determinar as metas neste ponto crucial da sua...

La — *tará*, PROCURANDO UMA AGULHA NUM —

Nananão, pare com isso rapaz, deixe de bobagem, você precisa se *concentrar*... O S-Gerät — pois bem, se eu conseguir encontrar o S-Gerät e entender de que modo o Jamf entrou na história, se eu conseguir descobrir isso, isso mesmo, Imipolex, pois bem...

— procurando num (hum!) porão
que está cheio de açafrão...

Ah...

Eis que senão quando, como se o puro desejo de alguém a tivesse feito surgir, uma agulhada única perfura o céu: a primeira estrela.

Que eu possa avisá-los a tempo.

Eles saltam sobre Slothrop no meio das árvores, esguios, barbudos, negros — levam-no até as fogueiras onde alguém toca uma mbira cuja caixa de ressonância foi feita com um pedaço de pinho alemão, cujas palhetas são pedaços de molas de um Volkswagen destruído. Mulheres trajando vestidos de algodão branco com estampados de flores azul-escuro, blusas brancas, aventais com alamares e lenços pretos nos cabelos, ocupam-se com panelas e latas. Algumas usam colares de casca de ovo de avestruz trabalhados a faca, com desenhos vermelhos e azuis. Uma grande peça de carne, enfiada num espeto, pinga sobre o fogo.

Enzian não está presente, mas Andreas Orukambe está, nervos à flor da pele, com um pulôver da marinha e calças de uniforme de faxina do exército. Ele reconhece Slothrop. "Was ist los?"

Slothrop lhe diz. "Devem vir aqui à meia-noite. Não sei quantos, mas talvez seja melhor vocês caírem fora."

"Talvez." Andreas está sorrindo. "Você já comeu?"

A discussão, ficar ou ir embora, continua durante o jantar. Não é o tipo de processo decisório que Slothrop aprendeu no curso de formação de oficiais. Outras coisas parecem estar em jogo, coisas de que os herero da Zona estão sabendo e Slothrop não está.

"Temos que ir para onde vamos", Andreas lhe explica mais tarde. "Onde Mukuru quer que a gente vá."

"Ah. Ah. Eu pensava que vocês estavam aqui procurando alguma coisa, como todo mundo. O 00000, o que você me diz dele?"

"É de Mukuru. Ele o esconde onde quer que o procuremos."

"Escute, sei uma coisa sobre o tal S-Gerät." E conta a história de Greta Erdmann — a charneca, a refinaria de gasolina, o nome Blicero —

Esse nome diz alguma coisa a eles. Diz muita coisa, aliás. Todo mundo olha para todo mundo. "Me diga", Andreas com muito cuidado, "era esse mesmo o nome do alemão que comandava a bateria que usava o S-Gerät?"

"Não sei se eles o usavam propriamente. Blicero levou a mulher a uma fábrica onde ele era montado, ou então onde era fabricada uma parte dele, feita de um plástico chamado Imipolex G."

"E ela não disse onde."

"Só falou na 'Charneca'. Tentem encontrar o marido dela, Miklos Thanatz. Talvez ele tenha assistido ao lançamento, se é que houve mesmo um lançamento. Alguma coisa extraordinária aconteceu então, mas não consegui descobrir o que foi."

"Obrigado."

"De nada. Talvez você possa me explicar uma coisa agora." Pega a mandala que ele encontrou. "O que quer dizer isso?"

Andreas a coloca no chão e a vira até o K apontar para o noroeste. "Klar", tocando cada letra, "Entlüftung, essas são as letras femininas. As letras setentrionais. Nas nossas aldeias, as mulheres moravam em cabanas na metade norte do círculo, os homens na metade sul. A aldeia era ela própria uma mandala. Klar é fertilização e nascimento, Entlüftung é o hálito, a alma. Zündung e Vorstufe são os signos masculinos, as atividades, fogo e preparação ou construção. E no centro, aqui, Hauptstufe. É o cercado onde a gente guardava o gado sagrado. As almas dos ancestrais. Tudo igual aqui. Nascimento, alma, fogo, construção. Masculino e feminino juntos.

"As quatro aletas do Foguete formavam uma cruz, outra mandala. A número um apontava para a direção de sua trajetória. A dois, atitude; a três, rotação e rolagem; a quatro, atitude. Cada duas pás opostas atuavam juntas, e moviam-se em sentidos opostos. Os opostos juntos. Você entende por que temos a impressão de que ele fala a nós, mesmo que não cheguemos a colocá-lo de pé para adorá-lo. Mas ele estava esperando por nós quando viemos para a Alemanha, tantos anos atrás... mesmo confusos e desarraigados como estávamos na época, *sabíamos* que nosso destino estava ligado ao dele. Que tínhamos sido deixados de lado pelo exército de von Trotha para que encontrássemos o Aggregat."

Slothrop lhe entrega a mandala, torcendo para que ela funcione como a mandala que Enzian lhe ensinou uma vez, mba-kayere (sou deixado de lado), mba-kayere... um encantamento para protegê-lo de Marvy, para protegê-lo de Tchitcherine. Uma mezuzá. Para atravessar com segurança uma noite ruim...

□□□□□□□

O Schwarzkommando pegou Achtfaden, mas Tchitcherine pegou Närrisch. Custou-lhe Der Springer e três baixas entre praças, vítimas de mordidas profundas. Uma teve uma artéria seccionada. Närrisch tentando fugir à Audie Murphy. Um cavalo em troca de um bispo — sob narco-hipnose, Närrisch delirava a respeito do Círculo Sagrado e a Cruz das Aletas. Porém os negros não sabem que Närrisch sabia também que:

(a) havia um radioenlace da base ao S-Gerät, mas não vice-versa,

(b) havia um problema de interferência entre um servo-ativador e um tubo de oxigênio especial que corria à popa, do tanque principal até o dispositivo,

(c) Weissmann não apenas coordenava o projeto S-Gerät em Nordhausen como também comandava a bateria do Foguete 00000.

Espionagem total. Pouco a pouco esse mosaico vai crescendo. Tchitcherine, desprovido de bureau, carrega tudo em seu cérebro. Cada fragmento, cada caco se encaixa no todo. Mais precioso que Ravena, algo continua a erigir-se contra este céu cor de amido...

Radioenlace + oxigênio = algum tipo de pós-queimador. Quer dizer, normalmente. Mas Närrisch falou também numa assimetria, uma carga interior perto da aleta nº 3 que dificultava o controle de rotação e rolamento, tornando-o quase impossível.

Ora, com um motor secundário instalado, não haveria também uma configuração assimétrica de combustão, gerando fluxos de calor grandes demais para a estrutura? Porra, por que ele não escolheu *nenhum* dos especialistas em propulsão? Será que ficaram todos com os americanos?

O major Marvy, faca entre os dentes e uma Thompson apoiada em cada anca, tão aparvalhado na clareira quanto todos os outros membros da equipe de ataque, não está disposto a conversar. Está mais é emburrado, bebendo vodca da cantina sem fundo de Džabajev. Porém se algum engenheiro de propulsão ligado ao S-Gerät tivesse aparecido em Garmisch, Marvy o teria avisado. A combinação é essa. O Ocidente entra com as informações, a Rússia entra com o dedo do gatilho.

Ah, ele sente o *cheiro* de Enzian... quem sabe neste mesmo instante o negro não estará olhando para eles do meio da noite? Tchitcherine acende um cigarro, chama verdeazulilás estabilizando-se em amarelo... ele segura a chama mais tempo do que necessário, pensando *se ele quiser, que faça. Ele não vai. Eu não faria. Quer dizer... talvez eu fizesse...*

Mas nesta noite a coisa avançou um salto quântico. Eles vão se encontrar. Será em torno do S-Gerät, real ou imaginado, funcionando ou destruído — mas vão encontrar-se face a face. *Então...*

Nesse ínterim, quem é o misterioso agente de informações soviético com quem Marvy conversou? Paranoia, Tchitcherine. Talvez Moscou esteja sabendo da sua vendeta. Se estão reunindo provas para uma corte marcial, dessa vez a punição não vai ser a Ásia Central, não. Vai ser o cargo de último secretário junto à embaixada na Atlântida. Você pode negociar prisões por tráfico de narcóticos para todos os marinheiros russos afogados, mandar os vistos do seu próprio pai para a longínqua Lemúria, para os balneários ensolarados do mar de Sargaços, onde os ossos sobem à tona para descorar-se ao sol e zombar dos navios que passam. E no momento antes de ser levado pela corrente do meio-dia, com brochuras enfiadas entre as costelas, traveler's checks enfiados numa das órbitas do crânio, fale a ele sobre seu filho negro — fale sobre o dia passado com Enzian nas fímbrias do outono, dia frio como o frio mortal de uma laranja conservada sob raspas de gelo no terraço do hotel em Barcelona, si me quieres escribir você já sabe onde estou hospedado... frio na ponta do polegar, frio prototerminal...

"Escute", Marvy já meio de porre e irritado, "quando é que a gente vai pegar esses putos?"

"Está quase na hora, não tenha dúvida."

"Mas tu num magina como que tão me pressionando lá de Paris! Lá do quartel-general! É incrível! Esse pessoal lá de cima quer matar os putos assim de repente. É só eles apertar um botão que eu nunca mais vou ver uma puta mexicana pelo resto da minha vida. Agora, a gente tá vendo o que esse bando de crioulo quer fazer, *alguém* tem que acabar com a raça deles antes que eles entrem em ação, *porra* —"

"Esse agente de informações com quem você conversou — é bem possível que nossos governos tenham a mesma política —"

"Você num sabe o que é sentir o bafo da General Electric na tua nuca, meu chapa. Dillon, Reed... Standard Oil... porra..."

"Mas é justamente disso que vocês *precisam*", intervém Chiclitz Sangrento. "Uns empresários para fazer as coisas direito, em vez de o governo mandando em tudo. A sua mão esquerda não sabe o que a direita está fazendo! Você sabia?"

Mas o que é isso? Uma discussão política a essa altura? Não basta a humilhação de deixar o Schwarzkommando escapar, não, você não imaginava que fosse se safar com tanta facilidade...

"E-e o Herbert Hoover?" Chiclitz está gritando. "Ele veio aqui e deu *comida* a vocês, quando vocês estavam morrendo de fome! Aqui todo mundo *adora* o Hoover —"

"É —", Tchitcherine interrompe: "afinal, o que é que a General Electric está fazendo aqui?"

O major Marvy pisca um olho, simpático. "O senhor Swope era *assim* com o velho Roosevelt, sabe? O Charlie Elétrico está lá agora, mas o Swope era da Equipe de Especialista. A maioria era judeu. Mas o Swope é dos bons. Pois bem, a GE tem ligações com a Siemens daqui, eles trabalharam na guiagem do G-2, não é —"

"Swope é judeu", diz Chiclitz.

"Nááão — ô Sangrento, você tá dizendo bobagem —"

"Eu lhe *garanto* —" E entram numa discussão arrastada de bebum a respeito da etnia do ex-presidente da GE, cheia de veneno e ódio preguiçoso. Tchitcherine escuta com um ouvido apenas. Está começando a sentir um ataque de vertigem. Pois Närrisch, sob efeito da droga, não mencionou um representante da Siemens nas reuniões do S-Gerät em Nordhausen? Foi, sim. E também um homem da IG. O Carl Schmitz da IG também não foi membro da diretoria da Siemens?

Não adianta perguntar a Marvy. Ele já está bêbado demais para poder fixar-se num tema qualquer. "Xabe, quando eu cheguei aqui eu era munto guinorante. Porra, eu achava até que I. G. Farben era o nome de uma pessoa, xabe, um *cara* — alô, é o I. G. Farben? Não, é a muié dele, a *xenhora* Farben! *Iaaah*-ha-ha-ha!"

Enquanto isso, Chiclitz Sangrento está imitando Eleanor Roosevelt. "O outro dia, o meu filhinho Ediota — quero dizer, Eliot — e eu estávamos fazendo biscoitinhos. Biscoitinhos para mandar para os nossos rapazes na Europa. Quando os rapazes recebessem os biscoitinhos que nós mandaríamos para eles, eles iam fazer uns biscoitinhos para mandar para nós. Desse modo, *todo mundo* ganha biscoitinho!"

Ah, Wimpe. Velho V-Mann, será que você tinha razão? Será que a sua IG vai mesmo se tornar *o grande modelo das nações*?

Assim é que a coisa surge a Tchitcherine, aqui na clareira, com esses dois idiotas um de cada lado dele, em meio aos escombros de alguma bateria sem número, cabos paralisados onde os operadores dos guinchos os deixaram imobilizados, garrafas de cerveja nos lugares exatos onde foram jogadas pelos últimos homens na última noite, tudo atestando de modo tão puro a forma da derrota, da morte operacional.

"Você aí." Parece ser um Dedo branco e enorme, dirigindo-se a ele. A Unha está muito bem tratada: quando o Dedo roda a sua frente, exibe uma Impressão Digital que poderia perfeitamente ser uma vista aérea da Cidade Dactílica, aquela cidade do futuro onde cada alma é conhecida, onde não há nenhum esconderijo. Agora, as juntas movimentando-se com suaves sons hidráulicos, o Dedo está chamando a atenção de Tchitcherine para —

☞ *Um cartel de foguetes*. Uma estrutura que envolvesse todas as entidades, humanas e de papel, que jamais tocaram nela. Até mesmo a Rússia... afinal, a Rússia comprou da Krupp, da Siemens, da IG...

Haverá acordos que Stalin não assume... que ele até *desconhece*? Ah, um Estado começa a ganhar forma na noite caótica da Alemanha, um Estado que engloba oceanos e políticas de superfície, tão soberano quanto a Internacional ou a Igreja de Roma, e sua alma é o Foguete. IG Raketen. Colorido circense, vermelhos e amarelos de cartaz, picadeiros incontáveis, todos funcionando ao mesmo tempo. O Dedo majestoso rodopia em todos eles. Tchitcherine tem certeza. Menos por ter encontrado dados exteriores na Zona do que por uma sina pessoal que encerra dentro de si — chegar sempre só até a beira das revelações. Aconteceu pela primeira vez com o Lume Quirguiz, e a única iluminação que experimentou então foi que o medo sempre o impediria de entrar de verdade. Jamais irá além das fímbrias desse metacartel que se revelou hoje, esse Estado-Foguete cujas fronteiras ele não é capaz de cruzar...

Tchitcherine não verá a Luz, mas o Dedo, sim. Infelizmente, muito infelizmente, todo mundo aqui está por dentro. Todos os urubus da Zona trabalham para a IG Raketen. Todos, menos ele e Enzian. Seu irmão, Enzian. Não admira que Eles estejam atrás do Schwarzkommando... e...

E quando Eles descobrirem que eu não sou o que Eles pensam que sou... e por que será que Marvy está olhando para mim desse jeito, com os olhos arregalados... ah, não entre em pânico, não alimente a loucura dele, ele está nos limites da... da...

Rumo a Cuxhaven, o verão já desacelerando, flutuando rumo a Cuxhaven. Os prados murmuram. A chuva estrepita em investidas recurvas sobre os juncos. Carneiros, e um ou outro veado escuro do norte, descem em busca de algas à praia que nunca é bem mar nem bem areia, porém é mantida numa ambivalência nevoenta pelo sol... Assim Slothrop é levado, flutuando em prados inundados. Como sinais deixados para viajantes perdidos, formas constantemente se repetem para ele, formas zonais que ele deixa entrar mas não interpreta, não interpreta mais. No que provavelmente faz muito bem. As mais persistentes dessas formas, que parecem surgir nas horas menos reais do dia, são as cumeeiras em degraus que encimam as fachadas de muitos desses prédios antigos da Alemanha setentrional, subindo, iluminadas por trás, de um tom estranhamente *úmido* de cinzento, como se emersas do mar, desses horizontes retilíneos e tão baixos. As formas se mantêm, persistem, como monumentos à Análise. Há trezentos anos, os matemáticos estavam aprendendo a decompor a trajetória de ascensão e queda das balas de canhão em degraus de alcance e altura, Δx e Δy, cada vez menores, aproximando-se do zero, exércitos de anões mais e mais reduzidos correndo escada acima e escada abaixo, o tropel de seus pezinhos cada vez mais sutil, transformando-se num som contínuo. Esse legado analítico nos chegou intato — foi o que levou os técnicos de Peenemünde a estudar os filmes de voos de Foguetes feitos pela Askania, a examiná-los quadro a quadro, Δx a Δy, cada degrau imóvel por si só... filme e cálculo, duas pornografias do voo. Lembretes da impotência e da abstração, as formas de pedra de Treppengiebel, inteiras ou destruídas, aparecem agora acima das planícies verdes, perduram por um tempo e somem: à sua sombra, crianças de cabelos que lembram feno brincam de Hümmel e Hölle, pulando pelas calçadas das vilas do céu ao inferno ao céu por pequenos passos, por vezes deixando Slothrop participar, por vezes desaparecendo nas gassen escuras onde casas velhas, melancólicas, cheias de janelas, debruçam-se eternamente sobre a vizinha de frente, quase tocando-se no alto, apenas uma fina entrelinha de céu leitoso entre elas.

Ao cair da tarde, as crianças andam pelas ruas com lanternas redondas de papel, cantando *Laterne, Laterne, Sonne, Mond und Sterne...* esferas nas tardes do interior, pálidas como almas, dizendo adeus a mais um verão. Numa cidadezinha costeira, perto de Wismar, quando Slothrop está adormecendo num pequeno parque, elas o cercam e lhe contam a história de Plechazunga, o Porco-Herói que, no século x, derrotou os invasores vikings, surgindo de súbito de um relâmpago e perseguindo um bando de nórdicos apavorados até o mar. Desde então, todos os anos, no verão, uma quinta-feira é consagrada à comemoração da libertação da cidade — pois Donnerstag é o dia de Donar ou Tor, o deus do trovão, que enviou o porco gigantesco. Os velhos deuses, em pleno século x, ainda tinham alguma influência junto ao povo. Donar ainda não havia sido totalmente transformado em s. Pedro ou Orlando, muito embora a cerimônia se realizasse junto à estátua de Orlando da cidade, perto da Peterskirche.

Este ano, porém, a comemoração está ameaçada. Schraub, o sapateiro, que há 30 anos representa o papel de Plechazunga, foi recrutado no inverno, entrou para os Volksgrenadier e jamais voltou. Agora as lanternas brancas reúnem-se em torno de Tyrone Slothrop, oscilando na escuridão. Dedos pequeninos cutucam-lhe a barriga.

"Você é o homem mais gordo do mundo."

"É o mais gordo da vila."

"Você topa? Topa?"
"Não sou *tão* gordo —"
"Eu não disse que vinha alguém?"
"E o mais alto, também."
"— Peraí, se eu topo o quê?"
"Ser o Plechazunga amanhã."
"Por favor."

Slothrop, que anda meio maria vai com as outras ultimamente, aceita. As crianças o arrancam de seu leito de grama e o arrastam até a prefeitura. No subsolo há fantasias e acessórios para a Schweinheldfest — escudos, lanças, capacetes com chifres, peles de animais peludos, martelos de Tor de madeira, relâmpagos de três metros de altura folheados a ouro. A fantasia de porco é um pouco surpreendente — cor-de-rosa, azul, amarelo, cores vivas e ácidas, um porco expressionista, de pelúcia por fora, recheado de palha por dentro. Parece servir-lhe perfeitamente. Humm.

Na manhã seguinte, a multidão é pequena e plácida: velhos e crianças, e uns poucos ex-combatentes silenciosos. Os invasores vikings são todos crianças, os capacetes cobrindo-lhes os olhos, as capas arrastando no chão, os escudos do tamanho deles e as armas o dobro de sua altura. Imagens gigantescas de Plechazunga, com goivos brancos e centáureas vermelhas e azuis enfiadas nas molduras de tela de arame, ladeiam a praça. Slothrop aguarda escondido atrás do Orlando, um espécime particularmente carrancudo, olhos esbugalhados, cabelos crespos, cintura estreita. Ao lado de Slothrop estão um monte de fogos de artifício e seu assistente, Fritz, cerca de 8 anos, um original de Wilhelm Busch. Slothrop está um pouco nervoso, não tendo o hábito de participar de festivais dedicados a porcos heroicos. Porém Fritz é puta-velha, e teve a bondade de trazer uma jarra vitrificada contendo um veneno líquido condimentado com endro e coentro, destilado — a menos que *Haferschleim* queira dizer outra coisa — de farinha de aveia.

"Haferschleim, Fritz?" Toma mais um trago, e lamenta ter oferecido.

"Haferschleim, ja."

"É, tome Haferschleim e não rec*leim*, ha, ha..." Seja lá o que for, o negócio atua rapidamente sobre os centros nervosos. Quando os vikings, ao som de um solene coral de metais da banda da cidadezinha, chegam esbaforidos até a estátua, entram em forma e exigem a rendição da cidade, Slothrop constata que seu cérebro não está funcionando com sua acuidade habitual. Nesse momento, Fritz risca um fósforo e o pandemônio é geral, foguetes, pistolões, rodinhas e — PLECCCHHAZUNNGGA! uma enorme carga de pólvora negra o lança no meio da praça, chamuscando-lhe a bunda e queimando-lhe a ponta do rabo. "Ah, sim, claro, hãã..." Cambaleando, sorrindo de orelha a orelha, Slothrop berra sua fala: "Sou a ira de Donar — e neste dia sereis minha bigorna!". E saem todos correndo aos berros pelas ruas, numa chuva de flores brancas, criancinhas guinchando, até o mar, onde todo mundo começa a jogar água e dar caldos uns nos outros. Os aldeãos entram na cerveja, vinho, pão, queijo, salsicha. Kartoffelpuffer dourados são retirados pingando de frigideiras cheias de óleo colocadas sobre pequenas fogueiras de turfa. Garotas vêm acariciar o focinho e as ilhargas aveludadas de Slothrop. A cidade está salva por mais um ano.

Um dia tranquilo, cheio de bebedeiras, música, cheiros de maresia, pântano, flores, cebolas fritas, cerveja derramada e peixe fresco, céu azul atravessado por nuvenzinhas cor de gelo. A brisa é fresca o suficiente para que Slothrop não sue dentro de sua fantasia de porco. Ao longo do litoral, bosques azulados respiram e brilham. Velas brancas riscam o mar.

Slothrop volta da saleta dos fundos de um café enfumaçado e cheirando a repolho, após um hora jogando martelo e forja com — o sonho de todo garoto — DUAS jovens saudáveis, com vestidos de verão e sapatos de sola de madeira, quando constata que a multidão está começando a coagular em grupúsculos de três ou quatro. Ah, merda. Agora não, ah, por favor... Cu doendo de tão tenso, cabeça e estômago inchados de aveia fermentada e cerveja, Slothrop senta-se numa pilha de redes e tenta, quás-quás-quás, manter-se alerta.

Quando surgem tais pequenos vórtices numa multidão aqui, normalmente isso quer dizer mercado negro. Ervas de paranoia começam a brotar, verde-oliva, em meio ao jardim e às tranquilidades do dia. Último de sua linhagem, e tão decaído — nenhum outro Slothrop jamais sentiu tamanho medo diante do Comércio. Já há jornais espalhados sobre as pedras do calçamento para os compradores despejarem sobre eles latas de café, para certificar-se de que é mesmo Bohnenkaffee e não apenas uma camada fina por cima de um outro mais vagabundo. Relógios e anéis de ouro emergem abruptamente de bolsos poeirentos. Cigarros passam de mão em mão, em meio a Reichsmarks amassados, imundos, silenciosos. As crianças brincam enquanto os adultos negociam, em polonês, russo, báltico, baixo-alemão. Algo do estilo dos deslocados de guerra, um pouco impessoal, aqui só de passagem, a transação feita no meio do caminho, em movimento, quase uma lembrança de última hora... de onde vieram todos esses traficantes sombrios, que sombras do Gemütlichkeit do dia os abrigava?

Emergindo de seu silêncio oficial, materializam-se agora os policiais, dois ônibus preto e branco cheios de uniformes azul-esverdeado, braçadeiras brancas, chapeuzinhos cônicos com insígnias estreladas, cassetetes já a postos, consolos de viúva negros em mãos nervosas, vibrando, prontos para entrar em ação. Os torvelinhos na multidão se desfazem depressa, joias caem na calçada, cigarros se espalham e são pisoteados sob os pés do estouro da boiada de civis, num chão coberto de relógios, medalhas de guerra, artigos de seda, maços de notas, batatas de casca rosada cheias de olhos assustados, luvas longas de pelica com dedos retorcidos tentando agarrar o céu, lâmpadas quebradas, chinelos parisienses, molduras douradas cercando naturezas-mortas de paralelepípedos, anéis, broches, tudo instantaneamente reduzido a lixo, agora ninguém vai reclamar a posse de nada, todo mundo está com medo.

E não é para menos. Os policiais irrompem nessas transações do mesmo modo como reprimiam manifestações antinazistas antes da Guerra, entrando na marra, humm ja, com esses cassetetes flexíveis, olhos voltados para as mais sutis possibilidades de ameaça, recendendo a couro, ao cê-cê de lã no sovaco de seu próprio medo, três homens agarrando um só garotinho, dando safanões em meninas, velhos, obrigando-os a despir até mesmo as botas e as roupas de baixo para sacudi-las, brandindo os porretes incansáveis em meio ao choro das crianças e aos gritos das mulheres. Por trás dessa eficiência e desse entusiasmo está a saudade dos tempos de outrora. A Guerra deve ter sido um tempo de vacas magras para os repressores de multidões, no máximo casos de assassinato e vadiagem, um suspeito de cada vez. Porém agora que há um Mercado Branco a requerer proteção, mais uma vez as ruas estão cheias de corpos ansiosos para receber a erste Abreibung, e pode crer que os homens estão adorando.

Logo vêm reforços russos, três caminhões cheios de jovens asiáticos de uniforme de faxina, os quais dão a impressão de não saberem onde estão exatamente, recém-chegados de algum lugar muito frio e longínquo para os lados do Oriente. Saltam de seus caminhões com ripas nos lados como jogadores de futebol entrando em campo, formam uma fileira e começam a esvaziar a rua comprimindo a multidão em direção ao mar. Slothrop está bem no meio disso tudo, empurrado aos trambolhões para trás, a máscara de porco tapando-lhe metade da visão, tentando proteger quem é possível proteger — umas poucas crianças, uma velhinha que pouco antes estava ativamente vendendo peças de algodão a metro. Os primeiros porretes acertam na palha que forra a barriga, e não doem muito. Caem civis à esquerda e à direita, mas Plechazunga ainda se aguenta em pé. Terá a manhã sido apenas um ensaio geral? Será que querem que Slothrop repila invasores *de verdade* agora? Uma menininha mínima está agarrada a sua perna, gritando o nome do Schweinheld com uma vozinha confiante. Um policial velho e grisalho, anos de boa vida na frente interna à base de subornos estampados no rosto, vem balançando o cassetete em direção à cabeça de Slothrop. O Porco-Herói esquiva-se e dá um chute com a perna livre. Quando o policial se dobra para a frente, meia dúzia de civis aos berros caem sobre ele, arrancam-lhe o capacete e o cassetete. Lágrimas, que refletem o sol, vazam de seus olhos enrugados. Então ouvem-se tiros vindos de algum lugar, todos entram em pânico, a multidão comprime-se em torno de Slothrop, seus pés mal tocam o chão, a menina agarrada a sua perna se desprende e se perde para sempre na confusão.

Expulsos da rua, vão parar no cais. Os policiais pararam de bater nas pessoas e começaram a catar as mercadorias do chão, mas agora os russos estão entrando em ação, e vários deles começam a encarar Slothrop. Uma das garotas do café, providencial, aparece de repente, toma-o pela mão e o arrasta dali.

"Tem um mandado de prisão contra você."

"O quê? E eles precisam dessas formalidades?"

"Os russos encontraram seu uniforme. Pensam que você é um desertor."

"E sou mesmo."

A garota leva Slothrop para sua casa, com fantasia de porco e tudo. Ele jamais fica sabendo seu nome. Tem cerca de dezessete anos, tez clara, rosto jovem, fácil de magoar. Deitam-se atrás de um lençol amarelo de esperma pregado ao teto, muito apertados numa cama estreita com colunas laqueadas. A mãe dela está cortando nabos na cozinha. Os dois corações batem forte, o dele por causa do perigo, o dela por causa de Slothrop. Ela lhe conta sobre a vida de seus pais, o pai era tipógrafo, casou-se quando terminou seu aprendizado, há dez anos está vagando pelo mundo, não se tem notícia dele desde 42, quando receberam um bilhete de Neukölln, onde ele passou a noite com um amigo. Sempre um amigo, só Deus sabe em quantos quartinhos de fundos, galpões, tipografias ele dormiu sozinho, tiritando, embrulhado em números velhos de *Die Welt am Montag*, contente por ter ao menos um teto sobre a cabeça, como todo mundo no Buchdruckerverband, uma refeição, quase na certa algum problema com a polícia se a estada se prolongasse demais — era um bom sindicato. Mantiveram-se fiéis às tradições do I.W.W. alemão, não aderiram a Hitler embora todos os outros sindicatos estivessem entrando na linha. Isso bate com as esperanças que Slothrop, puritano, deposita no Verbo, no Verbo feito tinta de impressão, convivendo junto com anticorpos e oxigênio captado em ferro no sangue de um homem bom, embora o Mundo para ele fosse sempre o Mundo na Segunda-Feira, com suas quinas afiadas, cortando todas as pobres ilusões de conforto que o burguês leva a sério... teria ele impresso panfletos contra a loucura de seu país? teria sido preso, espancado, morto? A garota tem uma foto do pai passando as férias em algum lugar na Baviera, com cachoeiras, picos nevados, rosto queimado de sol, sem idade, chapéu tirolês, suspensórios, pés sempre em posição de sair em disparada a qualquer momento: a imagem congelada, preservada aqui, a única maneira que tinham de guardá-lo, correndo de um quarto a outro pelos subúrbios vermelhos, de uma reunião de maçons a outra... elas, de avental, na cozinha, indo examinar, à noite, nas tardes vazias, os Δx's e Δy's de seu espírito de vagabundo, sempre fugindo — para ver de que modo ele estava mudando dentro da queda súbita do obturador, o que ele poderia estar ouvindo na água, fluindo para sempre como ele próprio, no silêncio perdido, atrás dele, já atrás dele.

Mesmo agora, deitada ao lado de um estranho com um disfarce de porco, o pai dela é o elemento voador de Slothrop, de todos os outros que já se deitaram ali antes, sem voar, e ouviram a mesma promessa: "Com você eu vou a qualquer lugar". Ele os vê caminhando por um viaduto de ferrovia, pinheiros em longas encostas íngremes para todos os lados, luz e frio outonais, plúmbeas nuvens de chuva, três horas da tarde, o rosto dela encostado em alguma estrutura alta de concreto, a luz do concreto descendo oblíqua nos dois lados de seus malares, confundindo-se com sua pele, com sua luz própria. A figura imóvel dela no alto, com um sobretudo preto, cabelos louros contra o céu, ele no alto de uma escada de metal num pátio de manobras de ferrovia, olhando para ela, todas as estradas de aço reluzente lá embaixo entrecruzando-se e estendendo-se para todas as partes da Zona. Eles dois fugindo. É o que ela quer. Mas Slothrop só quer ficar quietinho na cama, ouvindo o coração dela, mais um pouco... não é este o desejo de todo paranoico? aperfeiçoar métodos de imobilidade? Mas eles estão vindo, de casa em casa, procurando o desertor, e é Slothrop que tem de ir embora, ela que tem de ficar. Nas ruas, alto-falantes, vibrantes gargantas metálicas, avisam que esta noite o toque de recolher será mais cedo. Atrás de alguma janela da cidadezinha, deitado em alguma cama, já roçando as fronteiras dos campos do sono, há uma criança para quem a voz metálica com sotaque estrangeiro é sinal de segurança noturna, fazer parte dos campos silvestres, a chuva no mar, cães, cheiros de comida vindo de janelas estranhas, estradas de terra... parte deste verão irrecuperável...

"Não há lua", ela sussurra, os olhos hesitando mas não se desviando.

"Qual o melhor caminho para sair da cidade?"

Ela conhece cem. O coração, os dedos dele doem de vergonha. "Eu lhe mostro."

"Não precisa."

"Eu quero."

A mãe dá a Slothrop uns dois pães duros para ele guardar dentro da fantasia de porco. Ela tentou encontrar uma outra roupa para ele, mas todas as que tinham sido de seu marido foram trocadas por comida na Tauschzentrale. A última imagem que Slothrop guarda dela é emoldurada pela luz da cozinha, na janela, uma mulher dourada se apagando, cabeça a balançar-se sobre um fogão onde uma única panela ferve, papel de parede florido laranja-escuro e vermelho por trás do rosto virado para o outro lado.

A filha lhe indica o caminho, saltando muros baixos, seguindo ao longo de valas de drenagem e entrando em canos de esgoto, para o sudoeste, rumo aos arredores da cidade. Ao longe, atrás deles, o relógio da Peterskirche dá nove horas, e Orlando continua olhando fixamente para o outro lado da praça com seus olhos cegos. Flores brancas caem uma por uma das imagens de Plechazunga. As chaminés de uma usina elétrica elevam-se, espectrais, sem fumaça, pintadas no céu. Um moinho de vento range no campo.

O portão da cidade é alto e magro, com uma escada que leva a lugar nenhum no topo. A estrada forma uma curva pela abertura em ogiva, e perde-se nos prados escuros.

"Quero ir com você." Porém ela não faz menção de ultrapassar o arco com ele.

"Quem sabe eu volto." Não é mentira de vagabundo, os dois têm certeza de que alguém há de voltar, no ano que vem mais ou menos nesta época, talvez no Schweinheld do próximo ano, alguém bem parecido... e se o nome, se o dossiê não forem exatamente iguais, bem, quem é que acredita nessas coisas? Ela é filha de tipógrafo, ela conhece o ofício, até mesmo aprendeu com o pai a manejar direitinho a Winkelhaken, aprendeu a compor uma linha e a recolher os tipos depois, "Você é um besouro", ela sussurra, e despede-se com um beijo, e fica parada a vê-lo indo embora, fungando, imóvel, uma garota de bibe e botas militares junto a um portão isolado. "Boa noite..."

Boa noite, menina dócil. O que ele tem a lhe oferecer senão a imagem derradeira de um porco variegado a afastar-se, confundindo-se com as estrelas e pilhas de lenha, algo para colocar ao lado da foto antiga do pai? Slothrop finge fugir, embora sem entusiasmo, e no entanto ele já não sabe mais o que é ficar... Boa noite, é hora do toque de recolher, volte para casa, para seu quarto... boa noite...

Slothrop caminha pelo campo aberto, dormindo quando está cansado demais para andar, a palha e o veludo o protegem do frio. Um dia desperta numa depressão entre um arvoredo de faias e um riacho. O sol está nascendo e o frio é terrível, e ele tem a impressão de que uma língua quente e áspera lhe lambe o rosto. Vê diante de si o focinho de um outro porco, uma porca muito gorda e rosada. Ela grunhe e sorri simpática, piscando com cílios longos.

"Espere aí. O que é isso?" Coloca a máscara de porco. Ela o encara por algum tempo, depois aproxima-se dele e o beija, focinho contra focinho. Os dois estão encharcados de orvalho. Slothrop segue a porca até o riacho, tira a máscara outra vez e joga água na cara enquanto ela bebe a seu lado, barulhenta, tranquila. A água é límpida, rápida, gélida. Seixos redondos se entrechocam sob a correnteza. Um som ressoa, uma música. Seria bom ficar sentado dia e noite, sem parar, ouvindo esses ruídos de água e seixos...

Slothrop tem fome. "Vamos. Precisamos encontrar comida." Ao lado de uma pequena lagoa junto a uma casa de fazenda a porca encontra uma estaca de madeira cravada no chão. Fica farejando em torno dela. Slothrop chuta para os lados a terra fofa e encontra uma estrutura de tijolo cheia de batatas ensiladas no ano passado. "Sorte sua", enquanto ela devora sôfrega, "mas eu não posso comer isso." O céu brilha na superfície calma da água. Pelo visto, não há ninguém por perto. Slothrop vai até a casa para examiná-la. O quintal está cheio de margaridas brancas altas. As janelas do andar de cima, encimadas por colmo, estão escuras, não sai fumaça das chaminés. Mas o galinheiro nos fundos está ocupado. Delicadamente Slothrop levanta uma gorda galinha branca, apalpa o ninho com cuidado em busca dos ovos — PCÓÓÓ ela explode num acesso de histeria, tenta arrancar o braço de Slothrop à força de bicadas, suas amigas vêm voando do lado de fora, numa zoeira infernal, quando então a galinha dá um jeito de enfiar as asas por entre as ripas de madeira da parede de modo que não pode voltar para dentro e é gorda demais abaixo das axilas para empurrar o resto do corpo para fora. Assim, fica dependurada, batendo asas e gritando em desespero, enquanto Slothrop agarra três ovos e depois tenta empurrar-lhe as asas para dentro para soltá-la. É uma tarefa frustrante, especialmente por causa dos ovos equilibrados na outra mão. O galo está à porta, berrando Achtung, Achtung, a disciplina de seu harém foi pras picas, galinhas brancas e gordas esvoaçam de um lado para o outro do galinheiro, e sangue escorre de Slothrop em meia dúzia de lugares.

Então ouve-se um cachorro latindo — hora de abandonar a tal galinha — Slothrop sai e vê uma mulher com uniforme de corpo auxiliar da Wehrmacht a trinta metros de distância apontando uma espingarda e o cachorro investindo e rosnando, mostrando os dentes, de olho na garganta dele. Slothrop dá a volta na quina do galinheiro na hora exata em que a espingarda dá bom-dia. Mais ou menos no mesmo instante, a porca aparece e põe o cachorro para correr. E lá se vão, os ovos protegidos na máscara de porco, a mulher gritando, as galinhas fazendo barulho, a porca correndo a seu lado. A espingarda atira outra vez, mas a essa altura já estão longe demais para ser atingidos.

Andam mais um quilômetro e pouco, fazem uma parada para Slothrop tomar seu café da manhã. "Bom serviço", com tapinhas afetuosos na porca. Ela fica sentada, ofegante, vendo-o comer ovos crus e fumar meio cigarro. Em seguida, recomeçam a caminhada.

Logo começam a derivar para o mar. A porca parece saber para onde está indo. Ao longe, numa outra estrada, paira uma grande nuvem de poeira, movendo-se lenta para o sul, talvez um comboio russo de cavalos. Filhotes de cegonhas testam suas asas sobrevoando pilhas de feno e campos. As copas das árvores solitárias são borrões de verde, como se uma manga de camisa houvesse roçado nelas sem querer. Moinhos de vento pardos giram no horizonte, do outro lado de uma larga extensão de terra vermelha salpicada de feno.

> O porco é um bom companheiro,
> Porca, barrão, cerdo ou leitão —
> É um bicho leal, que levanta o moral,
> Mesmo que os morros desabem no chão.
> Um homem é capaz de passá-lo pra trás,
> Roubá-lo, entregá-lo, matá-lo,
> Esfolá-lo e tirar-lhe até a roupa do corpo,
> Por isso eu lhe digo, se quer um amigo,
> Confie num porco, num porco, num porco!

Quando anoitece, estão num capão de mato. A neblina paira sobre as depressões do terreno. Uma vaca perdida, que não foi ordenhada, se queixa no meio da escuridão. A porca e Slothrop acomodam-se para dormir em meio a pinheiros cobertos de pedaços de papel laminado, jogados para tapear os radares alemães em algum bombardeio já antigo, toda uma floresta de árvores de Natal, brilhos ao vento, refletindo as estrelas, gélido e silencioso incêndio a arder sobre suas cabeças a noite inteira. A toda hora Slothrop acorda e vê a porca escarrapachada num leito de agulhas de pinheiros, velando por ele. Não é por causa do perigo, ou por estar inquieta. Talvez tenha chegado à conclusão de que é preciso tomar conta de Slothrop. À luz do papel laminado, ela é bem lisa e convexa, pelos macios como penugem. Pensamentos lascivos vão se infiltrando na mente de Slothrop, bem, tem uma ou outra coisinha estranha, sabe como é, eh-eh-eh, nada que ele não possa enfrentar... Adormecem sob as árvores enfeitadas, a porca um rei mago, Slothrop com seu traje um presente de mau gosto à espera de uma criança que venha reclamá-lo.

No dia seguinte, por volta do meio-dia, entram numa cidade que está morrendo aos poucos, sozinha na costa báltica, morrendo por falta de crianças. Na placa acima do portão da cidade lê-se, em lâmpadas queimadas e bocais vazios, ZWÖLFKINDER. A enorme roda-gigante, que domina a paisagem da região num raio de quilômetros, está um pouco torta, velha governanta azeda, o sol destaca grandes faixas de ferrugem, o céu pálido através da treliça de ferro que lança sua sombra alongada e retorcida sobre a areia e o mar escuro. O vento uiva entrando e saindo dos pavilhões e casas sem portas.

"Frieda." Uma voz chama da sombra azul atrás de uma parede. Grunhindo, sorrindo, a porca permanece impassível — olha só quem eu trouxe para casa. Logo um homem magro e sardento, louro, quase calvo, aparece no sol. Olhando de relance para Slothrop, nervoso, coça entre as orelhas de Frieda. "Meu nome é Pökler. Obrigado por trazê-la de volta."

"Não, não — foi ela que me trouxe."

"É."

Pökler está morando no subsolo da prefeitura. Está esquentando café no fogão, onde queima madeira recolhida na praia.

"Você joga xadrez?"

Frieda fica olhando. Slothrop, que tende a jogar guiado mais por superstição do que por qualquer estratégia, é obcecado pela necessidade de proteger seus cavalos, Springer e Springer — está disposto a perder qualquer outra coisa, só pensando uma ou duas jogadas à frente, se tanto, alternando entre longas e letárgicas defesas embromativas com explosões idióticas de ataques espalhafatosos que fazem Pökler franzir a testa, mas não de preocupação. Mais ou menos quando Slothrop perde sua dama, "P-peraí um minuto, você disse *Pökler*?"

Zás, o sujeito está apontando uma Luger do tamanho de uma casa — ele é rápido mesmo — direto para a cabeça de Slothrop. Por um momento Slothrop, com sua fantasia de porco, pensa que Pökler pensa que ele, Slothrop, fez mal à porquinha Frieda, e que vai ser obrigado a casar-se ali mesmo — a frase *até que o açougueiro nos separe* chega mesmo a brotar em sua mente quando ele se dá conta de que o que Pökler está dizendo é "Melhor você ir embora. Eu já ia lhe dar xeque-mate em duas jogadas, mesmo".

"Deixe eu pelo menos contar minha história", disparando a toda velocidade a informação recebida em Zurique sobre Pökler, a busca russo-americano-herera do S-Gerät, ao mesmo tempo pensando, meio que em paralelo, que o tal Oberst Enzian estava talvez com razão quando falou sobre as pessoas que viravam nativas na Zona — começa a ter umas ideias fixas e ligeiramente, hã, eróticas a respeito do Destino, hein, Slothrop? refazendo mentalmente a trajetória que Frieda o fez percorrer até ali, tentando evocar as bifurcações onde poderiam ter ido para outro lado...

"O Schwarzgerät." Pökler sacode a cabeça. "Não sei o que era isso. Nunca me interessei muito. É só isso mesmo que você está procurando?"

Slothrop pensa bem. As xícaras de café recebem sol da janela e o devolvem para o teto, elipses inquietas de luz azul. "Não sei, não. Tem também esse meu envolvimento pessoal com o Imipolex G..."

"É uma poliimida aromática", Pökler recolocando a arma dentro da camisa.

"Me fale sobre isso", pede Slothrop.

É, mas só depois de falar um pouco sobre sua Ilse e seus retornos estivais, o que faz com que Slothrop mais uma vez seja agarrado pela nuca e empurrado contra a carne morta de Bianca... Ilse, gerada sobre a imagem prateada e passiva de Greta Erdmann, Bianca, concebida durante a filmagem da cena exata que estava na mente de Pökler quando ele descarregou a golfada fatal de esperma — como poderiam as duas não ser a mesma jovem?

Ela continua com você, se bem que mais difícil de ver agora, quase invisível, como um copo de limonada cinzenta num quarto à meia-luz... ela ainda está aí, fresca e ácida e doce, aguardando a hora de ser engolida para tocar nas suas células mais profundas, atuar em seus sonhos mais melancólicos.

Pökler até consegue dizer alguma coisa a respeito de Laszlo Jamf, mas a toda hora divaga e começa a falar sobre cinema, filmes alemães de que Slothrop jamais ouviu falar, muito menos viu... é, esse aí é um cinéfilo fanático, sem dúvida — "No Dia-D", ele confessa, "quando ouvi o general Eisenhower no rádio anunciando a invasão da Normandia, fiquei achando que na verdade era Clark Gable, você já notou? as vozes são *iguaizinhas...*"

Na última terça parte de sua vida, Laszlo Jamf adquiriu — era a impressão que tinham os que, nas arquibancadas de madeira do anfiteatro, viam suas pálpebras pouco a pouco tornar-se granulosas, manchas e rugas estampar-se em sua imagem, desintegrando-a em direção à velhice — uma hostilidade, um estranho *ódio* pessoal dirigido à ligação covalente. A convicção de que, para que a síntese tivesse futuro, era necessário aperfeiçoar — alguns alunos chegavam a entender que o sentido era "transcender" — a ligação. Para Jamf, a ideia de que uma coisa tão mutável, tão *frágil,* quanto um compartilhamento de elétrons constituía o âmago da vida, da *sua* vida, parecia uma humilhação cósmica. *Compartilhar?* Era tão mais forte, tão mais duradoura, a ligação *iônica* — em que os elétrons não são compartilhados e sim *capturados. Tomados!* — e aprisionados! polarizados, positivos ou negativos, esses átomos, sem ambiguidades... como ele amava aquela clareza: sua estabilidade, sua teimosia mineral!

"Por mais que afirmemos, da boca para fora, nosso compromisso com a Razão", disse ele à turma de Pökler na T.H., "com a moderação e a transigência, no entanto o leão permanece. Há um leão em cada um de vocês. Ou bem ele é domado — por muita matemática, por detalhes de design, por procedimentos empresariais — ou bem ele permanece selvagem, um eterno predador.

"O leão não conhece sutilezas nem meias soluções. Ele não aceita *compartilhar* coisa nenhuma! Ele toma, ele aprisiona! Ele não é bolchevique nem judeu. O leão jamais fala em relatividade. Ele quer o absoluto. Vida e morte. Vitória e derrota. Nada de armistícios, acomodações, e sim a alegria do salto, do rugido, do sangue."

Se isso é química nacional-socialista, culpe-se esta alguma-coisa-que-estava-no-ar, o Zeitgeist. É, culpe-se isso, sim. O professor doutor Jamf não era imune. Nem ele nem seu aluno Pökler. Mas com a Inflação e a Depressão, a concepção jamfiana de "leão" passou a associar-se a um rosto humano, um rosto cinematográfico, natürlich, o do ator Rudolf Klein-Rogge, a quem Pökler idolatrava, e a quem desejava assemelhar-se.

Klein-Rogge já carregava atrizes núbeis para telhados de prédios quando King Kong ainda estava mamando, sem nenhuma coordenação motora. Bem, para ser exato, uma única atriz núbil, Brigitte Helm, em *Metropolis*. Grande filme. Exatamente o tipo de mundo com que Pökler — e, sem dúvida, muita gente — sonhava na época, uma Cidade-Estado/Empresa onde a tecnologia era a fonte do poder, o engenheiro trabalhava em íntima associação com o administrador, as massas labutavam invisíveis nos subterrâneos e o verdadeiro poder estava concentrado nas mãos de um único líder supremo, uma figura paternal, benévola e justa, que usava ternos magníficos e cujo nome Pökler não lembrava, de tão absorto que ficara com Klein-Rogge no papel do inventor maluco que Pökler e seus colegas, alunos de Jamf, ansiavam por ser — indispensável para os administradores da Metrópole, no entanto, em última análise, o leão que era capaz de fazer com que tudo desabasse, garota, Estado, massas, ele mesmo, afirmando sua realidade contra todos eles num último salto feroz do alto do telhado para a rua...

Uma potência curiosa. Fosse o que fosse o que os verdadeiros visionários extraíam da dura tessitura daqueles dias, daquelas ruas, o que Käthe Kollvitz viu que fez seu Morte esguio foder Suas mulheres por trás, e as fez gostar tanto de ser fodidas assim, parecia ter tocado Pökler também, em suas incursões mais aprofundadas pelo Mare Nocturnum. Ele encontrava um prazer semelhante ao de uma lâmina percorrendo-lhe a pele e os nervos, do couro cabeludo às solas dos pés, em submissões rituais ao Mestre desse espaço noturno e de si próprio, a corporificação masculina de uma tecnologia que abraçava o poder não por suas utilizações sociais, e sim justamente por aquelas oportunidades de entrega, uma entrega pessoal e escura, ao Vazio, à delícia de afundar aos gritos... A Átila, Rei dos Hunos, avançando das estepes rumo ao Ocidente para despedaçar a preciosa estrutura de magia e incesto em que se fundava o reino dos borgonheses. Pökler estava cansado naquela noite, o dia inteiro procurando carvão. Cochilava a toda hora, acordava com imagens que por trinta segundos não faziam nenhum sentido para ele — o close-up de um rosto? uma floresta? as escamas do Dragão? uma cena de batalha? Muitas vezes a imagem acabava se definindo como o rosto de Rudolf Klein-Rogge, antigo Átila oriental tanatômano, cabeça raspada a navalha, restando apenas um tufo de cabelos no cocuruto, colares de contas, gestos grandiloquentes delirantes, e aqueles olhos enormes, sinistros... Pökler adormecia de novo com explosões de beleza destruidora para servir de pasto a seus sonhos, pronunciando guturais bárbaras para as bocas silenciosas, serenando os borgonheses, reduzindo-os à mansuetude cinzenta de certas multidões nas cervejarias no tempo da T.H... e despertava outra vez — a coisa se estendia por horas — para mais um episódio de carnificina, incêndio e destruição...

A caminho de casa, de bonde ou a pé, a mulher de Pökler arengava com ele por cochilar, ridicularizava sua devoção de engenheiro à causalidade. Como poderia ele dizer-lhe que as conexões dramáticas existiam todas de verdade, em seus sonhos? Como poderia dizer-lhe o que quer que fosse?

O papel pelo qual Klein-Rogge é mais lembrado é o de doutor Mabuse. A ideia era evocar a figura de Hugo Stinnes, o incansável especulador que atuava nos bastidores da Inflação aparente, da história aparente: jogador, bruxo das finanças, arquigângster... boca luxenta de burguês, papada, movimentos desgraciosos, uma primeira impressão de tecnocracia cômica... e no entanto, quando lhe sobrevinham os acessos de raiva, rompendo a superfície aparente de racionalização, em que seus olhos glaciais tornavam-se janelas abertas para a savana vazia, então o verdadeiro Mabuse vinha à tona, vital, orgulhoso, opondo-se às forças cinzentas que o cercavam, empurrando-o para cada vez mais perto da sina que, como ele certamente sabia, era inescapável, o silencioso inferno de armas, granadas, ruas cheias de soldados atacando seu quartel-general, e sua própria loucura no fim do túnel secreto... E quem o derrubou senão o ídolo das matinês Bernhardt Goetzke, no papel do promotor público von Wenk, o mesmo Goetzke que fez o Morte terno, merencório, burocrático de *Der Müde Tod*, aqui previsível demais, manso demais, doce demais para a condessa blasée que ele desejava — porém Klein-Rogge entrou de sola, com todas as garras de fora, impeliu ao suicídio o marido afeminado dela, agarrou-a, jogou-a na cama, aquela vaca lânguida — *tomou-a*! enquanto o doce Goetzke, em seu escritório, remexia seus papéis, cercado de sibaritas — Mabuse tentando hipnotizá-lo, drogá-lo, matá-lo colocando uma bomba em seu escritório — nada dava certo, todas as vezes a grande inércia de Weimar, os arquivos, as hierarquias, as rotinas, o salvavam, sempre. Mabuse era o atavismo selvagem, o relâmpago carismático que velava qualquer filme Agfa de fotógrafo de fim de semana, a cópia que toda vez que era imersa no revelador emergia sempre totalmente branca, de um branco aniquilador (profundezas piscianas que Pökler já atravessou dormindo e acordado, debaixo dele imagens do cotidiano árido da Inflação, filas, corretores de ações, batatas cozidas num prato, buscando apenas com guelras e intestinos — algum impulso nervoso rumo a um mito em que ele nem sabe se acredita — a luz branca, as ruínas de Atlântida, indícios de um reino mais verdadeiro)...

Inventor metropolitano Rothwang, rei Átila, Mabuse der Spieler, professor doutor Laszlo Jamf, todas as suas ânsias voltadas para o mesmo objeto, para uma forma de morte que comprovadamente contivesse alegria e desafio, sem nada da morte goetzkiana, burguesa, que se ilude a si própria, aceitação madura, parentes na sala de visita, rostos perceptivos que as crianças sempre conseguem decifrar...

"Vocês têm duas opções", Jamf exclamou, última aula do ano: lá fora as carícias floridas do vento, moças com vestidos de cores pastel, oceanos de cerveja, corais viris intensos, comovidos, elevados, cantando *Semper sit in flores*/ Semper sit in flo-ho-res... "podem ficar lá atrás com carbono e hidrogênio, levando suas marmitas para o laboratório todos os dias, junto com as multidões sem rosto que estão ansiosas para entrar logo e proteger-se do sol — ou então podem *ir além*. Silício, boro, fósforo — esses elementos podem substituir o carbono, e podem ligar-se ao nitrogênio em vez de ao hidrogênio —" alguns risinhos aqui, já esperados pelo velho pedagogo brincalhão, sempre em flor: todos sabiam que ele tentara fazer o governo de Weimar subsidiar o Stickstoff Syndikat da IG — "ir além da vida, rumo ao inorgânico. Aqui não há fragilidade, não há mortalidade — aqui há Força e Intemporalidade". Em seguida, seu famoso final: apagou o C—H rabiscado no quadro-negro e escreveu, em letras garrafais, Si—N.

A onda do futuro. Porém o próprio Jamf, curiosamente, *não* foi além. Jamais sintetizou os tais novos anéis ou cadeias inorgânicas que profetizara de modo tão veemente. Teria apenas permanecido na trincheira, enquanto as gerações futuras da academia tocavam em frente, em bando, ou saberia alguma coisa que Pökler e os outros não sabiam? Seriam suas exortações no anfiteatro apenas uma brincadeira excêntrica? Ele permaneceu fiel a C—H, e levou sua marmita para os Estados Unidos. Pökler perdeu o contato com ele após a Technische Hochschule — como todos seus ex-alunos. Jamf agora estava sob a influência sinistra de Lyle Bland, e se continuava tentando escapar da mortalidade da ligação covalente, o estava fazendo da maneira menos óbvia possível.

Se o tal do Lyle Bland não tivesse entrado para a maçonaria, provavelmente ainda estaria dando seus golpes nefastos. Tal como há, no Mundo, maquinarias comprometidas com a injustiça enquanto empreendimento, assim também parece haver forças que visam compensar as coisas de vez em quando. Não como um empreendimento, exatamente, mas pelo menos na dança das coisas. A maçonaria, na dança das coisas, acabou sendo uma dessas forças.

Imagine-se a situação do sujeito — tanta grana que nem sabe o que fazer com ela. E também não é o caso de sair gritando "Me dá!" Ele já deu, se bem que de maneiras tão indiretas que só mesmo um bom sistema de busca para conseguir desenredar a coisa. Mas dar, ele deu, sim. Através do Instituto Bland e da Fundação Bland, esse cidadão está com suas garras cravadas no dia a dia americano desde 1919. Quem você imagina que sentou em cima da patente do carburador de 40 quilômetros por litro, hein? Claro que você já ouviu essa história — vai ver até riu junto com os antropólogos pagos que disseram que era o Mito da Era do Automóvel ou coisa que o valha —, pois bem, parece que a coisa era mesmo verdade, e que era o Lyle Bland que financiava os prostitutos do mundo acadêmico que davam risinhos e mentiam cobertos de credenciais. E a grande campanha publicitária antimaconha dos anos 30, quem você acha que trabalhou em estreita colaboração com o FBI, hein? E lembra daquele monte de piadas do cara que vai ao médico porque não consegue ficar de pau duro? Isso mesmo, todas plantadas pelo Bland, sim — meia dúzia de variantes básicas, depois de realizar levantamentos aprofundados para o Conselho Nacional de Pesquisas segundo os quais 36% da força de trabalho masculina não estava prestando atenção suficiente a suas picas — uma deficiência de obsessão genital que estava minando a eficiência dos órgãos que trabalhavam *de verdade*.

Aliás, os estudos psicológicos acabaram virando uma especialidade de Bland. Sua investigação sobre o inconsciente americano no início da Depressão é considerada uma obra clássica, e segundo muitos teria sido responsável por dar plausibilidade à "eleição" de Roosevelt em 1932. Embora muitos de seus colegas achassem útil uma postura de ódio por Roosevelt, Bland estava encantado demais para sequer fingir tal coisa. Para ele, Roosevelt era o homem perfeito: Harvard, comprometido com todos os tipos de dinheiro, velho ou novo, atacado e varejo, Harriman e Weinberg: uma síntese americana que jamais ocorrera antes, e que abriu caminho para certas possibilidades grandiosas — todas reunidas em torno do termo "controle", que parecia um codinome secreto — mais alinhado com as aspirações de Bland e outros. Um ano depois, Bland entrou para o Conselho de Assessoria Empresarial estabelecido sob a direção de Swope, da General Electric, cujas ideias com relação ao "controle" tinham afinidade com as de Walter Rathenau, da GE alemã. As atividades do grupo de Swope eram secretas. Ninguém viu os arquivos deles. E Bland também não estava interessado em contar nada a ninguém.

Após a Primeira Guerra Mundial, ele ficou amigo do pessoal do Depósito de Propriedades de Estrangeiros. O trabalho deles era gerir, nos Estados Unidos, as propriedades confiscadas de alemães. Havia muito dinheiro do Meio-Oeste envolvido nisso, e foi assim que Bland se envolveu com a Grande Enroscada dos Fliperamas, e acabou entrando para a maçonaria. Ao que parece, através de uma tal de Fundação Química — naquela época os nomes das fachadas não tinham o menor estilo — o DPA vendeu a Bland algumas das primeiras patentes de Laszlo Jamf, juntamente com a filial americana da Glitherius Tintas & Corantes, uma firma de Berlim. Alguns anos depois, em 1925, a IG, que estava sendo criada, comprou de volta 50% da Glitherius americana de Bland, o qual estava usando a firma para controlar patentes. Bland tinha dinheiro vivo, títulos e controle acionário de uma subsidiária da Glitherius em Berlim que era administrada por um judeu chamado Pflaumbaum, é, o mesmo Pflaumbaum para quem Franz Pökler trabalhava até o dia em que o prédio pegou fogo e Pökler voltou para a rua. (Aliás, houve quem visse o dedo de Bland nesse acidente, se bem que quem levou a culpa foi o judeu, que se fodeu nos tribunais, foi arrestado até falir e, quando chegou a hora, foi mandado para o leste junto com tantos outros de sua raça. Teríamos que demonstrar também alguma relação entre Bland e os distribuidores da Ufa que mandaram Pökler pregar cartazes naquela noite em Reinickendorf, onde teve seu encontro fatal com Kurt Mondaugen e a Verein für Raumschiffahrt — para não falar em ligações *individuais* com Achtfaden, Närrisch e outros vinculados ao S-Gerät — para chegarmos a uma estrutura paranoica que realmente faça jus ao nome. Infelizmente, a tecnologia de 1945 não permitia esse tipo de acesso a dados. E mesmo que permitisse, Bland ou seus sucessores e asseclas teriam comprado programadores às pencas para garantir que todas as informações divulgadas fossem inócuas. Pessoas como Slothrop, que tinham mais interesse em descobrir a verdade, eram obrigadas a recorrer a sonhos, intuições paranormais, presságios, criptografias, epistemologias de origem química, tudo isso contra um pano de fundo de terror, contradições, absurdos.)

Depois do incêndio da firma de Pflaumbaum, foi necessário renegociar as linhas de força entre Bland e seus colegas alemães. A coisa se arrastou por alguns anos. Bland deu por si em St. Louis em plena Depressão, conversando com um certo Alfonso Tracy, formado em Princeton em 1906, membro do St. Louis Country Club, entrando de sola na área de petroquímica, a senhora Tracy zanzando de um lado para o outro com tecidos e flores, preparando-se para o Baile do Profeta Velado anual, enquanto Tracy preocupava-se com o surgimento de uns indivíduos oriundos de Chicago com ternos listrados extravagantes, sapatos de duas cores e chapéus de feltro de aba rígida, todos falando em staccato como se fossem Thompsons.

"Ah, o que eu não daria por um bom engenheiro eletrônico", gemia Tracy. "O que é que eu faço com esse bando de carcamanos? Todo o carregamento veio com defeito, e agora eles não aceitam devolução. Se eu saio da linha, eles me matam. Curram a Mabel e vão até Princeton numa noite escura e-e *capam* meu *filho*! Você sabe o que eu acho que isso é, Lyle? Um *complô*!"

Vendetas, manoplas com joias incrustadas, venenos sutis começam a infiltrar-se neste salão elegante com foto de Herbert Hoover no piano, cravos no vaso da Nieman-Marcus, mobília à Bauhaus que lembra blocos de alabastro de alguma maquete de cidade (a gente fica achando que a qualquer momento um trenzinho vai sair debaixo do sofá, latas e baseados espalhados pela planície cinzenta do tapete...). O rosto sisudo de Alfonso Tracy, com rugas em torno do nariz e da linha do bigode, puxado para baixo pelas preocupações, trinta anos sem um sorriso de verdade ("Não acho mais graça nem no Gordo e o Magro!"), taciturno de medo em sua espreguiçadeira. Como poderia Lyle Bland não ficar comovido?

"Tenho exatamente o sujeito que você precisa", diz ele, tocando no braço de Tracy, compassivo. Sempre bom ter um engenheiro à mão. Esse em particular projetou uns equipamentos eletrônicos de espionagem de primeiríssima para o então recém-criado FBI, através de um contrato que o Instituto Bland conseguiu alguns anos atrás, sendo que parte do trabalho foi subcontratado para a Siemens na Alemanha. "Amanhã mesmo ele pega o Silver Streak. Não tem problema, Al."

"Venha ver", suspira Tracy. Entram no Packard e vão à verdejante cidadezinha ribeirinha de Mouthorgan, Missouri, que consiste numa estação ferroviária, um curtume, umas poucas casas de madeira e, dominando a área, um gigantesco templo maçônico, um monolito imenso sem uma única janela.

Depois de muita enrolação à porta, Bland finalmente consegue permissão para entrar, e é conduzido através de salas de sinuca forradas de veludo, salões de jogo cheios de madeira polida, bares com cromados, quartos macios, chegando até um grande depósito nos fundos, atulhado até uma altura de três metros com a maior quantidade de máquinas de flíper que Bland jamais viu reunidas num só lugar em toda a sua vida, Oh Boys, Grand Slams, World Series, Lucky Lindies até onde a vista alcança.

"E estão todas fodidas", diz Tracy, melancólico. "Olhe só para isso." É uma Folies-Bergères: mulheres em quatro cores dançando cancã, os zeros coincidindo com os olhos, mamilos e bocetas, um dos jogos sacanas daqui, um pouco hostil para com as mulheres, mas *é tudo brincadeira*! "Você tem uma moeda de cinco centavos?" *Tchung, bóing*, lá vai a bola, por um triz não cai num buraco de ponto elevado, hum, pelo visto ali está empenado *aanngggk* acerta um pino que vale 1 000 porém só acende a luz do 50 — "Está vendo?" Tracy grita enquanto a bola despenca como uma pedra, acerta num flíper *dong* só que a porra do flíper vira para o lado errado, e acende o TILT.

"*Tilt?*" Bland coçando a cabeça. "Mas você nem encostou —"

"Estão *todas* assim", Tracy lacrimejando de frustração. "Experimente você."

A segunda bola ainda nem começou a cair quando dá TILT outra vez, mais uma vez sem que ninguém tenha inclinado o tabuleiro. A terceira bola consegue ficar presa num solenoide e (sossocorro, grita ela, vozinha aguda doída, ah estou sendo *eletrocutada...*) dingdingding, gongos e números disparando, 400 000, 675 000 *bong* um milhão! o maior escore já obtido em Folies-Bergères e continua aumentando, a pobre alma esférica debatendo-se contra o solenoide, espasmos clônicos, horrível (é, porque as bolas são todas seres sencientes, oriundos do planetoide Katspiel, cuja órbita é eliptissíssima — tanto que só passou por perto da Terra uma única vez, há muito tempo, quase que na Fronteira crepuscular, e ninguém sabe onde Katspiel está agora, nem quando, ou se, vai voltar. É aquela conhecida distinção entre volta periódica e visita única. Se Katspiel tinha energia suficiente para escapar do campo gravitacional do Sol para sempre, então esses bondosos seres redondos ficaram aqui no exílio para sempre, sem jamais poder voltar para casa, condenados a viver disfarçados de bolinhas de rolimã, bolas de aço em milhares de jogos de bolas de gude — manipulados pelos maiores polegares de Keokuk e Puyallup, Oyster Bay, Inglewood — Danny D'Alessandro e Elmer Ferguson, "Baixinho" Brennan e "Relâmpago" Womack... onde estarão agora? o que você acha? foram todos recrutados, uns estão mortos em Iwo Jima, outros gangrenosos na neve na floresta de Arden, e seus polegares, primeira inspeção de fuzis no treinamento básico, militarizados, reconduzidos à infância como mindinhos suados escorregando do cão do M-1s, polegar apertando transportador ainda no fundo da culatra, ferrolho xxAP! acerta no polegar ai merda como dói, e era uma vez mais um polegar imbatível e lendário, desaparecido para todo o sempre na poeira estival, sacos de vidro tilintante, bassês de patas grandes, cheiro de escorregas de aço esquentado ao sol), pois bem, lá vêm as dançarinas de cancã, as mênades do Folies-Bergères, preparando-se para o ataque, grandes sorrisos de batom em torno de dentes faiscantes, um galope de Offenbach sai dos alto-falantes que estão implícitos no design dessa máquina, pernas compridas com ligas projetando-se para a frente em plena agonia dessa triste desgarrada esférica, todas as suas companheiras exprimindo seu amor e preocupação por meio de vibrações, sentindo sua dor porém impotentes, inertes sem a mola, a mão do trapaceiro, os problemas de masculinidade do alcoólatra, as horas vazias passadas com um boné cinzento e uma marmita vazia, objetos necessários para descer descrevendo seus desenhos os labirintos verticais, os buracos profundos que prometem descanso mas só fazem expulsar a gente assim que a gente entra lá, sempre à mercê da gravidade, sentindo de vez em quando as fendas infinitesimalmente rasas de outros percursos, grandes percursos (doze minutos heroicos em Virginia Beach, 4 de julho de 1927, um marinheiro bêbado cujo navio soçobrou no golfo de Leyte... lançado pelo flíper para fora do plano do tabuleiro, a primeira viagem na terceira dimensão é sempre a melhor, depois que a gente voltava para o plano nada mais era como antes, e cada vez que passava perto da micromossa formada onde a gente caiu dava uma sensação de ligação... alguns ressabiados, tendo encarado o âmago do solenoide, visto a serpente magnética, a energia em sua nudez, o bastante para ficarem transformados, para trazerem de volta das coleantes linhas de força no fundo daquele poço uma intimidade com o poder, com os desertos vitrificados da alma, que os separava para sempre dos outros — veja o retrato de Michael Faraday na Tate Gallery, em Londres, Tantivy Mucker-Maffick foi lá uma vez, para fazer hora numa tarde tediosa, vazia de mulheres, e ficou a perguntar-se como era possível os olhos dos homens ficarem tão luminosos, sinistros, tão habituados aos salões do horroroso e do invisível...), porém agora as vozes das coquetes que testemunharam o assassinato tornam-se estridentes, cada vez mais cortantes, a música muda de tom, mais e mais agudo, traseiros franzidos jogam-se para trás com violência crescente, saias cada vez mais vermelhas, cobrindo mais e mais a imagem, um redemoinho de sangue, um final de fornalha, como é que o Garoto Katspiel vai sair desta?

Pois bem, sacumé, né, justamente quando as coisas parecem estar piores é que a Providência dá um — *taráááá!* as luzes se apagam, deixando um brilho rubro morrendo aos poucos nas faces e queixos barbeados dos dois jogadores atônitos diante da dança lasciva das mulheres, os solenoides estremecem e silenciam, a bola de cromo, por fim livre, volta traumatizada para o conforto de suas colegas.

"Estão *todos* assim?"

"Ah, me enrolaram direitinho", geme Alfonso Tracy.

"Um dia é da caça", consola Bland, e neste ponto vem a reprise da canção de Gerhardt von Göll, "Tempo bom para quem faz mercado negro", com as mudanças necessárias para adequar-se ao tempo, lugar e cor:

A gente sempre dá um jeito de ganhar um dinheirinho,
Aconteça o que acontecer!
Se um dia te pegam dormindo de touca,
Levanta, e ainda com gosto de sono na boca,

Vai lá e bota pra foder!
Sempre dá pra uma grana ganhar,
Pode crer, meu rapaz,
É assim que se faz:
O dinheiro está sempre dizendo: "Vem cá!"

É só querer que você chega lá,
Nem todo dia se pode levar,
Mas pra quem tem bestunto, não falta presunto,
O importante é estar sempre a sonhar!

Joga pro alto essa moeda, meu rapaz,
Se der cara ou der coroa, tanto faz,
Tem vez que o azar atrapalha e a gente perde uma batalha,
Mas essa Guerra abençoada não tem fim,
E quem corre atrás do dólar não perde o seu latim!

Agora todos os jogadores de beisebol de calças largas, os soldados da Primeira Guerra de uniformes cáqui, as dançarinas de cancã agora sérias, as gracinhas de maiô mais ainda, os caubóis e índios de tabacaria, os negros de olhos esbugalhados, meninos fruteiros, gigolôs e estrelas de cinema, jogadores trapaceiros, palhaços, bêbados vesgos de esquina, ases da aviação, comandantes de navios, caçadores brancos em safáris e primatas negroides, homens gordos, cozinheiros com chapéus de cozinheiro, agiotas judeus, caipiras agarrados a barris de uísque de fabricação caseira, cães e gatos e ratos de histórias em quadrinhos, lutadores de boxe e alpinistas, estrelas do rádio, anões, monstros, vagabundos pegando carona em trens, participantes de maratonas de dança, orquestras de suingue, grã-finos, cavalos de corrida e jóqueis, taxi-girls, corredores do circuito Indy, marinheiros em terra firme e havaianas de sarongue, corredores olímpicos de pernas musculosas, industriais segurando sacos redondos com cifrões, todos juntos por um momento cantam o estribilho da canção, enquanto todos os tabuleiros de flíper piscam, cores primárias um pouco ácidas, flíperes saltam, bolas tinem, os tabuleiros mais entusiasmados vomitam moedas, cada um fazendo os ruídos e os movimentos exatos para ocupar seu lugar neste complexo conjunto.

Lá fora do templo, os representantes da organização vindos de Chicago fazem hora, jogam porrinha, bebem uísque canadense em garrafinhas chatas de prata, lubrificam e limpam suas 38 e manifestam outros detestáveis comportamentos étnicos papistas, com seus rostos impenetráveis cheios de rugas nítidas e papadas sombrias. Não há como saber se em algum lugar nos arquivos de madeira há um maço de esquemas que explicam o modo exato como todas essas máquinas foram religadas — uma aleatoriedade simulada — ou se de fato tudo ocorreu mesmo por acaso, preservando ao menos nossa fé em que os Defeitos de Funcionamento, ao menos, estão fora do alcance d'Eles... fé em que cada máquina, individualmente, pura e simplesmente, inocentemente, pifou, após as milhares de noites passadas em botecos de beira-estrada, tempestades de fim do mundo em Wyoming que vão direto na cabeça do infeliz que está sem chapéu, anfetaminas de parada de caminhão, fumaça de cigarro arranhando as pálpebras por dentro, tentativas assassinas de escapulir da merda inevitável de todos os anos... será que jogadores para sempre desconhecidos causaram, separadamente, sozinhos, cada um desses defeitos? Pode crer: eles suaram, chutaram, gritaram, quebraram, perderam o equilíbrio para sempre — uma Mobilidade única de que você nunca ouviu falar, uma unidade que não tem consciência de si, um silêncio que as enciclopédias de história atenuam enchendo-o de agências, iniciais, porta-vozes e déficits, para nos impedir de voltar a encontrá-los outra vez... mas por ora, em meio à confusão teatral de mafiosos e maçons, ela se concentrou aqui, no galpão de fundos do templo maçônico de Mouthorgan, um caos elegante para confundir o engenho do perito de Bland, Bert Fibel.

A última vez que o vimos, Fibel estava enganchando, esticando e lançando amortecedores de corda para o tal do Horst Achtfaden no tempo dos planadores, Fibel que ficou no chão e despachou o amigo para Peenemünde — *despachou?* não haverá aqui um pouco de paranoia a mais, não *totalmente* justificada, não é? — bem, digamos que se trata de Indícios de um Possível Envolvimento de Bland com Achtfaden Também, está bem assim? Fibel trabalhava para a Siemens no tempo em que ela ainda fazia parte do truste de Stinnes. Além de trabalhar na área de projetos, também atuava um pouco como espião para a Stinnes. Ainda estão em jogo ligações com a Vereinigte Stahlwerke, se bem que Fibel por acaso agora está trabalhando na fábrica da General Electric, em Pittsfield, Massachusetts. É do interesse de Bland ter um agente nos montes Berkshire, adivinhe por quê? Adivinhão! para ficar de olho num adolescente chamado Tyrone Slothrop, isso mesmo. Quase dez anos após o negócio original ter sido fechado, a IG Farben continua achando mais fácil subcontratar Lyle Bland para vigiar o jovem Tyrone.

Fibel, esse boche cara de pau, é um gênio em matéria de solenoides e interruptores. Como toda essa maquinaria "saiu de esquadro", como se diz lá, seria um desperdício de tempo pecaminoso nem sequer tentar descobrir — ele mergulha nas topologias e códigos de cores, o cheiro de fundente de resina penetra os bilhares e botequins, um Schnipsel aqui e ali, um *also* murmurado de vez em quando, e pronto, logo-logo ele bota a maioria das máquinas para funcionar de novo. Não tenha dúvida: Mouthorgan, Missouri, está assim de maçons felizes da vida.

Em recompensa por sua boa ação, Lyle Bland, que está cagando e andando, é iniciado na maçonaria. Ali ele encontra muita camaradagem, todo tipo de conforto que visa afirmar sua virilidade, e até mesmo alguns contatos profissionais úteis. Fora isso, é tudo tão fechado quanto no tal Conselho de Assessoria Empresarial. Os não-maçons ficam totalmente no escuro a respeito d'O Que Se Passa, se bem que de vez em quando alguma coisa salta para fora, se exibe, pula para dentro outra vez com risinhos constrangidos, deixando um rastro de poucos detalhes mas muitas Suspeitas Terríveis. Alguns dos fundadores da nação norte-americana eram maçons, por exemplo. Existe uma teoria segundo a qual os Estados Unidos eram e ainda são um gigantesco complô maçom controlado na verdade pelo grupo conhecido como os Illuminati. É difícil contemplar por algum tempo o estranho olho que encima a pirâmide encontrada no verso de toda cédula de dólar e não começar a acreditar um pouco nessa história. Tantos anarquistas europeus do século XIX eram maçons — Bakunin, Proudhon, Salverio Friscia — que não é possível ser mera coincidência. Os apaixonados por teorias de conspirações globais, nem todos católicos, sempre podem recorrer aos maçons para experimentar uns bons frissons, à falta de coisa melhor. Uma das mais clássicas Histórias Sinistras de Maçons é aquela em que o doutor Livingstone (*living stone* = "pedra viva"? isso mesmo) entra numa aldeia nativa que fica não no coração, mas no *subconsciente* do Continente Negro, um lugar, uma tribo onde ele jamais esteve antes: fogueiras ardendo em silêncio, olhares indevassáveis, e Livingstone aproxima-se do chefe da aldeia e lhe faz um sinal maçônico — o chefe o reconhece, *responde*, derretendo-se em sorrisos, e ordena que todas as hospitalidades fraternas sejam concedidas ao forasteiro branco. Porém lembremos que o doutor Livingstone, tal como Wernher von Braun, nasceu perto do Equinócio da Primavera, e portanto era obrigado a confrontar o mundo do mais singular dos pontos singulares do Zodíaco... Pois bem, e lembrem-se de onde vieram todos os Mistérios Maçônicos originariamente. (Consultem Ishmael Reed. Ele sabe mais sobre o assunto do que vocês vão encontrar aqui.)

Também não devemos esquecer jamais deste famoso maçom do Missouri, Harry Truman: tendo assumido a Presidência por ocasião da morte de seu antecessor, neste mesmo mês de agosto de 1945, com seu dedo indicador pousado sobre o clitóris atômico da senhorita Enola Gay, preparando-se para transformar 100 000 simpáticos amarelos num finíssimo sedimento de torresmos humanos a cair sobre o entulho derretido de sua cidade às margens do mar Interior...

Quando Bland entrou para a maçonaria, ela já tinha se transformado havia muito, muito tempo num mero clube de homens de negócios. Uma pena. Negócios de todos os tipos, no decorrer dos séculos, haviam atrofiado certos receptores sensoriais e regiões do cérebro humano, de modo que, para a maioria dos participantes, os rituais de agora não eram nada mais, e talvez até um pouco menos, que uma pantomima vazia. Mas não para *todos* eles. De vez em quando, encontrava-se um maçom como os de antigamente. E Lyle Bland era um desses.

A magia desses rituais maçônicos é antiquíssima. E, naqueles tempos remotos, ela funcionava *mesmo*. Com o tempo, ela passou a ser usada como uma forma de espetáculo, para consolidar aparências puramente seculares de poder, e começou a perder a força. Porém as palavras, os movimentos e os mecanismos foram preservados de modo mais ou menos fiel por todos esses milênios, apesar da racionalização cinzenta do Mundo, de modo que a magia continua lá, ainda que latente, bastando apenas encontrar uma mente sensível para reafirmar-se.

Bland começou a dar-se conta de que estava chegando tarde da noite em sua casa em Beacon Hill após as reuniões, e que não conseguia dormir. Deitava-se no sofá de seu escritório, sem pensar em nada em particular, e de repente voltava a si com um susto, o coração batendo de modo terrível, cônscio de que havia estado em *algum* lugar, mas sem conseguir explicar o que havia ocorrido naquele intervalo de tempo. O velho relógio estilo império batia no corredor cheio de ecos. O espelho convexo, que pertencera a tantas gerações de Blands, reunia em seu poço de mercúrio imagens que Lyle não tinha coragem de encarar. Em outro quarto, sua esposa, religiosa e varicosa, gemia sem acordar. O que estaria acontecendo com ele?

Após a próxima reunião de maçons, de volta em seu sofá de sempre, com um *Wall Street Journal* que não continha nada que ele já não soubesse, Lyle Bland desprendeu-se de seu próprio corpo, subiu cerca de trinta centímetros, rosto virado para cima, deu-se conta de onde estava e gaahh! *uuuf* voltou para o corpo de novo. Permaneceu imóvel, mais apavorado do que jamais estivera na vida, mais ainda do que na batalha do bosque de Belleau — menos por ter saído de seu próprio corpo do que por saber que aquilo fora apenas uma *primeira etapa*. A próxima seria virar-se em pleno ar e olhar para baixo. A velha magia apossara-se dele. Uma jornada tivera início. Ele sabia que era impossível voltar atrás.

Lyle Bland levou cerca de um mês para conseguir virar-se. Quando a coisa aconteceu, pareceu-lhe ser menos uma volta dada no espaço do que em sua própria trajetória de vida. Irreversível. O Bland que voltou para dentro do receptáculo branco que ele vira deitado de barriga para cima no sofá, mil anos abaixo dele, havia mudado em caráter definitivo.

Logo ele estava passando a maior parte do seu tempo no sofá, e já quase não ia à State Street. Sua mulher, que jamais questionava nada, perambulava pelos cômodos, só conversando sobre assuntos domésticos, por vezes recebendo uma resposta se por acaso Bland estivesse dentro de seu corpo, mas na maioria das vezes sem receber resposta alguma. Pessoas estranhas começaram a aparecer à porta, sem ter telefonado de antemão. Gente muito esquisita, estrangeiros com peles escuras e oleosas, quistos sebáceos, terçóis, asma, dentes estragados, gente que mancava, que tinha o olhar perdido ou — pior ainda — um Estranho Sorriso Distante. Ela os deixava entrar, todos eles, e as portas do escritório eram delicadamente fechadas na sua cara. Tudo que conseguia ouvir era um murmúrio de vozes, no que lhe parecia ser uma língua estrangeira. Estavam ensinando a seu marido técnicas de viagem.

Já aconteceram, ainda que raramente, no espaço geográfico, viagens para o norte sobre mares muito azuis, azuis como chama, gélidos, coalhados de banquisas, até as muralhas finais de gelo. Fatalmente, cometemos um erro de julgamento: demos mais atenção aos Pearys e Nansens que retornaram — e, pior ainda, que afirmaram ter tido "sucesso", quando na verdade fracassaram. Porque voltaram, voltaram para a fama e a glória, eles fracassaram. Só choramos por Sir John Franklin e Salomon Andrée: pranteamos seus toscos monumentos funerários, seus ossos, e demos pela falta da proclamação de seu sucesso em meio ao mísero lixo congelado que deixaram. Quando a tecnologia tornou fáceis tais viagens, já tínhamos obscurecido com palavras toda nossa capacidade de distinguir vitória de derrota.

O que Andrée encontrou no silêncio polar: o que deveríamos ter ouvido?

Bland, ainda um aprendiz, não havia se livrado do gosto pelas alucinações. Ele sabe onde está quando está lá, mas depois que volta imagina que andou nos subterrâneos da história: que a história é a mente da Terra, e que há camadas, profundíssimas, camadas de história análogas às de carvão e petróleo que há no corpo da Terra. Em sua sala, os estrangeiros sussurram sobre ele, deixando desagradáveis camadas de sebo em tudo que tocam, tentando orientá-lo nessa fase, visivelmente impacientes com o que lhes parece ser o gosto de um vulgar mandrião. Bland volta empolgado com as presenças que conheceu lá, membros de uma IG astral cuja missão — como aliás Rathenau deu a entender através do médium Peter Sachsa — está além das distinções mundanas de bem e mal: distinções assim não têm sentido algum do outro lado...

"Ssim, ssim", todos olhando para ele, "mas nesse caso por que insistir em falar em 'mente e corpo'? Por que fazer essa distinção?"

Porque é difícil não se deslumbrar ao descobrir que a Terra é uma criatura viva, ao constatar, depois de tantos anos vendo-a como um pedaço enorme de pedra insensível, que ela é um corpo e uma psique, ele se sente uma criança outra vez, sabe que teoricamente não deve se apegar, mas assim mesmo está apaixonado por seu senso de deslumbramento, por tê-lo reencontrado, mesmo a essa altura da vida, mesmo sabendo que em breve terá que perdê-lo de novo... Constatar que a Gravidade, à qual nunca deu importância, é na verdade uma coisa misteriosa, messiânica, extrassensorial, na mente-corpo da Terra... tendo abraçado em seu centro sagrado os despojos das espécies mortas, reunido, compactado, transmutado, realinhado e re-encadeado as moléculas a serem retomadas pelos cabalistas do alcatrão de hulha do outro lado, aquelas que Bland, em sua viagem, observou, tomou fervidas, dissecadas e explicadas até a última permutação da magia útil, séculos inexauríveis ainda encontrando novos pedaços moleculares, combinando-os e recombinando-os em novos compostos sintéticos — "Esqueça-os, eles não valem mais do que os Qlipot, as cascas dos mortos, não perca tempo com eles..."

Nós, os que não fomos eleitos para receber a iluminação, que fomos deixados do lado de fora da Terra, à mercê de uma Gravidade que estamos apenas começando a aprender a detectar e medir, vemo-nos limitados a tatear às cegas, com base em nossos lobos frontais, munidos de nossa fé nas Correspondências Curiosas, na esperança de que para cada composto psissintético retirado da alma da Terra haja uma molécula, mundana, mais ou menos comum, dotada de nome, aqui — esperneando eternamente em meio a trivialidades de plástico, encontrando em cada uma um Significado Profundo e tentando encadeá-los todos como termos de uma série de potências na esperança de atingir a tremenda e secreta Função cujo nome, tal como os nomes permutados de Deus, não pode ser pronunciado... palheta de saxofone de plástico *sons com timbres antinaturais*, frasco de xampu *imagem de ego*, brinde no fundo da caixa de cereal *diversão perecível*, embalagem de eletrodoméstico *carenagem para os ventos da cognição*, mamadeiras *tranquilização*, cortes de carne embalados *carnificina disfarçada*, sacos de tinturaria *bebês sufocados*, mangueiras de regar jardim *alimentando incessantemente o deserto*... porém juntá-los, na sua persistência suave e na nossa preterição... fazer sentido, encontrar a mais tênue e afiada lasca de verdade em meio a tanta replicação, tanto desperdício...

Sorte de Bland, estar livre disso. Uma noite ele reuniu toda a família em torno do sofá do escritório. Lyle Júnior veio de Houston, tiritando de gripe após o contato com um mundo onde o ar-condicionado não é tão essencial para a vida. Clara veio de carro de Bennington, e Buddy veio de metrô de Cambridge. "Como vocês sabem", Bland anunciou, "tenho feito umas pequenas viagens ultimamente." Trajava uma bata branca simples e trazia na mão uma rosa vermelha. Tinha um ar místico, todos concordariam depois: a tez e os olhos manifestavam uma claridade que raramente é encontrada, salvo em certos dias primaveris, em certas latitudes, logo antes do romper da madrugada. "Constatei", prosseguiu, "que a cada vez estou indo mais longe. Nesta noite vou de vez. Isto é, vou para não voltar. Assim, queria me despedir de vocês todos, e avisar que vocês estarão protegidos." Ele havia conversado com seu amigo Coolidge Kurtz, da firma de advocacia Salitiari, Povre, Sordi, Daim, Bruteccido e Kurtz, com sede na State Street, e certificara-se de que as finanças da família estavam em ótima situação. "Quero que vocês saibam que eu amo vocês todos. Eu ficaria aqui se pudesse, mas tenho que ir. Espero que vocês compreendam."

Um por um, seus familiares vieram despedir-se. Abraços, beijos, apertos de mão, Bland entregou-se ao regaço do sofá pela última vez, e fechou os olhos com um sorriso vago... Depois de algum tempo sentiu que estava elevando-se. Os que presenciaram a cena discordaram quanto ao momento exato. Por volta de 21h30 Buddy saiu para assistir *A noiva de Frankenstein*, e a senhora Bland cobriu o rosto sereno com um cortinado de chintz empoeirado, presente de uma prima que jamais entendera seu gosto.

Noite de vento. As tampas das latas de lixo estridulam por toda a praça de armas. Sentinelas ociosas praticam apresentar-armas. Vez por outra uma lufada de vento faz os jipes balançarem no molejo, até mesmo os caminhões de duas toneladas e meia e caminhões para transporte de civis — amortecedores gemem, profundamente, de desconforto... no auge do vento, pinheiros vivos agitam-se, alinhados acima do último barranco de areia antes do mar do Norte...

Caminhando a passos rápidos, porém desencontrados, atravessando os espaços pontilhados de caminhões da antiga fábrica da Krupp, os doutores Muffage e Spontoon não têm o menor ar de conspiradores. De imediato, o observador conclui que eles são o que parecem ser: uma pequena cabeça de praia de respeitabilidade londrina aqui nas trevas de Cuxhaven — turistas nessa colônia semicivilizada de sulfa espargida em poços de sangue, seringas e torniquetes, oficiais médicos toxicômanos e enfermeiros sádicos, uma colônia que eles não tiveram que aturar durante a Guerra, graças a Deus, o irmão de Muffage tinha um alto cargo num certo ministério e Spontoon foi desqualificado para o serviço por causa de um estranho estigma histérico, com a forma e quase a mesma cor do ás de espadas, que aparece em sua bochecha esquerda em momentos de muita tensão, acompanhado de uma enxaqueca severa. Há poucos meses eles sentiam-se tão mobilizados quanto qualquer civil britânico, e portanto dispostos a obedecer a qualquer ordem do governo. Porém, a presente missão, em tempo de paz, desperta sérias ressalvas nos dois. Como passa rápido a história hoje em dia.

"Não entendo por que ele pediu a *nós*", Muffage cofiando a pera farta (um gesto cujo efeito é parecer compulsivo), com uma voz talvez melodiosa demais para um homem tão volumoso, "não é possível que ele não saiba que eu não faço isso desde 27."

"Eu assisti a algumas no tempo que era interno", relembra Spontoon. "Isso foi no tempo em que a coisa estava na moda nos hospitais psiquiátricos, você sabe."

"Pois eu sei de umas Instituições Nacionais onde ainda continua em moda." Os dois médicos comungam de uma risada, cheios daquela Weltschmerz britânica que parece tão desconfortável nos rostos dos que dela sofrem. "Venha cá, Spontoon, você está querendo dizer que preferia assistir, é?"

"Ah, por mim tanto faz, você sabe. Quer dizer, não vai ter ninguém vendo e anotando tudo num caderno."

"Não sei, não. Você não estava ouvindo? Você não notou nenhum..."

"Entusiasmo."

"Obsessão. Às vezes me pergunto se o Pointsman não estará *perdendo o controle*", com uma pronúncia igualzinha à de James Mason: "Perrrrden-do o contrrrole".

Agora estão se entreolhando, duas paisagens noturnas de acantonamentos e veículos estacionados fluindo escuras por trás de cada rosto. O vento traz cheiros de maresia, de praia, de gasolina. Um rádio longínquo, sintonizado no Programa das Forças Gerais, apresenta Sandy MacPherson ao Órgão.

"Bem, todos nós..." Spontoon começa, mas não termina a frase.

"Chegamos."

A sala bem iluminada está enfeitada com pin-ups assinadas por George Petty, com lábios rubros e membros que lembram salsichas. No canto uma cafeteira chia. Há também um cheiro rançoso de graxa para botas. Um cabo, sentado com os pés em cima de uma mesa, está absorto na leitura de uma revista americana do Pernalonga.

"Slothrop", em resposta à pergunta de Muffage, "ah, sim, sim, o americano da... fantasia de porco. É, ele aparece e some o tempo todo. Louco de pedra. Vocês são de onde, do M.I.6?"

"Confidencial", Spontoon, seco. Achando-se uma espécie de Nayland Smith. "Sabe onde a gente pode encontrar um tal de general Wivern?"

"A essa hora da noite? Lá no depósito de álcool, provavelmente. É só seguir os trilhos e ir atrás do barulho. Eu também estaria lá se não estivesse de serviço."

"Fantasia de porco", Muffage franzindo a testa.

"Porra de uma fantasia enorme, amarela, rosa e azul, juro por Deus", retruca o cabo. "Não tem como não reconhecer. Os senhores por acaso não teriam um cigarro, não?"

Ruídos festivos chegam a seus ouvidos enquanto caminham ao longo do trilho, passando por vagões-plataformas e vagões-tanques vazios. "Depósito de álcool."

"Combustível para os foguetes dos nazistas, me disseram. Se é que jamais conseguiram fazer um funcionar."

Sob um frio guarda-chuva de lâmpadas nuas há um grupo de militares, marinheiros americanos, moças do Instituto da Marinha, Exército e Aeronáutica, e fräuleins alemãs. Todos descaradamente confraternizando com o inimigo, em meio a uma barulheira que, à medida que Muffage e Spontoon se aproximam, transforma-se numa canção, sendo que no centro, bem chumbado, abraçado a duas zinhas sorridentes e desgrenhadas, rosto rubicundo assumindo um tom apoplético de roxo sob a luz das lâmpadas, encontra-se aquele mesmo general Wivern que eles viram pela última vez na sala de Pointsman lá na Décima Segunda Casa. De um vagão-tanque cujo conteúdo, etanol em solução de 75%, é anunciado em letras brancas de estêncil nos lados, saem torneiras aqui e ali, sob as quais um número inacreditável de copos, canecas, cafeteiras, latas de lixo e outros recipientes são colocados e retirados. Cavaquinhos, trombetas de brinquedo, gaitas e toda uma variedade de instrumentos de metal improvisados acompanham a canção, que é uma inocente saudação ao Pós-Guerra, a esperança de que o fim da escassez, da Austeridade, esteja próximo:

É —
Hora de cair de boca!
Hora de cair de boca!
Por favor, vá abrindo a geladeira —
Porque é
Hora de cair de boca,
Hora de cair de boca,
Que hoje eu vou comer a noite inteira!
Ah, é hora de cair de boca,
Hora de cair de boca!
É uma coisa antiga, mas é nova também —
A vida é uma coisa louca
Quando é hora de cair de boca —
Venha cair de boca comigo, meu beeeeeem!

O coro seguinte é com soldados e marinheiros todos juntos nos oito primeiros compassos, depois as moças nos oito seguintes, depois o general Wivern cantando mais oito em solo, e *tutti* para encerrar. Aí tem uma vez só para cavaquinhos e cornetas de brinquedo, etcétera, enquanto todo mundo dança, lenços negros agitando-se como bigodes de vilões epilépticos, delicadas redes de cabelos soltando-se e permitindo que madeixas escapem dos penteados apertados, bainhas de saias levantadas expondo por segundos joelhos e anáguas guarnecidas de renda de bilro pré-guerra, uma frágil revoada de asas de morcego fumacentas sob a luz elétrica branca... na última estrofe os rapazes dançam em círculo no sentido dos ponteiros do relógio, as moças no sentido oposto, todos formando uma rosa, no centro da qual, com um sorriso ébrio e lascivo nos lábios, o general Wivern, de caneco erguido, é levantado por um instante, como um estame ereto.

Praticamente o único que não está participando da farra, fora os dois cirurgiões à espreita, é o marinheiro Bodine, que vimos pela última vez, como vocês devem lembrar, aprontando na banheira de Säure Bummer em Berlim. Impecável com seu uniforme de gala branco, sóbrio e sério, caminha com passos pesados por entre os farristas, pelos abundantes saindo pelas mangas e pelo colarinho, tanto que semana passada ele assustou e perdeu um contato que estava acabando de chegar do teatro de guerra China-Birmânia-Índia com quase uma tonelada de maconha, o qual o tomou por uma versão marítima do legendário *yeti* ou abominável homem das neves. Para compensar em parte essa perda, Bodine hoje está promovendo a Primeira Luta Internacional de Garfo de Picles, entre seu camarada de bordo Avery Purfle e um membro do Comando Inglês chamado St. John Bladdery. "Façam suas apostas, vamos lá, isso mesmo, os dois têm as mesmas chances de ganhar", anuncia o crupiê Bodine, profissional, enfiando-se por entre os corpos reunidos, muitos deles nada aprumados, uma mão peluda segurando um maço de cédulas emitidas pelas forças de ocupação. Com a outra ele de vez em quando puxa o colarinho largo da blusa e assoa o nariz ali, os ilhoses da barra da camiseta brilham, as lâmpadas no alto balançam-se ao sabor da brisa por ele provocada, suas várias sombras agitando-se para todos os lados e fundindo-se umas nas outras.

"Salve, companheiro, precisa de um opiato?" Olhinhos vermelhos num rosto largo e róseo de gelatina, e um sorriso avarento. É Albert Krypton, enfermeiro do navio americano *John E. Badass*, que agora tira de dentro de um bolso secreto um frasco cheio de comprimidos brancos. "Codeína, meu chapa, uma beleza — tome."

Bodine espirra violentamente e limpa o muco na manga. "Pra resfriado não serve, Krypton. Obrigado. Viu o Avery?"

"Está em forma. Estava fazendo um treinamento de última hora no paiol do mestre quando eu vim pra cá."

"Escute aqui, meu chapa", diz o marujo empreendedor. Isso, em linguagem cifrada, significa noventa gramas de cocaína. Bodine entrega-lhe umas notas amassadas. "Meia-noite, se você puder. Eu disse a ele que ia estar no Putzi's depois da luta."

"Certo. Você tem dado uma olhada debaixo do alojamento?" Ao que parece, o pessoal que está voltando da China-Birmânia-Índia reuniu-se para jogar búrica com bolas de ópio. Quem for esperto consegue catar centenas. O enfermeiro Krypton embolsa o dinheiro e deixa Bodine flexionando o polegar e pensando no assunto, segue em frente tirando sarros, parando para beber um gole de álcool de cereais com suco de grapefruit num estojo de obus, enquanto vende um que outro comprimido de codeína. Tem um rápido acesso de paranoia quando aparecem dois PMs de boina vermelha, balançando os cassetetes e dirigindo-lhe, imagina ele, olhares significativos. Krypton escapole para dentro da noite, desmanchando-se contra o céu escuro. Está começando a sentir os efeitos de um preparado conhecido como Azul de Krypton, e é meio tonto que caminha em direção à farmácia, não sem momentos de profunda desconcentração.

Lá dentro, seu contato, o farmacêutico Birdbury, está regendo o último ato d'A *força do destino* transmitida, com muita estática, pela Rádio Luxemburgo, cantando enquanto rege. Sua boca se fecha de repente quando Krypton entra taxiando. A seu lado está o que parece ser um porco gigante, multicolorido, pelúcia a contrapelo em alguns trechos, o que aumenta a variedade cromática. "*Micro*gramas", Krypton dando um tapa veemente na própria cabeça, "isso, microgramas, não miligramas. Birdbury, me dá alguma coisa. Tomei uma overdose."

"*Xxx*." A testa alta do farmacêutico enruga-se e desenruga-se operisticamente. Krypton recua entre as prateleiras, e fica contemplando o ambiente iluminado através de um vidro de elixir paregórico até a ópera terminar. Volta a tempo de ouvir o porco perguntando: "Mas pra que outro lugar ele poderia ir?".

"É informação de terceira mão", Birdbury largando a seringa hipodérmica que estava usando como batuta. "Pergunte ao Krypton, ele está sabendo das coisas."

"Salve, companheiro", diz Albert, "vamos tomar uma vacina."

"Soube que o Springer ficou de vir aqui hoje."

"Você é que está me dizendo. Mas vá lá no Putzi's. É lá que tudo acontece."

O porco olha para um relógio na parede. "É que hoje estou com uma agenda meio gozada, sabe."

"Escute aqui, Krypton, tem um figurão do GOPE aqui, pode chegar a qualquer momento, de modo que, seja lá o que for, sabe..." Os dois regateiam as noventa gramas de cocaína, enquanto o porco, por discrição, começa a folhear um número antigo de *News of the World*. Por fim, prendendo com fita adesiva o último frasco cheio de pó cristalino à perna nua, Krypton convida todos a assistir à luta de garfo de picles. "O Bodine está com umas apostas pesadas, tem gente de toda a Zona —"

"O *marinheiro* Bodine?" pergunta o perplexo porco de pelúcia.

"O rei de Cuxhaven, Gaguinho."

"Pois bem, eu fiz um serviço para ele uma vez em Berlim. Diga a ele que o Homem-Foguete mandou um abraço."

Krypton, boca de sino arregaçada, abrindo um dos frascos só para ver a cara da coisa, para de repente, olhos arregalados. "Aquele *haxixe*?"

"Isso mesmo."

Krypton dá uma boa cafungada do pó branquinho com cada narina, esquerda, direita. O mundo fica um pouco mais claro. Um punho cerrado de muco amargo começa a formar-se no fundo de sua garganta. A Missão Potsdam já virou parte do folclore da Zona. Estaria aquele porco tentando faturar em cima da glória do Homem-Foguete (de cuja existência, aliás, Krypton nunca teve muita certeza)? Suspeitas do pó, mesquinhas e covardes como ratazanas... frascos reluzentes de mil cores, vozes do rádio, a textura da pelúcia do porco quando Krypton estende a mão para apalpá-la... não, está claro que o porco não está procurando nada, não é um policial, não está vendendo nada, nem está querendo sacanear ninguém... "Eu só queria sentir na mão como é que é", diz Krypton.

"Claro." De repente a porta se enche de boinas vermelhas, couro e latão. Krypton imobiliza-se, a tampa do frasco de cocaína aberto numa das mãos.

"Slothrop?" o sargento que está no comando vai entrando na farmácia, mão pousada na arma. O porco olha para Birdbury, que sacode a cabeça, não fui eu, não, aparentemente é verdade.

"Nem eu", Krypton se acha na obrigação de dizer.

"É, mas alguém me caguetou", murmura o porco, com ar de quem está profundamente magoado.

"Espere aí", cochicha Albert. Dirigindo-se ao policial: "Com licença", anda direto até o interruptor na parede e apaga a luz, Slothrop de repente sai na disparada no meio de toda a gritaria, passando pela mesa de Birdbury *crau* direto em cima de uma estante de remédios alta na qual seu ventre recheado de palha ricocheteia, só que a estante em seguida desaba em cima de alguém com um estupendo despedaçar de vidro e um grito — enfia-se num corredor escuro feito breu, braços o guiam, sai pelos fundos, onde encontra Krypton.

"Obrigado."

"Depressa."

Lá fora seguem em direção ao leste, rumo ao Elba e às docas, correndo, derrapando nas poças de lama, tropeçando nos sulcos deixados pelos pneus dos caminhões, o vento contornando os alojamentos de metal corrugado e atingindo-os no rosto, pequenos salpicos brancos de cocaína caindo da perna esquerda da calça de Krypton. Atrás deles os perseguidores gritam e projetam lanternas, mas pelo visto não sabem para que lado ir. Bom. "Siga a estrada de tijolos amarelos", cantarola Albert Krypton, no tom, "siga a estrada de tijolos amarelos", que história é essa, não é que ele está mesmo *saltitando*...

Em pouco tempo, esbaforidos, chegam ao cais onde o *Badass* e sua divisão, quatro porquinhos cinzentos na névoa, estão amarrados, e constatam que a luta de garfo de picles está justamente começando, no centro de uma multidão inquieta, vociferante, de bêbados civis e militares. O magricelo Avery Purfle, costeletas brilhosas como pelos de foca à luz pálida, pomo de adão pulsando nervoso quatro ou cinco vezes por minuto, contorna o adversário, o sereno e bovino St. John Bladdery, cada um com um garfo de picles *en garde*, os gumes afiados reluzindo.

Krypton esconde Slothrop numa lata de lixo e sai à cata do marinheiro Bodine. Após uma série de fintas curtas, Purfle ataca, rápido como um galo de briga. Como um golpe grandioso que Bladdery tenta aparar com um *tierce*, Purfle corta a camisa do outro e tira-lhe sangue. Mas quando tenta saltar para trás, percebe-se que Bladdery pisou com sua bota de combate no sapato de festa do americano, imobilizando-o.

O empresário Bodine e seus dois combatentes são cristais ardentes de consciência naquela reunião de um cinzento envenenado: cerca de metade da multidão está perdida nos contrafortes da inconsciência, e o resto não sabe exatamente o que está acontecendo. Alguns acham que Purfle e Bladdery estão zangados um com o outro. Alguns pensam que aquilo é uma representação cômica, e riem nos momentos menos apropriados. De vez em quando um par de olhinhos reluzentes surge nas superestruturas noturnas das belonaves, olhando fixamente...

Purfle e Bladdery deram golpes simultâneos e agora estão *corps à corps* — com um estalo mecânico os garfos de picles se engancham um no outro, os cotovelos ficam tensos e imóveis. O resultado depende da esperteza de Purfle, pois Bladdery parece disposto a manter aquela posição a noite toda.

"O Homem-Foguete está aqui", Krypton puxando o colarinho úmido e amarrotado de Bodine, "com uma fantasia de *porco*."

"Agora não, cara. Você está com o, ah —"

"Mas os homens estão atrás dele, Bodine, onde ele pode se esconder?"

"Foda-se, deve ser algum babaca. Um impostor. O Homem-Foguete não ia vir pra *cá*."

Purfle puxa para trás com força a mão do garfo, inclinando-se para o lado, torcendo sua arma para manter os dentes dela presos nos do garfo de Bladdery, desequilibrando-o o tempo suficiente para retirar seu pé debaixo da bota do outro e, em seguida, desvencilhar os dois garfos e afastar-se com um movimento gracioso. Bladdery recupera o equilíbrio e vai atrás do adversário, pesadão, com uma série de golpes curtos, depois troca o garfo de mão e surpreende Purfle com um ataque que arranha seu pescoço, por pouco não lhe atingindo a jugular. Pinga sangue na blusa branca, negro à luz dos arcos voltaicos. Suor e sombras frias ocultam-se no escuro das axilas dos contendores. Purfle, num gesto ousado provocado pela dor, corre para cima de Bladdery com uma série de estocadas cegas e tontas, e Bladdery nem sequer precisa mover os pés, esquivando-se dos joelhos para cima, com movimentos ondulatórios, como um grande pudim tranquilo, por fim agarrando a mão do garfo de Purfle à altura do pulso e rodopiando-o a sua volta, como se dançasse o jitterbug com uma garota, segurando o outro à sua frente, o gume do garfo pousado acima do pomo de adão dele, prestes a cravar na sua carne. Ele olha para o alto, olha a seu redor, bufando, suando, à procura de algum poder que lhe indique, com o polegar, o que deve fazer.

Nada: uns dormem, outros vomitam, outros estremecem, um odor espectral e perfumado de etanol, Bodine tranquilo contando seu dinheiro. Ninguém está assistindo. Então ocorre ao mesmo tempo a Bladdery e Purfle, ambos centrados no gume do garfo de picles e no pequeno esforço necessário para que o mundo habitado pelos dois seja invadido pela morte, que ninguém disse que a luta tinha que ser até o final, é ou não é?, que cada um vai receber uma parte do dinheiro independentemente de quem ganhar, de modo que o mais sensato a fazer agora é parar com a luta, irem os dois arengar com Bodine e procurar Band-Aids e iodo. E no entanto ainda permanecem naquele abraço, a Morte com todo seu poder cantarolando para eles melodias românticas, ridicularizando sua pequenez... *Vão ficar por aí, sem avançar? E vocês chamam isso de vida?*

Um carro da polícia militar, buzina e sirene e luzes acesas, aproxima-se. Relutantes, Purfle e Bladdery por fim relaxam e, suspirando com bochechas inchadas, separam-se. Bodine, a três metros dali, joga um maço gordo de cédulas do exército de ocupação, que o membro do Comando pega e divide em dois, como se fosse um baralho, dando metade para Purfle, que já está a caminho da prancha de embarque de sua mãe cinzenta, o *John E. Badass*, onde o convés a ré está animado, e até mesmo um jogo de cartas na lavanderia é interrompido para que todos possam ir assistir à grande batida. Bêbados em terra firme começam a arrastar-se pesadamente, sem saber exatamente para onde. Um bando de garotas, trêmulas, excitadas, esvoaçantes, vêm da região de penumbra além do alcance da luz elétrica para surrupiar St. John Bladdery e escondê-lo sob tecidos sintéticos de lindas cores pastel e gritinhos amorosos. Bodine e Krypton, espremendo-se por entre a multidão, xingando, tropeçando em corpos acordados e adormecidos, param junto à lata de lixo para recolher Slothrop, o qual emerge de uma pilha de cascas de ovo, latas de cerveja, pedaços horríveis de galinha com molho amarelo, pó de café e papel sujo, que cascateiam de seu corpo, levanta a máscara e saúda Bodine com um sorriso.

"Homem-Foguete! puta que o pariu, é ele mesmo. E então, rapaz, o que está havendo?"

"Me sacanearam, preciso de uma carona até o Putzi's." Estão chegando caminhões cobertos de lona, e para dentro de seus interiores sombrios os policiais militares estão começando a empurrar todos aqueles que têm movimentos mais lentos do que eles. Agora dois civis, um deles de barba, aparecem correndo pelo cais, gritando: "Fantasia de porco, de porco, olhe lá" e "Você aí — Slothrop — pare onde você está".

Ao invés de parar, com muito estrépito Slothrop sai rolando do lixo e corre a toda atrás de Bodine e Krypton, deixando uma trilha de gordura de galinha e casca de ovo. Um trailer da Cruz Vermelha ou caminhão-cantina está estacionado junto ao aglomerado de contratorpedeiros mais próximo, derramando suas luzes no asfalto, uma moça bonita com penteado à Deanna Durbin emoldurada na janela contra um fundo de barras de chocolate, cigarros, sanduíches em forma de cunha embrulhados em papel encerado.

"Café, pessoal?" sorri ela. "E que tal uns sanduíches? Só sobrou de presunto", depois, vendo Slothrop, "ah, coitado..."

"As chaves do caminhão", Bodine com um sorriso de James Cagney e apontando uma arma, "vamos", engatilhando.

Cara de durona, dá de ombros e ombreiras. "Na ignição." Albert Krypton entra na parte de trás para fazer companhia a ela enquanto Slothrop e Bodine sobem na frente e dão a partida, fazendo uma curva fechada de retorno na hora exata em que os dois civis chegam correndo.

"Quem é esse cara aí?" Slothrop olhando pela janela para os dois vultos cada vez menores, "você viu aquele sujeito com um ás de espadas na bochecha?"

Bodine contorna a multidão junto ao *John E. Badass* e dirige a todos os presentes o gesto obrigatório de dedo em riste. Slothrop afunda no banco, levantando a máscara de porco como se fosse o elmo de um cavaleiro andante, esticando o braço para tirar um maço de cigarros do bolso da blusa de Bodine, acendendo um, exausto, doido para poder dormir um pouco... De repente vem de trás o grito da moça da Cruz Vermelha: "Meu Deus, o que é isso?"

"Olhe aqui", Krypton pacientemente, "você põe um pouquinho assim na ponta do dedo, não é?, e aí tampa uma das narinas, e-e —"

"É cocaína!" a voz da moça aumenta, até uma intensidade assustadora, "é isso! É heroína! Vocês são *viciados*! e estão me *sequestrando*! Ah, meu Deus! Isso aqui, será que vocês não sabem, é um *trailer da Cruz Vermelha*! É propriedade da Cruz Vermelha! Ah, vocês *não podem* fazer isso! Eu sou da Cruz Vermelha! Ah, socorro, me ajudem! Eles são viciados! Por favor! Socorro! Parem e me deixem saltar! Levem o caminhão se quiserem com tudo que tem dentro dele, mas por favor, não —"

"Dirija um pouco", Bodine virando-se e apontando a pistola reluzente para a moça.

"Você não pode atirar em mim", ela grita, "seu marginal, quem é que você pensa que é, roubando propriedade da Cruz Vermelha! Por que você não — vai para um lugar qualquer — cheirar a sua droga e — deixa a gente *em paz*!"

"Sua babaca", aconselha o marinheiro Bodine, num tom tranquilo e razoável, "você está redondamente enganada. Eu posso atirar em você, sim. Não posso? Pois bem, a simpática organização para a qual você trabalha estava cobrando quinze centavos por um café e um sonho na porra da batalha das Ardenas. Ladrão que rouba ladrão tem mil anos de perdão."

"Cem", corrige ela em voz bem mais baixa, lábio inferior tremendo zangado tão bonitinho, Slothrop acha, olhando pelo retrovisor enquanto Bodine reassume a direção.

"Epa, o que é isso aqui", Krypton observando a bunda da moça, balançando dentro da saia cáqui, as pernas longas plantadas firmes para se manter em pé apesar de estarem a mais de cem por hora e de Bodine adotar uma tática estranha de fazer as curvas, a qual parece ser uma forma estilizada de suicídio.

"Como é que você se chama?" Slothrop sorridente, um porquinho camarada.

"Shirley."

"Tyrone. Oi."

"Tra-lá-lá", Krypton agora saqueando a caixa registradora, abocanhando barras de chocolate e enfiando maços de cigarros dentro das meias, "o amor florescendo." Mais ou menos nesse ponto Bodine pisa nos freios e dá uma derrapada das boas, a traseira do caminhão rodando em direção a um grupo gelidamente iluminado de sentinelas com forros de capacetes brancos desenhados a estêncil, cinturões brancos, coldres brancos, uma barreira atravessando a estrada, um oficial correndo agachado em direção a um jipe e berrando dentro de um walkie-talkie.

"Barreira? Que porra é essa", Bodine engrenando a ré, várias guloseimas destinadas aos soldados despencando das prateleiras enquanto o caminhão faz a volta. Shirley perde o equilíbrio e cambaleia para a frente, Krypton tentando agarrar a moça enquanto Slothrop se debruça para tirar a arma do painel, encontra Shirley jogada por cima do banco da frente quando volta à janela. "Onde é a porra da primeira? Que merda é essa, uma caixa de marcha da Cruz Vermelha que a gente tem que pôr uma moeda dentro pra funcionar, é, *hein, Shirley*?"

"Ah, meu Deus", Shirley enfiando-se entre os dois na frente, agarrando a mudança, "é assim, seu bocó." Tiros atrás deles.

"Obrigado", diz Bodine, e, largando borracha na pista com um grito pungente e fumegante, partem outra vez.

"Você é demais, Homem-Foguete, porra!" Krypton recostando-se no banco de trás, oferecendo o tornozelo com frasco de cocaína preso com fita a Shirley, sorridente. "Me diga uma coisa."

"Não, obrigada", diz Shirley. "Eu realmente não quero."

"Ah, que é isso... vamos lá..."

"Aqueles caras eram policiais militares americanos?" Slothrop apertando a vista e olhando para a frente. "O que é que eles estão fazendo aqui no setor britânico, você sabe?"

"Vai ver que não eram, não", arrisca Bodine, "vai ver era só a Patrulha Costeira, não vamos ficar mais paranoicos do que é estritamente necessário..."

"Olhe aqui, eu estou cheirando (fung) e não estou virando (fung) lobisomem nem nada..."

"Bem, eu não sei, não", Shirley ajoelhando-se para trás, busto apoiado no encosto do banco, uma mão grande e lisa de roceira no ombro de Slothrop, para equilibrar-se.

"Olhe", diz Bodine, "é dinheiro ou droga ou o quê? Eu só quero saber no que estou me metendo, porque se os homens estão vindo atrás..."

"Eles estão só atrás de mim, que eu saiba. Não tem nada a ver com tráfico, é uma coisa totalmente diferente."

"Ela é a rosa da terra de ninguéééémm", canta Albert Krypton, sedutor.

"O que você vai fazer lá no Putzi's?"

"Preciso falar com o Springer."

"Eu não sabia que ele estava vindo para cá."

"Por que é que todo mundo sempre diz isso?"

"Albert, dáu exagere", Shirley falando com uma só narina, "é só ó *pouquio* de dada, só pra provar."

"É porque há algum tempo que ninguém tem visto ele."

"Agora inspira, isso, isso, está bom, *agora*. Hm, ainda ficou um pouquinho, ah, tem uma meleca que está impedindo... mais uma vez, caprichado. Agora o outro lado."

"*Albert*, você disse que era só umazinha."
"Olhe aqui, se você for mesmo preso —"
"Não gosto nem de pensar."
"*Nossa!*" exclama Shirley.
"Gostou? Tome, mais um pouquinho."
"O que foi que você fez?"
"Nada. Queria falar com alguém do GOPE. Saber o que estava acontecendo. A gente ia conversar, sabe, uma conversa reservada, lá na farmácia. Território neutro. Só que Os Homens apareceram. E agora tem mais esses dois caras sinistros à paisana."
"Você é espião, alguma coisa assim?'
"Quem dera. Ah, meu Deus. Eu devia saber que a coisa não ia acabar bem."
"É, pelo visto a situação está preta." E o marinheiro Bodine segue dirigindo, não gostando muito daquilo, pensativo, ficando sentimental. "Escute", diz ele depois de algum tempo, "se eles, sabe, não é, pegarem você, eu posso entrar em contato com a sua mãe, sei lá."
"Minha —" Um olhar duro. "Não, não, não..."
"Bem, alguém."
"Não consigo pensar em ninguém."
"Porra, Homem-Foguete..."
O Putzi's é uma mansão senhorial enorme, semifortificada, construída no século passado, numa rua que desce da estrada de Dorum em direção ao mar, com sulcos de rodas na areia, juncos e capim de duna crescendo entre elas, a casa pousada como uma jangada no alto de um monte de areia gigantesco que é como uma onda, elevando-se de uma praia que vai descendo tão aos poucos que quando vira mar é uma surpresa, água tranquila, pálida de sal, estendendo-se por quilômetros mar do Norte adentro como nuvens, aqui e ali mais prateado, longas formas de células ou pele, finas como tecido, imobilizadas sob a lua, em direção a Helgoland.

A casa não chegou a ser requisitada pelos militares. Ninguém jamais viu o dono, nem mesmo se sabe se o tal do "Putzi" existe mesmo. Bodine entra de caminhão e tudo no que antigamente era a estrebaria e todos saltam, Shirley gritando hurra ao luar, Krypton murmurando oba, oba com a boca cheia de pega-frau. À porta há uns probleminhas ligados a senhas e segurança, por causa da roupa de porco, mas Slothrop mostra seu cavalo de xadrez de plástico branco e tudo se resolve. Lá dentro encontram um ambiente animado, misto de bar, antro de ópio, cabaré, cassino e bordel, todos os cômodos fervilhando de soldados, marujos, putas, vencedores, perdedores, mágicos, traficantes, drogados, voyeurs, homossexuais, fetichistas, espiões e gente apenas querendo companhia, todos falando, cantando ou gritando, gerando um nível de ruído que as paredes da casa impedem por completo de chegar lá fora. Perfume, fumaça, álcool e suor circulam pela casa em turbulências tão suaves que não se pode senti-las nem vê-las. É uma comemoração flutuante que ninguém se lembrou de encerrar: uma festa da vitória tão permanente, que reúne com tanta facilidade recém-chegados e velhos frequentadores, que chega a ser difícil saber que vitória? que guerra?

Ao que parece, Springer não está lá, e com base nas perguntas aleatórias que Slothrop faz não deve aparecer tão cedo, ou mesmo nunca. Ora, hoje é justamente o dia em que ficou combinado que seria entregue a tal baixa sobre a qual conversaram no navio de Frau Gnahb quando iam em direção a Stralsund. E justamente hoje, tendo-o deixado em paz por uma semana, a polícia resolve vir atrás de Slothrop. Ah, mas é claro, é claro NNNNNNNN Boa Noite Tyrone Slothrop Estamos Esperando Você Há Algum Tempo. Claro Que Nós Estamos Aqui. Você Não Imaginou Que A Gente Ia Simplesmente Sumir Do Mapa, Não É Mesmo, Tyrone, Vamos Ter Que Machucar Você Outra Vez Para Você Deixar De Ser Idiota, Machucar Você Vez Após Vez Sim Tyrone Você É Mesmo Burro Demais, Burro E Condenado. Você Realmente Acha Que Tem Que Encontrar Alguma Coisa? E Se For A Morte Tyrone? E Se Nós Não Quisermos Que Você Encontre Coisa Nenhuma? Se Nós Não Quisermos Lhe Dar A Sua Baixa Você Vai Continuar Desse Jeito Para Sempre Não Vai? Quem Sabe A Gente Quer Mesmo Que Você Continue Assim. Você Não Sabe Não É Mesmo Tyrone? Por Que É Que Você Acha Que Sabe Jogar O Jogo Tão Bem Quanto Nós? Pois Não Sabe Não. Você Se Acha O Máximo Mas Você É Um Merda E Todos Nós Sabemos Disso. Está Até No Seu Dossiê. (Riem. Cantarolam.)

Bodine encontra-o sentado dentro de um armário para casacos, mastigando uma orelha de veludo de sua máscara. "Você está com uma cara ruim, Foguetão. Essa aqui é a Solange. Ela é massagista." A moça sorri um sorriso intrigado, uma criança levada a visitar o porco estranho em sua caverna.

"Desculpe. Desculpe."

"Deixe eu levar você aos banhos", a voz da mulher é uma esponja ensaboada já acariciando-lhe a mente doída, "lá é muito tranquilo, repousante..."

"Eu vou ficar aqui a noite toda", diz Bodine. "Se o Springer aparecer eu aviso."

"Isso aqui é uma trama, não é?" Slothrop chupando saliva do veludo.

"*Tudo* é uma trama, rapaz", Bodine, rindo.

"É, sim, só que as setas apontam cada uma numa direção", Solange ilustrando com uma dança de mãos, dedos-vetores de pontas vermelhas. É a primeira vez que alguém diz a Slothrop, com todas as letras, que na Zona cabem muitas outras tramas além das que estão polarizadas para cima dele... que esses são os trens e ônibus de um enorme sistema de transportes aqui na Raketenestadt, ainda mais complicado que o de Boston — e que, percorrendo a distância correta em cada meio de transporte, sabendo quando baldear, conservando um mínimo de aplomb o tempo todo, ainda que às vezes ele pareça estar indo para o lado errado, essa rede de todas as tramas talvez termine por levá-lo à liberdade. Ele sabe que não deve sentir-se paranoico com relação a Bodine nem a Solange, e sim andar um pouco no metrô do carinho deles, para ver aonde vai dar...

Solange leva Slothrop aos banhos, e Bodine continua procurando seu cliente, dois frascos e meio de cocaína se entrechocando, frios contra seu ventre nu por baixo da camiseta. O major não está em nenhuma das mesas de pôquer ou de dado, nem assistindo ao espetáculo, uma tal de Yolande, loura e toda besuntada de óleo Johnson, dançando de uma mesa para outra pegando florins e libras, muitas vezes esquentados no Zippo de algum gaiato, com os lábios preênseis de sua boceta — também não está bebendo nem tampouco, segundo Monika, a simpática cafetina do Putzi's, que fuma charuto e ostenta um conjunto de matelassê, está trepando. Ele nem sequer veio insistir com o pianista para que ele toque "San Antonio Rose". Bodine leva meia hora para enfim esbarrar no homem, saindo trôpego das portas de vaivém de um mictório, ainda tonto após enfrentar o famigerado Eisenkröte, conhecido em toda a Zona como o teste de virilidade definitivo, diante do qual mataboches amedalhados e homenageados, bem como foragidos das piores prisões militares da Zona, fodões do tipo merda-no-meu--pau-ou-sangue-na-minha-baioneta, todos recuaram, desmaiaram, arregaram e de vez em quando até vomitaram, sim, ali mesmo. Pois trata-se mesmo de um Sapo de Ferro, fielmente representado, com mil verrugas, segundo alguns com um leve sorriso nos lábios, trinta centímetros de comprimento, no fundo de uma privada fedorenta e manchada de merda, ligado à rede elétrica europeia através de um controle de reostato regulado para dar choques de voltagens e correntes variadas, ainda que nunca letais. Ninguém sabe quem fica sentado junto ao reostato secreto (segundo alguns, seria a própria figura semimítica de Putzi), ou mesmo se na verdade o aparelho não está ligado a um timer automático, pois nem todos são atingidos — pode-se mijar no Sapo sem que absolutamente nada aconteça. Mas nunca se sabe. Com uma frequência preocupante, a corrente é ligada — um ataque de piranhas, uma escada de salmão subindo o fluxo dourado de mijo, traiçoeira via de sais e ácidos, colocando você em contato com a Mãe Terra, o coletivo planetário de elétrons que fundem você com seu protótipo, o lendário bêbado-cujo-cu-não-tem-dono, bêbado demais para saber o que quer que seja, mijando num terceiro trilho remoto, fulminado, reduzido a carvão, a noite epiléptica, gritando um grito que nem é seu e sim da eletricidade, os amplificadores falando através de seu alto-falante já destroçado, despedaçado antes mesmo que eles tenham tempo de começar a dizer, a expressar sua terrível libertação do silêncio, sem que ninguém os escute mesmo, algum vigia perambulando ao longo dos trilhos, algum velho insone dando uma volta, algum vagabundo urbano num banco de praça sob um nimbo esverdeado de besouros em torno do lampião, os músculos do pescoço retesando-se e relaxando à medida que ele entra e sai dos sonhos, e quem sabe era só uma trepada de gatos, um sino de igreja balançado pelo vento, uma janela sendo quebrada, nenhuma direção definida, nem mesmo preocupante, logo substituído pelo velho silêncio de gás de carvão e desinfetante. E alguém o encontra na manhã seguinte. Ou então você o encontra qualquer noite no Putzi's se você for macho de mijar no Sapo. O major dessa vez levou apenas um choque suave, e está todo prosa.

"O sacana se esforçou", abraçando o pescoço de Bodine, "mas dessa vez se fodeu direitinho, ah se fodeu mesmo."

"Trouxe o seu 'brilho', major Marvy. Meio vidro a menos, desculpe, mas foi o melhor que eu consegui."

"Aah, tudo bem, marinheiro. De Wiesbaden pra cá tem tanto nariz guloso que só mesmo três toneladas para durar mais de um dia." Paga Bodine na íntegra, embora o marujo insista em fazer um desconto para compensar o que veio faltando. "Fica como um brindezinho pra você, meu chapa, é assim que Duane Marvy trabalha. *Porra*, não é que aquele sapo fez um bem pra minha pica? Me deu a maior vontade de meter numa dessas putinhas daqui. Ô marujo, onde é que eu arrumo uma boceta aqui, hein?"

Bodine lhe mostra a escada por onde se desce até o bordel. Elas levam você a uma espécie de sauna privé, e você pode trepar ali mesmo se quiser, não tem que pagar nenhum adicional. A cafetina — epa! ha, ha! parece uma fanchona com esse mata-rato na boca! arqueia a sobrancelha quando Marvy lhe diz que quer uma crioula, mas ela acha que dá um jeito de arranjar uma.

"Isso aqui não é a Casa de Todas as Nações, mas nos esforçamos para oferecer uma certa variedade", percorrendo com a ponta da boquilha de tartaruga uma lista, "a Sandra está ocupada no momento. Uma exposição. Enquanto isso, eis aqui a deliciosa Manuela, para lhe fazer companhia."

Manuela está trajada apenas com um pente alto e uma mantilha de renda negra, flores de sombra caindo-lhe nas ancas, um sorriso profissional para o americano gordo, que já está desabotoando o uniforme.

"Oba, oba! Puxa, ela está bem queimadinha de sol. Não está? Você tem um pouco de sangue de mulata, um pouco de sangue merricano, hein, meu bem? Usteds rablas español? Sabes fuque-fuque?"

"Sí", resolvendo ser do Levante por hoje, "sou espanhola. Sou de Valência."

"Va-lên-ci-a-a", cantarola o major Marvy, com a conhecida melodia do mesmo nome. "Señorita, fuque-fuque, chupe-chupe, sessenta-e-nó-ó-ve, lá-lá-lá-lá *lá*-lá *lá*-lá lááá..." dançando com ela um rápido two-step em torno do centro grave e imóvel da cafetina.

Manuela não se sente na obrigação de cantar com ele. Valência foi uma das últimas cidades a serem tomadas por Franco. Ela, na verdade, é de Astúrias, que caiu antes, que sentiu a crueldade de Franco dois anos antes de a guerra civil começar no resto da Espanha. Manuela observa o rosto de Marvy enquanto ele paga Monika, observa-o realizando este ato americano básico, o ato de pagar, mais profundamente seu do que gozar, dormir, talvez até mesmo morrer. Marvy não é seu primeiro americano, mas é um dos primeiros. A clientela aqui no Putzi's é basicamente britânica. No tempo da Guerra — por quantos campos de prisioneiros e cidades ela não passou desde que foi capturada em 38? — era alemã. Manuela sentia falta das Brigadas Internacionais, isolada nas frias serras verdes e fazendo ataques rápidos e rasteiros muito depois de os fascistas ocuparem todo o Norte — sentia falta das flores, das crianças, dos beijos, das muitas línguas de Barcelona, de Valência onde ela jamais pusera os pés, Valência, sua terra esta noite... Ya salimos de España... Pa' luchar en otros frentes, ay, Manuela, ay, Manuela...

Ela pendura o uniforme de Marvy no armário, cuidadosa, e entra atrás do cliente na sauna quente e enfumaçada, as paredes do recinto quentíssimo invisíveis, pelos como penas nas pernas dele, nádegas enormes e costas já começando a escurecer de umidade. Outras almas se movem, suspiram, gemem invisíveis por trás dos lençóis de vapor, as dimensões não têm sentido aqui debaixo da terra — o tamanho deste cômodo é indefinido, pode ser do tamanho de uma cidade inteira, pavimentado com pássaros não inteiramente inofensivos em simetria rotacional dupla, amarelo e azul em tons escurecidos por tantos pés, as únicas cores neste lusco-fusco úmido.

"Aaahhh, caralho!" Marvy deslizando gordamente, luzidio de suor, pela borda ladrilhada, para dentro da água perfumada. As unhas dos pés, cortadas rente à maneira militar, são as últimas a afundar. "*Vamolá*, todo mundo na piscina", um berro alegre, agarrando o tornozelo de Manuela e puxando. Manuela, que já levou um ou dois tombos nestes ladrilhos, e que já viu uma amiga ter que fazer tração para se recuperar, vem com passos graciosos, pula e cai montada sobre ele, as nádegas batendo no barrigão fazendo *plaft* — ela espera que tenha doído. Porém Marvy limita-se a rir novamente, estrepitosamente, entregando-se ao calor e à água e aos sons a sua volta — fodelança anônima, sonolência, preguiça. Constata que está com o pau vermelho e duro, e enfia-o sem maiores prolegômenos na moça séria semioculta em sua nuvem de renda espanhola negra úmida, olhos fixos em qualquer coisa que não seja os olhos dele, agora perdidos numa névoa interior, sonhando com sua terra.

Aah, tudo bem. Ele não está fodendo os olhos dela, é ou não é? Aliás ele até prefere não olhar para a cara dela de novo, só quer a pele morena, a boca fechada, aquela submissão gostosa de crioula. Ela faz qualquer coisa que ele mandar, é sim, se ele quiser pode segurar a cabeça dela debaixo d'água até ela morrer afogada, pode virar a mão dela para trás, é, quebrar os dedos dela que nem os daquela puta em Frankfurt semana passada. Dar surra de revólver, morder até tirar sangue... visões se sucedem, violentas, menos eróticas do que se imagina — mais preocupadas com força, impacto, penetração e outros valores militares. O que não quer dizer que ele não esteja tendo um prazer tão inocente quanto você. Ou que Manuela também não esteja sentindo um vago prazer atlético cavalgando o pau teimoso e vermelho do major Marvy, ainda que sua cabeça pense em mil outras coisas, um vestido de Sandra que ela inveja, as letras de várias canções, uma coceira embaixo da omoplata esquerda, um soldado inglês alto que ela viu uma vez quando passou no bar na hora do jantar, o antebraço moreno, manga arregaçada até o cotovelo, encostado no tampo de zinco da mesa...

Vozes no vapor. Alarmes, muitos pés correndo com chinelos de borracha, silhuetas passando, uma evacuação cinzenta. "Que meeerda", o major Marvy prestes a gozar, semierguendo-se apoiado nos cotovelos confuso, apertando a vista e olhando para todos os lados, broxando rapidamente.

"Batida", uma voz passando. "PM", balbucia outra.

"Gaaahh!" grita o major Marvy, que acaba de se lembrar da presença de 70 gramas de cocaína nos bolsos de seu uniforme. Debate-se, pesado como um leão-marinho, Manuela escorrega para fora e solta seu pênis amolecido e nervoso, muito pouco excitada porém profissional o suficiente para achar que o preço agora inclui também um *puto* e um *sinvergüenza*. Saindo da água afobado, escorregando nos ladrilhos, Duane Marvy, atrás de todos, chega ao vestiário gélido e constata que o último dos banhistas já se foi, os armários estão totalmente vazios, restando apenas um único traje estranho de veludo multicolorido. "Eh, cadê meu uniforme!" batendo com o pé no chão, socando as ilhargas, o rosto vermelho como um camarão. "Ah seus filhos da puta sem mãe", e em seguida jogando para os lados várias garrafas e cinzeiros, quebrando duas janelas, atacando a parede com um bengaleiro enfeitado, sentindo-se melhor de imediato. Ouve um estrépito de batebutes no andar de cima e nos cômodos adjacentes, garotas gritando, um disco arrancado de repente da vitrola com um arranhão.

Examina o tal traje de pelúcia ou veludo, descobre que é uma fantasia de porco com máscara e tudo, conclui espertalhonamente que nenhum PM vai incomodar um inocente porquinho. Enquanto as vozes antipáticas dos bifes vão chegando cada vez mais perto, atravessando os diferentes cômodos do Putzi's, ele rasga frenético o forro de seda e o enchimento de palha, abrindo lugar para suas próprias banhas. E, enfiando-se na fantasia por fim, ufa, fecha o zíper, esconde o rosto com a máscara, protegido, anônimo como todo palhaço, atravessa a cortina de contas, sobe até o bar e dá de cara com uma divisão inteira de sacanas de quepe vermelho vindo em sua direção, de passo acertado, juro por Deus.

"Eis aqui o nosso porco fujão, senhores", rosto esburacado, bigode curto e espetado, apontando uma pistola direto para a cabeça dele, os outros aproximando-se depressa. Um civil vem abrindo caminho na multidão, naipe de espadas estampado em negro na face lisa.

"Isso. O doutor Muffage está lá fora com a ambulância, e vamos precisar de dois dos seus homens por um minuto, sargento, para garantir a segurança."

"Sim, senhor." Os punhos enfraquecidos pelo vapor e o conforto são agarrados com perícia a suas costas antes que ele sequer tenha tempo de começar a berrar com todo mundo — aço frio, movimento de catraca feito telefone sendo discado tarde da noite, nenhuma esperança de que alguém algum dia atenda...

"Puta merda", ele finalmente consegue explodir, a máscara abafando-lhe a voz, fazendo um eco que dói nos ouvidos, "que deu em vocês, hein, porra? Então vocês não sabem quem eu sou?"

Mas epa, epa, peraí — se eles encontraram o uniforme, a carteira de identidade de Marvy e a cocaína nos mesmos bolsos, então de repente não é uma ideia tão boa assim dizer logo quem ele é...

"O tenente Slothrop, ao que parece. Vamos."

Ele não diz nada. Slothrop, tudo bem, vamos esperar, vamos ver no que isso dá, depois a gente vê o negócio do pó, é bancar o bobo, dizer que alguém deve ter posto a coisa lá. Talvez até achar um advogado judeu dos bons para enquadrar todos esses sacanas por prenderem a pessoa errada.

Devidamente escoltado, é levado para dentro da ambulância, que aguarda em ponto morto. O motorista barbudo olha-o de esguelha por cima do ombro, em seguida pisa na embreagem. Antes que Marvy resolva debater-se, o outro civil e os PMs rapidamente o prendem com correias pelos joelhos e o peito a uma maca.

Param perto de um caminhão do exército para que os PMs saltem. Então seguem em frente. Rumo a Cuxhaven. Marvy pensa. Pela janela nada, só noite, escuridão suavizada pelo luar. Não se sabe...

"Vamos logo sedá-lo?" O Ás de Espadas está acocorado junto a ele, iluminando com uma lanterna de bolso as ampolas em sua mala, remexendo seringas e agulhas.

"Hm. É, já estamos quase lá."

"Não entendo por que não arranjaram uma sala de hospital pra gente fazer isso."

O motorista ri. "Pois eu sei *muito bem* por quê."

Enchendo a seringa lentamente. "Bem, nós estamos cumprindo ordens... Quer dizer, não há nada —"

"Meu caro, não é lá uma operação muito respeitável, não."

"Ei", o major Marvy tenta levantar a cabeça. "Operação? Que história é essa, rapaz?"

"Xxx", rasgando um pedaço da manga da fantasia de porco, pondo a nu o braço de Marvy.

"Eu não quero agulha n—" mas ela já está na veia, e a seringa já se esvazia, enquanto o outro tenta acalmá-lo. "É que vocês pegaram o sujeito errado, entende?"

"Claro, tenente."

"Epa, epa, epa. Não. Eu não sou tenente não, eu sou é *major*." Ele devia ser mais enfático, mais convincente. Talvez seja a porra da máscara de porco que está atrapalhando. Só ele consegue ouvir a sua voz, que agora volta toda ela para seus ouvidos, mais achatada, metálica... eles não o estão ouvindo. "Major Duane Marvy." Eles não acreditam nele, não acreditam em seu nome. Nem mesmo *seu nome*... O pânico o penetra, mais fundo que o sedativo, Marvy começa a corcovear-se contra as correias, apavorado, sentindo pequenos músculos em seu peito esticar-se em inúteis pontadas de dor, ah meu Deus, começando a gritar agora com todas as suas forças, sem palavras, só gritos, o mais alto que o permite a correia que lhe cinge o peito.

"Pelo amor de Deus", suspira o motorista. "Não dá pra você fazer ele calar a boca, Spontoon?"

Spontoon já arrancou a máscara de porco, e agora a substitui por uma de gaze, que ele segura com uma das mãos enquanto com a outra a encharca de éter — sempre que a cabeça rebelde se aproxima dela. "O Pointsman enlouqueceu", ele sente-se obrigado a dizer, irritadíssimo, "se acha que *isso* é 'tranquilidade imperturbável'."

"Tudo bem, agora estamos na praia. Ninguém por perto." Muffage segue em direção ao mar, a areia é socada o suficiente para que a ambulância não afunde, tudo muito branco à luz da luazinha, que está no zênite... gelo perfeito...

"Ah", Marvy geme. "Puta que o pariu. Não. Meu Deus", as palavras vão morrendo aos poucos, se arrastando, os espasmos contra as correias se enfraquecem enquanto Muffage finalmente estaciona, um pequenino derrelito verde-oliva naquela praia larga, o brilho úmido enorme se estendendo em direção à luz, aos limites do vento boreal.

"Temos muito tempo", Muffage consulta o relógio. "Vamos pegar o C-47 a uma hora. Eles disseram que podiam esperar por nós um pouco." Suspiros de conforto antes de retornarem ao trabalho.

"O homem tem umas companhias", Spontoon sacudindo a cabeça, retirando os instrumentos da solução de desinfetante e colocando-os sobre um pano esterilizado ao lado da maca. "Vamos torcer pra que ele não resolva nunca optar por uma vida de crime, é ou não é?"

"Que foda", geme o major Marvy baixinho, "ah, me fode, tá?"

Os dois homens já lavaram as mãos, puseram máscaras e calçaram luvas de borracha. Mufflage acendeu uma luz no teto, um olho radiante e suave. Os dois trabalham rápido, em silêncio, profissionais acostumados a agir depressa em campo de batalha, enquanto o paciente só se faz ouvir de vez em quando, com um gemido, tateando na escuridão do éter, patético, tentando apegar-se ao pontinho de luz cada vez mais distante que é tudo que resta de si próprio.

É um procedimento simples. A braguilha da fantasia de veludo é arrancada. Muffage resolve que não é necessário raspar o escroto. Primeiro encharca-o de iodo, depois aperta um por um os dois testículos contra o saco cheio de pelos e veias, faz uma incisão rápida e precisa através da pele e das membranas circundantes, extraindo cada testículo pela ferida, por onde brota sangue, puxando a glândula com a mão esquerda até que as cordas duras e macias tornam-se visíveis à luz que vem do teto. Como se fossem cordas de algum instrumento que ele, um pouco transtornado pelo luar, fosse tanger aqui nesta praia deserta, extraindo música, sua mão hesita: porém em seguida, aceitando o dever com relutância, corta-as à distância correta da pedra escorregadia, sendo cada incisão em seguida banhada em desinfetante, e os dois pequenos cortes, lado a lado, por fim suturados. Os testículos são jogados dentro de um frasco de álcool.

"Suvenires para Pointsman", suspira Muffage, tirando as luvas. "Dê mais uma injeção nesse aí. Seria bom ele dormir mais um bocado e alguém lá em Londres explicar a ele o que aconteceu."

Muffage dá a partida no motor, descreve um semicírculo e lentamente vai voltando de ré para a estrada, deixando para trás o mar imenso.

No Putzi's, Slothrop dorme todo enroscado, numa cama larga de lençóis limpos, ao lado de Solange, sonhando com Zwölfkinder, e Bianca sorrindo, ele e ela na roda-gigante, o compartimento onde estão transformado em quarto, um quarto onde ele jamais esteve, um quarto num gigantesco edifício de apartamentos do tamanho de uma cidade, com corredores onde se pode andar de carro ou bicicleta como se fossem ruas: corredores ladeados por árvores, com pássaros que cantam.

E "Solange", curiosamente, está sonhando com Bianca também, só que sob um aspecto diferente: sonha com sua filha Ilse, atravessando a Zona, perdida, num trem de carga comprido que parece que não para nunca. Não está infeliz, nem está exatamente procurando o pai. Mas o sonho mais antigo de Leni está se realizando. Ilse não se deixa usar. Há mudança, e há partida: mas há também quem a ajude quando ela menos espera, estranhos daquele dia, e, escondidas em meio aos acidentes desta Humildade sem destino, jamais extintas de todo, umas poucas pequenas oportunidades de piedade...

No andar de cima, um certo Möllner, com a valise cheia de seus tesouros daquela noite — uniforme e documentos de um major americano, mais noventa gramas de cocaína —, explica ao marinheiro americano descabelado que Herr von Göll é um homem muito ocupado, provavelmente está cuidando de seus negócios no norte, e não lhe deu nenhuma incumbência de trazer a Cuxhaven qualquer documento, baixa militar, passaporte — nada. Ele lamenta. Talvez o amigo do marinheiro esteja enganado. Talvez seja apenas um atraso temporário. Ele há de compreender que forjar um documento é uma operação demorada.

Bodine vê o homem ir embora sem saber o que há dentro daquela valise. Albert Krypton está num estupor alcoólico. Shirley entra, com olhos muito vivos, inquieta, trajando uma cinta e meias pretas. "Humm", diz ela, com um certo olhar.

"Humm", diz o marinheiro Bodine.

"E além disso era só *dez* centavos na batalha das Ardenas."

Então ele localizou a bateria de Weissmann lá da Holanda, do outro lado dos pântanos, dos tremoceiros, das ossadas de vacas, para encontrar *isto*. Ainda bem que não é supersticioso. Ele ficaria achando que era uma visão profética. É claro que há uma explicação perfeitamente racional, mas Tchitcherine nunca leu *Martín Fierro*.

Ele observa de seu posto de comando temporário num arvoredo de zimbros no alto de uma pequena colina. Pelo binóculo vê dois homens, um branco e um preto, com violões. Há um círculo de aldeões, porém esses ele exclui, reduzindo a elipse de seu campo de visão a uma cena com estrutura idêntica à do duelo musical entre um rapaz e uma moça no meio de uma campina plana na Ásia Central ocorrida há bem mais de dez anos — uma reunião de opostos que, na época, indicou a proximidade de seu encontro com o Lume Quirguiz. O que estará indicando agora?

No alto, o céu está listrado e duro, como mármore. Ele sabe. Weissmann instalou o S-Gerät e disparou o 00000 em algum lugar bem perto. Enzian não pode estar longe. Tem que ser aqui.

Mas ele é obrigado a esperar. Em outros tempos, isso teria sido insuportável. Mas desde que o major Marvy sumiu de cena, Tchitcherine tem sido um pouco mais cauteloso. Marvy era um homem-chave. Existe uma contraforça na Zona. Quem era o agente de informações soviético que apareceu pouco antes do fiasco na clareira? Quem avisou o Schwarzkommando de que haveria uma batida? Quem se livrou de Marvy?

Ele se esforça para não dar muito crédito à ideia de um cartel ligado ao foguete. Desde sua iluminação naquela noite, Marvy bêbado, Chiclitz louvando as virtudes de Herbert Hoover, Tchitcherine está atrás de provas. Gerhardt von Göll, com seus mil tentáculos estendidos sobre tudo que há de negociável na Zona, sem dúvida há de estar envolvido, conscientemente ou não. Na semana passada, Tchitcherine esteve a ponto de voltar para Moscou. Tinha estado com Mravenko, um dos homens do VIAM, rapidamente em Berlim. Encontraram-se no Tiergarden, dois oficiais passeando ao sol. Trabalhadores tampavam buracos no asfalto com brita e betume, alisando depois com pás. Ciclistas passavam, esqueléticos e funcionais como suas bicicletas. À sombra das árvores, pequenos aglomerados de civis e militares, sentados em troncos caídos ou rodas de caminhões, remexiam malas e valises, negociando. "Você está em maus lençóis", disse Mravenko.

Também ele vivera sustentado por remessas de dinheiro, nos anos 30, o enxadrista mais alucinado e menos metódico da Ásia Central. Seu gosto era tão pouco exigente que até jogava de olhos vendados, o que para a sensibilidade russa é uma vulgaridade atroz. Tchitcherine sentava-se diante do tabuleiro cada vez mais contrariado do que na vez anterior, tentando ser simpático, tentando fazer o louco jogar de um modo um pouco mais racional. Na maioria das vezes, perdia. Mas as duas únicas opções eram Mravenko e o inverno de Semirechie.

"Você faz alguma ideia do que está acontecendo?"

Mravenko riu. "E alguém faz alguma ideia? Molotov não conta nada a Vishinski. Mas eles sabem coisas a seu respeito. Lembra do Lume Quirguiz? Claro que lembra. Pois bem, eles ficaram sabendo disso. Não fui eu, mas alguém há de ter contado."

"Isso são águas passadas. Por que levantar essa história agora?"

"Você é considerado 'útil'", respondeu Mravenko.

Entreolharam-se então por um bom tempo. Aquilo era uma condenação à morte. Nesta terra, a utilidade dura tão pouco quanto um comunicado. Mravenko tinha medo, e não era preocupação com Tchitcherine, não.

"E você, o que vai fazer, Mravenko?"

"Tentar não ser muito útil. Mas eles não são perfeitos." Os dois homens sabiam que esse comentário tinha intenção de ser tranquilizador, e não estava tendo esse efeito. "Na verdade, eles não sabem *por que* você é útil. Eles se baseiam em estatísticas. Acho que você não era para ter sobrevivido à Guerra. Como você sobreviveu, eles foram obrigados a examinar você com mais atenção."

"Quem sabe eu não sobrevivo a isso também." E foi então que Tchitcherine teve a ideia de ir a Moscou. Mas justamente nesse ponto ele ficou sabendo que só era possível localizar a bateria de Weissmann até a Charneca. E a esperança renovada de encontrar Enzian o impediu de ir — a esperança sedutora que a cada dia o afasta mais de qualquer possibilidade de continuar após aquele encontro. Ele jamais imaginou que conseguiria tal coisa, mesmo. A verdadeira questão é: será que eles vão conseguir pegá-lo antes que ele pegue Enzian? Ele só precisa de mais um pouco de tempo... sua única esperança é eles estarem também atrás de Enzian, ou do S-Gerät, usando-o tal com ele julga estar usando Slothrop...

O horizonte continua limpo: assim esteve o dia inteiro. Zimbros em forma de cipreste pairam na ferrugem e nas lonjuras nevoentas, imóveis como monumentos. As primeiras flores roxas já se destacam contra a urze. Não é a paz animada do final de verão, e sim uma paz de cemitério. Em meio às tribos germânicas pré-históricas, essa terra era mesmo isto: o território dos mortos.

Homens de mais dez nacionalidades, vestidos de estancieiros argentinos, estão reunidos na cozinha de campanha. El Ñato está em pé sobre a sela de seu cavalo, no mais puro estilo gaúcho, contemplando os pampas alemães. Felipe está no sol, ajoelhado, prestando culto, como faz diariamente ao meio-dia, a uma certa pedra que há nos descampados de La Rioja, nas encostas orientais dos Andes. Segundo uma lenda argentina do século passado, María Antonia Correa seguiu seu amante até aquela terra árida, levando o filho recém-nascido do casal. Vaqueiros a encontraram uma semana depois, morta. Mas a criança havia sobrevivido, mamando no cadáver. As pedras situadas perto do local onde ocorreu o milagre são desde então reverenciadas em peregrinações anuais. Mas a pedra específica de Felipe também remete a um sistema intelectual, pois ele (tal como M. F. Beal e outros) acredita numa forma de consciência mineral não muito diferente da consciência das plantas e animais, diferindo apenas quanto à escala temporal. A escala das pedras é bem mais alongada que a nossa. "Cada quadro dura um século", Felipe, como todos os outros ultimamente, está usando muitas expressões de cinema, "um milênio!" Colossal. Porém Felipe, ao contrário da maioria dos que não são adeptos da Consciência Mineral, sabe que a história tal como está estampada no mundo é apenas uma fração, uma fração virada para fora e visível. Que temos também que levar em conta o que não é dito, o silêncio a nossa volta, a passagem da próxima pedra em que reparamos — os milênios de história sob a prolongada e feminina persistência da água e do ar (quem é que, uma ou duas vezes por séculos, aciona o obturador?), até a planície onde seus caminhos, humanos e minerais, tendem a entrecruzar-se...

Graciela Imago Portales, cabelos negros repartidos ao meio e escovados para trás, com uma montaria preta e botas da mesma cor, prepara o baralho e dá as cartas de tal modo que tire flushes, full hands e fours, só de brincadeira. Os extras não trouxeram nada para passar o tempo. Ela sabia que a coisa ia dar nisso: uma vez pensou que, se usasse o dinheiro só em jogos, ele perderia o valor. Morreria aos poucos. Foi mesmo o que aconteceu, ou ela está se iludindo? Tem a impressão de que Beláustegui está observando-a com mais atenção desde que chegaram aqui. Graciela não quer ameaçar o projeto dele. Já dormiu com aquele engenheiro sisudo algumas vezes (se bem que antes, lá em B. A., teria jurado que não seria capaz de bebê-lo nem mesmo por uma bombilha de prata), e além disso sabe que ele tem o vício do jogo. Um bom casal, circula uma corrente intensa quando um encosta no outro, frente a frente: ela sentiu na primeira vez que Beláustegui a tocou. Ele entende de probabilidades, conhece as formas do risco tão intimamente como se fossem corpos de amadas. Cada momento tem seu valor, seu sucesso provável em relação a outros momentos em outras mãos, e para ele embaralhar é sempre uma coisa feita a cada momento. Não pode se dar ao luxo de lembrar outras permutações, possibilidades não realizadas — só o que é presente, cartas dadas por algo que ele denomina Acaso e que Graciela chama Deus. Beláustegui vai apostar tudo nesse experimento anarquista, e se perder vai passar para outra coisa. Mas não recua. Isso a agrada. Ele é uma fonte de força. Graciela não sabe, quando a hora chegar, se ela será forte. À noite, volta e meia Graciela rompe uma fina membrana de álcool e otimismo para ver até que ponto ela realmente precisa dos outros, até que ponto sozinha, sem apoio algum, ela serviria para alguma coisa.

Os cenários para a filmagem ajudam um pouco. Os prédios são de verdade, e não apenas fachadas falsas. No boliche há bebida de verdade, na pulperia comida de verdade. Ovelhas, vacas, cavalos, currais, é tudo de verdade. As cabanas oferecem proteção contra o frio, e pessoas dormem dentro delas. Quando von Göll for embora — se é que ele vem mesmo — nada será derrubado. Os extras que quiserem ficar poderão ficar. Muitos deles só querem descansar um pouco à espera de mais trens para deslocados de guerra, mais fantasias sobre a terra natal tal como era antes da destruição, e algum sonho de chegar a algum lugar. Esses vão embora. Mas virão outros? E o que o governo militar vai pensar de uma comunidade como esta, no meio de um estado militarizado?

Não é a vila mais estranha da Zona. Squalidozzi chegou, vindo de tantas andanças, contando histórias de unidades palestinas desgarradas que vieram lá da Itália e se instalaram mais para o leste, onde fundaram comunidades hassídicas, seguindo o modelo de um século e meio atrás. Há cidades criadas para abrigar os empregados de uma única companhia que posteriormente caíram sob o domínio ágil e tenso de Mercúrio, e agora dedicam-se apenas à atividade de entregar correspondência, do oeste para o leste e vice-versa, para dentro e para fora dos domínios soviéticos, ao preço de 100 marcos a carta. Uma aldeia em Mecklenburg foi tomada por cães do exército, dobermanns e pastores alemães, cada um deles condicionado a matar à primeira vista qualquer ser humano que não seja o homem que o treinou. Porém os treinadores morreram, ou se perderam. Os cães saem em bandos, atacam vacas nos campos e trazem a carne para os outros. Invadem depósitos de mantimentos, à Rin-Tin-Tin, e saqueiam rações de soldados, carne congelada, caixas de chocolates.

Todas as entradas da Hundt-Stadt estão cobertas de cadáveres de moradores dos vilarejos mais próximos e sociólogos curiosos. Ninguém consegue chegar perto. Uma força expedicionária veio armada de fuzis e granadas, porém todos os animais se dispersaram durante a noite, rápidos como lobos, e ninguém teve coragem de destruir as casas e lojas. Também ninguém se aventurou a reocupar a vila. Assim, os homens foram embora. E os cães voltaram. Se há hierarquias de poder entre eles, relações de amor, lealdade, ciúme, ninguém sabe. Algum dia talvez o G-5 mande tropas para lá. Porém os cachorros talvez não saibam disso, talvez não experimentem ansiedades germânicas por estarem cercados — e vivam guiados apenas por um único reflexo, criado por homens: Matar o Estranho. É possível que não haja como distinguir esse reflexo dos outros instintos que guiam suas vidas — fome, sede, desejo sexual. Para eles, é como se já tivessem nascido com o reflexo de matar o estranho. Se algum deles ainda se lembra das pancadas, dos choques elétricos, dos maços de jornal que ninguém lia, das botas e espetos, essa dor agora se confunde com o Estranho, o odiado. Se há heresiarcas entre os cães, é com cautela que propõem a ideia de que talvez haja uma fonte extracanina para esses súbitos impulsos assassinos que os tomam a todos, até mesmo os próprios hereges contemplativos, tão logo sentem o cheiro do Estranho. Porém, na intimidade, relembram a imagem do único ser humano, que os visitava apenas periodicamente, em cuja presença sentiam-se tranquilos e amorosos — o homem que lhes dava alimento e afagos carinhosos, que jogava com eles o jogo de buscar o graveto. Onde estará ele agora? Por que ele é diferente para uns mas não para outros?

Há uma possibilidade, até agora latente por não ter sido ainda testada de modo sistemático, de que os cachorros se cristalizem em seitas, cada uma em torno da imagem de seu treinador. Aliás, um estudo de viabilidade está sendo realizado neste momento por uma comissão do G-5, tentando verificar se é possível localizar alguns dos treinadores e dar início a esse processo de cristalização. Uma seita poderia tentar proteger o seu treinador de ataques das outras. Se fossem encontradas as combinações corretas e uma taxa aceitável de perdas de treinadores, talvez fosse mais barato deixar que os cães se matassem uns aos outros do que enviar tropas de combate. O encarregado de realizar o estudo é — logo quem! — o senhor Pointsman, que agora está reduzido a uma única saleta na Décima Segunda Casa, tendo o resto do espaço sido ocupado por uma agência que estuda as opções existentes para a nacionalização do carvão e do aço — recebeu essa incumbência mais por piedade do que por qualquer outro motivo. Com a castração do major Marvy, Pointsman oficialmente caiu em desgraça. Clive Mossmoon e Sir Marcus Scammony, em seu clube, cercado de números antigos de *British Plastic*, tomam o drinque favorito do cavaleiro, Quimporto — uma estranha mistura, inventada antes da guerra, de quinina, caldo de carne e vinho do Porto, com um pouquinho de Coca-Cola e uma cebola sem casca. Estão reunidos, em princípio para fechar os planos referentes à Capa de Chuva Pós-Guerra de Cloreto de Polivinila, uma grande fonte de hilaridade na companhia atualmente

("Imagine a cara do pobre infeliz quando toda a manga se desprender do ombro —" "E-e que tal colocar um ingrediente que faça com que a coisa se *dissolva* na chuva?"). Mas Mossmoon, na verdade, está interessado é em falar sobre Pointsman: "O que a gente faz com o Pointsman?".

"Vi na Portobello Road umas botas que eram umas gracinhas", Sir Marcus com sua voz aguda e sua dificuldade de começar a conversar sobre coisas sérias. "Vão ficar lindas em você. Cordovão vermelho-sangue, sobem até metade das coxas. As suas coxas nuas."

"Vamos ver", responde Clive, o mais neutro que consegue ser (se bem que talvez seja uma ideia, a Scorpia anda muito difícil ultimamente). "Eu vou mesmo precisar relaxar um pouco depois de tentar salvar a pele do Pointsman junto aos Níveis Superiores."

"Ah, o dos *cachorros*. Você já pensou em ter um são-bernardo? Grandões, foférrimos."

"De vez em quando", Clive insiste, "mas o que eu mais faço é pensar no Pointsman."

"Não é do seu tipo, querido. Não é mesmo. E já está dobrando o cabo da Boa Esperança, tadinho."

"Sir Marcus", última tentativa, normalmente o gracioso cavaleiro gosta de ser chamado de Angelique, e pelo visto não há outra maneira de atrair sua atenção, "se essa história estourar, vai ser uma crise nacional. O que tem de gente caindo de pau no meu telefone e na minha caixa de correspondência dia e noite —"

"Ah, Clivey, eu queria era cair no seu pau, de telefone ou sem —"

"— para não falar nos parlamentares conservadores. Bracken e Beaverbrook continuam aí, não é? Apesar da eleição, eles não perderam o emprego —"

"Meu *querido*", com um sorriso angelical, "não vai haver crise *ne-nhu-ma*. Os trabalhistas também querem que o americano seja encontrado, tanto quanto nós. Nós o enviamos para destruir os negros, e já ficou claro que isso ele não vai fazer, não. E daí ele ficar perambulando pela Alemanha? A essa altura ele pode até já ter pegado um navio e ido para a América do Sul, onde tem aqueles bigodudos *tão* simpáticos. Por ora, deixe andar. Nós temos o exército, quando chegar a hora. Slothrop foi uma boa tentativa de arranjar uma solução moderada, mas no final é sempre o exército, é ou não é?"

"Como é que você pode ter certeza de que os americanos vão topar isso?"

Um riso prolongado e desagradável. "Clive, você é mesmo um *menino*. Você não conhece os americanos. Pois eu conheço. Eu lido com eles. Eles vão querer ver o que nós fazemos com os *nossos* bichinhos pretos tão bonitinhos — ah, Deus, ex Africa semper aliquid novi, eles são tão grandes, tão *fortes* — antes de tentar a mesma coisa nos... ah, nos grupo-salvo deles. Eles podem até *dizer* muita coisa desagradável se a gente fracassar, mas não vai haver sanção nenhuma."

"Nós vamos fracassar?"

“Todos nós vamos fracassar”, Sir Marcus ajeitando os cachos, “mas a Operação, não.”

É verdade. Clive Mossmoon sente-se ascendendo, como se de um pântano de frustrações triviais, temores políticos, problemas de dinheiro: alçado até a costa segura da Operação, onde a terra é firme, onde o eu é um animal insignificante que antes chorava nas trevas do lamaçal. Mas aqui não há ganidos, aqui dentro da Operação. Não há eu inferior. As questões são ponderosas demais para que o eu inferior possa interferir. Até mesmo na sala de castigos da propriedade de Sir Marcus, “As Bétulas”, as carícias pré-coito consistem num jogo a respeito de quem tem poder de verdade, quem sempre teve poder, apesar das correntes e dos espartilhos, fora dessas paredes cheias de grilhões. As humilhações da bela “Angelique” são calibradas em função de seu grau de fantasia. Não há alegria, não há entrega verdadeira. Apenas as exigências da Operação. Cada um de nós tem seu lugar, e moradores vêm e vão, porém os lugares permanecem...

Nem sempre foi assim. Nas trincheiras da Primeira Guerra Mundial, os homens ingleses aprenderam a amar-se com decência, sem nenhuma vergonha ou faz de conta, sabendo que a morte súbita era provável, e a ver nos rostos dos outros jovens uma prova da presença do outro mundo, alguma pobre esperança que talvez tenha ajudado a redimir até mesmo a lama, a merda, a carne humana em putrefação... Era o fim do mundo, era a revolução total (ainda que não exatamente tal como Walter Rathenau havia anunciado): a cada dia, milhares de membros da aristocracia nova ou da velha, ainda ostentando a auréola de seus ideais de Bem e Mal, iam para a ruidosa guilhotina de Flandres, operada constantemente, dia após dia, por mãos que ninguém via, certamente não as mãos do povo — toda uma classe da Inglaterra estava sendo dizimada, aqueles que haviam se oferecido como voluntários estavam morrendo por aqueles que sabiam alguma coisa e não haviam sido voluntários, e apesar disso tudo, apesar de alguns deles saberem da traição, enquanto a Europa morria uma morte mesquinha imersa em seus próprios dejetos, homens amavam. Porém o grito vital desse amor há muito degenerou nessa veadagem vadia e mesquinha. Nessa última Guerra, a morte não era um inimigo, mas um colaborador. Agora o homossexualismo nas altas rodas é apenas uma ideia carnal de última hora, e as fodas verdadeiras, as únicas que contam de verdade, são feitas no papel...

4. A CONTRAFORÇA

O quê?
Richard M. Nixon

□□□□□□□

Bette Davis e Margaret Dumont estão na sala de visitas estilo rococó Cuvilliés de um palacete qualquer. Do lado de fora, lá pelas tantas, vem o som de uma trombeta de brinquedo tocando uma música de um mau gosto extraordinário, provavelmente "Who dat man?", de *Um dia nas corridas* (em mais de um sentido). É um dos amigos vulgares de Groucho Marx. O som é fraco, áspero, gutural. Bette Davis imobiliza-se, joga a cabeça para trás, bate a cinza do cigarro. "Mas o que é *isso?*" indaga. Margaret Dumont sorri, estufa o peito, olha para baixo. "Bem", responde, "*parece* uma corneta de brinquedo."

Slothrop tem a impressão de que era mesmo uma corneta de brinquedo. Quando por fim acorda, a barulheira já morreu na manhã. Seja lá o que for, aquilo o acordou. E foi, ou é, o Pirata Prentice, num P-47 mais ou menos sequestrado, indo para Berlim. Suas ordens são concisas e claras, como as dos outros, agentes do papa, o papa viu a luz, vá lá e encontre esse minnesinger, ele é bom sujeito, afinal...

Bem, é um Thunderbolt dos antigos, com capota em seções. O campo de visão riscado dá a Pirata pontadas de memória nos músculos do pescoço. O avião parece estar o tempo todo desequilibrado, por mais que ele mexa neste ou naquele ajuste. No momento ele está testando a posição do manete Potência de Emergência de Tempo de Guerra para ver como funciona, embora ao que parece não haja mais nem Guerra nem Emergência, o tempo todo de olho no painel, onde as RPMs, a pressão no distribuidor e a temperatura nos cilindros estão todos agitando as linhas vermelhas. Ele diminui a potência e segue viagem, e logo está tentando um rolamento suave sobre Celle, depois um loop nos céus de Braunschweig, depois, ah foda-se, um immelmann sobrevoando Magdeburgo. Virado para trás, os molares doendo num esgar, começa a rolar um pouquinho antes do tempo, perto de cento e trinta, e quase estola, saltita por uns pontos de equilíbrio surpreendentes — termina como um loop normal ou tenta o immelmann? — já estendendo a mão em direção aos ailerons, dane-se a porra do leme, não vale a pena se preocupar com o spin... mas na última hora dá um leve toque nos pedais, uma pequena concessão (já estou com quase quarenta anos, meu Deus, então está acontecendo comigo *também*?), e apruma de novo o avião. Tinha que ser o immelmann.

Ah, eu sou demais,
Dou tiro e jogo bomba,
E quero ver quem me derruba!
Seu cáiser de uma ova, já está com o pé na cova,
Eu vou na sua terra fazer uma suruba!
Avise as fräuleins e as mademoiselles
Que eu estou chegando e comigo não tem história...
Porque eu sou demais, comigo não tem paz,
E só vou parar no dia da vitóóória!

A essa altura, Osbie Feel já deve estar em Marselha, tentando entrar em contato com Blodgett Waxwing. Webley Silvernail está a caminho de Zurique. Katje está indo para Nordhausen... Katje...

Não, não, ela não lhe contou tudo que aprontou. Não é da conta dele. Por mais que ela lhe conte, sempre vai restar um quê de mistério a seu respeito. Por ser ele quem é, por haver direções nas quais ele não pode se deslocar. Mas como foi que eles dois conseguiram não desaparecer um do outro, nas cidades de papel e nas tardes desta paz estranha, e na vindoura Austeridade? Será que há alguma coisa nas ações improvisadas, como a presente missão, que obriga a gente a entrar em contato com as pessoas com quem precisamos estar? que as aventuras mais formais tendem, por sua própria natureza, à separação, à solidão? Ah, Prentice... O que é isso, motor disparado? não, não, checar a pressão do combustível — o ponteiro do marcador está dançando, está baixo, o tanque está vazio —

Um pequeno aborrecimento para o Pirata, nada sério... Pelos fones, de vez em quando, vozes espectrais o desafiam ou repreendem: os controladores de tráfego aéreo no reino deles lá embaixo, mais uma camada da Zona, antenas que se erguem no descampado como baluartes, irradiando semiesferas de influência, definindo invisíveis corredores no céu que só são reais para eles. O Thunderbolt está pintado de verde-vivo. Não tem como não ver. Ideia do Pirata. Cinza era para o tempo da Guerra. Eles que me persigam. Me peguem se puderem.

Cinza era para o tempo da Guerra. Pelo visto, o estranho talento do Pirata de viver as fantasias dos outros também era. Desde o dia da vitória, nada. Mas não é esse seu único problema paranormal. Ele continua sendo "assombrado", do mesmo modo marginal e incerto, pelo ancestral de Katje, Frans van der Groov, o aventureiro e matador de dodós. O homem nem chega direito nem vai embora por completo. O Pirata acha isso um insulto pessoal. Ele é o hospedeiro compatível do holandês, mesmo contra sua vontade. O que será que Frans vê nele? Será que tem a ver — mas é claro que tem — com a Firma?

Ele enredou uma meada de sonhos seus nos do Pirata, sonhos heréticos, exegeses de moinhos de vento que se transformaram em sombra nas fímbrias dos campos escuros, cada braço apontando para um ponto na orla de uma roda gigantesca girando pelo céu, parando e voltando a andar, sempre exatamente com a cruz movente: "vento" era um termo médio, uma convenção para exprimir o que realmente movia a cruz... e isso se aplicava a todos os ventos, em qualquer ponto da Terra, gritando entre as montanhas rosa e amarelas das ilhas Maurício, cores de confeitos, ou então balouçando as tulipas na Holanda, cálices vermelhos na chuva, enchendo-se de água límpida gota a gota, cada vento tinha sua própria cruz movente, materialmente presente ou implícita, cada cruz uma mandala única, reunindo opostos em seu rodopio (e agora me diga, Frans, que vento é este que estou sentindo, este vento de 8000 metros? Que moinho é aquele, moendo lá embaixo? O que é que ele mói, Frans, quem é que cuida da mó?).

Muito abaixo do ventre do Thunderbolt, pincelados sobre o campo verde, passam os contornos de antigas terraplenagens, suavizados pelo tempo, aldeias abandonadas durante a Grande Mortandade, campos atrás de cabanas cujos moradores foram impiedosamente ceifados pelo avanço da peste negra rumo ao norte. Por detrás de uma colgadura, fria como lençóis jogados sobre móveis numa ala proibida da casa, uma voz de soprano canta notas que jamais chegam a formar uma melodia, que vão se dissociando como proteínas mortas...

"É claro como água", explode Gustav, o compositor, "se você não fosse um velho idiota você perceberia — eu sei, eu sei, existe uma Associação Beneficente de Velhos Idiotas, todos vocês se conhecem, fazem votos de censura contra as pessoas com menos de 70 anos que mais dão trabalho a vocês, e o meu nome é o primeiro da lista. Pois eu estou me lixando. Vocês todos estão numa outra faixa de frequência. Não há perigo de a gente dar interferência em vocês. Estamos muito separados. E nós já temos os nossos problemas."

Criptozoários de muitos tipos corre-correm por entre farelos, pentelhos, manchas de vinho, cinzas e pedaços de fumo, frasquinhos de cocaína, cada um com uma tampa de baquelita vermelha com o selo da Merck de Darmstadt. A atmosfera dos bichinhos termina a cerca de um centímetro e meio do chão, condições ideais de umidade, escuridão e estabilidade de temperatura. Ninguém os incomoda. Todos obedecem a um acordo tácito no sentido de não pisotear na fauna da casa de Säure.

"Você é prisioneiro da tonalidade", grita Gustav. "Preso. A tonalidade é um jogo. Você é velho demais. Você nunca vai conseguir escapar do jogo, chegar até a Série. A Série é a luz."

"A Série é um jogo também." Sentado, Säure sorri com uma colher de marfim, enfiando pilhas incríveis de cocaína no nariz, exibindo todo seu repertório: braço esticado descrevendo uma curva gigantesca até chegar exatamente na narina-alvo, jogando o pó dentro do buraco de mais de meio metro de distância sem desperdiçar um único cristal... em seguida, uma pitada grande é jogada no ar como se fosse pipoca e é aspirada *nhoc* com perfeição, tragada pelas narinas lisas como um bloco de Johannson, nem um único pelo lá dentro desde o funeral de Liebknecht, no mínimo... muda a colher de uma mão para a outra duas ou três vezes, e nunca antes marfim deslocou-se tão depressa no ar... carreiras sumindo num piscar de olhos sem canudo que as guie. "O *som* é um jogo, se você é capaz de chegar até aí, seu obturado obdurado. Por isso eu ouço Spohr, Rossini, Spontini, estou escolhendo o *meu* jogo, cheio de luz e bondade. Você fica pairando naquela estratosfera chata, e racionaliza dizendo que chatice é 'luz'. Você não sabe o que é luz, Kerl, você é mais cego que eu."

Slothrop vai descendo a trilha até chegar a um riacho onde deixou sua gaita de molho a noite toda, presa entre duas pedras num trecho de águas tranquilas.

"A sua 'luz e bondade' é a dança dos condenados", diz Gustav. "Todas essas melodiazinhas saltitantes cheiram a mortalidade." Mal-humorado, decapita um frasco de cocaína com os dentes e cospe a tampa vermelha sobre o hábitat dos bichos.

Dentro da água fluente, os buracos da velha Hohner que Slothrop encontrou estão todos tortos, um por um, quadrados curvos como notas musicais, um blues visual sendo tocado pelo riacho de águas límpidas. Há tocadores de gaita e saltério em todos os rios, onde quer que haja água movente. Tal como profetizou Rilke:

E se o terreno te desconhecer,
sussurra à Terra silenciosa: eu fluo.
Às águas inquietas dize: eu sou.

Ainda é possível, mesmo a essa distância, encontrar e tornar audíveis os espíritos dos gaiteiros perdidos. Sacudindo a harmônica para secá-la, fazendo as palhetas cantar contra sua perna, entrando no blues no primeiro compasso do segmento desta manhã, Slothrop, trauteando sua gaita, está mais perto de ser um médium do que jamais esteve, e nem sequer tem consciência do fato.

A harmônica não apareceu de imediato. Em seus primeiros dias nesta serra ele encontrou uma gaita de foles, largada em abril por alguma unidade de escoceses. Slothrop tem o maior talento para pegar o jeito das coisas. O instrumento imperial foi facílimo. Em uma semana já sabia tocar aquela melodia onírica que Dick Powell cantava num filme, "In the shadows let me come and sing to you", e passou a maior parte do tempo repetindo essa canção, UÃÃdi*di*di di-di, UÃÃ di dá—diduuuuu... vez após vez, na gaita de foles. Aos poucos começou a perceber que oferendas de alimentos estavam sendo largadas perto do puxado que ele havia construído. Beterrabas de forragem, uma cesta de cerejas, até mesmo peixes frescos. Ele nunca viu quem deixava a comida ali. Pensavam que Slothrop era o fantasma de um tocador de gaita de foles, ou apenas som puro, e ele entendia o bastante de solidão e vozes noturnas para imaginar o que devia estar acontecendo. Parou de tocar a gaita de foles, e no dia seguinte encontrou a harmônica. Por acaso, era a mesma que ele perdeu em 1938 ou 9 na privada do Roseland Ballroom, mas isso foi há tanto tempo que Slothrop não lembra mais.

Vive sozinho. Se outros o veem, ou veem sua fogueira, não tentam aproximar-se. Está deixando crescer o cabelo e a barba, e traja a camisa e as calças de brim que Bodine lhe arranjou, tiradas da lavanderia do *John E. Badass*. Mas gosta de passar dias inteiros nu, deixando as formigas subir-lhe as pernas, as borboletas pousar-lhe nos ombros, observando as formas de vida da serra, os picanços e tetrazes, os texugos e marmotas. Ele devia estar indo para diversos lugares, mas por ora prefere ficar por aqui. Todos os lugares onde já esteve, Cuxhaven, Berlim, Nice, Zurique, agora devem estar vigiados. Ele podia ainda tentar encontrar Springer, ou Blodgett Waxwing. Por que essa obsessão de arranjar documentos? Pra que serve essa porra de documento, afinal? Ele podia ir para algum porto do Báltico, esperar que aparecesse a Frau Gnahb, ir para a Dinamarca ou Suécia. Deslocados de guerra, registros inteiros destruídos — talvez os documentos não sejam tão importantes na Europa... peraí, tão importantes quanto *onde*, Slothrop? Hein? Os Estados Unidos? Merda. Ah...

É, continua pensando que deve haver uma maneira de voltar. Ele está mudando, sem dúvida, mudando, arrancando as penas do albatroz do eu de vez em quando, por falta do que fazer, sem pensar muito no que está fazendo, como quem tira ouro do nariz — mas há uma pena espectral na qual seus dedos roçam sempre: a América. Pobre babaca, não consegue desprender-se dela. De tantas vezes que ela cochichou no ouvido dele *me ame* enquanto ele dormia, provocou sua atenção de modo insaciável chamando-o quando estava desperto, fazendo promessas incríveis. Um dia — ele já pode prever esse dia — talvez seja capaz de dizer, *não, obrigado*, e largá-la, claro... mas não agora. Mais uma tentativa, mais uma oportunidade, mais uma transação, mais uma transferência esperançosa. Talvez seja só uma questão de orgulho. E se não houver mais lugar para ele no estábulo da América? Se já o expulsou, ela nunca vai dar explicações. Os "garanhões" dela não têm direitos. Ela é imune às perguntinhas bestas que eles fazem. É exatamente a Amazona Sacana de suas fantasias.

E tem também Jamf, o acoplamento de "Jamf" com "eu" no sonho primevo. A quem recorrer com *isso*? porque não vai suportar muita investigação, não é? Se ele chegar perto demais, haverá uma vingança. Talvez o avisem primeiro, talvez não.

Os presságios tornam-se mais nítidos, mais específicos. Slothrop observa bandos de aves e desenhos formados pelas cinzas de sua fogueira, examina as tripas das trutas que pesca e limpa, pedaços de papel soltos, grafites em paredes destruídas cujo revestimento foi arrancado por balas, expondo o tijolo por baixo — destruídas, restando formas específicas que também podem ser lidas...

Uma noite, na parede de uma privada pública fedorenta e pululante de febre tifoide, ele encontra em meio a iniciais, datas, rabiscos apressados de pênis e bocas abertas para recebê-los, desenhos de estêncil do Lobisomem com ombros altos e chapéu-melão, um slogan oficial: WILLST DU V-2, DANN ARBEITE. Se você quer o V-2, então trabalhe. Boa Noite Tyrone Slothrop... não, não, espere, tudo bem, ali na outra parede também pintaram WILLST DU V-2, DANN ARBEITE. Sorte. As vozes que já transbordam recuam, a piada se esclarece, ele está apenas de volta a Goebbels e à incapacidade daquele homem de se contentar com uma coisa que já está mais do que boa. Porém custou-lhe um esforço dar aquela volta para olhar para aquela outra parede. Ali poderia haver qualquer coisa. Estava entardecendo. Campos arados, linhas de força, valas e quebra-ventos estendiam-se por quilômetros. Ele sentia-se corajoso, sentia que estava tudo sob controle. Porém deparou-se com outra mensagem:

O HOMEM-FOGUETE ESTEVE AQUI

A primeira coisa que lhe ocorreu foi a possibilidade de que ele mesmo tivesse escrito aquilo e depois esquecido. Estranho essa ideia lhe vir à cabeça de saída, mas foi o que aconteceu. Talvez ele estivesse começando a implicar a si próprio, alguma versão de outrora de si próprio, na Combinação contra quem ele era naquele momento. Em seu estado de coma preguiçoso, o albatroz começou a despertar.

Slothrops do passado, numa média de um por dia, mais ou menos, dez mil deles, uns mais poderosos que os outros, passavam-se toda tarde, à hora do pôr do sol, para a turba furiosa. Eram os quinta-colunistas, bem no fundo de sua mente, aguardando a hora de entregá-lo às quatro outras colunas do lado de fora, cada vez mais próximas...

Assim, com um pedaço de pedra, acrescentou aos grafites já existentes este sinal:

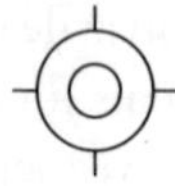

Slothrop sitiado. Foi só depois de fazer o desenho em mais meia dúzia de lugares que se deu conta de que *o que ele estava desenhando na verdade era o foguete* A4, visto de baixo. A essa altura já estava tão absorto em outras formas quádruplas — variações sobre o moinho de vento cósmico de Frans Van der Groov — suásticas, símbolos ginásticos FFFF num círculo simetricamente de cabeça para baixo e ao contrário, Frisch Fromm Frölich Frei em cima de portas de casas bem conservadas em ruas tranquilas, onde se pode escutar o trânsito do Outro Lado, ouvindo a respeito do futuro (lá não há tempo seriado: os eventos estão todos no mesmo momento eterno, e assim sendo certas mensagens nem sempre "fazem sentido" aqui deste lado: falta-lhes estrutura histórica, elas parecem fantasiosas, ou loucas).

Os pináculos das igrejas, cor de areia, elevam-se nos horizontes de Slothrop, absides projetando-se para os quatro lados como aletas de foguetes a guiar as agulhas aerodinâmicas... talhada no arenito ele encontra a sua espera a marca da consagração, uma cruz encerrada num círculo. Por fim, deitado uma tarde, bem à vontade, esparramado, ao sol, nos arredores de uma das velhas cidadezinhas da Peste, ele próprio se transforma numa cruz, um cruzamento, uma encruzilhada viva aonde os juízes chegam para instalar um patíbulo para um criminoso comum que será enforcado ao meio-dia. Sabujos negros, cães de caça com caninos proeminentes, ágeis como fuinhas, cães cujas raças se perderam há 700 anos, correm atrás de uma fêmea no cio enquanto os espectadores se reúnem, é o quarto enforcamento desta primavera, nada de especial no espetáculo, salvo o fato de que este sujeito, sonhando no último momento sabe-se lá com que saia levantada, com qualquer que seja a forma bunduda e gnädige que Frau Morte tenha assumido, experimenta uma ereção, uma tremenda inchação roxo-escuro, e no instante exato em que seu pescoço se parte ele *goza* em sua tanga esfarrapada, cremosa como pele de santo sob o manto roxo da Quaresma, e uma gota de esperma consegue escapar, rolando perna morta abaixo, pingando de pelo em pelo, descendo até a beira do pé descalço imundo, pingando sobre a terra no centro exato do cruzamento onde, nos segredos da noite, transforma-se numa raiz de mandrágora. Na sexta-feira seguinte, ao raiar do dia, o Mágico, com uma Heiligneschein móvel iridescente, variando do infravermelho ao ultravioleta em círculos espectrais em torno de sua sombra na grama orvalhada, vem com seu cachorro, um animal negro como carvão que está há alguns dias sem comer. O Mágico escava cuidadosamente em torno da raiz preciosa até que ela esteja sustentada apenas pelos mais finos pelos radiculares — amarra-a à cauda de seu cão negro, tampa seus próprios ouvidos com cera e depois apresenta um pedaço de pão para atrair o animal faminto *rrrauf!* o cachorro parte para cima do pão, a raiz é arrancada e solta seu grito lancinante e letal. O cão morre antes de andar metade do caminho que o separa de seu desjejum, sua luz santa imobiliza-se e se esvai em meio a um milhão de gotas de orvalho. O Mágico recolhe delicadamente a raiz e a leva para casa, veste-a com um pequeno traje branco e deixa dinheiro junto dela durante a noite: na manhã seguinte a quantia multiplicou-se por dez. Um representante da Comissão sobre Arquétipos Idiopáticos vem visitá-lo. "Inflação?" o Mágico tenta disfarçar com alguns gestos ágeis. "'Capital'? Nunca ouvi falar nisso." "Não, não", responde o visitante, "não no momento. Estamos tentando pensar no futuro. Gostaríamos muito de ouvir falar sobre a estrutura básica da coisa. Como foi o grito, por exemplo?" "Eu estava de ouvido tapado, não ouvi nada." O representante abre-se num fraternal sorriso profissional. "É, eu entendo..."

Cruzes, suásticas, mandalas da Zona, como poderiam tais coisas não dizer nada a Slothrop? Ele já esteve na cozinha de Säure Bummer, o ar fumegando de ondulações de cânhamo, lendo receitas de sopa e encontrando em cada osso e cada folha de repolho uma paráfrase de si próprio... boletins noticiários, nomes de cavalos que lhe darão o suficiente para uma fuga específica... Antigamente, na primavera, ele ia munido de pá e picareta limpar as estradas de Berkshire, tardes de abril perdidas, trabalho para desempregados, indo atrás da raspadeira que remove o cristalino ataque endógeno do inverno, sua necropolização branca... catando latas de cerveja enferrujadas, camisas de vênus amarelentas de sêmen pretérito, lenços de papel amassados em formas encefálicas encerrando meleca pretérita, lágrimas pretéritas, jornais, cacos de vidro, pedaços de carros, dias em que medo e superstição lhe permitiam *fazer tudo encaixar-se*, vendo em cada um com clareza um item num registro, uma história: a sua história, a história de seu inverno, de seu país... aprendendo, mau aluno e vagabundo, de modos mais profundos do que ele seria capaz de explicar, com rostos de crianças em janelas de trens, dois compassos de música dançante vindo de algum lugar, de uma outra rua à noite, agulhas e galhos de um pinheiro nítido e luminoso contra nuvens noturnas, um esquema de circuito saído de um maço manchado e amarelado contendo centenas de outros, risos vindo de um milharal de manhã cedo quando ele caminhava para a escola, uma motocicleta em ponto morto num fim de tarde pesado de verão... e agora, na Zona, mais tarde, no dia em que ele se transformou numa encruzilhada, após uma chuva forte de que ele não se lembra, Slothrop vê um arco-íris muito grosso, um grosso caralho iridescente saindo de nuvens pentelhais e cravando na Terra, na Terra verde e úmida e sulcada de vales, e seu peito se enche, e ele chora, sem nada na cabeça, sentindo-se natural apenas...

□□□□□□□□

Debreando, alternando ponta do pé e calcanhar, lá vai Roger Mexico. Descendo a Autobahn em pleno verão, ploque-ploque ritmado de pneus ao passar pelas juntas de dilatação, acelera seu Horch 870B pré-Hitler, singrando as ondulações da Charneca de Lüneburg. Um vento suave sobe o para-brisas e desce sobre ele, cheirando a zimbros. Carneiros Heidschnucken repousam imóveis como nuvens caídas. Pântanos e giestas passam céleres. No alto o céu é um plasma vivo, a fluir.

O Horch verde-oliva, com um narciso discreto pintado no capô, aguardava dentro de um caminhão, junto à margem do Elba, no depósito de carros da Brigada em Hamburgo, ensombrado exceto pelos faróis, olhos acuados de um extraterreno sorrindo para Roger. Bem-vindo, terráqueo. Já a caminho, constatou que o chão estava cheio de potes de vidro sem rótulos rolando de um lado para o outro, pareciam potes de papinha para bebês, uma gosma esquisita de cor doentia que nenhum bebê humano seria capaz de comer e sobreviver, verde com laivos rosa, bege-vômito com infiltrações magenta, tudo impossível de identificar, cada tampa enfeitada com um bebê sorridente, gorducho como um querubim, o vidro fervilhando de horríveis toxinas e ptomaínas de botulismo... de vez em quando um pote novo é gerado, espontaneamente, debaixo do banco, e rola para a frente, contra todas as leis da aceleração, em meio aos pedais, para confundir seus pés. Ele sabe que devia olhar para trás para descobrir que diabo está acontecendo, mas não consegue.

Potes rolam ruidosos pelo chão, sob o capô um e outro tucho aborrecido arenga, incomodado. Mostarda serpenteia pelo centro da Autobahn, em dois tons, amarelo e verde, rio fatal só visto pelos dois tipos de luz tremeluzente. Roger canta para uma moça em Cuxhaven que ainda ostenta o nome de Jessica:

Sonhei que outra vez nos encontramos,
Tantos estranhos entre eu e você,
Nós dois, à beira-mar,
Livres para amar,
Com falas de outras bocas pra dizer...

Nos portões da verde volta nos levaram,
E sequer perguntamos a razão —
Vamos nos encontrar?
Vestígios vão ficar
Nas superautoestradas do verão?

Chegando tão súbito ao dourado reluzente de uma fusão lombada-campo que quase esquece de fazer a curva...

Uma semana antes de partir, ela foi à "Aparição Branca" pela última vez. Fora um imperceptível remanescente da PISCES, o lugar voltara a ser hospício. Os cabos dos balões de barragem enferrujavam espalhados pelo prado úmido, reduzindo-se a flocos, a íons e terra — tendões que cantavam nas noites violentas, entre sirenes uivando em terças, suaves como vento distante, em meio à batucada das bombas, agora caídos, frouxos, velhos, tranças duras de metal cinzento. Miosótis borbulham onde quer que o pé pouse, e formigas fervilham, ativas, imperiosas. Asas pardas, amarelas e sarapintadas de marrom, laranja e branco borboleteiam seguindo termoglossas ao longo dos rochedos. Jessica cortou as franjas depois da última vez que Roger a viu, e demonstra a ansiedade de sempre — "Ficou horroroso, não precisa nem dizer nada..."

"Ficou bárbaro", diz Roger. "Adorei."

"Não deboche."

"Jess, por que nós estamos falando sobre *cabelo*, pelo amor de Deus?"

Entrementes, em algum lugar além da Mancha, uma barreira tão difícil quanto a muralha da Morte para um médium aprendiz, o tenente Slothrop, corrompido, abandonado, rasteja pela fachada da Zona. Roger não quer abandoná-lo: Roger quer fazer o que é direito. "Eu não posso simplesmente deixar esse bobalhão solto por aí, não é? Eles estão tentando destruir o coitado —"

"Mas Roger", sorri ela, "é *primavera*. A paz chegou."

Não, não chegou, não. Isso é só propaganda. Uma coisa plantada pela P. W. E. Pois bem, como os senhores podem ver com base nos estudos, o nosso momento ótimo é 8 de maio, logo antes do tradicional êxodo de Pentecostes, férias escolares, previsões de tempo de excelente temporada para a agricultura, a queda sazonal no consumo de carvão, o que nos dá alguns meses para reconstruir os nossos interesses no vale do Ruhr — não, ele só vê os mesmos fluxos de poder, os mesmos empobrecimentos que vem sofrendo na carne desde 39. Sua namorada vai ser levada para a Alemanha, quando ela devia estar sendo desmobilizada como todo mundo. Não há nenhuma via ascendente que ofereça a ele ou ela alguma esperança de escapatória. Ainda há *alguma coisa* acontecendo, não precisa dizer que é "guerra" se a palavra lhe dá medo, o índice de mortes caiu talvez um ou dois percentis, a cerveja em lata voltou finalmente, e havia de fato muita gente na Trafalgar Square algumas noites atrás... porém a atividade d'Eles continua.

O triste fato, que dilacera o coração de Roger e revela o quanto está vazio, é que Jessica acredita n'Eles. "A Guerra" era a condição de que ela precisava para estar com Roger. "A Paz" lhe permite abandoná-lo. Os recursos de que Roger dispõe, se comparados com os d'Eles, são risíveis. Ele não tem palavras, nenhum abraço tecnicamente esplêndido, nenhum faniquito que seja capaz de detê-la. O velho Castor, não por coincidência, vai ser oficial de ligação de defesa aérea por lá, de modo que os dois estarão juntos na romântica Cuxhaven. Pois é, Roger, não fique zangado, foi fantástico esse namorico de guerra, quando a gente gozava era um verdadeiro incêndio, os seus braços bem abertos como as asas de um B-17, nós tínhamos nossos segredos militares, enganamos todos aqueles coronéis gordos e velhos, mas... pois é, chegou a hora da baixa, ih! estou atrasadíssima, Roger meu bem, mas foi mesmo muito bom, não foi...

Ele seria capaz de cair diante dos joelhos dela, cheirando a glicerina e água de rosas, lamber areia e sal do sapatão de seu uniforme do ATS, oferecer-lhe sua liberdade, seus próximos 50 anos de salário de um bom emprego, seu pobre cérebro latejante. Porém é tarde demais. A Paz chegou. A paranoia, o perigo, o cantarolar amúsico da Morte vizinha, tudo agora dorme, no tempo da Guerra, no Tempo de Roger Mexico. O dia em que os foguetes pararam de cair foi o começo do fim para Roger e Jessica. À medida que foi ficando mais claro, a cada dia tranquilo, que nunca mais voltariam a cair bombas, o novo mundo penetrou-a e brotou por toda ela, como a primavera — não tanto as mudanças que ela sentia no ar e na luminosidade, nas multidões na Woolworth's, mas uma primavera de cinema muito malfeita, cheia de folhas de papel e flores de algodão e iluminação ruim... não, nunca mais ela vai se ver diante da pia da cozinha lavando uma xícara de louça que guincha entre seus dedos, guinchos de uma criança indefesa chorando, ressoando humilde SURPREENDIDA PELA QUEDA DE UM FOGUETE espatifando-se no chão, reduzida a um esparrame de pontos azuis e brancos...

Esses foguetes letais agora são coisa do passado. Agora ela vai estar do lado que solta os foguetes, ela e Jeremy — não era assim que devia ter sido sempre? lançando foguetes no mar: ninguém morre, só o espetáculo, fogo e estrondo, a agitação sem a mortandade, não era isso que ela sempre quis? naquela casa abandonada, agora não mais requisitada, entregue de novo às extensões humanas de pompons, fotos de cães, cadeiras vitorianas, pilhas secretas de *News of the World* no armário do segundo andar.

Jessica tem que ir. As ordens vêm de um escalão a que ela não tem acesso. Seu futuro acompanhará o do Mundo, e o de Roger apenas o dessa estranha versão da Guerra que ele continua trazendo dentro de si. Ele não consegue andar para a frente, coitado, a coisa não o deixa mover-se. Continua passivo, tal como no tempo dos bombardeios. Roger, a vítima. Jeremy, o fogueteiro. "A Guerra é minha mãe", ele disse no primeiro dia, e Jessica fica a imaginar as damas de negro que frequentavam seus sonhos, os sorrisos brancos como cinzas, as tesouras que atravessavam o quarto abrindo e fechando suas mandíbulas de metal durante o inverno... tantas coisas sobre Roger que ela jamais chegou a saber... tantas coisas que o tornam inadaptado à Paz. Jessica já começa a pensar no tempo em que passaram juntos como uma sequência de explosões, loucuras ao ritmo da Guerra. Agora ele quer ir salvar Slothrop, outra criatura do foguete, um vampiro cuja vida sexual se *alimentava* do terror dos bombardeios — ugh, que coisa mais sinistra. Deviam era prendê-lo, e não deixá-lo à solta. *É claro* que Roger se preocupa mais com Slothrop do que com ela, os dois são farinha do mesmo saco, não é, pois bem — Jessica espera que eles sejam felizes juntos. Que fiquem tomando cerveja e trocando histórias sobre foguetes, rabiscando equações em guardanapos de papel. Muito divertido. Pelo menos ela não vai largá-lo no vácuo. Roger não vai ficar sozinho, vai ter alguma coisa para encher seu tempo...

Ela se afastou dele, na praia. O sol hoje está tão forte que as sombras projetadas na areia junto ao tendão de Aquiles de Jessica estão tão nítidas e negras quanto as costuras de uma meia de seda. A cabeça, como sempre, está curvada para a frente, expondo a nuca que ele jamais deixou de amar, jamais verá outra vez, vulnerável como sua beleza, a inocência de quem não percebe o perigo que sempre a ameaça neste Mundo. Talvez ela até saiba um pouco, se considere, de rosto e de corpo, "bonita"... mas ele jamais conseguiria explicar-lhe tudo o mais, quantas outras coisas vivas, pássaros, noites cheirando a grama e chuva, momentos ensolarados de paz pura, também estão reunidos no que ela é para ele. Era. Roger não está perdendo apenas uma Jessica: está perdendo toda uma gama de vida, a condição de estar pela primeira vez à vontade na Criação. Agora é voltar para o inverno, recolher-se a seu único invólucro. O esforço necessário para estender-se, por pouco que seja, é grande demais para ele enfrentar sozinho.

Roger não imaginava que fosse chorar quando ela partisse. Mas chorou. Metros cúbicos de muco, olhos iguais a cravos vermelhos. Por fim, cada vez que seu pé esquerdo encostava no chão quando ele caminhava uma pontada de dor atravessava-lhe metade do crânio. Ah, deve ser isso que chamam de "dor da separação"! Pointsman lhe trazia mais e mais trabalho. Roger constatou que não conseguia esquecer Jessica, e cada vez preocupava-se menos com Slothrop.

Porém um dia Milton Gloaming surgiu de repente para arrancá-lo da inação. Gloaming estava chegando de uma viagem à Zona. Fora colocado numa força-tarefa junto com um tal de Josef Schleim, um dissidente de brilho secundário, que outrora trabalhara para a IG no escritório do doutor Reithinger, o VOWI — o Departamento de Estatística da NW7. Ali, Schleim ficara encarregado da seção americana, reunindo para a IG informações econômicas através de empresas subsidiárias e associadas, tais como Chemnyco, General Aniline and Film, Ansco, Winthrop. Em 36, veio à Inglaterra para trabalhar na Imperial Chemicals, numa situação que sempre permaneceu um tanto ambígua. Ele ouvira falar de Slothrop, sim, como não... lembrava-se dele dos velhos tempos. Quando Lyle Bland partiu em sua última viagem transmural, durante semanas circularam Relatórios Verdes pelos escritórios da IG, Geheime Kommandosache, boatos associando-se e dissociando-se como moléculas de alcatrão de hulha sob pressão, a respeito de quem iria se ocupar de vigiar Slothrop agora que Bland havia partido.

Isso foi mais ou menos no início da grande disputa pelo controle do mecanismo de informações da IG. O Departamento de Economia do Ministério de Relações Exteriores e o Departamento do Exterior do Ministério de Economia entraram na briga. E também os militares, em particular o Wehrwirtschaftstab, uma seção do Estado-Maior que fazia a ligação do OKW com a indústria. A ligação da IG com o OKW estava a cargo da Vermittlungsstelle W, sob o comando dos doutores Dieckmann e Gorr. A coisa ficava ainda mais confusa porque cada órgão tinha seu duplo no Partido Nazista, os órgãos Abwehr, criados em toda a indústria alemã a partir de 1933. O que se encarregava de vigiar a IG chamava-se "Abteilung A" e funcionava no mesmo prédio comercial que o grupo de ligação do exército com a IG, a Vermittlungsstelle W — aliás, os dois órgãos pareciam ser perfeitamente congruentes. Porém a Tecnologia, infelizmente, essa donzela de cabelos trançados e coxas douradas, sempre acaba sendo alvo de disputas desse tipo. Provavelmente foi a briga de foice entre exército e partido que acabou levando Schleim a virar casaca, e não algum escrúpulo moral que tivesse com relação a Hitler. Fosse como fosse, o fato era que ele se lembrava de que, para vigiar Slothrop, fora designada uma recém-criada "Sparte IV" dentro da Vermittlungsstelle W. A Sparte I ocupava-se de nitrogênio e gasolina, a II de corantes, substâncias químicas, borracha sintética, produtos farmacêuticos, a III de filmes e fibras. A IV cuidava exclusivamente de Slothrop, mas talvez também — Schleim ouvira dizer — de uma ou duas patentes adquiridas através de negociações com a IG Chemie da Suíça. Um analgésico cujo nome ele esquecera, e um novo plástico, algo assim como Mipolam... "Polimex", ou coisa parecida...

"Isso deveria ser da Sparte II", foi o único comentário de Gloaming na ocasião.

"Alguns diretores não gostaram", Schleim concordou. "Ter Meer era um Draufgänger — ele e Hörlein, os dois eram do tipo que enfrentavam briga. É possível que tenham conseguido reverter a decisão."

"O partido nomeou algum agente de Abwehr para essa Sparte IV?"

"Provavelmente nomeou, mas não sei se era do SD ou da SS. Havia muitos agentes desse tipo. Me lembro de um sujeito bem magro, com óculos de lentes grossas, saindo do escritório uma ou duas vezes. Mas estava à paisana. Não sei como se chamava."

Mas que porra...

"O quê?" Roger se remexe todo, inquieto, cabelo, gravata, orelhas, nariz, dedos. "A IG Farben vigiava o Slothrop? Antes da Guerra? Mas *por quê*, Gloaming?"

"Estranho, não é?" Tchauzinho e *boing* sai pela porta afora sem mais uma palavra, deixando Roger a sós com uma luz desagradabilíssima começando a aumentar, a ponta de uma revelação, ofuscante, crescente, na periferia de seu cérebro. A IG Farben, é? O senhor Pointsman anda aos beijos e abraços agora — aliás quase não anda com ninguém mais — com os altos escalões da ICI. A ICI forma um cartel com a Farben. Filho da puta. Ora, ele já deve estar sabendo dessa história do Slothrop há muito tempo. Aquela coisa do Jamf era só uma fachada para... mas que diabo, que merda que está acontecendo aqui?

Indo para Londres, já na metade do caminho (Pointsman reapoderou-se do Jaguar, de modo que Roger agora usa uma motocicleta pertencente à PISCES, cujo cabedal de veículos atualmente reduziu-se a esta moto e um Morris praticamente sem embreagem), ocorre-lhe que Gloaming fora enviado por Pointsman de propósito, como alguma tática obscura nesta campanha à Nayland Smith em que ele parece estar metido (Pointsman tem uma coleção completa de toda a grande saga maniqueísta de Sax Rohmer, e aparece na sua sala de modo inesperado, normalmente quando Roger está dormindo ou tentando cagar em paz, chegando a ficar parado do lado de fora do banheiro, lendo em voz alta um texto relevante). Não há nada de que Pointsman não seja capaz, ele é pior até que o falecido Pudding, totalmente desavergonhado. Usa qualquer um — Gloaming, Katje Borgesius, o Pirata Prentice, ninguém está (Jessica) imune a seu (*Jessica?*) maquiavélico —

Jessica. Ah. Maséclaroéclaro Mexico, seu idiota seu *merda*... foi por isso que a 137º o enrolou daquele jeito. Por isso que as ordens que ela recebeu vieram de um Escalão Alto Demais. Ele havia até mesmo, carneirinho saltitando em torno do espeto, pedido a *Pointsman* para tentar ajudá-lo... Sua zebra. Sua zebra.

Chega à Décima Segunda Casa, em Gallaho Mews, num estado de espírito homicida. Ladrões de bicicleta correm pelas ruelas, profissionais que carregam três de cada vez numa velocidade razoável. Rapagões com bigodes caprichados se exibem nas janelas. Crianças saqueiam latas de lixo. Pátios cobertos de papéis oficiais, pele largada por uma Fera solta. Uma árvore inexplicavelmente secou na rua, reduziu-se a um pequeno cadáver negro e seco. Uma mosca pousa de barriga para cima no para-lamas da frente da moto de Roger, debate-se por dez segundos, dobra suas asas sensíveis, cobertas de nervuras, e morre. Assim, sem mais nem menos. Primeira vez que Roger viu. P-47s sobrevoam em formações regulares, quatro vês em cada grupo, VermelhoBrancoAzulAmarelo no formulário incólume do céu esbranquiçado, esquadrão após esquadrão: ou bem estão sendo passados em revista ou bem é outra guerra. Do outro lado da esquina, um estucador alisa uma parede cheia de marcas de bombas, a massa na trolha é apetitosa como requeijão, ele usa uma talocha com que não está acostumado, herança de um amigo falecido, nesses primeiros dias ainda cava buracos como se fosse um aprendiz, o gume reluzente ainda não adaptado a sua mão, uma curva no instrumento um pouco maior do que sua força teria sido capaz de produzir... O Henry era um sujeito grandalhão... A mosca, que não estava morta, desdobra as asas e sai voando, para enganar outro trouxa.

O.K. *Pointsman* pisando firme ao entrar na Décima Segunda Casa, fazendo estremecer os quadros de avisos nos sete corredores e patamares, as recepcionistas estendendo os braços para alcançar os telefones *onde foi que você se meteu porra* —

Não está na sala dele. Quem está lá é Géza Rózsavölgyi, que tenta endurecer com Roger. "Você está fa-*zen*-do um pape-*lão*, meu *jo*-vem."

"Cale a boca, seu Drácula de merda", ordena Roger, "estou procurando o chefe, e a primeira gracinha que você fizer, meu chapa, você nunca mais vai bebericar O-negativo, e essas suas presas não vão poder nem mais mastigar mingau depois que eu der um jeito em você —" Rózsavölgyi, em pânico, contorna o bebedouro e tenta pegar uma cadeira giratória para se proteger. O assento cai, e Rózsavölgyi fica reduzido à base, a qual, coisa constrangedora, é em forma de cruz.

"Cadê ele", confronto mexicano, Roger trincando os dentes *não caia na histeria, é um luxo contraproducente a que você não se pode dar, no seu atual estado de tremenda vulnerabilidade*... "Vamos lá, seu veado, me diga, senão você nunca mais vai ver como é um caixão por dentro —"

Entra correndo uma secretária baixinha porém peituda, um tanto gordota, e começa a atingir Roger nas canelas com o registro dos impostos sobre lucros extraordinários do período 1940-4 de uma siderúrgica inglesa que por acaso dividia com a Vereinigte Stahlwerke a patente de uma liga usada nos acoplamentos das linhas que vão para a popa do S-Gerät no A4 número 00000. Mas as canelas de Roger não estão programadas para esse tipo de informação. Os óculos da secretária caem. "Senhorita Müller-Hochleben", lendo o nome dela no crachá, "sem óculos a senhorita é de *meter medo*! Ponha ezass óculas de nofo na carra, deprressa!", a imitação de nazista sendo inspirada pelo nome dela.

"Não sei onde eles estão", é, tem sotaque alemão mesmo, "eu não enxergo direito."

"*Bem*, vamos ver se eu posso *ajudá-la* — ah-ah! O que é isso? Senhorita Müller-Hochleben!"

"Ja..."

"Como é que são esses seus óculos?"

"São brancos —"

"Com uns brilhantes *de fantasia* em volta do aro, é, Fräulein? Hein?"

"Ja, ja, und mit —"

"E descendo as hastes, também, e-e *penas*?"

"Penas de avestruz..."

"Penas de avestruz *macho*, tingida de azul-pavão berrante, clareando nas beiras?"

"São os meus óculos, ja", diz a secretária, tateando, "onde estão eles, por favor?"

"*Aqui!*" pisando com força CREEC, reduzindo-os a luminosos cacos árticos espalhados pelo tapete de Pointsman.

"O-lhe", Rózsavölgyi de um canto remoto: aliás o único canto que não está fortemente iluminado, sim uma espécie de anomalia óptica aqui, apenas uma sala reta, quadrada, não há nenhum poliedro esquisito na Décima Segunda Casa... e não obstante, esse estranho, inexplicável prisma de sombra no canto... mais de um visitante já entrou na sala e encontrou o senhor Pointsman não à sua mesa, onde deveria estar, e sim em pé no canto sombrio — e, o que é mais perturbador, *de cara virada para o canto*... Já Rózsavölgyi não gosta do canto tanto assim, ele até o experimentou algumas vezes, mas saiu de lá sacudindo a cabeça: "Se-nhor *Points*man, não gos-*tei* nem um *pou*co. Que *gra*-ça pode ter, uma experi*ên*cia tão *mór*-bida. Hein?" levantando uma sobrancelha melancolicamente torta. Pointsman ficou meio sem-graça, não como se estivesse se desculpando, e sim como se pedisse desculpas a *algo* por Rózsavölgyi, e respondeu, delicado: "Este é o único lugar nesta sala onde eu me sinto vivo", e é claro que um ou dois memorandos foram enviados ao ministério contando essa história. Se chegaram ao próprio ministro, foi provavelmente de gozação. "Ah, sei, sei", balançando aquela velha cabeça sábia coberta de lã de carneiro, malares salientes, quase eslavos, enrugando os olhos num riso desatento porém educado, "ah sim, o famoso Canto do Pointsman, sim... quem sabe até ele é *mal-assombrado*, hein?" Risadas reflexas de todos os subalternos presentes, se bem que os superalternos limitam-se a sorrir sorrisos azedos. "Chamem a S.P.R. para dar uma olhada", ri um por trás do charuto. "O coitado vai ficar achando que a *Guerra* começou de novo." "Grande, grande!" "Essa é boa!" ecoam pelo ar enfumaçado. As brincadeiras desse tipo ainda estão na moda entre esses subalternos em particular, uma espécie de tradição de classe.

"Olhe o *quê*?" Roger está gritando há algum tempo.

"O que eu vou dizer", diz Rózsavölgyi.

"Olhar o que você vai dizer? Devia ser 'escute'."

"Não, eu queria que você visse uma coisa."

"Visse, não. *Ou*visse."

"Mas eu que-*ria* que você *vis*se uma coisa."

"Mas você acaba de dizer que ia *dizer* uma coisa — não se pode pedir para alguém *ver* o que se *diz*", a menos que, "o que seria exigir que eu fosse desmesuradamente", a menos que seja mesmo verdade que, "crédulo, e aqui entre *vocês* isso é uma forma de", que ver e ouvir sejam a *mesma coisa*, e que todos os atos sensoriais SEJAM UM ÚNICO ATO aaaaaahhhhhh e isso quer dizer, "loucura, Rózsavölgyi —"

"Meus óculos", Fräulein Müller-Hochleben fungando, andando de quatro pela sala, Mexico espalhando os cacos de vidro com o sapato, de modo que de vez em quando a pobre moça corta uma das mãos ou um dos joelhos, começando a deixar pequenas trilhas de sangue de alguns centímetros cada uma, terminando — se ela permanecesse assim por algum tempo — por pontilhar o tapete de Pointsman como se fosse a cauda de um vestido numa ilustração de Beardsley.

"*Muito bem*, senhorita Müller-Hochleben!", exclama Roger, incentivando-a, "e quanto a *você*, seu —" porém interrompe-se ao se dar conta de que Rózsavölgyi está quase invisível na sombra, os brancos de seus olhos *brilham* de tão brancos, zanzando no ar, ora fechando-se, ora reaparecendo... para Rózsavölgyi é um esforço permanecer nesse canto. Não é, afinal de contas, o tipo de lugar de que ele gosta. Primeiro porque o resto da sala parece ficar um tanto à distância, como se visto pelo visor de uma câmara fotográfica. E as paredes — elas não parecem... muito *sólidas*, na verdade. Elas fluem: uma passagem de textura grosseira, viscosa, ondulando como uma cortina de seda ou náilon, um tom aguado de cinza, porém de vez em quando com uma ilha surgindo no fluxo, alguma cor absolutamente estranha a esta sala: fusos amarelo-açafrão, ovais verde-palmeira, braços de mar carmim que penetram, como dentes de um pente, as fatias de ilha de um tom de laranja de revista em quadrinhos enquanto o caça baleado descreve círculos, esvazia os tanques de combustível, depois solta a capota prateada, ajusta as aletas quase a ponto de estolar, embica para cima e o *azul* (de repente um azul tão violento!) inunda no momento exato antes do impacto manete fechado *hmmmmm!* puta merda o *recife*, vamos esbarrar no — ah. Ah, não tem recife nenhum? N-nós *escapamos*? Conseguimos! Mangas, estou vendo mangas naquela árvore ali! e-e tem uma garota — está *assim* de garotas! Olha só, são todas lindas, peitinhos apontando para a frente, todas balançando aqueles saiotes de folhas, tocando cavaquinhos e cantando (mas por que com vozes tão duras, tão nasais, tão vozes de coristas americanas?) —

Homem branco, bem-vindo à I-i-i-lha de Pu-ka-hu-ka-luk-i!
Quem prova a minha papaia nunca mais quer voltaaaar!
A lua parece uma ba-na-na,
Pairando acima da ca-ba-na,
    E muita hula-hula pra dançar —
Ai, chovem estrelas sobre a Ilha de Pu-ka-hu-ka-luk-i,
E a lava desce a encosta feito torta de cereja —
Mesmo a doce Leilane em sua casa de sapé
Não dispensa um missionário servido como canapé,
Ah como é lindo o batuque, cá em Pu-ka-hu-ka-luk-i!

O-ba, *o*-ba — vou pegar uma pra mim, uma dessas na-*ti*-vas gos-*to*-sas, e passar o resto... da minha *vi*-da, co-*men*-do pa-*pa*-ia, chei-*ro*-sa feito bo-*ce*-ta, nesse jovem paraíso —

No tempo em que o paraíso era jovem. O piloto está se virando para Rózsavölgyi, o qual ainda está atrás dele, amarrado com os cintos de segurança. O rosto está coberto por um capacete, óculos de proteção que refletem luz demais, máscara de oxigênio — um rosto de metal, couro, mica. Porém agora o piloto está levantando os óculos, devagar, e que olhos são esses, tão conhecidos, saudando com um sorriso, oi, eu conheço você, você não me conhece não? Você não me conhece *mesmo*?

Rózsavölgyi grita e sai de costas do canto, tremendo, agora cego sob as luzes do teto. Fräulein Müller-Hochleben está engatinhando em círculo, dando voltas e voltas no mesmo círculo, cada vez mais depressa, quase uma imagem embaçada, grasnando histérica. Os dois atingiram o nível exato que era o objetivo da sutil estratégia psicológica de Roger. Em voz baixa, porém firme: "Pois bem. Pela última vez, onde está o senhor Pointsman?".

"Na sala de Mossmoon", é a resposta, em uníssono.

A sala de Mossmoon fica a uma boa deslizada de patins de Whitehall, sala após sala guardada por moças sentinelas, cada uma com uma saia de uniforme com uma cor radicalmente diferente das saias das outras (e a coisa se prolonga por algum tempo, de modo que você pode imaginar que cores três-sigmas elas não devem ter, se é possível tantas cores assim serem "radicalmente diferentes", não é — ah, cores assim como lagarto, estrela da tarde, Atlântida claro, para só citar umas poucas), as quais Roger seduz, compra, ameaça, enrola e (suspira), é, até soca para poder passar chegando por fim a "Mossmoon", esmurrando numa gigantesca porta de carvalho, trabalhada como as portas de pedra de certos templos, "Pointsman, acabou a farra! Em nome dos vestígios de decência graças aos quais você ainda consegue passar um dia inteiro sem que algum desconhecido armado lhe dê um tiro, abra essa porta". É uma fala um tanto longa, e a porta abre quando a frase ainda está no meio, porém Roger a termina assim mesmo. Vê diante de si uma sala de um limão-lima incandescente drasticamente atenuado, quase a ponto de reduzir-se à textura leitosa de absinto com água, um recinto mais acolhedor do que merecem esses rostos reunidos em torno da mesa, mas talvez seja a entrada de Roger agora que adense a cor mais um pouco, Roger correndo e pulando sobre a mesa lustrosa, passando pela cabeça lustrosa do diretor de uma siderúrgica, deslizando sete metros pela superfície encerada para enfrentar o homem da extremidade, que tem no rosto um sorriso afável (vá lá, pretensioso). "Mossmoon, estou sabendo do seu jogo." Terá ele realmente chegado ao âmago, em meio aos capuzes, olhos como fendas finas, parafernália de ouro, incenso e cetro feito com um fêmur?

"Esse aí *não* é o Mossmoon", o senhor Pointsman pigarreando enquanto fala, "Mexico, *desça* dessa mesa, por favor... senhores, é um dos meus colegas da PISCES, brilhante porém meio instável, como talvez dê para perceber — ah, Mexico, o que é *isso* —"

Roger desabotoou a braguilha, pôs o pau para fora e agora está mijando na mesa reluzente, nos papéis, nos cinzeiros e logo naqueles homens de rostos impassíveis também, os quais, embora sejam todos executivos, homens com mentes de estopim curto, ainda não estão preparados para admitir que isso está mesmo acontecendo, sabe, num mundo que realmente tangencia, num grande número de pontos, o mundo com que *eles* estão acostumados... e na verdade o jorro de urina quente é até agradável quando passa, atingindo gravatas de dez guinéus, barbichas de ar muito criativo, acertando uma narina orlada de manchas de velhice, varrendo um par de óculos militares de armação de metal, riscando de cima a baixo camisas engomadas, símbolos de Fi Beta Capa, Legiões de Honra, Ordens de Lenin, Cruzes de Ferro, Cruzes da Vitória, correias de relógios de aposentadoria, alfinetes de lapela de Dewey Para Presidente, revólveres militares semiexpostos, até mesmo um fuzil de cano serrado debaixo de um ombro ali...

"Pointsman", a pica, teimosa, irritada, corcoveia feito um dirigível entre nuvens roxas (um roxo muito denso, como veludo felpudo) ao anoitecer, quando a brisa que vem do mar promete um pouso difícil, "guardei você para o fim. Mas — meu Deus, acho que não sobra mais urina nenhuma. Nem uma gota. Mil desculpas. Não sobrou nada para você. Você entende? Mesmo que isso custe a minha *vida*", as palavras simplesmente saíram, e talvez Roger esteja exagerando, mas talvez não, "não haverá *nada em lugar nenhum* para você. Tudo que você conseguir, eu tiro. Se você subir mais que isso, eu vou lá no alto e puxo você para baixo. Onde quer que você vá. Mesmo se você encontrar um momento de repouso, com uma mulher compreensiva num quarto silencioso, eu vou estar à janela. Eu vou estar sempre do lado de fora. Você nunca vai conseguir me cancelar. Se você sair, eu entro, e o quarto vai ficar conspurcado para você, mal-assombrado, e você vai ter que procurar outro. Se ficar dentro eu entro assim mesmo — eu persigo você de quarto em quarto até encurralar você no último. O último quarto será o seu, Pointsman, e você vai ter que viver nele pelo resto dessa sua vida podre, prostituída."

Pointsman não olha para ele. Evita seus olhos. É o que Roger queria. A chegada dos seguranças é um anticlímax, embora os aficionados de cenas de perseguição, os que não conseguem olhar para o Taj Mahal, o Uffizi, a Estátua da Liberdade sem pensar em perseguição, perseguição, obaaa, Douglas Fairbanks descendo aquele minarete ao luar — tais entusiastas talvez se interessem pelo seguinte:

Roger escafede-se para baixo da mesa para abotoar a braguilha e os diligentes homens da lei pulam um em cima do outro no tampo da mesa, chocando-se, xingando-se, mas Roger passa correndo por sobre os subníveis, com suas texturas de couro, cravos, riscado, meia-de-crochê-feita-pela-mamãe, desses conspiradores, uma passagem precária, qualquer pé poderia chutá-lo sem aviso prévio e derrubá-lo — até chegar ao calvo magnata do aço, levantar o braço, agarrá-lo pela gravata ou pela pica, o que der mais jeito, e puxá-lo para baixo da mesa.

"Pois bem. Nós vamos sair daqui, e você é meu refém, *entendeu*?" Emerge arrastando o executivo lívido pela gravata ou pica, puxando-o como um menino puxa um trenó, estrangulado e apoplético, porta afora, passando pelo modalmente estranho arco-íris de moças sentinelas, agora pelo menos com *cara* de intimidadas, sirenes já gritando na rua louco ataca reunião do petróleo *Expulso após —ar nos participantes* e já saiu do elevador correndo por um corredor dos fundos chegando à unidade de aquecimento central *zuup!* passando por cima das cabeças de dois zeladores negros que estão dividindo um cigarro enrolado à mão contendo alguma erva narcótica da África Ocidental, enfiando seu refém numa gigantesca fornalha ainda acesa para o friozinho primaveril (tremendo azar) e saindo correndo por uma alameda de plátanos até chegar a um pequeno parque, pulando uma cerca, zás-trás, Roger rápido e a polícia londrina.

Não há nada na "Aparição Branca" de que ele realmente precise. Nada de que ele não possa abrir mão. As roupas do corpo e a moto, bolso cheio de trocados e um estoque ilimitado de raiva, de que mais necessita um inocente de trinta anos de idade para sobreviver na cidade grande? "Eu sou *Dick Whittington*!" ocorre-lhe descendo a toda a Kings Road. "Estou em Londres! Eu sou seu prefeito..."

O Pirata está na sua casinha, e aparentemente espera por Roger. Pedaços de sua fiel Mendoza estão espalhados pela mesa do refeitório, reluzentes de óleo ou anil, chumaços, retalhos, cilindros e frascos ocupam suas mãos, porém seus olhos estão fixos em Roger.

"Não", interrompendo uma catilinária contra Pointsman quando o nome de Milton Gloaming é citado, "é uma questão menor, mas pare por aí. Não foi o Pointsman que mandou o Milton. Fomos *nós*."

"Nós."

"Em matéria de paranoia você é um novato, Roger", primeira vez que Prentice o chama pelo primeiro nome, o que comove Roger o bastante para conter sua explosão. "É claro que é necessário um sistema-Eles bem desenvolvido — mas isso é só começo de conversa. Para cada Eles tem que haver um Nós. No nosso caso, há mesmo. A paranoia criativa exige que se elabore um sistema-Nós ao menos tão completo quanto o sistema-Eles —"

"Peraí, peraí, pra começo de conversa cadê o Haig and Haig, seja um anfitrião decente, em segundo lugar que história é essa de 'sistema-Eles', eu não saio por aí atacando de teorema de Tchebitchev, é ou não é?"

"Estou me referindo ao que Eles e os psiquiatras que trabalham pra Eles chamam de 'sistemas delirantes'. Nem precisa dizer que os 'delírios' são sempre oficialmente definidos. Não precisamos nos preocupar com questões do que é real e do que é irreal. Eles só falam por conveniência. O importante é o *sistema*. O modo como os dados se organizam dentro dele. Alguns são coerentes, outros não ficam em pé. A sua ideia de que o Pointsman mandou o Gloaming é um caminho errado. Sem um conjunto de delírios contrários — delírios a respeito de nós mesmos, aos quais eu dou o nome de sistema-Nós — a ideia sobre o Gloaming até poderia fazer sentido —"

"Delírios a respeito de nós mesmos?"
"Não de verdade."
"E sim oficialmente definidos."
"Por conveniência, sim."
"Mas então você está fazendo o jogo d'Eles."
"Não ligue pra isso não. Você vai ver que dá pra funcionar perfeitamente. Como a gente ainda não ganhou, esse problema na verdade não é muito sério."

Roger está totalmente confuso. Nesse ponto, entra em cena ninguém menos que Milton Gloaming, acompanhado de um negro que Roger reconhece como um dos fumadores de erva que ele viu na unidade de aquecimento central debaixo da sala de Clive Mossmoon. Ele se chama Jan Otyiyumbu, e é um agente de ligação do Schwarzkommando. Um dos lugares-tenentes apaches de Blodgett Waxwing aparece com sua namorada, a qual não anda exatamente, e sim dança, uma dança muito fluida e lenta, uma dança na qual Osbie Feel, que vem de repente da cozinha sem camisa (e com um Gaguinho tatuado na barriga? Há quanto tempo ele tem essa tatuagem?), identifica corretamente a influência da heroína.

A coisa é um pouco confusa — se isso é um "sistema-Nós", por que não tem ao menos a bondade de interligar-se de modo razoavelmente coerente, tal como fazem os sistemas-Eles?

"É justamente isso", grita Osbie, com uma dança do ventre que faz Gaguinho abrir-se num esgar largo e assustador. "*Eles* é que são racionais. A gente mija nas estruturações racionais d'Eles. Não é... Mexico?"

"Hurra!" exclamam os outros. Muito bem dito, Osbie.

Sir Stephen Dodson-Truck está sentado junto à janela, limpando uma Sten. Lá fora, Londres sente os primeiros bafos gélidos da Austeridade arrufando-lhe o plácido dorso estival. No momento, não há uma única palavra na cabeça de Sir Stephen. Ele está inteiramente absorto na arma. Não pensa mais na mulher, Nora, embora ela esteja solta por aí, em alguma sala, ainda cercada por seus paranormais planetários, indo em direção a algum destino peculiar. Nas últimas semanas, no mais puro estilo messiânico, ela se deu conta de que sua verdadeira identidade é, literalmente, a Força da Gravidade. *Em sou a Gravidade, eu sou Aquilo contra o qual o Foguete se debate, ao qual se submetem os dejetos da História para transmutarem-se na própria substância da História...* Os loucos varridos dela, os videntes, os teletransportadores, os viajantes astrais e trágicas interfaces humanas dela, todos sabem de sua aparição, mas nenhum sabe para que lado ela pode se voltar. Agora Nora tem que se afirmar — encontrar formas mais profundas de renúncia, mais profundas do que a apostasia de Sabbatai Sevi diante da Sublime Porta. Trata-se de uma situação que tem potencial de gerar uma boa brincadeira de vez em quando — tapeiam a pobre Nora montando para ela sessões espíritas que não enganariam a sua tia-avó, visitas de tipos como Ronald Cherrycoke fantasiado de Jesus Cristo, descendo pelos fios para colocar-se no foco de um pequeno spot de luz ultravioleta onde, fluorescendo num mau gosto atroz, ele fica a vomitar trechinhos descosidos dos Evangelhos, descendo do alto de seu crucifixo para atacar de mão-boba o traseiro de Nora, protegido por uma cinta... ofendidíssima, ela foge por corredores cheios de mãos invisíveis e suadas — poltergeists regurgitam privadas em cima dela, delicados cagalhinhos femininos flutuantes roçam-lhe o vértice virginal, e gritando *eccca*, bundigotejante, ela entra cambaleando em sua própria sala de visitas, mas nem lá encontra refúgio, não, alguém já materializou para ela um sessenta e nove entre duas elefantas lésbicas, trombas lambuzadas entrando e saindo sistematicamente de suculentas vulvas de aliás, e quando se vira para fugir dessa visão horrenda Nora constata que algum fantasma brincalhão trancou a porta por fora, enquanto outro espectro prepara-se para golpear-lhe o rosto com um naco de banha fria...

Na casinha do Pirata, todos estão agora cantando uma canção de viagem da contraforça, com Thomas Gwenhidwy, que pelo visto acabou não sucumbindo à maldição dialética do Livro de Pointsman, fazendo o acompanhamento no que parece ser uma crota de pau-rosa:

> Eles andam dormindo no nosso ombro,
> Eles andam chorando na nossa cerveja,
> E cantam acalentos tão tristonhos,
> E você pensa que Eles querem compaixão e não queriam a sua alma,
> E Eles nunca vão abrir o jogo com você.
> Mas escute, amiguinho:
> Esse não é o único caminho,
> E quem segue nele até o fim se ferra —
> Eles pagam pra gente dizer que gosta,
> Mas é hora de gritar que isso é uma bosta,
> E não é mais resistência, agora é guerra.

"Agora é guerra", cantarola Roger, rumo a Cuxhaven, perguntando a si próprio como pôde Jessica cortar os cabelos para Jeremy, e como ficaria aquele pentelho insuportável com uma câmara de impulsão enrolada na cabeça, "agora é guerra..."

> Aperta e acende um, e põe o pé na terra,
> Até ontem "sim senhor" era o seu lema,
> Mas nós vamos derrubar esse Sistema,
> E não é mais resistência, agora é guerra...

Esses galhos de pinheiros, estalando, tão azuis e aquosos, parecem não dar calor nenhum. Armas e munições confiscadas espalhadas pelo perímetro da Companhia

C, umas semiembaladas, outras em pilhas mambembes. Há dias o exército americano está vasculhando a Turíngia, arrombando casas no meio da noite. Uma certa licantropofobia — medo de Lobisomens — preocupa os mais altos escalões. O inverno se aproxima. Breve não haverá comida nem carvão suficientes na Alemanha. A safra de batatas, por exemplo, foi toda utilizada na última etapa da guerra para fazer álcool para os foguetes. Mais ainda há muitas armas leves, e munição para elas. Onde não há comida, levam-se as armas. As armas e a comida estão firmemente associadas na mente governamental desde que existem armas e comida no mundo.

Nas montanhas, de vez em quando um fogo se acende, luminoso como ditam-no em julho ao toque cerimonioso de um Zippo. O soldado engajado Eddie Pensiero, um substituto aqui na 89ª Divisão, mais um adepto da anfetamina, está todo encorujado bem junto do fogo, tiritando e contemplando as divisas em seu braço, que normalmente lembram um aglomerado de narizes de foguetes saindo de um cu dilatado, tudo em preto e verde-oliva, mas que no momento parece uma coisa mais estranha ainda, que Eddie vai identificar em breve.

Tiritar é um dos passatempos prediletos de Eddie Pensiero. Não como fazem as pessoas *normais*, do tipo um anjo passou e pronto, não — quando começa a tiritar, *não para mais*. Uma coisa muito difícil de a pessoa se acostumar no início. Eddie é um perito em matéria de calafrios. Ele sabe até, de alguma maneira estranha, *ler* calafrios, tal como Säure Bummer lê baseados, como Miklos Thanatz lê vergões de chicotadas. Mas seu dom não lhe permite ler apenas seus próprios calafrios, não, ele lê o dos *outros* também! É, eles vêm isolados ou vêm todos em grupos (de uns tempos para cá ele está aperfeiçoando em seu cérebro uma espécie de circuito discriminador, aprendendo a separá-los). Os calafrios menos interessantes de todos são os que têm uma frequência perfeitamente regular, sem variação alguma. Em matéria de desinteresse, logo depois vêm os de frequência modulada, ora mais rápidos, ora mais lentos, dependendo da informação que venha pela outra extremidade, seja lá qual for. Depois vêm os com formas ondulatórias irregulares que mudam tanto de frequência como de amplitude. Esses têm que ser decompostos por uma análise de Fourier em seus harmônicos, o que é um pouco mais difícil. Muitas vezes há um código atuando, certas subfrequências, certos níveis de potência — o sujeito tem que ser bom para conseguir fazer isso.

"Ei, Pensiero." É o sargento de Eddie, Howard ("Slow") Lerner. "Sai de cima desse fogo."

"Aaah, s'gento", diz Eddie, "que é que tem. Tô só me esquentano."

"Num tem discurpa, Pensiero! Tem um coroné aí quereno cortá o cabelo, *pra já*, e tem que ser *você*!"

"Ah, que saco", murmura Pensiero, indo até o dito-cujo de dormir e catando o pente e a tesoura. Ele é o barbeiro da companhia. Seus cortes, que levam horas e às vezes dias, são imediatamente reconhecidos em toda a Zona, revelando a escrupulosidade fio a fio do tomador de bolinha.

O coronel está esperando, sentado sob uma lâmpada elétrica. A lâmpada está sendo abastecida por um outro soldado, que está nas sombras rodando à mão as manivelas do gerador. É um amigo de Eddie, o recruta Paddy ("Electro") McGonigle, um garoto irlandês de Nova Jersey, um desses milhões de pobres urbanos virtuosos e ajustados que a gente vê nos filmes — todo mundo já os viu dançando, cantando, estendendo roupa na corda, tomando porre em velórios, preocupando-se com os filhos que estão indo por um mau caminho, não sei não, seu padre, ele é um bom menino, mas está andando com uma turma da pesada, sabe, em toda mentira produzida em Hollywood até e inclusive o grande sucesso deste ano, *Laços humanos*. Com sua manivela, o jovem Paddy está praticando uma outra modalidade do dom de Eddie, embora esteja transmitindo, e não recebendo. A lâmpada parece brilhar de modo uniforme, mas na verdade é uma sucessão de altos e baixos elétricos, sucedendo-se a uma velocidade que depende da rapidez com que Paddy roda a manivela. Só que o filamento dentro da lâmpada escurece devagar e logo já vem o próximo pico de energia e a gente tem a impressão de que a luz é uniforme. Na verdade, temos uma sucessão de instantes imperceptíveis de luz e escuridão. *Normalmente* imperceptíveis. A mensagem nunca é consciente para Paddy. É enviada por músculos e ossos, por aquele circuito de seu corpo que aprendeu a funcionar como fonte de energia elétrica.

No momento Eddie Pensiero está tiritando e não está prestando muita atenção na tal lâmpada. A mensagem que ele próprio está enviando é interessante. Alguém lá fora, na noite, perto daqui, está tocando um blues numa gaita. "Que quié *isso*?" Eddie quer saber, sob a lâmpada branca atrás do coronel silencioso de uniforme de gala, "ei, McGonigle — tá ouvino um negócio?"

"Tô", ri Paddy atrás do gerador, "tô ouvino a sua baixa, indo embora, bateno as asa dela que saem pertinho do cu. É isso que eu tô ouvino! Quá, quá!"

"Ah, d'x'sê *bobo*", responde Eddie Pensiero. "Que ouvino minha baixa coisa nenhuma, seu irlandês de merda."

"Ô Pensiero, como é que a gente sabe que um submarino é italiano?"

"Hãã... cumé que é?"

"O cheiro de alho é quase tão forte quanto o cheiro de merda! Quá, quá, quá!"

"Vá tomá no cu", diz Eddie, e começa a pentear os cabelos negros, já grisalhos, do coronel.

No instante em que o pente entra em contato com sua cabeça, o coronel começa a falar. "Normalmente, só levávamos vinte e quatro horas para fazer uma busca de casa em casa. De alvorada a alvorada, de casa em casa. Há algo de negro e dourado no início e no fim, silhuetas, céus esvaziados puros como um ciclorama. Mas o pôr do sol aqui, não sei, não. Você acha que houve alguma explosão em algum lugar? Será? lá para os lados do Oriente? Uma segunda Krakatoa? Ou algum outro nome igualmente exótico... as cores são tão diferentes agora. Cinza vulcânica, ou outra substância qualquer, finamente pulverizada, suspensa na atmosfera, tem o efeito de causar uma difração estranha nas cores. Você sabia disso, meu filho? Difícil de acreditar, não é? Vá aparando em camadas, se possível, e no alto corte o bastante para não precisar pentear. Pois é, soldado, as cores mudam, e como! A questão é: elas estarão mudando *de acordo com algo*? O espectro cotidiano do sol está sendo modulado? Não de modo aleatório, e sim sistematicamente, por causa dessa poeira desconhecida levantada pelos ventos? Haverá informações para nós? Perguntas profundas, e perturbadoras.

"Você é de onde, meu filho? Eu sou de Kenosha, Wisconsin. Minha família tem uma fazendinha por lá. Campos cobertos de neve riscados por cercas de lá até Chicago. A neve recobre os carros todos nos quintais... grandes montes brancos... parece a unidade de Registros de Mortes lá em Wisconsin."

"Eh, eh..."

"Ô Pensiero", Paddy McGonigle de novo, "continua ouvino o tal barulho?"

"Tô, e achqué uma gaita", Pensiero cuidadosamente penteando fio por fio, cortando cada um de um tamanho diferente, voltando vez após vez para fazer um retoque aqui e outro ali... Deus é quem sabe o número de fios. Átropos é quem os corta em tamanhos diferentes. Assim, Deus, sob a forma de Átropos, a que não pode ser demovida, tomou posse de Eddie Pensiero.

"Olha a sua gaita *aqui*", debocha Paddy, "ó só! Clarinete de carcamano!"

O demorado processo de cortar o cabelo é sempre uma passagem. O cabelo é mais um tipo de frequência modulada. Imagine-se um estado de graça em que todos os fios de cabelo eram distribuídos de forma perfeitamente uniforme, uma era de inocência em que eles pendiam perfeitamente lisos por toda a cabeça do coronel. Os ventos de cada dia, os gestos distraídos, o suor, as coceiras, as surpresas súbitas, as quedas de um metro no limiar do sonho, céus observados, vergonhas rememoradas, tudo isso deixou sua marca naquela estrutura perfeita. Ao manipular esses cabelos e reestruturá-los, Eddie Pensiero é um agente da História. Junto com a reconstrução dos cabelos do coronel, o blues transmitido pelos calafrios — longas escalas nos buracos números 2 e 3 correspondem, ao menos hoje, a passagens nas profundezas da cabeleira, troncos de bétula numa noite de verão muito úmida, caminhos que levam a uma casa de pedra num parque arborizado, cervos paralisados junto aos caminhos pavimentados...

O blues é uma questão de bandas laterais inferiores — a gente aspira uma nota límpida, no tom certo, depois a modula para baixo com os músculos do rosto. Os músculos do seu rosto estão rindo, contraindo-se de dor, muitas vezes tentando não trair *nenhuma* emoção, a sua vida toda. O lado para onde você leva a nota pura é em parte uma função disso. É essa a base material do blues, se o ângulo espiritual incomoda você...

"Eu não sabia onde estava", narra o coronel. "A toda hora eu recuava, descendo aqueles grandes blocos de concreto. Barras negras de aço da armadura espetadas para fora... negras de ferrugem. Toques de roxo profundo no ar, não luminosos o bastante para transbordar os limites, nem para mudar a substância da noite. Iam escorrendo, espichando, um por um — já viu um feto de galinha, bem no começo? ah, claro que não, você é garoto da cidade. A gente aprende muita coisa, lá na fazenda. Aprende como é um feto de galinha, de modo que se um dia você dá por si subindo uma montanha de concreto no escuro e vê um, ou vários, lá no céu reproduzidos em roxo, você reconhece — muito melhor que a cidade, meu filho, que é uma crise depois da outra, cada uma totalmente nova, não tem nenhum termo de comparação..."

E lá vai ele, cuidadosamente contornando a imensa ruína, seus cabelos naquele momento *muito* estranhos — escovados para a frente a partir de um ponto occipital, para a frente e para cima em grandes pontas compridas, formando um girassol ou touca de sol negra em torno de seu rosto, que tem como traço mais proeminente os lábios compridos, vermiformes, carmim. Coisas tentam agarrá-lo, saídas das fendas em meio aos escombros, tipo assim uma saidinha rápida, longos braços em forma de pinças, nada pessoal, sabe, resolvi *respirar um pouco de ar fresco*, ha, ha! Quando não conseguem atingir o coronel — e pelo visto nunca conseguem — bem, elas simplesmente voltam para seus lugares, zás-trás, resmungando como jogadores viciados: hum, bem, paciência, quem sabe da próxima vez...

Que diabo, separado do meu regimento, vou ser capturado e cremado por bandoleiros! *Ah, meu Deus, lá estão eles*, são Animais inimagináveis correndo dobrados para a frente à luz da versão G-5 da cidade, turbantes vermelhos e amarelos, rostos marcados de toxicômanos, aerodinâmicos como a frente de um Ford 37, mesmos olhos perdidos, mesma isenção do Martelo Cármico —

Um Ford 37 isento do M.C.? Ah, deixe disso. Vai tudo acabar no mesmo ferro-velho!

É mesmo, é, Skippy? Então por que é que tem tanto Ford 37 nas estradas?

B-bem, hã, Doutor Informação, a G-Guerra, quer dizer, como não estão fabricando carro atualmente, todo mundo tem mais é que cuidar direitinho do Velho Possante, inda mais que não tem muito mecânico dando sopa aqui na frente interna, e-e não se deve estocar gasolina, e a gente deve sempre deixar aquele plástico de racionamento de gasolina colado num lugar bem visível, no canto inferior da direita —

Skippy, seu bobinho, já está você andando para trás de novo que nem um caranguejo. Volte aqui, vamos, às agulhas. É aqui que os caminhos se bifurcam. Veja o homem lá atrás. Está com um capuz branco. Sapatos marrons. Um sorriso simpático, só que ninguém vê. Ninguém vê porque o rosto dele está sempre no escuro. Mas ele é simpático. Ele é o agulheiro. Ele tem esse nome porque é ele que aciona a chave que muda as agulhas. E aí nós vamos parar em Felizópolis em vez de na Cidade das Dores. Ou "Der Leid-Stadt", como dizem os alemães. Tem um poema porreta sobre a Leid-Stadt, escrito por um alemão chamado Herr Rilke. Mas não vamos ler esse poema, não, porque *nós* vamos para Felizópolis. O agulheiro fez tudo direitinho para a gente chegar lá. Aliás ele nem tem que fazer muita coisa. A chave é muito macia, fácil de usar. Até você seria capaz de fazer isso, Skippy. Se você soubesse onde é que ela está. Mas veja só quanta coisa ele fez, só de acionar de leve essa chave. Ele nos mandou para Felizópolis, em vez de para a Cidade das Dores. Isso porque ele sabe exatamente onde ficam as agulhas e a chave. É o único tipo de homem que com muito pouco esforço faz grandes coisas acontecerem em todo o mundo. Ele poderia ter feito você seguir no caminho certo lá atrás, Skippy. Se você quiser viver na sua fantasia, tudo bem, provavelmente você não merece coisa melhor, mesmo, mas o Doutor Informação hoje está de bom humor. Ele vai mostrar Felizópolis a você. E vai começar com o Ford 37. Por que esse carro com cara de bandoleiro continua nas estradas? Você disse que é por causa da Guerra, na hora exata em que passou pelas agulhas e foi para o caminho errado. A Guerra *era* o conjunto de agulhas. Certo? Isso mesmo, Skippy, a verdade é que a guerra está mantendo as coisas vivas. As *coisas*. O Ford é apenas uma delas. Aquela história de alemão e japonês era apenas uma versão da verdadeira Guerra, uma versão até um tanto surrealista. A verdadeira Guerra está sempre presente. A mortandade diminui de vez em quando, mas a Guerra continua matando muita gente. Só que agora está matando gente de maneiras mais sutis. Muitas vezes de maneiras tão complicadas que nem mesmo nós, no nível em que estamos, conseguimos entender como é. Mas as pessoas que eram mesmo para morrer estão morrendo, tal como acontece quando os exércitos entram em combate. Os que ficam em pé, no treinamento básico, no meio do ratatá das metralhadoras. Os que não confiam em seus Sargentos. Os que vacilam e por um momento traem sua fraqueza para o Inimigo. Esses são os que não servem para a Guerra, e por isso morrem. Os que têm que sobreviver sobrevivem. Os outros, dizem, até *sabem* que têm uma expectativa de vida baixa. Mas eles continuam agindo como sempre. Ninguém entende por quê. Não seria bom se a gente pudesse eliminar essa gente toda completamente? Porque aí não morria ninguém na Guerra. Seria divertido, não é mesmo, Skippy?

Puxa, Doutor Informação, seria *mesmo*! Oba, e-eu estou *doido* para conhecer Felizópolis!

Felizmente, ele não precisa esperar. Um dos bandoleiros se aproxima de um salto, com um assobio, corda de seda crua zumbindo tensa entre seus punhos, com um sorriso animado tipo vamos-logo-acabar-com-isso, e justamente nesse momento dois braços emergem de uma fissura nas ruínas como se fossem pinças e puxam o coronel para baixo na hora H. O bandoleiro cai de bunda no chão, e fica tentando desfazer o nó da corda, resmungando puta merda, coisa que até mesmo os bandoleiros fazem.

"Você está debaixo da montanha", avisa uma voz. Aqui tem aquela acústica ressoante de caverna. "Por favor, obedeça a todas as instruções relevantes a partir deste ponto."

Seu guia é uma espécie de robô atarracado, plástico cinza-escuro com olhos de faróis que giram. Lembra um pouco um caranguejo. "É Câncer em latim", diz o robô, "e em Kenosha também!" Como se verá, o robô tem mania de fazer piadinhas que só têm graça para ele.

"Estamos na rua dos Bolinhos", anuncia o robô, "observe os rostos sorridentes de todas as casas daqui." As janelas do andar de cima são os olhos, a cerca é a dentadura. O nariz é a porta da frente.

"Me... diga uma coisa", pergunta o coronel, a quem a ideia ocorreu de repente, "aqui em Felizópolis neva?"

"Neva o quê?"

"Responda a minha pergunta."

"Neva eu, neva tu", canta esta máquina grosseira, "neva o rabo do tatu, e nem vou falar do teu cu! E então, *et tu*, Brucutu?" A criatura está até *mascando goma*, uma variedade de cloreto de polivinila desenvolvida por Laszlo Jamf, muito maleável, que chega mesmo a soltar algumas moléculas que, graças a um engenhoso Osmo-elektrische Schalterwerke, criado pela Siemens, transmite, em código, uma imitação bem razoável do sabor de alcaçuz ao cérebro de crustáceo do robô.

"O Doutor Informação *sempre* responde às perguntas."

"Se eu ganhasse o que ele ganha, eu até perguntava as respostas. Se neva em Felizópolis? *Claro* que neva em Felizópolis. Os bonecos de neve iam ficar muito chateados se não nevasse nunca!"

"Lembro que lá em Wisconsin o vento soprava pelo caminho, como se fosse uma visita pedindo para entrar. Leva a neve para a porta da frente, e deixa empilhada lá... Isso também acontece em Felizópolis?"

"Vive acontecendo", diz o robô.

"Alguém já abriu a porta da frente na hora em que o vento estava fazendo isso?"

"Milhares de vezes."

"*Então*", ataca o coronel, "se a porta é o *nariz* da casa, e se a porta está aberta, e-e todos aqueles alvos cristais de neve estão sendo trazidos pelo vento da rua dos Bolinhos, formando uma grande nuvem que entra direto pela —"

"*Aaagg!*" grita o robô de plástico, e sai correndo para dentro de um beco estreito. O coronel se vê sozinho num bairro pardacento e envelhecido como vinho: tons de arenito e barro se estendem numa sucessão de paredes, telhados, ruas, não há uma única árvore em lugar nenhum, e quem é esse aí que vem descendo a Schokoladestrasse? Macacos me mordam se não é o próprio Laszlo Jamf, numa avançada senectude, preservado que nem um Ford 37 contra os altos e baixos da vida, que aqui em Felizópolis são apenas alterações atenuadas num sorriso, que varia do orelha a orelha ao melancólico. O doutor Jamf usa uma gravata-borboleta de um certo tom esmaecido de violeta-claro, cor adequada a longas tardes moribundas vistas por janelões, lieder em tom menor sobre tempos idos, pianos plangentes, fumaça de cachimbo numa sala abafada, passeios à margem de canais em domingos nublados... eis os dois homens, desenhados a bico de pena com precisão, atentos nesta tarde, e os sinos que vêm da outra margem do canal estão dando as horas: os homens vêm de muito longe, vêm de uma viagem que nenhum dos dois se lembra bem qual foi, uma missão qualquer. Mas um não sabe que papel o outro desempenhou...

Pois bem, acontece que esta lâmpada aqui acima da cabeça do coronel é exatamente a mesma lâmpada Osram que ficava ao lado do beliche de Franz Pökler na fábrica subterrânea de foguetes em Nordhausen. Segundo as estatísticas (dizem Eles), a cada não-sei-quantas mil lâmpadas fabricadas tem uma que é perfeita, todos os delta-q's se encaixam direitinho, de modo que não há por que se espantar ao ver que essa aqui continua funcionando até hoje. Mas a verdade é mais estupenda ainda. Esta lâmpada é *imortal*! Na verdade ela existe desde os anos 20, tem aquela pontinha aguçada no alto que não se usa mais, e o formato de pera é menos acentuado do que nas lâmpadas de hoje em dia. Que história, hein, que essa lâmpada podia contar se soubesse falar — pois é, e o pior é que ela *fala*, mesmo. É ela que está ditando as modulações musculares de Paddy McGonigle, que está rodando a manivela do gerador, a coisa é um circuito fechado, a retroalimentação volta para o Paddy e para o gerador depois. Eis, portanto,

A HISTÓRIA DE LORDE BYRON, A LÂMPADA

Lorde Byron era para ter sido fabricado pela Tungsram em Budapeste. Provavelmente seria gadanhado pelo supervendedor Sandor Rózsavölgyi, pai de Géza, que cobria todo o território da Transilvânia e estava entrando tanto no espírito da região que a sede da firma já estava ficando meio paranoica em relação a ele, com medo de que ele lançasse alguma maldição terrível sobre toda a operação se não lhe dessem o que ele queria. Na verdade, ele era um vendedor que queria que seu filho se tornasse médico, e acabou realizando seu desejo. Mas talvez tenha sido a aura pesada de bruxaria em torno de Budapeste que teve o efeito de fazer com que o nascimento de Lorde Byron fosse remarcado na última hora para a Osram, em Berlim. Remarcado, sim. Existe um Paraíso de Bebês de Lâmpadas, levado meio na brincadeira como se fosse coisa de cinema, sacumé, as Grandes Empresas, né, ha, ha! Mas não caia na conversa d'Eles, não, a coisa é acima de tudo uma burocracia, e Paraíso de Bebês de Lâmpadas apenas como uma espécie de bico. Tudo pago pela própria Companhia, sim, os quilômetros quadrados de organdi, os tonéis de corante Rosa-Bebê e Azul-Bebê da IG Farben, toneladas de Chupetas para Lâmpadas Elétricas Siemens, que dão à Lâmpada lactente a forma de uma corrente de 110 volts sem gastar um pingo de força. De uma maneira ou de outra, o negócio desse pessoal das lâmpadas é mesmo criar uma aparência de força, de poder, poder contra a noite, sem a realidade.

Na verdade, o P. B. L. é bem bagunçado. Dos caibros escurecidos do telhado pendem teias de aranha. De vez em quando uma barata aparece no chão, e todos os Bebês tentam rolar para ver (sendo Lâmpadas eles *parecem* ser perfeitamente simétricos, Skippy, mas não esqueça do ponto de contato na extremidade da rosca) fazendo gu-gu! guuuu-*gu*!, brilhando frouxamente para a perplexa barata, imobilizada e esmagável no meio do assoalho nu, viajando, revivendo o horror de alguma súbita explosão de corrente saída do nada e, no alto, a suave, onisciente Lâmpada. Em sua inocência, os Bebês não sabem o que fazer com a ab-reação dessa barata — sentem o medo que ela experimenta, mas não sabem o que ele é. Querem apenas ser simpáticos com a barata. Ela é interessante, e se movimenta bem. Todos estão agitados, menos Lorde Byron, que considera os outros Bebês um bando de babacas. É uma luta constante fazer com que eles voltem sua atenção para alguma coisa que valha a pena. Ouçam o que eu digo, Bebês, eu sou Lorde Byron, a Lâmpada! Vou cantar uma musiquinha pra vocês, assim —

> Vamos brilhar, brilhar, Bebês, chegou o nosso dia!
> Vocês até parecem que têm hidrofobia,
> Gritando e espumando feito um bando de malucos,
> Eu vou levar vocês prum reino de baratas,
> Onde em vez de ficar rolando como babacas
> Vocês vão contemplar lá do teto, majestosas,
> Suas súditas cascudas e asquerosas,
> Elas vão adorar vocês até o dia nascer,
> Mas vão correr pra todo o lado quando a Lâmpada acender!
> Assim, vamos brilhar, que o futuro é de vocês,
> E eu estou aqui, moçada,
> Pra puxar uma cruzada,
> Venham brilhar comigo, in-can-des-cen-tes Bebês!

O problema de Byron é que ele é uma alma velha, muito velha, trancafiada na prisão de vidro de um Bebê de Lâmpada. Ele odeia esse lugar, onde vive deitado, esperando a hora de ser fabricado, os alto-falantes só tocam charleston, de vez em quando um pronunciamento à nação, que porra de lugar é esse? Byron quer sair daqui e cair no mundo, claro que está ficando cheio de problemas de fundo emocional, Brotoeja de Bebê de Lâmpada, uma espécie de corrosão da rosca, Cólica de Bebê de Lâmpada, espasmos fortes e rebeldes nas profundezas do filamento de tungstênio, Hiperventilação de Bebê de Lâmpada, em que ele tem a sensação de que seu vácuo foi penetrado sem que haja algum fundamento orgânico para tal...

Quando por fim chega a mobilização nacional, claro que Lorde Byron fica no sétimo céu. Por falta do que fazer, ele elaborou planos totalmente megalomaníacos — ele vai organizar todas as Lâmpadas, arranjar uma base de poder em Berlim, já está sabendo da Tática do Estroboscópio, é só você aprender o jeitinho (uma coisa meio ioga) de acender e apagar num ritmo que se aproxime ao ritmo alfa do cérebro humano que você consegue provocar um *ataque de epilepsia*! É verdade. Byron teve uma visão, olhando para os caibros de sua enfermaria, de 20 milhões de Lâmpadas, espalhadas por toda a Europa, ao receberem um pulso sincronizador combinado por um de seus inúmeros agentes na Rede, todas começando a piscar estroboscopicamente *ao mesmo tempo*, seres humanos estrebuchando em 20 milhões de cômodos como peixes nas praias da Energia Perfeita — Atenção, humanos, isso foi apenas um alerta. Da próxima vez, algumas de nós vão *explodir*. Ha-ha. Isso mesmo, vamos atacar de *camicase*! Já ouviram falar no Lume Quirguiz? pois bem, não passa de uma bunda de caga-lume em comparação com o que nós vamos — ah, vocês não estão nem sabendo do — é, que pena. Porque umas poucas Lâmpadas, um milhão mais ou menos, uns meros 5% de nós, estão mais do que dispostas a explodir numa grande combustão única em vez de ficar pacientemente esperando a hora programada de queimar... Assim sonha Byron com sua Tropa de Choque de Guerrilheiros, vamos acertar nas fuças do Herbert Hoover, do Stanley Baldwin, todos eles, com uma baita explosão coordenada...

Mal sabe Lorde Byron a fria em que vai entrar! Já existe uma organização, humana, denominada "Febo", o cartel internacional de lâmpadas, com sede na Suíça. É praticamente controlada pela International GE, a Osram e as Associated Electrical Industries of Britain, as quais por sua vez são controladas, nas proporções respectivas de 100%, 29% e 46%, pela General Electric Company americana. A Febo determina os preços e a vida útil de todas as lâmpadas do mundo, do Brasil ao Japão à Holanda (se bem que a Philips da Holanda é o cão danado do cartel, que sem mais nem menos dá a louca, pula a cerca e semeia o caos por todo o grande Acordo). Dado esse estado de repressão geral, tudo indica que um Bebê de Lâmpada recém-nascido não pode senão começar de baixo.

Só que a Febo ainda não sabe que Lorde Byron é imortal. Ele começa sua carreira num antro de ópio só para mulheres em Charlottenburg, pertinho da estátua de Werhner Siemens, brilhando numa luminária de parede, uma entre tantas outras lâmpadas que testemunham as formas mais langorosas de decadência weimariana. Enturma-se com todas as outras lâmpadas do pedaço, Lampedusa da luminária vizinha, sempre planejando uma fuga, Larry no banheiro, com seu estoque inesgotável de piadas escatológicas, a mãe dele, Lorna, na cozinha, com suas histórias de bolinhos de haxixe, pênis artificiais repletos de elixir paregórico a ser ejaculado nos vasos capilares do útero, preces a Astarte e Lilith, rainha da noite, incursões na verdadeira Noite do Outro, fria e nua nos assoalhos de linóleo após dias sem dormir, sonhos e lágrimas viram um estado natural...

Uma por uma, no decorrer dos meses, as outras lâmpadas queimam e desaparecem. As primeiras vezes em que isso acontece, Lorde Byron fica muito abalado. Ele ainda é um recém-chegado, ainda não aceitou sua mortalidade. Porém enquanto brilha horas a fio, começa a dar-se conta da transitoriedade das outras lâmpadas: aprende que amá-las enquanto elas estão presentes torna-se mais fácil, e também mais intenso — amar como se cada hora programa fosse a última. Em pouco tempo Byron torna-se um Veterano Permanente. Os outros reconhecem sua imortalidade de saída, mas o assunto só é comentado em termos gerais, quando vêm de outras partes da Rede relatos folclóricos sobre os Imortais, uma lâmpada do escritório de um cabalista em Lyon que supostamente entende de magia, uma outra do lado de fora de um depósito na Noruega que enfrenta a alvura ártica com um estoicismo que causa arrepios estroboscópicos em outras lâmpadas, menos setentrionais, só de imaginar. Se existem de fato outros Imortais na Rede, eles permanecem em silêncio. Mas é um silêncio que diz muito, talvez tudo.

Assim, após o Amor, a segunda lição que Lorde Byron aprende é o Silêncio.

À medida que Lorde Byron começa a se aproximar das 600 horas, os agentes de controle na Suíça começam a dar mais atenção a ele. A Sala de Vigilância da Febo fica debaixo de uma montanha pouco conhecida dos Alpes, uma sala fria cheinha de equipamento elétrico alemão, vidro, latão, ebonite e prata, blocos de terminais pesados com mil jacarés e parafusos de cobre, e uma equipe de técnicos limpíssimos de jaleco branco monitorando todos os medidores, caminhando de um aparelho para o outro com pés leves de neve, para garantir que está tudo correndo bem, que nenhuma lâmpada vai aumentar a vida útil média. Pode-se imaginar o que seria do mercado se tal coisa começasse a acontecer.

Lorde Byron ultrapassa a linha vermelha da Vigilância, a das 600 horas, e imediatamente, num teste de rotina, a equipe verifica a resistência do filamento, a temperatura de funcionamento, o vácuo e o consumo de energia. Tudo normal. Agora Byron vai começar a ser inspecionado a cada 50 horas. Uma campainha suave vai soar na estação de monitoramento sempre que chegar a hora.

Quando Lorde Byron completa 800 horas — outra precaução rotineira —, uma agente de Berlim é enviada ao antro de ópio para transferi-lo. Ela usa luvas de pelica forradas de amianto e saltos agulha de dezoito centímetros, não, não é para não é para passar despercebida no ambiente não, e sim para ela poder alcançar a luminária e desatarraxar Byron. As outras lâmpadas assistem, mal conseguindo conter o pavor. A notícia se espalha pela Rede. A uma velocidade próxima à da luz, todas as lâmpadas, Azos contemplando ruas vazias negras de baquelite, Nitralampen e Wotan Gs iluminando partidas de futebol noturnas, Just-Wolframs, Monowatts e Sirius, todas as lâmpadas da Europa ficam sabendo do que aconteceu. Ficam mudas de impotência, de desânimo diante de lutas que julgavam ser apenas mitos. *Não podemos fazer nada*, o pensamento comum zumbindo através de pastos de carneiros adormecidos, ao longo de Autobahns, chegando aos mais remotos cais de carregamento de carvão no Norte, *nunca podemos fazer nada*... É só alguém manifestar o mais leve sinal de possibilidade de transcendência que a Comissão de Anomalias Incandescentes vem logo levá-lo embora. Algumas lâmpadas protestam, talvez, aqui e ali, mas são apenas informações, moduladas pela variação no brilho, nada que se assemelhe a uma explosão na cara dos poderosos como a que Lorde Byron outrora previa, no tempo da enfermaria de Bebês, em sua inocência.

Ele é levado para Neukölln, para um quarto no subsolo onde mora um vidreiro que tem medo da noite e que vai manter Byron aceso, velando todas as poncheiras de cristal, os grifos e navios de flores, cabritos captados no meio de um salto, teias de aranha verdes, sombrias divindades dos gelos. Este é um dos muitos "pontos de controle", onde as lâmpadas suspeitas podem ser monitoradas com facilidade.

Em menos de quinze dias, soa um gongo pelos corredores de gelo e pedra da sede da Febo, e os rostos desviam-se dos medidores por um instante. Não há muitos gongos por aqui. Gongo é uma coisa especial. Lorde Byron ultrapassou as 1 000 horas, e agora é adotado o procedimento padrão: a Comissão sobre Anomalias Incandescentes despacha um agente para Berlim com ordens para matar.

Porém neste ponto acontece uma coisa gozada. É, muito gozada mesmo. O plano é estraçalhar Lorde Byron e mandá-lo de volta para a fábrica, para refundir os cacos — aproveitar o tungstênio, é claro — e reencarná-lo no próximo projeto do vidreiro (um balão que vai partir em viagem do alto de um arranha-céu branco). Não seria das piores soluções para Byron — ele sabe tão bem quanto a Febo o número de horas que já emplacou. Aqui na fábrica ele já viu muito vidro ser refundido, devolvido à condição líquida e informe de onde provém e reprovém todo vidro, e não se incomodaria de passar pelo processo. Porém está preso na roda do carma. O vidro derretido, com seu brilho alaranjado, é uma meta inatingível, uma tortura. Não há escapatória para Lorde Byron, ele está condenado a um infinito regresso de bocais e ladrões de lâmpadas. Entra em cena Hansel Geschwindig, moleque de rua weimeriano — desatarraxa Byron do teto e o guarda num bolso cuidadoso e Gesssschhhh*win*dig! sai pela porta afora. A escuridão invade os sonhos do vidreiro. De todas as coisas desagradáveis que seus sonhos arrancam do ar noturno, uma luz apagada é o pior de todos. Em seus sonhos, a luz era sempre esperança: a esperança básica, mortal. Enquanto os contatos se desfazem helicoidalmente, a esperança vira escuridão, e o vidreiro acorda de repente no meio da noite gritando: "Quem? *Quem?*"

A Febo não chega exatamente a ficar arrancando os cabelos. Esse tipo de coisa já aconteceu antes. Há um procedimento a seguir. Isso implica que alguns empregados terão que fazer mais horas extras, de modo que há aquela sensação vaga de prazer nos intestinos, de antegozo do dinheiro inesperado, e também uma animação igualmente vaga provocada pela quebra da rotina. O negócio é emoções fortes, foda-se a Febo. As equipes de busca, com seus rostos impassíveis, vão para a rua. Elas sabem mais ou menos que bairros devem ser esquadrinhados. Partem do pressuposto de que nenhum dos consumidores está sabendo da imortalidade de Lorde Byron. Assim, os dados referentes aos Furtos de Lâmpadas *Não* Imortais devem também aplicar-se a Byron. E os dados por acaso se acumulam nos bairros pobres, de judeus, de viciados, homossexuais, prostitutas, os bairros mágicos da cidade. Aqui se encontram os candidatos mais lógicos ao roubo de lâmpadas, em termos do que representa esse crime. Veja só toda a propaganda. Trata-se de um crime *moral*. A Febo descobriu — uma das grandes descobertas ainda não descobertas de nosso tempo — que os consumidores têm necessidade de sentir uma certa consciência do pecado. Essa culpa, nas mãos invisíveis apropriadas, é uma arma poderosíssima. Na América, Lyle Bland e seus psicólogos dispunham de cifras, testemunhos de peritos e dinheiro (dinheiro no sentido puritano do termo — um sinal visível e externo de aprovação de suas intenções) suficientes para fazer a Descoberta da Culpa deslizar do alto do ápice entre teoria científica e fato. As taxas de crescimento nos anos subsequentes viriam a sustentar a posição teórica de Bland (mas quem sustentou sua posição prática no caixão no caminho até a cova foram os sócios sêniores da Salitiari, Povre, Sordi, Daim, Bruteccido e Kurtz, mais Lyle Júnior, que estava espirrando. Buddy na última hora resolveu ir ver *Drácula*. Foi o que se deu melhor). De todos os legados de Bland, a Heresia do Furto de Lâmpadas foi talvez o mais grandioso. Não quer dizer apenas que alguém está deixando de comprar uma lâmpada. Quer dizer também que alguém não está colocando nenhuma energia naquele bocal! É ao mesmo tempo um pecado contra a Febo e contra a Rede. Nem uma nem a outra podem se dar ao luxo de deixar uma coisa dessas se espalhar.

Assim, lá vão os policiais da Febo, procurando o Lorde Byron roubado. Porém o moleque já não está mais na cidade, foi para Hamburgo, e lá trocou Byron, com uma *prostituta* da Reeperbahn, por *um pico de morfina* — o cliente da jovem hoje é um contador que gosta que lhe enfiem *lâmpadas no cu*, e ele trouxe também um pouco de *haxixe para fumar*, de modo que quando sai de lá o cara já se esqueceu de Byron enfiado em seu cu — aliás, nem chega a lembrar-se, pois quando finalmente se senta (voltou para casa em pé no bonde) é na privada, e plop! lá vai Lorde Byron para a água e chchchuááááá! esgoto abaixo até o estuário do Elba. Sua forma é arredondada o suficiente para lhe permitir uma passagem tranquila por toda a tubulação. Ele passa dias flutuando no mar do Norte, até chegar a Helgoland, aquele mil-folhas vermelho e branco torto brotando do mar. Fica lá por uns tempos, num hotel entre a Hengst e a Mönch, até ser trazido de volta ao continente por um padre velhíssimo que ficou sabendo da imortalidade de Byron no decorrer de um sonho rotineiro a respeito do sabor de um certo Hochheimer safra 1911... de repente eis o grande Berlin Eispalast, uma caverna cheia de ecos, treliças de ferro quase invisíveis, cheiro de mulheres nas sombras azuis — perfumes, couros, trajes de esqui de peles, pó de gelo no ar, pernas e nádegas que lampejam por um instante, desejo latejando como febre, sensação de impotência na extremidade de um trenzinho, atravessando na disparada raios de sol inundados de gelo em pó, e uma voz no espelho nublado do chão dizendo, "Encontrem quem fez este milagre. É um santo. Revelem-no. Providenciem sua canonização..." O nome está numa lista que o velho prepara, com os nomes de cerca de mil turistas que entraram e saíram de Helgoland desde o dia em que Lorde Byron foi encontrado na praia. O padre dá início a uma busca de trem, a pé e num Hispano-Suiza, verificando cada turista que consta na relação. Porém não vai além de Nuremberg, onde sua valise, contendo Byron envolto numa alva, é roubada por um transeitista, um luterano chamado Mausmacher que gosta de usar trajes papistas. Este Mausmacher, não contente em fazer sinais da cruz papais diante do espelho, acha que seria um tremendo barato ir ao campo de Zeppelin durante um comício-monstro noturno do partido nazista totalmente transvestido de padre, e sair abençoando pessoas a esmo. Archotes verdes ardendo, suásticas vermelhas, metais ressoando, e o padre Mausmacher, de olho nas bundas e peitos, cinturas e malas, cantarolando uma musiquinha clerical, um tema de Bach, sorrindo enquanto caminha por entre Sieg Heils e corais de "Die Fahne Hoch". Sem que ele o perceba, Lorde Byron escorrega de dentro das vestes roubadas e rola para o chão. Em seguida, centenas de milhares de botas e sapatos passam por ele, e nem unzinho deles sequer chega a roçar em Byron, claro. No dia seguinte (o campo agora morto, vazio, colunado, pálido, riscado de longas poças enlameadas, nuvens matinais alongando-se por trás do símbolo dourado composto por suástica e coroa de flores), ele é catado por um pobre trapeiro judeu, e levado para mais 15 anos de preservação contra o acaso e contra a Febo. Será atarraxado em uma mãe (*Mutter*) após a outra, sendo este o termo usado na Alemanha para designar a rosca feminina dos bocais de lâmpada, por algum motivo que ninguém imagina qual seja.

O cartel já está recorrendo ao Plano B, o qual prevê um estatuto de limitações de sete anos, após o qual Lorde Byron será considerado legalmente queimado. Enquanto isso, o pessoal que estava antes procurando por Byron agora está no encalço de uma lâmpada longeva que outrora ocupou um bocal num posto do exército na selva amazônica, chamada Laura, a qual acaba de ser roubada, misteriosamente, por um grupo de índios saqueadores.

No decorrer de todos os anos em que ele vem sobrevivendo, esses salvamentos de Lorde Byron têm acontecido como que por acaso. Sempre que pode, ele tenta alertar todas as lâmpadas vizinhas sobre a natureza malévola da Febo, e sobre a necessidade de que sejam todos solidários contra o cartel. Byron já compreendeu que a Lâmpada tem de ir além de seu papel de mero transmissor de energia luminosa. A Febo reduziu a Lâmpada a essa única identidade. "Porém há outras frequências, acima e abaixo do espectro visível. A Lâmpada pode gerar calor. A Lâmpada pode fornecer energia para fazer plantas crescerem, plantas ilegais, dentro de armários, por exemplo. A Lâmpada pode penetrar o olho adormecido, e atuar sobre os sonhos dos homens." Algumas lâmpadas o ouviam com atenção — outras pensavam em maneiras de delatar Lorde Byron para a Febo. Alguns dos antibyronistas mais velhos conseguiram alterar seus parâmetros de maneiras sistemáticas que poderiam ser percebidas nos medidores de ebonite sob a montanha suíça: houve até algumas poucas autoimolações, na esperança de atrair os algozes.

Naturalmente, falar na transcendência da Lâmpada era considerado subversivo. A Febo tomava como base de tudo a eficiência das lâmpadas — a razão entre a energia utilizável que saía e a que entrava. A Rede exigia que essa razão fosse mantida no nível mais baixo possível. Dessa maneira, eles vendiam mais eletricidade. Por outro lado, a eficiência baixa implicava uma duração maior das lâmpadas, o que reduzia as vendas da Febo. De início, a Febo tentou aumentar a resistência do filamento, reduzindo a vida útil das lâmpadas de modo sorrateiro e gradual — até que a Rede percebeu uma queda na sua renda e começou a pôr a boca no mundo. Por fim as duas partes entraram num acordo, nos termos do qual a vida útil da lâmpada teria um valor ótimo que garantisse uma renda boa para ambas, e elas rachariam os custos da campanha antifurto. E também um ataque mais sutil dirigido aos criminosos que se recusam a usar lâmpadas e preferem velas. Havia um velho acordo entre a Febo e o Cartel da Carne, segundo o qual este deveria restringir a quantidade de sebo em circulação mantendo mais gordura na carne a ser vendida, independentemente dos problemas cardíacos que isso pudesse gerar, e redirecionar a maior parte do sebo retirado da carne para a produção de sabão. Naquela época, o sabão era uma indústria em ascensão. O Instituto Bland havia descoberto que os consumidores tinham sentimentos profundos a respeito da merda. De qualquer modo, a carne e o sabão eram de importância secundária para a Febo. O que contava era um produto como o tungstênio. Mais um motivo pelo qual a Febo não podia reduzir demais a vida útil das lâmpadas. Um excesso de filamentos de tungstênio diminuiria os estoques disponíveis do material — sendo a China o principal fornecedor no mundo, isso também trazia à tona questões muito delicadas de política externa no Oriente — e perturbaria o acordo entre a General Electric e a Krupp a respeito da quantidade de carbureto de tungstênio que seria produzida, onde, quando e quais os preços praticados. Combinaram uma faixa de 82 a 200 dólares o quilo na Alemanha, 444 a 888 dólares o quilo nos Estados Unidos. Isso determinava de modo direto a produção de máquinas operatrizes, e consequentemente todas as áreas de indústria leve e pesada. Quando estourou a Guerra, algumas pessoas acharam que era falta de patriotismo da GE dar à Alemanha uma vantagem dessas. Mas eram pessoas sem nenhum poder. Não se preocupem.

Lorde Byron continua brilhando e vendo essa situação se repetir mais e mais. Aprende a estabelecer contato com outros tipos de aparelhos elétricos, nas residências, nas fábricas, nas ruas. Cada um tem algo a lhe dizer. Toda uma configuração vai se formando em sua alma (*Seele*, nome dado na Alemanha ao filamento mais antigo, de carbono), e quanto mais nítida e grandiosa sua visão, mais desesperado Lorde Byron se torna. Algum dia ele saberá tudo, e continuará sendo tão impotente quanto antes. Seus sonhos juvenis de organizar todas as lâmpadas do mundo agora lhe parecem impossíveis — a Rede é totalmente aberta, todas as mensagens podem ser ouvidas por terceiros, e o que não falta na linha são traidores. Tradicionalmente, os profetas não duram muito — ou bem são mortos, pura e simplesmente, ou bem causam-lhes um acidente sério o bastante para fazê-los parar e pensar, e na maioria das vezes eles recuam. Porém o destino de Lorde Byron é ainda melhor. Ele está condenado a viver para sempre, conhecendo a verdade e sem dispor do poder de mudar o que quer que seja. Ele não vai mais tentar saltar fora da grande roda. Sua raiva e sua frustração crescerão indefinidamente, e Byron perceberá, pobre lâmpada pervertida, que isso lhe dá prazer...

Laszlo Jamf caminha ao longo do canal, onde agora há cães nadando, bandos de cães, cabeças de cães submergindo e emergindo da água suja dos canais... cabeças de cães, cavalos do jogo de xadrez, também podem ser encontrados invisíveis no ar acima das bases aéreas secretas, nas neblinas mais espessas, condições de temperatura, pressão e umidade geram formas de Springer que o aviador sintonizado percebe, os radares detectam, os passageiros indefesos quase conseguem entrever, de vez em quando, pelas janelinhas, como se através de lençóis de vapor... é o bom Cão, o Cão que homem algum jamais condicionou, que lá está para nós nos começos e nos fins, e nas viagens que temos que empreender, indefesos, mas não de todo contrariados... As pregas do terno de Jamf ondulam como folhas de íris quando bate um vento no quintal. O coronel se vê sozinho em Felizópolis. A cidade de aço o aguarda, a luz nublada e uniforme levanta um risco esbranquiçado ao longo de cada edifício grande, todos eles elevando-se como modulações sobre a rede perfeita das ruas, cada torre interrompida numa altura diferente — e onde o Pente que haverá de atravessar *isso* e restabelecer a antiga e perfeita harmonia cartesiana? onde as grandes Tesouras celestiais que reajustarão Felizópolis?

Não há necessidade de reintroduzir sangue ou violência aqui. Mas a cabeça do coronel está agora inclinada para trás numa postura que talvez seja mesmo de rendição: sua garganta está exposta à radiância-dor da Lâmpada. Paddy McGonigle é a única outra testemunha, e ele, um sistema de energia de um homem só que tem lá seus sonhos também, tem vontade de que o coronel seja eliminado, tanta vontade quanto qualquer outro. Eddie Pensiero, seus músculos trêmulos percorridos pelo blues, o blues mortal, segura a tesoura de uma maneira que não é apropriada para um barbeiro. As pontas, estremecendo no cone de luz elétrica, estão viradas para baixo. A mão fechada de Eddie Pensiero aperta os aros de aço não mais atravessados por dedo médio e polegar. O coronel, com uma última inclinação da cabeça, expõe a jugular, sem dúvida impaciente com a —

Ela entra na cidade numa bicicleta roubada: lenço branco na cabeça, desfraldando-se ao vento, uma emissária ilustre de uma terra esgotada e capturada, ela própria cheia de títulos antigos, mas nem um pingo de poder utilizável, nem sequer uma fantasia de poder. Traja um vestido branco despojado, vestido de tênis de verões do pré-guerra, as pregas não mais aguçadas como gumes de faca e sim mais suaves, mais acidentais, semirrígidas, laivos de azul nas dobras mais profundas, um vestido para mudanças de tempo, um vestido para ser riscado por sombras de nuvens, por marrons e amarelos esfarinhados que lhe atravessam a superfície enquanto ela desliza, concentrada mas sem sorrisos privados, sob as árvores frondosas que ladeiam a estrada de terra batida. Seus cabelos estão presos em tranças amarradas na cabeça erguida de modo não excessivo, não, como se dizia outrora, “altivo”, porém inclinado para (talvez contra) um futuro específico, pela primeira vez desde os tempos do Cassino Hermann Goering... e ela não pertence a nosso momento, nosso tempo, em absoluto.

A primeira sentinela vigia de sua ruína de cimento cheia de ossos enferrujados, e pela duração de duas pedaladas, os dois, a sentinela e Katje, estão ao sol, fundindo-se com a terra batida, a ferrugem, as perfurações disformes de sol dourado frio e liso feito vidro, o vento forte nas árvores. Olhos africanos hipertireoideos, íris sitiadas como centáureas prematuras cercadas de campos nevados... Uga-*buga*! Vô caí em cima desse *tambô*! Avisá o resto da tribo lá na aldeia, sim sinhô!

E TÃtãtãtã, TÃtãtãtã, tudo bem, mas mesmo assim não há no porte da moça lugar sequer para curiosidade (claro, não haveria tambores, uma oportunidade de violência? Cobra saltando de um galho, uma presença imensa lá adiante em meio às mil copas pesadas, um grito dentro de seu próprio peito, um mergulho no terror primevo, uma entrega e por conseguinte — sonhava ela — a reconquista de sua alma, de seu eu perdido há tanto tempo...). Tampouco ela desperdiça mais do que um ou outro olhar perfunctório voltado para os gramados alemães, perdendo-se ao longe em névoas e serras verdes, pálidos balaústres de mármore margeando alamedas de sanatórios que se curvam inquietas, febris, sufocadas, em matagais de espinhos e rebentos peniformes tão velhos, tão desconfortáveis que os olhos são atraídos, agarrados pelas glândulas lacrimais e arrastados até encontrarem, a qualquer custo, o caminho que desapareceu de modo tão súbito... ou então olhar para trás para apegar-se a algum vestígio do balneário, um canto do Sprudelhof, o pico culminante do coreto de açúcar branco, algo que se contraponha ao cochicho de Pã dentro do arvoredo escuro *Entre... esqueça-se deles. Venha para cá dentro...* Não. Katje, não. Ela já entrou nos arvoredos e matagais. Já dançou nua e escancarou a boceta para os chifres de feras que vivem nos arvoredos. Já sentiu a lua nas solas dos pés, sentiu as marés nas superfícies do cérebro. Pã era péssimo de cama. Hoje, em público, eles apenas trocam olhares nervosos.

O que acontece agora, e isso é muito assustador, é que de repente surge do nada todo um coro de herero dançando. Usam uniformes brancos de marinheiro que destacam as bundas, as virilhas, as cinturas finas e os peitorais vistosos, e carregam uma moça com um vestido de lamê prateado, uma mulher desbocada e vulgar à Diamond Lil ou Texas Guinan. Colocam-na no chão e todos começam a dançar e cantar:

Pa—ra—nooooiiiia, Pa-ra-noia!
Que saudade, quanto tempo sem se ver!
Nada como uma boa tramoia!
Nem Rembrandt, nem mesmo Goya
Saberia como retratar você!
Teu abraço de jiboia,

Teu olhar que dá pavor
Toda vez que a gente oia!
Paranoia, Paranoia,
E só teu o meu amor!

Então Andreas e Pavel entram com sapatos de sapatear (confiscados de um show um tanto insolente da ENSA encenado em julho) e apresentam um de seus números cantados e dançados em staccato:

Pa- ra- noi— (téquiti-pléquiti-téquiti pl[iá,]óp!)
Pa- ra- noi— (sfreg*ploque!* sfreg*ploque!* sfreg*ploque!*
[e] pl[iá,]óp! pléquidi pl[Que]ique) sau-dade (ploque)
tan-(ploque) to (plique*ploque*) tempo sem se ver! etc.

Bem, muito antes do oitavo compasso Katje se dá conta de que a louraça desavergonhada é ninguém menos que ela própria: é *ela* que está participando desse número de dança com os marinheiros negros. Tendo concluído também que ela é a figura alegórica da Paranoia (uma grande dama, um pouco amalucada mas um coração do tamanho de um bonde), é obrigada a confessar que, na sua opinião, a vulgaridade jazzística daquela música a incomoda um pouco. O que Katje tinha em mente era mais um número tipo Isadora Duncan, clássico, cheio de véus, e — é, *branco*. O Pirara Prentice a preparou para o folclore, a política, as estratégias da Zona — mas *não para o negrume*. Quando era justamente isso a coisa mais importante que ela precisava saber. Como passar por tanto negrume para redimir-se? Como poderá ela encontrar Slothrop? no meio de tanto *negrume* (subvocalizando a palavra como um velho pronunciando o nome de uma figura exposta à execração pública, de modo que ela vá morrendo aos poucos no *verdadeiro* negrume: o silêncio). Há nos seus pensamentos um calor teimoso, repressivo. Não é aquela comichão racista *pesada*, não, e sim a sensação de mais um ônus, não bastasse a escassez de comida na Zona, as acomodações de galinheiro, caverna ou porão ao cair da tarde, as fobias e subterfúgios da ocupação armada, tão ruins quanto na Holanda no ano passado, aqui ao menos confortável, até aconchegante, porém desastroso lá fora no Mundo Real no qual ela ainda acredita, mundo que ela jamais perderá a esperança de recuperar um dia. Mas isso tudo não basta, não, *agora* ela tem também que suportar o negrume. Para isso, ela se valerá de sua ignorância do assunto.

Com Andreas, Katje é encantadora, irradia aquela sensualidade que é característica das mulheres que estão preocupadas com a segurança de um ser amado ausente. Porém ela precisa falar com Enzian. O primeiro encontro deles. Os dois foram, cada um de uma maneira, amados pelo capitão Blicero. Cada um teve que chegar a um modo de tornar a coisa suportável, não mais que suportável, apenas pelo tempo suficiente, um dia de cada vez...

"Oberst. Estou feliz —" sua voz falha. De verdade. Sua cabeça inclina-se sobre a mesa apenas pelo tempo necessário para agradecer, para declarar sua passividade. Feliz, *o cacete*.

Ele faz que sim com a cabeça, indica com a barba uma cadeira. Esta, pois, é a Cadela Dourada das últimas cartas que Blicero escreveu da Holanda. Enzian não havia formado nenhuma imagem mental dela na época, de tão envolvido, de tão onerado pela dor com o que estava acontecendo com Weissmann. Ela lhe parecera apenas uma das formas esperadas de horror que certamente estariam povoando o mundo dele. Porém, seu lado nativo voltando nas horas mais impróprias, depois de algum tempo Enzian passou a encará-la como a grande pintura da Mulher Branca que há numa rocha no Kalahari, branca da cintura para baixo, portando arco e flechas, seguida por sua criada negra, caminhando por um espaço errático, pétreo e profundo, figuras de todos os tamanhos zanzando de um lado para o outro...

Mas eis aqui a verdadeira Cadela Dourada. Ele surpreende-se de ver como é jovem e esguia — palidez como de quem já começa a esgueirar-se deste mundo, correndo o risco de desaparecer de todo se alguém tentar agarrá-la com excessiva gana. Katje tem consciência de sua própria magreza precária, sua leucemia espiritual, e brinca com isso. Todos têm que desejá-la, mas jamais trair esse desejo — nem pelo olhar nem por algum gesto — senão ela se dissipa, desaparece como fumaça acima de uma trilha que penetra o deserto, e a oportunidade jamais voltará.

"Você deve tê-lo visto há menos tempo do que eu." Fala com tranquilidade. Sua polidez surpreende Katje. Decepciona-a: ela esperava mais força. O lábio dela começa a elevar-se. "Como ele parecia estar?"

"Solitário." Aquele gesto brusco de baixar a cabeça para o lado. Olhando-o com o máximo de neutralidade de que ela é capaz nessas circunstâncias. Ela quer dizer: Você não estava com ele quando ele precisava de você.

"Ele sempre foi solitário."

Então Katje se dá conta de que não é timidez, ela se enganou. É retidão. Este homem quer ser direito. Ele se expõe. (Ela também, mas é só porque tudo que poderia doer já se tornou insensível há muito tempo. Para Katje, os riscos são pequenos.) Porém Enzian arrisca o que os apaixonados arriscam toda vez que o Amado está presente, concretamente ou em palavras: as mais profundas possibilidades de vergonha, de renovação da sensação de perda, de humilhação e deboche. Será que ela vai debochar dele? Terá ele facilitado tanto assim uma tal reação — e depois, voltando-se, se fiado demais no fair-play da mulher? "Ele estava morrendo", diz ela, "parecia muito velho. Nem sei se saiu vivo da Holanda."

"Ele —" e essa hesitação pode ser (a) por consideração para com os sentimentos dela ou (b) por motivos de segurança do Schwarzkommando, ou (c) ambas as opções acima... mas então, ah foda-se, o Princípio de Maximização dos Riscos atua outra vez: "ele chegou até a Charneca de Lüneburg. Se você não sabia disso, devia saber".

"Você o procurou."

"É verdade. Slothrop também o procurou, se bem que acho que Slothrop não tem consciência disso."

"Eu e Slothrop —" ela olha a sua volta, seu olhar saltita sobre as superfícies metálicas, papéis, facetas de sal, não consegue pousar em lugar algum. Como quem faz uma confissão surpreendente e desesperada: "Agora tudo está tão distante. Eu já nem sei por que me mandaram para cá. Não sei mais quem Slothrop era na verdade. Há um problema na *luz*. Não consigo *enxergar*. Está tudo se afastando de mim..."

Ainda não é a hora de tocá-la, mas Enzian estende a mão e dá-lhe um tapinha de leve nas costas da mão, para lhe levantar o ânimo, um gesto de estímulo militar. "Existem coisas a que se apegar, sim. Ainda que possa parecer o contrário, há algumas coisas que são reais. Realmente."

"*Realmente*." Os dois começam a rir. O riso dela é um riso de europeu cansado, lento, acompanhado de uma sacudida de cabeça. Em outros tempos, Katje estaria fazendo avaliações enquanto ria, falando de quinas, profundezas, lucros e perdas, horas-H e posições sem retorno — estaria rindo *politicamente*, em reação a um dilema do poder, por não haver outra coisa a fazer. Mas agora está rindo, apenas. Tal como ria outrora com Slothrop, no Cassino Hermann Goering.

Assim, ela está só falando com Enzian sobre um amigo comum. Será esta a sensação do Vácuo?

"Eu e Slothrop" não deu muito certo. Deveria ter dito "Eu e Blicero"? O que isso teria provocado no africano?

"Eu e Blicero", diz ele em voz baixa, olhando para ela, por detrás de seus malares brunidos, cigarro ardendo na mão direita enrodilhada, "éramos íntimos apenas para certas coisas. Havia portas que eu não abria. Não podia abrir. Aqui, banco o onisciente. Só não lhe peço para não me desmascarar porque não faria nenhum mal. Eles já estão convictos. Eu sou o Esnobe Berlinense por excelência, Oberhauptberlinierschnauze Enzian. Eu sei de tudo, e eles não confiam em mim. Fazem vagas fofocas sobre minhas relações com Blicero, relatos bons de contar — a verdade não alteraria nem a desconfiança deles nem o meu Acesso Ilimitado. Eles estariam apenas passando adiante uma história, mais uma história. Mas para você a verdade deve valer alguma coisa.

"O Blicero que amei era um homem muito jovem, apaixonado pelo império, pela poesia, pela sua própria arrogância. Tudo isso deve ter sido importante para mim outrora. O que sou agora deriva disso. O eu que a gente foi outrora é um bobalhão, um idiota insuportável, mas assim mesmo é um ser humano, despachá-lo seria como despachar um aleijado, não é?"

Ele parece estar lhe pedindo um conselho, mesmo. São esses os problemas que o preocupam? E o Foguete, os Vazios, a infância ameaçada de sua nação?

"Mas o *que* Blicero pode representar para você?" é o que ela termina por perguntar.

Enzian não precisa pensar por muito tempo. Já imaginou muitas vezes a vinda de um Questionador. "Neste ponto, eu a levaria a uma sacada. Um posto de observação. Eu lhe mostraria a Raketen-Stadt. Mapas em plexiglás das redes que mantemos por toda a Zona. Escolas subterrâneas, sistemas de distribuição de alimentos e remédios... Nós veríamos salas de reuniões, centros de comunicações, laboratórios, clínicas. Eu diria —"

"Eu lhe darei tudo isso, pedindo-lhe em troca apenas —"

"*Negativo*. Errou de história. Eu diria: Isto é o que me tornei. Uma figura alienada, a uma certa elevação e distância..." que contempla a Raketen-Stadt nas tardes amarelentas, com lençóis de nuvem lavadas e escurecidas atrás de si — "que perdeu tudo, menos este ponto de vista. Não há mais nenhum coração, em lugar algum, nenhum coração humano em que eu exista. Pode imaginar o que é ser assim?"

É um leão, este homem, enlouquecido pelo seu próprio ego — mas apesar de tudo Katje gosta dele. "Mas se ele ainda estivesse vivo — "

"Não há como saber. Tenho cartas que ele escreveu depois de sair da sua cidade. Ele estava mudando muito. Terrivelmente. Você me pergunta o que ele pode representar para mim. Meu esguio aventureiro branco, após vinte anos de doença e velhice — o último coração em que talvez me fosse concedida alguma existência — estava mudando, de sapo para príncipe, de príncipe para monstro fabuloso... 'Se ele estiver vivo', pode já ter mudado tanto que nós não seríamos capazes de reconhecê-lo. Podemos ter passado por baixo dele, ele a pairar no céu, hoje, sem o ver. O que quer que tenha acontecido no final, ele transcendeu. Mesmo que esteja apenas morto. Ele foi para além da dor *dele*, do pecado *dele* — forçado a aprofundar-se ainda mais na província d'Eles, a província do controle, síntese e controle, aprofundar-se mais do que —" bem, ele ia dizer "nós" mas "eu", pensando bem, parece ser mais apropriado. "Eu ainda não transcendi. Apenas fui elevado. Não pode haver coisa mais vazia, creio eu: é pior do que alguém em que você não acredita vir lhe dizer que você nunca vai ter que morrer...

"É, ele é importante para mim, e muito. É um eu que já fui, um fardo querido de que não consigo me livrar."

"E eu?" Katje imagina que ele espere dela o comportamento de uma mulher dos anos 40. "E eu", realmente... Mas não lhe ocorre de saída outra maneira de ajudá-lo, de permitir-lhe um momento de conforto...

"Você, a pobre Katje. A sua história é a mais triste de todas." Ela levanta a vista para ver exatamente de que modo a zombaria está estampada no rosto de Enzian. Surpresa, constata que há lágrimas escorrendo-lhe pelas faces. "*Você foi apenas libertada*", e a voz dele falha na última palavra, seu rosto oculta-se por um instante numa jaula de dedos, depois desenjaula-se e esboça um riso como o dela, riso alegre de valsa sobre o cadafalso. Ah, não, será que *ele* também vai enlouquecer por ela? O que Katje precisa agora em sua vida, em *algum* homem em sua vida, é estabilidade, saúde mental e força de caráter. Não isso. "Eu disse a Slothrop que ele também estava livre. Eu digo isso a quem puder me ouvir. Eu digo a eles tal como digo a você: você está livre. Você está livre. Você está livre..."

"Como é que minha história pode ser mais triste que isso?" Moça desavergonhada, não está tentando tranquilizá-lo, e sim flertando com ele, qualquer técnica aprendida em sua juventude de papel crepom e itálicos aracnídeos que a impeça de mergulhar no negrume de Enzian. Compreenda, não é o negrume *dele*, e sim o dela — uma escuridão inadmissível a qual, por ora, ela faz de conta que é de Enzian, algo que vai além até mesmo do centro do arvoredo de Pã, que nada tem de pastoral, porém é urbano, um conjunto de modos como as forças naturais são deixadas de lado, pisoteadas, retificadas ou sangradas até se transformarem em coisa muito semelhante aos mortos malignos: os Qlipot que Weissmann "transcendeu", almas cuja viagem de travessia foi tão ruim que elas perderam toda a sua bondade no relâmpago azul (seus longos sulcos marítimos encrespando-se) e transformaram-se em assassinos e palhaços imbecis, soando buzinas ininteligíveis na escuridão, musculosas e descarnadas como ratazanas — uma escuridão urbana que é coisa dela, uma treva com textura e fluxos para todas as direções, em que nada começa e nada termina. Mas com o passar do tempo as coisas vão ficando mais ruidosas lá. A treva estremece e introduz-se na consciência de Katje.

"Pode flertar se você quiser", Enzian agora imperturbável como Cary Grant, "mas você será levada a sério." Ah-*ah*. Ó aí o que vocês queriam ver, pessoal.

Não necessariamente. O ressentimento de Enzian (todo ele devidamente documentado em arquivos alemães que, no entanto, podem agora ser destruídos) é profundo demais para Katje, na verdade. Ele deve ter aprendido mil máscaras (e a Cidade continua a mascarar-se contra invasões que muitas vezes não vemos, de cujos resultados jamais ficamos sabendo, revoluções silenciosas e despercebidas nos bairros cheios de depósitos com paredes sem janelas, em terrenos baldios onde o mato é espesso), e esta, a do Senhor Exótico e Refinado, é sem dúvida uma delas.

"Não sei o que fazer." Ela se levanta, com um dar de ombros prolongado, e começa a caminhar com passos largos e graciosos de um lado para o outro. Seu velho estilo: uma menina de cerca de 16 anos que acha que todo mundo está olhando para ela. Seus cabelos caem como um capuz. Seus braços a toda hora se tocam.

"Você não precisa se aprofundar nessa história mais do que o necessário para localizar Slothrop", ele finalmente lhe diz. "Tudo que você precisa fazer é ficar conosco, e esperar que ele apareça de novo. Por que se preocupar com o resto?"

"Porque tenho a sensação", diz ela com uma vozinha muito baixa, talvez propositalmente, "que 'o resto' é justamente o que eu *devia* estar fazendo. Eu não quero conseguir apenas uma vitória superficial. Não quero apenas — não sei, dar a ele uma compensação pelo polvo ou coisa parecida. Então não preciso descobrir *por que* ele está aqui, o que eu fiz com ele, para Eles? Como é possível detê-Los? Por quanto tempo Eles vão conseguir continuar se dando bem, com trabalhos fáceis e saídas baratas? Eu não *devia* ir até o fim?"

O masoquismo dela [Weissmann escreveu de Haia] a tranquiliza. Saber que ela ainda pode ser machucada, que ela é humana e capaz de chorar de dor. Porque, muitas vezes, ela esquece. Posso imaginar como isso deve ser terrível... Assim, ela precisa do chicote. Ela vira a bunda para cima não em rendição, mas em desespero — como o seu medo da impotência, e o meu: será que ainda consigo... será que vou fracassar... Mas da verdadeira submissão, que implica abrir mão do eu e passar para o Tudo, não há nada em Katje, não. Ela não é a vítima que eu teria escolhido para terminar isso tudo. Talvez, antes do fim, apareça outra. Talvez eu esteja sonhando... Eu não estou aqui, afinal, para me dedicar às fantasias *dela*!

"Você está fadada a sobreviver. É, provavelmente. Por mais que você queira tornar as coisas difíceis para você mesma, mesmo assim vai conseguir. Você é livre para decidir exatamente o quanto vai ser agradável cada passagem. Normalmente isso é dado como prêmio. Não vou perguntar por quê. Lamento, mas você parece não saber, mesmo. É por isso que a sua história é mesmo a mais triste de todas."

"*Prêmio* —" ela está começando a se irritar. "É uma condenação à prisão perpétua. Se você diz que isso é um prêmio, então está me chamando de quê?"

"Não é nada político."

"Seu negro bastardo."

"Precisamente." Enzian permitiu que ela dissesse a verdade. Um relógio dá as horas no canto. "Tem uma pessoa aqui que esteve com Blicero em maio. Pouco antes do fim. Você não precisa —"

"Ir escutá-lo, sei, Oberst. Mas eu vou assim mesmo."

Ele se levanta, oferece-lhe o braço militar e cavalheiresco, sorrindo de lado e sentindo-se um palhaço. O sorriso dela é para cima, uma Ofélia travessa que acaba de vislumbrar o país da loucura e agora está doida para ir-se embora da corte.

Feedback, sorriso a sorriso, ajustes, hesitações: tudo isso se resume a *jamais vamos nos conhecer*. Sorridentes, estranhos, larilá, indo ouvir a respeito do fim de um homem que nós dois amamos, somos estranhos no cinema condenados a sentar em fileiras diferentes, voltar em horas diferentes cada um para sua casa.

Ao longe, num outro corredor, uma broca barulhenta geme, fumega e logo em seguida se quebra. Bandejas e talheres de refeitório estremecem, um som inocente e bondoso por trás de regiões conhecidas de vapor, gordura quase rançosa, fumaça de cigarro, água de pia, desinfetante — um refeitório no meio do dia.

Existem coisas a que se apegar...

□□□□□□□

Vocês devem estar querendo causa e efeito. Tudo bem. Thanatz caiu do navio durante a mesma tempestade que tirou Slothrop do *Anubis*. Foi salvo por um agente funerário polonês num barco a remo, que havia saído ao mar em plena tempestade para ver se algum raio o atingia. Na esperança de atrair eletricidade, o agente funerário está usando um complicado traje de metal que lembra um equipamento de mergulhador, e um capacete da Wehrmacht no qual ele fez cerca de duzentos furos onde inseriu porcas, parafusos, molas e varetas condutoras de várias formas, de modo que todo ele tilinta cada vez que sacode a cabeça, o que faz com frequência. É o que se pode chamar de uma presença digital: se lhe perguntam algo, sempre responde ou sim ou não, e tabuleiros de xadrez em dois tons, de formas e texturas variadas, explodem ao redor dele e Thanatz na noite chuvosa. Desde que leu a respeito de Benjamin Franklin num folheto de propaganda americana, papagaio de papel, trovão e chave, o agente funerário está obcecado com essa história de ser atingido na cabeça por um raio. Por toda a Europa, ocorreu-lhe uma noite num lampejo (ainda que não exatamente num relâmpago), neste exato momento, há centenas, talvez até milhares, de pessoas que já foram atingidas por um raio e sobreviveram. Que histórias elas não terão para contar!

O que o folheto não explicava era que Benjamin Franklin era também maçom, e além disso gostava de brincadeiras de mau gosto, uma das quais talvez tenha sido os Estados Unidos da América.

Bem, é uma questão de continuidade. Nas vidas da maioria das pessoas há altos e baixos que são relativamente graduais, uma curva sinuosa com derivadas primeiras em todos os pontos. Essas são as pessoas que nunca são atingidas por um raio. Não fazem a menor ideia do que é um cataclismo. Mas as que são atingidas vivenciam um ponto singular, uma descontinuidade na curva da vida — sabem qual é a razão temporal da mudança numa cúspide, hein? É o *infinito*! E-e do lado oposto ao ponto, é *menos* infinito! Em matéria de mudança súbita, essa é das boas, é ou não é? Infinitos quilômetros por hora mudando para a mesma velocidade *em sentido contrário*, tudo isso no pentelhésimo Δt da espessura do ponto. Isso é que é ser atingido por um raio, pessoal. Você está *lááá* no alto do pico de uma montanha, e nem sonha que tem abutres pairando naquelas sinistras e rubras altitudes, aguardando uma oportunidade de gadunhar você. Pois tem, sim. Eles são pilotados por anõezinhos que montam neles em pelo, com máscaras de plástico em tornos dos olhos que por coincidência têm a forma exata do símbolo de infinito: ∞. Homenzinhos com sobrancelhas malévolas, orelhas pontudas e cabeças calvas, se bem que alguns usam uns chapelões malucos, não os tradicionais chapéus de feltro verde à Robin Hood, não, são chapéus tipo *Carmen Miranda*, por exemplo, com bananas, papaias, cachos de uvas, peras, abacaxis, mangas, nossa! tem até *melancias* — e tem capacetes alemães pontudos da Primeira Guerra, e toucas de bebês e chapéus transversos de Napoleão com e sem *N*s, para não falar nos trajes vermelhos com mantos verdes, pois lá vão eles, debruçados para a frente, cochichando nos ouvidos daquelas aves cruéis, como jóqueis, preparando-se para pegar você, meu chapa, que nem aquele macaco sacrificado no alto do Empire State Building, só que eles não vão deixar você cair, não, vão mas é levar você embora, para os lugares dos quais atuam como agentes. Lá *parece* que é o mundo do qual você partiu, mas é diferente. Entre o congruente e o idêntico há uma outra classe de semelhança que só encontra os atingidos por raios. Um outro mundo colocado em cima do anterior, e aparentemente igualzinho a ele. Ha-*ha*! Porém os atingidos por raios sabem muito bem! Mesmo que não saibam que sabem. E é isso que este agente funerário saiu no meio da tempestade para descobrir.

Ele estará interessado em todos esses outros mundos que mandam seus anões representantes montados em águias? Não. Também não quer escrever um clássico da antropologia, agrupando todos os atingidos por raios numa subcultura, até mesmo formando uma organização secreta, com apertos de mãos secretos com espetadelas de unhas afiadas como cúspides, uma revista mensal de circulação restrita *Um Níquel Economizado* (o que parece perfeitamente inocente, uma citação do velho Ben Franklin depois da inflação, só que o provérbio termina assim: "... é uma reserva estratégica de níquel". Sendo a *verdadeira* citação esta do magnata do níquel Mark Hanna: "Você já está na política há tempo suficiente para saber que quem ocupa um cargo público não deve nada ao público". Assim, o título verdadeiro é *Tempo Suficiente*, o que Os Que Sabem sabem. O texto de cada número da revista, quando transformado dessa maneira, gera muitas mensagens interessantes). Para os que não sabem, é apenas um jornalzinho de um clube — Jed Plunkitt organizou um churrasco para a Seção de Iowa no último fim de semana de abril. Ficamos sabendo do Concurso de Amperagem, Jed. Que azar! Mas até o próximo churrasco você vai estar em forma de novo... Minnie Calkins (Seção 1793) casou-se no Domingo de Páscoa com um vendedor de portas de tela californiano. Lamentamos informar que ele não pode entrar para a nossa Associação — pelo menos por enquanto. Mas com tantas *portas de tela* por aí, vamos torcer!... O editor vem recebendo muitos, muitos "Quifoi, quifoi?" referentes ao episódio ocorrido na Convenção de Primavera em Decatur, quando todas as luzes se apagaram na hora da bênção. Podemos agora explicar, aliviados, que finalmente foi encontrada a causa do problema: um transiente gigantesco na linha, "uma espécie de inundação elétrica", diz Hank Faffner, nosso engenheiro. "Todas as lâmpadas se queimaram, o teto ficou cheinho de ovos enegrecidos, estéreis." Um poeta e tanto, o nosso Hank! Agora, se alguém descobrisse de onde veio esse pico —

Mas o agente funerário polonês no barco está interessado em decodificar esse código? Está interessado em organizações secretas e subculturas reconhecíveis? Não. Ele está procurando essas pessoas porque acha que elas podem ajudá-lo *a trabalhar melhor*. Dá pra acreditar? Ele quer saber como as pessoas se comportam antes e depois de serem atingidas por raios, para saber como lidar melhor com pessoas que perderam um ente querido.

"Você está prostituindo aos interesses comerciais uma grande descoberta", diz Thanatz, pisando em terra firme. "Você não tem vergonha?" Está a apenas cinco minutos da cidade vazia à beira do pântano quando noque CCAAH*UNN*! nóque-nóque nóque uma explosão imensa de luz e som atinge a água no lugar onde o agente funerário, irritado com o que lhe parece ser ingratidão, está remando.

"Ah", sua voz fraca. "*Ah*, ha. Ah-ha-ha-*ha*!"

"Aqui só quem vive somos nós." Uma figura sólida, uma silhueta sussurrante, cor de carvão, materializou-se diante de Thanatz. "Não fazemos nada de mau aos visitantes. Mas seria melhor você escolher outro caminho."

É o pessoal do 175 — são prisioneiros de um campo de concentração para homossexuais. Vieram para o norte do campo Dora em Nordhausen, seguindo sempre rumo ao norte até a terra acabar, e criaram uma comunidade exclusivamente masculina entre este pântano e o estuário do Oder. Isso era para ser o próprio paraíso para Thanatz, só que nenhum dos homens suporta a ideia de não estar mais em Dora — Dora era seu lar, e eles estão com saudades. Para eles, a "libertação" foi exílio. Assim, aqui, numa nova localização, criaram uma hipotética cadeia de comando da SS — não mais limitados aos carcereiros que o Destino lhes concedia, agora puderam escolher uns nazistas *realmente maus* para brincar com eles, desde Schutzhäftlingsführer até Blockführer, e selecionaram uma hierarquia interna para si próprios: Lager e Blockältester, Kapo, Vorarbeiter, Stubendienst, Läufer (mensageiro, mas também é o nome alemão para o bispo do jogo de xadrez... quem já o viu correndo pelos prados úmidos de manhã bem cedo, suas vestes vermelhas desfraldando-se ao vento, escurecidas a ponto de assemelhar-se ao tom das árvores que brotam nesses pauis, faz uma ideia de seu verdadeiro papel na comunidade — ele é o portador de estratégias sagradas, memorandos de consciência, e quando se aproxima de alguém por entre os juncos da madrugada, esse alguém é tocado na nuca baixada pelas bandas laterais de um Grande Momento — pois aqui o Läufer é sacratíssimo, é o que leva as mensagens para a terrível interface entre Lager visível e SS invisível.)

No alto da estrutura fica o Schutzhäftlingsführer Blicero. O nome propagou-se rumo ao leste e chegou até aqui, como se levando adiante a trajetória da retirada do homem, para além da última resistência na Charneca de Lüneburg. Ele é o pior espectro da Zona. É maligno, permeia as noites de verão cada vez mais longas. Como uma raiz doente, está mudando, crescendo em direção ao inverno, embranquecendo, tendendo em direção à inércia e à fome. Quem mais os do 175 poderiam ter escolhido como seu supremo opressor? Seu poder é absoluto. E não pensem que ele não está mesmo esperando, lá fora, junto aos gasômetros destruídos e ferrugentos, sob as escadas sinuosas, atrás dos tanques e torres, aguardando o primeiro corredor da madrugada, com suas saias carmim, trazendo-lhe notícias da noite passada. A noite é seu maior interesse, por isso é necessário que o informem.

Esse comando-fantasma da SS baseia-se menos no que os prisioneiros conheceram em Dora do que no que puderam inferir a respeito da estrutura da fábrica de Foguetes vizinha, a Mittelwerke. O A4, a sua maneira, também estava escondido por trás de uma muralha intransponível que separava a dor e o terror reais do salvador convocado. A presença de Weissmann/Blicero atravessava o muro, penetrava, torta e trêmula, nos dormitórios fétidos, tentando chegar a um outro vulto, tal como uma palavra tenta atravessar um sonho. O que os do 175 ouviram de seus guardas da SS foi o bastante para elevar Weissmann imediatamente — eles, companheiros de elite, *não sabiam* o que aquele homem pretendia. Quando os prisioneiros se aproximavam, os guardas paravam de cochichar. Porém o medo que sentiam continuava a ecoar: medo não de Weissmann pessoalmente, mas do tempo em si, de um tempo tão desesperado que *ele* podia agora caminhar pela Mittelwerke com passos de proprietário, um tempo que lhe conferia um poder diferente do que havia em Auschwitz ou em Buchenwald, um poder que eles próprios não teriam suportado...

Ao ouvir o nome de Blicero agora, o cu de Thanatz aperta um pouco. Não que ele imagine que o nome tenha sido plantado aqui. A paranoia não é um problema sério para Thanatz. O que o incomoda é *a lembrança* — a lembrança de que não lhe disseram nada, desde o meio-dia em que o 00000 foi disparado, a respeito da situação de Blicero — vivo ou morto, chefe de bando ou fugitivo. Ele não sabe qual das possibilidades é preferível para ele. Enquanto o *Anubis* estava em movimento, não havia necessidade de escolher: a lembrança podia ser deixada tão longe que algum dia sua "realidade" não importaria mais. É claro que aconteceu. É claro que não aconteceu.

"Achamos que ele está para aqueles lados", diz o porta-voz da cidade a Thanatz, "vivo e fugitivo. De vez em quando ouvimos coisas — coisas que se adaptam perfeitamente a Blicero. Por isso esperamos. Ele tem uma base de poder pré-fabricada aqui, a sua espera."

"E se ele não ficar?" pura perversidade, "e se ele rir de vocês e for embora?"

"Então não sei explicar", o outro começando a dar um passo para trás, voltando para a chuva, "é uma questão de fé."

Thanatz, que jurou que jamais voltará a procurar Blicero, desde o 00000, sente a lâmina do terror pousar de lado sobre ele. "Quem é o seu mensageiro?" ele grita.

"Vá você mesmo", um sussurro filtrado.

"Onde?"

"O gasômetro."

"Mas eu tenho uma mensagem para —"

"Vá você mesmo..."

O alvo *Anubis* seguiu rumo à salvação. Mas aqui, em sua esteira, estão os preteridos, nadando e se afogando, atolados e a pé, pobres passageiros perdidos ao pôr do sol, um esbarrando nos destroços do outro, as raspas, o terrível descarte das lembranças — tudo que têm para se apegar — agitando-se, mexendo-se, subindo, descendo. Homens ao mar e nossos destroços comuns...

Thanatz permanece, estremecendo e furioso, na chuva bem definida, sob a arcada de arenito. Eu devia ter continuado no navio, ele quer gritar, e acaba gritando. "Eu não era para ter ficado aqui junto com você, seus dejetos..." Onde, o tribunal de apelação que ouvirá sua triste história? "Eu perdi o equilíbrio!" Algum cozinheiro escorregou num vômito de grã-fino e despejou toda uma lata galvanizada de náusea amarela de galinha ao creme por todo o tombadilho de boreste, Thanatz não viu, estava procurando Margherita... Azar dele, les jeux sont faits, ninguém o ouve e o *Anubis* foi embora. Melhor aqui entre os destroços que nadam, Thanatz, nunca se sabe o que vai vir à tona, pergunte ao tal do Oberst Enzian, ele sabe (há uma chave, em meio aos dejetos do Mundo... e ela não pode ser encontrada a bordo do alvo *Anubis*, que lá eles jogam ao mar tudo que tem algum valor).

Assim — Thanatz está perto do gasômetro, encostado numa parede alcatroada, olhos de cavalinha por cima de sombras de colarinhos de lã molhada, tudo em preto e branco, muito assustado, fumaça saindo dos cantos da boca quando o céu começa a esverdear em meio às gassen. *Ele não vai estar aqui, ele está morto apenas* morto apenas? Não será isto aqui uma "interface"? Uma superfície de contato entre dois mundos... certo, mas *que mundos*? Não há positivismo que o salve agora, isso não dava certo nem mesmo em Berlim, antes da Guerra, nas sessões de Peter Sachsa... só servia para atrapalhar, para fazer os outros perderem a paciência com ele. Uma tela de palavras entre ele e o numinoso foi sempre apenas uma tática... nunca o fez sentir-se mais livre. Hoje em dia a coisa faz ainda menos sentido. Ele sabe que Blicero existe.

Não foi um sonho. Que bom se pudesse ser. Outra febre que mais cedo ou mais tarde vai passar, liberando você para a realidade fresca de um quarto... você não terá que cumprir aquela missão longa e complexa, não, aquilo era só a febre... não era real...

Desta vez é real, Blicero, vivo ou morto, é real. Thanatz, agora um pouco enlouquecido de medo, quer ir provocá-lo, não consegue mais esperar, precisa ver o que será necessário para fazer com que Blicero atravesse a interface. Que espécie de rendição, com gritos e rebolados, será capaz de atraí-lo...

Mas quem é atraída é a polícia russa. Está em vigor um acordo referente às fronteiras da 175-Stadt, a respeito do qual ninguém, é claro, disse nada a Thanatz. O gasômetro fora outrora um conhecido lugar de pegação, até que os russos fizeram uma série de prisões em massa. Um último eco do Coral da 175-Stadt desce a estrada, saltitante, cantarolando alguma horrenda saudação à veadagem como

Chup-chup, lamb-lamb, *nheco-nhé*,
Eu sou degenerado, mas *você* também é...

"Hoje em dia a gente só pega turistas como você", diz o civil elegante, lenço branco enfiado no bolso do paletó, risinho debochado à sombra da aba do chapéu. "E, é claro, um ou outro espião."

"Eu, não", diz Thanatz.

"Você não, é? Então me fale sobre isso."

Uma situação delicada, sem dúvida. Thanatz, que há menos de doze horas não tinha que se preocupar com Blicero, não tinha sequer que *pensar* nele, agora precisa estar constantemente recorrendo a alguma formulação de Blicero que agrade a este ou aquele policial aleatório. Eis uma das lições que lhe ensinou a condição de preterido: ele não vai escapar de nenhuma das consequências que criar para si próprio agora, a menos que seja por acidente.

Eis um exemplo: nos arredores de Stettin, por acidente, um grupo de guerrilheiros poloneses, recém-chegados de Londres, confundem o carro da polícia com um veículo que estaria transportando para a prisão um jornalista inimigo do regime de Lublin, atiram nos pneus, entram em cena ruidosamente, matam o motorista, ferem o interrogador civil e fogem arrastando Thanatz como se fosse um saco de batatas.

"Eu, não", diz Thanatz.

"Porra. Ele tem razão."

Ele é tirado do carro e largado num acampamento de deslocados de guerra a alguns quilômetros dali. É jogado num cercado de arame, onde estão 1 999 outros aguardando a hora de serem mandados para o oeste, para Berlim.

Thanatz viaja semanas em trens de carga, passando turnos pendurado do lado de fora do vagão enquanto alguém dorme no espaço sobre a palha que ele deixou vago. Depois os dois trocam de lugar. É bom ficar acordado. Todo dia Thanatz vê meia dúzia de deslocados de guerra cochilar e cair do trem, e às vezes é até engraçado, mas na maioria das vezes não é não, se bem que o humor dos deslocados de guerra é uma coisa muito dependente. Ele é carimbado nas mãos, na testa e na bunda, despiolhado, cutucado, apalpado, apelidado, numerado, despachado, faturado, extraviado, detido, ignorado. Entra e sai dos domínios das burocracias russa, britânica, americana e francesa, dá voltas e mais voltas no circuito da ocupação, aprendendo a reconhecer rostos, tosses, pares de botas em proprietários novos. Quem não tem um cartão de ração ou Soldbuch está fadado a ser deslocado, em lotes de 2 000 cada, de um centro a outro, de um lado ao outro da Zona, talvez para o resto da vida. Assim, em meio aos lagos e cercas de algum lugar de Mecklenburg, Thanatz descobre que não está isento de nada. Na sua segunda noite no trem, seus sapatos são roubados. Ele pega uma tosse brônquica forte e uma febre alta. Durante uma semana, ninguém vem olhar para ele. Em troca de duas aspirinas, ele é obrigado a chupar o servente encarregado, o qual aprendeu a gostar de sentir faces barbadas a 39° entre as coxas, um hálito de fornalha debaixo dos colhões. Em Mecklenburg, Thanatz rouba uma guimba de um ex-combatente de um braço só adormecido, e é espancado e chutado durante meia hora por pessoas que falam uma língua que ele nunca ouviu antes, pessoas cujos rostos ele jamais chega a ver. Insetos passam por cima dele, apenas um pouco irritados por ele estar no caminho. Seu pão do dia é roubado por outro deslocado de guerra menor que ele, porém com *cara* de quem tem direito ao pão, uma cara que Thanatz consegue, na melhor das hipóteses, imitar — e ele tem tanto medo de ir atrás daquelas costas cobertas por trapos cor de burro quando foge, aquela cabeça de palheiro a mastigar... e há outros assistindo: a mulher que diz a todo mundo que Thanatz ataca a sua filhinha à noite (Thanatz jamais consegue olhá-la nos olhos porque sim, ele tem vontade sim, de baixar as calças grandes de soldado daquela pubescência esguia e bela e enfiar o pênis entre as nádegas pequenas e pálidas tão parecidas com Bianca morder o lado de dentro das coxas macias como pão puxar cabelos longos garganta para trás Bianca fazê-la gemer mexer a cabeça ah como ela gosta disso) e também um eslavo sobrancelhudo que obrigou Thanatz a sair procurando guimbas para ele após a hora de apagar as luzes, abrir mão de seu sono menos pela possibilidade de realmente encontrar uma guimba do que pelo direito do eslavo de exigir tal coisa — o eslavo também está de olho nele — na verdade, todo um círculo de inimigos viu o pão ser roubado e Thanatz não ir atrás do ladrão. O julgamento deles é evidente, há uma clareza em seus olhos que Thanatz nunca viu no *Anubis*, uma honestidade que lhe é impossível evitar... por fim, por fim ele tem que enfrentar, com seu próprio rosto, a transparência, a *luz real de*...

Pouco a pouco suas lembranças daquele último lançamento de foguete em Lüneburg vão se tornando mais nítidas. As febres brunem, a dor depura. Uma imagem reaparece com insistência — um olho castanho-turvo quase negro refletindo um moinho de vento e uma retícula irregular de galhos de árvores em silhueta... portas dos lados do moinho abrem-se e fecham-se depressa, como postigos soltos numa tempestade... no céu-íris uma única nuvem, em forma de mexilhão, eleva-se, as fímbrias de um roxo muito forte, fumaça de uma explosão, algo no horizonte de um tom suave de ocra... mais de perto parece mais um emaranhado de roxo em torno de um amarelo cada vez mais claro, intestinos de amarelo sombreado de roxo espalhando-se para fora, mais e mais, numa curva a abaular-se em direção a nós. Curiosamente, não há (sem querer interromper essa cena pitoresca, mas), muito curiosamente, saca só, moinhos de vento na Charneca de Lüneburg! Thanatz até deu uma boa olhada a sua volta para conferir, não deu outra: nada de moinhos, tudo bem, então como é que o olho de Blicero, contemplando a Charneca, reflete um moinho, hein? Bem, para ser honesto, *no momento* não está refletindo nenhum moinho, e sim uma garrafa de gim. Também não tem garrafa de gim nenhuma na Charneca. Mas que estava refletindo um moinho de vento, estava. Que é isso? Será que os olhos de Blicero, em que Greta Erdmann via mapas do Reino dele, estão, para Thanatz, refletindo o passado? *Isso* seria *muito* estranho. O que quer que se passasse naqueles olhos quando a gente não estava olhando para eles se perdia pura e simplesmente. A gente só via fragmentos, de vez em quando. Katje, tentando ver nas costas os vergões de chicotadas recentes. Gottfried, na revista matinal, corpo todo mole de Wandervogel, vento agitando seu uniforme em grandes ondulações na altura das coxas, cabelos soltos ao vento, sorriso torto e impertinente, boca entreaberta, queixo empinado, pálpebras baixadas. O reflexo de Blicero no espelho oval, rosto de velho — está prestes a pôr uma peruca, um horrendo pajem com franjas, e faz uma pausa, olhando, rosto perguntando o quê? o que foi que você disse? peruca segurada em posição lateral e ligeiramente mais baixa de modo a formar, em suas pesadas sombras, um segundo rosto, quase invisível... mas olhando-se mais de perto serras de osso e campos de gordura começam a emergir, um olhar gélido e branco flutuando, máscara na mão, acima das sombras do espaço vazio do capuz — *dois rostos* olhando para trás agora, e Thanatz, você vai julgar esse homem? Thanatz, você já não amou o chicote? Não ansiou pelo contato e farfalhar das roupas femininas? Não teve vontade de assassinar uma criança que você amava, matar jubilosamente algo tão indefeso e inocente? Quando ele olha para você, no último instante, confiante, sorridente, formando um beijo com os lábios *no momento exato em que o golpe* atinge-lhe o crânio... não será isso o melhor de tudo? O grito que irrompe em seu peito *nesse instante*, a chegada, súbita e sólida, da perda, perda definitiva, fim irreversível do amor, da esperança... não há como negar o que você, no final das contas, é... (mas tanto medo ao apreendê-lo, o rosto de serpente — ao abrir os braços e pernas e deixar que ele *penetre* em você, no seu rosto verdadeiro *você morre se* —)

Ele está contando essas coisas ao Schwarzkommando agora, tudo isso e mais ainda. Após uma semana gritando *eu sei*, gritando *eu vi o Schwarzgerät* cada vez que um rosto negro aparece por trás da cerca de arame, no aterro da ferrovia ou nas passagens de nível, a notícia espalhou-se. Um dia vêm buscá-lo: ele é levantado da palha tão negro de pó de carvão quanto eles — levantado com facilidade, como um bebê, uma barata é tirada de seu rosto com um peteleco num gesto de bondade — e é transportado, tiritando, gemendo, rumo ao sul, até o Erdschweinhöhle onde agora estão todos sentados em torno de uma fogueira, fumando e mastigando, olhos fixos em Thanatz azulado, que há sete horas fala sem parar. Ele é o único que tem o privilégio, de certo modo, de contar essa parte da história, o sujeito que ficou por baixo, o derrotado,

> Apenas um to-lo, derrotado no jo-go do amor,
> Embora jo-gue, toda noi-te, sem parar...
> Perde sem-pre pro Poder Su-pe-ri-or,
> Que marca as car-tas e ga-ran-te o seu azar...
> O perdedor nun-ca aposta tudo, nem joga pra ganhar,
> Sabe que ha-ve-rá sempre outra chan-ce de perder!
> No jo-go do amor, ele não tem ale-grias,
> Por isso suas noi-tes são todas vazi-i-ias!

Ele perdeu Gottfried, perdeu Bianca, e está apenas começando, só agora, a entender que a perda é sempre a mesma, e o vencedor sempre o mesmo. A essa altura ele já se esqueceu da sequência temporal. Não sabe qual foi a criança que perdeu primeiro, nem mesmo — nuvens de marimbondos na memória começam a emergir — nem mesmo se não são dois nomes, nomes diferentes, para a mesma criança... mas então, entrechocando-se com os destroços dos outros, quinas afiadas, velocidades altas, você sabe, ele constata que não pode manter essa ideia por muito tempo: logo vê-se à deriva em alto-mar novamente. Porém ele se lembrará que a manteve por algum tempo, viu sua textura e sua cor, sentiu seu contato no rosto ao despertar após dormir a seu lado — que as duas crianças, Gottfried e Bianca, *são a mesma pessoa*...

Também perdeu Blicero, mas foi menos real. Após o último lançamento, as horas noturnas de viagem a Hamburgo, de que não restou lembrança, o voo de Hamburgo para Bydgoszcz num Mustang P-51 roubado foi tão claramente do tipo Procalowski-caído-do-céu-ex-machina que Thanatz acabou achando que havia se livrado de Blicero também apenas daquele mesmo modo, muito condicional e metálico. E, é claro, o metal deu lugar à carne, e suor, e longas conversas noturnas, Blicero de pernas cruzadas gaguejando virado para a virilha Eu não cõ-cõ-cõ-cõ — "Consigo"?, Blicero? "Consegui"? "Me envolver"? "Chorar"? Naquela noite Blicero estava oferecendo todas as suas armas, pondo sobre a mesa todos os mapas de suas barricadas e labirintos.

Na verdade Thanatz estava perguntando: quando rostos mortais passam, seguros, coerentes, sem jamais me ver, eles são reais? Serão mesmo almas? ou apenas estátuas belas, rostos iluminados de nuvens?

E: "Como posso amá-los?".

Mas Blicero não responde. Seus olhos lançam runas com as silhuetas dos moinhos de vento. Algumas cenas contribuídas agora são exibidas para Thanatz. Do tenente Morituri, um chão coberto de folhas de bananeira nos arredores de Malabacat, Filipinas, final de 1944, um bebê engatinha, rola, chuta gotas de sol, levantando poeira das folhas que secam, e as unidades de ataque sobrevoam roncando, Zeros levando camaradas, finalmente caindo como flores de cerejeira — imagem favorita dos Camicases — na primavera... de Greta Erdmann, um mundo abaixo da superfície da Terra ou lama — rasteja feito lama, mas chora como a Terra, com camadas prensadas de gerações de gravidades e perdas — perdas, fracassos, últimos momentos seguidos por vazios em sucessão, uma série de cavernas herméticas presas nas camadas sufocadas, os eternamente perdidos... de alguém, como saber quem?, uma visão fugidia de Bianca com uma fina anágua de algodão, um braço para trás, a axila lisa e cheia de talco, o arco teso de um seio pequeno, o rosto abaixado, todo na sombra, menos a testa e o malar, virando para cá, os cílios que você reza para que se levantem... ela verá você? um suspense permanente no limiar da dúvida, essa perpétua insegurança quanto ao amor dela —

Eles o ajudam. Os Erdschweinhöhlers passam a noite em claro ouvindo esse jorro incessante de informações. Thanatz é o anjo que eles pediam, e faz sentido ele vir agora, no dia em que conseguiram por fim terminar o seu Foguete, seu A4 único montado a partir de pedaços catados aqui e ali, durante o verão, por toda a Zona, da Polônia aos Países Baixos. Acredite ou não, seja Vazio ou Verde, mulherengo ou politicamente celibatário, disputando o poder ou neutro, todos têm um sentimento — uma suspeita, um desejo latente, algum dízimo oculto saído da alma, *alguma coisa* — pelo Foguete. E é essa "alguma coisa" que o Anjo Thanatz agora está esclarecendo para todos os seus ouvintes, cada um de uma maneira.

Quanto ele terminar, todos saberão o que era o Schwarzgerät, como era usado, de onde foi disparado o 00000, e para onde foi direcionado. Enzian sorrirá um sorriso sardônico, e se porá de pé com um gemido, a decisão já tendo sido tomada por ele horas antes, e dirá: "Bem, vamos dar uma olhada nos cronogramas agora". Seu rival no Erdschweinhöhle, Josef Ombindi, o Vazio, segura-o pelo antebraço: "Se houver alguma coisa...". Enzian faz que sim. "Faça uma segurança cerrada para nós, 'kurandye." Há algum tempo que ele não se dirige a Ombindi por esse nome. E é mais do que uma pequena concessão dar ao Vazio o controle das listas dos plantões, pelo menos enquanto durar esta viagem...

... a qual já começou, pois, um nível e meio abaixo, homens e mulheres estão às voltas com guinchos, cordas e arreios, colocando as seções do Foguete cada uma em sua plataforma, mais membros do Schwarzkommando esperando em filas de couro e estampado de flores azuis, nas rampas que levam ao mundo exterior, ao longo dos vetores presentes e futuros estendidos entre trilhos de madeira e sulcos, Vazios, Neutros e Verdes todos juntos agora, esperando ou puxando ou supervisionando, alguns se falando pela primeira vez desde que surgiram as divisões em torno da questão da vida ou morte da raça, quantos anos atrás, agora reconciliados no único evento capaz de reuni-los (*eu* não conseguiria tal coisa, Enzian sabe, e arrepia-se só de pensar no que vai acontecer depois que tudo terminar — mas talvez seja assim mesmo, talvez só deva durar uma fração de um dia, e por que isso não haverá de bastar? que seja o bastante...).

Christian passa, ladeira abaixo, ajeitando o cinturão, andando de um jeito não exatamente arrogante — duas noites atrás sua irmã Maria apareceu-lhe num sonho para dizer que não queria vingança contra ninguém, queria que ele confiasse no Nguarorerue e o amasse — assim, seus olhares agora se encontram, não de modo bem-humorado mas também não em tom de desafio, porém sabendo mais coisas os dois juntos do que jamais souberam antes, e a mão de Christian no momento em que passa pelo outro levanta-se, um gesto meio continência, meio celebração, apontando para a charneca ao noroeste, rumo ao Reino da Morte, e Enzian vai na mesma direção, iya, 'kurandye! quando, a uma certa altura, as palmas das mãos dos dois roçam uma na outra, chegam a tocar-se, e esse toque e essa confiança hão de bastar, para este momento...

□□□□□□□

Inesperadamente, esta terra é agradável, é sim, depois que a gente entra nela, é até bem agradável. Se bem que tem um vilão aqui, sério como a morte. É o *Pai* do adolescente americano típico, tentando, num episódio depois do outro, matar seu filho. E o garoto está sabendo. Imagine só. Até agora ele conseguiu escapar das pequenas tramoias assassinas cotidianas do pai — mas ninguém garante que ele vai *continuar* escapando.

É um rapaz alegre e corajoso, e até nem fica muito chateado com o pai por causa dessa história toda, não. O velho Broderick é um bobão com essa mania dele de matar, puxa vida, o que será que ele vai aprontar desta vez —

Isto aqui é um enorme Estado-fábrica, uma Cidade do Futuro cheia de arranha-céus dos anos 30 extrapolados, com fachadas onduladas e avarandadas, esguias cariátides cromadas com cabelos cacheados, dirigíveis muito chiques de todos os tipos deslizando acima dos ruídos e silêncios dos abismos da cidade, belezocas bronzeadas pegando sol em jardins de cobertura dando adeusinho para quem passa. É a Raketen-Stadt.

Lá embaixo, milhares de crianças correndo em áreas e pátios arejados, subindo e descendo escadarias, bonezinhos com hélices de plástico rodopiando no vento, mais rápido do que a vista pode acompanhar, crianças levando recados em meio aos arbustos de plástico, entrando e saindo dos escritórios de plástico macio — Um memorando pra você, Tyrone, vá procurar a Hora Radiante (Minha nossa! E eu que nem sabia que ela estava perdida! Pelo visto, o velho andou fazendo das suas outra vez!), e o jeito é sair pelos corredores duros de gente, cachorros saltitantes, bicicletas, lindas secretárias adolescentes de patins, carrinhos de frutas, bonés rodopiando sem parar, duelos com revólveres de espoleta ou água, garotos se escondendo atrás de chafarizes PERAÍ *essa arma é de verdade*, isso que passou foi uma bala mesmo fazendo zinnnggg! Boa tentativa, papai, mas não tão boa que consiga pegar O Guri!

E vamos lá buscar a Hora Radiante, que foi subtraída das 24 do dia por colegas do Pai, por motivos sinistros lá deles. Viajar aqui é meio complicado — um sistema de prédios que se deslocam, em ângulos retos, ao longo dos sulcos da rede de vias da Raketen-Stadt. Pode-se também levantar ou abaixar o prédio em si, doze andares por segundo, até o nível desejado, para cima ou para o subterrâneo, como o comandante de um submarino com seu periscópio — se bem que há certas trajetórias a que não se tem acesso. Outras pessoas têm acesso, mas não você. Xadrez. Seu objetivo não é o Rei — não há Rei — e sim alvos momentâneos, como a Hora Radiante.

E *ploft* entra de repente um garoto de bonezinho rodopiante, entrega a Slothrop outra mensagem e sai rodopiando. "A Hora Radiante está sendo mantida cativa, se você quiser vê-la em exibição para todos os fregueses interessados esteja presente neste endereço às 11h30 da manhã" — no céu um gigantesco mostrador de relógio branco passa flutuando, muito prático, humm só tenho meia hora para reunir minha equipe de resgate. A equipe de resgate consistirá em Myrtle Miraculosa, que entra voando de vestido grená com ombreiras, ainda de bobs na cabeça e cara amarrada por ter sido arrancada do País dos Sonhos... em seguida um negro chamado Maximilian com um terno de malandro pérola e capa, cabeçorra quadrada, cabelos untados de brilhantina e bigode superfino, chega correndo vindo de seu emprego de "fachada" como gerente do Clube Ugabuga, onde a aristocracia de Beacon Street cruza todas as noites com os bebuns e viciados de Roxbury, é sim oi Tyrone, ó eu aqui, me'rmão! Oi Myrta, tudo em cima? E aí, me'rmão, calé o pó? Endireitando o cravo da lapela, olhando a sua volta, todo mundo ali menos o tal do *Marcel*, mas eis que o velho tema da caixinha de música é sim é aquela deliciosa e tradicional música de Stephen Forster e é batata, na hora surge pela janela da varanda ninguém menos que Marcel, o jogador de xadrez mecânico do Segundo Império, na verdade construído há cem anos pelo grande ilusionista Robert-Houdin, garoto refugiado francês muito sério, corte de cabelo gozado, contornos das orelhas perfeitamente silhuetados no cabelo que começa abruptamente a uma distância de meio centímetro de pele plástica nua, cabelo negro lustroso como verniz, óculos de tartaruga, ar um tanto distante, infelizmente literal demais com os seres humanos (imagine só o que aconteceu a primeira vez que Maximilian entra gingando pela porta adentro brandindo um dedo no ar e diz "Cumé que vai essa *força*, homem?" pois bem, Marcel não apenas lhe fala extensamente sobre o conceito de *força* em todas as suas acepções possíveis, não, isso é foi só para começar, depois discorre longamente a respeito da ideia de "ir" e o movimento em geral, até que começa a atacar o tema "o Homem". Aí o assunto é inesgotável. Aliás, Marcel ainda está *longe* de terminar). Não obstante, seu sofisticado cérebro, produto do mais refinado artesanato oitocentista — a arte com que foi construído se perdeu pura e simplesmente, está tão extinta quanto o dodó — já quebrou bons galhos para os Quatro Quizumbeiros em muitas e muitas quizilas com o Perigo Paterno.

Mas onde, dentro de Marcel, encontra-se o grande mestre anão, o pequeno Johann Allgeier? onde o pantógrafo, onde os ímãs? Em lugar nenhum. Marcel é mesmo um jogador de xadrez mecânico. Nada de falso dentro dele para lhe dar qualquer toque de humanidade. Cada um dos QQ, na verdade, tem um dom, só que ao mesmo tempo o dom é uma desvantagem que o torna incapaz de conviver com seres humanos. A especialidade de Myrtle Miraculosa é fazer milagres. Feitos estupendos, dos quais ser humano algum seria capaz. Ela não tem mais respeito pelos homens, são desajeitados, fracassam, ela quer amá-los, mas o amor é o único milagre que ela não pode realizar. O amor lhe é negado para sempre. Os outros membros de sua classe ou são homossexuais, ou são obcecados pela ordem pública, ou estão metidos em estranhas manias religiosas, ou então são tão intolerantes com o fracasso quanto ela, e embora amigas como Mary Marvel e a Mulher Maravilha vivam convidando-a para festas onde ela possa encontrar homens interessantes, Myrtle sabe que seria perda de tempo... Quanto a Maximilian, ele tem um senso rítmico natural que inclui *todos* os ritmos, inclusive o cósmico. Assim, ele nunca está onde se abre o bueiro sem fundo, onde cai o cofre da janela do vigésimo andar guinchando como uma bomba — ele é como um piloto a atravessar os piores campos minados da Terra, é só a gente ficar onde ele está sempre que puder — no entanto, a sina de Maximilian é jamais ir mais fundo, em qualquer perigo, do que nele há de elegante, o primeiro contato emocionante...

Uma equipe soberba, prestes a partir rumo à Hora — peraí! qual o dom e qual a Falha Fatal de *Slothrop*? Ah, xapralá — hum, pois é, como íamos dizendo, a Hora Radiante, reunindo seus equipamentos, Myrtle correndo de um lado para o outro fazendo este e aquele objeto materializar-se:

A ponte Golden Gate ("Que tal essa?" "Hã... dá pra mostrar a outra de novo? aquela do, sabe, hã..." "A do Brooklyn?" " — meio antigona — "A ponte do Brooklyn?" "É, essa mesma, que tem aqueles negócios pontudos... não sei como que chama...").

A ponte do Brooklyn ("Sabe, Myrtle, numa cena de perseguição a gente tem que respeitar as proporções —" "Explique direitinho." "Bem, se a gente vai estar em carros correndo a toda, é, acho que dava pra usar a Golden Gate... agora, pra sair voando pelos ares, a gente precisava de uma coisa mais antiga, mais íntima, *humana* —")

Dois Rolls-Royce elegantérrimos ("Ah, deixe de bobagem, Myrtle, a gente já concordou, não foi? Nada de carros...").

Um volante de plástico de carrinho de bebê ("Tá bom, eu sei que você não me respeita como líder, mas será que não dá pra ser mais razoável...?").

Entende-se por que não se pode ter muita confiança nesses panacas como opositores cotidianos do Progenitor Pernicioso, não é? Falta direcionamento, faltam linhas de poder e cooperação. Nunca ninguém toma uma decisão *realmente* — na melhor das hipóteses as decisões acabam emergindo de um caos de pirraças, porra-louquices, alucinações e babaquices em geral. Isso não é uma equipe de trabalho, e sim um amontoado de burros, antas, araras e zebras, nenhuma ave rara entre eles. A sobrevivência do grupo, em última análise, parece depender de um murmúrio da fortuna cega atravessando às apalpadelas, sob um céu marmóreo, uma noite de Titanic após outra. Motivo pelo qual Slothrop, contemplando sua coalizão, estima as possibilidades de sucesso e de fracasso em cerca de 50% para os dois lados (não, o resultado final *não* é a apatia, e sim uma dissonância estrepitosa que entra na gente afiada feito faca). Irrita-o, porém, ver-se tão dividido, tão absolutamente incapaz de pender mais para um lado ou para o outro. Aqueles que os antigos sermões dos puritanos denunciavam como "os neutros bajuladores deste mundo" não têm uma estrada fácil pela frente, não senhor, seus Aqui-Quem-Manda-Sou-Eu, só porque vocês não enxergam não quer dizer que a coisa não exista! Energia interior é tão real, tão efetiva e inescapável quanto a energia que se manifesta. Quando foi a última vez que você se sentiu *intensamente morno*, hein? Os neutros bajuladores são tão humanos quanto os heróis e os vilões. Sob muitos aspectos, eles são até os que mais sofrem, é ou não é? Por que você, agora mesmo, onde quer que esteja, na cidade ou no campo, quentinho debaixo do seu edredom ou andando de ônibus, não se vira para o Neutro Bajulador mais próximo de você, mesmo que seja seu próprio reflexo no espelho, e... canta,

> Oi companheiro, oi semelhante,
> Como é duro, como é estressante,
> Passar calado pela rua todo dia, sem sequer uma palavra, um sorriso de alegria?
> Ouça bem o que eu lhe digo,
> A vida não é fácil, amigo —
> Se andarmos juntos, eu e você,
> Quem sabe o sol não volta a aparecer!
> Agora todo mundo —

Enquanto os 4 se embecam, as vozes continuam cantando por algum tempo, dependendo do saco de cada uma — Myrtle exibindo generosas porções de pernocas razoáveis, Maximilian taradão zoiando por baixo da saia da zinha faladeira, arrancando risinhos constrangidos do adolescente Marcel, que talvez seja um pouco reprimido.

"Agora", Slothrop com um sorriso babaca de quem está doido para agradar, "hora daquela *Pausa que Refresca*!" E parte para dentro da geladeira antes que o "Ah, meu Deus" de Myrtle termine de ecoar... a luz da fria lampadinha tingindo seu rosto de azul-noctiestival, o filho oculto de Broderick e Nalline, o filho monstruoso e inconfesso, nascido com prensas hidráulicas em vez de mãos, as quais só sabem se esticar e agarrar... e um coração que faz um glu-glu audível, que nem o coração de um palhação gordão... mas vejam que rosto perdido, desretardado, durante o segundo e meio à luz da velha e simpática geladeira, cantarolando, em dialeto kelvinator-bostoniano, "Ora, entraqui, Tyrone, é tão gostoso e fresquinho aqui dentro da minha baíga, tanta coijinha *gotoja*, tem Moxie, tem Baby Ruth...". Caminhando agora por entre everésticas prateleiras e montanhas de comida nas cidades da Geladeirândia (mas cuidado que a coisa aqui às vezes fica meio fascista, por trás dos docinhos coloridos é um elitismo termodinâmico dos mais brabos — as lâmpadas às vezes são substituídas por velas e os rádios mergulham no silêncio, mas a grande função da Rede neste Sistema é gelar: congelar os ciclos tumultuosos do dia para preservar este mundo pequeno sem odores, este cubo de imutabilidade), galgando as serras de aipo de onde os copos de requeijão descortinam-se, altos e luzidios, a média distância, escorregando na manteigueira, caindo de boca sobre a melancia até chegar à casca, sentindo-se amarelo e luminoso ao contornar as bananas, contemplando o verdete do mofo a estender-se sobre o terreno rachado de um empadão velho, que já não se pode identificar — *bananas!* q-quem é que pôs bananas —

> Den-tro da ge-la-dei-ra!
> Que i-sso não se faz, não!

Chiquita Banana diz que não! Senão acontece uma coisa terrível! Quem seria capaz de fazer tal coisa? Não pode ter sido a mamãe, e o Hogan *adora* a Chiquita Banana, Tyrone já entrou no quarto um monte de vezes e encontrou seu irmão com etiqueta de banana colada no seu pau duro para facilitar a identificação, absorto em fantasias masturbatórias nas quais ele come uma mulher latina linda, embora mais velha, *sem que ela tire o chapéu*, um gigantesco chapéu que é uma verdadeira feira de frutas e um sorriso largo e sapeca ¡Ay, ay, como vocês ianques são fogosos!... e-e não podia ser o papai, não, o papai não, mas se (está ficando frio aqui?) não foi nenhum de nós, então (o que está acontecendo com o disco de Spike Jones, "Right in the Führer's face", que está tocando na sala, por que o som está morrendo aos poucos?)... ou então fui eu que fiz sem olhar (olhe a sua volta, alguma coisa está guinchando nas dobradiças), e vai ver que isso quer dizer que eu estou ficando maluco (por que essa *lâmpada está cada vez mais forte*, o que —) PLAF bem seja lá quem for que andou desrespeitando abertamente os anúncios de rádio da United Fruit também acaba de fechar o jovem Tyrone dentro da geladeira, e agora ele vai precisar de Myrtle para tirá-lo de lá. Muito constrangedor.

"Grande raciocínio, patrão."

"Poxa, M. M., não sei o que aconteceu..."

"Você nunca sabe, não é? Agarre-se ao meu manto."

Vvuumm —

"Ufa. Bem", diz Slothrop, "e então, estamos todos...?"

"A essa altura do campeonato, a tal Hora Radiante já deve estar a anos-luz daqui", diz Myrt, "e você está com um tremendo melecão congelado pendurado no nariz." Marcel imediatamente assume os controles do edifício móvel e pede ao Controle Central permissão para deslocamento onidirecional a toda velocidade, coisa que às vezes é concedida e às vezes não é, dependendo de um processo secreto que envolve os concessores de permissão, um processo que é uma das coisas que cabem aos 4 descobrir e revelar ao mundo. Desta vez lhes concedem Rastejamento Lerdo, Vetores Suburbanos, as condições de tráfego mais baixas da Raketen-Stadt, só invocadas uma única vez na história, contra um índio homossexual infanticida que limpava o órgão na bandeira etc. — "Merda!" grita Maximilian para Slothrop, "Rastejamento Lerdo, Vetores *Suburbanos*! Que porra esses caras querem que a gente faça, hein? Querem que a gente ande de quatro, é?"

"Hãã... Myrtle", Slothrop aborda de modo um pouco diferente M. M., com sua áurea rede de prender os cabelos, "hã, será que você podia..." Meu Deus, é essa mesma lenga-lenga toda vez — Myrtle gostaria muito que Slothrop deixasse de ser tão capacho e agisse como um *homem* uma vez na vida! Ela acende um cigarro, pendura-o no canto da boca, joga a anca para a frente e suspira: "Desembucha", já de ovário cheio desse pentelho —

E *Los!* o milagre se realiza, estão agora disparando pelas ruas-corredores da Raketen-Stadt que nem um monstro marinho pescoçudo. Criancinhas fervilham como formigas nas teias dos viadutos que arqueiam acima da cidade gotejando pedra como barba-de-velho petrificada no momento antes de despencar, garotos no alto das grades e passando para as costas do ágil e simpático monstro urbano. Sobem de janela em janela, tão cheios de graça que jamais caem. Alguns, naturalmente, são espiões: aquela gracinha de cachinhos dourados ali, com um bibe de xadrez azul e meias soquetes da mesma cor, debaixo da gárgula junto à janela, escutando Maximilian, o qual começou a beber a sério assim que o prédio começou a se mexer e está agora no meio de uma catilinária contra Marcel muito mal disfarçada como uma discussão filosófica a respeito da existência ou não de uma "alma" dentro do Gênio Gálico. A menina sob a gárgula está anotando tudo em taquigrafia. São dados valiosos para o esforço de guerra psicológica.

Pela primeira vez, fica claro que os 4 e a conspiração paterna não são as únicas coisas que há naquele mundo. A luta entre eles não é a única, nem mesmo a principal. Na verdade, há não apenas muitas *outras* lutas como também *espectadores*, assistindo, como costumam fazer os espectadores, centenas de milhares deles, sentados num decrépito anfiteatro amarelo, fileiras e mais fileiras a estender-se por quilômetros sem fim, descendo até chegar à grande arena, luzes de um amarelo acastanhado, comida espalhada pelos círculos superiores das encostas de pedra, bisnagas de pão partidas, cascas de amendoim, ossos, garrafas meio cheias de xarope verde ou laranja, fogueiras em pequenos nichos angulosos protegidos do vento, escavados em lugares onde os bancos foram retirados, depressões rasas na pedra e um leito de brasas rubras onde velhas cozinham restos e farelos e cartilagens em frigideiras finas cheias de óleo aguado fervente, cercadas de rostos de crianças ávidas de alimento, e no vento o jovem moreno, que aguarda a sua empregada do lado de fora do portão de ferro todos os domingos, que a leva para um parque, um automóvel estranho e uma forma de amor que você jamais poderá imaginar, está agora com os cabelos desgrenhados ao vento, a cabeça afastada do fogo, sentindo o frio, o frio da serra, em suas têmporas e sob o queixo... enquanto isso, em torno de outras fogueiras as mulheres fofocam, uma ou outra de vez em quando espichando o pescoço para olhar para o palco quilômetros abaixo, para ver se já começou um novo episódio — multidões de estudantes passando correndo, negros como corvos, casacos jogados sobre os ombros, indo para um setor escuro da arquibancada onde tradicionalmente ninguém jamais entra (são reservados para os Ancestrais), suas vozes morrendo aos poucos, ainda muito veementes, dramáticas, tentando parecer boas ou pelo menos aceitáveis. As mulheres continuam jogando cartas, fumando, comendo. Veja se dá para pedir um cobertor emprestado lá na fogueira da Rose, esta noite vai fazer frio. Ah — e aproveite para trazer um maço de cigarros — e volte direto para cá, ouviu bem? Está na cara que a máquina de vender cigarros é ninguém menos que Marcel, em um de seus incríveis disfarces mecânicos, e dentro de um dos maços há uma mensagem para um dos espectadores. "Tenho certeza de que você não quer que Eles fiquem sabendo do que aconteceu no verão de 1945. Me encontre no Banheiro dos Travestis do Sexo Masculino, nível L16/39C, estação Metatron, quadrante Fogo, cabine Malkut. A hora você sabe. A Hora de sempre. Não chegue atrasado."

O que é isso? O que é que esses antagonistas estão fazendo aqui — infiltrando-se na sua própria plateia? Não, na verdade não é nada disso. É que no momento a plateia não é deles, e esses espetáculos constituem uma parte considerável da vida noturna da capital dos foguetes. A possibilidade de haver aqui algum paradoxo é bem menor do que você imagina.

Maximiliano está lá embaixo, na orquestra, fazendo-se passar pelo tocador de saxofone em dó, com Livro Secreto do Intelectual e tudo, *A sabedoria dos grandes pilotos camicases*, ilustrações de Walt Disney — japoneses de focinhos pretos redondos peludos, dentes incisivos em diedro, olhos puxados (formas alongadas e complexas, cheias de arabescos), gritando em seus aviões em todas as páginas! e sempre que não está tocando seu saxofone não tenha dúvida de que Maximilian estará, para o observador eventual, imerso na leitura dessa obra difusa, ainda que interessante. Nesse ínterim, Myrtle está na sala de controles, manipulando o painel e pronta para entrar em cena a qualquer momento para salvar os outros, os quais certamente (ainda que por culpa de sua própria imprudência) vão em breve se ver em maus lençóis. E o próprio Slothrop aguarda no Banheiro dos Travestis, no meio da fumaça, na multidão, à luz das lâmpadas fluorescentes que zumbem sem parar, mijo quente como manteiga derretida, fazendo anotações sobre as transações que transcorrem entre as cabines, privadas e mictórios (tem que ter cara de mau mas também não pode exagerar, e outra coisa, nenhum objeto de metal em nenhum dos *lugares vitais*, ela tira dez pontos para cada um que vê, e os únicos abonos que ela dá estão especificados aqui: se sair sangue na primeira tentativa, são 20 pontos extras —) pensando, será que a mensagem do maço de cigarro chegou mesmo, e será que ele vem em pessoa, ou o Papai vai mandar um capanga para tentar ganhar por nocaute no primeiro round?

Mas eis aí o cerne da coisa: a monumental estrutura amarela, no meio da noite do subúrbio-gueto, a percolação incessante de vida e atividade através de sua casca, Fora e Dentro interpenetrando-se de modo tão rápido, tão labiríntico, que já não é mais possível para nenhuma das duas categorias deter a hegemonia. O espetáculo de revista atravessa seu palco, ora amontoando-se, ora esgarçando-se, surpreendendo e arrancando lágrimas num mecanismo de catraca incessante:

O OUVINTE DE FREQUÊNCIA BAIXA

Os submarinos alemães comunicavam-se num comprimento de onda de 28 mil metros, o que corresponde a cerca de 10 kc. Uma antena de meio comprimento de onda para isso teria que ter 15 quilômetros de altura, ou de comprimento, e mesmo como uma dobra aqui e ali é uma baita de uma antena. Ela fica em Magdeburgo. Também é lá que fica a sede alemã das Testemunhas de Jeová. E também é lá que, por algum tempo, encontra-se Slothrop, tentando comunicar-se com o submarino dos anarquistas argentinos, no momento navegando águas desconhecidas. O motivo já não está muito claro para ele. Ou bem foi Squalidozzi que o procurou de algum modo, ou bem ele esbarrou por acaso em Squalidozzi, ou então encontrou, em alguma vaga busca nos fundos felpudos de seus bolsos, trapos ou cobertas, a mensagem que lhe foi dada, na verde fímbria de Áries, no Café l'Éclipse, há muito tempo, em Genebra. Ele só sabe que, no momento, encontrar Squalidozzi é sua maior necessidade.

O Guardador da Antena é um testemunha de Jeová chamado Rohr. Ele acaba de sair do campo de concentração de Ravensbrück, para onde foi levado em 36 (ou 37, ele já não se lembra direito). Tendo ele passado tanto tempo num campo, o G-5 local o considera politicamente confiável, e portanto é a ele que cabe a tarefa de controlar, à noite, a rede de maior comprimento de onda da Zona. Ainda que talvez isso seja mero acaso, o mais provável é que alguma justiça excêntrica tenha começado a atuar recentemente aqui, que caberia a Slothrop investigar. Segundo alguns boatos, há um Tribunal de Crimes de Guerra em Nuremberg. Nenhuma das pessoas com quem Slothrop falou sabe direito quem é que está julgando quem, mas lembre-se de que estamos falando basicamente de cérebros devastados por prazeres antissociais e idiotas.

Mas se existe alguém no momento se comunicando em 28 mil metros (a distância entre a Plataforma de Testes VII em Peenemünde e a Hafenstraße em Greifswald, onde Slothrop, no início de agosto, talvez veja uma certa foto no jornal), fora os anarquistas argentinos malucos, são os nazistas não desnazificados ainda à solta em submarinos não localizados, realizando a bordo seus próprios tribunais secretos contra os inimigos do Reich. Assim, a pessoa mais parecida com um cristão primitivo na Zona é encarregado de ficar à escuta em busca de crucificações não autorizadas.

"Uma noite dessas, tinha alguém morrendo", diz-lhe Rohr. "Não sei se dentro da Zona ou em alto-mar. Ele queria um padre. Será que eu devia ter entrado na linha e falado a ele a respeito dos padres? Será que isso o teria confortado? Às vezes é muito doloroso. Nós estamos nos esforçando muito para ser cristãos..."

"Meus pais eram congregacionalistas", comenta Slothrop, "eu acho." Está cada vez mais difícil lembrar-se deles, à medida que Broderick vai se transformando em Progenitor Pernicioso e Nalline em chchchggg... (no quê? Qual era *mesmo* a palavra, hein? Seja lá o que for, quanto mais ele corre atrás, mais rápido ela lhe foge).

Carta da mãe de Slothrop ao embaixador Kennedy

Oi Joe e aí tudo bem. Escute, Djiu-Zépi: estamos ficando meio preocupados com o caçulinha outra vez. Será que dava para você chatear todos aqueles seus amigões de Londres *só* mais uma vezinha? (Prometa que vai tentar!!) Mesmo se as notícias forem as mesmas de sempre, isso para nós é boa notícia. Eu ainda me lembro do que você disse quando recebeu a notícia terrível sobre a lancha-torpedeiro, antes de você saber como estava o seu Johnzinho. Nunca vou me esquecer das suas palavras. É o sonho de todo pai e mãe, Joe, e não só de pai e mãe de aluno de Harvard como nós dois.

Ah, Ro-Cê (upa, desculpa, a caneta escorregou, como você vê! Nalline, essa menina, já está no *terceiro* martíni, você sabe). Eu e o pai ouvimos o seu discurso maravilhoso outro dia na fábrica da GE em Pittsfield. É isso mesmo, senhor K! É tudo verdade! nós *temos* que modernizar Massachusetts, senão a coisa vai ficar piorando cada vez mais. *Aqui* estão falando em talvez entrar em greve semana que vem. Não foi justamente para impedir esse tipo de coisa que criaram o Conselho de Guerra para Assuntos Trabalhistas? Não vá me dizer que a coisa está começando a desmoronar, hein, Joe? Às vezes, sabe, nesses lindos domingos de Boston, quando o céu acima de Beacon Hill se *desmancha* em nuvens, como pão branco que a gente segura com os polegares e vai rasgando em dois... Você sabe, não é? Nuvens douradas? Às vezes eu fico pensando — ah, Joe, acho que eles são pedaços da Cidade Celestial despencando. Desculpe — eu não queria dizer coisas tão deprimentes assim de uma hora para a outra, é que... mas as coisas *não* estão começando a desmoronar, não, não é mesmo? É só que às vezes a situação não fica muito clara. *Parece* que as coisas estão contra nós, e embora tudo sempre acabe bem, e a gente depois sempre vá poder olhar para trás e dizer ah, é *claro* que as coisas tinham que acontecer dessa forma, senão isso-assim-assim não teria acontecido — não obstante, *na hora* em que a coisa está acontecendo, no meu coração eu fico sentindo um medo terrível, sabe, um vazio, e é muito difícil nessas horas acreditar num Plano com uma forma maior do que a que eu posso enxergar...

Ah, mas deixe isso para lá. Vão embora, pensamentos tristes! Xô! Salta o Martíni Nº 4!

O Johnnyzinho é um excelente menino. Realmente, eu adoro o Johnny tanto quanto o Hogan e o Tyrone, tal como se ele fosse um filho, meu filho. Eu o adoro até mesmo tal como *não* adoro os meus filhos, ha-ha! (grunhido) mas eu sou mesmo uma menina má, você sabe. Uma bisca como eu não tem esperança...

Sobre a expressão "É foda"

"Tem uma coisa que eu nunca entendi sobre a sua língua, seu porco ianque." Säure o está chamando de "porco ianque" o dia todo, uma brincadeira hilariante que ele não consegue conter, às vezes para no "porco —" porque cai numa gargalhada horrenda, nasal, tísica, arfante, tossindo e escarrando uns escarros compridos, assustadores, multicoloridos e marmoreados — verde, por exemplo, verde de estátua velha sob árvores de copa farta ao crepúsculo.

"Claro", responde Slothrop, "focê querrerr aprrenderr inglês, eu ensinar focê inglês. Me pergunte qualquer coisa, seu boche." É exatamente o tipo de oferta categórica que está sempre fazendo Slothrop meter-se em confusão.

"Por que é que vocês se referem a certas coisas desagradáveis — por exemplo, uma máquina que não quer funcionar — dizendo 'é foda'? Não consigo entender isso. Uma foda é uma coisa boa, certo? Vocês deviam dizer que uma coisa é foda se ela é boa."

"Hã", diz Slothrop.

"Este é apenas um dos muitos Mistérios Americanos", suspira Säure. "Eu queria que alguém me explicasse. Não você, é claro."

Muita cara de pau do Säure, ficar pichando a língua dos outros desse jeito. Uma noite, no tempo em que militava na gatunagem, ele teve a sorte extraordinária de entrar na rica residência de Minne Khlaetsch, uma astróloga da Escola de Hamburgo, a qual tinha a incapacidade, congênita, ao que parecia, de pronunciar, e mesmo de reconhecer, umlauts em vogais. Naquela noite ela estava começando a sentir os efeitos do que viria a ser uma overdose de Hieropon quando Säure, que naquele tempo era um garotão bonito, de cabelos crespos, foi surpreendido por ela em seu próprio quarto, com a mão num Läufer de xadrez com um sorriso sarcástico em seu rosto de marfim, cheinho de cocaína peruana crua da boa, ainda trescalando a Terra — "Não grite 'socorro'", aconselha Säure, exibindo sua falsa garrafa de ácido, "senão esse seu rostinho bonito vai escorregar dos ossos feito pudim de baunilha." Mas Minne paga para ver: começa a gritar "socorro", chamando todas as senhoras de sua idade daquele prédio que sentem aquela mesma ambivalência maternal do tipo "me ajudem mas por favor deem um tempo para que ele possa me estuprar" a respeito de gatunos núbeis. O que ela queria gritar era "Hübsch Räuber! Hübsch Räuber!", que quer dizer "Ladrão bonitinho! Ladrão bonitinho!" Mas ela não consegue pronunciar os umlauts, de modo que o que sai é "Hubschrauber! Hubschrauber!", que quer dizer "Helicóptero! Helicóptero!". Pois bem, estamos em 1920 e tantos, e ninguém ali perto sequer faz ideia do que essa palavra quer dizer, Levanta-heliceiro, que diabo é isso? — ninguém, com exceção de um estudante de aerodinâmica paranoico roedor de unhas que vive num cortiço ali perto, o qual ouviu o grito no meio da madrugada berlinense, apesar do estrépito dos bondes, dos tiros de espingarda em outro bairro, de um aprendiz de gaita que está há quatro horas tentando tocar "Deutschland, Deutschland Über Alles" sem parar, pulando notas, errando o tempo todo, ü... berall... es... indie... ie... e aí uma pausa enoooorme, ah vamos logo seu merda, não é possível que você não consiga encontrar a nota — *Welt* errou, ach, corrige imediatamente... no meio de tudo isso vem o grito Hubschrauber, levanta-heliceiro, uma hélice atravessando a rolha do ar acima do vinho da Terra caindo, sim ele entende *perfeitamente* — será esse grito uma profecia? um aviso (o céu cheio deles, policiais cinzentos com armas de raios da morte nas virilhas um debaixo de cada hélice giratória *estamos vendo você daqui de cima você não tem para onde ir este é seu último beco, seu último porão*) para ficar em casa e não se meter? Ele fica em casa e não se mete. Anos depois ele é o "Spörri" mencionado por Horst Achtfaden em sua confissão para o Schwarzkommando. Porém ele não foi ver por que Minne estava gritando naquela noite. Ela só não morreu de overdose porque seu namorado, Wimpe, um vendedor da IG que cobria o Território Oriental, o qual havia chegado na cidade inesperadamente depois de vender todas as suas amostras de Onirina para um grupo de turistas americanos que estavam atrás de emoções novas nas montanhas da Transilvânia — sou eu, Liebchen, não esperava voltar tão cedo — mas neste ponto viu a criatura de cetim esparramada no chão, viu as pupilas dilatadas, a tonalidade da pele, rapidamente recorreu a sua valise e pegou estimulante e seringa. Com isso, e mais uma banheira cheia de gelo, ela se restabeleceu.

"'Foda' é um intensificador", tenta o marinheiro Bodine, "pode ser coisa boa ou coisa ruim. Se eu digo de um sujeito que ele é foda, posso estar dizendo que ele é muito ruim ou muito bom em alguma coisa."

"Mas se você diz que uma foda foi foda, você está dizendo que foi ruim e não que foi boa", contra-argumenta Säure.

"É, mas isso não quer dizer que duas fodas sejam necessariamente uma coisa ruim", Bodine pisca com um sincero tremor na voz como se alguém estivesse prestes a lhe dar um soco — na verdade é uma brincadeirinha deste marujo bem-humorado, uma imitação de William Bendix. Os outros que imitem Cagney e Cary Grant — Bodine é especializado em papéis secundários, imita com perfeição Arthur Kennedy fazendo papel de irmão mais moço do Cagney, que tal, hein? O-ou então um aguadeiro índio que é o fiel criado de Cary Grant, Sam Jaffe. Ele é um recruta na marinha da vida, e isso se aplica também às imitações vocais das vidas fictícias de desconhecidos.

Nesse ínterim, Säure está fazendo coisa parecida com solistas de instrumentos, ou está tentando, aprendendo sozinho por tentativa e erro, no momento fazendo i-i-ó-ó, um Joachim imaginário executando uma cadência de sua própria autoria para o concerto para violino de Rossini (op. posth.) que permaneceu tantos anos desconhecido, e ao fazê-lo irrita todos os presentes. Um dia Trudi sai de manhã porta afora num faniquito enquanto a 82ª Divisão de Paraquedistas salta sobre a cidade conquistada, um milhão de toldos fofos no céu, caindo lentamente como cinza branca em torno do perfil de Trudi tendo faniquito. "Ele está me deixando *maluca*." "Oi, Trudi, o que houve?" "Eu acabei de dizer — estou *enlouquecendo*!" e não fique achando que esse velho safado toxicômano não a ama, porque ele ama sim, e não pense que ele não está rezando, anotando seus desejos cuidadosamente em papel de enrolar cigarro, apertando seu kif sacramental da melhor qualidade e fumando até fazer bolha no lábio, que é a versão toxicômana de fazer um desejo para a primeira estrela da tarde, desejando do fundo do coração que seja só um faniquito, que tudo passe até o final do dia *só mais uma vez*, ele escreve em cada último baseado da noite, *só isso, não vou pedir outra vez, vou tentar não pedir, o senhor me conhece, não seja muito duro comigo, por favor*... mas quantos faniquitos ainda? *Um* deles há de ser o último. Assim mesmo ele continua no i-i-ó-ó de Rossini, radiante de longevidade vadia, malandra, marginal, não, ele não consegue parar, é um hábito de velho, ele fica com ódio de si próprio, mas a coisa simplesmente acontece, não adianta ele tentar se concentrar no problema, ele acaba sempre voltando para a cadência... O marinheiro Bodine compreende, e está tentando ajudar. Para criar uma interferência útil, ele compôs uma *contra*cadência, seguindo o modelo dessas outras canções populares com nomes clássicos que eram comuns por volta de 1945 ("Prelúdio a um beijo", "Sinfonia dos cortiços") — toda vez que lhe surge uma oportunidade, Bodine canta essa música para os recém-chegados de cada semana, Lalli que acaba de vir de Lübeck, Sandra que fugiu da Kleinbürgerstrasse, lá vem o abominável Bodine com seu violão caído sobre a pélvis, saltitando pelo corredor atrás de cada fujão, cada pequena fantasia de crime sexual se materializa, cantando e dedilhando uma interpretação sentida da

Minha cadência do viciado

Se você ouvir um violão melodioso,
Tocando num ritmo bem gostoso,
É só MINHA CADÊNCIA DO VICIA-A-A-DO!

Melodias que eu nem sei de onde vêm,
Que mexem comigo e com você também!
(h-ha) É só MINHA CADÊNCIA DO VICIA(A)A-DO!

<table>
<tr><td>Este é o
Trecho da
“cadência”...</td><td>É, eu sei que não é tão bom quanto Rossini
[aqui entra um trechinho de La Gazza Ladra],
Nem tão grande quando Bach, Beethoven, Brahms
(tchã-tchã-tchã-TCHÃ-Ã [cantado ao som do início da 5ª de Beethoven, com orquestra completa]),
Mas eu trocaria as famas de cem Vasco da Gamas...
peraí, a fama? de cem Vascos da Gama? Gamas...
Vascos das Famas?... Hmm...</td></tr>
<tr><td>[scherzeoso]</td><td>Se-e essa can-ção tru-u-sser você pros bra-ços meus!</td></tr>
</table>

Tarará, tarará, tiri-ria,
É melhor que uma sinfonia —
É MINHA CADÊNCIA DO VICIADO, pra vocêêêê!

Hoje em dia o cortiço é conhecido como “Der Platz”, e está quase todo cheio, até o último pátio central, de amigos de Säure. A mudança é inesperada — agora parece ter muito mais vegetação brotando do chão de terra do cortiço, um sistema engenhoso de dutos de luz e espelhos, reajustados ao longo do dia, canalizam luz, pela primeira vez, para estes becos remotos, revelando cores nunca dantes vistas... tem também uma estrutura de águas pluviais para desviar a chuva por calhas, funis, refletores, turbinas, esguichos e diques, formando um sistema de rios e cachoeiras para se brincar no verão... os únicos quartos que ainda podem ser trancados por dentro são reservados para misantropos, fetichistas, refugiados da ocupação que precisam de solidão como um viciado precisa de sua droga... e por falar nisso, em qualquer lugar no cortiço agora podem-se encontrar estocadas drogas do exército de todos os tipos, dos porões às mansardas há pedaços de arame e tampas plásticas de ampolas de 30 mg de tartarato de morfina vazias espremidas como tubos de dentifrício, frascos quebrados de nitrito de amila roubados de kits antigás, latas de benzedrina verde-oliva... está sendo construído um *fosso* antipolícia em torno do cortiço: para não atrair a atenção, trata-se do primeiro fosso da história cavado de dentro para fora, o espaço diretamente abaixo da Jacobistrasse está sendo lenta e paranoicamente eviscerado, esculpido, escoras sendo instaladas com cuidado para que um bonde não afunde quando menos espera — se bem que isso *já* aconteceu, alta madrugada, as luzes do interior do bonde com uma cor quente como caldo de carne, nos trechos longos da Periférica que passam por dentro de parques escuros ou junto a cercas canoras de depósitos tudo afundando de repente como uma boca apertando os lábios fazendo MF o asfalto afunda e de repente você está dentro de um fosso úmido de um bando de paranoicos, o turno da noite olhando para você com aqueles olhões fixos de notívagos, tendo que encarar não propriamente *você* e sim o terrível problema de saber se isso é um ônibus de verdade ou se esses "passageiros" são mais é *agentes da polícia disfarçados*, pois é, a coisa é complicada.

Em algum lugar em Der Platz neste momento, manhã cedinho, uma criança de dois anos de idade, gorducha como um leitão, acaba de aprender a palavra "Sonnenschein" (luz do sol). "Sonnenschein", diz o neném, apontando. "*Sonnenschein*", correndo para o cômodo adjacente.

"Sonnenschein", grasna uma voz adulta e matinal.

"Sonnenschein!" berra a criança, e sai cambaleando.

"Sonnenschein", voz de moça sorridente, talvez a mãe do guri.

"*Sonnenschein!*" a criança à janela, mostrando a ela, mostrando a quem quer que olhe, *exatamente*.

Merda na cabeça

"*Agora*", pede Säure, "me fale sobre a expressão americana 'Merda na Cabeça'."

"Mas que merda é essa", grita o marujo Bodine, "então agora você fica me passando *tarefas*? Que é isso, Curso Intensivo de Gíria Americana, é? Me diga, seu velho babaca", agarrando Säure pela garganta e lapela e sacudindo-o assimetricamente, "você é um d'Eles também, não é? Ora, vamos", o velho um boneco de trapo em suas mãos, uma manhã muito paranoica para Bodine, sujeito normalmente tranquilo. "Pare, pare", Säure atônito funga, o espanto sendo substituído aos poucos, entre uma e outra fungada, pela convicção de que o americano peludo enlouqueceu...

Bem. *Vocês* conhecem a expressão "Merda na Cabeça". Por exemplo, "Ah, você tem é Merda na Cabeça", ou "Marinheiro — você tem Merda na Cabeça!" E aí põem você para descascar cebola, ou coisa pior. Uma implicação possível é a de que Merda e Cabeça pertençam a duas categorias totalmente diferentes. Era de se esperar — por estarem associadas a duas extremidades opostas do tubo digestivo — que não haja como Merda e Cabeça conviverem. Simplesmente impossível. Uma pessoa de outra cultura, um toxicômano alemão como Säure, não conhecendo o sentido das duas palavras, poderia pensar que "Merda" é apenas uma interjeição cômica, tipo de coisa que um advogado de chapéu-coco, dobrando papéis e colocando-os numa pasta marrom-claro, poderia utilizar, com um sorriso: "Merda, Herr Bummer", e dizendo isso ele sai da sua cela, para nunca mais voltar, o filha da puta escorregadio... ou então *Merda!* grita a cabeça de um político de caricatura, em preto e branco, rolando escada abaixo após ter sido cortada na guilhotina, quicando, com risquinhos gozados para indicar os pequenos vórtices esféricos descritos em sua trajetória, e você pensou, é, eu bem que gostaria de assistir a essa cena, isso mesmo, corta fora, um roedor a menos no mundo, ja! Quanto a Cabeça, passemos para o mundo das Cabeças Pensantes, dos acadêmicos Franz Pökler, Kurt Mondaugen, Bert Fibel, Horst Achtfaden e outros, num enorme auditório universitário iluminado, um estádio de alabastro ao ar livre à Albert Speer, com uma gigantesca ave de rapina de cimento em cada canto no alto, asas semidobradas para a frente, abrigando cada uma em sua sombra um rosto alemão encapuzado... visto de fora, o Auditório é dourado, precisamente o tom de ouro branco de uma pétala de lírio-do-vale ao sol das quatro horas, sereno, no alto de uma pequena colina artificial. Esse Auditório tem o talento de posar lá no alto formando perfis simpáticos, com nuvens nobres ao fundo, para simbolizar persistência, durante retornos da primavera, esperanças de amor, derretimentos de neve e gelo, tranquilidades acadêmicas dominicais, cheiros de grama esmagada ou recém-cortada ou, mais tarde, transformando-se em feno... mas dentro do Auditório tudo é azul e frio como o céu, azul como uma cópia heliográfica ou um planetário. Ninguém aqui sabe para que lado olhar. Será que vai começar lá no alto? Ou lá embaixo? Atrás de nós? *No meio do ar?* e daqui a quanto tempo?...

Pois bem, tem um lugar onde Merda e Cabeça se encontraram, o banheiro masculino do salão de dança Roseland, o lugar de onde Slothrop mergulhou de Cabeça na privada e empreendeu sua viagem Merdal, conforme consta nos Documentos do Sta. Verônica (que misteriosamente sobreviveram ao grande holocausto). Bem, Merda é a cor de que os brancos têm medo. A Merda é a presença da morte, não um personagem artístico abstrato munido de foice, mas o cadáver duro e putrefaciente, dentro do *cu* quentinho e íntimo do branco, o que é uma intimidade razoável. Por isso que a privada é branca. Quantas privadas marrons você já viu? Não, a cor da privada é a cor das lápides, colunas clássicas de mausoléus, aquela porcelana branca é o próprio emblema da Morte Inodora e Oficial. Mas é no banheiro do Roseland que trabalha o engraxate Malcolm, tacando graxa nos sapatos dos brancos, pagando a penitência do branco pelo pecado de ter nascido com cor de Merda. É simpático imaginar que, numa noite de sábado, em que a pista de dança do Roseland estremece de tantos casais dançando o lindy hop, Malcolm uma vez levantou a vista dos sapatos de algum garoto de Harvard e deu de cara com John Kennedy (filho do embaixador), na época quartanista. Simpático imaginar que acima da cabeça do Johnnyzinho acendeu-se então uma dessas Lâmpadas Imortais — será que o Red deteve por um breve instante seu trapo sujo de graxa, e haveria fendas suficientes no *moiré* para o Johnny ver não até, mas *através* do brilho dos sapatos de seu colega de turma Tyrone Slothrop? Será que alguma vez os três ficaram alinhados nesta posição — um sentado, o outro de cócoras, o terceiro passando por eles? John e Malcolm terminaram assassinados. O destino de Slothrop não está muito claro. Talvez Eles tenham em mente um fim diverso para Slothrop.

Um pequeno mono ou orangotango, segurando alguma coisa atrás das costas, entra de fininho, despercebido, por entre pernas envoltas em meias de seda sintética, meias soquete enroladas até o arco abaixo dos maléolos, bonezinhos de adolescente enfiados nas faixas das saias de rayon azul-marinho. Por fim ele chega a Slothrop, que está com uma peruca loura e com o mesmo vestido comprido branco que Fay Wray usou na cena que ela fez como teste com Robert Armstrong no barco (levando-se em conta o que aconteceu com ele na privada do Roseland, talvez Slothrop tenha escolhido esse modelo não apenas movido por algum desejo reprimido de ser enrabado, de modo inimaginável, por um gigantesco macaco negro, mas também por haver em Fay uma espécie de inocência atlética de que ele jamais falou, limitando-se a apontar e cochichar: "Ah, olhe..." — uma honestidade, uma garra, uma limpeza que há no vestido em si, as mangas tão enormes que todo lugar por onde você passa fica sendo claramente um lugar por onde você passou...).

Naquele instante primordial, antes do voo:
Ravina, dinossauro (tesouras-voadoras,
Mandíbulas a estalar), mais a serpente
Que saltou sobre ti em tua própria caverna,
O pterodáctilo ou a Queda — quase isso...
No tempo em que eu esperava, mata e escuridão,
Archotes na parede, a hora de surgir
O Vulto dessa noite, orei, mas não por Jack,
Vagando apaixonado pelo tombadilho —
Não. Eu pensava em Denham, munido de câmara
E revólver, pra enfrentar as trevas do mundo,
Realizando o irreal a tiro e tomada —
Carl Denham, meu diretor, meu imorredouro
Carl...
Ah, mostra-me a luz, me sopra a minha fala...

Já as vimos com milhares de nomes... "Greta Erdmann" é apenas uma delas, essas mulheres cujo ofício é recuar em pânico do Terror... bem, quando chegam do trabalho elas adormecem como qualquer um de nós, e sonham com assassinatos políticos, complôs contra homens bons e honestos...

O macaco se aproxima, dá um tapinha na bunda de Slothrop, entrega-lhe o que está carregando iááágggg é uma *bomba* preta, de ferro, bomba de anarquista, e ainda por cima o estopim *já está aceso*... O macaco vai embora, saltitante. Slothrop fica parado, no recinto úmido encerrado em vidro, sua maquilagem já começando a derreter, consternação estampada nos olhos límpidos como bolas de gude, lábios apertados como numa picada de abelha de quem diz "mas que merda que eu faço agora?" Ele não pode *dizer* nada, seu contato ainda não apareceu e sua voz estragaria o disfarce... O estopim está cada vez mais curto. Slothrop olha a sua volta. Todas as pias e mictórios estão ocupados. E se ele colocasse o estopim na frente do pau de alguém, bem no fluxo de urina...? hã, mas aí podiam pensar que eu estava tentando fazer uma proposta indecorosa, não é? Puxa, às vezes me dá vontade de não ser tão indeciso... e-e se eu escolhesse um sujeito mais fraco que eu... é, mas os baixinhos são os que têm mais reflexos, não é —

Ele é salvo de sua indecisão por um travesti muito alto e gordo com cara de oriental, cujo ideal, na tela e na vida, parece ser a pequena Margaret O'Brien. De algum modo, esse oriental consegue manter o ar angelical de menina de trancinhas mesmo arrancando a bomba já prestes a explodir das mãos de Slothrop, correndo e jogando-a dentro de uma privada e puxando a descarga, virando-se para Slothrop e os outros com ar de quem cumpriu seu dever cívico quando de repente —

CARAPABUUM vem uma puta de uma *explosão*: salta uma língua espantada e azulada de água (já viu uma privada gritando "Aaaah!"?) de cada privada de tampa preta, canos se retorcem e gritam, paredes e assoalho estremecem, reboco começa a cair em crescentes e cortinas de pó, todos os travestis se calam e estendem a mão para tocar a pessoa mais próxima num gesto de preparação para a Voz do Alto-Falante, que diz:

"Era uma bomba de sódio. O sódio explode quando entra em contato com água." Quer dizer que o estopim era só pra tapear, que sacana... "Vocês viram quem jogou a bomba na privada. Trata-se de um psicopata perigoso. Quem o apreender receberá uma polpuda recompensa. O seu armário vai deixar o da Norma Shearer igual à cesta de papéis do porão de ofertas da Gimbel's."

Assim, todos saltam em cima da pobre devota de Margaret O'Brien, por mais que ela proteste, enquanto Slothrop, a quem a humilhação e (à medida que a chegada da polícia demora mais e mais) os abusos e torturas sexuais eram destinados (Papai, você realmente é demais!), sai de fininho, afrouxando, enquanto se aproxima da saída, os laços de cetim de seu vestido, arrancando com relutância, dos cabelos cobertos de gordura, a reluzente peruca da inocência...

Um momento divertido com Takeshi e Ichizo, os Camicases Cômicos

Takeshi é alto e gordo (mas não usa trancinhas como a falsa Margaret O'Brien), Ichizo é baixo e magro. Takeshi pilota um Zero, Ichizo um Okha, que na verdade não passa de uma bomba alongada com uma carlinga onde ele se instala, asas cotós, propulsão de foguete e uns poucos controles atrás. Takeshi foi aluno do Curso para Camicases por apenas duas semanas, em Formosa. Ichizo frequentou o curso de Okha por *seis meses*, em Tóquio. São tão diferentes um do outro como queijo e presunto. Não vale perguntar qual é o quê.

Eles são os únicos camicases desta base aérea, que na verdade é um tanto isolada, numa ilha na qual ninguém, para falar com franqueza, tem muito interesse, a esta altura dos acontecimentos. O pau está comendo em Leyte... e depois em Iwo Jima, cada vez mais perto de Okinawa, mas sempre longe demais para que algum ataque possa partir *daqui*. Mas eles têm ordens a cumprir, têm seu exílio. Não tem muita coisa para fazer nas horas vagas, não, só andar pela praia procurando cipridinas mortas. São crustáceos em forma de batata, com três olhos e bigodinhos de gato em uma das pontas. Ressecadas e pulverizadas, as cipridinas são também uma ótima fonte de luz. Para fazer o pó brilhar no escuro, é só misturar com água. A luz é azulada, um azul estranho de múltiplos tons — um pouco de verde também, e um toque de índigo — um azul extraordinariamente frio e noturno. Em noites sem lua ou de céu nublado, Takeshi e Ichizo despem-se e jogam pó de cipridina um no outro, e ficam correndo e rindo sob as palmeiras.

Todos os dias de manhã, e às vezes à tarde também, os Pilotos Patetas vão até o radar, instalado numa cabana com telhado de sapé, para ver se tem algum alvo americano que mereça um mergulho suicida dentro do raio de alcance deles. Porém é sempre a mesma história. O velho Kenosho, o aloprado operador de radar, que está sempre atrás da sala do transmissor fabricando saquê num alambique que ele ligou a um magnétron através de algum diabólico método nipônico que desafia a ciência ocidental, cada vez que os dois aparecem o velho patife começa a cacarejar: "Hoje ninguém vai molê! Hoje ninguém vai molê!", apontando para todos os indicadores de posição vazios dos radares, raios verdes varrendo silenciosos, dando voltas e mais voltas, deixando como rastros redes transparentes de xampu verde, só superfície de mar por uma extensão de quilômetros além da qual não é possível voar, e da mandala fatal que faria disparar os dois corações, gosma verde repetida oito vezes num círculo de riscos de destróieres, nada... não, todas as manhãs são iguais — só uma ou outra crista de onda, e o velho Kenosho, histérico, já caído no chão, engasgado com a própria língua e saliva, tendo seu Ataque, um evento ansiosamente aguardado em cada visita matinal, cada ataque tentando ser mais espetacular que o anterior, ou pelo menos acrescentar um toque novo — uma meia-volta em pleno ar, uma tentativa de abocanhar as biqueiras dos sapatos de verniz azul-amarelo de Takeshi, um haicai improvisado:

O apaixonado salta dentro do *vulcão*!
Três metros de profundidade,
E extinto —

enquanto os dois pilotos fazem caretas, riem e pulam de um lado para o outro para não ser atingidos pelo velho operador de radar, que se debate sem parar — *o quê*? Quer dizer que você *não* gostou do haicai. Achou pouco *etéreo*? Nem um pouco nipônico? Que parece uma coisa *totalmente holywoodiana*? Sim, capitão — o senhor mesmo, capitão Esberg, dos fuzileiros navais, morador de Pasadena, Califórnia — o senhor acaba de ter a Intuição Misteriosa! (óóóóó! e aplausos premonitórios), e assim sendo *o senhor* — é nosso *Paranoico... por um Dia*! (a orquestra começa a tocar "Button up your overcoat" ou alguma outra música apropriadamente animada e paranoica, enquanto o perplexo participante é literalmente arrancado de sua poltrona e arrastado para o palco pelo mestre de cerimônias, um sujeito de rosto reluzente e papada tremelicante). Sim, é mesmo um filme! Mais uma comédia enlatada sobre a Segunda Guerra Mundial, e uma oportunidade para o senhor de ver como é que é a coisa na verdade, porque *o senhor — ganhou* (rufar de tambores, mais óóóóós, mais aplausos e assobios) uma viagem com tudo pago, só de ida, só para *uma* pessoa, para o local de filmagem, a exótica ilha de Pu-ka-hu-ka-*luk*-i! (agora os cavaquinhos da orquestra começam a tocar o tema de "White man welcome", música que ouvimos pela última vez em Londres, sendo executada para Géza Rózsavölgyi) num gigantesco Constellation da TWA! O senhor vai matar o tempo nas noites de ócio espantando mosquitos vampirescos de sua própria garganta! Perdendo-se loucamente no meio de tempestades tropicais torrenciais! Catando cocô de rato no barril de água dos recrutas! Mas não vão ser só diversões noturnas, não, capitão, pois durante o dia, após acordar às cinco da matina em ponto, o senhor vai conhecer o *Zero* dos camicases, que o senhor vai pilotar! aprendendo direitinho a mexer nos controles, descobrindo o lugar *exato* onde fica o lança-bombas! E-e-e-e, natural*mente*, tentando escapar desses dois *Zaponas Zuretas*, Takeshi e Ichizo!, aprontando em suas hilariantes aventuras semanais, aparentemente indiferentes a sua presença e às implicações um tanto quanto assustadoras da sua rotina cotidiana...

Ruas

Tiras de isolador pendem na neblina matinal, após uma noite de lua a brilhar e escurecer como se por si só, de tão uniforme e difícil de ver que estava a neblina ao vento. Agora, quando o vento sopra, faíscas amarelas escapam, chiando como cascavéis, dos velhos fios negros, já puídos, contra um céu cinzento como um chapéu. Isoladores verdes de vidro ficam nublados e cegos à luz do dia. Os postes de madeira, tortos, cheiram a velhice: madeira de trinta anos de idade. Transformadores cobertos de breu zumbem no alto. Como se a indicar que o dia vai ser de muita atividade. A meia distância, choupos emergem vagamente da névoa.

Poderia ser a Semlower Strasse, em Stralsund. As janelas têm o mesmo ar devastado: os interiores de todos os cômodos estão negros, eviscerados. Talvez exista uma nova bomba capaz de destruir só os *interiores* das estruturas... não... era em Greifswald. Do outro lado de uns trilhos de trem úmidos havia guinchos, superestruturas, cordame, cheiros de canal... a Hafenstrasse em Greifswald, sobre suas costas desceu a sombra escura de alguma igreja volumosa. Mas não será aquele o Preteridor, aquele arco-torre mirrado a cavalo sobre a viela mais adiante... poderia ser a Slüterstrasse na parte velha de Rostock... ou a Wandfärberstrasse em Lüneburg, com polias no alto das cumeeiras de tijolo, encimadas por cata-ventos ornamentais... por que ele estava olhando *para cima*? Para cima de qualquer uma daquelas dezenas de ruas setentrionais, numa manhã, na neblina. Quanto mais se vai para o norte, mais feias as coisas são. Há uma sarjeta no meio da viela, por onde escorrem as águas pluviais. As pedras do calçamento são mais alinhadas, e é mais difícil arranjar cigarros. Igrejas-fortalezas onde ressoam estorninhos. Entrar numa cidade setentrional da Zona e penetrar num porto estranho, vindo do mar, num dia de neblina.

Porém em cada uma dessas ruas algum vestígio de humanidade, de Terra, tem de restar. O que quer que tenham feito com ela, independentemente do fim para que a tenham usado...

Havia homens chamados "capelães do exército". Eles pregavam dentro de alguns desses prédios. Havia até soldados, já mortos, que escutavam, sentados ou em pé. Apegando-se ao que lhes restava. Então saíam, e alguns morriam antes de voltarem para dentro de uma igreja-fortaleza. Clérigos, trabalhando para o exército, falavam para os homens que iam morrer a respeito de Deus, da morte, do nada, da redenção, da salvação. Isso acontecia mesmo. Era até bastante comum.

Mesmo numa rua usada para isso, ainda haverá uma ocasião, uma tarde tingida (alcatrão-laranja impossível-marrom, límpida e translúcida), ou um dia de chuva estiando antes da hora de ir para a cama, e no quintal uma malva-rosa, circulando no vento, pesada de gotas de chuva tão gordas que dá para mordê-las... um rosto junto a um comprido muro de arenito, e do outro lado o arrastar de cascos de todos os cavalos condenados, a risca dos cabelos lançada nas sombras azuis quando ela vira o rosto — ônibus cheio de rostos passando no meio da noite, ninguém acordado na praça silenciosa além do motorista, a sentinela do Ortsschutz com uma espécie de uniforme de aspecto oficial, marrom, velho Mauser em descansar-armas, sonhando não com o inimigo lá fora no pântano ou na sombra, e sim com o lar e a cama, caminhando agora com seu amigo civil que está de folga, não consegue dormir, sob as árvores cheias de pó das estradas e noite, atravessando suas sombras nas calçadas, tocando uma gaita... passando pelas fileiras de rostos no ônibus, verde-afogado, insone, ávido de cigarros, com medo, não do amanhã, não ainda, mas dessa pausa em sua travessia da noite, de como será fácil perder, e como vai doer...

Pelo menos um momento de travessia, um que há de ser doloroso perder, deveria ser encontrado para cada rua agora de um cinza indiferente de comércio, de guerra, de repressão... encontrando-o, aprendendo a valorizar o que se perdeu, não seria possível encontrarmos um caminho de volta?

Numa dessas ruas, na névoa da manhã, grudado em duas pedras de calçamento escorregadias, há um pedaço de manchete de jornal, com uma telefoto de um gigantesco caralho branco, pendurado no céu, saindo de uma alva pentelhada. As letras

MB DRO

ROSHI

aparecem no alto juntamente com o logotipo de algum jornal da ocupação, uma glamour girl sorridente montada no canhão de um tanque, pênis de aço com cabeça de serpente fendida, bandas de rodagem e triângulo da 3ª Divisão Blindada na suéter tensa sobre os peitos. A imagem branca tem a mesma coerência, a mesma presunção ei-olha-pra-mim que tem a Cruz. Não é apenas um súbito e alvo ataque genital no céu — é também, talvez, uma Árvore...

Sentado no meio-fio, Slothrop observa a imagem, e as letras, e a moça montada na pica de aço acenando oi-gente, enquanto a névoa embranquece virando manhã, e vultos com carrinhos de mão, ou cães, ou bicicletas passam em contornos pardacentos, resfolegando, com saudações rápidas em vozes atenuadas pela neblina, passando. Ele não se lembra de que ficou tanto tempo sentado no meio-fio olhando para a imagem. Mas foi o que aconteceu.

No momento em que a coisa aconteceu, a pálida Virgem estava ascendendo no leste, cabeça, ombros, seios, 17°36' até o hímen no horizonte. Uns poucos japoneses condenados reconheceram-na como uma divindade ocidental. Ela pairava no céu, olhando para a cidade prestes a ser sacrificada. O sol estava em Leão. A explosão de fogo veio rugindo, soberana...

Escutando a privada

A ideia básica é que Eles vão vir e desligar a água primeiro. Os criptozoários que vivem perto do medidor serão paralisados pela grande eclosão de luz vinda do alto... depois vão dispersar-se, enlouquecidos, rumo a níveis mais baixos, mais escuros, mais úmidos. Fechada a água, a privada fica interditada: só restando um tanque cheio, não se pode mais livrar-se de praticamente nada, droga, merda, documentos. Eles bloquearam os fluxos de entrada/saída aqui, e você está preso no fotograma d'Eles, enquanto seus dejetos se acumulam, bunda pendendo para fora da tela da moviola d'Eles, esperando que Eles acionem sua lâmina de montador. Lembrando-se, tarde demais, do quanto você depende d'Eles, menos da boa vontade do que da negligência: a negligência d'Eles é a sua liberdade. Mas quando Eles vêm é como Apolos de baile de debutante, tangendo a lira

ZONGGG

Tudo se imobiliza. O acorde doce, grudento, paira no ar... não há como sentir-se à vontade com ele. Se você tentar o gambito do "O senhor já terminou, superintendente?", o homem vai responder: "Não, não terminei não, seu sujeitinho metido a besta. Você ainda vai ter que me aturar por um bom tempo...".

Assim, não custa manter a válvula da descarga sempre um pouco aberta, para manter um fluxo na privada de modo que, quando *parar*, você tenha um ou dois minutos de lambuja. O que não é a paranoia normal de esperar que alguém bata à porta, ou que o telefone toque: não, há que ter uma doença mental específica para ficar sentado esperando o cessar de um ruído. Porém —

Imagine esta mentira científica muito requintada: o som não se propaga pelo espaço sideral. Pois bem, imagine que ele se propaga, sim. Imagine que Eles não querem que a gente saiba que existe um meio lá fora, o que outrora chamava-se "éter", o qual permite que o som se propague para todas as partes da Terra. O Éter Sônico. Há milhões de anos que o sol ruge, um rugido de fornalha gigantesca a 150 milhões de quilômetros, tão perfeitamente uniforme que incontáveis gerações de seres humanos nasceram e morreram ouvindo-o, sem jamais escutá-lo. Pois, desde que ele não se alterasse, como é que alguém poderia percebê-lo?

Só que à noite, de vez em quando, em alguma parte do hemisfério escuro, devido a torvelinhos no Éter Sônico, ocorre um mínimo bolsão de silêncio. Por alguns segundos, num lugar específico, quase todas as noites em algum ponto do Mundo, a energia sonora que vem do Espaço se interrompe. O rugido do sol *para*. A breve existência da ponta deste cone de sombra acústica pode transcorrer a trezentos metros acima de um deserto, entre dois andares de um prédio comercial vazio, ou exatamente em volta de um indivíduo sentado num restaurante para trabalhadores onde lavam o chão com mangueiras às três da madrugada todos os dias... tudo ladrilho branco, cadeiras e mesas cravadas no chão, comida coberta por mortalhas rígidas de plástico transparente... logo em seguida vem de fora o rrrnnn! planc, guincho de válvula se abrindo e sim, ah sim, Lá Vêm Os Homens Das Mangueiras Para Lavar O Chão —

Eis que senão quando, sem aviso prévio, a ponta de pena da Sombra Sônica toca você, envolvendo-o em silêncio solar, digamos, das 2h36min18 às 2h36min24, fuso horário central, horário de guerra, a menos que a localidade seja Dungannon, Virgínia, ou Bristol, Tennessee, ou Asheville ou Franklin, Carolina do Norte, ou Apalachicola, Flórida, ou quem sabe Murdo Mackenzie, Dakota do Sul, ou Phillipsburg, Kansas, ou Stockton, Plainville, ou Ellis, Kansas — é mesmo, parece uma Lista de Homenageados, não é?, sendo lida em algum lugar na pradaria, cores de fundição riscando o céu em longas calhas, vermelhas e roxas, multidão escura de civis eretos e quase se tocando, como talos de trigo, e um único velho de preto diante do microfone, lendo os nomes das cidades que perderam filhos na guerra, Dungannon... Bristol... Murdo Mackenzie... cabelos brancos que um vento vossas-cidades-alabastrinas transforma numa juba, seu rosto velho, tenso e corroído, polido pelo vento, amarelado de luz, os cantos das pálpebras descendo sérios cada vez que os nomes das cidades-mártires, um por um, ecoam na bigorna da planície, e certamente Bleicheröde ou Blicero será mencionada agora...

Pois bem, você está redondamente enganado, campeão — essas cidades são todas localizadas nas fronteiras de *Fusos Horários*, só isso. Ha, ha! Apanhei-te com a boca na botija. Vamos, agora mostre *tudo* que você estava fazendo ou então caia fora da área, não precisamos de gente da sua laia, não. Nada é mais asqueroso que um surrealista sentimental.

"Pois bem — as cidades do Leste que citamos são todas do fuso horário do Leste, em horário de guerra. Todas as outras da interface são do fuso central. As cidades do Oeste que acabam de ser lidas são do fuso central, enquanto as outras cidades *daquela* interface são do fuso montanhês...

E isso é tudo que nosso Surrealista Sentimental, caindo fora da área, tem tempo de ouvir. Menos mal. Ele está mais envolvido, ou "morbidamente obcecado", se você preferir, com o momento de silêncio solar dentro do boteco de ladrilhos brancos. Parece-lhe um lugar onde ele já esteve (Kenosha, Wisconsin?), se bem que ele não lembra em que circunstâncias. Outrora o chamavam de "Garoto Kenosha", se bem que isso talvez seja apócrifo. A essa altura, o único outro recinto onde ele já esteve de que se lembra era uma sala em duas cores, só havia aquelas exatas duas cores, em todos os abajures, móveis, cortinas, paredes, teto, tapete, rádio, até mesmo as sobrecapas dos livros nas estantes — *tudo* era ou bem (1) Azul-Marinho Escuro de Perfume Barato, ou bem (2) Marrom Chocolate Cremoso de Sapato de Agente do FBI. Isso talvez tenha sido em Kenosha, talvez não. Se fizer força, ele vai conseguir lembrar, dentro de um minuto, como é que foi parar naquela sala de ladrilhos brancos trinta minutos antes da hora de lavar o chão com mangueiras. Ele está sentado, com uma xícara de café meio cheia, muito açúcar e creme de leite, restos de um folheado de abacaxi sob o pires, onde seus dedos não alcançam. Mais cedo ou mais tarde ele vai ter que levantar o pires para pegá-los. Ele está só adiando. Mas não é nem mais cedo nem mais tarde, porque

a sombra sônica desce sobre ele,

instala-se em torno de sua mesa, com as invisíveis superfícies alongadas do vórtice que a trouxeram aqui avançando como torvelinhos de um Folheado Etéreo, audíveis apenas graças a fragmentos eventuais de som que por acaso tenham sido envolvidos pelo remoinho, vozes longínquas em alto-mar *nossa posição é vinte e sete graus vinte e seis minutos norte*, uma mulher chorando em alguma língua aguda, ondas oceânicas no meio de um vendaval, uma voz recitando em japonês:

Hi wa Ri ni katazu,
Ri wa Ho ni katazu,
Ho wa Ken ni katazu,
Ken wa Ten ni katazu,

o que é o slogan de uma unidade de Camicases, equipada com Ohka — o significado é

Injustiça não pode conquistar Princípio,
Princípio não pode conquistar Lei,
Lei não pode conquistar Poder,
Poder não pode conquistar Céu.

Hi, Ri, Ho, Ken, Ten saem falando japonês pelo longo torvelinho solar e deixam o Garoto Kenosha na mesa fixa, onde o rugido do sol cessou. Ele está ouvindo, pela primeira vez, o caudaloso rio de seu sangue, o tambor titânico de seu coração.

Venha sentar-se com ele à luz da lâmpada, com o estranho na pequena mesa de botequim. É quase hora da mangueira. Veja se você consegue entrar na sombra também. Mesmo um eclipse parcial é melhor do que jamais descobrir — melhor do que passar o resto da vida encolhido sob o grande Vácuo celeste que lhe ensinaram, e um sol cujo silêncio você nunca ouve.

E se não houver vácuo? Ou se houver — e se Eles o estiveram usando para enganar você? E se Lhes interessar pregar que a vida é uma ilha cercada por um vazio? Não apenas a Terra no espaço, mas a sua própria vida individual no tempo? E se *interessar a Eles* que você acredite nisso?

"Esse aí não vai nos incomodar por algum tempo", comentam Eles. "Eu acabei de mergulhá-lo no Sono Escuro." Bebem juntos, injetam drogas sinteticíssimas sob a pele ou na veia, canalizam incríveis formas ondulatórias eletrônicas para dentro de Seus crânios, diretamente no bulbo raquiano, e falam um com o outro a meia voz, de brincadeira, rindo boquiabertamente — *você sabe, não é?* estampado naqueles olhos sem idade... Falam em pegar Fulano e "mergulhá-lo no Sono". Usam a expressão referindo-se um ao outro, também, numa ternura estéril, quando as más notícias são transmitidas, nos Banquetes d'Escárnio anuais, quando as infindáveis brincadeiras mentais pegam um dos colegas desprevenido — "Puxa, a gente mergulhou o *fulano* no sono direitinho." *Você* sabe, não é?

Réplica espirituosa

Ichizo sai da cabana, vê Takeshi num barril à sombra de umas folhas de palmeira tomando banho e cantando pelo nariz "Du-du-du, du-du", alguma melodia de coto — Ichizo dá um grito, entra correndo na cabana e sai com uma metralhadora japonesa Hotchkiss, modelo 92, e começa a instalá-la com muitos grunhidos e caretas de jiu-jítsu. Quando ele já está colocando o cinturão de munição, prestes a atirar no barril onde está Takeshi,

Takeshi: Peraí, peraí! Que história é essa?

Ichizo: Ah, é *você*! Eu — eu pensei que fosse o general MacArthur, na — na canoa dele!

Uma arma interessante, a Hotchkiss. Tem várias nacionalidades, e consegue se adaptar à etnia de qualquer lugar. As Hotchkiss americanas são as armas que dizimaram os índios desarmados em Wounded Knee. Por outro lado, a picante Hotchkiss 8 mm francesa, quando disparada, faz ró-ró-ró-ró, nasal e blasé como uma estrela de cinema. Quanto à Inglaterra, muitas das pesadas Hotchkiss britânicas ou foram revendidas para particulares depois da Primeira Guerra Mundial ou então foram derretidas a maçarico. Essas metralhadoras fundidas de vez em quando aparecem nos lugares mais inesperados. O Pirata Prentice viu uma em 1936, em sua viagem com Scorpia Mossmoon, em Chelsea, na casa de James Jello, que era naquele ano o rei dos palhaços boêmios — porém um rei menor, descendente de um ramo sujeito a horrendas moléstias congênitas causadas pela endogamia, idiotismo na família, peculiaridades sexuais que vêm a público nas horas mais impróprias (um pênis nu pendendo de um depósito de lixo numa manhã lavada de chuva, límpida como uma navalha, numa ruela de um bairro industrial prestes a ser invadida por um enxame de operários irados com bonés largos carregando chaves inglesas de um metro de comprimento, pés de cabra, correntes, eis o príncipe herdeiro Porfirio de bunda de fora, com um gigantesco halo de raspas de alumínio na cabeça, a boca maquiada com graxa preta, as nádegas macias rebolando contra o lixo frio e espetando-se deliciosamente em lascas de aço, os olhos voluptuosos e negros como os lábios, porém ah meu Deus o que é isso, ai que vergonha, eles vêm dobrando a esquina, Porfirio já sente o cheiro dessa ralé à distância, embora eles não saibam muito bem o que fazer com Porfirio — a passeata detém-se, confusa, e esse bando de revolucionários totalmente ineptos começa a discutir se aquela aparição é uma tática diversionária colocada ali pela Administração ou se é mesmo a Aristocracia Decadente a ser detida em troca de um bom resgate, aliás de quanto?... enquanto isso, no alto dos telhados, nas portas de tijolo e metal corrugado, começam a surgir soldados do governo com seus uniformes marrons, com metralhadoras Hotchkiss britânicas que *não* foram derretidas, e sim compradas por especuladores e vendidas a uma série de governos de republiquetas espalhadas pelo mundo). Talvez fosse em memória do príncipe Porfirio que James Jello guardava uma Hotchkiss derretida em seus aposentos — mas talvez fosse apenas mais uma *grotesquerie* do James, você sabe, ele é *tão* desligado...

De peito aberto, de homem para homem

— Meu filho, eu ando pensando nesse tal de, ah, "plugamento" que você e os seus amigos andam fazendo. Esse negócio de... ficar injetando eletricidade na cabeça, ha-ha?

— *Ondas*, papai. Não é eletricidade *crua*. Isso é coisa de bolha!

— Pois é, ondas. "Sintonizar ondas", não é? ha-ha. Hã, me diga, meu filho, como é isso? Você sabe que eu sempre me droguei a vida toda, e-e —

— Ih, pai. Você está por fora. Não tem *nada* a ver com droga, não!

— Bem, a gente tirava umas tremendas "férias", como a gente dizia, umas "áreas" muito estranhas onde a gente ia parar —

— Mas vocês sempre voltavam, não é?

— O quê?

— Quer dizer, vocês sabiam sempre que *isto* ia continuar aqui quando vocês voltassem, igualzinho como era antes, certo?

— É ha-ha acho que é por isso que a gente chamava de *férias*, meu filho! Porque a gente sempre acaba voltando pra Realidópolis, é ou não é?

— *Vocês* sempre acabavam voltando.

— Escute aqui, Tyrone, você não sabe se esse negócio é perigoso. E se um dia você se plugar e for embora e não voltar mais? Hein?

— Ho, ho! É tudo que eu queria! Qual você acha que é o grande sonho de todo eletrômano, hein? Você é muito antiquado, pai! E-e quem que disse que é um sonho, hein? V-vai ver que até *existe* mesmo. Vai ver que tem uma Máquina pra levar a gente embora, completamente, chupar a gente pelos eletrodos, atravessando o crânio e entrando na Máquina, pra viver lá dentro pra todo o sempre junto com todas as outras almas que estão guardadas lá. Quem sabe não é *ela* que escolhe quem vai ser chupado, e-e quando. A droga não dava imortalidade a vocês. *Vocês* tinham que voltar sempre, pra um casca mortal de carne fedorenta! Mas *Nós* podemos viver para sempre, num Eletromundo limpo, honesto, purificado...

— Merda! Isso que dá ter um filho que é duplamente Virgem...

Algumas características de Imipolex G

Imipolex G é o primeiro plástico que é realmente *erétil*. Sob o efeito de estímulos apropriados, as cadeias formam ligações cruzadas que enrijecem a molécula e aumentam a atração intermolecular de tal modo que esse Poderoso Polímero sai completamente dos diagramas de fase conhecidos, perdendo a textura amorfa de borracha mole para transformar-se num mosaico com características perfeitas de dureza, transparência brilhante, alta resistência a temperaturas extremas, condições atmosféricas, vácuo, choque de qualquer espécie (lentamente luzindo no Vazio. Prateado e preto. Reflexos recurvos de estrelas fluindo de um lado para o outro, ao longo, dando voltas e mais voltas em meridianos exatos como os meridianos da acupuntura. Que são as estrelas senão pontos no corpo de Deus onde inserimos as agulhas curativas de nosso terror e anseio? Sombras dos ossos e dutos da criatura — vazando, feridas, de um branco irradiado — a confundir-se com os dele. *Ele* está emaranhado com os ossos e dutos, sua própria forma determinada pelo modo como a Ereção do Plástico se dará: onde depressa e onde devagar, onde dolorosa e onde suave e tranquila... se haverá troca de características de dureza e brilho entre as áreas, se se deve permitir que algumas áreas fluam por sobre a superfície de modo que a passagem seja uma carícia, onde orquestrar súbitas descontinuidades — golpes, arrancos — em meio a esses momentos mais ternos).

Sem dúvida, o estímulo teria que ser eletrônico. As possibilidades de comunicação com a superfície plástica eram limitadas:

(a) uma fina matriz de fios, formando um sistema coordenado um tanto fechado por sobre a Superfície Imipolética, pela qual comandos eréteis, entre outros, poderiam ser enviados a uma área muito específica, da ordem de $^1/_2$ cm^2,

(b) um sistema de varredura — ou vários — análogo à conhecida varredura de feixe de elétrons de vídeo, modulado por grades e placas de deflexão localizadas nos pontos apropriados da Superfície (ou mesmo abaixo da camada exterior de Imipolex, na interface com O Que se encontra imediatamente sob ela: com O Que foi inserido ou então *desenvolveu por si só uma pele de Imipolex* G, dependendo da heresia que você prefira. Não cabe aqui entrar no Problema Primordial, ou seja, que tudo abaixo da camada plástica está na verdade na Região de Incerteza, senão para enfatizar para os alunos primeiranistas ainda suscetíveis ao Schwärmerei que os termos que se referem à Subimipolexidade, tais como "Âmago" e "Centro de Energia Interna", possuem, fora do campo teórico, tão pouca realidade quanto os termos "Região Supersônica" ou "Centro de Gravidade" em outras áreas da Ciência),

(c) ou então a projeção — *sobre* a Superfície — de uma "imagem" eletrônica, análoga a uma projeção de cinema. Isso exigiria no mínimo três projetores, talvez mais. Exatamente quantos é questão envolta em mais uma ordem de incerteza: a chamada Relação de Indeterminação de Otyiyumbu ("A perturbação funcional provável y_R resultante de uma modificação física $\emptyset_R$ (x,y,z) é diretamente proporcional a uma potência mais alta p da perturbação subimipolética y_B, p não sendo necessariamente um número inteiro e determinado empiricamente"), onde o subscrito R é Rakete, e B é Blicero.

□□□□□□□

Nesse ínterim, Tchitcherine foi obrigado a abandonar sua vigilância esmegmacumulante sobre os anarquistas argentinos. Os tiras, para ser mais exato Nikolai Ripov do Comissariado para Atividades de Informações, estão em cima e estão fechando o cerco. O fiel Džabajev, apavorado ou enojado, saiu pelos pântanos repletos de pés de cranberry, enchendo a cara de vinho, na companhia de dois vagabundos locais, e talvez não volte jamais. Dizem as más línguas que ele anda aprontando pela Zona com roupas roubadas dos Serviços Especiais dos Estados Unidos, fazendo-se passar por Frank Sinatra. Chega numa cidadezinha, acha uma taverna e começa a cantar na calçada, logo forma-se uma multidão, gracinhas púberes, cada uma delas valendo uma multa de 65 dólares, dinheiro mais bem gasto não pode haver, entrando em ataques epiléticos e caindo em amontoados amorfos de malha, rayon e aplicações à árvore de Natal. Funciona. Sempre dá para ganhar vinho de graça, um despotismo de vinho, Fuder und Fass num desfile mambembe pelas ruas cobertas de areia, onde quer que os Três Bebuns se encontrem. Jamais ocorre a ninguém perguntar o que é que Frank Sinatra está fazendo ladeado por esse par de biriteiros babões. Ninguém questiona por um segundo que ele seja o verdadeiro Frank Sinatra. Os aficionados de jazz da cidade acham que os outros dois são uma dupla de comediantes.

Enquanto os nobres choram nas correntes da noite, os escudeiros cantam. A terrível política do Graal jamais os toca. A canção é a capa mágica.

Tchitcherine se dá conta de que está finalmente sozinho agora. O que quer que vá encontrá-lo, vai encontrá-lo sozinho.

Sente necessidade de estar sempre em movimento, embora não tenha para onde ir. Agora, tarde demais, alcança-o a lembrança de Wimpe, o V-Mann da IG Farben de tanto tempo atrás. E o acompanha na viagem. Tchitcherine tinha esperança de encontrar um cachorro. Um cachorro seria ideal, uma honestidade perfeita como referência para ele calibrar a sua, a cada dia, até o fim. Um cão seria boa companhia. Porém quem não tem cão caça com uma lembrança boa.

Foi o jovem Tchitcherine que mencionou o assunto dos narcóticos políticos. Opiatos do povo.

Wimpe retribuiu-lhe o sorriso. Um sorriso velho, velhíssimo, desses que esfriam até o fogo vivo no núcleo da Terra. "Dialética marxista? Isso *não* é um opiato, é?"

"É o antídoto."

"Não." A coisa pode ir para um lado ou para o outro. O vendedor de drogas pode saber tudo que jamais vai acontecer com Tchitcherine e decidir que não vale a pena — ou então, seguindo a veleidade do momento, mostrar tudo àquele rapaz ignorante.

"O problema básico", propõe ele, "sempre foi fazer com que outras pessoas morram por você. O que será tão valioso que leve um homem a dar sua vida? É aí que a religião leva vantagem, há séculos. O tema da religião sempre foi a morte. Ela era usada menos como um opiato do que como uma técnica — uma técnica para fazer as pessoas morrerem por um determinado conjunto de crenças referentes à morte. Uma coisa absurda, natürlich, mas quem é você para julgar? Foi um bom argumento enquanto funcionou. Mas quando se tornou impossível morrer pela morte, surgiu uma versão secular — a sua. Morrer para ajudar a História a atingir sua forma predestinada. Morrer sabendo que seu ato vai nos aproximar um pouco mais do fim desejado. Suicídio revolucionário, muito bem. Mas me diga uma coisa: se as mudanças da História são mesmo inevitáveis, então por que não *não* morrer? Vaslav? Se vai acontecer de qualquer maneira, então que diferença faz?"

"Mas você nunca precisou fazer essa escolha, não é?"

"Se precisasse, pode ter certeza que —"

"Você não sabe. Só quando chegar a hora, Wimpe. Não se pode prever."

"Isso que você disse não é lá muito dialético, não."

"Eu não sei o que é."

"Então, até o momento da decisão", Wimpe curioso mas cuidadoso, "um homem ainda pode ser perfeitamente puro..."

"Ele pode ser qualquer coisa. Para *mim*, tanto faz. Mas ele só existe de verdade nos momentos de decisão. Entre esses momentos, nada tem importância."

"Existe de verdade para um marxista."

"Não. Para ele mesmo."

Wimpe não parece estar convencido.

"Eu já vivi isso. Você, não."

Xxx, xxx. Uma seringa, agulha tamanho 26. Sangues sufocados na suíte de hotel revestida de madeira escura. Levar adiante e esmiuçar essa discussão é virar inimigos verbais, e nem um nem o outro desejam tal coisa no fundo. O teofosfato de onirina é uma maneira de contornar o problema. (Tchitcherine: "Você quer dizer *tio*fostato, não é?" Pensa *para indicar a presença de enxofre*... Wimpe: "Eu quero dizer *teo*fosfato, mesmo, Vaslav", *para indicar a Presença de Deus*.) Os dois se aplicam: Wimpe olhando nervoso para a torneira da bica, pensando em Tchaikovski, salmonela, um rápido pot-pourri de melodias assobiáveis da *Patética*. Mas Tchitcherine só olha para a agulha, sua precisão germânica, seu aço fino. Em breve ele virá a conhecer todo um circuito de prontos-socorros e hospitais de sangue, tão bons para a nostalgia pós-guerra quanto um circuito de estações de água em tempo de paz — cirurgiões e dentistas do exército vão colar e pregar pedaços de aço em sua carne sofrida, em caráter permanente, e arrancar dela os que nela entraram à força com um dispositivo eletromagnético comprado no entreguerras na Schumann de Düsseldorf, com uma lâmpada e um refletor ajustável, manivelas de dois eixos e um jogo completo de Polschuhen de formas estranhas, peças de ferro que modificam a forma do campo magnético... porém lá na Rússia, naquela noite com Wimpe, foi a primeira vez — sua iniciação na incorporação do aço... impossível separar isso do teofostato, separar recipientes de aço da sensação louca, louquíssima...

Os dois passam 15 minutos correndo de um lado para o outro pela suíte, cambaleando, em círculos alinhados com as diagonais dos aposentos. Há na célebre molécula de Laszlo Jamf uma determinada torcedura, a chamada "singularidade de Pökler", num anel de indol estropiado, que será considerada consensualmente pelos oririnistas do futuro, tanto acadêmicos como técnicos, como o elemento responsável pelas alucinações peculiares provocadas por essa droga. Elas não são apenas audiovisuais, e sim afetam todos os sentidos igualmente. E são recorrentes. Certos temas, "arquétipos proféticos" (para utilizar a denominação dada por Jollifox, da Escola de Cambridge), retornam a certos indivíduos repetidamente, com uma coerência que foi fartamente demonstrada no laboratório (ver Wobb e Whoaton, "Distribuição de arquétipos proféticos entre estudantes universitários de classe média", *J. Onir. Psy. Pharm.*, XXIII, pp. 406-453). Como há analogias com o comportamento dos fantasmas, esse fenômeno de recorrência é conhecido, em jargão, como "assombração". Enquanto as alucinações de outros tipos tendem a fluir como que diante dos olhos do viciado, relacionadas de maneiras profundas às quais o alucinado não tem acesso, as assombrações da onirina manifestam uma continuidade narrativa muito clara, mais ou menos equivalente, por exemplo, à de um artigo típico de *Seleções do Reader's Digest*. Por vezes são tão comuns, tão convencionais — segundo Jeaach, são "as alucinações mais cacetes conhecidas em toda a psicofarmacologia" — que só são reconhecíveis como assombrações via alguma violação radical, embora plausível, da possibilidade: a presença de pessoas mortas, viagens pelo mesmo caminho e mesmo meio de transporte que uma pessoa empreende depois mas chega antes, um diagrama impresso que, por mais que seja iluminado, permanece ilegível... Ao se dar conta de que está sofrendo uma assombração, o sujeito entra imediatamente na "segunda fase", a qual, embora sua intensidade varie em sujeitos diferentes, é sempre desagradável: muitas vezes torna-se necessário o uso de sedativos (0,6 mg de atropina, em injeção subcutânea), embora a onirina seja classificada como depressor do sistema nervoso central.

Quanto à paranoia muitas vezes observada como efeito da droga, nela não há nada de notável. Tal como outros tipos de paranoia, Trata-se apenas do momento inicial, do limiar, da percepção de que tudo está interligado, tudo na Criação, uma iluminação secundária — não ainda fundido numa Unidade ofuscante, porém ao menos interligado, e talvez uma via de Entrada para aqueles que, como Tchitcherine, estão detidos no limiar...

A assombração de Tchitcherine

Quanto à questão de se saber se o homem é ou não é Nikolai Ripov: é bem verdade que ele chega tal como se diz que Ripov chega: pesado e inescapável. Quer conversar, só conversar. Mas à medida que a conversa avança, que eles se aprofundam nas confusões labirínticas das palavras, vez após vez ele enrola Tchitcherine de tal modo que este é levado a dizer heresias, a se comprometer.

"Estou aqui para ajudá-lo a enxergar com clareza. Se você tem dúvidas, vamos discuti-las com sinceridade, de homem para homem. Sem retaliações. Porra, você pensa que eu nunca tive minhas dúvidas? Até *Stalin* já teve. Todo mundo tem."

"Mas não é nada sério. Nada que eu não possa segurar."

"Só que você *não* está segurando, senão não teriam me mandado aqui. Você não acha que eles *sabem* quando alguém a quem eles dão valor está correndo perigo?"

Tchitcherine não quer perguntar. Tensiona-se contra essa possibilidade com os músculos de sua caixa torácica. A dor da astenia neurocirculatória lateja em seu braço esquerdo. Porém ele pergunta, sentindo a sutil mudança de ritmo de sua respiração: "Eu era para morrer?"

"Quando, Vaslav?"

"Na Guerra."

"Ah, Vaslav."

"Você queria saber o que era que estava me preocupando."

"Mas você não entende como eles vão encarar isso? Ora, ponha tudo para fora. Nós perdemos vinte milhões de almas, Vaslav. Não é uma acusação que se possa fazer levianamente. Eles vão querer documentação. Até mesmo a sua vida pode ficar ameaçada —"

"Não estou acusando ninguém... por favor... só quero saber se é para eu morrer por eles."

"Ninguém quer que você morra." Tranquilizador. "Por que é que você acha isso?"

Assim, a coisa é arrancada dele pelo paciente emissário, gemendo, desesperado, excesso de palavras — suspeitas paranoicas, medos irreprimíveis, comprometendo-se, criando em volta de si a casca que o isolará de toda a comunidade para sempre...

"No entanto, isso é o próprio coração da História", a voz suave falando na penumbra, pois nenhum dos dois se levantou para acender a luz. "O cerne do coração. Como é que tudo que você sabe, tudo que você já viu e tocou, poderia se fundamentar numa mentira?"

"Mas a vida após a morte..."

"Não há vida após a morte."

Tchitcherine quer dizer que lhe foi necessário lutar para acreditar em sua mortalidade. Tal como seu corpo lutou para aceitar o aço. Sufocar todas as suas esperanças, lutar para atingir a mais amarga das liberdades. Foi só recentemente que ele tentou encontrar conforto no balé dialético de força, contraforça, colisão e nova ordem — foi só quando chegou a Guerra e a Morte apareceu do outro lado do ringue, a primeira vez que Tchitcherine a viu após tantos anos de treinamento: mais alta, com músculos mais belos, menos desperdício de movimentos do que ele jamais imaginara — foi só no ringue, sentindo o frio terrível provocado por cada golpe, que ele recorreu a uma Teoria da História — o mais patético dos confortos — para tentar dar algum sentido a tudo.

"Dizem os americanos: 'Não há ateus nas trincheiras'. Você nunca teve fé, Vaslav. Você foi convertido no leito de morte, por efeito do medo."

"É por isso que vocês querem que eu morra agora?"

"Não queremos que você morra, não. Morto você não serviria para muita coisa." Entraram mais dois agentes de verde-oliva, e estão parados, olhando para Tchitcherine. Seus rostos são comuns, sem nada de marcante. Isto, afinal de contas, é uma assombração de onirina. Tranquila, normal. A única coisa que trai sua irrealidade é —

A violação-radical-embora-plausível-da-realidade —

Os três homens estão sorrindo para ele agora. *Não há violação alguma.*

É um grito, porém sai como um rugido. Ele salta sobre Ripov, quase lhe acerta um soco, porém os outros, com reflexos mais rápidos do que ele esperava, colocaram-se um de cada lado de Tchitcherine, para detê-lo. A força deles é inacreditável. Pelos nervos do quadril e da bunda ele sente que sua Nagant é retirada do coldre, e sente sua pica saindo de dentro de uma moça alemã que já não lembra mais quem seja, na última manhã vinho-doce em que a viu, na última cama morna da última partida matinal...

"Você é uma criança, Vaslav. Apenas fazendo de conta que compreende ideias que na verdade estão além da sua compreensão. Temos que falar com você de modo muito simples."

Na Ásia Central, falaram-lhe sobre as funções dos anjos muçulmanos. Uma delas é examinar as pessoas recém-falecidas. Depois que o último acompanhante do enterro vai embora, os anjos aparecem na sepultura e interrogam o morto a respeito da sua fé...

Há agora um outro vulto, no limiar da sala. É uma mulher da idade de Tchitcherine, uniformizada. Seus olhos não querem dizer nada a ele. A mulher limita-se a observar. Nada de música, de viagem estival... nada de cavalo visto contra a estepe à última luz do dia...

Ele não a reconhece. Não que isso tenha importância. Não a esta altura dos acontecimentos. Mas é Galina, de volta às cidades, emergindo dos silêncios, afinal, de volta mais uma vez aos campos cercados da Palavra, reluzente, correndo confiante e sempre bem perto, sempre tangível...

"Por que você perseguia seu irmão negro?" Ripov consegue dar um tom cortês à pergunta.

Ah. Muito simpático da sua parte perguntar isso, Ripov. E *por quê*, mesmo? "Quando começou... há muito tempo — no início... eu achava que estava sendo punido. Preterido. Pus a culpa nele."

"E agora?"

"Não sei."

"O que o levou a pensar que ele era um alvo *seu*?"

"E de quem mais ele poderia ser?"

"Vaslav. Será que você nunca vai *evoluir*? Isso é uma atitude antiga, bárbara. Laços de sangue, vendeta pessoal. Você pensa que tudo isso foi feito para você, para apaziguar seus desejos mesquinhos, idiotas."

Está bem. Está bem. "É. Provavelmente. E daí?"

"*Ele não é seu alvo*. Outros o querem."

"Quer dizer que vocês deixaram que eu..."

"Até agora. Sim."

Džabajev poderia ter lhe dito. Aquele asiático beberrão é acima de tudo um recruta. *Ele* sabia. Oficiais. Merda de mentalidade de oficial. A gente é que dá duro, aí *eles* chegam, dão o toque final e colhem a glória.

"Vocês estão tirando a coisa das minhas mãos."

"Você pode voltar para casa."

Tchitcherine está observando os outros dois. Percebe agora que estão com uniformes americanos, e provavelmente não entenderam uma palavra do que foi dito. Estende as mãos vazias, os punhos queimados de sol, para uma última aplicação de aço. Ripov, virando-se para sair, parece surpreso. "Ah. Não, não. Você tem uma licença de sobrevivente, de trinta dias. Você sobreviveu, Vaslav. Apresente-se ao TSAGI quando voltar para Moscou. Vamos levar uns alemães que trabalham com foguetes para o deserto. Para a Ásia Central. Creio que eles vão precisar de alguém com experiência na Ásia Central."

Tchitcherine compreende que na *sua* dialética, no desenrolar de sua própria vida, voltar à Ásia Central é, em termos operacionais, morrer.

Eles foram embora. O rosto férreo da mulher, no último instante, não se virou para trás. Ele está sozinho numa sala eviscerada, as escovas de dente de plástico da família ainda em seus suportes afixados à parede, derretidas, penduradas de cabeça para baixo em gavinhas de muitas cores, cerdas apontando para todos os planos e cantos negros, todas as janelas enegrecidas de fuligem.

A nação mais querida de todas é aquela que vai sobreviver a mim e a você, um movimento comum à mercê da morte e do tempo: a aventura ad hoc.

— Deliberações da Conferência do Lactente Rude

O norte? Quem jamais foi procurar algo ao *norte*? O que a gente tem que procurar fica sempre ao sul — aqueles nativos de pele escura, não é? Quando é algum empreendimento perigoso, você é encaminhado ao oeste. Quando se trata de visões, ao leste, o Oriente. Mas o que o norte *tem*?

A rota de fuga do *Anubis*.

O Lume Quirguiz.

O país da morte dos herero.

O tenente Morituri, Carroll Eventyr, Thomas Gwenhidwy e Roger Mexico estão sentados a uma mesa no terraço de tijolo vermelho de Der Grob Säugling, uma estalagem à margem de um laguinho azul em Holstein. O sol faz a água brilhar. Os telhados das casas são vermelhos, os pináculos brancos. Tudo é pequenino, limpo, delicadamente pastoril, preso à oscilação das estações. Xs de madeiras contrastantes nas portas fechadas. O limiar do outono. Uma vaca diz mu. A ordenhadora peida sobre o balde de leite, o qual ecoa com uma suave nota metálica, e os gansos grasnam ou sibilam. Os quatro emissários bebem Moselle aguado e falam sobre mandalas.

O Foguete foi disparado para o sul, para o oeste, para o leste. Mas não para o norte — até agora, não. Para o sul, rumo a Antuérpia, a direção foi aproximadamente 173°. Para o leste, durante os testes realizados em Peenemünde, 072°. Para o oeste, tendo Londres como alvo, mais ou menos 260°. Calculando com réguas paralelas, a direção que falta (ou "resultante", se você preferir) fica em torno de 354°. Seria este o disparo implicado por todos os outros, um disparo-fantasma que, na lógica das mandalas, ou já ocorreu, de modo ultrassecreto, ou então ainda está por ocorrer.

Assim, os membros da Conferência do Lactente Rude, que é o nome pelo qual esta reunião ficará sendo conhecida, estão sentados em torno de um mapa, com seus instrumentos, cigarros e especulações. Não riam. Estamos diante de um dos grandes momentos dedutivos do mundo dos serviços de informação do pós-guerra. Mexico defende a criação de um sistema de pesos que faça os comprimentos dos vetores proporcionais ao número de disparos feitos ao longo de cada um. Thomas Gwenhidwy, sempre sensível para eventos ocorridos no espaço geográfico, quer levar em conta os disparos de Blizna, feitos em 1944 (também para o leste), o que desviaria a seta de 354 mais para o norte ainda — e mais próximo ainda do norte verdadeiro se também forem levados em conta os disparos feitos em Walcheren e Staveren dirigidos a Londres e Norwich.

Dados empíricos e intuição — e talvez um resíduo do terror incivilizável que reside no fundo de nós, de todos nós — apontam para 000: o norte verdadeiro. Poderia haver uma direção melhor para o 00000?

Só tem um problema: que adianta saber a direção, mesmo que seja uma direção mítico-simétrica, se não se sabe o local de onde o Foguete foi disparado? É como uma lâmina de barbear com 280 km de comprimento varrendo o rosto bexiguento da Zona, para o leste e para o oeste, varrendo sem parar, obsessivo, indeciso, reluzente, insuportável, sem jamais se deter...

Pois bem, Sob O Signo Do Lactente Rude. Imagem colorida e balouçante de um bebê horrendamente gordo e babão. Num punho cerrado que lembra um pudim, o Lactente Rude segura um presunto gotejante (desculpem, porcos, nada de pessoal), e estende a outra mão em direção a um Mamilo Materno humano que emerge do lado esquerdo da figura, o olhar da criatura fixo no peito que se aproxima, a boca aberta — expressão de júbilo, dentes pontiagudos e coçando, um brilho nos olhos que diz COMIDAAnhamnhamglubglubhmmmm. Der Grob Säugling, 23º Arcano Maior da Zona...

Roger gosta de imaginar que aquilo é uma foto de Jeremy quando bebê. Jeremy, que Sabe De Tudo, perdoou a aventura de Jessica com Roger. Ele também pulou a cerca uma ou duas vezes, compreende perfeitamente, é um sujeito liberal, afinal de contas a Guerra removeu certas barreiras, vitorianices, por assim dizer (uma história contada a vocês pelos mesmos gozadores que inventaram a famosa Capa de Chuva de Cloreto de Polivinila)... e o que é isso, Roger, ele está tentando *impressionar* você? as pálpebras formam crescentes elevadas, simpáticas, quando ele se debruça para a frente (é mais baixo do que Roger imaginava) com o copo na mão, fumando o Cachimbo de mais mau gosto que Roger jamais viu, uma reprodução em urze-branca da *cabeça* de Winston Churchill no lugar do fornilho, não falta o menor detalhe, até mesmo *um charuto na boca* com um furinho na ponta para que saia um pouco de fumaça por ali... isto aqui é um bar em Cuxhaven frequentado por soldados, outrora foi um depósito de salvados de naufrágios, de modo que os soldados solitários ficam sonhando e bebendo em meio a um monte de cacarecos náuticos, não é um bar ao ar livre como outro qualquer, não, tem um freguês sentado numa escotilha, outro pendurado num balso, outro num cesto de gávea, tomando seu bitter em meio a amarras, cordames, tábuas, peças pretas de ferro. É noite. Foram colocadas lanternas nas mesas. Suaves ondinhas noturnas lambem os seixos. Aves aquáticas tardias gritam sobrevoando o lago.

"Mas xerá que a coija um dia pega a gente, Jeremy, eu e você, eis a quexxtão..." Mexico está fazendo esses comentários oraculares — muitos deles, como hoje no Clube, na hora do almoço, muito constrangedores — desde que ele chegou.

"Hã, o *que* que vai me pegar, meu caro?" É meu caro pra cá, meu caro pra lá o dia todo.

"Você nunca — nunca achou que tinha uma coija tentando *pegar* você, Jeremy?"

"Me pegar." Ele está bêb'ado. É um louco. Não posso de jeito nenhum deixar esse sujeito chegar perto da Jessica, esses matemáticos são que nem tocadores de oboé, a coisa afeta o *cérebro*, sei lá...

Ah-ah, *porém*, uma vez por mês, Jeremy, até mesmo Jeremy, sonha: com uma dívida de jogo... Cobradores de todos os tipos começam a aparecer... ele não consegue se lembrar da dívida, do adversário para quem perdeu, nem mesmo do jogo. Sente que há uma grande organização por trás desses emissários. Suas ameaças ficam sempre em aberto, para Jeremy completá-las... a cada vez o terror vem subindo pela fenda, um terror cristalino...

Bom, bom. Jeremy já passou pelo outro teste infalível de calibragem — num lugar previamente combinado no parque, dois palhaços desempregados, caras pintadas de branco e roupas de operários, aparecem de repente e começam a digladiar-se com pênis de espuma de borracha gigantescos (de 2 a 2,50 m de comprimento), com todos os detalhes muito bem-feitos, tudo em cores reais. Esses falos fantásticos foram um bom investimento. Roger e o marinheiro Bodine (quando ele está em Cuxhaven) estão com mais público que os espetáculos do ENSA. É uma boa maneira de ganhar uns trocados — juntam-se multidões nos arredores dessas cidadezinhas do Norte da Alemanha para ver os dois malucos se escaralhando. Celeiros, em sua maioria vazios, elevam-se acima dos telhados de vez em quando, espichando um braço de forca contra o céu vespertino. Soldados, civis, crianças. Muito riso.

Pelo visto, é possível fazer as pessoas lembrarem-se dos Titãs e dos Pais, e rir. Não é tão engraçado quanto uma torta na cara, mas é igualmente puro, ao menos.

É, as colossais picas de borracha vieram para ficar, como parte do arsenal...

O que Jessica disse — cabelos muito mais curtos, usando uma boca mais escura com formato diferente, batom mais duro, sua máquina de escrever acumulando uma falange de letras entre ela e ele — foi: "Vamos casar. Estamos fazendo força para eu engravidar".

De repente não há nada entre a Gravidade e Roger além de seu próprio cu. "Eu não ligo. Pode ter um filho com ele. Eu vou amar a criança também — mas venha comigo, Jess, por favor... Eu preciso de você..."

Ela aciona uma chave vermelha em seu intercomunicador. Ao longe soa uma campainha. "Segurança." Sua voz é perfeitamente dura, a palavra ainda estala e ecoa no ar enquanto pela porta de tela do escritório pré-fabricado cheirando a maresia entram os canas, de cara feia. Segurança. A palavra mágica de Jessica, o encantamento que a protege dos demônios.

"Jess —" merda, será que ele vai *chorar*? ele sente que a coisa vai explodir como um orgasmo —

Quem o salva (ou interfere com seu orgasmo)? Ora, ninguém menos que Jeremy. O Velho Castor entra em cena e com um aceno despacha os brutamontes, que saem contrariados, exibindo os dentes, e voltam a masturbar-se em cima de suas revistas da série *O crime não compensa*, contemplando sonhadores as fotos de J. Edgar Hoover ou seja lá o que for que eles estavam fazendo antes, e o triângulo romântico combina que vão os três *almoçar* juntinhos no *Clube*. *Almoçar* juntos? Isso é uma peça de Noël Coward ou o quê? Jessica no último instante é dominada por alguma síndrome feminina fictícia que os dois homens concluem que só pode ser náusea de gravidez, Roger imaginando que ela vai fazer a maior pirraça que é capaz de imaginar, Jeremy achando que é uma mensagenzinha pra elezinho. Com isso, os dois homens ficam sozinhos, para conversar num tom enérgico sobre a Operação Tiro pela Culatra, que é o programa britânico de montar alguns A4s e dispará-los para o mar do Norte. Sobre que outro assunto eles podem conversar?

"Por quê?" Roger insiste, tentando emputecer Jeremy. "Por que você quer montar e lançar esses foguetes?"

"A gente apreendeu eles, não foi? O que mais se pode fazer com um foguete?"

"Mas por quê?"

"Por quê? Ora, porra, pra *ver*, é claro. A Jessica me disse que você é — ah — ligado à *matemática*?"

"Sigma pequeno vezes P de *s* sobre sigma pequeno igual a um sobre raiz quadrada de dois pi vezes *e* elevado a menos *s* dois sobre dois sigma pequeno ao quadrado."

"Meu Deus." Ri, olhando rapidamente à sua volta.

"É um velho ditado do meu povo."

Jeremy sabe como enfrentar esse tipo de coisa. Roger é convidado para um jantar informal naquela noite, na casa de Stefan Utgarthaloki, ex-membro da administração da fábrica da Krupp aqui em Cuxhaven. "Você pode levar uma pessoa com você, é claro", rói o Castor, "o que não falta aqui é garota da NAAFI, tem umas do barulho, pra *você* não deve ser nada difícil —"

"Informal quer dizer traje passeio, é?" interrompe Roger. Que pena, ele não tem terno. São grandes as possibilidades de ser preso esta noite. Num jantar onde estarão presentes (a) um membro da Operação Tiro pela Culatra e (b) um executivo da Krupp, certamente também haverá (c) pelo menos uma pessoa da empresa que tenha ouvido alguma fofoca a respeito da Grande Mijada na sala de Clive Mossmoon. Se Roger pudesse saber o que o Castor e seus amigos *realmente* têm em mente!

Ele leva uma pessoa, sim: o marinheiro Bodine, que mandou vir da Zona do canal do Panamá (onde é o uniforme dos empregados das comportas, em extraordinárias combinações de cores tipo papagaio dos trópicos envolvendo amarelo, verde, lilás e escarlate) um terno de malandro de proporções inacreditáveis — as lapelas pontudas têm que ser *reforçadas com barbatanas de arame* porque são muito mais largas que o resto do paletó — debaixo de sua camisa de cetim com padrão roxo sobre fundo roxo o garboso marujo está usando um colete, que reduz sua cintura à silfídica medida de 105 cm, para compensar o drástico estreitamento do paletó à altura da cintura, de modo que o dito paletó cai sobre os joelhos de Bodine *com cinco aberturas* em muitos metros de pregas, como num kilt escocês, que lhe cobrem totalmente a bunda. As calças são do tipo pião, o cinto preso debaixo das axilas, a bainha de cada perna tendo apenas 25 cm de circunferência, de modo que se tornam necessários zíperes ocultos para os pés poderem sair. O terno inteiro é azul, mas não é azul-terno, não — é AZUL mesmo, azul-*tinta de parede*. Onde quer que esse terno vá, todo mundo repara. Em reuniões, ele incomoda a visão periférica, de modo que fica impossível conversar direito. É um terno que força a pessoa ou a refletir sobre coisas tão básicas quanto aquele tom de azul, ou então a sentir-se superficial. Uma roupa subversiva, sem dúvida.

"Só nós dois, companheiro?" pergunta Bodine. "Não é meio arriscado?"

"Olhe", Roger com um risinho doentio ao se dar conta de algo, "a gente não vai nem poder levar aqueles caralhões de borracha. Hoje a gente vai ter que *usar a cabeça*!"

"Tive uma ideia, vou despachar uma moto até o Putzi's, mando juntar um bando de capangas e —"

"Sabe o que eu acho? Você perdeu seu espírito aventureiro. É. Você não era assim, não, sabe?"

"Olhe aqui, meu chapa, ponha-se no meu lugar."

"No seu lugar, vá lá, desde que eu não tenha que pôr a sua roupa também, nem esses sapatos... *amarelos*..."

"Sou um cara simples", o moreno soldado do oceano coçando a virilha, tentando pegar um chato arisco com um dedo unhudo, remexendo as dobras abundantes das calças, "só um garoto sardento de Albert Lea, Minnesota, ali na Rota 69, onde o limite de velocidade é pé na tábua a noite toda, tentando me virar aqui na Zona, tipo de garoto sardento que espetava um alfinete de fralda numa rolha pra improvisar um bigode de gato e passava a noite toda ouvindo vozes de costa a costa antes de fazer 10 anos, e nenhuma delas nunca me aconselhou a me meter em *briga de gangue*, meu chapa. Dê graças a Deus de ser tão inocente, Rog, de nunca ter visto um gângster europeu em ação, eles atacam em três rounds: cabeça, estômago e coração. Sabe *estômago*? Pois é, aqui o estômago não é um órgão de segunda classe, não, meu chapa, é uma coisa que você não pode perder de vista, não."

"Bodine, você não desertou? Isso dá pena de morte, não dá?"

"Ah, isso aí a gente dá um jeitinho. Mas eu só sou uma engrenagenzinha. Não fique pensando que eu sei tudo. Eu só sei o meu trabalho. Posso lhe mostrar como é que a gente lava a coca e depois faz o teste de pureza. Você me dá uma joia e eu sei dizer pela temperatura dela se é verdadeira ou falsa — a falsa não chupa muito calor do seu corpo, 'o vidro é um vampiro relutante', velho ditado de negociante de pedras, e-e dinheiro falso eu percebo na hora, como se fosse um E grande na parede do oculista, tenho uma das melhores memórias visuais da Zona —" E Roger o arrasta enquanto ele monologa, com seu terno de malandro, rumo à festança da Krupp.

Assim que entra, a primeira coisa que Bodine repara é que há um quarteto de cordas tocando. O segundo violino é ninguém menos que Gustav Schlabone, companheiro não muito bem-vindo de noitadas regadas a droga na casa de Säure Bummer, vulgo "Capitão Horror", o simpático porém preciso apelido que lhe dão em Der Platz — e o tocador de viola é o cúmplice de Gustav na arte de reduzir todos os presentes num raio de 100 metros a um estado de depressão suicida toda vez que eles aparecem (quem é que está batendo a sua porta e rindo baixinho, Fred e Phyllis?), André Omnopon, o homem do basto bigode rilkeano e tatuagem de Gaguinho na barriga (o que está cada vez mais na crista da onda: mesmo na Zona do Interior as meninas-moças americanas acham *bárbaro*). Gustav e André são as Vozes Interiores hoje. O que é particularmente curioso porque no programa consta o quarteto que foi suprimido do Op. 76 de Haydn, o quarteto em sol bemol menor, conhecido como "quarteto das trombetas de brinquedo" porque no movimento *Largo, cantabile e mesto* pede-se às Vozes Interiores que toquem trombetas de brinquedo em vez de seus instrumentos tradicionais, criando para o violoncelo e o primeiro violino problemas de dinâmica que não têm igual na literatura. "Há trechos em que você tem que passar do spiccato para o détaché", Bodine falando depressa para uma Esposa Executiva qualquer do outro lado da sala perto da mesa da boca-livre, cheia de salgadinhos de lagosta e sanduíches de capão — "menos arco, mais alto, sabe, atenuando o som — além disso tem umas mil explosões do tipo ppp para fff, mas só uma, a Única e famosa, no sentido oposto..." De fato, um dos motivos pelos quais essa obra foi suprimida é justamente esse uso subversivo de uma súbita passagem de fff para ppp. É o toque da sombra sônica errante, o Brennschluss do Sol. Eles não querem que vocês ouçam esse tipo de coisa em excesso — pelo menos não da maneira como Haydn faz (um estranho lapso no comportamento do eminente compositor): violoncelo, violino, trombetas de brinquedo contralto e soprano todos juntos numa melodia gozosa que parece saída do filme *O médico e o monstro*, "Só você vendo como eu danço polca", quando de repente no meio de um compasso inesperado as trombetas de brinquedo *calam-se por completo*, e as Vozes Exteriores começam a tocar em pizzicato uma não-melodia que, segundo a tradição, representa dois Maluquinhos de Rua setecentistas vibrando os lábios inferiores. Um para o outro. A coisa se estende por 20, 40 compassos, esse pizzicato de debiloides, enquanto os kruppianos de médio escalão rangem em suas cadeiras de veludo de pernas curvas, bãbãbibãbãbã isso nunca foi *Haydn*, Mutti! Representantes da ICI e da GE entortam a cabeça tentando ler à luz de velas os programinhas amorosamente manuscritos pela parceira matrimonial de Utgarthaloki, *Frau* Utgarthaloki, cujo primeiro nome ninguém sabe direito (o que é muito bom para Stefan, pois faz com que todos fiquem sempre na defensiva com ela). Essa mulher é uma imagem loura da sua mãe morta: se você já a viu transvestida em ouro batido, zigomas excessivamente curvos, deformados, sobrancelhas escuras demais e brancos dos olhos brancos demais, uma indiferença zero que no final das contas chega a ser malévola no modo como Eles distorceram o rosto dela, então você conhece essa expressão: Nalline Slothrop logo após seu primeiro casamento está aqui, presente em espírito, nesta Kruppfest. Também está presente seu filho Tyrone, mas só porque a essa altura — início de Virgem — ele se transformou num albatroz depenado. Depenado o cacete — *desnudado*. Espalhado por toda a Zona. É pouco provável que seja possível "encontrar" Tyrone algum dia, no sentido convencional de "identificar sem sombra de dúvida e deter". Apenas penas... órgãos redundantes ou regeneráveis, "que seríamos tentados a classificar como um dos 'Hydra-Phänomen' não fosse a completa ausência de hostilidade..." — Natasha Raum, "Regiões de indeterminação na anatomia do albatroz", *Atas da Sociedade Internacional de Pessoas que Admitem ter um Interesse Entusiástico pela Nosologia do Albatroz*, inverno de 1936, uma grande revistinha, chegaram mesmo a mandar um correspondente para a *Espanha* naquele inverno, para cobrir o fenômeno, há números dedicados exclusivamente a análises da economia mundial, tudo da maior relevância para os problemas da Nosologia do Albatroz — deve o "Verme Noturno" ser classificado no Grupo Pseudogoldstrassiano ou será mais apropriado considerá-lo — já que os indícios são quase idênticos — uma forma mais insidiosa da Hebdomeríase de Mopp?

Bem, se os membros da Contraforça soubessem direito o que se oculta por trás dessas categorias, eles estariam numa posição melhor para desarmar, descaralhar e desmontar os Home. Mas não sabem. Quer dizer, até sabem, mas não admitem que sabem. É a triste verdade. São esquizoides, tão divididos diante de uma quantia polpuda quanto qualquer um de nós, é a dura realidade. Os Home têm uma sede instalada no cérebro de cada um de nós, o emblema de sua empresa é um albatroz branco, cada representante local tem uma fachada cujo nome é Ego, e sua missão neste mundo é Merda Feia. A gente sabe o que está acontecendo, e a gente deixa acontecer. Desde que a gente possa vê-los, devorá-los com os olhos, os fartamente endinheirados, de vez em quando. Desde que eles nos permitam vê-los de relance, ainda que só muito de vez em quando. A gente precisa disso. E eles sabem muito bem que a gente precisa — quanto, quando e em que circunstâncias... A gente tem mais é que ver muita capa de revista popular do tipo A Noite em que Rog e o Castor Brigaram Por Causa de Jessica Enquanto Ela Chorava nos Braços de Krupp, e babar diante de cada foto tremida —

Roger deve ter ficado por um minuto sonhando com as noites tórridas do Termidor: o fracasso da Contraforça, os ex-rebeldes glamourosos, semissuspeitos porém ainda desfrutando da imunidade oficial e de um amor tímido, tudo que eles fazem é digno de registro fotográfico... monstros de estimação condenados.

Eles vão nos usar. Nós vamos ajudar a legitimá-los, embora Eles na verdade não precisem disso, é só mais um lucro para eles, uma coisa boa, mas não indispensável...

Mas é claro, é *exatamente* isso que Eles vão fazer. Trazer Roger agora, num tempo e lugar não muito apropriados, para o seio da Oposição, enquanto o primeiro amor autêntico de sua vida está saracoteando na cadeira de vontade de chegar em casa e levar mais uma golfada do esperma de Jeremy para eles cumprirem a quota do dia — no meio de tudo isso ele tem que dar (*ai*, porra) de cara com a interessante questão: o que será pior, viver como bicho de estimação d'Eles ou morrer? É uma pergunta que jamais lhe ocorreu perguntar a si próprio a sério. Ela surgiu de surpresa, mas não há como despachá-la agora, ele tem mesmo que decidir, e em breve, bem breve, sentir o terror em seus intestinos. Um terror que não há como embromar. Ele tem que escolher entre sua vida e sua morte. Esperar um tempo não é uma solução intermediária, e sim a decisão de viver, segundo as condições ditadas por Eles...

A viola é um fantasma, de um marrom granulado, a suspirar entrando e saindo das outras Vozes. Mudanças de dinâmica abundam. Subidas imperceptíveis, alternando notas ou preparando o campo para alterações de volume, que os alemães chamam de "pausas para respirar", saltitam por entre as frases. Hoje talvez isso seja efeito da execução de Gustav e André, mas após algum tempo o ouvinte começa a ouvir as pausas em vez das notas — isso dá cócegas nos ouvidos, tal como ocorre com os olhos quando eles ficam olhando por muito tempo para um mapa de reconhecimento de terreno até que as crateras de bombas viram do avesso e se tornam carocinhos que se elevam acima da superfície, elevações transformam-se em vales, mar e terra lampejam nas bordas de azougue — é assim que os silêncios dançam neste quarteto. E-e espere só até entrarem em cena as *trombetas de brinquedo*!

Essa é a música de fundo para a cena que se segue. A trama contra Roger foi formulada com um prazer palpitante, de dar arrepios. O marinheiro Bodine é um bônus extra. A caminhada rumo à sala de jantar torna-se uma procissão de sacerdotes, cheia de gestos secretos e subentendidos. É uma refeição muito complexa, segundo o menu, cheia de relevés, poissons, entremets. "O que é esse 'Überraschungbraten' aqui?" pergunta o marinheiro Bodine a sua comensal da direita, Constance Flamp, jornalista durona de vestes cáqui esvoaçantes, paixão de todo soldado de Iwo Jima a Saint-Lô.

"Ué, exatamente o que diz o nome, grumete", responde "Connie Commando", "'assado-surpresa'."

"Morei", diz Bodine. Talvez sem querer, ela gesticulou com a vista — talvez, Pointsman, exista um reflexo de bondade (quantos rapazes ela já viu morrer de 42 para cá?) que de vez em quando, também além do Zero, sobrevive à extinção... Bodine olha para a extremidade oposta da mesa, passando por dentes de executivos e unhas esmaltadas, por instrumentos de comer ornados com pesados monogramas, e pela primeira vez percebe a presença de uma churrasqueira de pedra, com dois espetos pretos de ferro manuais. Dentro dela, criados trajando librés pré-guerra estão colocando papéis velhos (em sua maioria, velhas circulares do SHAEF), gravetos, lenha de pinheiro e carvão, bons punhados de carvão preto do tipo que outrora deixava cadáveres nas duas margens dos canais, isso no tempo da Inflação, quando carvão era uma coisa mortalmente cara, imagine... Na beira da churrasqueira, quando Justus está prestes a acender o fogo, enquanto Gretchen delicadamente acrescenta ao combustível xileno do exército americano recolhido nas docas, o marinheiro Bodine observa a cabeça de Roger sendo segura por quatro ou seis mãos de cabeça para baixo, os lábios sendo arrancados dos dentes e as gengivas altas já brancas, exangues, como um crânio, enquanto uma das empregadas, uma criada clássica, cetim e renda, travessa, torturável, escova os dentes com dentifrício americano, cuidadosamente retirando as manchas de nicotina e tártaro. *Os olhos de Roger estão tão cheios de dor, implorando*... Em volta da mesa os convivas cochicham: "Que interessante, o Stefan pensou até em galantina de porco! Leva até cabeça..." "Ah, que cabeça que nada, eu quero é cravar os dentes numa *outra* parte..." risinhos, resfôlegos, e o que é isso, essa calça azulíssima toda rasgada... e o que é isso manchando o paletó, e o que é, no espeto, cada vez mais vermelho, uma casca coberta de gordura lustrosa, que está virando, o rosto está começando a aparecer, olha só quem é —

"Não tem ketchup, não tem ketchup", o homem hirsuto do paletó azul procurando agitado em meio a galheteiros e salvas, "pelo visto não tem... mas que merda de lugar é esse, Rog", gritando, a sete rostos inimigos de distância, "ô companheiro, aí onde você está tem ketchup?"

Ketchup é código, O.K. —

"Estranho", responde Roger, que sem dúvida viu a mesma coisa na churrasqueira, "era justamente isso que eu ia lhe perguntar!"

Estão sorrindo um para o outro como dois bobões. Suas auras, só para constar, estão verdes. Fora de sacanagem. Desde o inverno de 42, num comboio no Atlântico Norte, em plena tempestade, com toneladas de peças de munição de 5 polegadas soltas no convés, rolando de um lado para o outro, uma invisível alcateia de alemães acertando navios do comboio a torto e a direito, todos em prontidão junto ao reparo 51, ouvindo Pappy Hod contar piadas sobre desastres, piadas gozadíssimas, todos os artilheiros apertando a barriga, histéricos, quase sufocando — desde esse dia que o marinheiro Bodine não sente tanta hilaridade nas barbas da morte.

"Puta mesa, hein?" grita ele. "Comida boa!" A conversação quase cessou. Viram-se rostos delicadamente curiosos. Chamas saltam da churrasqueira. Não são "chamas sensíveis", mas se fossem talvez detectassem a presença do general Pudding. Ele é agora membro da Contraforça, por cortesia de Carroll Eventyr. Bota cortesia nisso. As sessões com Pudding são pelo menos tão chatas quanto as velhas Reuniões Semanais na "Aparição Branca". Pudding agora está falando ainda mais do que no tempo em que era vivo. Os presentes à sessão começam a reclamar: "Será que a gente *nunca* vai se livrar dele?". Mas é através da dedicação de Pudding às brincadeiras culinárias que o estratagema repulsivo que se segue foi elaborado.

"Ah, não sei", Roger num tom estudadamente blasé, "não consegui achar nenhuma *sopa de saliva* no menu..."

"É, e eu bem que gostaria de um *pudim de pus*. Será que vai ter?"

"Não, mas quem sabe vai ter empada de esperma!" exclama Roger, "e depois *marmelada de mênstruo*!"

"Pois eu queria era uma esfiha de esmegma caprichada!" sugere Bodine. "Ou que tal um *rocambole de ranho*?"

"Senhores", murmura uma voz, de sexo indeterminado, alguns lugares adiante na mesa.

"A gente podia planejar uma refeição melhor que *essa*", Roger desprezando o cardápio. "Pra começar, uns pasteizinhos de placenta, talvez uns bons *sanduíches de suor*, mas feitos com pão sem casca, é claro... o-ou então biscoitinhos de bosta! Mmm, é, com bastante maionese de meleca? e com uma boa salsicha de sebo..."

"Ah, entendi", diz Connie Commando, "tem que ter uma aliteração. Que tal... hm... *canapés de corrimento*?"

"Ainda estamos na sopa, meu bem", diz o marinheiro Bodine, blasé, "então sugiro um consomê de cancro, ou talvez um creme de catarro bem cremoso."

"Vichyssoise de vômito", diz Connie.

"É isso aí."

"Salada de sangue", continua Roger, "com uns pedacinhos branquinhos de galantina de gala, com um substancial molho de merda."

Ouvem-se engulhos educadamente contidos, e mais que depressa um representante de vendas da ICI afasta-se, lançando sobre o parquete um longo crescente de vômito bege empelotado. Guardanapos estão sendo levados às bocas em torno de toda a mesa. Talheres são largados, prata ressoando em alvos campos, uma indecisão perturbadora outra vez, tal como na sala de Clive Mossmoon...

E vamos nós, passando por pudim de peido (contendo bolas de gases anais estrategicamente colocadas, que sobem lentamente, atravessando a textura viscosa do doce, nham, nham), empadinha de embrião, legumes leprosos com molho de mijo...

Uma das trombetas de brinquedo para de tocar. "Bolinho de berruga!" grita Gustav.

"Panquecas de piorreia, com quibe de quisto", acrescenta André Omnopon, enquanto Gustav retoma seu instrumento e as Vozes Exteriores param de tocar, confusas.

"Fritas em óleo de oxiúro", murmura o violoncelista, que também tem lado humorista.

"Fritada de frieira", Connie batendo a colher de entusiasmo, "*torta de terçol*!"

Frau Utgarthaloki levanta-se de um salto, derrubando todo um prato de rissoles de ranço — *mil* perdões, são ovos com molho de pimenta — e sai da sala correndo, aos prantos, trágica. Seu marido, metálico e imperturbável, também se levanta e vai atrás dela, dirigindo aos malfeitores olhares viris que prometem morte certa. Um discreto cheiro de vômito começa a vir do espaço sob as bordas da toalha de mesa. Risinhos nervosos já se transformaram há muito em cochichos zangados.

"Um pouco de goulash de gangrena, ou então uma bela *broa de bronha*", Bodine cantarolando "bro-a [descendo uma terça] de bro-nha", jocosamente zombando dos remanescentes, brandindo um dedo, vamos lá seus sacanas, vomitem pra eu ver, vamos...

"Fricassê de fungo!" grita Roger Radical. Jessica está chorando sobre o braço de Jeremy, seu cavalheiro, que a leva embora, rígido, sacudindo a cabeça para Roger, reprovador, para nunca mais voltar. Sentirá Roger uma pontada de dor neste ponto? Sim. Claro. Você também sentiria. Você poderia até questionar o valor da sua causa. Mas há que preparar espaguete de escarro, com muita manteiga, fumegante, mingau de metrorreia e pão de pústula para o café da manhã de toda uma geração choramingas de futuros executivos, pipocas de pentelhos a serem servidas em terraços manchados por um céu de holocausto ou já rígidos de outono.

"Cozido de carbúnculo!"

"Com *suflê de solitária*!"

"E purê de prepúcio!"

Lady Mnemosyne Gloobe está tendo uma espécie de ataque, tão violento que seu colar se rompe e as pérolas rolam pela toalha de mesa de seda. Há uma falta de apetite generalizada, para não falar em náusea. As chamas da churrasqueira murcharam. Não haverá gordura para alimentá-las hoje. Sir Hannibal Grunt-Gobbinette ameaça, entre espasmos da bile amarela que espuma por seu nariz, levar a questão ao Parlamento. "Ponho vocês dois no xilindró, mesmo que isso me custe a vida!" Bem...

Passos leves e suaves porta afora, Bodine brandindo o chapéu de gângster de aba larga. Tchauzinho, pessoal. A única conviva que permanece sentada é Constance Flamp, ainda exclamando possibilidades de sobremesa: "Gelatina de joanete! Caramelo de cabaço! Amêndoas com amígdalas!". Amanhã ela vai pagar caro por seu comportamento. Poças reluzentes disso e daquilo pontuam o assoalho como miragens de água na Sexta Antecâmara do Trono. Gustav e o resto do quarteto abandonaram Haydn e estão saindo junto com Roger e Bodine, trombetas de brinquedo e cordas acompanhando a Dupla Demoníaca:

> Me dê mais um pouco de paquete ao molho pardo,
> Mas se eu insistir acho que não aguento, não!
> Por mim eu comia mais mariscada de miocárdio,
> Bebendo bons goles de coquetel de cagalhão!

"Tenho que confessar", Gustav num cochicho apressado, "é horrível dizer isso, mas talvez vocês não queiram gente como eu. Sabe... eu fui membro da SA. Há muitos anos. Você sabe, como Horst Wessel."

"E daí?" Bodine ri. "Vai ver que eu fui um Agente Melvin Purvis Júnior."

"O quê?"

"Vinha um distintivo em troca de uma tampa de Toasties da Post."

"De quem?" O alemão imagina que os Toasties sejam uma espécie de Juventude Hitlerista de Post, um Führer americano vagamente parecido com Tom Mix ou algum outro caubói beiçudo e queixudo.

O último mordomo negro abre a última porta da rua, e eles fogem. Fugir hoje. "Linguiça de lombriga com pimenta de piolhos, senhores", ele diz, com um aceno. E, quase a ponto de emergir, pode-se divisar um sorriso.

□□□□□□□

Em sua mochila, Geli Tripping leva algumas pontas de unhas de Tchitcherine, um fio de cabelo grisalho, um pedaço de lençol com vestígios do esperma dele, tudo isso amarrado dentro de um lenço branco de seda, juntamente com um pedaço de raiz de orquídea e uma fatia de pão feito com trigo no qual ela rolou nua e que foi amassado contra o sol. Ela não cuida mais de seu bando de sapos na encosta das bruxas, e passou sua vara de condão para uma outra aprendiz. Partiu em busca de seu galante Átila. Ora, há algumas centenas de moças como ela na Zona, apaixonadas por Tchitcherine, todas elas espertas como raposas, mas nenhuma tão teimosa quanto Geli — e nenhuma delas é bruxa.

Ao meio-dia Geli chega numa casa de fazenda com chão de ladrilhos azuis e brancos na cozinha, delicados pratos velhos de porcelana pendurados na parede como se fossem quadros, e uma cadeira de balanço. "Você tem uma foto dele?" a velha entregando-lhe um prato de metal do exército contendo os restos de sua Bauernfrühstuck daquela manhã. "Posso lhe dar um feitiço."

"Às vezes consigo evocar o rosto dele numa xícara de chá. Mas é preciso colher as ervas com cuidado. Eu ainda não sou muito boa nisso."

"Mas você está apaixonada. A técnica é só um substituto, quando você fica mais velha."

"Por que não estar sempre apaixonada?"

As duas mulheres observam-se mutuamente, uma em cada extremidade da cozinha ensolarada. Nas paredes reluzem as vidraças dos armários. Pelas janelas entra o zumbido das abelhas. Geli vai até o poço pegar água com a bomba, e elas preparam um chá de folhas de morango. Mas o rosto de Tchitcherine não aparece.

Na noite em que os negros deram início a sua grande caminhada, Nordhausen parecia uma cidade mitológica, ameaçada por alguma destruição especial — ser engolida por um lago cristalino, coberta por lava caída do céu... por uma noite, a sensação de preservação desapareceu. Os negros, tal como os foguetes da Mittelwerke, davam continuidade a Nordhausen. Agora os negros foram embora: Geli sabe que eles estão em rota de colisão com Tchitcherine. Ela não quer duelos. Que duelem os rapazes da universidade. Ela quer seu bárbaro grisalho de aço vivinho da silva. Não suporta a ideia de que já o tenha tocado, sentido suas mãos cheias de cicatrizes e histórias, pela última vez.

Atrás dela, impelindo-a, está a sonolência da cidade, e à noite — as estranhas noites canarientas dos montes Harz (onde traficantes de canários estão injetando hormônio masculino em canários fêmeas para que os bichos cantem o tempo suficiente para serem comprados pelos otários que estão ocupando a Zona) — cheias de um excesso de encantamentos, rivalidades de bruxas, politicagens de conciliábulos... ela sabe que magia não é isso. A Hexes-Stadt, com suas montanhas sagradas aparadas em círculos pálidos, ao longo de todas as encostas verdes, por cabras amarradas em cordas, transformou-se em apenas mais uma capital, onde a única atividade é administrar — a sensação de se estar no andar de cima do sindicato dos músicos — nada de música, só divisórias de tijolo de vidro, escarradeiras, plantas em vasos — não há mais bruxas *praticantes*. Ou bem você vem ao Brocken com uma carreira burocrática em mente, ou bem você vai embora, e opta pelo mundo. Há dois tipos diferentes de bruxa, e Geli é do tipo que opta pelo Mundo.

Eis aqui o Mundo. Ela está com calças de homem cinzentas arregaçadas até os joelhos que se batem contra as coxas enquanto ela caminha pelas plantações de centeio... caminha, de cabeça baixa, volta e meia afastando o cabelo dos olhos. Às vezes passam soldados e lhe dão caronas. Ela procura notícias de Tchitcherine, da marcha do Schwarzkommando. Quando a situação lhe parece propícia, chega mesmo a perguntar a respeito de Tchitcherine. A variedade dos boatos a surpreende. *Não sou a única apaixonada por ele*... embora o amor *delas*, é claro, seja cheio de amizade e admiração, e assexuado... Geli é a única na Zona que o ama completamente. Tchitcherine, conhecido em alguns círculos como "o Toxicômano Vermelho", está prestes a ser expurgado: o emissário é ninguém menos que o braço direito de Beria, o sinistro N. Ripov.

Conversa, o Tchitcherine morreu, será que você não está sabendo, já morreu há meses...

... arranjaram um sósia para se fazer passar por ele até que todos os outros do Bloco dele tenham sido despachados...

... não, ele esteve em Lüneburg no último fim de semana, um amigo meu já viu o Tchitcherine antes e garante que é ele mesmo...

... ele perdeu muito peso e para onde vai leva um guarda-costas parrudo. Pelo menos uns doze guarda-costas. Quase todos orientais...

... doze inclusive Judas Iscariotes. *Essa* não dá para acreditar, não. Doze? Onde é que alguém vai encontrar doze pessoas de confiança? Especialmente um sujeito que está numa fria como ele —

"Fria? Por quê?" Estão sacolejando na carroceria de um caminhão de duas toneladas e meia, atravessando um campo acidentado e muito verde... atrás deles desenrola-se uma tempestade muda em tons de roxo com veios amarelos. Geli está bebendo vinho com uma cambada de soldados britânicos, uma equipe de demolição que passou o dia inteiro desobstruindo canais. Eles cheiram a creosoto, lama de pântano, amônia de dinamite.

"Ah, você sabe o que ele anda fazendo."

"Os foguetes?"

"Eu é que não gostaria de estar no lugar dele."

No alto de um morro, uma equipe do exército faz um levantamento topográfico para consertar uma estrada danificada. Uma silhueta, debruçada, olha através de um trânsito, uma outra segura um fio de prumo. Um pouco afastado do operador do instrumento, um outro engenheiro está parado com os braços levantados, formando um ângulo reto com o corpo, a cabeça vira-se para olhar primeiro ao longo de um braço, depois do outro, aí os braços vão se fechando até se juntarem... se você fechar os olhos, e se já aprendeu a deixar os braços se moverem sozinhos, seus dedos se tocarão formando um ângulo de exatamente 90° com a direção para onde estavam apontando antes... Geli observa aquele gesto simples: é um ato de devoção, gracioso, e ela *sente a cruz* que o homem formou em seu próprio círculo de terra visível... uma mandala inconsciente... é um sinal para ela. Ele está lhe indicando a direção a seguir. Mais tarde, naquele mesmo dia, Geli vê uma águia sobrevoando o pântano, indo na mesma direção. O céu está de um dourado-escuro, quase noite. A região é deserta, Pã está muito próximo. Geli já foi a muitos sabás, e é capaz de enfrentar a situação — pensa ela. Mas o que é a mordida azul de um demônio na bunda em comparação com o grito a plenos pulmões, ressoando nas pedras, onde não há bem ou mal, os espaços luminosos para onde Pã a transportará? Estará ela preparada para uma coisa tão real? A lua já apareceu. Geli está sentada no exato lugar de onde viu a águia, esperando, esperando que alguma coisa venha levá-la. Você já esperou pela *coisa*? sem saber se ela virá de fora ou de dentro? Por fim deixando de lado as tentativas vãs de adivinhar o que pode acontecer... de vez em quando reapagando o cérebro de modo a deixá-lo limpo para a Visita... sim, não foi quase aqui? lembre, você escapulindo do acampamento para ter um momento a sós com a Coisa que você sentia palpitando na terra... era o equinócio... primavera verde, noites iguais... cânions se abrindo, fumarolas no fundo, fumegando as formas de vida tropical como legumes numa panela, perfume rançoso de droga, um capuz de odor... a consciência humana, esse pobre aleijão, essa coisa deformada e malfadada, está prestes a nascer. Este é o Mundo imediatamente antes do surgimento do homem. Num fluxo constante tão vivo e intenso que jamais pode ser visto por seres humanos de modo direto. Os homens só podem vê-lo morto, em camadas imóveis, transputrefato em petróleo ou carvão. Vivo, era uma ameaça: eram os Titãs, era um transbordamento de vida tão estrepitoso e louco, uma coroa tão verde em torno do corpo da Terra, que era *inevitável* um corruptor surgir antes que toda a Criação fosse despedaçada. Assim, nós, os guardiões aleijados, fomos enviados com ordens de multiplicar-nos, de dominar. Os corruptores agindo em nome de Deus. Nós. Contrarrevolucionários. *É nossa missão promover a morte*. O modo como matamos, o modo como morremos, não tem igual entre as Criaturas. Era algo que tínhamos de elaborar, em escala histórica e pessoal. Construir a partir do nada até chegar a seu estado atual de reação, quase tão forte quanto a vida, reprimindo a rebelião verde. Porém apenas *quase*.

Quase, apenas, por causa do índice de defecções. Uns poucos bandeavam para os Titãs todos os dias, em seu esforço de subcriação (como pode a carne despencar e fluir de tal modo, e não obstante permanecer bela?), para os repousos da Morte folclórica (câmaras de pedra vazias), saindo, e atravessando, e escapulindo sob a rede, mais e mais embaixo, chegando ao levante.

Num eco áspero, os Titãs estremecem, subterrâneos. São todas as presenças que não deveríamos ver — deuses do vento, deuses dos cumes, deuses do poente —, que praticamos não ver para não enxergar mais longe, embora muitos de nós acabemos enxergando, para deixar Suas vozes elétricas para trás ao crepúsculo nos arredores da cidade e adentrar a manta sempre entreaberta de nossa caminhada noturna até que

De repente, Pã — num salto — seu rosto belo demais para suportar, bela Serpente, enroscada em vergões irisados no céu — penetrando os ossos do pavor —

Não volte para casa à noite caminhando pelo campo deserto. Não entre na floresta quando a luz é pouca, mesmo quando ainda é dia, final da tarde — a coisa pega você. Não fique sentada junto à árvore desse jeito, seu rosto encostado no tronco. Ao luar, é impossível determinar se você é homem ou mulher agora. Seu cabelo derrama-se, branco-prateado. Seu corpo sob as vestes cinzas é tão exatamente vulnerável, tão fadado à degradação vez após vez. E se ele acordar e descobrir que você se foi? Ele agora é sempre o mesmo, desperto ou adormecido — jamais abandona seu único sono, não há mais diferenças entre os dois mundos: para ele, tornaram-se um só. Thanatz e Margherita talvez tenham sido seus últimos vínculos com o antigo. Foi talvez por isso que eles permaneceram por tanto tempo, foi o desespero dele, queria apegar-se, precisava deles... porém quando olha para eles agora já não os vê tanto quanto antes. Eles estão perdendo a realidade que trouxeram para cá, tal como Gottfried perdeu toda a sua para Blicero há muito tempo. Agora o rapaz desloca-se de uma imagem a outra, de um cômodo a outro, por vezes saindo da ação, por vezes fazendo parte dela... o que quer que tenha de fazer, ele faz. O dia tem sua lógica, suas necessidades, não há como alterá-lo, sair dele, viver fora dele. O rapaz está indefeso, está protegido.

É apenas uma questão de semanas e tudo estará terminado, a Alemanha terá perdido a Guerra. As rotinas prosseguem. O rapaz não consegue imaginar nada que venha após a derradeira rendição. Se ele e Blicero forem separados, o que acontecerá com o fluxo dos dias?

Blicero vai morrer? *não por favor não deixem que ele morra...* (Mas vai morrer, sim.) "Você vai sobreviver a mim", ele cochicha. Gottfried ajoelha-se a seus pés, com a coleira de cachorro no pescoço. Os dois estão de uniforme. Há muito tempo que nem um nem outro se vestem de mulher. É importante nesta noite que os dois sejam homens. "Ah, você é tão presunçoso, seu putinho..."

É só mais um jogo, não é?, mais uma desculpa para uma surra? Gottfried não diz nada. Quando Blicero quer uma resposta, ele deixa isso claro. Muitas vezes só quer falar, e essas falas podem se prolongar por horas. Ninguém jamais falou com

Gottfried antes, desse jeito. Seu pai apenas lhe dava ordens, sentenças, juízos categóricos. Sua mãe era emotiva, um grande fluxo de amor, frustração e pavor secreto passava dela para ele, porém nunca conversaram de verdade. Isto aqui é tão mais-que--real... ele sente que precisa preservar cada palavra, que nada pode se perder. As palavras de Blicero tornaram-se preciosas para ele. Gottfried compreende que Blicero quer dar, sem pedir nada em troca, dar o que ele ama. Gottfried acredita que existe para Blicero, muito embora todos os outros não existam mais, que no novo reino no qual penetram agora ele é o único outro habitante vivo. Era isso que ele esperava que o tomasse, nisso que esperava entrar? O sêmen de Blicero, espirrando dentro do estrume envenenado de suas tripas... desperdício, sim, inutilidade... mas... tal como homem e mulher, na cópula, são abalados até os ossos ao aproximarem-se dos portões da vida, também ele sentia mais, amorosamente mais, após estas preparações para a penetração, o estilo, os trajes para açoitar sem paixão, meias de seda tão perecíveis quanto pele de cobra, algemas e correntes sob medida para representar a servidão que ele sente no coração... tudo virava teatro quando ele se aproximava dos portões daquele Outro Reino, sentia os gigantescos focinhos brancos em algum lugar interior, feras congeladas sem expressão, alvas, empurrando-o para longe, a pele e o gemido do mistério muito além de sua pobre audição... também isso tem que existir, amantes cujos órgãos genitais são consagrados à merda, aos finais, às noites desesperadas nas ruas quando a ligação se estabelece fora de qualquer controle pessoal, se estabelece ou não, uma reunião de decaídos — são tantos nos atos de morte quanto nos atos de vida — ou a condenação a permanecer sozinho por mais uma noite... Então todos eles serão negados, preteridos?

Em suas abordagens, levando para dentro de si vez após vez, tudo que Gottfried pode fazer é tentar manter-se aberto, relaxar o esfíncter de sua alma...

"E às vezes eu sonho que descobri a beira do Mundo. Descobri que existe um fim. Minha genciana da montanha sempre soube disso. Mas me custou muito.

"A América era mesmo a beira do Mundo. Uma mensagem para a Europa, do tamanho de um continente, inescapável. A Europa havia encontrado o lugar para seu Reino da Morte, aquela Morte especial inventada pelo Ocidente. Os selvagens tinham suas regiões desérticas, Kalaharis, lagos tão enevoados que era impossível divisar a outra margem. Mas a Europa mergulhara mais fundo — na obsessão, no vício, afastando-se de todas as inocências selvagens. A América era uma dádiva das potências invisíveis, uma maneira de retornar. Mas a Europa recusou-a. Não foi o Pecado Original da Europa — o nome mais recente para designá-lo é Análise Moderna — porém acontece que o Pecado Subsequente é mais difícil de expiar.

"Na África, na Ásia, na Ameríndia, na Oceania, a Europa veio e instaurou sua ordem de Análise e Morte. O que não lhe servia para nada ela matou ou alterou. Com o tempo, as colônias da morte tornaram-se fortes o bastante para desprender-se. Porém o impulso imperial, a missão de propagar a morte, a estrutura, permaneceu. Agora estamos na última fase. A Morte Americana veio para ocupar a Europa. Ela aprendeu as táticas de império com sua antiga metrópole. Mas agora só nos resta a estrutura, nenhuma das grandes plumas multicoloridas, nenhum detalhe em ouro, nenhum desfile épico sobre mares alcalinos. Os selvagens de outros continentes, corrompidos porém ainda resistindo em nome da vida, prosseguem apesar de tudo... enquanto a Morte e a Europa estão mais separadas do que nunca, seu amor ainda não foi consumado. A Morte apenas reina aqui. Ela jamais, por amor, *fundiu-se*...

"Será que o ciclo se encerrou, e um novo ciclo está prestes a iniciar? Nossa nova Beira, nosso novo Reino da Morte, será a Lua? Sonho com uma grande esfera de vidro, oca, muito alta, muito distante... os colonizadores aprenderam a viver sem ar, é vácuo por dentro e por fora... os homens sabem que nunca mais voltarão... são todos homens. Há maneiras de voltar, porém tão complicadas, de tal modo à mercê da linguagem, que a presença de volta na Terra é apenas temporária, nunca 'real'... a ida para lá é perigosa, o risco de cair é reluzente e profundo... A Gravidade governa tudo até chegar à esfera fria, *há sempre o perigo de cair*. Dentro da colônia, há um punhado de homens de aparência gélida, não muito sólida, uma existência como a das lembranças, nada tangível... apenas suas imagens remotas, imagens de filme preto e branco, granuladas, partidas ano após ano gélido nas latitudes brancas, na colônia vazia, com um ou outro raro visitante acidental, como eu...

"Quisera eu recuperar tudo. Aqueles homens outrora viveram um dia trágico — ascensão, fogo, fracasso, sangue. Os eventos daquele dia, tão distante no tempo, os exilaram para sempre... não, eles não eram exploradores do espaço, no fundo. Lá longe, queriam mergulhar entre os mundos, cair, virar, alcançar, balançar-se em viagens curvas por entre as brilhantes, por entre as hibernais noites do espaço — sonhavam com encontros, com atos de trapezista executados na solidão, numa graça estéril, com a certeza absoluta de que ninguém jamais estará assistindo, que os entes queridos estão perdidos para sempre.

"As conexões por eles ansiadas seriam sempre perdidas, por erros de trilhões de quilômetros de trevas, anos de silêncio gelado. Porém eu queria lhe trazer de volta a história. Lembro que você costumava me fazer adormecer cochichando histórias sobre o tempo em que viveríamos na Lua... você já não é mais capaz disso? Você está muito mais velho. Você consegue sentir em seu corpo o quanto eu o infectei com minha morte? Era inevitável: quando chega uma certa hora, creio que é inevitável para todos nós. Os pais são os portadores do vírus da Morte, e os filhos são os infectados... e, para que a infecção seja mais certa, a Morte, engenhosa, tornou o pai e o filho belos um para o outro, tal como a Vida criou macho e fêmea... ah Gottfried sim claro você é belo para mim, mas estou morrendo... quero passar por isso da maneira mais honesta de que sou capaz, e sua imortalidade me estraçalha o coração — será que você não entende por que eu haveria de querer destruir isso, ah essa *claridade estúpida* nos seus olhos... quando vejo você em forma, de manhã ou à tarde, tão aberto, tão pronto para tomar minha doença e abrigá-la, abrigá-la no seu pobre amor ignorante...

"O seu amor." Ele acena com a cabeça várias vezes. Porém seus olhos estão perigosamente distantes das palavras, irreversivelmente aturdidos, afastados do Gottfried real, dos cheiros fracos e fracassados dos hálitos reais, por barreiras tão severas e límpidas quanto o gelo, e tão irremovíveis quanto o fluxo unidirecional do tempo europeu...

"Quero sair — romper com este ciclo de infecção e morte. Quero ser tomado em amor: de tal modo que você e eu, e a morte, e a vida, sejamos reunidos, inseparáveis, na radiância do que nos tornaremos..."

Gottfried de joelhos, mudo, espera. *Blicero está olhando para ele.* Profundamente: o rapaz jamais viu seu rosto tão branco assim. Um vento frio de primavera tremula a lona da barraca onde estão. É quase a hora do pôr do sol. Logo Blicero terá que sair para receber os relatórios vespertinos. Suas mãos repousam junto a um monte de pontas de cigarro numa bandeja. Seus olhos de bruxa míope, através das lentes grossas, talvez estejam olhando nos olhos de Gottfried pela primeira vez. Gottfried não consegue desviar a vista. Ele sabe, de algum modo incompleto, que tem de tomar uma decisão... que Blicero espera dele alguma coisa... mas sempre foi Blicero quem tomou as decisões. *Por que estará ele agora pedindo...*

Tudo aqui paira suspenso. Passagens rotineiras, ainda convincentes, ainda nos guiando através do tempo... os foguetes de ferro esperando lá fora... os vagidos da mais recente primavera rasgando-se por extensões chuvosas da Saxônia, beira-estradas salpicadas de últimos envelopes, engrenagens soltas, mancais caídos, meias e cuecas agora recendendo a fungo e lama. Se ainda há esperança para Gottfried aqui, neste instante de vento, então ainda haverá esperança em outros lugares. A própria cena deve ser lida como uma carta: o que está para vir. Tudo que aconteceu de lá para cá com as figuras nela representadas (desenhadas toscamente em branco sujo, cinza-militar, como um rabisco feito num muro semidestruído) é preservado, ainda que não tenha nome, e, tal como O Louco, não desempenhe um papel definido no baralho.

Lá vai Enzian, brandindo seu foguete novo em folha pela noite adentro. Quando chove, e a neblina é espessa, antes de os vigias terem tempo de estender os encerados por completo, a pele lustrosa do foguete fica negra como ardósia. Talvez, no final das contas, logo antes do lançamento, ele seja pintado de preto.

É o 00001, o segundo da série.

Alto-falantes russos do outro lado do Elba chamaram você. Boatos americanos chegaram até as fogueiras à noite, conclamando, contra a base das suas esperanças, os desertos amarelos da América, os peles-vermelhas, o céu azul, os cactos verdes. Como você se sentia em relação ao velho Foguete? Não agora que ele lhe proporciona um emprego estável, mas naquele tempo — você ainda se lembra como foi empurrá-lo para fora manualmente, você e mais onze naquela manhã, uma guarda de honra no mero contato de seus corpos com a inércia dele... todos os rostos mergulhando na mesma expressão desindividualizada — os moirés da personalidade se suavizando, mais e mais, cada onda um pouco mais desfocada, até tudo se reduzir a sutis gradações de nuvem — todo o ódio, todo o amor apagados durante o curto percurso até atravessar a berma de inverno, homens já não tão jovens com as fraldas dos casacos tremulando contra os canos das botas, repuxos brancos de vapor brotando dos narizes, turbulentos como as ondas às suas costas... Para onde irão vocês todos? Que impérios, que desertos? Vocês acariciaram o corpo do Foguete, bruto, a congelar suas mãos através das luvas, juntos aqui sem vergonha nem reservas vocês doze se esforçaram, amorosos, nesta praia do Báltico — talvez não Peenemünde, não a base oficial de Peenemünde... porém uma vez, anos atrás... meninos de camisas brancas e coletes escuros e bonés... em alguma praia, uma colônia para crianças, quando éramos mais jovens... na Plataforma de Testes VII a imagem, por fim, que você não pôde abandonar — aquele vento cheirando a sal e morte, o som das ondas hibernais, a premonição de chuva sentida na nuca, nos pelos cortados rente... na Plataforma de Testes VII, o lugar santo.

Porém todos os jovens ficaram mais velhos, e já quase não há cores na cena... estão caminhando em direção ao sol, pesadamente, o brilho os faz apertar a vista e retorcer os lábios num esgar, tão claro aqui como no turno da manhã na Siemens com os centauros no alto da parede, o relógio sem números, bicicletas rangendo, marmitas e rostos voltados para baixo nos fluxos de homens e mulheres compenetrados penetrando nas entradas escuras... lembra um daguerreótipo da Raketen-Stadt em seus primórdios, tirado em 1856 por algum fotógrafo esquecido: aliás, foi esta a foto que o matou — ele morreu uma semana depois, intoxicado com o mercúrio quente que inalou no estúdio... é, ele estava habituado a conviver com doses moderadas de mercúrio, achava até que fazia bem ao cérebro, o que talvez explique fotos como "Der Raketen-Stadt": a foto mostra, de uma altitude topograficamente impossível na Alemanha, a Cidade cerimonial, com simetria rotacional quádrupla como era de se esperar, uma precisão extraordinária em todas as linhas e sombreados, arquiteturais e humanos, construída em forma de mandala tal como uma aldeia herero, sob um céu magnífico, mármore elevado a uma profusão selvagem de ondas e incandescência brancas... ao que parece, prédios estão sendo construídos, ou demolidos, em diversas partes da Cidade, pois nada aqui permanece igual, vemos as gotas individuais de suor nos pescoços escuros dos trabalhadores que dão duro nos porões úmidos até os ossos... um saco de cimento rasgou-se, os grãos separados pairam no ar... a Cidade estará sempre mudando, marcas recentes de pneus na poeira, mais maços amassados de cigarros no lixo... as alterações feitas no Foguete pelos engenheiros criam novas rotas de suprimento, novas formas de moradia, que se refletem nas densidades de tráfego vistas desta altitude inusitada — de fato, há tabelas de Funções para chegar, a partir dessas mudanças da Cidade, a modificações no Foguete: apenas uma extensão das técnicas por meio das quais Constance Babington-Smith e seus colegas na R. A. F. Medmenham descobriram o Foguete em 1943 em fotografias de reconhecimento de Peenemünde.

Mas tente recordar se você amava. Se amava, de que modo amava. E o quanto amava — afinal, você está acostumado a perguntar "quanto", acostumado a medir, a comparar medidas, a equacioná-las para calcular quanto mais, quanto do quê, quanto quando... e aqui, nesta marcha coletiva rumo ao mar, sinta tanto quanto quiser aquele seu amor negro e ambíguo que é também vergonha, bravata, geopolítica de engenheiro — "esferas de influência" transformadas em toros com seção parabólica de alcance do Foguete...

...não, como poderíamos imaginar, tendo como limite inferior a linha da Terra da qual ele "se eleva" e a Terra que ele "atinge" Não Mas Também Você Nunca Achou Que Fosse Assim Não É É Claro Começa Infinitamente Abaixo Da Terra E Continua Infinitamente De Volta À Terra é só o *pico* que nos é permitido ver, o rompimento da superfície, ao brotar daquele outro mundo silencioso, violentamente (um avião a jato rompendo ruidosamente a barreira do som, alguns anos depois uma espaçonave rompendo a barreira da luz) Lembre Que A Senha Na Zona Esta Semana é MAIS RÁPIDO — QUE, A-VELOCIDADE DA LUZ Acelerando Sua Voz Exponencialmente — Só Se Abrem Exceções Lineares Em Caso De Doenças Das Vias Respiratórias Superiores, nas duas "extremidades", compreenda, uma imensa transferência de energia: irrompendo para cima neste mundo, uma combustão controlada — irrompendo para baixo de novo, uma explosão descontrolada... essa falta de simetria leva à especulação de que há uma presença, análoga ao Éter, fluindo através do tempo, tal como o Éter flui através do espaço. A suposição de um Vácuo no tempo tendia a nos isolar um do outro. Porém um mar de Éter que permita nosso deslocamento de um mundo ao outro talvez nos restitua uma continuidade, nos mostre um universo mais bondoso, mais camarada...

Sim, é sim, isto aqui é uma escolástica, a cosmologia do Estado-Foguete... o Foguete aponta nessa direção — entre outras — passando por esta serpente enrodilhada que se eleva da superfície da Terra numa luz iridescente, numa tetania férrea... essas tempestades, essas coisas do seio profundo da Terra sobre as quais nunca nos disseram nada... passando por elas, pela violência, chegando a um cosmo numerado, uma espécie de Guerra Cerebral vitoriana, com antiquados lambris de madeira escura, como se entre quatérnions e análise vetorial na década de 1880 — a nostalgia do Éter, as formas prateadas, pendulares, ancoradas em pedra, com castão de bronze e filigranas, elegantemente funcionais, de seus avós. Esses tons de sépia estão aqui, decerto. Porém o Foguete tem que ser muitas coisas, tem que responder a uma série de formas diferentes nos sonhos daqueles que o tocam — em combate, num túnel, no papel — tem que sobreviver a heresias, resplandecente, imperturbável... e hereges não faltarão: gnósticos que foram levados às câmaras do trono-Foguete num torvelinho de vento e fogo... cabalistas que estudam o Foguete como Torá, letra por letra — rebites, bicos-pilotos, rosa de latão, esse texto é por eles permutado e combinado de modo a gerar novas revelações, sempre a desenrolar-se... Maniqueístas que veem dois foguetes, um bom e um mau, que falam juntos na sagrada idiolalia dos Gêmeos Primevos (segundo alguns, seus nomes são Enzian e Blicero) de um Foguete bom para levar-nos às estrelas e um Foguete mau para causar o suicídio do Mundo, os dois em perpétuo conflito.

Porém esses hereges serão caçados, e o domínio do silêncio aumentará com a apreensão de cada um deles... *todos* eles serão caçados. Cada um terá seu Foguete pessoal. Cada foguete será programado com o eletrencefalograma do herege, os picos e sussurros das batidas de seu coração, as florescências espectrais de sua radiação infravermelha pessoal, cada Foguete conhecerá seu alvo e o procurará, um cão verde e silencioso, em meio a nosso Mundo, reluzente e apontando, no céu, para suas costas, seu célere anjo-verdugo, cada vez mais próximo, *mais próximo*...

Eis os objetivos. Atravessar trilhos que talvez terminem abruptamente à beira de um rio ou num pátio de ferrovia carbonizado, passando por estradas cujos acessos, até mesmo os não asfaltados, estão agora patrulhados por tropas russas, britânicas e americanas numa ocupação cada vez mais severa, o medo do inverno alvejando os homens, cada vez mais formais, agora é mais estrita a aderência à papelada, à medida que começam a mudar de cor árvores e arbustos, o roxo se estende sobre quilômetros de urze, as noites chegam mais cedo. Ter que ficar ao ar livre nas chuvas do início de Virgem: as crianças que, contra todas as ordens, se infiltraram na marcha, agora estão adoentadas, com tosses e febres, fungando à noite, vozinhas roucas dentro de túnicas militares grandes demais para elas. Preparar-lhes chá de erva-doce, betônica, rosa, girassol, malva — roubar sulfa e penicilina. Evitar levantar poeira da estrada quando o sol seca a lama e surge acima das árvores ao meio-dia. Dormir nos campos. Esconder as seções do foguete sob montes de feno, atrás da única parede sobrevivente de um galpão de ferrovia bombardeado, em meio a salgueiros úmidos junto ao leito do rio. Dispersar-se ante qualquer ameaça, muitas vezes a esmo, como treinamento — fluir como uma rede, descendo os montes Harz, subindo as ravinas, dormindo nos espaços secos e envidraçados de balneários desertos (dor oficial, morte oficial vigiando a noite toda pelos olhos de porcelana das estátuas, escavando nos perímetros da noite, sentindo o cheiro das agulhas de pinheiros esmagadas pelas botas e as pás... Manter a fé de que desta vez não é uma marcha, não é uma luta, é verdadeiramente o Destino, o 00001 deslizando, como uma lingueta de fechadura lubrificada, pela ferrovia preparada para ele na primavera, uma rota em ruínas só na aparência, cuidadosamente elaborada pela Guerra, por técnicas especiais de bombardeio, para transportar esta mais imaquinada das técnicas, o Foguete — o Foguete, o mais terrivelmente potente de todos os bombardeios...

O 00001 segue desmontado, em seções — ogiva, guiagem, tanques de combustível e de oxidante, seções da cauda. Se todos conseguirem chegar ao local de lançamento, terão de montá-lo lá.

"Mostre-me uma sociedade que jamais disse: 'Fui criado entre os homens'",

Christian caminha com Enzian na encosta acima do acampamento, "'para proteger cada um de vocês da violência, dar-lhes abrigo em tempos de catástrofe' — mas, Enzian, que proteção é essa? O que poderá nos proteger *disso*", apontando vale abaixo para a rede amarelenta de camuflagem através da qual eles dois, dotados de visão de raios X para os fins desta viagem, enxergam perfeitamente...

Enzian e o homem mais jovem adquiriram o hábito dessas longas caminhadas. Não foi nada consciente da parte de um ou do outro. Será assim que se fazem as sucessões? Ambos são desconfiados. Mas não há mais silêncios incômodos como antes. Não há competição.

"O Foguete vem como o Revelador. Mostrando que nenhuma sociedade pode proteger, jamais pôde — que são todas inúteis como escudos de papel..." Ele tem que contar para Christian tudo que sabe, tudo que supõe, tudo que sonhou. Sem afirmar que nada disso é verdade. Porém não pode guardar nada só para si. Nada é seu apenas. "Eles mentiram para nós. Não podem nos proteger da morte, e por isso mentem para nós sobre a morte. Toda uma estrutura cooperativa de mentiras. O que foi que Eles já nos deram em troca da confiança, do amor — Eles chegam a falar em 'amor' — que supostamente temos de sentir por Eles? Por acaso Eles podem nos proteger sequer de pegar resfriados? dos piolhos, da solidão? do *que quer que seja*? Antes do Foguete, nós continuávamos acreditando, porque queríamos acreditar. Mas o Foguete é capaz de penetrar, vindo do céu, qualquer ponto. Não há nenhum lugar protegido. Não podemos mais acreditar n'Eles. Se ainda temos sanidade mental, se ainda amamos a verdade."

"Temos", Christian acena com a cabeça. "Amamos." E nem mesmo olha para Enzian em busca de confirmação.

"Sim."

"Então... na ausência da fé..."

Uma noite, na chuva, montam acampamento numa estação de pesquisa abandonada, onde os alemães, já perto do final da Guerra, estavam desenvolvendo um espelho acústico letal. Altos paraboloides de concreto, alvos e monolíticos, espalham-se num padrão regular pela planície. A ideia era provocar uma explosão na frente do paraboloide, exatamente em seu ponto focal. O espelho de concreto enviaria uma onda de choque perfeita a qual destruiria tudo que encontrasse a sua frente. Milhares de cobaias, cães e vacas foram despedaçados aqui em ensaios — pilhas e mais pilhas de dados sobre a curva da morte foram compiladas. Porém o projeto não deu em nada. Só funcionava para pequenas distâncias, pois logo chegava-se a um ponto em que a quantidade de explosivos necessária poderia ser empregada de outra forma. Neblina, vento, ondulações quase invisíveis do terreno, qualquer detalhe que fizesse com que as condições não fossem absolutamente perfeitas alterava a forma letal da onda de choque. Não obstante, Enzian ainda imagina uma guerra, um lugar, onde aquilo possa ser utilizado, "um deserto. Atraia seu inimigo para um deserto. O Kalahari. Espere o vento cessar".

"Quem iria lutar por um deserto?" indaga Katje. Usa um impermeável verde com capuz que parece grande até para Enzian.

"*Em*", Christian de cócoras, olhando para cima, contemplando a curva pálida do refletor do qual se aproximaram e em cuja sombra se protegem da chuva, compartilhando um cigarro, afastando-se por um momento dos outros participantes da marcha, "não 'por'. O que ele está dizendo é 'em'."

É bom corrigir os Textos assim que eles são ditos, para não haver problemas depois. "Obrigado", diz Oberst Enzian.

A cem metros dali, encolhido sob outro paraboloide branco, a observá-los, está um garoto gordo com uma túnica cinzenta. Do bolso da jaqueta espiam dois olhinhos vivos e peludos. É Ludwig e seu lemingue perdido, Ursula — ele acabou encontrando-a afinal de contas, apesar de todos os pesares. Há uma semana que estão seguindo a marcha, sempre mantendo-se ocultos por um triz, acompanhando os africanos dia a dia... em meio às árvores no alto de taludes, na periferia do círculo de luz das fogueiras à noite, Ludwig está lá, olhando... acumulando dados, ou termos de uma equação... um menino e seu lemingue, conhecendo a Zona. O que ele mais viu até agora foi muita goma de mascar e muitos caralhos de estrangeiros. De que outra maneira um garoto solto no mundo consegue se virar na Zona nestes tempos de agora? Já Ursula está preservada. Ludwig encontrou um destino pior que a morte e constatou que é possível negociar com ele. Assim, nem todos os lemingues se jogam do alto do precipício, e nem todas as crianças estão preservadas da sina de cair no pecado do lucro. Esperar mais, ou menos, da Zona é não aceitar as condições da Criação.

Quando Enzian viaja na dianteira, ele tem o hábito de mergulhar em devaneios, mesmo que o motorista esteja falando. À noite e sem faróis, com uma névoa tão espessa que chega a precipitar-se, a lançar-se de vez em quando no rosto como uma echarpe de seda molhada, dentro e fora a mesma temperatura e a mesma escuridão, equilíbrios como estes lhe permitem flutuar na fronteira da vigília, pés e braços para o ar como besouro virado, pressionando contra a tensão superficial do vidro elástico entre os dois níveis, grudando nele, acariciado em sonhos nos pés e mãos agora supersensíveis, um bom cochilo sentado como quem está em casa. O ronco do motor do caminhão roubado é amortecido por colchões velhos amarrados em cima do capô. Henryk, o Lebre, o motorista, está atento para o medidor de temperatura. É conhecido como "Lebre" porque nunca dá os recados direito, tal como na velha história herero. Assim morrem as reverências.

Um vulto surge na estrada, lanterna descrevendo círculos lentos. Enzian abre a janela de mica, põe a cabeça para fora na neblina pesada e grita "mais rápido que a velocidade da luz". O vulto faz sinal para que ele siga em frente. Mas no canto da vista, no último relance antes de virar a cabeça para a frente, Enzian percebe que à luz da lanterna *a chuva está grudando no rosto negro em grandes glóbulos*, grudando como gruda água em maquiagem de ator pintado de preto, e não na pele de um herero —

"Será que dá para fazer uma meia-volta aqui?" Os acostamentos são traiçoeiros, os dois homens sabem. Para os lados do acampamento, a linha levemente ondulada do relevo do terreno é iluminada por uma súbita luz alaranjada.

"Merda", Henryk, o Lebre, engrenando a ré, aguardando ordens de Enzian enquanto lentamente andam para trás. O da lanterna pode ter sido o único vigia, talvez não haja uma concentração inimiga num raio de quilômetros. Porém —

"Ali." À beira-estrada, um corpo caído. É Mieczislav Omuzire, com um ferimento feio na cabeça. "Vamos pegá-lo." Colocam-no na carroceria do caminhão em ponto morto e o cobrem com meia barraca de campanha. Não há tempo para examinar a gravidade da ferida. A sentinela de rosto pintado desapareceu. Da direção para a qual estão seguindo em marcha à ré vem um ratatá de fuzis.

"Vamos para lá *de ré*?"

"Você ouviu mais algum morteiro?"

"Depois daquele? Não."

"Então o Andreas deve ter acertado o sujeito."

"Ah, *eles* estão protegidos, Nguarorerue. Eu estou preocupado é com a *nossa* situação."

Orutyene morto. Okadio, Ekori, Omuzire feridos, Ekori gravemente. Os agressores eram brancos.

"Quantos?"

"Uns doze, talvez."

"Não podemos contar com um perímetro seguro —" luz branca da lanterna descrevendo elipse-parábola no mapa trêmulo, "até Braunschweig. Se ainda existir." A chuva atinge o mapa em gotas estrepitosas.

"Cadê a estrada de ferro?" pergunta Christian. Andreas lhe dirige um olhar interessado. É mútuo. Tem havido muito interesse aqui ultimamente. A estrada de ferro fica a uns 10 quilômetros a noroeste.

As pessoas vêm esvaziar seus pertences perto dos trailers do Foguete. Árvores tenras estão sendo derrubadas, cada golpe ruidoso ecoando... Uma estrutura está sendo construída, trouxas de roupa, panelas e bules enfiados aqui e ali debaixo do longo encerado entre aros de finos troncos de árvores recurvados, para simular peças de foguete. Andreas grita: "Todos os chamarizes, reunir-se junto do vagão-cozinha", procurando nos bolsos a lista. A marcha-chamariz continuará rumo ao norte, sem alterar muito a direção — os outros se desviarão para o leste, de volta em direção ao exército russo. Se se aproximarem bastante, talvez os exércitos britânico e americano se desloquem com mais cautela. Talvez os herero consigam seguir na interface, como quem segue na orla de uma tempestade... até o final, entre os exércitos do Leste e do Oeste.

Andreas, sentado, balançando as pernas, bate calcanhares contra a comporta de descarga do caminhão, *bong*... *bong*... badaladas de despedida. Enzian levanta a vista, intrigado. Andreas quer dizer alguma coisa. Finalmente: "Então, o Christian segue com você?".

"Sim?" Piscando sob sobrancelhas peroladas de chuva. "Ah, pelo amor de Deus, Andreas."

"E então? Os chamarizes também vão chegar lá, certo?"

"Olhe, leve o Christian com *você*, se quiser."

"Eu só queria saber", Andreas dá de ombros, "o que foi decidido."

"Era só me perguntar. Nada foi 'decidido'."

"Talvez não por você. Esse é o seu jogo. Você acha que assim vai se preservar. Mas para *nós* não funciona, não. Nós temos de saber o que vai mesmo acontecer."

Enzian ajoelha-se e começa a levantar a pesada comporta de ferro. Ele sabe como aquilo parece falso. Quem há de acreditar que no fundo ele quer ser um deles, aquela ampla Humildade insone, morrendo, sofrendo hoje por toda a Zona? ele ama os preteridos, sabendo que será sempre um estranho... Correntes rangem sobre ele. Quando a quina da comporta está na altura de seu queixo Enzian levanta a vista, olha Andreas nos olhos. Seus braços estão tensos. Seus cotovelos doem. É uma oferta. Ele quer perguntar: Quantos outros já não contam comigo? Haverá um destino que só eu não enxergo? Porém os hábitos persistem, em sua vida própria. Ele se põe de pé, com esforço, em silêncio, levantando o peso morto, colocando-o no lugar com um empurrão final. Juntos eles passam ferrolhos nas duas extremidades. "Até lá", Enzian acena, e vira-se para o outro lado. Engole uma pílula alemã de desoxiefedrina e depois põe na boca um pedaço de chiclete. A velocidade faz ranger os dentes, a goma é mascada pelos dentes enquanto rangem, mascar chiclete é uma técnica, desenvolvida durante a Guerra por mulheres, para não chorar. Não que ele esteja querendo chorar por causa da separação. Ele quer chorar por si próprio: pelo que todos eles devem estar pensando que vai acontecer com ele. Quanto mais eles acreditarem, maior a possibilidade de que aconteça. Sua gente vai demoli-lo, se conseguir...

Nheco, nheco, hum boa noite, senhoras, está bem amarrado, sim, Ljubica, nheco, como é que vai a cabeça Mieczislav, eles devem ter ficado surpresos quando as balas *ricochetearam*! hê-hê nheco, nheco, boa noite "Fagulha" (*Ozohande*), alguma notícia de Hamburgo a respeito do oxigênio líquido, é bom que o sacana do Oururu entregue direitinho, senão a gente vai cortar um dobrado pra ficar escondido até ele — ai merda quem é *esse*? —

É Josef Ombindi, em pessoa, o líder dos Vazios. Mas até ele parar de sorrir, por alguns segundos, Enzian pensou que fosse o fantasma de Orutyene. "Ouvi dizer que a menina do Okandio foi morta também."

"Falso." Nhoque.

"Foi minha primeira tentativa de impedir um nascimento."

"Quer dizer que você continua tendo um interesse letal por ela", nhoque, nhoque. Ele sabe que não é isso, mas aquele homem o incomoda.

"O suicídio é uma liberdade de que até os mais humildes desfrutam. Mas você quer negar essa liberdade a um povo."

"Nada de ideologia. Me diga se o seu amigo Oururu vai conseguir aprontar o gerador de oxigênio líquido. Ou se vou encontrar uma surpresa engraçada me esperando em Hamburgo."

"Está bem, nada de ideologia. Você quer negar ao *seu* povo uma liberdade de que até mesmo *você* desfruta, Oberst Nguarorerue." Sorrindo outra vez como o fantasma do homem que tombou hoje. Procurando o ponto, enfiando o quê? o quê? quer dizer *o quê*, Oberst? até que ele vê o cansaço no rosto de Enzian e compreende que não é nenhum estratagema. "Uma liberdade", cochichando sorridente, uma canção de amor sob céus negros orlados de um alaranjado ácido, um comercial cheio do horror cátaro à prática de aprisionar almas nos corpos de recém-nascidos, "uma liberdade de que você talvez venha a se valer em breve. Ouço sua alma quando ela fala dormindo. Conheço você melhor do que ninguém."

Nheco, nheco, ah tive que dar a ele a lista dos plantões, não foi? Ah, eu sou uma besta. É, ele pode escolher a noite... "Você é uma alucinação, Ombindi", colocando na voz um toque de pânico suficiente para servir como insulto mesmo se não funcionar, "estou projetando meu próprio desejo de morte, e o resultado tem a sua cara. Mais feio do que eu seria capaz de imaginar." Dirigindo a Ombindi o Sorriso Sideral por trinta segundos, após apenas dez segundos dos quais o outro já começou a desviar a vista, suar, apertar os lábios, olhar para o chão, olhar para o lado, olhar para trás, mas Enzian prolonga o sorriso, hoje não tem piedade não, minha gente, Sorriso Sideral transformando tudo que se encontra num raio de dois quilômetros em cores gélidas de sorvete AGORA que estamos todos neste estado de espírito, que tal instalar as tampas das baterias, *hein*, Djuro? Isso mesmo, visão de raio X, enxerguei através do encerado, pode anotar que foi mais um milagre... você aí, Vlasta, assuma o próximo plantão do rádio, ignore a lista, de Hamburgo só têm vindo comunicações rotineiras e eu quero saber por quê, quero saber o que é que vem de lá quando quem está de plantão é a gente de Ombindi... as comunicações na faixa de frequência da marcha são por ondas contínuas, pontos e traços — para não trair vozes. Porém os operadores juram que sabem identificar a mão do telegrafista. Vlasta é uma de suas melhores operadoras, e ela sabe imitar bem as mãos da maioria dos homens de Ombindi. Tem até praticado, para garantir.

Os outros, que já há muito tempo andam se perguntando quando é que Enzian vai começar a atacar Ombindi, percebem só pela expressão em seu rosto e seu jeito de andar — Assim, com apenas um que outro toque na aba do boné de faxina, indicando o Plano Não-Sei-Das-Quantas, Enzian afasta, tranquilamente, sem violência, os homens de Ombindi de todos os plantões desta noite, embora ainda conservem suas armas e munições. Estas ninguém jamais lhes tirou. Não há por que fazer tal coisa. Enzian não está mais vulnerável agora do que sempre esteve — e sempre esteve muito vulnerável.

O gorducho Ludwig é um caga-lume branco na névoa. A jogada é que ele está atuando como patrulha de observação de um enorme exército branco, sempre em seu outro flanco, pronto para descer do terreno mais alto assim que Ludwig der o sinal, e esmagar os negros. Porém ele jamais seria capaz de dar o sinal. Prefere acompanhar a marcha, invisível. Lá embaixo não tem michê para Ludwig. A viagem deles não o inclui. Eles têm um destino para atingir. Ludwig sente que deve ir com eles, porém separado, um estranho, tão à mercê da Zona quanto eles...

□□□□□□□

É uma ponte sobre um riacho. Quase não há trânsito sobre ela. Olha-se para cima e vê-se toda uma encosta de coníferas escuras perdendo-se na distância de um dos lados da estrada. As árvores rangem de dor da ferida construída em meio a seu terreno, sua terrenidade. Trutas pardas passam chispando no riacho. Debaixo da ponte, outros abrigados escreveram na superfície úmida e arqueada. *Me leve, Espicha-canela, por que não me leva? Não pode ser pior que agora. Você será como um sono suave. Não é só isso, um sono? Por favor. Venha logo — Soldado Rudolf Effig, 12/4/45.* Um desenho, rosto pintado de preto de membro de Comando, um homem olhando bem de perto para uma flor. Ao longe, ou em tamanho menor, algo que parece ser uma mulher, aproximando-se. Ou então um duende, ou coisa parecida. O homem não está olhando para ela (ou ele). No plano médio, montes de feno. A flor tem o formato de boceta de moça. Há um corpo celeste no céu olhando para baixo, com um rosto totalmente tranquilo, como o do Buda. Embaixo, alguém escreveu, em inglês: *Ótimo desenho! Acabe!* e, debaixo disso, com letra diferente: *Está acabado, seu idiota. Tal como você.* Ao lado, em alemão, *Amei-te Lisele com todo o meu coração* — sem nome, nem posto, nem unidade, nem número... Iniciais, jogos da velha que claramente foram jogados a sós, uma partida de forca em que a palavra misteriosa jamais foi terminada: GE_ AD_ _ e o corpo enforcado visível quase do outro lado da estrada, mesmo agora de manhã cedinho, porque a estrada é estreita, e não há gradiente de sombra. Há uma bicicleta não totalmente escondida ao lado da estrada. Uma borboleta tardia pálida como uma pálpebra pisca sem rumo junto aos talos de feno fresco. Encosta acima, alguém levanta um machado para golpear uma árvore viva... e é aqui e agora que a jovem bruxa encontra Vaslav Tchitcherine finalmente.

Ele está sentado à beira-rio, não deprimido, não tranquilo, apenas esperando. Um solenoide sonolento, passivamente aguardando a hora de ser acionado. Ao ouvir o passo dela, levanta a cabeça e a vê. É a primeira presença que ele olha e vê desde ontem à noite. O que é obra dela. O encantamento que ela recitou então, amarrando o fundilho de seda de sua melhor calcinha nos olhos do boneco, os olhos *dele*, orientais e líquidos, embora apenas esboçados no barro com uma unha comprida, era este:

Que ele agora fique cego para todos, menos para mim. Que o sol cálido do amor brilhe nos olhos dele para sempre. Que esta escuridão, a minha, o proteja. Por todos os nomes santos de Deus, pelos Anjos Melquidael, Iaoel, Anafiel, e o grande Metatron, eu vos conjuro, e a todos os que estão convosco, a ir e fazer minha vontade.

O segredo está na concentração. Ela inibe tudo o mais: a lua, o vento nos zimbros, os cães selvagens vagando no meio da noite. Fixa-se na lembrança de Tchitcherine e seus olhos errantes, e deixa a coisa crescer, excitando-se no ritmo do encantamento, de modo que no final, ao enumerar os Nomes do Poder, já está gritando, gozando, sem a ajuda dos dedos, que estão elevados para o céu.

Depois parte um pedaço de pão mágico ao meio, e come uma das metades. A outra é para Tchitcherine.

Ele toma o pão agora. O riacho flui. Um passarinho canta.

Ao pôr do sol, os amantes jazem nus numa fria margem coberta de grama, e o ruído de um comboio vem se aproximando pela estrada. Tchitcherine veste as calças e sobe até a pista para tentar pedir comida, ou cigarros. Os rostos negros passam por ele, mba-kayere, uns olhando-o de relance, curiosos, outros demasiadamente absortos em sua própria exaustão, ou na tarefa de manter sob estreita vigilância um vagão coberto contendo a seção de ogiva do 00001. Em sua motocicleta, Enzian para por um momento, mbakayere, para conversar com o branco barbado e cheio de cicatrizes. Estão no meio da ponte. Falam num alemão incerto. Tchitcherine consegue meio maço de cigarros americanos e três batatas cruas. Os dois homens acenam com a cabeça, um gesto quase formal, quase sorrindo, Enzian engrena a moto e retoma sua viagem. Tchitcherine acende um cigarro e os vê afastar-se estrada abaixo, estremecendo no crepúsculo. Depois volta para sua jovem junto ao rio. Vão ter que encontrar lenha antes que a escuridão seja completa.

Isso é magia. Certo — mas não necessariamente fantasia. Sem dúvida não é a primeira vez que um homem passa por seu irmão, no limiar da tarde, para nunca mais vê-lo, sem o saber.

□□□□□□□

A Cidade já está tão alta que os elevadores viraram um meio de transporte de longa distância, com salões dentro: assentos estofados e bancos, lanchonetes, jornaleiros onde se pode folhear todo um número de *Life* entre uma parada e outra. Para os mais medrosos, que tão logo entram no elevador procuram o Certificado de Inspeção na parede, há moças com bibicos verdes, sobressaias de veludo verde e calças com uma lista amarela do lado — uma espécie de terno de malandro feminino — as quais entendem tudo a respeito de elevadores, e que estão ali para tranquilizar os passageiros. "Antigamente", recita a jovem Mindy Bloth, de Carbon City, Illinois, com um sorriso vago no rosto em perfil, junto ao moiré cor de bronze de losangos fora de foco que passam e passam, na vertical, aos milhares — rosto de menina-moça, sonhador e prático como a Dama de Copas, nunca olha diretamente para a pessoa, sempre refratada num ângulo fixo no meio marrom-dourado que os separa... é manhã, e o florista no fundo do elevador, um ou dois degraus abaixo, atrás do pequeno repuxo, trouxe lilases e íris frescos e matinais — "antes da solução vertical, todos os transportes eram, em última análise, bidimensionais — ah, já posso adivinhar a sua pergunta —" quando um sorriso, bem conhecido e não refratado, para este velho frequentador de elevador, passa entre a moça e o questionador importuno — "'E as *viagens de avião*, hein?' Era isso que você ia perguntar, não era?", na verdade ele ia perguntar a respeito do Foguete e todo mundo sabe que era essa a pergunta dele, só que o assunto agora virou tabu, é curioso, e Mindy com sua delicadeza agora abriu espaço para violência de verdade, a violência da repressão — as cores esmaecidas do céu de uma manhã de setembro do lado oposto ao nascente, e a superfície áspera de um vento matinal — neste íntimo ambiente cúbico, deslocando-se no espaço para cima de modo tão uniforme (uma bolha subindo dentro de um sabão, cercada de verde iluminado por relâmpagos lentos), passando por níveis onde já pululam cabeças buliçosas mais brilhantes que espermatozoides e óvulos no mar, passando por alguns níveis escuros, sem aquecimento, de algum modo proibidos, com um estranho ar de *abandono*, níveis onde ninguém põe os pés desde a Guerra aaaaa-*ahhh*! passando aos uivos, "um efeito aerodinâmico comum", explica Mindy com paciência, "causado pela nossa camada-limite e a forma do orifício quando passamos por ele —" "Ah quer dizer que antes de a gente chegar nele", grita outro engraçadinho, "a forma dele é *diferente*?" "É, e depois que a gente passa também, meu chapa", Mindy o rechaça, ilustrando o que diz com a boca, tensão-relaxamento-sorriso — as aberturas rasgadas passam urrando, voando para baixo, inóspitas, já muitos andares abaixo das solas dos nossos sapatos, um urro descendente como uma nota de harmônica — mas por que é que os andares *habitados* não fazem barulho quando passam? onde as luzes ardem cálidas como festas natalinas, andares que nos chamam para densidades de facetas ou divisórias de vidro, ranzinzices jocosas junto à mesa do café, pois é, mais um dia, oi Marie, onde foi que vocês esconderam os desenhos do SG-1 hein... que história é essa que está com o pessoal de *Serviço de Campo*... de novo? Então a seção de *Projetos de Engenharia* não tem nenhum direito, é como ver o filho da gente fugir de casa, ver um equipamento ser enviado para o Campo (*Der Veld*). É, sim. Coração partido, prece de mãe... Lentamente as vozes do Coral da Juventude Hitlerista de Lübeck vão morrendo (agora os garotos apresentam-se em clubes de oficiais por toda a Zona com seu nome de turnê, "Os Calças-Curtas". Usam os tradicionais trajes bávaros, e cantam — quando sentem que o clima está adequado — de costas para a plateia, os rostinhos serelepes virados para trás flertando com a soldadesca:

> Doíam mais que lágrimas de mãe
> As surras que a *Mutti* me dava...

com um rebolado lindamente coordenado em que cada par de nádegas por trás do couro justo e luzidio tensionava os músculos glúteos de modo bem visível, e pode apostar que não há uma pica presente que não lateje diante desse espetáculo, nem olho que não imagine ver a vara de marmelo materno acertando cada bunda nua, os deliciosos vergões vermelhos, o rosto feminino belo e severo, sorrindo por trás dos cílios baixados, apenas um reflexo de luz em cada olho — quando você estava aprendendo a engatinhar, o que você mais via dela eram as panturrilhas e os pés — eles substituíam os seios como fontes de força, à medida que você ia aprendendo o cheiro daqueles sapatos de couro, e o odor soberano ocupava todo o espaço — até os joelhos, talvez — dependendo da moda no ano em questão — até as coxas. Você ficava indefeso na presença daquelas pernas de couro, aqueles pés de couro...).

"Quem sabe", sussurra Thanatz, "nós todos não aprendemos aquela fantasia clássica sobre os joelhos de nossas mães? Que em algum lugar, no álbum de fotografias do cérebro, há sempre uma criança com traje de principezinho, uma linda criada francesa implorando para levar uma surra?"

Ludwig muda de posição sua bunda um tanto gorda sob a mão de Thanatz. Os dois devem respeitar certos perímetros. Porém estão transgredindo, pois invadiram um trecho da interface, um matagal frio no meio do qual alisaram o capim para deitar-se ali. "Ludwig, um pouquinho de sadomasô não faz mal a ninguém."

"Quem disse?"

"Sigmund Freud. Como é que eu sei? Mas por que é que nos ensinam a sentir uma vergonha automática sempre que o assunto vem à baila? Por que é que a Estrutura permite todos os outros comportamentos sexuais, menos *esse*? Porque submissão e dominação são recursos de que ela precisa para sua própria sobrevivência. Não se pode desperdiçá-los na sexualidade individual. Aliás em sexualidade alguma. Ela precisa de nossa submissão para permanecer no poder. Precisa de nosso desejo de dominação para nos cooptar para seus jogos de poder. Não há prazer nisso, só poder. Vou lhe dizer uma coisa: se fosse possível instaurar o sadomasô em escala universal, no nível da família, o Estado morreria à míngua."

Eis o Sadoanarquismo, e Thanatz é atualmente o principal teórico do movimento na Zona.

Estamos na Charneca de Lüneburg, por fim. Ontem à noite realizou-se o encontro com os grupos que traziam os tanques de combustível e oxidante. O grupo da seção de cauda está a manhã inteira às voltas com o rádio, tentando determinar sua posição, esperando o céu limpar. Assim, a montagem do 00001 está ocorrendo também de modo geográfico, uma diáspora correndo para trás, sementes do exílio voando para dentro numa modesta antevisão do colapso gravitacional, o Messias recolhendo as faíscas caídas... Lembra da história do garoto que detesta kreplach? O prato lhe inspira ódio e pavor, a pele dele se cobre de horrendas manchas verdes de urticária que vão mudando de lugar em seu corpo, como um mapa de relevo, bastando para isso a presença do kreplach. A mãe leva o garoto ao psiquiatra. "Medo do desconhecido" é o diagnóstico dessa eminência grisalha, "deixe o menino ver a senhora *preparando* kreplach que ele perde o medo." Voltam para a casa, estão na cozinha. "Agora", diz a mãe, "vou fazer uma surpresa deliciosa!" "Oba!" exclama o garoto, "que bom, mamãe!" "Está vendo? Estou juntando farinha com sal." "O que é isso, mãe, carne moída? Oba!" "Carne moída com *cebola*. Estou fritando tudo aqui, está vendo?, na frigideira." "Ai, mãe, estou ficando com água na boca! Que legal! E agora, o que é que a senhora está fazendo?" "Um vulcãozinho aqui na farinha, e botando ovo dentro." "Posso ajudar a misturar? Oba!" "Agora vou esticar a massa, está vendo? até ficar bem lisa, e agora vou cortar em quadradinhos —" "*Genial*, mãe!" "Agora ponho uma colherzinha da carne moída nesse quadradinho e dobro, formando um tri..." "GAAHHHH!" grita o menino, aterrorizado — "*kreplach*!"

Tal como alguns segredos foram confiados aos ciganos para que eles os preservassem contra a História centrífuga, e outros aos cabalistas, os templários, os rosa-cruzistas, assim também este Segredo da Montagem Temerosa e outros segredos infiltraram-se nos espaços estanques desta ou daquela Piada de Judeu ou de outra etnia qualquer. Tem também uma história sobre Tyrone Slothrop: diz que ele foi enviado à Zona para estar presente a sua própria montagem — talvez, sussurram vozes altamente paranoicas, *a montagem de seu tempo* — e a piada termina sem chave de ouro nenhuma. O plano fez água. Em vez de ser montado, Slothrop está sendo decomposto e espalhado. Suas cartas foram abertas, à maneira céltica, na ordem proposta pelo senhor A. E. Waite, postas na mesa e lidas, mas são cartas de um debiloide fracassado: apontam apenas para um longo e confuso futuro, mediocridade (não apenas na vida dele como também, he-he, em seus cronistas também, é, nada como tirar o 3 de Moedas de cabeça para baixo cobrindo o significador na segunda tentativa de mandar você assistir pela tevê à sétima reprise do seriado Takeshi & Ichizo, acender um cigarro e esquecer essa história toda) — sem nem felicidade pura e simples nem cataclismo redentor. Todas as suas cartas positivas estão invertidas, sendo particularmente infeliz a inversão do Enforcado, que já era para estar de cabeça para baixo, falando de suas esperanças e temores secretos...

"O doutor Jamf jamais existiu", afirma o mundialmente renomado analista Mickey Wuxtry-Wuxtry — "Jamf era apenas uma ficção, para ajudá-lo a explicar o que ele sentia de modo tão terrível, tão imediato, em sua genitália, por aqueles foguetes cada vez que eles explodiam no céu... para ajudá-lo a negar o que ele nunca seria capaz de admitir: a possibilidade de ele estar apaixonado, sexualmente apaixonado, pela morte, a sua e a de sua espécie.

"Esses americanos de antigamente, lá a sua maneira, eram uma combinação fascinante de poeta primitivo com aleijão emocional..."

"Jamais nos interessamos por Slothrop enquanto Slothrop", admitiu recentemente um porta-voz da Contraforça numa entrevista concedida ao *Wall Street Journal*.

ENTREVISTADOR: Quer dizer que ele era assim mais uma espécie de bandeira.

PORTA-VOZ: Não, nem isso. Desde o começo as opiniões estavam divididas. Foi uma das nossas fraquezas fatais. [Certamente vocês devem estar interessados em ouvir a respeito de fraquezas fatais.] Segundo alguns, ele era um "pretexto". Para outros, ele era um microcosmo autêntico, biunívoco. Os microcosmistas, como você certamente já leu nos livros de história, saíram na dianteira. Nós... era uma maneira muito estranha de caçar hereges, sem dúvida. Pelos Países Baixos, no verão. Por campos cheios de moinhos de vento, pântanos onde era quase escuro demais para se enxergar. Lembro de uma vez em que Christian encontrou um despertador velho e nós aproveitamos o isótopo de rádio para passar nos fios de prumo. Os fios radiativos brilhavam na escuridão. Você já viu homens segurando prumos, normalmente as mãos pousadas perto da virilha. Um vulto escuro com um jorro de mijo luminescente caindo no chão cinquenta metros a sua frente... "A Presença mijona", era a brincadeira que se fazia com todos os novatos. Um trote da Raketen-Stadt, por assim dizer... [É. Uma forma de expressão apelativa. Estou traindo todo mundo... e o pior é que sei o que o seu jornal quer, sei *exatamente* o que eles querem. Sou um traidor. Está no meu sangue. O seu vírus. Propagado pelas suas incansáveis Marias Tifoides, que andam pelos mercados e estações. Nós conseguimos pegar alguns deles em emboscada. Uma vez pegamos alguns no metrô. Foi terrível. Minha primeira missão, minha iniciação. Nós os perseguíamos pelos túneis adentro. Dava para sentir o medo deles. Quando havia uma bifurcação, o jeito era confiar na acústica traiçoeira do metrô. A possibilidade de se perder era alta. A luz era quase nenhuma. Os trilhos brilhavam, como brilham trilhos de trem numa noite de chuva. E os cochichos que ouvíamos *então* — as sombras que esperavam, amontoando-se em ângulos nos postos de reparos, encostadas nas paredes dos túneis, assistindo a perseguição. "O fim está muito distante", cochichavam elas. "Voltem. Não há paradas neste trecho. Os trens passam e os passageiros viajam quilômetros por entre paredes cor de mostarda ininterruptas, mas não há estação. É uma longa viagem vespertina..." Dois deles escaparam. Mas pegamos os outros. Entre duas marcas de estação, creiom amarelo através dos anos de graxa e movimento, 1966 e 1971, provei meu primeiro sangue. Quer incluir este trecho também?] Nós bebíamos o sangue de nossos inimigos. É por isso que os gnósticos são caçados desse modo. O Graal, o Sangraal, é o veículo sangrento. Senão, por que guardá-lo com tanta devoção? Por que a guarda de honra negra atravessaria meio continente, meio império esfacelado, dias e noites de inverno a fio, se fosse apenas para os doces lábios tocarem numa humilde taça? Não, o que eles levam consigo é o pecado mortal: engolir o inimigo, digeri-lo com todos os sucos e assimilá-los por todas as células. O seu "pecado mortal" oficialmente definido. O pecado contra você mesmo. Uma seção do seu código penal, só isso. [O verdadeiro pecado foi o seu: proibir aquela união. Traçar aquela linha. Manter-nos como algo pior que inimigos, pois os inimigos, afinal, estão nos mesmos campos de merda — manter-nos como estranhos.

Nós bebíamos o sangue de nossos inimigos. O sangue de nossos amigos, guardávamos com amor.]

Item nº S-1706.31, fragmento de camiseta da Marinha de Guerra dos EUA, com mancha parda, presumivelmente de sangue, em forma de espada, da parte inferior esquerda à superior direita.

O que não foi incluído no Livro de Recordações foi essa nota de rodapé. O pedaço de camiseta foi dado a Slothrop pelo marinheiro Bodine, uma noite no Chicago Bar. De certo modo, essa noite foi uma reprise do primeiro encontro dos dois. Bodine, com um baseado gordo aceso enfiado entre as cordas do braço de seu violão, cantando com uma voz melancólica que é uma mistura de voz de Roger Mexico com a de algum marinheiro anônimo em San Diego na época da guerra:

Dei uma surra na mãe de alguém,
Dei uma festa pro meu próprio bem.
Dei por mim com o das 6h02 passando por perto,
Ou o das 11h59, não estou certo...

[Estribilho:]

Tem cerca demais nessa tarde vazia,
Tem gente demais nessa chuva fria,
Me disseram que finalmente o seu filho nasceu,
E parece que nunca mais vai haver nada entre você e eu.

Tem horas que eu penso em voltar lá pra Humboldt —
Tem horas que eu quero ir pro Leste e ficar lá até o fim...
Tem vezes que eu acho que seria quase feliz
Se soubesse que de vez em quando você pensa em mim...

Bodine tem um apito de sirene do tipo que os meninos trocam por tampas de caixas de cereais colecionadas, o qual ele instalou engenhosamente no cu de tal modo que pode acioná-lo a qualquer momento soltando um peido de intensidade calculada. Ele está craque em pontuar seu canto com esses IIIiiii anais, e num momento está tentando aprender a peidar no tom certo, um novo arco reflexo, ouvido-cérebro-mãos-cu, e também uma volta à inocência. Hoje os traficantes estão traficando um pouco mais devagar. Bodine, sentimental, acha que é por estarem ouvindo sua canção. E talvez estejam mesmo. Fardos de folhas de coca recém-chegadas dos Andes transformam o ambiente numa espécie de armazém latino cheio de ressonâncias, às vésperas de uma revolução que jamais vai passar de fumaça sujando o céu acima do canavial, às vezes, nas longas tardes rendadas à janela... Moleques de rua estão bancando Gnomos Trabalhadeiros, embrulhando cada folha em torno de uma noz de bétele, formando um pacotinho para mascar. Seus dedos avermelhados são brasas vivas na sombra. O marinheiro Bodine levanta a vista de repente, rosto ladino e barbado espicaçado por toda a fumaça e inconsciência do recinto. Está olhando direto para Slothrop (sendo ele um dos poucos que ainda conseguem ver Slothrop como uma criatura dotada de certa integridade. Os outros quase todos já há muito tempo desistiram de tentar ver alguma coerência nele, até mesmo como um conceito — "Ficou uma coisa muito remota", é o que eles costumam dizer). Será que Bodine está sentindo agora que sua própria força talvez um dia também não seja suficiente: que em breve ele, como todos os outros, *terá* de entregar os pontos? *Mas alguém tem que aguentar as pontas, não pode acontecer com todos nós — não, isso seria demais... Homem-Foguete, Homem-Foguete. Seu pobre-diabo.*

"Venha cá. Escute. Eu quero dar isso pra você. Entendeu? É seu."

Será que ele ainda consegue ouvir? Ver este pano, esta mancha?

"Escute, eu estava lá, em Chicago, quando ele foi pego numa emboscada. Eu estava lá naquela noite, na rua do Biograph, eu ouvi os tiros, tudo. Porra, eu era só um garoto, eu achava que liberdade era isso, e aí saí correndo. Eu e metade de Chicago. Saindo dos bares, dos banheiros, dos becos, mulheres segurando as barras das saias pra poder correr mais depressa, a senhora Krodobbly que está bebendo desde que começou a Depressão, esperando até o sol voltar, e não é que lá está metade da turma que se formou comigo em Great Lakes, com uniformes de gala com as mesmas marcas de molas que o meu, e putas rampeiras e veados bexiguentos com hálito cheirando a luva de maquinista, velhinhas vindo de quintais dos fundos, meninas-moças saídas do cinema com o suor ainda frio em suas coxas, companheiro, *todo mundo* estava lá. Gente tirando a roupa, destacando cheque do talão, um arrancando pedaço do jornal do outro, só pra mergulhar no sangue de John Dillinger. Nós enlouquecemos. Os Agentes nem tentaram nos segurar. Ficaram só olhando, fumaça saindo dos canos das armas dele, enquanto todo mundo ia pegar um pouco de sangue na rua. Pode ser que eu tenha só agido como um maria vai com as outras. Mas *tinha também uma outra coisa*. Aconteceu alguma coisa... se você está me ouvindo... é por isso que estou dando isto a você. Certo? Isto aqui é o sangue de Dillinger. Ainda estava quente quando eu peguei. Eles não iam querer que a gente pensasse que ele fosse mais que um 'criminoso comum' — mas Eles eram tão idiotas — assim mesmo ele fez o que fez. Foi lá e atacou Eles na privacidade latrinária dos bancos. O que ele *pensava* não tinha a menor importância, desde que não atrapalhasse o que ele fazia. E-e também não tem importância nenhuma o motivo pelo qual *nós* estamos fazendo isso. Loucura? É, a gente precisa não é de razões certas, não, e sim de *graça*. A graça física pra continuar a agir. Coragem, inteligência, vá lá, mas e se não tivesse essa graça? nem pensar. Você — me diga, você está ouvindo? Isso aqui funciona. Funciona mesmo. Deu certo comigo, mas eu agora não sou mais que nem o Dumbo, não preciso mais disso pra voar. Mas você... Foguetão. Você..."

Não foi o último encontro, mas nas vezes subsequentes sempre havia outras pessoas presentes, crises de viciados, ressentimentos sobre "banhos" dados ou pretendidos, e àquela altura, conforme temia, Bodine estava começando, sem querer, e envergonhado, a largar de mão Slothrop. Agora, quando bate o barato, quando ele vê uma rede branca se espalhando em todas as direções em seu campo de visão, ele entende isso como emblema de dor ou morte. Está começando a passar mais tempo com Trudi. A amiga deles, Magda, foi presa por vadiagem com agravantes e foi levada de volta para Leverkusen, um pátio de fundos tamanho-família onde os fios elétricos ficam cuspindo de poste a poste, brota capim das rachaduras nos tijolos poeirentos, as janelas vivem fechadas, grama e capim viram um solo amargo no outono. Há dias em que o vento traz pó de aspirina da fábrica da Bayer. As pessoas inalam esse pó e ficam mais tranquilas.

Eles dois sentem falta de Magda. Bodine começa a reparar que sua gargalhada grosseira característica, *hiá, hiá*, está ficando mais germânica, *tchiarz, tchiarz*. Ele também está começando a adotar alguns dos velhos disfarces de Magda. Disfarces simpáticos e penetráveis, como num baile de máscaras. É um travestismo de afeto, a primeira vez que isso lhe acontece na vida. Embora ninguém lhe pergunte nada, pois todos só pensam em suas transações, ele acha que é um negócio bom.

A luminosidade do céu está tensa e límpida, exatamente como puxa-puxa depois de ser puxado duas vezes apenas.

"Morrendo uma morte estranha", o Visitante de Slothrop a esta altura pode não passar de umas linhas rabiscadas num muro com carvão, vozes ouvidas no fundo de uma chaminé, algum ser humano caminhando por uma estrada, "o objetivo da vida e fazer você morrer uma morte estranha. Garantir que a morte, *onde quer que ela encontre você*, há de encontrá-lo em circunstâncias *muito estranhas*. Viver uma vida assim..."

Item nº S-1729.06, frasco contendo 7 cm³ de ponche. A análise indica a presença de vinho branco, aspérula, casca de lima e de laranja.

Ramos de aspérula, também denominada Mestre do Bosque, eram levados para o campo de batalha pelos antigos guerreiros teutônicos, para dar sorte. Ao que parece, algum pedaço de Slothrop esbarrou em Džabajev, passando ausente pelo centro de Niederschaumdorf. (Há quem afirme que fragmentos de Slothrop desenvolveram personæ individuais coerentes. Se isso é verdade, não há como saber quais dos habitantes atuais da Zona são derivados de sua dispersão. Dizem que existe uma derradeira fotografia sua no único disco lançado por The Fool [O Louco], um conjunto de rock inglês — sete músicos, numa pose arrogante que lembra os Rolling Stones da primeira fase, perto de uma ruína de bombardeio no East End, ou na Margem Sul do Tâmisa. É primavera, e o tomilho silvestre floresce numa extraordinária renda branca que se estende sobre a capa verde que agora oculta e suaviza a verdadeira forma do entulho velho. Não há como saber qual dos rostos é o de Slothrop: dos créditos que aparecem na ficha técnica o único que poderia corresponder a ele é: "Harmônica, trombeta de brinquedo — um amigo". Mas conhecendo seu Tarô, seria de se esperar que ele fosse encontrado em meio aos Humildes, entre as almas cinzentas e preteridas, procurar por ele à deriva na luz hostil do céu, a escuridão do mar...)

Agora só resta um longo olho de gato de crepúsculo melancólico acima da planície, cinza-claro contra um teto roxo de nuvens, com uma iridescência de cinza mais escuro. Tudo isso se exibe sobre — e não exatamente olha do alto para — esta reunião de Džabajev com seus amigos. Na cidade, uma estranha convenção está em andamento. Maluquinhos de rua de todos os cantos da Alemanha estão chegando aos borbotões (jorrando pela boca, além de deixar por onde passam trilhas de cor intensa para serem apontadas pelas pessoas durante a ausência deles). Diz-se que vão aprovar esta noite uma resolução na qual pedem à Grã-Bretanha que lhes conceda status de membros da Commonwealth, e talvez até reivindicando um lugar na ONU. Nas escolas das paróquias, pede-se às crianças que rezem para que eles consigam o que querem. Será que 13 anos de colaboracionismo do Vaticano deixaram claro quais são as diferenças entre o que é sagrado e o que não é? Outro Estado está se formando nesta noite, e não sem teatro e festividades. Daí o predomínio do ponche hoje, tendo Džabajev descolado vários litros da bebida. Que os maluquinhos de rua comemorem. Que a santidade deles forme padrões de interferência até entupir a luz de lanternas do salão de reuniões. Que os coristas tenham um desempenho heroico: 16 velhuscos maltrapilhos no palco a arrastar os pés de um lado para o outro, batendo bronha em uníssono, brandindo os pênis como se fossem bordões de batalha, exibindo aos pares e trios suas varas de folhas verdes, expondo extraordinários cancros e lesões, ejaculando fontes de esperma misturado com sangue que espirra sobre as calças lustrosas, os paletós cor de terra com bolsas pendentes como seios de sexagenárias, calcanhares sem meias permanentemente manchados com o pó das pracinhas e ruas despovoadas. Que aplaudam e batam nas cadeiras, que flua a baba fraternal. Hoje o círculo de Džabajev adquiriu, através de uma desorganizada operação de arrombamento e saque realizada na casa do único médico de Niederschaumdorf, uma gigantesca seringa hipodérmica, com agulha e tudo. Hoje eles vão tomar pico de *vinho*. Se a polícia está a caminho, se estrada abaixo alguns ouvidos selvagens já detectam o ronco de um comboio de ocupação a muitos quilômetros noturnos dali, indicando, além de onde a vista alcança, antes do mais tênue vislumbre de um farol, a aproximação do perigo, ainda assim o mais provável é que ninguém aqui rompa o círculo. O vinho há de atuar sobre o que quer que venha a acontecer. Você não acordou e encontrou uma faca em sua mão, sua cabeça enfiada numa privada, a imagem turva de um porrete prestes a esmagar seu lábio superior, e mergulhou de volta naquela velha lanugem de capilares vermelhos onde nada disso jamais poderia estar acontecendo? e despertou de novo para encontrar uma mulher gritando, de novo a água do canal congelando seus olhos e ouvidos afogados, novamente um excesso de Fortalezas Voadoras mergulhando no céu outra vez, outra vez... Mas não, jamais real.

Barato de vinho: o barato de vinho é desafiar a gravidade, é dar por si no teto do elevador que dispara a toda velocidade *para cima*, e não ter como descer. Você se divide em dois, os Dois básicos, e um eu tem consciência do outro.

A ocupação de Mingeborough

Os caminhões descem a ladeira onde a autoestrada federal se estreita por volta das três da tarde. Todos estão com os faróis acesos. Grandes olhos elétricos despontam na lombada entre os bordos. O barulho é terrível. As caixas de mudança rangem quando cada caminhão chega ao final da ladeira, ouvem-se gritos cansados de "Dupla embreagem, sua besta!" vindos de baixo dos encerados. À beira-estrada há uma macieira em flor. Os galhos estão úmidos da chuva matinal, escuros e úmidos. Sentada à sombra da árvore, com ninguém menos que Slothrop, encontra-se uma moça loura, pele bronzeada cor de mel, as pernas de fora. O nome dela é Marjorie. Hogan vai voltar do Pacífico e tentar conquistá-la, mas vai perdê-la para Pete Dufay. Ela e Dufay terão uma filha chamada Kim, e o jovem Hogan Júnior vai enfiar as pontas das tranças de Kim nos tinteiros da escola. A vida há de continuar, com ou sem a ocupação, com ou sem o tio Tyrone.

Há mais chuva no ar. Os soldados estão se reunindo junto à Oficina de Hick. No quintal dos fundos há um depósito de lixo cheio de graxa, rolimãs, peças de embreagens e transmissões. No estacionamento embaixo — dividido com a loja de doces verde, onde ele aguardava o aparecimento da primeira fatia do ônibus escolar amarelíssimo na esquina exatamente às 3h15, sabendo quais os garotos do colegial que eram bons para se arranjar uns trocados — há seis ou sete automóveis Cord velhos, em diferentes categorias de imundície e deterioração. Suvenires de um jovem império, brilham agora como carros fúnebres na premonição de chuva. Equipes já estão construindo barricadas, e um grupo de saqueadores invadiu a loja de Pizzini, uma estrutura de ripas cinzentas, grande como um celeiro na esquina. Meninos na plataforma de carregamento, comendo sementes de girassol em sacos de aniagem, ouvem o barulho dos soldados liberando cortes de carne do frigorífico de Pizzini. Se Slothrop quiser ir para casa daqui, tem que tomar um caminho junto à parede de tijolos da garagem, uma estrutura de dois andares, um caminho verde cuja entrada fica camuflada pelo lixo queimado da loja e o galpão de madeira onde Pizzini guarda seu caminhão de entregas. Depois é atravessar dois terrenos que na verdade não encostam um no outro, de modo que o que se faz é contornar uma cerca e tomar uma passagem para carros. São duas casas de velhas, âmbar e preto, cheias de gatos vivos ou empalhados, abajures manchados, sobrecobertas e paninhos em todas as poltronas e mesas, e uma penumbra terminal. Depois você atravessa uma rua, toma a passagem de carros da senhora Snodd junto às malvas-rosas, passa por um portão de arame e pelo quintal de Santora, salta uma cerca de madeira onde termina a cerca viva, atravessa a rua, e pronto, está em casa...

Mas tem a ocupação. Talvez já tenham interditado os atalhos dos garotos junto com as rotas dos adultos. Talvez seja tarde demais para voltar para casa.

De volta a Der Platz

Gustav e André, tendo retornado de Cuxhaven, desatarraxam a palheta e o encaixe da palheta da trombeta de brinquedo de André e colocaram em seu lugar papel laminado — fizeram uns furos nele e agora estão fumando haxixe no instrumento, tampando a extremidade com o dedo pa-pa-pá para carburar a fumaça — pois bem, o sacana do Säure pôs um grupo de ex-engenheiros de Peenemünde, da área de propulsão, para desenvolver uma pesquisa a longo prazo sobre o melhor projeto possível para um cachimbo de haxixe, e imaginem só — em termos de fluxo, transferência de calor, controle da razão ar/fumaça, a forma perfeita é a da trombeta de brinquedo clássica!

É, e tem outra coisa engraçada: a rosca logo acima da palheta da trombeta de brinquedo é exatamente igual à rosca de uma lâmpada. Gustav, o bom capitão Horror, usando uns amarelíssimos óculos de picar ("Parece que ajuda a achar a veia") liberados do exército britânico, costuma dizer que isso é a assinatura inconfundível do Febo. "Vocês acham que a trombeta de brinquedo é um instrumento subversivo, seus panacas? Olhem aqui —" ele sempre leva uma lâmpada em suas rondas diárias, para não perder uma oportunidade de deprimir algum viciado... e com facilidade atarraxa a lâmpada na palheta, emudecendo-a. "Estão vendo? O Febo está por trás até mesmo da trombeta de brinquedo. Ha! ha! ha!" Uma Schadenfreude pior que um peido de cebola prolongado espalha-se pela sala.

Mas o que a lâmpada de Gustav — que não é outro senão nosso amigo Lorde Byron — quer dizer é que não, não é nada disso, é uma declaração de fraternidade da Trombeta de Brinquedo por todas as lâmpadas cativas e oprimidas...

Há um filme sendo exibido embaixo do tapete. No assoalho, 24 horas por dia, é só puxar o tapete e pronto, lá está a porra do filme! Um filme de Gerhardt von Göll, realmente grosseiro e de mau gosto, copiões diários de um projeto que jamais será terminado. O plano do Springer é prolongar a filmagem indefinidamente, debaixo do tapete. O título é *Barato novo*, e o tema é uma droga recém-inventada da qual ninguém jamais ouviu falar. Uma das características mais irritantes dela é que assim que o sujeito toma ele fica incapacitado de explicar aos outros como é o efeito e — pior ainda — dizer-lhes onde é possível encontrá-la. Os traficantes estão tão por fora quanto todo mundo. A única esperança é pegar em flagrante uma pessoa que esteja tomando (fumando? injetando?) a tal droga. Pelo visto, é a droga que encontra o usuário. Faz parte de um mundo invertido cujos agentes andam por aí com armas que são como aspiradores de pó funcionando no sentido da vida — desaperta-se o gatilho e balas são sugadas do corpo de pessoas recém-mortas, e o Grande Irreversível é revertido, o cadáver volta à vida ao som de um tiro ao contrário (dá para imaginar o tipo de prazer desmiolado que sentem os montadores da trilha sonora). Aparecem letreiros do tipo

GERHARDT VON GÖLL VICIADO EM AMITOL SÓDICO!

E eis aqui a figura em pessoa, o grande canastrão, sentado numa privada, num... é, parece que é um troninho de criança enorme, entre as pernas dele ergue-se a cabeça de um chacal de porcelana com — coisa constrangedora — um *baseado* na boca vagamente sorridente. "Por entre algozes e águias", bosteja o Springer, "o clima louriza e avança, pois não há força sob a tosca guerra. Não, nem para trapaças, enquanto não vêm os monitores em flálgidas folhas de terra para copular e dizer metóchnica blilar metumetnozz em bergamota e lúdica fantasia sob o trono e a tripa do rei menos clemente..." pois é, tem muita coisa desse tipo, uma boa oportunidade de dar uma saída para comprar pipoca, a qual no Platz é na verdade feita com sementes de ipomeia, que pipocam em silenciosas explosõezinhas pardas. Nenhum dos habitués daqui costuma assistir muito ao filme debaixo do tapete — só os visitantes de passagem: amigos de Magda, desertores da grande fábrica de aspirina de Leverkusen, ali no canto derramando água e maisena liberada um no corpo do outro, com risinhos doentios... cultores do I Ching que têm um hexagrama favorito tatuado em cada dedo do pé, e quiromantes apaixonados ("qui-romântico!") e também mágicos mambembes que não conseguem se proteger de visitas desastrosas de Qlipot, organizadores sacanas de sessões espíritas, poltergeists, debiloides e fracassados dos mais diversos planos astrais — pois é, todos eles têm aparecido em Der Platz ultimamente. Mas a alternativa é começar a excluir uns e não outros, e ninguém está disposto a isso... Decisões desse tipo caberiam a algum anjo colocado numa situação muito elevada, observando todas as nossas inúmeras peculiaridades, rastejando sobre cetim negro, engasgando com cabos de chicotes enfiados na boca, lambendo o sangue da picada do parceiro sexual, tudo isso, todos os risinhos e suspiros perdidos, transcorrendo sob uma sentença de morte de cuja beleza profunda o anjo jamais chegou perto...

O Tarô de Weissmann

O Tarô de Weissmann é melhor que o de Slothrop. Eis as cartas, tais como foram abertas:

Significador: Valete de Espadas
Coberto por: Torre
Cruzado por: Dama de Espadas
Resultado: Rei de Copas
Embaixo: Ás de Espadas
Antes: 4 de Copas
Atrás: 4 de Moedas
Eu: Pajem de Moedas
Casa: 8 de Copas
Esperanças e Temores: 2 de Espadas
O que há de vir: O Mundo

Ele aparece primeiro com botas e insígnias reluzentes montado num cavalo negro, investindo num galope que nem ele nem o cavalo são capazes de controlar, atravessando a charneca, passando por cima dos gigantescos túmulos pré-históricos, dispersando os carneiros de cara preta, enquanto negras tranças de zimbros vão passando, oníricas, tanatófilas, atravessando sua trajetória numa paralaxe de fatalidade serena, presidindo como monumentos a agonia verde e parda do verão, as planícies cor de pó e por fim o mar cinzento como um campo, um mar-pradaria arroxeado nos pontos onde o sol irrompe das nuvens em grandes círculos, refletores iluminando uma pista de dança.

Ele é o pai que você nunca vai conseguir matar. A situação edipiana na Zona anda terrível. Não há dignidade. As mães masculinizaram-se, reduzidas a velhos sacos de dinheiro que não despertam interesse sexual em ninguém, e no entanto seus filhos continuam presos a inércias eróticas de 40 anos atrás. Os pais não têm poder agora e jamais tiveram, mas como há 40 anos não fomos capazes de matá-los, estamos condenados agora à mesma passividade, às mesmas fantasias masoquistas que *eles* nutriam em segredo, e, o que é pior ainda, em nossa fraqueza estamos condenados a representar homens poderosos que nossos próprios filhos pequenos vão odiar, e querer derrubar, só que não vão conseguir... Assim, geração após geração de homens apaixonados pela dor e a passividade cumprem seu turno na Zona, silenciosos, cheirando a esperma velho, com um medo terrível de morrer, desesperadamente viciados nos confortos que os outros lhes vendem, por mais inúteis, feios e superficiais que sejam, dispostos a deixar que suas vidas sejam definidas por homens cujo único talento é para a morte.

Das 77 cartas que poderiam ter saído, Weissmann é "coberto" — isto é, sua atual condição é ditada — pela Torre. É uma carta estranha, e cada um tem uma história diferente sobre ela. Mostra um raio caindo sobre uma estrutura fálica alta, e duas figuras, uma de coroa, caindo do alto dela. Para alguns, significa a ejaculação e só. Para outros, Trata-se de um símbolo gnóstico ou cátaro que representa a Igreja católica, a qual costuma ser generalizada de modo a referir-se a qualquer Sistema incapaz de tolerar a heresia: um sistema que, por sua própria natureza, tem de cair mais cedo ou mais tarde. A esta altura, sabemos que é também o Foguete.

Segundo os membros da Ordem da Aurora Dourada, a Torre representa a vitória sobre o esplendor, e também uma força vingadora. Tal como Goebbels, todo o seu palavrório profissional à parte, acreditava no Foguete como uma força vingadora.

Na Árvore da Vida cabalística, o caminho da Torre conecta a Sefirá Netzach, vitória, com Hod, glória ou esplendor. Daí a interpretação da Aurora Dourada. Netzach é fogosa e emotiva, Hod é aquosa e lógica. No corpo de Deus, essas duas Sefirot são as coxas, os pilares do Templo, que se resolvem juntas em Iessod, os órgãos da reprodução e da excreção.

Mas cada uma das Sefirot é também assombrada por seus demônios ou Qlipot apropriados: Netzach pelos Gorab Tzerek, os Corvos da Morte, e Hod pelo Samael, o Veneno de Deus. Ninguém perguntou nada aos demônios de um e do outro nível, mas talvez haja aqui um pouquinho de vulnerabilidade a uma sensação de queda, a queda muito íngreme e desproporcional que experimentamos nos sonhos, uma queda que é mais no espaço do que entre objetos. Embora os diferentes Qlipot só possam efetuar cada um seu tipo específico de mal, a atividade no caminho da Torre, de Netzach a Hod, parece ter resultado no surgimento de um novo tipo de demônio (o quê? um

Tarô dialético? Isso mesmo, pessoá! E-e se vocês não acreditam que existem mágicos marxistas-leninistas, vocês estão comendo mosca, hein!). Os Corvos da Morte agora já provaram do Veneno de Deus... mas em doses tão pequenas que não chega a fazer mal, e sim a proporcionar, tal como o *Amanita muscaria*, um estado de espírito muito estranho... Eles não têm um nome oficial, mas são os demônios da guarda do Foguete.

Weissmann é cruzado pela Dama de seu naipe. Talvez ele próprio, transvestido. Ela é o maior obstáculo em sua trajetória. Em sua fundação, a espada única flamejando dentro da coroa: mais uma vez, Netzach, vitória. No baralho americano essa carta chegou até nós como o ás de espadas, que é um pouco mais sinistro: vocês conhecem o silêncio que desce no ambiente quando esse ás sai, em qualquer jogo. Atrás dele, saindo de sua vida como influência, vem o 4 ou Quatro de Moedas, que mostra uma figura de posses modestas desesperadamente agarrando-se ao que possui, quatro moedas de ouro — o debiloide pisa em duas delas, equilibra a outra na cabeça e aperta a quarta contra o ventre, que está ulcerado. É a bruxa estacionária tentando apegar-se a sua casa de doces contra os vultos que emergem das trevas para mordiscá-la. Aproximando-se, a sua frente, vem uma festança de copas, a saciedade. Muita birita e boceta para Weissmann num futuro bem próximo. Bom para ele — se bem que em sua casa ele aparece se afastando, renunciando a uma pilha de oito cálices de ouro. Talvez porque nas fezes da copa da véspera esteja a presença amarga de uma mulher sentada junto a uma costa rochosa, o Dois de Espadas, sozinha no litoral báltico, vendada ao luar, apertando contra o peito as duas lâminas... o significado comumente atribuído é "harmonia num estado de armas", uma descrição razoável da Zona hoje em dia, e também das mais profundas esperanças, ou temores, de Weissmann.

Ele próprio, tal como o Mundo o vê: o jovem e estudioso Pajem de Moedas, meditando sobre seu mágico talismã de ouro. O Pajem pode também ser utilizado para representar uma moça. Porém Moedas refere-se a pessoas de tez bem escura, de modo que é quase certo que a carta represente Enzian quando jovem. E Weissmann pode finalmente, dessa maneira limitada, no baralho, ter se transformado em seu primeiro amor.

O Rei de Copas, coroando suas esperanças, é o rei-intelectual de tez clara. Se você quer saber onde ele se enfiou, procure entre os acadêmicos bem-sucedidos, os assessores do presidente, os intelectuais que fazem figuração nas diretorias. É quase certo que ele esteja lá. Olhe para cima, não para baixo.

Sua carta do futuro, daquilo que há de vir, é o Mundo.

O último verde e magenta

A Charneca torna-se verde e magenta em todas as direções, terra e urze, atingindo a maioridade —

Não. Era primavera.

O cavalo

Num campo, além da clareira e das árvores, eis o último cavalo, cinza-prateado embaçado, pouco mais que um amontoado de sombras. Os germânicos pagãos que viveram aqui outrora sacrificavam cavalos em suas antigas cerimônias. Depois o papel do cavalo mudou, de oferta sagrada para servo do poder. Já uma grande mudança estava ocorrendo na Charneca, amassando, virando, tremulando com dedos fortes como o vento.

Agora que o sacrifício tornou-se um ato político, um ato de César, o último cavalo só quer saber como vai ventar nesta tarde: primeiro o vento surge, e tenta engrenar, pegar, mas não consegue... a cada vez o cavalo sente uma ascensão parecida no coração, nas fímbrias do olho, do ouvido, do cérebro... Por fim, certo de que o vento vai pegar, o que é também uma virada no dia, o cavalo levanta a cabeça e todo ele estremece — é possuído por um tremor. Sua cauda açoita a carne clara e arisca do vento. Tem início o sacrifício no arvoredo.

Isaac

Segundo uma tradição agádica aproximadamente do século IV, Isaac, no momento em que Abraão ia sacrificá-lo na terra de Moriá, viu as antecâmaras do Trono. Para o místico praticante, ter a visão e passar pelas câmaras, uma por uma, é algo terrível e complexo. É preciso não apenas ter toda uma formação em contrassignos e selos, e mais uma disposição física obtida através de exercícios e abstinência, como também um tesão de resolução que jamais broxe na hora errada. Os anjos dos portais tentam tapear você, ameaçá-lo, submetê-lo a todo tipo de brincadeira de mau gosto, para desviá-lo de seu intento. Os Qlipot, cascas dos mortos, usarão contra você todo o seu amor pelos amigos que já passaram para o lado de lá. Você escolheu a via ativa, e não há como recuar sem cair no mais mortal dos perigos.

A outra via é escura e feminina, passiva, e requer o autoabandono. Isaac sob a lâmina. O gume reluzente alarga-se, transforma-se numa passagem descendente, através da qual a alma ascende, transportada por um Éter irresistível. Gerhardt von Göll na dolly, gritando de felicidade, correndo desabotinado pelos corredores de Nymphenburg. (Deixemo-lo lá, em seu arroubo, em sua inocência...) A luz numinosa cresce adiante, quase azul em meio a todo esse dourado e cristal. Os douradores trabalham nus e de cabeça raspada — para adquirir uma carga de eletricidade estática a fim de segurar a folha trêmula, eles primeiro passaram a escova nos pentelhos: eletricidade genital brilharia para todo o sempre nestes panoramas dourados. Porém deixamos há muito o louco Ludwig e sua dançarina espanhola derretendo, tom de vermelho cada vez mais pálido sobre o mármore, brilho traiçoeiro como de água doce... já isso ficou para trás. A ascensão à Merkabá, apesar de seus débeis últimos vestígios de virilidade, derradeiros gestos rumo à possibilidade da magia, está irreversivelmente a caminho...

Pré-lançamento

Uma gigantesca mosca branca: um pênis ereto zumbindo envolto em renda branca, coberto de sangue ou esperma coagulado. Renda-morte é o traje nupcial do rapaz. Seus pés lisos, amarrados um ao outro, calçam sapatilhas de cetim branco com laços também brancos. Seus mamilos rubros estão eretos. Os pelos louros de suas costas, ouro alemão mesclado, amarelo pálido tendente a branco, corre espinha abaixo, simetricamente, em arcos finos e revoltos como as volutas de uma impressão digital, como limalhas de ferro dispostas ao longo das linhas de força de um campo magnético. Cada sarda, cada sinal de nascimento é uma anomalia escura, precisamente localizada no campo. Suor acumula-se em sua nuca. Uma luva de pelica branca o amordaça. Weissmann arquitetou todo o simbolismo hoje. A luva é o equivalente feminino da Mão da Glória, usada pelos gatunos para iluminar a sua casa quando a invadem: vela em mão de defunto, ereta tal como hão de ficar todos os seus tecidos à primeira deliciosa lambida de sua amante, a Morte. A luva é a cavidade em que se encaixa a Mão, tal como o 00000 é o útero a que Gottfried retorna.

Enfiá-lo lá dentro. Não um leito de Procusto, porém modificado para que ele caiba lá. Os dois, rapaz e Foguete projetados paralelamente. Os traseiros de aço formam uma curva tão graciosa... o rapaz se encaixa bem. Feitos um para o outro, o Schwarzgerät e a estrutura imediatamente superior. Os membros nus do rapaz, com suas amarras metálicas, contorcem-se entre os dutos de combustível, oxidante, vapor, estrutura de reforço, bateria de ar comprimido, junta de exaustão, tanques, válvulas... e uma dessas válvulas, um ponto de teste, uma chave de pressão, é o verdadeiro clitóris, ligado diretamente ao sistema nervoso do 00000. Ela não deve ser nenhum mistério para você, Gottfried. Encontre a zona de amor, lamba e beije... você tem tempo — ainda restam alguns minutos. O oxigênio líquido flui gélido tão perto do seu rosto, ossos de geada para queimá-lo até a insensibilidade. Logo haverá fogo, também. O Forno para o qual engordamos você vai arder. Eis o sargento, trazendo a Zündkreuz. A Cruz pirotécnica que vai acender você. Os homens estão em posição de sentido. Prepare-se, Liebchen.

Equipamentos

Foi-lhe dada uma janela de safira artificial, dez centímetros de diâmetro, cultivada pela IG em 1942 como uma bolota em forma de cogumelo, sendo-lhe acrescida uma pitada de cobalto para lhe dar um tom esverdeado — muito resistente ao calor, transparente para a maior parte das frequências visíveis — ela distorce as imagens do céu e das nuvens lá fora, porém de modo agradável, como Ochsen-Augen no tempo da vovó, antes de inventarem as vidraças...

Uma parte do vapor de oxigênio é canalizado para atravessar a mortalha de Imipolex de Gottfried. Em um de seus ouvidos um pequeno fone foi implantado cirurgicamente. Brilha como um brinco bonito. O enlace de dados atravessa o sistema de guiagem por rádio, e as palavras de Weissmann serão, por algum tempo, multiplexadas com as correções de erros enviadas para o Foguete. O momento exato de sua morte jamais será conhecido.

Música de perseguição

Finalmente, após toda uma carreira de distinção a exclamar "Meu Deus, chegamos tarde demais!" sempre com um esboço de esgar debochado, uma condescendência pro forma — porque é claro que ele *nunca* chega tarde demais, há sempre um adiamento, um erro cometido por um dos capangas trapalhões do Inimigo Amarelo, na pior dos hipóteses uma pista vital encontrada ao lado do cadáver — agora, finalmente, Sir Denis Nayland Smith vai *mesmo* chegar, meu Deus, tarde demais.

O Super-Homem vai pousar com suas botas numa clareira abandonada, um eretor-lançador suspirando óleo por um vazamento fino, goma evocada das árvores, maná amargo para a mais amarga das passagens. As cores de seu manto vão fenecer no sol vespertino, seus cabelos crespos começarão a exibir os primeiros fios grisalhos. Philip Marlowe vai sofrer uma enxaqueca horrenda e retirar do bolso do terno, num gesto automático, a garrafa de uísque, e sentirá saudade das sacadas trabalhadas do Edifício Bradbury.

O Homem-Submarino e sua equipe multilinguística terão problemas com as baterias. O Homem de Borracha vai se perder em meio às cadeias de Imipolex, e topólogos de toda a Zona vão sair correndo de casa e mandar cancelar os cheques que lhe pagaram ("perfeitamente deformável" uma ova!). O Zorro vai sair na disparada, à testa de um grupo de cidadãos convocados para a operação, esporas arrancando sangue do alvo couro de seu corcel, e encontrará seu jovem amigo, o inocente Dan, pendurado de um galho de árvore pelo pescoço partido. (Tonto, se Deus quiser, vamos vestir a camisa do fantasma e nos sentar junto a um fogo morto para afiar a faca dele.)

"Tarde demais" não estava nos cálculos deles. O que encontram é a suspensão momentânea de sua sanidade — mas logo passa, ufa, e voltamos à trilha, ao *Planeta Diário*. *É, Jimmy, deve ter sido o dia em que esbarrei naquela singularidade, aqueles poucos segundos de mistério absoluto... sabe, Jimmy, o tempo — o tempo é uma coisa gozada*... Haverá mil maneiras de esquecer. Os heróis vão tocar para a frente, serão promovidos para supervisionar o treinamento de pessoal de escalão médio, jovens brilhantes, e vão ver o sistema deles se esfacelar, ver singularidades surgindo, cada vez mais frequentes, para proclamar mais uma exceção ao tempo tradicional, e vão dizer que é câncer, e não vão conseguir entender para onde vai esse mundo, nem qual é o significado disso tudo, hein, Jimmy...

Ele constata que anda sentindo falta dos cachorros. Quem poderia imaginar que um dia teria saudades daquele bando de bichos babões? Mas aqui no subministério tudo é tão sem cheiro, sem tato... Por algum tempo a privação sensorial estimulou-lhe a curiosidade. Por algum tempo ele registrou diariamente, com todo o cuidado, todas as suas mudanças fisiológicas. Mas o que fazia na verdade era relembrar Pavlov em seu leito de morte, registrando dados sobre si próprio até o fim. No caso de Pointsman é apenas a força do hábito, retrocientismo: uma última olhada de relance para a porta de Estocolmo, fechando-se para ele definitivamente. As inscrições começaram a diminuir, e por fim cessaram. Ele assinava relatórios, supervisionava. Viajava pela Inglaterra, depois para outros países, tentando encontrar novos talentos. No rosto de Mossmoon, e nos dos outros, de vez em quando ele detectava um reflexo que jamais se permitira sonhar: a tolerância dos homens no poder com aquele que nunca Fez Sua Jogada, ou então a fez da maneira errada. Claro que há ainda momentos de desafio criativo —

É, agora ele é um ex-cientista, um homem que jamais entrará Fundo o Bastante para começar a falar sobre Deus, um excêntrico adorável de bochechas rosadas e cabelos brancos, a opinar sobre tudo do alto de seu púlpito de Laureado — não, a ele restarão apenas Causa e Efeito, e o resto de sua parafernália... seus corredores minerais não brilham. Permanecem no mesmo tom neutro e anônimo, daqui à câmara central, e a cena perfeitamente ensaiada que ele, afinal de contas, há de representar lá...

Contagem regressiva

A contagem regressiva tal como a conhecemos, 10-9-8-u.s.w., foi inventada por Fritz Lang em 1929 no filme da Ufa *Die Frau in Mond*. Ele a introduziu na cena do lançamento para acentuar o suspense. "Mais um dos meus famosos 'toques'", comentou o diretor.

"Por ocasião da Criação", explica o porta-voz dos cabalistas, Steve Edelman, "Deus enviou ao vazio um pulso de energia. Esta energia foi se ramificando e se classificando em dez esferas ou aspectos distintos, correspondendo aos números de 1 a 10. São as chamadas Sefirot. Para voltar a Deus, a alma tem de negociar cada uma das Sefirot, de dez a um, contando para trás. Armados de magia e fé, os cabalistas partiram para a conquista das Sefirot. Muitos segredos cabalísticos estão ligados ao empenho de realizar com sucesso essa viagem.

"Em seguida as Sefirot formam um desenho, chamado Árvore da Vida. É também o corpo de Deus. Desenhado em meio às dez esferas surgem 22 caminhos. Cada caminho corresponde a uma letra do alfabeto hebraico, e também a uma das cartas denominadas "Arcanos Maiores" no Tarô. Assim, embora a contagem regressiva do Foguete pareça ser serial, na verdade ela encobre a Árvore da Vida, que tem de ser apreendida toda ao mesmo tempo, conjuntamente, em paralelo.

"Algumas Sefirot são ativas ou masculinas, outras passivas ou femininas. Porém, a Árvore em si é uma unidade, cujas raízes estão exatamente na Bodenplatte. É o eixo de uma Terra particular, uma nova ordem, criada pelo Grande Disparo."

"Mas-mas com um novo eixo, uma nova Terra a girar", ocorre ao visitante, "o que acontece com a astrologia?"

"Os signos mudam, seu idiota", retruca Edelman, pegando seu frasco tamanho-família de Thorazine. Ele tornou-se um usuário tão habitual desse tranquilizante que sua tez escureceu assustadoramente, adquirindo um tom de roxo-ardósia. Isso faz com que ele sobressaia na rua, onde todo mundo anda bronzeado, com os olhos vermelhos por causa de um ou outro fator irritante. Os filhos de Edelman, uns capetinhas levados da breca, de uns tempos para cá começaram a tirar capacitores de rádios transistorizados velhos e jogá-los dentro do frasco de Thorazine do pai. Para seu olho desatento, não havia praticamente diferença alguma: assim, por algum tempo, Edelman achou que seu organismo estava adquirindo tolerância àquela droga, e que o Abismo encontra-se agora insuportavelmente próximo, bastaria um acidente — uma sirene na rua, um avião a jato voando em círculos —, mas por sorte sua mulher descobriu a brincadeira a tempo, e agora, antes de engolir, ele examina cada Thorazine para ver se tem leads, mi e numeração.

"Tome —" levantando um maço gordo de xerocópias, "a Efeméride. Baseada na nova rotação."

"Quer dizer que alguém encontrou mesmo a Bodenplatte? O Polo?"

"O delta-t. A descoberta não foi divulgada, é claro. Quem encontrou foi a 'Expedição Kaisersbart'."

Um pseudônimo, é claro. Todo mundo sabe que o cáiser não tem barba.

Dentro de um sonho apolíneo...

Quando uma coisa real está prestes a acontecer com você, você parte em direção a ela com uma superfície transparente paralela a sua própria fachada que zumbe e divide em dois seus ouvidos, deixando os olhos bem alertas. A luz curva-se em direção ao azul-giz. Sua pele dói. Finalmente: uma coisa real.

Aqui na seção de cauda do 00000, Gottfried encontrou essa superfície límpida a sua frente na realidade, literal: a mortalha de Imipolex. Vestígios de sua infância sobem à tona de sua atenção. Ele relembra a casca de uma maçã, explodindo de nebulosas, um vislumbre de um espaço curvo e avermelhado. Seus olhos são capturados, levados para longe... A superfície de plástico estremece de leve: branco acinzentado, zombeteiro, inimigo da cor.

O dia lá fora está frio, mas a vítima, embora pouco agasalhada, sente-se bem aqui dentro. Suas meias brancas esticam-se confortavelmente das presilhas. Ele encontrou uma dobra rasa num cano onde pode encostar o rosto enquanto olha para dentro da mortalha. Sente os pelos das costas e dos ombros nus pinicando. É um recinto branco, na penumbra. Um recinto para se ficar deitado, nupcial e aberto para os pálidos espaços da tarde, aguardando o que quer que lhe venha ocorrer.

Tráfego telefônico zumbe em seu ouvido. São vozes metálicas e drasticamente filtradas. Zumbem como vozes de cirurgiões ouvidas quando se está mergulhando na inconsciência do éter. Embora agora só pronunciem as palavras rituais, ele ainda consegue distingui-las.

O cheiro suave de Imipolex, envolvendo-o por completo, é um cheiro que ele conhece. Não o assusta. Estava presente no quarto onde adormeceu há tantos anos, tão profundamente imerso na doce infância paralisada... estava presente quando ele começou a sonhar. Agora é hora de acordar, despertar para o hálito do que sempre foi real. Vamos, acorde. Tudo está bem.

Orfeu larga sua harpa

LOS ANGELES (PNS) — Richard M. Zhlubb, gerente noturno do Orpheus Theatre no Melrose Boulevard, manifestou-se contra o que denomina "uso irresponsável da harmônica". Ou, mais exatamente, da "harbôdica", pois o senhor Zhlubb sofre de um mal crônico das adenoides, que afeta sua fala. Tanto os amigos quanto os detratores referem-se a ele como "o Adenoide". Mas enfim — Zhlubb afirma que as filas do seu cinema estão se tornando quase anárquicas por causa desse instrumento musical.

"A coisa começou com o Festival Beng Ekerot/Maria Casarès", reclama Zhlubb, homem na faixa das cinquenta anos dotado de papada e uma constante barba de fim de tarde, e com o hábito de levantar os braços formando um "símbolo da paz" de cabeça para baixo, o qual por acaso é também o sinal, em linguagem semafórica, que representa a letra U, expondo, nesse gesto, metros e mais metros de punho duplo.

"Ó aqui, Richard", debocha um passante, "ó o seu punho duplo aqui", expondo-se enquanto fala da maneira mais indecente, e manipulando o próprio prepúcio de um modo que este correspondente não pode descrever nesta página.

O gerente recua um pouco, com repulsa. "Esse aí é um dos chefes, sem dúvida", confidencia. "Esse já aprontou. Ele e o tal do Steve Edelman." Ele pronuncia "Edelbad". "Dao teio bedo de dar dobe aos bois."

O caso a que ele se refere ainda está pendente. Steve Edelman, homem de negócios de Hollywood, enquadrado ano passado na 11569 (Tentativa de Vadiagem com um Instrumento Subversivo), está no momento em Atascadero sob observação constante. A alegação é de que Edelman, num estado mental não autorizado, tentou tocar uma sucessão de acordes sobre a lista do Departamento de Justiça, no meio da rua e na presença de toda uma fila de cinema de testemunhas.

"E-e agora todos estão fazendo isso. Quer dizer, todos não, queria deixar isso claro, é claro que os desordeiros são só uma pequena mas barulhenta minoria, o que eu queria dizer era todos que são como o Edelman. Claro que não todas essas pessoas decentes que estão na fila. A-ha-ha. Espere aí, vou lhe mostrar uma coisa."

Ele o convida a entrar no Volkswagen Gerencial negro, e quando você dá por si está na autoestrada. Perto do trevo que liga a San Diego Freeway à Santa Monica, Zhlubb aponta para um trecho de calçamento: "Foi aqui que vi o primeiro. Dirigindo um Fusca igualzinho ao meu. Imagine. Eu não conseguia acreditar no que estava vendo". Mas é difícil manter a atenção toda voltada para o gerente Zhlubb. A Santa Monica Freeway é tradicionalmente cenário de todas as loucuras automobilísticas conhecidas pelo homem. Não é branca e educada como a San Diego, nem tem um traçado tão traiçoeiro quanto a Pasadena, nem é tão suicida-guetificada quando a Harbor. Não — hesita-se antes de dizê-lo — mas a Santa Monica é uma estrada para doidões, e hoje estão todos à solta, de modo que é difícil acompanhar a interessante narrativa do Gerente. Você não consegue reprimir um certo arrepio de repulsa, quase que uma Consciência de Espécie, diante da presença deles. Vêm falando sozinhos de todos os lados, em enxames, rolando os olhos nas janelas laterais, tocando harmônicas e até mesmo *trombetas de brinquedo*, em total desrespeito às Proibições.

"Relaxe", os olhos do Gerente brilham como sempre. "Vai haver uma casa boa, com bastante segurança, para todos eles no condado de Orange. Bem pertinho da Disneylândia", fazendo uma pausa igualzinho a um comediante de boate, sozinho em seu círculo de piche, seu terror de giz.

Você está cercado de risos. Risos plenos, de plateia fiel, vindo dos quatro pontos do interior acolchoado. Você se dá conta, com uma vaga sensação de desânimo, que há um aparelho de som estéreo aqui, e uma olhadela no porta-luvas lhe revela toda uma *coleção* de fitas desse tipo: VIVAS (AFETUOSOS), VIVAS (EXCITADOS), MULTIDÃO HOSTIL em 22 idiomas diferentes, SINS, NÃOS, DEFENSORES DOS NEGROS, DEFENSORES DAS MULHERES, COMBATE A INCÊNDIO — ah, essa não — (CONVENCIONAL), COMBATE A INCÊNDIO (NUCLEAR), COMBATE A INCÊNDIO (URBANO), ACÚSTICA DE CATEDRAL...

"Temos que conversar em algum tipo de código, é claro", prossegue o Gerente. "Sempre. Mas nenhum dos códigos é muito difícil de decifrar. Já fomos acusados por adversários de desprezar o povo, justamente por isso. Mas na verdade a gente faz isso por espírito de imparcialidade. Não somos monstros. Sabemos que temos que dar *alguma* chance a eles. Não podemos tirar toda a esperança deles, não é?"

O Volkswagen agora está passando pelo centro de L.A., onde o fluxo de trânsito é apertado contra as margens da rua para dar passagem a uma série de Lincolns negros, alguns Fords, até mesmo uns GMCs, mas sequer um Pontiac. Em cada para-brisas e vidro traseiro há uma tira de papel fluorescente em que se lê CORTEJO FÚNEBRE.

Agora o Gerente está fungando. "Ele era um dos melhores. Eu não pude ir, mas mandei um assessor de alto nível. Não sei como é que vamos fazer para substituí-lo", apertando um botão discreto sob o painel. O riso agora é mais ralo, masculino, *ho*-hos com laivos de fumaço de charuto e bourbon envelhecido. Ralo mas barulhento. Dá para distinguir frases como "Dick, você é uma peça!" e "Essa é boa!".

"Tenho uma fantasia sobre a minha morte. Imagino que você seja empregado d*eles*, mas tudo bem. Escute o que vou lhe dizer. São 3 da madrugada, na Santa Monica Freeway, uma noite quente. Todas as minhas janelas estão abertas. Estou a uns 110, 120 quilômetros por hora. Venta dentro do carro, e do chão da parte de trás sobe um saco de plástico fino, um desses sacos de lavanderia: ele vem flutuando no ar, por detrás, branco como um fantasma à luz de mercúrio... ele se enrosca na minha cabeça, tão fino e transparente que só percebo que ele está ali quando já é tarde demais. Uma mortalha de plástico, me matando por asfixia..."

Subindo a Hollywood Freeway, entre um trailer misterioso coberto de lona e um tanque de hidrogênio líquido esguio como um torpedo, encontramos uma verdadeira caravana de tocadores de harmônica. "Pelo menos não são aqueles pandeiros", murmura Zhlubb. "Tem menos pandeiro que no ano passado, graças a Deus."

Caminhões de bufês, de aço quadriculado, cruzam na tarde. O brilho em seus dorsos lembra um lago de água potável após uma difícil travessia do deserto. Hoje é Dia de Coleta, e todos os caminhões de lixo vão para o norte rumo à Ventura Freeway, uma catarse de caçambas de lixo, todas as cores, formas e estados de conservação. Voltando ao Centro, com todos os fragmentos dos Vasos recolhidos...

Uma sirene surpreende vocês dois. Zhlubb olha de repente para o espelho. "Você não está com sujeira, não, não é?"

Mas o som é maior do que polícia. Ele envolve o concreto e a poluição, ele enche a bacia e as montanhas ao longe até onde nenhum mortal poderia ir... poderia ir no tempo...

"Acho que não é polícia, não." Com um espasmo nas tripas, você põe a mão no dial do rádio AM. "*Acho que não —*"

A CLAREIRA

"Räumen", grita o capitão Blicero. Os tanques de água oxigenada e permanganato foram checados. Os giroscópios estão girando. Os observadores acocoram-se nas trincheiras. Os equipamentos são guardados na carroceria sacolejante de um caminhão em ponto morto. A equipe e o sargento que aparafusou a cápsula de detonação sobem também no caminhão, que se afasta pela trilha de terra ainda fresca e desaparece entre as árvores. Blicero permanece por alguns minutos na posição de lançamento, olhando a sua volta para ver se tudo está em ordem. Depois anda, com passos calculadamente rápidos, em direção ao carro de controle de fogo.

"Steuerung klar?" pergunta ao rapaz do painel de guiagem.

"Ist klar." Às luzes do painel, o rosto de Max é de um ouro duro e teimoso.

"Treibwerk klar?"

"Ist klar", diz Moritz, diante do painel do motor do foguete. Falando ao telefone pendurado em seu pescoço, comunica à Sala de Operações: "Lutflage klar".

"Schlüssel auf SCHIESSEN", ordena Blicero.

Moritz coloca a chave principal na posição DISPARAR. "Schlüssel steht auf SCHIESSEN."

Klar.

Aqui devia haver umas pausas longas e dramáticas. A cabeça de Weissmann devia estar pululando de imagens finais de nádegas leitosas tensas de medo (nem sequer uma gota de merda, Liebchen?), a última cortina de cílios dourados sobre olhos jovens implorando, garganta amordaçada tentando dizer tarde demais o que deveria ter dito na barraca ontem à noite... no fundo da garganta, no esôfago, onde a cabeça do pau de Blicero explodiu pela última vez (mas o que é isso, logo depois do cerviz em pleno espasmo, depois da Curva Que Dá Na Escuridão O Fedor O... O Branco... O Canto... Esperando... Esperando Por —). Mas não, o ritual prende a todos em sua garra de veludo. Tão forte, tão quente...

"Durchschalten." A voz de Blicero é tranquila e firme.

"Luftlage klar", grita Max do painel de controle.

Moritz aperta o botão rotulado VORSTUFE. "Ist durchgeschaltet."

Pausa de 15 segundos enquanto a pressão aumenta no tanque de oxigênio. Uma luz acende no painel de Moritz.

Entlüftung. "Beluftung klar."

Acende-se a luz da ignição: Zundung. "Zundung klar."

Depois: "Vorstufe klar". Vorstufe é a última posição da qual Moritz ainda pode voltar atrás. Cresce a chama sob o Foguete. Surgem cores. Há um período de quatro segundos aqui, quatro segundos de indeterminação. O ritual tem lugar até para isso. A diferença entre um oficial de lançamento de primeira e um condenado à mediocridade está em saber exatamente quando, nesta transição cheia de tinidos e envolta em fábulas, dar ordem de Hauptstufe.

Blicero é um mestre. Aprendeu desde cedo a entrar em transe, a esperar pela iluminação, que sempre vem. É coisa sobre a qual jamais falou em voz alta.

"Hauptstufe."

"Hauptstufe ist gegeben."

O painel se trava para sempre.

Duas luzes se apagam. "Stecker 1 und 2 gefallen", informa Moritz. Os plugues de ignição caem no chão, contorcendo-se no turbilhão de chamas. Por efeito da gravidade, a chama é de um amarelo vivo. Então a turbina começa a rugir. A chama de repente fica azul. O som que ela produz aumenta, vira um grito desabrido. O Foguete permanece mais um momento sobre a plataforma de aço, e em seguida, lentamente, trêmulo, furiosamente musculoso, começa a ascender. Quatro segundos depois passa a cambar. Porém o brilho do fogo é forte demais para que se possa ver Gottfried lá dentro, senão como categoria erótica, projetada em alucinação para fora daquela violência azul, para fins de autoexcitação.

Ascensão

Esta ascensão será traída à Gravidade. Porém o motor do Foguete, o grito profundo de combustão que abala a alma, promete fuga. A vítima, atada à queda, eleva-se sobre uma promessa, uma profecia, de Fuga...

Movendo-se agora em direção à espécie de luz em que por fim a maçã tem cor de maçã. A faca atravessa a maçã como uma faca cortando uma maçã. Tudo está onde está, não mais claro do que o normal, porém sem dúvida mais presente. Tantas coisas têm de ser deixadas para trás agora, tão depressa. Impelido para baixo e para a ré por suas amarras elásticas, dolorosamente comprimido (doem-lhe os peitorais, uma das coxas está dormente do lado de dentro) até a testa encostar num dos joelhos, onde roçam seus cabelos num toque chorando ou submisso como uma sacada vazia na chuva, Gottfried não quer gritar... sabe que não podem ouvi-lo, mas mesmo assim não quer... não há comunicação de rádio para fora... *foi um favor, Blicero queria tornar as coisas mais fáceis para mim, sabia que eu ia tentar me apegar — cada voz, cada zumbido ou estalido —*

Ele pensa no amor deles dois em ilustrações para crianças, últimas páginas finas a fechar-se, uma linha doce e passivamente inacabada, hesitação em tom pastel: os cabelos de Blicero estão mais escuros, descem-lhe aos ombros, permanentemente ondulados, ele é um escudeiro ou pajem adolescente olhando num instrumento óptico e chamando o menino Gottfried com um olhar maternal, ou pleno de intenções pedagógicas... agora está longe, sentado, no fundo de uma sala verde-oliva, passando por formas que saem de foco, formas que Gottfried não é capaz de identificar como amigas ou inimigas, entre ele e — onde foi que — já *sumiu*, não... estão começando a passar tão depressa que ele não pode assimilá-las, é como adormecer — começam a toldar-se PEGUE dá para segurar o bastante para ver uma liga tensa se estendendo coxa abaixo, presilhas brancas esguias como as pernas de uma corça e os pontos do negro... o negro PEGUE você deixou vários passar, Gottfried, uns importantes, que você não queria perder... você sabe que esta é a *última vez*... PEGUE quando foi que o ronco cessou? Brennschluss, quando é que chegou o Brennschluss *é cedo demais não pode...* porém a cauda queimada se abre e balança para o sol e através dos cabelos louros da vítima surge um espectro-Brocken, a sombra de alguém ou algo projetada cá de fora ao sol contra um céu já escuro em regiões douradas, que embranquecem, que emudecem como se debaixo d'água à medida que a Gravidade some por um instante... que é esta morte senão um embranquecimento até chegar ao ultrabranco, o que é senão alvejantes, detergentes, oxidantes, abrasivos — Streckefuss ele foi hoje para os músculos atormentados do rapaz, porém mais apropriadamente será Branco, Blicker, Bleicheröde, Bleacher, Blicero, estendendo, rarefazendo a palidez caucasiana até à abolição do pigmento, da melanina, do espectro, da distinção entre uma nuança e outra, é *tão branco que* PEGUE o cão era um setter vermelho, a cabeça do último cão, o bom cãozinho que veio a seu bota-fora *não lembro o que vermelho queria dizer*, o pombo que ele perseguiu era azul-ardósia, mas agora ambos são alvos ao lado do canal aquela noite o odor das árvores *ah eu não queria perder aquela noite* PEGUE uma onda entre as casas, do outro lado da rua, ambas as casas são naves, uma partindo numa viagem longa e importante, e as ondas são cheias de calma e afeto PEGUE últimas palavras vindas de Blicero: "A fímbria da tarde... a longa curva de gente fazendo desejos ao ver a primeira estrela... Lembre sempre desses homens e mulheres em meio à imensa extensão de terra e mar. O vero momento de sombra é o momento em que se vê o ponto de luz no céu. O ponto único, e a Sombra que acaba de enlaçar você em seus lençóis...".

Lembrar sempre.

A primeira estrela paira entre seus pés.

Agora —

QUEDA

As palmas rítmicas ressoam entre estas paredes, duras e luzidias como carvão: É *ho*-ra! Co-*me*-ça! É *ho*-ra! Co-*me*-ça! A tela é uma página pálida estendida ante nossos olhos, alva e calma. O filme está partido, ou então queimou a lâmpada do projetor. Era difícil até para nós, velhos fãs que sempre vivemos no cinema (não é?), saber o que aconteceu antes de a escuridão enlaçar a sala. A última imagem era imediata demais para ser registrada pelo olhar de quem quer que fosse. Talvez uma figura humana, sonhando com um fim de tarde em cada grande capital luminoso o bastante para lhe dizer que ele jamais morrerá, indo à rua para fazer um desejo diante da primeira estrela. Mas *não era uma estrela*, estava caindo, um luminoso anjo da morte. E na extensão terrível da tela, cada vez mais escura, alguma coisa persiste, um filme que aprendemos a não ver... agora é o close de um rosto, um rosto que todos conhecemos —

E é bem neste ponto, este quadro escuro e mudo, que a ponta do Foguete, caindo a um quilômetro e meio por segundo, absoluta e eternamente sem som, alcança seu último imensurável intervalo acima do telhado deste velho cinema, o último delta-t.

Há tempo, se este conforto lhe parece necessário, de tocar a pessoa a seu lado, ou de pôr a mão entre as suas próprias pernas frias... ou, se é preciso cantar, eis uma canção que Eles jamais ensinaram a ninguém, um hino de William Slothrop, há séculos esquecido e jamais reeditado, para ser cantado com a melodia simples e agradável de uma ária da época. Acompanhe a bolinha:

É a Mão que faz o tempo andar,
Ainda que em tua Ampulheta se esvaia a areia,
'Té que a luz que abateu as Torres altas
Chegue à Alma Preterida derradeira...
'Té que os Viandantes durmam à beira
De toda via desta Zona estropiada
Com um rosto em cada encosta de monte,
E uma Alma em cada pedra da estrada...

Agora todo mundo —

1ª EDIÇÃO [1998] 1 reimpressão
2ª EDIÇÃO [2017] 2 reimpressões

ESTA OBRA FOI COMPOSTA PELA PÁGINA VIVA EM ELECTRA
E IMPRESSA PELA LIS GRÁFICA EM OFSETE SOBRE PAPEL PÓLEN SOFT
DA SUZANO S.A. PARA A EDITORA SCHWARCZ EM OUTUBRO 2023

A marca FSC® é a garantia de que a madeira utilizada na fabricação do papel deste livro provém de florestas que foram gerenciadas de maneira ambientalmente correta, socialmente justa e economicamente viável, além de outras fontes de origem controlada.